Robert Fallon

Das Deutsche Bundesrecht
Taschenkommentar

2. Auflage

Grundgesetz

für die Bundesrepublik Deutschland

erläutert von

Karl-Heinz Seifert
Dieter Hömig
Hans Ruhe
Peter Füßlein
Hansjörg Dellmann
Michael Antoni

Nomos Verlagsgesellschaft
Baden-Baden

CIP-Kurztitelaufnahme der Deutschen Bibliothek

Grundgesetz für die Bundesrepublik Deutschland / erl. von Karl-Heinz Seifert ... – 2. Aufl. – Baden-Baden: Nomos Verlagsgesellschaft, 1985.
  (Das Deutsche Bundesrecht: Taschenkommentar)
  ISBN 3–7890–1099–5
NE: Seifert, Karl-Heinz [Mitverf.]

2. Auflage 1985
© Nomos Verlagsgesellschaft, Baden-Baden 1985. Printed in Germany.

Inhaltsübersicht

Vorwort zur 2. Auflage

Die Neuauflage des nachstehenden Erläuterungswerkes, das besonders bei den Praktikern des Verfassungsrechts viel Anklang gefunden hat, ist nach den Grundsätzen der Erstauflage fortgeführt. Sie nimmt nicht nur die inzwischen ergangene Rechtsprechung und Anregungen aus Zeitschriftenrezensionen auf, sondern enthält auch zahlreiche Ergänzungen zu alten und vor allem neu entstandenen Verfassungsfragen wie etwa die ,,Rotation" von Abgeordneten, die ,,informationelle Selbstbestimmung" und die Klärung des Rechts der Sonderabgaben. Die Artikel 5 und 14 wurden einer gründlichen Neubearbeitung unterzogen. Bei den Rechtsprechungsnachweisen ist verstärkt die Judikatur der maßgeblichen Fachgerichte herangezogen. Die Zahl der Schrifttumsnachweise wurde vermehrt, ansonsten aber am Prinzip der nur punktuellen Bezugnahme in Einzelfällen festgehalten. Trotz der Neuerungen konnte der Umfang des Werks – dank auch verschiedentlicher Straffungen – im wesentlichen gewahrt werden.

Bonn, den 1. Januar 1985   Die Verfasser

Vorwort

Dieses Erläuterungswerk will ein Taschenkommentar im ursprünglichen Sinne des Wortes sein, ein handliches, leicht mitnehmbares Buch, das seinen Besitzer so knapp, aber auch so inhaltsreich, übersichtlich und verständlich wie möglich über die Bedeutung der Artikel des Grundgesetzes für die Bundesrepublik Deutschland informiert. Es geht bewußt einen anderen Weg als die Großkommentare der Nachkriegszeit, deren Umfang offenbar noch immer nicht an seine Grenzen gestoßen ist. Ein knapper Grundgesetzkommentar erfordert Selbstbeschränkung in verschiedener Hinsicht. Das hier vorgelegte Erläuterungswerk verzichtet daher zunächst einmal auf die Behandlung von Annexmaterien und beschränkt sich grundsätzlich auf das, was die Verfassung sagt. Verzichtet wurde ebenso auf verfassungsgeschichtliche Rückblicke, rechtspolitische Erörterungen, ideologische Auseinandersetzungen und die Behandlung zahlreicher Fragen, denen mehr oder weniger nur eine theoretische Bedeutung zukommt. Das folgende Erläuterungsbuch ist ein Kommentar von Praktikern der Ministerialverwaltung für die Praxis. Es wendet sich aber nicht nur an den Praktiker, sondern an jeden juristisch oder politisch Vorgebildeten, der sich über den wesentlichen Inhalt des Grundgesetzes und seiner Bestimmungen praxisnahe unterrichten will. Auch der Umfang der zu den einzelnen Artikeln gegebenen Erläuterungen ist betont nach ihrer Bedeutung in der Verfassungswirklichkeit abgestuft. Diese wird von der Staatspraxis der Verfassungsorgane und heute wie nie zuvor von der Rechtsprechung der Gerichte bestimmt. Der Kommentar bringt daher vor allem ausführliche Nachweise über die jeweils einschlägige Verfassungsrechtsprechung. Dagegen mußte von den bei vielen Artikeln kaum noch zu übersehenden Schrifttumsnachweisen grundsätzlich abgesehen werden. Die jeweiligen Erläuterungen entsprechen in der Regel der von den Verfassern kritisch überprüften herrschenden Meinung. Es kann also im allgemeinen davon ausgegangen werden, daß auch die großen Kommentare zum Grundgesetz und die Rechtsprechung auf dieser Linie liegen. Wo wichtige Stimmen im Schrifttum oder Gerichtsentscheidungen eine abweichende Meinung vertreten oder grundlegende Bedeutung für die Auslegung einer Vorschrift gewonnen haben, sind sie vermerkt. Noch ungeklärte Fragen sind als streitig gekennzeichnet. Zum Streitstand im einzelnen und den Standpunkten, die die verschiedenen Autoren oder Gerichte vertreten, muß auf die Großkommentare verwiesen werden, ebenso für die wissenschaftliche Vertiefung der

Probleme. Wo die Verfasser von der herrschenden Meinung abweichende Auffassungen vertreten, ist dies besonders angegeben. Rechtsprechung und Schrifttum sind bis Ende 1981, verschiedentlich aber auch bis Mitte 1982 berücksichtigt.

Bonn, den 1. September 1982   Die Verfasser

Bearbeiterverzeichnis

Die Vorbemerkungen zu den einzelnen Abschnitten des Grundgesetzes stammen von den Bearbeitern des jeweils ersten Abschnittsartikels.

Abkürzungen

Abg.	Abgeordneter
AbgG	Abgeordnetengesetz
AO	Abgabenordnung
AöR	Archiv des öffentlichen Rechts
AS	Amtliche Sammlung von Entscheidungen der Oberverwaltungsgerichte Rheinland-Pfalz und Saarland
AuslG	Ausländergesetz
BAG	Bundesarbeitsgericht
BAGE	Entscheidungen des Bundesarbeitsgerichts
BAnz	Bundesanzeiger
BayOblG	Bayerisches Oberstes Landesgericht
BayVBl	Bayerische Verwaltungsblätter
BayVGH, BayVerfGH	Sammlung von Entscheidungen des Bayerischen Verwaltungsgerichtshofs mit Entscheidungen des Bayerischen Verfassungsgerichtshofs usw.
BBG	Bundesbeamtengesetz
BBauG	Bundesbaugesetz
Bek.	Bekanntmachung
BFH	Bundesfinanzhof
BFHE	Entscheidungen des Bundesfinanzhofs
BGH	Bundesgerichtshof
BGHSt	Entscheidungen des Bundesgerichtshofs in Strafsachen
BGHZ	Entscheidungen des Bundesgerichtshofs in Zivilsachen
BGS	Bundesgrenzschutz
BGSG	Bundesgrenzschutzgesetz
BHO	Bundeshaushaltsordnung
.BMF	Bundesminister der Finanzen
BMI	Bundesminister des Innern
BMinG	Bundesministergesetz
BMJ	Bundesminister der Justiz
BMVg	Bundesminister für Verteidigung
BPräs	Bundespräsident
BPräsWG	Gesetz über die Wahl des Bundespräsidenten durch die Bundesversammlung
BRat	Bundesrat
BR-Drucks.	Bundesratsdrucksache
BReg	Bundesregierung
BRPräs	Bundesratspräsident
BRRG	Beamtenrechtsrahmengesetz
BSG	Bundessozialgericht

BSGE	Entscheidungen des Bundessozialgerichts
BTag	Bundestag
BT-Drucks.	Bundestagsdrucksache
BTPräs	Bundestagspräsident
BVerfG	Bundesverfassungsgericht
BVerfGE	Entscheidungen des Bundesverfassungsgerichts
BVerfGG	Gesetz über das Bundesverfassungsgericht
BVerwG	Bundesverwaltungsgericht
BVerwGE	Entscheidungen des Bundesverwaltungsgerichts
BVFG	Bundesvertriebenengesetz
BWahlG	Bundeswahlgesetz
BWVBl	Bad.-Württ. Verwaltungsblatt
DDR	Deutsche Demokratische Republik
DRiG	Deutsches Richtergesetz
DVBl	Deutsches Verwaltungsblatt
DÖV	Die öffentliche Verwaltung
E	Entscheidung
EG	Europäische Gemeinschaften
EMRK	Europäische Konvention zum Schutze der Menschenrechte und Grundfreiheiten (BGBl. 1952 II, S. 686)
ESVGH	Entscheidungssammlung des Hessischen Verwaltungsgerichtshofs und des Verwaltungsgerichtshofs Baden-Württemberg mit Entscheidungen der Staatsgerichtshöfe beider Länder
EuGRZ	Europ. Grundrechte-Zeitschrift
FVG	Finanzverwaltungsgesetz
FS	Festschrift
G	Gesetz
GG	Grundgesetz für die Bundesrepublik Deutschland
GGO I u. II	Gemeinsame Geschäftsordnung der Bundesministerien Teil I (Allg. Teil) und II (Bes. Teil)
GMBl.	Gemeinsames Ministerialblatt
GO	Geschäftsordnung
GO BRat	Geschäftsordnung des Bundesrates
GO BReg	Geschäftsordnung der Bundesregierung
GO BTag	Geschäftsordnung des Deutschen Bundestages
GVBl.	Gesetz- u. Verordnungsblatt
GVG	Gerichtsverfassungsgesetz
HGrG	Haushaltsgrundsätzegesetz
JöR	Jahrbuch des öffentlichen Rechts
JuS	Juristische Schulung
JZ	Juristenzeitung
KG	Kammergericht
LAG	Landesarbeitsgericht oder Lastenausgleichsgesetz
LReg	Landesregierung(en)
LS	Leitsatz
LTag	Landtag

MDR	Monatsschrift für Deutsches Recht
MinBlFin.	Ministerialblatt d. Bundesministers d. Finanzen
NdsStGHE	Entscheidungen d. Niedersächs. StGH
NJW	Neue Juristische Wochenschrift
NStZ	Neue Zeitschrift für Strafrecht
NVwZ	Neue Zeitschrift für Verwaltungsrecht
OLG	Oberlandesgericht
OVG	Oberverwaltungsgericht
OVGE	Entscheidungen der Oberverwaltungsgerichte für das Land Nordrhein-Westfalen in Münster sowie für die Länder Niedersachsen und Schleswig-Holstein in Lüneburg
OVGE Bln	Entscheidungen des Oberverwaltungsgerichts Berlin
OWiG	Gesetz über Ordnungswidrigkeiten
ParlRat	Parlamentarischer Rat
PartG	Parteiengesetz
Rn.	Randnummer
RuStAG	Reichs- u. Staatsangehörigkeitsgesetz
RVO	Rechtsverordnung(en)
SoldG	Soldatengesetz
StARegG	1. und 2. Gesetz zur Regelung von Fragen der Staatsangehörigkeit
StGH	Staatsgerichtshof
StWG	Gesetz zur Förderung der Stabilität und des Wachstums der Wirtschaft
VerwRspr	Verwaltungsrechtsprechung in Deutschland
VGH	Verwaltungsgerichtshof
VO	Verordnung
VVDStRL	Veröffentlichungen der Vereinigung der Deutschen Staatsrechtslehrer
VwGO	Verwaltungsgerichtsordnung
WeimRVerf	Weimarer Reichsverfassung
WPrüfG	Wahlprüfungsgesetz
ZaöRV	Zeitschrift für ausländisches öffentliches Recht und Völkerrecht
ZBR	Zeitschrift für Beamtenrecht
ZParl	Zeitschrift für Parlamentsfragen

Abkürzungen häufiger zitierten Schrifttums

Bonner Komm.	Kommentar zum Bonner Grundgesetz, 1950 ff.
v. Mangoldt	Das Bonner Grundgesetz, 1953
v. Mangoldt/Klein	Das Bonner Grundgesetz, 2. Aufl. 1957 ff.
Hamann/Lenz	Das Grundgesetz, 3. Aufl. 1970
Maunz/Dürig	Grundgesetz, 6. Aufl. 1983
v. Münch	Grundgesetz-Kommentar, 2. Aufl. 1981, 1983
Schmidt-Bleibtreu/Klein	Kommentar zum Grundgesetz für die Bundesrepublik Deutschland, 6. Aufl. 1983
Hesse	Grundzüge des Verfassungsrechts der Bundesrepublik Deutschland, 14. Aufl. 1984
Stern	Das Staatsrecht der Bundesrepublik Deutschland, Bd. I 2. Aufl. 1984, Bd. II 1980
AK	Kommentar zum Grundgesetz für die Bundesrepublik Deutschland (Alternativ-kommentar), 1984

Einführung

1 Nachdem auf mehreren internationalen Konferenzen eine Einigung der vier Besatzungsmächte über die Wiedererrichtung einer
deutschen Staatsgewalt nicht erzielt werden konnte, traten die
Westalliierten Anfang 1948 mit Vertretern Belgiens, der Nieder-
lande und Luxemburgs zu den Londoner Sechsmächte-Beratun-
gen zusammen. Auf Grund der Beschlüsse dieser Konferenz for-
derten die Militärgouverneure der drei Westzonen die Ministerpräsidenten der Länder am 1. 7. 1948 in dem Frankfurter »Doku-
ment I« auf, eine Verfassunggebende Versammlung einzuberufen, die eine demokratische und freiheitliche Verfassung föderalistischen Typs mit angemessenen Befugnissen der Zentralinstanz
ausarbeiten sollte. Die Ministerpräsidenten nahmen den Auftrag
grundsätzlich an, machten jedoch aus gesamtdeutschen Gründen
gewisse Vorbehalte und schlugen die Bildung einer von den westdeutschen Landtagen gewählten Vertretung (»Parlamentarischer
Rat«) vor, die ein Grundgesetz für die einheitliche Verwaltung
der westlichen Besatzungsgebiete beschließen sollte. Nach Einigung mit den Alliierten beauftragten sie zunächst einen Sachverständigenausschuß mit der Ausarbeitung eines Ge-
setzentwurfs, der nach seiner Fertigstellung als sog. »Herren-
chiemsee-Entwurf« dem ParlRat als Grundlage für seine Arbeit
diente. Die 65 Mitglieder des ParlRats, zu denen 5 nicht stimmbe-
rechtigte Vertreter Berlins traten, wurden von den Landtagen gewählt, waren aber in ihrer Arbeit unabhängig und formierten sich
alsbald nach Fraktionen. Der ParlRat trat am 1. 9. 1948 in Bonn
zusammen und verabschiedete den Grundgesetzentwurf am
8. 5. 1949 mit 53 gegen 12 Stimmen. Am 12. 5. 1949 wurde der
Entwurf von den Militärgouverneuren mit einigen Vorbehalten,
die sich vor allem auf die Teilnahme Berlins am Bunde bezogen,
genehmigt. Nach den Richtlinien des Dokuments I bedurfte der
Entwurf der Annahme durch die Volksvertretungen von zwei
Dritteln der beteiligten Länder. Nachdem diese erfolgt war, stell-
te der ParlRat am 23. 5. 1949 die Annahme des GG fest, fertigte
es aus und verkündete es. Das GG ist am 24. 5. 1949 0 Uhr in
Kraft getreten (Art. 145).

2 Das GG, ursprünglich nur als Organisationsstatut eines besetzten
Staatsgebietes gedacht, ist schließlich zu einer regelrechten Verfassung geworden, die allerdings die Tatsache der zunächst fort-

dauernden Besetzung ignorierte. Es ging fiktiv von der Souveränität und Gleichberechtigung der Bundesrepublik Deutschland in der Völkergemeinschaft aus. Die Bezeichnung »Grundgesetz« ist mit Rücksicht auf die alliierten Vorbehalte, den vorläufigen Charakter sowie den räumlich begrenzten Entstehungs- und Geltungsbereich des Gesetzeswerks gewählt worden. Rechtlich besteht kein Unterschied zu einer Vollverfassung. Im übrigen ist das GG ein sehr gründliches Provisorium geworden. Das war bei der damals schwer absehbaren Entwicklung ein Wagnis, hat sich aber inzwischen zum Vorteil ausgewirkt, da das GG dem deutschen Staatsleben sehr viel länger zur Grundlage gedient hat, auch weiterhin dienen muß, als 1949 angenommen wurde, und ein reibungsloses Hineinwachsen der Bundesrepublik Deutschland in den Zustand einer nahezu vollständigen Souveränität ermöglicht hat.

3 Inhaltlich ist das GG keine revolutionären Wege gegangen. Es bringt eine konsequente Fortbildung des abendländischen Rechts- und Verfassungsstaates mit ausgeprägter Betonung des Freiheitsgedankens und des Demokratieprinzips, die als Leitideen und inhaltlich zusammenhaltende Grundsätze hinter den einzelnen Verfassungsnormen stehen und Geltung erheischen, auch soweit sie nicht in besonderen Rechtssätzen konkretisiert sind (BVerfGE 1, 18; 2, 403). Ein streng repräsentativ-demokratischer Charakter ohne plebiszitäre Zugeständnisse (Volksbegehren, Volksentscheid) und der Wunsch nach einer stabilen Regierung sind weitere Kennzeichen des GG. Neuartig in der modernen Verfassungsgeschichte sind die Vorkehrungen des GG gegen demokratiewidrige Entwicklungen in Staat und Gesellschaft (Art. 9 II, 18, 21 II, 79 III, 98 II, V), sein Bekenntnis zur wehrhaften Demokratie, die die Grundlagen des freiheitlichen demokratischen Rechts- und Verfassungsstaates notfalls auch durch Eingriffe in die mißbrauchte Freiheit ihrer Feinde verteidigt (BVerfGE 5, 139; 25, 100; 28, 48; 30, 19; 39, 349).

4 Von den Rechten der ehemaligen Besatzungsmächte sind immer noch deren Rechte und Verantwortlichkeiten in bezug auf Berlin und Deutschland als Ganzes einschl. der Wiedervereinigung und einer Friedensvertragsregelung (Art. 2 des Deutschlandvertrages i. d. F. vom 23. 10. 1954, BGBl. 1955 II S. 305) verblieben; vgl. auch BVerfGE 36, 22. Im übrigen hat die Bundesrepublik nach Art. 1 II des Deutschlandvertrages »die volle Macht eines souveränen Staates über ihre inneren und äußeren Angelegenheiten.«

5   Die bisherigen Grundgesetzänderungen haben keine Umgestaltung des Grundgefüges der Verfassung gebracht. Die umfänglichsten Änderungen sind im Zusammenhang mit der Errichtung einer Bundeswehr, durch die Notstandsgesetzgebung von 1968 und die Finanzverfassungsreform von 1969 vorgenommen worden.

6   Das GG hat sich in mehr als dreißigjähriger Staatspraxis im großen ganzen bewährt, so daß auch die Verfassungsenquete-Kommission der Jahre 1973–1976 keine Veranlassung zur Anregung tiefgreifender Änderungen des GG gesehen hat (BT-Drucks. VI/3829, 7/5924).

Grundgesetz
für die Bundesrepublik Deutschland

Vom 23. Mai 1949 (BGBl. S. 1; BGBl. III 100-1),
zuletzt geändert durch das Fünfunddreißigste Änderungsgesetz
vom 21. Dezember 1983 (BGBl. I S. 1481)

Der Parlamentarische Rat hat am 23. Mai 1949 in Bonn am Rhein in öffentlicher Sitzung festgestellt, daß das am 8. Mai des Jahres 1949 vom Parlamentarischen Rat beschlossene G r u n d g e s e t z f ü r d i e B u n d e s r e p u b l i k D e u t s c h l a n d in der Woche vom 16. bis 22. Mai 1949 durch die Volksvertretungen von mehr als Zweidritteln der beteiligten deutschen Länder angenommen worden ist.

Auf Grund dieser Feststellung hat der Parlamentarische Rat, vertreten durch seine Präsidenten, das Grundgesetz ausgefertigt und verkündet.

Das Grundgesetz wird hiermit gemäß Artikel 145 Abs. 3 im Bundesgesetzblatt veröffentlicht:

Präambel

gründet 1990

Im Bewußtsein seiner Verantwortung vor Gott und den Menschen, von dem Willen beseelt, seine nationale und staatliche Einheit zu wahren und als gleichberechtigtes Glied in einem vereinten Europa dem Frieden der Welt zu dienen, hat das Deutsche Volk

in den Ländern Baden, Bayern, Bremen, Hamburg, Hessen, Niedersachsen, Nordrhein-Westfalen, Rheinland-Pfalz, Schleswig-Holstein, Württemberg-Baden und Württemberg-Hohenzollern,

um dem staatlichen Leben für eine Übergangszeit eine neue Ordnung zu geben,

kraft seiner verfassungsgebenden Gewalt dieses Grundgesetz der Bundesrepublik Deutschland beschlossen.

Es hat auch für jene Deutschen gehandelt, denen mitzuwirken versagt war.

Das gesamte Deutsche Volk bleibt aufgefordert, in freier Selbstbestimmung die Einheit und Freiheit Deutschlands zu vollenden.

1   Der Vorspruch ist Bestandteil des GG. Er ist nicht nur polit. Bekenntnis und Programm, sondern hat auch rechtl. Gehalt, indem er eine Reihe wichtiger Rechtsfeststellungen trifft und darüber hinaus gewisse in die Zukunft weisende Rechtsverpflichtungen begründet (BVerfGE 5, 127 f.; 36, 17). Außerdem ist der Vorspruch für die Auslegung verschiedener GG-Bestimmungen von Bedeutung. Rechtsansprüche des einzelnen können dem Vorspruch nicht entnommen werden.

2 *»Im Bewußtsein seiner Verantwortung vor Gott und den Menschen«* –. Mehr als ein Hinweis auf ideologische Beweggründe des Grundgesetzgebers ist diesen Worten kaum zu entnehmen.

3 Die Worte *»von dem Willen beseelt, seine nationale und staatliche Einheit zu wahren«* bringen zum Ausdruck, daß die nationale und staatl. Einheit des deutschen Volkes nicht nur ein Ziel ist, das erst wieder erreicht werden muß, sondern daß die nationale Einheit immer noch eine Tatsache und die staatl. Einheit ein vorhandener Rechtszustand ist, dessen Umsetzung in die Wirklichkeit nur durch die derzeitigen weltpolitischen Machtverhältnisse verhindert wird. Damit ist im Einklang mit Art. 16 I und Art. 116 I sowie in Übereinstimmung mit der herrschenden, jedoch nicht unumstrittenen Völkerrechtslehre und -praxis rechtsverbindlich klargestellt, daß das Deutsche Reich als Staats- und Völkerrechtssubjekt nicht untergegangen ist, sondern weiterbesteht (BVerfGE 2, 277; 3, 319 f.; 5, 126; 6, 338; 36, 16; vgl. auch Art. 23 Satz 2, Art. 116 I u. II) und von der mit ihm identischen (gebietlich teilidentischen) Bundesrepublik Deutschland fortgesetzt wird (»Identitätstheorie«; vgl. BVerfGE 2, 277; 3, 319; 5, 126; 6, 338; 36, 16), weshalb diese schon jetzt gesamtdeutsche Gewalt auf einem räumlich zunächst beschränkten Gebiet ausübt (BVerfGE 5, 127), gesamtdeutsche Verantwortung und Aufgaben hat (vgl. BVerfGE 10, 41) und grundsätzlich auch an die vom Deutschen Reich abgeschlossenen Staatsverträge gebunden ist (BVerfGE 6, 338 u. Art. 123 II). Der staatl. Wiederaufbau in den Ländern der Bundesrepublik war also keine Neugründung, sondern nur eine vorläufige, teilgebietliche, auf den Geltungsbereich des GG (Art. 23) beschränkte Neuorganisation des deutschen Staates (BVerfGE 5, 126; 36, 16). Da die DDR den Fortbestand des Deutschen Reiches in Abrede stellt, hat dieses eine identische und handlungsfähige Fortsetzung nur in der Bundesrepublik Deutschland gefunden. Ansonsten ist das Reich seit Kriegsende handlungsunfähig und nur noch in der deutschen Staatsangehörigkeit seiner Bewohner, im Gebiet des Deutschen Reiches nach dem Stand vom 31. 12. 1937 (Art. 116 I) und in der Viermächteverantwortung der ehemaligen Besatzungsmächte für Deutschland als Ganzes gegenwärtig. Als allein handlungsfähiger und handlungswilliger Teil des Reiches ist die Bundesrepublik berechtigt, für die Interessen des gesamtdeutschen Volkes einzutreten (BVerfGE 36, 31). Nach früher herrschender Meinung schloß die vom GG vorgezeichnete Rechtslage eine Anerkennung der DDR als zweiter deutscher Staat ihres separatistischen Charakters wegen aus, nach neuerer, auch vom BVerfG gebilligter Auffassung steht sie nur einer völkerrechtl. Anerkennung der DDR als eines nicht mehr zu Deutschland gehörigen Staates, als Ausland, entgegen (BVerfGE 36, 17). Eine solche Anerkennung ist bisher auch nicht erfolgt. Die Beziehungen zwischen der Bundesrepublik Deutschland und der DDR sind, unter dem »Reichsdach« stehend, nach wie vor innerdeutscher Natur, auch wenn sie sich formell in verschiedener Hinsicht nach Völkerrecht regeln mögen, und die zwischen beiden bestehende Grenze ist eine staatsrechtl., keine völkerrechtl. Grenze (BVerfGE 36, 26). An dieser Rechtslage haben weder der Grundlagenvertrag mit der DDR noch der Moskauer und Warschauer Vertrag etwas geändert. Über die einschlägigen Staatsangehörigkeitsfragen vgl. Erläut. zu Art. 116 Rn. 3.

4 »*als gleichberechtigtes Glied in einem vereinten Europa dem Frieden der Welt zu dienen*« –. Hier wird der Bundesrepublik Deutschland das Ziel gesetzt, nach einem vereinten Europa zu streben, in dem das deutsche Volk gleichberechtigtes Mitglied ist, und in diesem Rahmen dem Frieden zu dienen. Die Form der europäischen Einigung ist offen gelassen. Ein bundesstaatl. Zusammenschluß könnte jedoch mit dem Wiedervereinigungsgebot (Rn. 9) in Konflikt geraten. Das Friedensziel hat besonderen normativen Niederschlag in Art. 9 II, Art. 24 II und Art. 26 gefunden. Es schließt Gewaltpolitik aus, bedeutet aber keinen Verzicht auf nationale Ziele. Vor allem das Ziel der deutschen Wiedervereinigung wird weder von dem der europäischen Einigung noch vom Friedensziel eingeschränkt. Vielmehr sind alle drei Prinzipien übereinstimmend zu verfolgen.

5 »*das Deutsche Volk in den Ländern* . . .« –. Das GG ist trotz des Einflusses der Besatzungsmächte im wesentlichen deutschem Willen entsprungen, allerdings nicht, einer verbreiteten Staatenpraxis folgend, vom deutschen Volke unmittelbar, sondern repräsentativ-demokratisch vom ParlRat und im Wege der Annahme durch die Volksvertretungen der Länder beschlossen worden.

6 »*um dem staatlichen Leben für eine Übergangszeit eine neue Ordnung zu geben*« –. Damit ist das GG im Hinblick auf die noch bestehenden besatzungsrechtl. Beschränkungen und die Tatsache, daß ein großer Teil des deutschen Volkes an der staatl. Erneuerung noch nicht teilnehmen konnte, ausdrücklich als Provisorium bis zum Inkrafttreten einer vom *ganzen* deutschen Volke beschlossenen Verfassung gekennzeichnet. Vgl. dazu Art. 146.

7 *»kraft seiner verfassungsgebenden Gewalt«* –. Der Passus besagt, daß das GG nicht aus einem Bündnisvertrag der Länder, sondern originär aus der verfassunggebenden Gewalt des Volkes hervorgegangen ist.

8 *»Es hat auch für jene Deutschen gehandelt, denen mitzuwirken versagt war«* –. Hier wird festgestellt, daß das GG, auch wenn es nur von einem Teil des deutschen Volkes beschlossen wurde, aus der verfassunggebenden Gewalt des *ganzen* deutschen Volkes entstanden ist.

9 *»Das gesamte Deutsche Volk bleibt aufgefordert, in freier Selbstbestimmung die Einheit und Freiheit Deutschlands zu vollenden«* –. Die Wiederherstellung der *tatsächlichen* Staatseinheit Deutschlands (»Wiedervereinigung«), die sich als Aufgabe und Pflicht schon aus dem Fortbestand des Deutschen Reiches ergibt (BVerfGE 5, 126), ist damit ausdrücklich zu einem unverrückbaren Ziel des staatl. Lebens und einem das ganze GG tragenden und durchdringenden Verfassungsprinzip erhoben. Zugleich ist die Form der Wiedervereinigung vorgeschrieben: die freie Selbstbestimmung, die auch in Art. 146 nochmals ausdrücklich niedergelegt ist. Neben der Einheit soll auch die Freiheit Deutschlands vollendet werden, d. h. seine Unabhängigkeit von fremden Mächten, seine Souveränität, insbes. gegenüber den ehemaligen Besatzungsmächten. Die Wiedervereinigung ist nicht nur Verfassungserwartung, sondern Verfassungsauftrag. Die Aufforderung zur Wiedervereinigung hat rechtsverpflichtenden Charakter (BVerfGE 5, 125 ff.; 12, 51). Insbesondere »ist aus dem Vorspruch für alle politischen Staatsorgane der Bundesrepublik Deutschland die Rechtspflicht abzuleiten, die Einheit Deutschlands mit allen Kräften anzustreben, ihre Maßnahmen auf dieses Ziel auszurichten und die Tauglichkeit für dieses Ziel jeweils als einen Maßstab ihrer politischen Handlungen gelten zu lassen« (BVerfGE 5, 127). Der Wiedervereinigungsanspruch ist im Innern wachzuhalten und nach außen beharrlich zu vertreten (BVerfGE 36, 18). »Nach der negativen Seite hin bedeutet das Wiedervereinigungsgebot, daß die staatlichen Organe alle Maßnahmen zu unterlassen haben, die die Wiedervereinigung rechtlich hindern oder faktisch unmöglich

machen« (BVerfGE 5, 128). Die Bundesrepublik darf auf keinen
Rechtstitel (keine Rechtsposition) verzichten, mittels dessen sie in
Richtung auf eine Wiedervereinigung wirken kann, auch keinen
solchen Titel verwirken lassen und keinen Rechtstitel schaffen
oder mitbegründen, der der Wiedervereinigung entgegengehalten
werden kann (BVerfGE 36, 18). Sie darf daher nicht den Begriff
des deutschen Staatsvolkes und den der deutschen Staatsangehörigkeit preisgeben (vgl. BVerfGE 36, 19, 30), auch keinen einem
Friedensvertrag vorgreifenden Rechtsverzicht auf Gebiete des
Deutschen Reiches nach dem Gebietsstand vom 31. 12. 1937 aussprechen und keinen bereits erreichten Stand deutscher Einheit
mindern. Unbeschadet des breiten Ermessensspielraumes der polit. Organe bei Verfolgung des Wiedervereinigungsziels können
deren Maßnahmen vom BVerfG auf ihre Vereinbarkeit mit dem
Wiedervereinigungsgebot überprüft, jedoch nur bei eindeutiger
Verletzung des Gebots als verfassungswidrig beanstandet werden
(BVerfGE 5, 128; 12, 51 f.; 36, 17). Das Wiedervereinigungsgebot gilt auch für die Rechtsanwendung, Rechtsauslegung und
Rechtsprechung (BVerwGE 11, 13).

I. Die Grundrechte

Vorbemerkungen

1 *Allgemeines:* Der Grundrechtskatalog des I. Abschnitts ist ein unaufgebbares, zur Struktur des GG gehörendes Essential der Verfassung der Bundesrepublik Deutschland (BVerfGE 37, 280), das den eigentlichen *Kern der freiheitlich-demokratischen Ordnung* bildet (BVerfGE 31, 73). Die Grundrechte stehen als unmittelbar geltendes Recht (Art. 1 III) am Anfang des GG, wo sie als Schranken und Richtlinien der Staatstätigkeit die Verfassungswirklichkeit prägen sollen. Sie sind darüber hinaus diejenigen Bestimmungen der Verfassung, die den Alltag des Menschen am meisten betreffen. Das GG enthält auch außerhalb des I. Abschnitts zahlreiche Gewährleistungen, die Grundrechtscharakter besitzen, insbes. Art. 20 IV, Art. 33 I–II sowie die Verfahrensrechte der Art. 101, 103 und 104.

2 *Nationale und internationale Entwicklung:* Die Grundrechte stehen in der Tradition der liberalen deutschen Verfassungen des 19. und 20. Jahrhunderts. Das GG selbst und die Entwicklung seit seinem Inkrafttreten sind jedoch gekennzeichnet durch eine erhebliche Ausweitung des Grundrechtsschutzes, an welcher ein wachsendes Grundrechtsbewußtsein in der öffentl. Meinung einen erheblichen Anteil hat. Diese nationale Entwicklung ist begleitet und beeinflußt durch zunehmende *internationale Bemühungen zum Schutz von Bürger- und Menschenrechten.* Die Initiativen der UNO auf diesem Gebiete begannen mit der Allgemeinen Erklärung der Menschenrechte vom 10. 12. 1948 und wurden durch zahlreiche Konventionen fortgesetzt. Zu ihnen gehören etwa die sog. Menschenrechtspakte über bürgerliche, politische, wirtschaftliche, soziale und kulturelle Rechte vom 19. 12. 1966, denen auch die Bundesrepublik Deutschland beigetreten ist (vgl. BGBl. 1973 II S. 1534, 1570). Zum Grundrechtsschutz auf europäischer Ebene s. die – innerstaatl. als einfaches Bundesrecht geltende (vgl. Art. 1 Rn. 17) – Europäische Konvention zum Schutze der Menschenrechte und Grundfreiheiten vom 4. 11. 1950 (BGBl. 1952 II S. 686) mit zwei sie ergänzenden Zusatzprotokollen vom 20. 3. 1952 (BGBl. 1956 II S. 1879) und vom 16. 9. 1963 (BGBl. 1968 II S. 423).

3 *Abwehrrechte gegen den Staat:* Von ihrer historischen Entwicklung her besteht die Funktion der Grundrechte zunächst darin, Abwehrrechte des Bürgers gegen staatl. Machtentfaltung zu sein

(BVerfGE 1, 104). Dies ist nach der Rechtsprechung auch heute noch ihre primäre und zentrale Wirkungsdimension (BVerfGE 50, 337). Die Grundrechte sind in erster Linie dazu bestimmt, die Freiheitssphäre des einzelnen vor Eingriffen der öffentl. Gewalt zu sichern (BVerfGE 7, 204 f.; 21, 369). Das Grundrechtsverständnis ist jedoch in einem Wandel begriffen, der auf eine Erweiterung der Funktion der Grundrechte zielt. Einem demokratischen Staat, dessen Souverän das Volk ist, wird die bloße Abwehrfunktion der Grundrechte, die ihren Ursprung in einem dualistischen Verhältnis von Staat und Gesellschaft hat, nicht mehr gerecht. Gerade die Bedeutung, die den durch die Grundrechte umschriebenen Freiheitsbereichen beigemessen wird, verlangt über das Gebot der Achtung hinaus eine Verpflichtung der staatl. Gewalt auch zum aktiven Schutz und zur Förderung dieser Rechte.

4   *Objektive Wertordnung, institutionelle Gewährleistungen:* Anerkannt ist, daß die Grundrechte zugleich eine *objektive Wertordnung* verkörpern, die als verfassungsrechtl. Grundentscheidung für alle Bereiche des Rechts gilt und Richtlinien sowie Impulse für Gesetzgebung, Verwaltung und Rechtsprechung gibt (BVerfGE 7, 205; 39, 41; 49, 141 f.). Daraus folgt zum einen, daß die Normen des einfachen Rechts im Lichte der Grundrechte auszugestalten und zu interpretieren sind. Zum anderen wird die gesamte staatl. Gewalt verpflichtet, nach Möglichkeit die Gefährdung von Grundrechten auszuschließen und die Voraussetzungen für ihre Verwirklichung zu schaffen (vgl. dazu Art. 2 Rn. 9, Art. 4 Rn. 3, Art. 5 Rn. 3, 14 u. 29, Art. 8 Rn. 1 sowie Art. 12 Rn. 7). Einige Grundrechte enthalten auch *institutionelle Gewährleistungen*, durch die ein Grundbestand von Normen gesichert wird, die die Existenz des jeweiligen Instituts garantieren (BVerfGE 24, 389). Geschützt werden die durch das jeweilige Institut vorgegebenen Strukturprinzipien, indem sie der Verfügungsgewalt des Gesetzgebers entzogen bleiben (BVerfGE 53, 245). Beispiele sind etwa das Institut »freie Presse« (abgeleitet aus der Pressefreiheit des Art. 5 I 2 – BVerfGE 20, 175), die Institution der »freien Wissenschaft« (abgeleitet aus Art. 5 III – BVerfGE 35, 120), die Institute von Ehe und Familie (Art. 6 I), die Institution der Privatschule (abgeleitet aus Art. 7 IV – BVerfGE 27, 200) sowie das Institut des Eigentums (Art. 14 I – BVerfGE 24, 389).

5   *Leistungs- und Teilhaberechte:* Umstritten ist, wieweit Grundrechte darüber hinaus als Leistungs- oder Teilhaberechte wirken.

Anders als die WeimRVerf und einige Verfassungen der Bundesländer kennt das GG keine sozialen Grundrechte, die als subjektive Anspruchsrechte formuliert sind. Aber auch Abwehrrechten kann zusätzlich die Funktion von Leistungsrechten zukommen, aus denen subjektive Ansprüche auf Gewährung abgeleitet werden können. Je stärker der moderne Staat sich der sozialen Sicherung und kulturellen Förderung der Bürger zuwendet, desto mehr tritt im Verhältnis zwischen Bürger und Staat neben das ursprüngliche Postulat grundrechtl. Freiheitssicherung vor dem Staat die komplementäre Forderung nach grundrechtl. Verbürgung der Teilhabe an staatl. Leistungen (BVerfGE 33, 330 f.). Anders als Teile der Lehre (vgl. z. B. Martens und Häberle, VVDStRL 30/1972, S. 7 ff., 43 ff.) erkennt die Rechtsprechung bisher allerdings nur in außergewöhnlichen Fällen Leistungsansprüche an (BVerwGE 27, 362). Ein einklagbarer Individualanspruch kann allenfalls dann in Betracht kommen, wenn ein verfassungsrechtl. Auftrag an den Staat, die tatsächlichen Voraussetzungen für die Grundrechtsverwirklichung zu schaffen, evident verletzt wird. Auch insoweit gilt aber der Vorbehalt des Möglichen, d. h. es darf nur das gefordert werden, was der einzelne vernünftigerweise von der Gesellschaft beanspruchen kann (BVerfGE 33, 333). Im übrigen hält das BVerfG grundsätzlich daran fest, daß auch im modernen Sozialstaat es der nicht einklagbaren Entscheidung des Gesetzgebers überlassen bleibt, ob und inwieweit er Teilhaberechte gewähren will (BVerfGE 33, 331). Bejaht worden sind z. B. aus Art. 1 I der Anspruch auf Sicherung des Existenzminimums (BVerwGE 52, 346 m. w. N.), die Möglichkeit eines Anspruchs auf Impfung aus Art. 2 II (BVerwGE 9, 80 f.), ein Anspruch der Träger genehmigter Ersatzschulen auf staatl. Subventionierung aus Art. 7 IV (vgl. Art. 7 Rn. 11) und ein Recht auf Hochschulzulassung u. a. aus Art. 12 I (dazu näher Art. 12 Rn. 7). Abgelehnt wurde hingegen ein Anspruch des Hochschullehrers auf eine Grundausstattung an Forschungsmitteln aus Art. 5 III (BVerwGE 52, 341 f.; vgl. aber auch Art. 5 Rn. 29).

6 *Drittwirkung:* Umstritten ist die sog. Drittwirkung der Grundrechte, d. h. die Frage, ob und inwieweit die Grundrechte nicht nur im Verhältnis Staat-Bürger, sondern auch in den Rechtsbeziehungen der Bürger untereinander Geltung besitzen. Das GG selbst ist in seiner Aussage nur insoweit eindeutig, als die Koalitionsfreiheit (Art. 9 III) ausdrücklich auch unmittelbar im außerstaatl. Bereich gilt (s. Art. 9 Rn. 16) und einzelne andere Grundrechte – wie das Kriegsdienstverweigerungsrecht (Art. 4 III) – ih-

rem Wesen nach nur gegen den Staat gerichtet sein können. Das
BAG deutet bestimmte Grundrechte als Ordnungsgrundsätze für
das soziale Leben und leitet hieraus wie aus dem normative Bekenntnis des GG zum sozialen Rechtsstaat ihre unmittelbare Wirkung im Privatrechtsbereich ab (BAGE 1, 191 ff.; 24, 441). Das
BVerfG geht demgegenüber (in Übereinstimmung mit der überwiegenden Meinung der Lehre) von einer nur »mittelbaren Drittwirkung« der Grundrechte aus, die eine unmittelbare oder auch
nur entsprechende Anwendung der Grundrechte im Privatrechtsverkehr ausschließt (BVerfGE 7, 198; 30, 199). In den Rechtsbeziehungen der Bürger untereinander kann sich danach niemand
unmittelbar auf Grundrechte berufen. Die Grundrechte beeinflussen aber die Interpretation (auch) der zivilrechtl. Vorschriften, die im Geiste der Grundrechte ausgelegt werden müssen
(BVerfGE 7, 205 f.; 60, 239; 61, 6; 62, 242 f.; 63, 184). »Ein-
bruchstellen« der Grundrechte in das bürgerliche Recht sind vor
allem Generalklauseln (etwa § 826 BGB) und unbestimmte
Rechtsbegriffe, die der wertenden Ausfüllung bedürfen (vgl.
BVerfGE 7, 206).

7 *Privatrechtliche Staatstätigkeiten:* Unmittelbar anwendbar sind
die Grundrechte aber dann, wenn der Staat sich bei der *Erfüllung*
öffentlicher Aufgaben Formen des Privatrechts bedient (etwa
durch Abschluß eines zivilrechtl. Vertrages). Staatl. Organe können sich nicht durch die »Flucht in das Privatrecht« der Grundrechtsbindung entziehen (BGHZ 29, 80; 33, 233; 37, 27; 52, 328).
Dies gilt selbst dann, wenn zur Erfüllung hoheitlicher Aufgaben
Private (sog. *Beliehene* – wie z. B. der TÜV) eingeschaltet werden
(vgl. BVerfGE 10, 327). Umstritten ist hingegen die unmittelbare
Grundrechtsgeltung für sog. *Hilfsgeschäfte der Verwaltung* (d. h.
die in privatrechtl. Form erfolgende Anschaffung der für die Verwaltungstätigkeit notwendigen Sachgüter) sowie bei *erwerbswirt-*
schaftlichen Tätigkeiten des Staates (Betreiben eigener Wirt-
schaftsunternehmen). Nach Meinung des BGH führt der ausschließlich privatrechtl. Charakter der Geschäfte hier zu einer
Gleichstellung der staatl. Tätigkeit mit der von Privatpersonen
(vgl. BGHZ 36, 96). Gegenteiliger Ansicht z. B. Hesse § 11 I.

8 *Grundrechtsfähigkeit:* Die Grundrechtsfähigkeit, d. h. die Fähigkeit einer natürlichen oder juristischen Person, Träger von
Grundrechten zu sein, kann nur für jedes einzelne Grundrecht gesondert festgestellt werden. Dies folgt u. a. daraus, daß das GG
einige Grundrechte (Art. 8, 9 I, Art. 11, 12, 16 I u. II 1) nicht je-

dermann, sondern nur Deutschen gewährleistet und die Grundrechtsfähigkeit juristischer Personen nach Art. 19 III davon abhängig macht, wieweit die Grundrechte ihrem Wesen nach auf
diese anwendbar sind. Zum Begriff der juristischen Person im hier
maßgeblichen Sinne und zur Frage der Grundrechtsfähigkeit juristischer Personen des öffentl. Rechts s. Art. 19 Rn. 7 f. Aus dem
Wesen der Grundrechte ergibt sich, daß im Prinzip der Grundrechtsschutz vom Alter des Grundrechtsträgers unabhängig ist
(zur Grundrechtsträgerschaft von Kindern vgl. BVerfGE 24, 144;
34, 200; 47, 73 f.; 53, 203; zur Frage der Grundrechtsfähigkeit des
werdenden Lebens s. Art. 1 Rn. 3, Art. 2 Rn. 10, Art. 14 Rn. 8).
Als höchstpersönliche Rechte können Grundrechte nicht auf andere Personen zur eigenen Wahrnehmung übertragen werden
(vgl. BVerfGE 16, 158).

9 *Grundrechtsmündigkeit:* Von der Grundrechtsfähigkeit ist die
Grundrechtsmündigkeit, d. h. die Fähigkeit natürlicher Personen, ihre Grundrechte selbständig geltend zu machen, zu unterscheiden. Die Grundrechtsmündigkeit ist nicht identisch mit der
Prozeßfähigkeit oder der allgemeinen Geschäftsfähigkeit des Zivilrechts. Umfang und Grad der Grundrechtsmündigkeit sind
streitig. Ein wesentliches Kriterium wird hierfür die geistige Urteils- und Entscheidungsfähigkeit sein müssen (vgl. BVerfGE 59,
387 f.; VGH Mannheim, JZ 1976, 477). Da die Entscheidungsfähigkeit des Jugendlichen sich für verschiedene Lebens- und Handlungsbereiche unterschiedlich entwickelt, erscheint auch eine Differenzierung nach den einzelnen Grundrechten geboten. Dabei
hat der Grundsatz zu gelten, daß der zwar Unmündige, aber schon
Urteilsfähige die ihm um seiner Person willen zustehenden
höchstpersönlichen Rechte ausüben kann (BVerfGE 59, 387 f.).
Anhaltspunkte für den Zeitpunkt der Grundrechtsmündigkeit bei
einzelnen Grundrechten geben gesetzliche Teilmündigkeitsregelungen (vgl. den Versuch einer Einteilung bei v. Münch, Vorbem.
vor Art. 1 Rn. 13). So kann z. B. für Art. 4 I an die »Religionsmündigkeit« (14. Lebensjahr) angeknüpft werden (vgl. BVerw
GE 44, 199). Auch für den Entmündigten wird darauf abzustellen
sein, wie weit er einen sinnvollen und vernunftbestimmten Willen
zu bilden vermag (vgl. BGHZ 15, 265 f.). Soweit eine selbständige Grundrechtsausübung durch den Grundrechtsträger nicht in
Betracht kommt, können seine gesetzlichen Vertreter in seinem
Namen die Rechte ausüben.

10 *Grundrechtsverzicht* (s. dazu Pietzcker, Staat 1978, 527 ff.), d. h.
ein Verzicht auf alle oder einzelne Grundrechte als solche, ist nicht

möglich. Wohl aber kann auf bestimmte, sich aus den Grundrechten ergebende Befugnisse zeitweise verzichtet werden. Dies ist im Grunde nichts anderes als eine Form des Grundrechtsgebrauchs. Gänzlich unverzichtbar ist die Menschenwürde (s. Art. 1 Rn. 2). Für unzulässig angesehen wurden ferner die Unterwerfung eines Beschuldigten unter eine von der Exekutive festgesetzte Strafe mit dem Ziel, gerichtlichen Rechtsschutz auszuschließen (BVerfGE 22, 81 f.), und eine auf unbeschränkte Zeit abgegebene Verpflichtung, seinen Wohnsitz nicht an einem bestimmten Ort zu nehmen (BGH, NJW 1972, 1414). Der Verzicht auf den Schutz des Art. 10 (Brief-, Post- und Fernmeldegeheimnis) ist im Einzelfall zulässig (vgl. Art. 10 Rn. 1 m. N.).

11 *Schranken der Grundrechte:* Der Schutz der Grundrechte für den von ihnen umschriebenen Garantiebereich unterliegt Schranken. Abgesehen von den in einigen Grundrechten selbst enthaltenen Begrenzungen ihres Geltungsbereiches (z. B. die Gewährleistung des Versammlungsrechtes in Art. 8 I nur unter der Voraussetzung »friedlich und ohne Waffen«), gilt für die meisten Grundrechte ein *Gesetzesvorbehalt.* Hierbei ist zu unterscheiden zwischen dem einfachen (nicht näher bezeichneten) Gesetzesvorbehalt und dem qualifizierten Gesetzesvorbehalt, der eine Einschränkung nur aus bestimmten, im GG selbst genannten Gründen zuläßt (dazu Art. 19 Rn. 2). In engen Grenzen kann der Gesetzgeber die Ausübung grundrechtl. Befugnisse auch von einer Genehmigung abhängig machen, wobei aber die Voraussetzungen zur Erteilung bzw. Versagung der Genehmigung von ihm selbst umrissen werden müssen (BVerfGE 8, 76; 20, 158, 372 f.; 49, 145). Der Gesetzesvorbehalt gewährt dem Gesetzgeber jedoch keinen unbeschränkten Freiraum zum Erlaß grundrechtseinschränkender Gesetze. Art. 19 I und II verbietet Einzelfallgesetze und die Antastung des Wesensgehalts eines Grundrechts (s. Art. 19 Rn. 3 u. 5 f.). Darüber hinaus hat der Gesetzgeber den Grundsatz der Verhältnismäßigkeit (s. Art. 20 Rn. 9) zu beachten. Danach müssen die im Gesetz angeordneten Maßnahmen zur Erreichung des angestrebten Zieles geeignet und – unter dem Gesichtspunkt des geringstmöglichen Eingriffs – erforderlich sowie für den Betroffenen zumutbar sein (vgl. BVerfGE 19, 348 ff.; 30, 316).

Auch soweit Grundrechte (wie Art. 4 I u. II, Art. 5 III, Art. 16 II 2) nicht unter einem Gesetzesvorbehalt stehen, gelten für sie *verfassungsimmanente Grundrechtsschranken* in dem Sinne, daß kollidierende Grundrechte Dritter und andere mit Verfassungsrang ausgestattete Rechtswerte ausnahmsweise auch »uneinschränkbare« Grundrechte in einzelnen Beziehungen begrenzen können (BVerfGE 28, 261). Nicht unter Gesetzesvorbehalt stehende Grundrechte dürfen aber weder durch die allgemeine Rechtsordnung noch durch unbestimmte Gemeinwohlklauseln relativiert werden (BVerfGE 30, 192).

12 *Besondere Gewaltverhältnisse,* d. h. Rechtsverhältnisse in denen sich der Betroffene in besonders enger Abhängigkeit zu einem staatl. Hoheitsträger befindet (wie Schüler, Studenten, Soldaten, Beamte u. Strafgefangene), können Grundrechte nicht schon von sich aus durch ihr Bestehen, sondern nur auf besonderer verfassungsrechtl. oder gesetzl. Grundlage beschränken. Auch hier ist der Gesetzgeber verpflichtet, die wesentlichen Entscheidungen, zu denen insbes. Grundrechtsbeschränkungen gehören, selbst zu treffen und nicht der Verwaltung zu überlassen (BVerfGE 33, 11; 47, 78, 79; BVerwGE 47, 198).

13 *Grundrechtskonkurrenz:* Allgemeine Grundrechtsnormen wie vor allem die Menschenwürde des Art. 1 I, das allgemeine Freiheitsrecht des Art. 2 I und der Gleichheitssatz des Art. 3 I treten hinter die speziellen Grundrechtsnormen – z. B. die Meinungsfreiheit (Art. 5 I), die Versammlungs- und Vereinsfreiheit (Art. 8, 9), die Freizügigkeit (Art. 11) und die Berufsfreiheit (Art. 12 I) – zurück. Hat jede Norm eine spezifische Bedeutung (z. B. Art. 3 I u. Art. 6 I), so ist die Norm anwendbar, die die stärkere sachliche Beziehung zu dem zu prüfenden Sachverhalt hat; doch kann die andere Norm als grundlegende Wertentscheidung bei der Auslegung der primär anwendbaren Bedeutung haben (BVerfGE 13, 296 ff.).

14 *Grundrechtskollision:* Wenn Grundrechte verschiedener Grundrechtsträger aufeinanderstoßen, muß eine Güterabwägung im Einzelfall erfolgen (BVerfGE 30, 195). Dabei ist festzustellen, welche Verfassungsbestimmung für die konkret zu entscheidende Frage das höhere Gewicht hat (BVerfGE 28, 261). Ausgangspunkt ist dabei aber nicht die völlige Verdrängung eines der Grundrechte, sondern der Versuch, zwischen den kollidierenden Grundrechten dergestalt einen schonenden Ausgleich zu finden (BVerfGE 35, 225; 39, 43), daß jedes von ihnen zu möglichst optimaler Wirksamkeit gelangen kann (Hesse § 2 III 2 c bb). Das Verhältnis der *Grundrechte der Landesverfassungen* zu denen des GG regelt Art. 142.

15 *Auslegung der Grundrechte:* Maßgebend für die Auslegung jeder Verfassungsnorm und damit auch der Grundrechte ist der darin zum Ausdruck kommende objektive Wille des Normgebers, so wie er sich aus Wortlaut und Sinnzusammenhang ergibt. Ergänzend kann auch die Entstehungsgeschichte herangezogen werden (vgl. BVerfGE 1, 312). Im Zweifel ist diejenige Auslegung zu wählen, welche die rechtl. Wirkungskraft der Grundrechtsnorm am stärksten entfaltet (*Grundsatz der größtmöglichen Grundrechtseffektivität* – BVerfGE 39, 38).

16   *Grundrechtsschutz:* Der Schutz der Grundrechte ist Aufgabe aller staatl. Organe, denn sie sind unmittelbar an die Grundrechte gebunden (Art. 1 III). Besondere Bedeutung kommt dabei den Gerichten und hier vor allem dem BVerfG als Hüter der Verfassung zu. Dieses entscheidet in Streitigkeiten über die Verfassungsmäßigkeit einfachen Rechts (Art. 93 I Nr. 2, Art. 100 I), es allein kann die Verwirkung von Grundrechten aussprechen (Art. 18), und jeder Grundrechtsträger kann dieses Gericht im Wege der Verfassungsbeschwerde (Art. 93 I Nr. 4 a) anrufen, wenn er glaubt, durch die öffentl. Gewalt in seinen Grundrechten verletzt zu sein. Schon diese Möglichkeiten der gerichtlichen Kontrolle tragen dazu bei, daß von vornherein die grundrechtl. Schutzbereiche geachtet werden.

17   *Grundrechtsverwirklichung und Grundrechtssicherung durch Organisation und Verfahren:* Sollen Grundrechte ihre Funktion in der sozialen Wirklichkeit erfüllen, bedürfen sie für einen effektiven Grundrechtsschutz und als Voraussetzung für umfassende Grundrechtsrealisierung notwendigerweise geeigneter Organisationsformen und Verfahrensregelungen (BVerfGE 53, 65; 56, 236; 63, 143), die der Gesetzgeber zu schaffen hat.

18   *Geltung in Berlin (West):* Der Grundrechtsteil des GG gilt nach der Rspr. des BVerfG auch in Berlin (BVerfGE 1, 72), unterliegt dort aber weitgehend nicht der Jurisdiktion des BVerfG (s. dazu Art. 144 Rn. 3).

19   *Grundrechte und Recht der Europäischen Gemeinschaften:* Im Verhältnis zu dem von den Europäischen Gemeinschaften gesetzten Recht hat das BVerfG 1974 den Vorrang der Grundrechte des GG festgestellt, solange das Gemeinschaftsrecht keinen von einem Parlament beschlossenen, dem Grundrechtsstandard des GG adäquaten Grundrechtskatalog aufweist (BVerfGE 37, 280 f., 285). 1979 ließ es das Gericht dagegen ausdrücklich offen, ob angesichts der erfolgten polit. und rechtl. Entwicklung im europäischen Bereich diese Entscheidung weiterhin uneingeschränkte Geltung beanspruchen kann (BVerfGE 52, 202 f.; vgl. aber auch E 58, 40 ff.).

20   *Grundpflichten* (s. dazu Isensee, DÖV 1982, 609 ff.), d. h. ausdrücklich verfassungsrechtl. festgelegte Pflichten des Bürgers gegenüber dem Staat, kennt das GG nur wenige. Zu nennen sind
hier vor allem die Treue der wissenschaftlichen Lehre zur Verfassung (Art. 5 III 2), Pflege und Erziehung der Kinder als Eltern-
pflicht (Art. 6 II), die Dienstverpflichtungen nach Art. 12 II und
Art. 12 a sowie die Sozialpflichtigkeit des Eigentums (Art. 14 II).

Artikel 1 [Menschenwürde, Rechtsverbindlichkeit der Grundrechte]

**(1)   Die Würde des Menschen ist unantastbar. Sie zu achten und zu
schützen ist Verpflichtung aller staatlichen Gewalt.**

**(2)   Das Deutsche Volk bekennt sich darum zu unverletzlichen und
unveräußerlichen Menschenrechten als Grundlage jeder menschlichen
Gemeinschaft, des Friedens und der Gerechtigkeit in der Welt.**

**(3)   Die nachfolgenden Grundrechte binden Gesetzgebung, vollzie-
hende Gewalt und Rechtsprechung als unmittelbar geltendes Recht.**

1   Art. 1 gehört zu den »tragenden Konstitutionsprinzipien«, die alle Bestimmungen des GG beherrschen (BVerfGE 6, 36). Er enthält *drei Aussagen von elementarer Bedeutung*: Erstens die Unantastbarkeit der Würde des Menschen als höchsten Rechtswert
(BVerfGE 12, 53), der den Mittelpunkt des Wertsystems des GG
bildet (BVerfGE 35, 225), zweitens das Bekenntnis zu den Menschenrechten als Grundlage jeder menschlichen Gemeinschaft
und drittens die Bindung von Gesetzgebung, Rechtsprechung und
Verwaltung an die Grundrechte als unmittelbar geltendes Recht.
Eine *Änderung* des GG, die die in Art. 1 niedergelegten Grundsätze berührt, ist nach Art. 79 III unzulässig.

Absatz 1

2   In der Wertordnung des GG ist die *Menschenwürde der oberste
Wert* (BVerfGE 27, 6). Damit entscheidet sich das GG zugleich
gegen die Vorstellung vom unbedingten Primat des Staates. Die
Würde des Menschen ist *nicht verwirkbar, über sie kann nicht verfügt werden* (BVerfGE 45, 229). Sie verlangt, daß der Mensch als
selbstverantwortliche Persönlichkeit mit Eigenwert anerkannt
wird (BVerfGE 45, 228).

3 Wo menschliches Leben existiert, kommt diesem Menschenwürde zu (BVerfGE 39, 41). *Schutzobjekt* des Abs. 1 ist *jeder Mensch,* unabhängig von Alter und Einsichtsfähigkeit. Rechtsträger ist der Ausländer (vgl. BVerfGE 50, 175) ebenso wie das minderjährige Kind (BVerfGE 57, 382), der Geisteskranke oder der Verbrecher (vgl. BGHZ 35, 8; HessStGH, DVBl 1974, 943). Auch das werdende Leben (der nasciturus) genießt diesen Schutz (BVerfGE 39, 41), der selbst über den Tod hinaus wirkt und die Würde des Verstorbenen (BVerfGE 30, 194) mit umfaßt. Geschützt ist die Würde des konkreten Menschen, nicht die der Menschheit schlechthin. Aber auch die Menschenwürde einer Personengruppe (wie der in der Bundesrepublik Deutschland lebenden Juden – OLG Köln, NJW 1981, 1281) kann Schutzobjekt sein, nicht hingegen die juristische Person.

4 Der *Begriff der Menschenwürde* i. S. des Abs. 1 ist ein unbestimmter Rechtsbegriff, der nicht absolut, sondern immer nur in Ansehung des konkreten Falles (BVerfGE 30, 25) bestimmt werden kann. In ihn fließen zwar die geistesgeschichtlichen Traditionen mit ein, er ist jedoch auch wandlungsfähig (OVG Berlin, NJW 1980, 2485) und zeitbedingt (vgl. BVerfGE 45, 229). Im Kern geht der Begriff davon aus, daß der Mensch als geistig-sittliches Wesen darauf angelegt ist, in Freiheit und Selbstbewußtsein sich selbst zu bestimmen und auf die Umwelt einzuwirken (BGHZ 35, 8). Die Menschenwürde wird aber auch geprägt vom Menschenbild des GG, das den Menschen nicht als selbstherrliches Individuum, sondern als in der Gemeinschaft stehende und ihr vielfältig verpflichtete Persönlichkeit begreift (BVerfGE 12, 51; 28, 189; 30, 20; 33, 10 f.). Der Inhalt des Begriffs der Menschenwürde läßt sich am ehesten vom Verletzungsvorgang her bestimmen: Der Mensch darf keiner Behandlung ausgesetzt werden, die ihn zum bloßen Objekt degradiert (BVerfGE 27, 6) und seine Subjektqualität prinzipiell in Frage stellt oder Ausdruck der Verachtung des Wertes ist, der dem Menschen kraft seines Personseins zukommt (BVerfGE 30, 26). Abs. 1 schützt die Würde des Menschen, wie er sich in seiner Individualität selbst begreift und seiner selbst bewußt wird (BVerfGE 49, 298). I. d. R. kommt es entscheidend darauf an, was der Betroffene empfindet. Geschützt ist jedoch nicht eine übertriebene Empfindlichkeit. Keine Verletzungen der Menschenwürde sind deshalb z. B. die Ladung zum Verkehrsunterricht (BVerfGE 22, 28), Friedhofszwang für Urnen (BVerfGE 50, 262 ff.), die allgemeine Wehrpflicht (BVerfGE 12, 50), die Eintragung körperlicher Eigenhei-

ten im Personalausweis (BVerwG, NJW 1972, 1774). Eine Ausweitung des Schutzes der Menschenwürde auf einen »Schutz vor
sich selbst« (BVerwG, NJW 1982, 664 - Peep-Show) dürfte dem
Ziel der Unantastbarkeit der Menschenwürde, die freie Entscheidung über die eigene Person zu ermöglichen, widersprechen und
der Bedeutung der eigenen Empfindungen des Betroffenen für
den Inhalt der Menschenwürde nicht gerecht werden (vgl. auch
VG München, NVwZ 1983, 695).

5 *Typische Fälle der Verletzung der Menschenwürde* sind Folter,
Sklaverei, Ausrottung ethnischer, nationaler, rassischer oder religiöser Gruppen, Verschleppung, unmenschliche oder erniedrigende Strafen und Behandlungsweisen, vollständige Entrech-
tung, Vernichtung sog. lebensunwerten Lebens und Menschen-
versuche (HessStGH, DVBl 1974, 940 ff.). Rechtsprechung und
Lehre haben darüber hinaus zahlreiche Fallgruppen und Einzelfälle der Verletzung der Menschenwürde entwickelt (vgl. etwa die
Übersicht bei v. Münch, Art. 1 Rn. 32). Die Unzulässigkeit der
Herabwürdigung des Menschen zum bloßen Objekt des.staatl.
Handelns verbietet, den Menschen zwangsweise in seiner gesamten Persönlichkeit zu registrieren und zu katalogisieren (BVerf-
GE 27, 6). Gewährleistet ist damit auch grundsätzlich der Schutz
persönlicher Daten. Rechtl. Gehör i. S. des Art. 103 I ist auch
durch die Würde der Person gefordert (BVerfGE 9, 95). Eine Beweiserhebung mit Hilfe eines »Lügendetektors« im Strafverfahren ist selbst bei Zustimmung des Betroffenen unzulässig (BGHSt
5, 323 f.; BVerfG, NJW 1982, 375). Die verhängte Strafe darf
grundsätzlich die Schuld des Täters nicht übersteigen und nicht lediglich deswegen ausgesprochen werden, um andere abzuschrek-
ken (BVerwGE 43, 83). Als Sanktion für schwerste Tötungsde-
likte verstößt die lebenslange Freiheitsstrafe zwar nicht gegen die
Menschenwürde, ihr Vollzug muß aber sicherstellen, daß der Ver-
urteilte eine konkrete und grundsätzlich auch realisierbare Chance hat, zu einem späteren Zeitpunkt die Freiheit wiederzuerlan-
gen (BVerfGE 45, 227 ff.).

6 *Schranken für den Schutz der Menschenwürde* kann es im eigentlichen Sinne nicht geben. Eine angemessene Begrenzung erfährt
Art. 1 I jedoch durch das auf Gemeinschaftsbezogenheit und Gemeinschaftsgebundenheit ausgerichtete Menschenbild des GG
(s. dazu oben Rn. 4). Daraus folgt, daß nicht jede Einschränkung
der Freiheit des Bürgers schon eine Verletzung des Art. 1 I darstellt (vgl. BVerfGE 30, 26 f.). Unberührt davon bleibt, daß auch
überwiegende Interessen der Allgemeinheit niemals einen Ein-

griff in den *absolut geschützten Kernbereich* privater Lebensgestaltung zulassen. Hier ist auch kein Raum für Interessenabwägungen mehr (BVerfGE 34, 245).

7   Rechtswidrige Verletzungen der Menschenwürde führen i. d. R. zum *Anspruch auf Unterlassen der Beeinträchtigung* (BVerfGE 30, 187 ff.), sie können aber auch in schwerwiegenden Fällen bei ehrverletzenden Eingriffen in die Persönlichkeit und unzulässiger Verfügung über die persönliche Eigensphäre einen *Schadenersatzanspruch* zur Folge haben (BVerfGE 34, 286 ff.), wenn sich die erlittene Beeinträchtigung nicht auf andere Weise befriedigend ausgleichen läßt (BGH, NJW 1979, 649).

8   Mit dem Begriff *unantastbar* in Satz 1 soll die Menschenwürde negativ gegen Angriffe abgeschirmt werden (BVerfGE 1, 104). Satz 2 verpflichtet den Staat darüber hinaus zum *positiven Tun des Schützens* der Menschenwürde vor Angriffen aus dem nichtstaatl. Bereich. Dementsprechend stellt z. B. § 130 StGB bestimmte Formen des Angriffs auf die Menschenwürde anderer unter Strafe. Diese Schutzpflicht schließt den vorbeugenden Schutz ein (vgl. BVerfGE 49, 142). Der Staat ist damit auch verpflichtet, dem einzelnen (u. a. durch Garantie des Existenzminimums) die Führung eines Lebens zu ermöglichen, das ein menschenwürdiges Dasein überhaupt erst ausmacht (BVerfGE 45, 228; BVerwGE 14, 297). Für den Strafgefangenen sind menschenwürdige Haftbedingungen zu schaffen (OLG Hamm, JZ 1969, 239) und eine Resozialisierung nach Verbüßung der Strafe zu sichern (BVerfGE 35, 235 f.).

9   Ob man in Abs. 1 ein subjektiv-öffentl. Recht, d. h. ein *Grundrecht*, oder lediglich eine Norm objektiven Rechts (so u. a. Maunz/Dürig, Art. 1 Rn. 4, 13) sieht, ist zu einer Frage ohne praktische Bedeutung geworden, da die Rechtsprechung auch im Falle der Verletzung des Art. 1 die Verfassungsbeschwerde zuläßt. Das BVerfG spricht vom »Grundrecht des Art. 1 I« (BVerfGE 15, 255). Als tragendes Konstitutionsprinzip der Verfassung *beherrscht Art. 1 I die einzelnen Grundrechte* (vgl. BVerfGE 6, 36), die in gewissem Umfange spezielle Konkretisierungen des Gebotes der Achtung der Menschenwürde sind und ihren Schutz im besonderen gewährleisten (BVerfGE 35, 235). Gegenüber der speziellen Grundrechtsbestimmung scheidet Art. 1 I als eigenständiger Prüfungsmaßstab aus (BVerfGE 51, 105). Ob das Gebot zur Achtung der Menschenwürde unmittelbare *Drittwirkung* entfaltet, d. h. ob es auch Gültigkeit im Privatrechtsverkehr besitzt (s.

Vorbem. vor Art. 1 Rn. 6), ist ebenfalls umstr. (vgl. v. Münch, Art. 1 Rn. 23, 33). Versteht man Abs. 1 nicht als Verhaltensnorm für jedermann (so Bonner Komm., Art. 1 Rn. 29), ergibt sich die Wirkung der Menschenwürde auf den Privatrechtsverkehr zumindest daraus, daß der Staat nach Satz 2 verpflichtet ist, die Menschenwürde auch gegen Angriffe von Privatpersonen zu schützen (vgl. oben Rn. 8).

10 Von besonderer Bedeutung für die Praxis ist das aus Art. 1 I und Art. 2 I abgeleitete *»allgemeine Persönlichkeitsrecht«* (zusammenfassend BVerfGE 54, 153 ff.). Über die Gewährleistung der Einzelgrundrechte hinaus (vgl. BVerfGE 34, 281) schützt es den Menschen bis zu seinem Tode (BVerfGE 30, 194) vor Eingriffen, die geeignet sind, seine engere Persönlichkeitssphäre zu beeinträchtigen (BVerfGE 54, 153). Zu den Schutzgütern dieses allgemeinen Persönlichkeitsrechts gehören Privat- und Intimsphäre, die persönliche Ehre, das Verfügungsrecht über die Darstellung der eigenen Person einschl. des Rechts am eigenen Bild und am gesprochenen Wort.

11 *Privat- und Intimsphäre:* Das allgemeine Persönlichkeitsrecht verbietet grundsätzlich *unbefugtes Belauschen* (VGH Mannheim, NJW 1972, 971) und die *Bespitzelung* des Ehegatten in der eigenen Wohnung durch eine dritte Person (BGH, NJW 1970, 1848), ebenso wie es den Arzt i. d. R. verpflichtet, *Aufzeichnungen über den Gesundheitszustand* seiner Patienten vor fremdem Einblick zu bewahren (BVerfGE 32, 379 f.; einschränkend BGHZ 24, 72). Der Schutz der Persönlichkeitssphäre läßt es auch grundsätzlich nicht zu, daß *Ehescheidungsakten* in einem Disziplinarverfahren verwertet werden (BVerfGE 27, 351 f.; 34, 209). Ausgeschlossen ist ferner, daß ohne hinreichend konkreten Anlaß die persönlichen Verhältnisse einer am Verfahren unbeteiligten Person vor Gericht schrankenlos durchleuchtet werden (BVerwGE 19, 186). Besonders geschützt ist der *Intimbereich*, der die Sphäre des menschlichen Lebens umfaßt, die durch weitgehende Abgeschiedenheit von der Beteiligung anderer Personen (mit Ausnahme der Familie) gekennzeichnet ist. Hierher rechnet beispielsweise, inwieweit eine Frau bekannt werden lassen will, wer der Vater ihres nichtehelichen Kindes ist (BVerwGE 36, 57). Einschränkungen ergeben sich insoweit jedoch im Hinblick auf das Interesse des Kindes an der Aufklärung seiner Abstammung (BayObLG, MDR 1972, 870 f.). Der einzelne hat ferner das Recht, seine *Einstellung zum Geschlechtlichen* und die Einwirkung Dritter auf diese Einstellung selbst zu bestimmen (BVerfGE 47, 73 – zur Sexualkunde;

einschränkend: E 60, 134). *Briefe und andere vertrauliche private Aufzeichnungen* dürfen i. d. R. nicht ohne Einwilligung des Verfassers veröffentlicht werden (BGHZ 73, 123 m. w. N.). Dies gilt auch für deren Verwendung als Beweismittel, wenn das Interesse des Staates an der Strafverfolgung nicht das persönliche Interesse am Schutz des eigenen Geheimbereiches überwiegt (BGHSt 19, 325 ff.). Bei Handhabung der – grundsätzlich zulässigen – Briefkontrolle gegenüber Untersuchungsgefangenen ist zu berücksichtigen, daß dem freien brieflichen Kontakt mit dem Ehegatten im Hinblick auf das Gebot der Achtung der Intimsphäre besondere Bedeutung zukommt (BVerfGE 35, 39 f.).

Es widerspricht auch der Menschenwürde, jemanden durch eine Auskunftspflicht zu zwingen, sich selbst zu belasten (BVerfGE 55, 150; 56, 41 ff.).

12 Der *Schutz der Ehre* verbietet beispielsweise die namentliche Bezeichnung als Ehestörer in einem Scheidungsurteil (BVerfGE 15, 286), die Diffamierung eines Berufsstandes (BVerfGE 20, 32), die herabwürdigende und erniedrigende Darstellung einer Person durch ein negativ-verfälschendes Portrait (BVerfGE 30, 199) oder in einem Theaterstück (BGH, MDR 1975, 920) sowie die grundlose Bekanntgabe des Aufenthaltes in Untersuchungshaft (BVerfGE 34, 382 f.).

13 Der einzelne hat selbst über die *Darstellung der eigenen Person* gegenüber Dritten und der Öffentlichkeit zu entscheiden (BVerfGE 54, 153 m. w. N.). Dazu gehört auch die rechtl. gesicherte Möglichkeit, einer bestimmten Darstellung der Persönlichkeit entgegenzutreten (Recht zur Gegendarstellung – vgl. BVerfGE 63, 142 ff.). Im Rahmen des allgemeinen Persönlichkeitsrechts gewährleistet das *Recht auf informationelle Selbstbestimmung* dem einzelnen die Befugnis, grundsätzlich selbst über die Preisgabe und Verwendung seiner persönlichen Daten zu bestimmen. Im Hinblick auf die Möglichkeiten moderner Datenverarbeitung sind – aufgrund der Gemeinschaftsbezogenheit und Gemeinschaftsgebundenheit der Person zulässige – Einschränkungen dieses Rechtes auf gesetzlicher Grundlage mit ausreichenden organisatorischen und verfahrensrechtl. Vorkehrungen gegen die Gefahr von Grundrechtsverletzungen zu versehen (BVerfGE 65, 41 ff.). Die Zulässigkeit einer Beschränkung hängt davon ab, zu welchem Zweck Angaben verlangt werden und welche Verknüpfungs- und Verwendungsmöglichkeiten bestehen. Die Zulässigkeit der Erhebung von Daten, die in nicht anonymisierter Form verarbeitet werden, ist auf solche mit Sozialbezug beschränkt und nur gegeben, wenn der Gesetzgeber den aus überwiegendem Allgemeininteresse gebotenen Verwendungszweck bereichsspezifisch und präzise bestimmt und der Schutz gegen Zweckentfremdung gewährleistet ist (BVerfG aaO S. 44 ff.). Bei Datenerhebung zu statistischen Zwecken (d. h. bei Verarbeitung in anonymisierter Form) ist eine konkrete Zweckbestimmung nicht erforderlich – auch das Sammeln von Informationen »auf Vorrat« ist zulässig –, es müssen aber ausreichende Vorkehrungen gegen Entanonymisierung und Zweckentfremdung getroffen sein (BVerfG aaO S. 47 ff.).

14 Das *Recht am eigenen Bild* erfaßt die Abbildung der Person ebenso wie ihre Darstellung auf der Bühne, im Film und im Fernsehen (OLG Hamburg, NJW 1975, 650). Es wird etwa durch die Veröffentlichung von Abbildungen eines Straftäters oder Tatverdächtigen in Fernsehen (BVerfGE 35, 219) und Presse (OLG Hamm, NStZ 1982, 82) berührt. Die Veröffentlichung von Bildern verdächtiger Personen kann jedoch dann gerechtfertigt sein, wenn bei einer schwerwiegenden Straftat das öffentl. Interesse an einer wirksamen Strafverfolgung gegenüber den schutzwürdigen Belangen des Betroffenen überwiegt (OLG Hamm aaO). Das heimliche Herstellen von Bildaufnahmen anderer Personen verstößt i. d. R. nur dann gegen Art. 1 I, wenn der Bereich der privaten Lebensgestaltung berührt wird und die Aufnahme gegen den Willen des Betroffenen der Öffentlichkeit zugänglich gemacht werden soll (BGHZ 24, 200 f.). Das Fotografieren von Teilnehmern einer öffentl. Versammlung durch die Polizei (BGH, JZ 1976, 31 f.) und die Überwachung von Arbeitsvorgängen mit einer Fernsehkamera (OLG Schleswig, NJW 1980, 352 f.) verletzen das allgemeine Persönlichkeitsrecht nicht.

15 Das *Recht am gesprochenen Wort* sichert jedem grundsätzlich die Entscheidungsfreiheit darüber, welchem Kreis von Personen seine Worte zugänglich gemacht werden dürfen, ob sie auf Tonträger aufgenommen und wem gegenüber sie abgespielt werden sollen (BVerfGE 54, 155 f.). Auch dürfen niemandem Aussagen zugeschrieben werden, die er nicht getan hat und die seinen von ihm selbst bestimmten sozialen Geltungsanspruch beeinträchtigen (BVerfGE 54, 154 ff.). Die Verfügungsbefugnis über das gesprochene Wort bleibt jedoch unberührt, wenn der objektive Gehalt des Gesagten – etwa im geschäftlichen Verkehr bei fernmündlichen Durchsagen und Bestellungen – so sehr im Vordergrund steht, daß die Persönlichkeit des Sprechenden nahezu völlig dahinter zurücktritt und das gesprochene Wort seinen privaten Charakter einbüßt (BVerfGE 34, 247). Der Schutz gegen heimliche Tonbandaufnahmen und deren (schriftliche) Veröffentlichung (BGHZ 73, 123 ff.) kann auch dann zurücktreten, wenn in Fällen schwerer Kriminalität zur Feststellung der Identität von Straftätern oder zur Entlastung Beschuldigter auf solche Aufnahmen Dritter zurückgegriffen werden muß (BVerfGE 34, 249 f.).

16 *Einschränkungen erfährt das allgemeine Persönlichkeitsrecht* z. B. durch das Grundrecht der Meinungsfreiheit, insbes. der Pressefreiheit (Art. 5 I). Soweit es zur Meinungsbildung in einer die Öffentlichkeit interessierenden Frage beiträgt, können die schutzwürdigen Belange der persönlichen Eigensphäre zurückgedrängt werden (vgl. auch Art. 5 Rn. 4, 21, 23). Je stärker dabei der private Charakter der Information ist, um so bedeutender und nachhaltiger muß auch das öffentl. Interesse an der Information sein (BGHZ 73, 128). Unter diesen Gesichtspunkten ergibt sich insbes. für sog. Personen der Zeitgeschichte – wie Staatsmänner, Politiker und Personen des kulturellen Lebens – eine Einschränkung des Schutzes des Eigenbereiches (OLG Frankfurt, NJW 1971, 49; OLG Karlsruhe, NJW 1980, 1701 f.).

Absatz 2

17 Abs. 2 zieht konkrete Folgerungen aus dem in Abs. 1 niedergelegten Postulat der Unantastbarkeit der Menschenwürde. Das *Bekenntnis* des deutschen Volkes zu den unverletzlichen und unveräußerlichen *Menschenrechten* bedeutet zugleich ein Anerkenntnis vorgegebener, nicht erst durch die Verfassung gewährter Menschenrechte. Diese stehen für niemanden zur Disposition und werden deshalb als unverletzlich und unveräußerlich bezeichnet. Sie dürfen von keinem angetastet werden und sind weder verzichtbar noch verwirkbar. Aus Abs. 2 folgt jedoch nicht, daß die *Europäische Konvention zum Schutze der Menschenrechte und Grundfreiheiten* vom 4. 11. 1950 (BGBl. 1952 II S. 686) Verfassungsrang hat (str.; vgl. v. Münch, Art. 1 Rn. 44). Sie gilt deshalb nur als einfaches Bundesrecht. Der genaue Umfang der in Abs. 2 bezeichneten Menschenrechte ist durch die Rechtsprechung noch nicht ausreichend geklärt. Jedenfalls haben nicht alle Grundrechte des GG den Rang unveräußerlicher Menschenrechte. Dazu gehören jedoch z. B. das Recht der freien Entfaltung der Persönlichkeit (BVerfGE 35, 399), das Recht auf Leben und Gesundheit (BGHZ 9, 89) und der allgemeine Gleichheitssatz (vgl. BVerfGE 35, 271 f.). Die Bestimmung der Menschenrechte »als *Grundlage jeder menschlichen Gemeinschaft, des Friedens und der Ge-*

rechtigkeit in der Welt« ist Teil des umfassenden Bekenntnisses des GG zur friedlichen internationalen Zusammenarbeit (vgl. auch Präambel Satz 1, Art. 9 II, Art. 24 bis 26). Zugleich enthält sie eine verbindliche Richtlinie für die Außenpolitik der Bundesrepublik Deutschland (str.; vgl. v. Münch, Art. 1 Rn. 43).

Absatz 3

18   Zu den »*nachfolgenden Grundrechten*«, die alle staatl. Gewalt binden, gehören nicht nur die in den I. Abschnitt aufgenommenen Grundrechte, sondern auch die übrigen im GG enthaltenen subjektiven öffentl. Rechte. Einbezogen sind also auch die in Art. 93 I Nr. 4 a genannten grundrechtsgleichen oder grundrechtsähnlichen Rechte des Art. 20 IV und der Art. 33, 38, 101, 103, 104 sowie i. V. m. Art. 140 z. B. die Art. 136 IV, 137 II WeimRVerf (vgl. u. a. v. Mangoldt/Klein, Art. 1 Anm. V 2). Mit der Kennzeichnung der Grundrechte als *unmittelbar geltendes Recht* wird zum Ausdruck gebracht, daß es sich um keine bloßen Programmsätze handelt und daß der einzelne sich gegenüber der öffentl. Gewalt auf diese Normen im Zweifel soll berufen können (BVerfGE 6, 387). Ihre Verletzung kann er im Wege der Verfassungsbeschwerde rügen (Art. 93 I Nr. 4 a).

19   *Gebunden* werden nur *inländische staatliche Organe* in Bund und Ländern einschl. der Träger mittelbarer Staatsgewalt (BVerfGE 33, 160 f.). Str. ist, ob Art. 1 III auch gegenüber den Kirchen gilt (bejahend z. B. Bonner Komm., Art. 1 Rn. 35; verneinend Maunz/Dürig, Art. 1 Rn. 114); zu Einzelfragen aus diesem Problembereich vgl. Art. 4 Rn. 3, Art. 140 Rn. 11. Die Frage wird differenzierend zu beantworten sein (s. Art. 140 Rn. 11). Gebunden wird die deutsche öffentl. Gewalt auch insoweit, als ihre Betätigung sich im Ausland auswirkt (BVerfGE 6, 295; einengend BVerfGE 18, 116 f.). Auch die Vorschriften des deutschen internationalen Privatrechts und das dadurch Anwendung findende ausländische Recht sind an den Grundrechten zu messen (BVerfGE 31, 72 ff.). Die entscheidende Bedeutung des Abs. 3 liegt in der *Bindung der Gesetzgebung* an die Grundrechte. Galten diese nach der WeimRVerf nur im Rahmen der Gesetze, so sind es nun die Grundrechte, die den Rahmen der Gesetze bestimmen (vgl. BVerfGE 7, 403 ff.). Gesetzgebung meint jede Art von staatl. Normgebung, nicht nur das förmliche Gesetzgebungsverfahren. Bei der Normsetzung durch die Tarifparteien handelt es sich zwar um Gesetzgebung im materiellen Sinne (BVerfG i. st. Rspr. seit E 4, 106), nicht jedoch um staatl. Rechtsetzung. Grundrechtsge-

bunden sind allerdings die für allgemeinverbindlich erklärten Ta-
rifnormen (BVerfGE 44, 340; 55, 21). Anders BAGE 1, 262 ff.;
4, 252, wonach *alle* Tarifverträge als grundrechtsgebunden anzusehen sind. Soweit Grundrechte unter einem Gesetzesvorbehalt
stehen, sind in der Praxis für den Gesetzgeber – abgesehen von der
Wahrung der Menschenwürde – vor allem die Beachtung des We-
sensgehaltes der Grundrechte (Art. 19 II) und die Berücksichtigung des Verhältnismäßigkeitsgrundsatzes von Bedeutung. Im
Blick auf die Exekutive ist durch G vom 19. 3. 1956 (BGBl. I
S. 111) der Begriff der Verwaltung durch *»vollziehende Gewalt«*
ersetzt worden, um die Grundrechtsbindung der Bundeswehr, die
nicht Verwaltung i. e. S. ist, zu verdeutlichen. Einbezogen ist
auch die Erfüllung von Verwaltungsaufgaben durch Private (s.
Vorbem. vor Art. 1 Rn. 7). Die Grundrechtsbindung der Exekutive ist umfassend. Sie gilt für die Regierungstätigkeit ebenso wie
für das gesamte Verwaltungshandeln. Mit Bezug auf die *Rechtsprechung* ist sie unabhängig davon, welchem Bereich die einzelne
Rechtsstreitigkeit zuzuordnen ist. Aus der Bindung der rechtsprechenden Gewalt an die Grundrechte folgt auch die Verpflichtung
zu einer rechtsstaatl. Verfahrensgestaltung (BVerfGE 52, 207).
Zur Bedeutung der Grundrechte für Auslegung und Anwendung
zivilrechtl. Vorschriften s. Vorbem. vor Art. 1 Rn. 6.

Artikel 2   [Allgemeines Freiheitsrecht]

**(1)   Jeder hat das Recht auf die freie Entfaltung seiner Persönlichkeit,
soweit er nicht die Rechte anderer verletzt und nicht gegen die verfassungsmäßige Ordnung oder das Sittengesetz verstößt.**

**(2)   Jeder hat das Recht auf Leben und körperliche Unversehrtheit.
Die Freiheit der Person ist unverletzlich. In diese Rechte darf nur auf
Grund eines Gesetzes eingegriffen werden.**

1   Art. 2 enthält insgesamt *vier Grundrechte:* das Recht auf freie
Entfaltung der Persönlichkeit (Abs. 1), das Recht auf Leben
(Abs. 2 Satz 1), das Recht auf körperliche Unversehrtheit
(Abs. 2 Satz 1) und das Recht auf Freiheit der Person (Abs. 2
Satz 2).

Absatz 1

2   Aus der engen Beziehung zur Menschenwürde als dem höchsten
Wert der Verfassung ergibt sich der hohe Rang des Rechts auf
freie Entfaltung der Persönlichkeit (BVerfGE 35, 221). Als

Hauptfreiheitsrecht bringt Art. 2 I die in der Menschenwürde enthaltene Komponente der freien Entfaltung des Menschen zum Ausdruck und führt insoweit die Freiheitlichkeit als Leitprinzip in die Verfassungsordnung ein (Hamann/Lenz, Art. 2 Anm. A 2). Die *allgemeine Handlungsfreiheit* ist umfassender Ausdruck der persönlichen Freiheitssphäre und zugleich Ausgangspunkt aller subjektiven Abwehrrechte des Bürgers gegen Eingriffe des Staates (BVerfGE 49, 23). Art. 2 I enthält somit ein Grundrecht i. S. eines subjektiven öffentl. Rechts (BVerfG i. st. Rspr.; vgl. z. B. BVerfGE 1, 273; 4, 15; 6, 36; 20, 154).

3 Art. 2 I erfüllt eine lückenschließende Auffangfunktion (vgl. auch BVerfGE 65, 297). Er gehört deshalb zu den am meisten beanspruchten Grundrechtsbestimmungen, wird allerdings häufig auch überfordert. Als verfassungsrechtl. Prüfmaßstab greift er immer dann ein, wenn bestimmte Lebensbereiche nicht durch besondere Grundrechte geschützt sind (BVerfGE 23, 55 f.). Sein Verhältnis zu den anderen Grundrechten ist das der Subsidiarität gegenüber der Spezialität der Einzelfreiheitsrechte (BVerfGE 32, 107). Das Recht auf freie Entfaltung der Persönlichkeit kommt aber immer dann wieder zum Tragen, wenn ein Freiheitsbereich betroffen ist, der nicht unter demselben sachlichen Gesichtspunkt in den Schutzbereich der besonderen Grundrechtsnorm fällt (BVerfGE 19, 225). In Abgrenzung zum Schutz der Menschenwürde in Art. 1 I, der die menschliche Persönlichkeit mehr aus einer statischen Perspektive ihres Wesens schützt, erfaßt Art. 2 I den Menschen vor allem als handelnde Person.

4 Als allgemeines Menschenrecht (vgl. Art. 1 Rn. 17) wird die freie Entfaltung der Persönlichkeit für *jedermann* garantiert. Sie steht Ausländern (BVerfGE 35, 399; 49, 180) ebenso zu wie Minderjährigen (für die sich mit zunehmendem Alter d. Schutz ihrer eigenen Persönlichkeit gegenüber d. Erziehungsrecht d. Eltern verstärkt – BVerfGE 47, 74; 59, 382). Nicht erfaßt, da nicht als handelnde Persönlichkeiten anzusehen, sind das werdende Leben und der Tote (vgl. BVerfGE 30, 194). Hingegen können sich auch juristische Personen des Privatrechts (BVerfGE 10, 225) und andere Personengesamtheiten – wie z. B. Handelsgesellschaften (BVerfGE 10, 99) – auf dieses Grundrecht berufen, soweit nicht das von Art. 2 I mit geschützte, nur für natürliche Personen geltende allgemeine Persönlichkeitsrecht (s. Art. 1 Rn. 10–16) betroffen ist. Zur Grundrechtsgeltung für juristische Personen des öffentl. Rechts vgl. Art. 19 Rn. 7 f.

5 Mit der *freien Entfaltung der Persönlichkeit* schützt Art. 2 I die
Selbstverwirklichung des Menschen nach seinen eigenen Vorstellungen. Schutzgut ist nicht nur die Entfaltungsfreiheit innerhalb
eines ideellen und kulturellen Kernbereiches des Menschen als
geistig-sittlicher Persönlichkeit, sondern völlig wertneutral eine
allgemeine Handlungsfreiheit im umfassenden Sinne (vgl. BVerf-
GE 6, 36; BVerwGE 40, 349). Dies ergibt sich auch aus der Entstehungsgeschichte der Vorschrift, deren lediglich aus sprach-
lichen Gründen geänderte Entwurfsfassung lautet: »Jedermann ist
frei, zu tun und zu lassen, was die Rechte anderer nicht verletzt
und nicht gegen die verfassungsmäßige Ordnung oder das Sittengesetz verstößt« (vgl. JöR, n. F., Bd. 1 S. 56).

6 Den *weiten Umfang des Schutzbereiches* des Grundrechts verdeutlicht die kaum noch zu überschauende Rechtsprechung
(Überblick bei v. Münch, Art. 2 Rn. 22). Danach werden neben
dem Bereich des aus Art. 1 I und Art. 2 I abgeleiteten allgemeinen Persönlichkeitsrechts (s. Art. 1 Rn. 10–16) durch Art. 2 I
beispielsweise gewährleistet: ein unantastbarer Kernbereich
menschlicher Freiheit (BVerfGE 6, 41; 10, 59), Vertragsfreiheit
(BVerfGE 12, 347), Freiheit der wirtschaftlichen Tätigkeit
(BVerfGE 50, 366), Wettbewerbsfreiheit (BVerwGE 30, 189),
Ausreisefreiheit (BVerfGE 6, 42), das Aufenthaltsrecht für Ausländer in der Bundesrepublik Deutschland nach erlaubter Auf-
enthaltsnahme (BVerfGE 35, 399 f.), die Gestaltung der eigenen
äußeren Erscheinung nach Gutdünken (BVerfGE 47, 248 f.;
BVerwG, ZBR 1983, 343), ein faires Gerichtsverfahren (BVerf-
GE 64, 135), das Recht des Untersuchungsgefangenen zum Empfang von Besuch und privaten Briefen (BVerfGE 34, 395 f.; 57,
177), Freiheit der Gewissensentscheidung (soweit Art. 4 nicht
speziell eingreift – BVerwGE 27, 305), das Selbstbestimmungs-
recht der Ehegatten in ihren finanziellen Beziehungen untereinander (BVerfGE 60, 339) und freie geschlechtliche Betätigung
einschl. der Homosexualität (BVerfGE 6, 432 f.). Weiterhin
schützt Art. 2 I generell vor staatl. Eingriffen in die Lebensführung des einzelnen ohne verfassungsmäßige Rechtsgrundlage
(BVerfGE 26, 7; 41, 243).

7 Die Gemeinschaftsgebundenheit des Menschen, von der das GG
ausgeht (vgl. Art. 1 Rn. 4), und die Weite des geschützten Frei-
heitsbereiches bedingen *Schranken*, die über die anderer Grundrechte erheblich hinausgehen. Die freie Entfaltung der Persönlichkeit ist nur so weit garantiert, wie nicht Rechte anderer ver-

letzt werden und nicht gegen die verfassungsmäßige Ordnung oder das Sittengesetz verstoßen wird. *»Rechte anderer«* sind subjektive Rechte Dritter, die in der Rechtsordnung unter dem GG Geltung haben. Hierzu gehören ebenso die Grundrechte wie etwa Individualrechte des Zivilrechts, nicht jedoch bloße Interessen. Der Inhalt des *»Sittengesetzes«* ist nur schwer bestimmbar. Was zu dieser Summe gesetzlich nicht fixierter ethischer Verhaltensnormen zu rechnen ist, wird durch die gemeinsame Grundüberzeugung der Gesellschaft bestimmt (BAG, NJW 1976, 1958). Das persönliche sittliche Gefühl eines Richters oder die Auffassung einzelner Volksteile können hierfür nicht maßgeblich sein (BVerfGE 6, 434). Anknüpfungspunkte bilden die historisch überlieferten Moralauffassungen, wobei den Lehren der christlichen Konfessionen besondere Bedeutung zukommt (BVerfGE 6, 434 f.). Der Inhalt des Sittengesetzes ist jedoch nicht statisch, sondern dem Wandel gesellschaftlicher Grundanschauungen unterworfen (vgl. z. B. die Beurteilung der außerehelichen Lebensgemeinschaft oder der Homosexualität).

8 Zentrale Bedeutung als Grundrechtsschranke besitzt die *»verfassungsmäßige Ordnung«*, die die beiden übrigen Begrenzungen teilweise überlagert und nach der Ausprägung, die sie durch die Rechtsprechung erfahren hat, weitgehend verdrängt. Verfassungsmäßige Ordnung ist danach im Rahmen des Art. 2 I anders zu verstehen als in Art. 9 II und Art. 20 III (BVerfGE 6, 38). Sie ist mit der verfassungsmäßigen *Recht*sordnung gleichzusetzen, d. h. mit der *Gesamtheit der Rechtsnormen, die formell und materiell der Verfassung gemäß sind* (BVerfGE 6, 37 f.; 50, 262). Das Grundrecht des Art. 2 I steht damit nicht nur unter einem Gesetzesvorbehalt, es unterliegt vielmehr einem allgemeinen Rechtsvorbehalt, der auch verfassungsgemäßes Gewohnheitsrecht als Schranke einschließt. Zu einem »Leerlauf« des grundrechtl. Schutzes der allgemeinen Handlungsfreiheit führt dies jedoch nicht. Dem Gesetzgeber sind insbes. durch den Sozialstaatsgrundsatz und das Rechtsstaatsprinzip (Art. 20) materielle Grenzen gesetzt. So verbietet der aus dem Rechtsstaatsprinzip abgeleitete Verhältnismäßigkeitsgrundsatz sachlich nicht gebotene Eingriffe (vgl. BVerfGE 17, 313 f.; 20, 154 f.; 27, 352; 35, 220 f.; 38, 320 f.; 55, 165 ff.). Darüber hinaus schützt die Wesensgehaltsgarantie des Art. 19 II auch für das Grundrecht der freien Entfaltung der Persönlichkeit einen schlechthin unantastbaren Kernbereich privater Lebensgestaltung (BVerfG i. st. Rspr., z. B. BVerfGE 34, 245 f.).

Absatz 2

9 Abs. 2 enthält nicht nur *subjektive Abwehrrechte* gegen staatl.
Eingriffe, vielmehr ergibt sich aus seinem objektiv-rechtl. Gehalt
für die staatl. Organe auch die *Pflicht zum Schutz und zur Förderung* der darin genannten Rechtsgüter, die insbes. vor rechts-
widrigen Eingriffen von seiten anderer zu bewahren sind
(BVerfGE 53, 57; 56, 73). In engen Grenzen kann hieraus – wie
aus Art. 1 I (s. dort Rn. 8) und dem Sozialstaatsgebot des Art. 20
(s. dort Rn. 4) – auch eine Verpflichtung des Staates entnommen
werden, im Rahmen seiner Möglichkeiten die materielle Existenz
des menschlichen Lebens zu sichern.

10 *Satz 1* garantiert *jeder lebenden natürlichen Person* – auch dem
noch nicht geborenen Kind – das Recht auf Leben und körperliche
Unversehrtheit (BVerfGE 39, 37; BVerwGE 54, 220). Ob auch
der nasciturus, das werdende Leben, Grundrechtsträger ist, ist
umstritten (vgl. zum Meinungsstand v. Münch, Art.2 Rn. 39).
Zumindest wird er von den objektiven Normen der Verfassung in
seinem Recht auf Leben geschützt (BVerfGE 39, 41).

11 Die Reichweite des *Rechts auf Leben* ist noch weitgehend ungeklärt. In jedem Falle stellt das menschliche Leben innerhalb der
Ordnung des GG einen Höchstwert dar, der den Staat zum umfassenden Schutz verpflichtet (BVerfGE 46, 164; vgl. auch BVerfGE
51, 347; 52, 219 f.; 53, 65 f.). Das Grundrecht kann auch durch ein
Unterlassen des Staates verletzt werden. Ein Instrument zum
Schutz des Lebens ist das Strafrecht. Fraglich ist, ob das Recht auf
Leben auch ein *Verfügungsrecht des einzelnen über sein Leben* (etwa ein »Grundrecht auf Selbsttötung«) enthält (ablehnend z. B.
Maunz/Dürig, Art. 2 II Rn. 12). Verneint man dies, so kann Art.
2 II weder ein Verbot einer gesetzlich geregelten Zwangsernäh-
rung von Strafgefangenen noch ein Anspruch auf »Gnadentod«
für unheilbar Kranke entnommen werden. Dem Recht auf Leben
ist aber auch nicht ein generelles Verbot der Selbsttötung zu entnehmen (vgl. v. Münch, Art. 2 Rn. 42–44). Im Hinblick auf die
Todesstrafe stellt Art. 102 eine Spezialregelung dar. Im Falle der
Notwehr und der *Nothilfe* (§§ 32, 35 StGB) sowie in ähnlich gelagerten Ausnahmesituationen (z. B. Todesschuß der Polizei zur
Befreiung einer Geisel) ist selbst ein Eingriff zulässig, der für den
Betroffenen von dem Grundrecht nichts mehr übrig läßt (vgl.
v. Münch, Art. 2 Rn. 73). Der Schutz des Rechts auf Leben läßt
den gesetzlich geregelten und auf besondere Konfliktsituationen
mit außergewöhnlichen Belastungen für die werdende Mutter beschränkten *Schwangerschaftsabbruch* zu. Der Staat ist in die-

sem Falle nicht zur Strafandrohung gezwungen; seine Aufgabe ist hier in erster Linie, sich mit sozialpolit. und fürsorgerischen Mitteln für die Sicherung des werdenden Lebens einzusetzen (BVerfGE 39, 44, 46 ff.). Dies folgt auch daraus, daß in besonderem Maße der Kollision von Grundrechten der Mutter mit den Interessen des werdenden Lebens Rechnung getragen werden muß (vgl. v. Münch, Art. 2 Rn. 49 f.).

12 Das *Recht auf körperliche Unversehrtheit* schützt insbes. vor Eingriffen in die Gesundheit im biologisch-physiologischen Sinne (BVerfGE 56, 73). Das BVerfG hat es bisher offen gelassen, wieweit sich das Grundrecht auch auf den geistig-seelischen Bereich, also auf das psychische oder gar das soziale Wohlbefinden erstreckt (BVerfGE 56, 73 f.). Geschützt ist jedenfalls das Recht auf Freiheit von Schmerzen (Maunz/Dürig, Art. 2 II Rn. 29 f.). Insoweit reicht der Grundrechtsschutz in den psychischen Bereich hinein, da z. B. auch tiefgreifende Angstzustände und hochgradige Nervosität als Schmerzen anzusehen sind. Als Verletzung des Schutzbereiches sind damit zumindest auch solche nichtkörperlichen Einwirkungen anzusehen, die ihrer Wirkung nach einem körperlichen Eingriff gleichzusetzen sind, weil sie das Befinden eines Menschen in einer Weise verändern, die der Zufügung von Schmerzen entspricht (BVerfGE 56, 74 f.). Gewährleistet ist weiterhin die Freiheit von Verunstaltungen, selbst wenn deren Zufügung (wie etwa bei einem entstellenden, lächerlichmachenden Haarschnitt) keine Schmerzen verursacht (BVerwGE 46, 7). Die *Verneinung eines Eingriffes* in die körperliche Unversehrtheit, wenn dieser nur geringfügig und damit zumutbar ist (BVerfGE 17, 115), ist angesichts der Unsicherheit des Maßstabes problematisch, wenn es auch sicherlich nicht Sinn des Grundrechtes sein kann, vor völlig unwesentlichen Beeinträchtigungen zu schützen (vgl. BVerwGE 46, 7; 54, 223). Ein Eingriff wurde z. B. verneint bei einer Hirnstromuntersuchung (BVerfGE 17, 115) und bei einer Anordnung über Länge und Tragweise des Haupthaares von Soldaten (BVerwGE 46, 7). Das Vorliegen eines Eingriffs, der für seine Zulässigkeit der gesetzlichen Grundlage bedarf, wurde hingegen bejaht bei der zwangsweisen Veränderung der Haar- und Barttracht zum Zwecke der Gegenüberstellung mit Zeugen (BVerfGE 47, 248), bei einer Hirnkammerluftfüllung (BVerfGE 17, 114 ff.) und bei Zwangsheilung gegen den erklärten Willen des Patienten (BGHSt 11, 113 f.; OLG Stuttgart, NJW 1981, 638). Die *Schutzpflicht des Staates* für die körperliche Unversehrtheit gebietet beispielsweise Lärmschutzmaßnahmen für Flugplatz- und Straßenanlieger (BVerfGE 56, 73 ff.; OVG Münster, NJW

1981, 701). Bei Kernkraftwerken wird der Grundrechtsschutz insoweit vorverlegt, als angesichts der Art und Schwere der möglichen Folgen bereits eine entfernte Wahrscheinlichkeit ihres Eintritts genügt, um die konkrete Schutzpflicht des Gesetzgebers auszulösen (BVerfGE 49, 142). Eine Kernkraftwerksgenehmigung ist nur dann zulässig, wenn es nach dem Stand von Wissenschaft und Technik praktisch ausgeschlossen ist, daß schwerwiegende Schadensereignisse eintreten (BVerfGE 49, 143; 53, 59). Das darüber hinausgehende Restrisiko muß jedoch hingenommen werden (BVerfGE 49, 143). Nicht völlig überzeugend erscheint die Ausklammerung von Gefährdungen aus dem Schutzbereich der Grundrechte, die nicht unmittelbar auf die öffentl. Gewalt der Bundesrepublik zurückgehen (so aber wohl BVerfGE 66, 56 ff.).

13 *Satz 2* bringt mit der Erklärung der Unverletzlichkeit der *Freiheit der Person* neben der Statuierung des subjektiven Abwehrrechts eine für alle Bereiche des Rechts geltende objektive Wertentscheidung der Verfassung zum Ausdruck (BVerfGE 10, 322). Geschützt wird die körperliche Bewegungsfreiheit, nicht jedoch die Freiheit vor jeglichem staatl. Druck (BVerwGE 6, 355; OVG Berlin, DÖV 1956, 153). Eingriffe in die Freiheit der Person stellen Verhaftung und Festnahme (BVerwGE 6, 355; BVerfGE 35, 190), polizeiliche Verwahrung (BVerwGE 45, 56) und ähnliche Maßnahmen dar. Das Grundrecht der Freiheit der Person steht nicht der Unterbringung eines Geisteskranken entgegen, die ausschließlich den Zweck hat, den Kranken vor sich selbst zu schützen (BVerfGE 58, 224 ff.). Art. 2 II 2 ist auch ein Beschleunigungsgebot in allen Angelegenheiten, die den Freiheitsentzug (vor und nach Erlaß eines Urteils) betreffen, zu entnehmen (BVerfGE 36, 269 ff.; 42, 11; 46, 195; 61, 34). Ergänzt wird der Schutz der Freiheit der Person durch Art. 104, der in Abs. 2 für den Freiheitsentzug mit der Notwendigkeit der richterlichen Entscheidung einen weiteren verfahrensrechtl. Vorbehalt schafft (BVerfGE 10, 323 f.; vgl. auch E 58, 220).

14 Nach *Satz 3* ist ein *Eingriff in die Rechte des Art. 2 II nur auf Grund eines Gesetzes* zulässig. »Gesetz« in diesem Sinne ist nach h. M. das förmliche Gesetz (BVerfGE 22, 219 – für das Recht auf Leben und die Freiheit der Person; VGH Mannheim, DÖV 1979, 339 – für das Recht auf körperliche Unversehrheit). Gewohnheitsrecht reicht damit zur Legitimierung von Eingriffen nicht aus (Maunz/Dürig, Art. 2 II Rn. 6, 47 f.; a. A. im Hinblick auf ein Züchtigungsrecht des Lehrers z. B. BGHSt 11, 241 ff.; BayObLG, BayVBl 1979, 121 ff.). Bei den besonders sensiblen

Grundrechten des Art. 2 II ist im Einzelfall die Beachtung des Verhältnismäßigkeitsgrundsatzes von zentraler Bedeutung (vgl. zur körperlichen Unversehrtheit: BVerfGE 16, 201 ff.; 17, 117; zur Freiheit der Person: BVerfGE 29, 316 f.; 30, 53; 32, 93 f.; 35, 190 f.; 53, 158 f.; 61, 134).

Artikel 3   [Gleichheit vor dem Gesetz]

(1)   Alle Menschen sind vor dem Gesetz gleich.

(2)   Männer und Frauen sind gleichberechtigt.

(3)   Niemand darf wegen seines Geschlechtes, seiner Abstammung, seiner Rasse, seiner Sprache, seiner Heimat und Herkunft, seines Glaubens, seiner religiösen oder politischen Anschauungen benachteiligt oder bevorzugt werden.

Absatz 1

1   Der *allgemeine Gleichheitssatz* des Abs. 1 zählt zu den elementaren Verfassungsgrundsätzen. Er enthält ein *Grundrecht* (Anspruch auf Gleichbehandlung), auf das sich auch Nichtdeutsche sowie juristische Personen und nichtrechtsfähige Personengemeinschaften berufen können (BVerfGE 4, 12; 6, 91), soweit jedoch juristische Personen des öffentl. Rechts, soweit sie öffentl. Aufgaben wahrnehmen (BVerfGE 21, 371 f.; 35, 271). Das Gleichheitsgrundrecht richtet sich h. M. nach ausschließlich gegen den Staat. Abs. 1 ist außerdem *Grundnorm für die gesamte Rechtsordnung.* Insoweit beansprucht der Gleichheitssatz Geltung für alle Gebiete des privaten und öffentl. Rechts, sogar für die Beziehungen innerhalb des hoheitlichen Staatsaufbaues (BVerfGE 21, 372; 23, 24; 23, 372 f.; 35, 271 f.). Im übrigen ist Art. 3 I eine Norm von zentraler Bedeutung für die im GG verfaßte Demokratie (Art. 20 I) und Bestandteil der freiheitlichen demokratischen Grundordnung i. S. des Art. 21 und anderer Normen des GG (vgl. Art. 21 Rn. 13).

2   Abs. 1 gebietet nicht nur *Gleichheit vor dem Gesetz* (unten Rn. 9–11), sondern auch *Gleichheit des Gesetzes selbst* (s. Rn. 3–8), wendet sich also nicht allein an die vollziehende Gewalt und Rechtsprechung, sondern bindet auch den Gesetzgeber (BVerfGE 1, 16 LS 18) und hat in dieser Frontrichtung heute sogar den Schwerpunkt seiner rechtl. und polit. Bedeutung. Gesetz im vorstehenden Sinne sind alle Rechtsnormen, nach BAGE 1, 262 ff. auch Tarifverträge. Abs. 1 gilt sowohl für Eingriffe wie für Begünsti-

gungen durch die öffentl. Gewalt einschl. der Subventionen
(BVerfGE 17, 216) und kann auch durch Unterlassung verletzt
werden (BVerfGE 1, 100; 6, 264).

3 *Gleichheit des Gesetzes*: Der Grundsatz der Rechtsgleichheit gilt
für *alle Gebiete* gesetzgeberischer Regelung und gewährleistet in
breiter Streuung u. a. die Steuergerechtigkeit im Abgabenrecht
(BVerfGE 6, 70 u. st. Rspr.), die Wehrgerechtigkeit (BVerf-
GE 48, 159, 162), die Waffengleichheit im Prozeßrecht (BVerf-
GE 52, 144) und im Arbeitskampfrecht (BAGE 1, 308), die
Chancengleichheit im Parteienrecht (Art. 21 Rn. 8), im Wirt-
schaftswettbewerb (BVerfGE 18, 12 f.) und im Bildungswesen.
Abs. 1 fordert keine schematische, sondern eine angemessene
Gleichbehandlung i. S. des ursprünglich vorgesehenen Zusatzes,
daß *Gleiches gleich* und *Verschiedenes nach seiner Eigenart zu behandeln ist*. Unterscheidungen dürfen nur nach sachlichen Gesichtspunkten vorgenommen werden. Der Gleichheitssatz ist verletzt, wenn ein vernünftiger, sich aus der Natur der Sache erge-
bender oder sonst sachlich einleuchtender Grund für eine Un-
gleich- oder Gleichbehandlung nicht zu finden ist, kurzum, wenn
eine Rechtsregelung als willkürlich im objektiven Sinne (BVerf-
GE 4, 155) bezeichnet werden muß (BVerfG i. st. Rspr. seit E 1,
52; aus neuerer Zeit z. B. E 51, 76). Solche einleuchtenden Gründe können sich aus den Sachverhältnissen des jeweiligen Regel-
ungsbereichs ergeben, aber auch aus der Wertordnung des GG,
wie sie besonders in den Grundrechten, dem Sozialstaatsauftrag,
dem Rechtstaatsgedanken und anderen Verfassungsprinzipien
zum Ausdruck kommt. Im allgemeinen läßt Abs. 1 dem Gesetzgeber bei Ausgestaltung der Rechtsordnung einen *weiten Spielraum*. Eine Regelung verstößt nicht schon deshalb gegen den
Gleichheitssatz, weil eine andere gerechter und vernünftiger gewesen wäre (BVerfGE 3, 182; 23, 25; 38, 17). Der Gesetzgeber
kann unter mehreren in der Sache konkurrierenden rechtspolit.
Gesichtspunkten wählen (BVerfGE 17, 130). Seine Gestaltungsfreiheit ist bei der Leistungsgewährung weiter als bei Eingriffsre-
gelungen (BVerfGE 17, 216; 29, 56; 36, 235), bei bevorzugender
Sonderregelung umfassender als bei benachteiligender (BVerf-
GE 17, 23 f.; 44, 295) und besonders weit bei Kriegsfolgeregelun-
gen (BVerfGE 11, 253; 15, 201 f.; 27, 286) und wirtschaftslenkenden Maßnahmen (BVerfGE 18, 331 f.). Eng ist der Gestaltungsraum des Gesetzgebers dann, wenn es um die Verwirklichung
wichtiger Verfassungsprinzipien geht, z. B. des Sozialstaatsprinzips und des rechtl. Gehörs bei der Gewährleistung gleichen

Rechtsschutzes für Bemittelte und Minderbemittelte (BVerf-
GE 9, 129 ff.; 22, 86). Ähnlich hat vor der Wertentscheidung des
Art. 6 I der Gesichtspunkt der Praktikabilität und Mißbrauchs-
verhütung, der einer gesetzlichen Regelung sonst durchaus zu-
grundeliegen darf, zurückzutreten (BVerfGE 13, 298 ff., 315 ff.).
Besonders eingeengt ist die Gestaltungsfreiheit des Gesetzgebers
in den Sachgebieten, für die das GG eine strenge und formale
Gleichheit fordert, so z. B. in Angelegenheiten des Art. 3 II und
III, im Wahlrecht, Parteienrecht und Abgeordnetenrecht (Näheres dazu unten Rn. 8).

4   *Zulässige Ungleichbehandlung:* Ob und in welchem Ausmaße
dem Gesetzgeber Ungleichbehandlung erlaubt ist, richtet sich wesentlich *nach der Natur des jeweils in Frage stehenden Sachbereichs*
(BVerfG i. st. Rspr. seit E 6, 91; aus späterer Zeit z. B. E 40,
317). Ein vertretbarer Gesichtspunkt für Ungleichbehandlung
muß sich gerade aus dem speziell geregelten Sachverhalt ergeben
(BVerfGE 17, 131). Als von der Sache her legitimierte Rechtfertigungsgründe für Unterschiedsbehandlungen kommen z. B. in
Betracht:
1) Inländer- bzw. Ausländereigenschaft in zahlreichen Rechtsbereichen, insbes. im Berufs-, Gewerbe- und Steuerrecht
   (BVerwGE 3, 235; 22, 69 ff.).
2) Außenpolit. Erwägungen (z. B. BVerfGE 24, 52 f.; 38,
   134 f.), ebenso deutschlandpolit. Gesichtspunkte (z. B. bei
   der Berlinhilfe).
3) Finanzpolit., haushaltsrechtl. und steuertechnische Gesichtspunkte (BVerfGE 3, 11; 13, 202 f.; 14, 18; 27, 66 f.; 49,
   360).
4) Wirtschaftspolit. Gründe, z. B. steuerliche Begünstigung
   kleiner und mittelständischer Betriebe (BVerfGE 19, 114 f.;
   21, 299; 23, 59 f.).
5) Sozialpolit. Gründe (BVerfGE 49, 360).
6) Verkehrspolit. Gründe, z. B. zur Förderung des öffentl. Nahverkehrs (BVerfGE 27, 65 f.).
7) Praktikabilität der Rechtsanwendung (BVerfGE 9, 32; 22,
   161; 27, 230; 44, 288).
8) Mißbrauchsverhütung (BVerfGE 22, 161).
9) Vertrauensschutz (BVerfGE 15, 151).
Außer dem allem können Differenzierungen auf *wichtige Verfas-*
sungsprinzipien gegründet werden, etwa das Rechtsstaatsprinzip,
insbes. die Rechtssicherheit zugunsten rechtskräftiger Entscheidungen (BVerfGE 13, 44 ff.; 15, 204 f.; 19, 166), auf das Sozialstaatsgebot zu Lasten der wirtschaftlich Leistungsfähigeren und

zugunsten der sozial schwächeren Bevölkerungskreise (BVerf-
GE 8, 68 f.; 29, 412), auf den Ehe- und Familienschutz (Art. 6 I)
im Steuerrecht (BVerfGE 13, 298 f.). Unterschiedsbegründende
Sonderregelungen sind dann gerechtfertigt, wenn besondere Verhältnisse sie erfordern und das Gewicht der für die Abweichung
sprechenden Gründe der Intensität der getroffenen Ausnahmeregelung entspricht (BVerfGE 18, 372 f.; 21, 91).

5   *Gebotene Ungleichbehandlung:* Auch wo Ungleichbehandlung
zulässig ist, muß sie nicht unbedingt erfolgen. Der *Gesetzgeber* ist
nicht verpflichtet, alles Ungleiche bis ins Genaueste ungleich zu be-
handeln. Er darf vielmehr generalisieren und typisieren und dabei
von durch die Erfahrung begründeten Gesamtbildern ausgehen
(vgl. dazu BVerfGE 11, 254; 17, 23; 21, 27). Nur dann ist eine ungleiche Regelung verfassungsrechtl. geboten, wenn für eine am
Gerechtigkeitsgedanken orientierte Betrachtungsweise die tatsächlichen *Ungleichheiten* in dem jeweils in Betracht kommenden
Zusammenhang *so bedeutsam* sind, *daß sie beachtet werden müs-*
sen (BVerfGE 1, 276; 4, 31; 17, 330; 21, 84; 23, 25), bzw. die
Gleichbehandlung mit dem Gerechtigkeitsgedanken unvereinbar
wäre (BVerfGE 36, 190 u. st. Rspr.). Das ist z. B. nicht schon
deshalb der Fall, weil eine Geldleistungspflicht ein kapitalstarkes
Unternehmen weniger trifft als ein kapitalschwaches (BVerf-
GE 9, 146), wohl aber dann, wenn eine Umsatzsteuer für alle Unternehmen einen gleichen Steuersatz vom Umsatz vorsieht, damit
aber die einstufigen Unternehmen erheblich mehr als die Unternehmen mit mehreren Wirtschaftsstufen belastet und so erhebliche Gruppen von Unternehmen im Wettbewerb wesentlich benachteiligt (BVerfGE 21, 26 ff.).

6   *Gleichheitsfragen von allgemeiner Bedeutung:* Eine Gesetzesregelung verstößt auch dann gegen Art. 3 I, wenn zwar der Gesetzeswortlaut die Betroffenen gleichbehandelt, das Gesetz aber durch
seine praktischen Auswirkungen wesentliche Ungleichheiten
schafft (BVerfGE 8, 64; 49, 165). Grundsätzlich zulässig: Differenzierung auf Grund sachgerechter Stichtagsregelungen (BVerf-
GE 29, 299; 36, 192; 46, 307). Systemwidrigkeit einer differenzie-
renden Regelung im Gesamtrahmen eines Gesetzes ist nur ein Indiz, aber noch kein Beweis für Willkür (BVerfGE 9, 28; 18, 334 u.
372; 34, 115). Unterschiedliche regionale Regelungen durch Landesrecht oder kommunales Recht verletzen, da Art. 3 I den Gesetzgeber nur für *seinen* Herrschaftsbereich verpflichtet, den
Gleichheitssatz nicht (BVerfGE 10, 371; 16, 24 f.; 21, 68; 27, 179;
32, 360). Eine ungleiche Behandlung verstößt nur dann gegen

Art. 3 I, wenn sie eine gewisse Erheblichkeit besitzt; nachteilige Wirkungen als bloße Nebenfolge oder von unbeträchtlichem Ausmaß sind im allgemeinen irrelevant (BVerfGE 13, 341; 21, 27).

7 *Wichtige Einzelfälle:* Von besonderer Bedeutung für die geltende Rechtsordnung sind noch die folgenden Gleichheitsfragen: Sicher ist, daß Einkommen- und Körperschaftsteuern Art. 3 I, Art. 20 I zufolge nach der *wirtschaftlichen Leistungsfähigkeit* zu bemessen sind (BVerfGE 43, 120; 47, 29). Ob Art. 3 I auch die *Steuerprogression* fordert (so BVerfGE 8, 68 f.), ist zweifelhaft; auf jeden Fall aber ist sie verfassungsrechtl. ohne Bedenken. Steuerliche Eingriffe in die *Wettbewerbsgleichheit* sind hinzunehmen, wenn dafür ein hinreichender sachlicher Grund vorliegt (BVerfGE 43, 70) und – so wird man hinzufügen müssen – sie sich in Maßen halten. Der Gesetzgeber muß die Belastung der Eltern durch den *Unterhalt der Kinder* – besonders im Einkommensteuerrecht – berücksichtigen, braucht sie aber nicht voll auszugleichen (BVerfGE 43, 120 f.). *Ehegatten-Arbeitsverhältnisse* dürfen wegen Besonderheiten, die nicht auf wirtschaftlichem Gebiet liegen, steuerrechtl. nicht ungünstiger als vergleichbare Arbeitsverhältnisse sonstiger Personen behandelt werden (BVerfGE 13, 290 LS 2). *Einsparung von Staatsausgaben* ist *im Beamtenrecht* für sich genommen kein sachgerechter Grund differenzierender Behandlung verschiedener Personengruppen (BVerfGE 19, 84 f.). Die Ungleichheit in der *Besteuerung von Beamtenpensionen und Renten* aus der gesetzlichen Rentenversicherung ist im Prinzip mit Art. 3 I vereinbar, hat aber inzwischen ein Ausmaß angenommen, das den Gesetzgeber zu einer Korrektur verpflichtet (BVerfGE 54, 11, 34, 39), die jedoch noch immer nicht erfolgt ist. Aus der in Art. 3 I verbürgten Chancengleichheit im Bildungswesen ist kein Zwang zur Einführung der *Gesamtschule* als Regelschule herzuleiten (v. Münch, Art. 3 Rn. 20).

8 *Allgemeiner Gleichheitssatz und Formalgleichheit:* In einigen Rechtsbereichen wird der allg. Gleichheitssatz von einer strengeren, formalen (egalitären) Ausprägung des Gleichheitsgedankens verdrängt bzw. – so das BVerfG – überlagert. Das gilt vor allem für die Gleichheit von Mann und Frau (Art. 3 II), die Personenmerkmale des Art. 3 III, die Gleichheit im Wahlrecht (Art. 38 I 1), die staatsbürgerliche Gleichheit im Vorfeld der polit. Willensbildung (BVerfGE 8, 68 f.), die Gleichheit der Parteien (BVerfG i. st. Rspr. seit E 8, 64 f.; aus neuerer Zeit E 44, 146; 52, 89), den Zugang zu den öffentl. Ämtern (Art. 33 II) und die Rechtstellung der Abgeordneten (BVerfGE 40, 317 f.). Auf die-

sen Gebieten hat nicht nur »willkürfreie«, sondern formale
Gleichheit zu herrschen und sind *Abweichungen* von der strengen
Gleichbehandlung entweder überhaupt nicht oder *nur aus zwingenden Gründen* und *in engen Grenzen* zulässig. So für das Wahlrecht st. Rspr. des BVerfG seit E 1, 248 f., aus neuerer Zeit E 51, 235; für das Parteienrecht ebenfalls st. Rspr. des BVerfG, aus neuerer Zeit E 44, 146; 52, 89. Art. 3 I hat dabei nach Ansicht des BVerfG nur noch eine »regulierende Funktion« zur Rechtfertigung eng umgrenzter Abweichungen von der formalen Gleichheit (vgl. BVerfGE 13, 247).

9 *Gleichheit vor dem Gesetz:* Das Gebot der Gleichheit vor dem Gesetz richtet sich zwar vorwiegend an die Verwaltung und Rechtsprechung, gilt aber für die gesamte öffentl. Gewalt und daher auch für die Organe der Gesetzgebung, wenn sie, wie z. B. der BTag bei der Wahlprüfung, Recht anzuwenden haben.

10 Der *Gleichheitssatz in der Verwaltung* bedeutet zunächst, daß die Gesetze ohne Ansehen der Person zu vollziehen sind, sofern nicht das Gesetz selbst unterschiedliche Behandlung vorschreibt oder zuläßt. Er verlangt darüber hinaus, daß die Verwaltung auch ihr Ermessen gleichmäßig ausübt (BVerwGE 34, 281). Dabei zulässige oder unzulässige Differenzierungen beurteilen sich weitgehend nach den für den Gesetzgeber maßgeblichen Gesichtspunkten. Die Gleichbehandlungspflicht besteht auch für begünstigendes Verwaltungshandeln. Hat sich die Verwaltung durch eine feste Verwaltungspraxis oder Verwaltungsvorschriften in ihrer Ermessensausübung festgelegt, so kann sie von dieser ihrer »Selbstbindung« ohne Verstoß gegen Art. 3 I nur aus sachgerechten Erwägungen, vor allem bei wesentlicher Besonderheit des Einzelfalles, abweichen (BVerwGE 26, 155; 44, 74 f.), ebenso wohl auch bei veränderter Sach- oder Rechtslage oder neuen Verwaltungszielen. Jedoch erzeugt rechtswidrige Verwaltungspraxis keinen Anspruch auf Gleichbehandlung – »Keine Gleichheit im Unrecht« (BVerfGE 25, 229; 50, 166, BVerwGE 34, 283). Ebenso keine Verletzung des Art. 3 I, wenn verschiedene Behörden dieselbe Bestimmung unterschiedlich auslegen (BVerfGE 1, 85).

11 Der *Gleichheitssatz in der Rechtsprechung* verlangt gleiche Rechtsanwendung im materiellen und im Verfahrensrecht, insbes. gleiche Behandlung der Prozeßparteien (BVerfGE 52, 144 ff.; 54, 124 f.). Auch hier jedoch keine Verletzung des Art. 3 I, wenn verschiedene Gerichte oder Spruchkörper denselben Rechtssatz unterschiedlich auslegen (BVerfGE 19, 47; 21, 91) oder verschiede-

ne Gerichte unterschiedliche Strafpraxis üben (BVerfGE 1,
345 f.). Auch kann kein Straftäter Straflosigkeit beanspruchen,
weil andere Gesetzesbrecher nicht verfolgt worden sind (BVerf-
GE 21, 261; 50, 166). Jedenfalls gilt dies, solange einigermaßen
normale Justizverhältnisse herrschen.

Absatz 2

12   *Gleichberechtigung von Mann und Frau:* Abs. 2 räumt der Frau
die Gleichstellung auf allen Gebieten des öffentl. und privaten
Rechts ein, untersagt aber auch die Benachteiligung des Mannes
(BVerfGE 31, 4). Nicht nur Programmsatz, sondern unmittelbar
anwendbare Norm des objektiven Rechts und an den Staat gerichtetes Grundrecht von Mann und Frau. Abs. 2 konkretisiert und
spezialisiert den allg. Gleichheitssatz i. S. einer strikten Gleichbehandlung der Geschlechter (s. o. Rn. 8). Er verbietet ungleiche
Rechtsregelungen, die allein an den Unterschied von Mann und
Frau anknüpfen (BVerfGE 43, 225). Der Verfassungsgeber hat
Abs. 2 mit Art. 6 I für vereinbar gehalten, so daß Mann und Frau
jetzt auch in Ehe und Familie (BVerfGE 3, 241 f.; 6, 82), insbes.
bei Wahrnehmung der elterlichen Gewalt (BVerfGE 10, 59)
gleichberechtigt sind. Ebenso schließt Abs. 2 nach der Rechtsprechung aus: alleinige Maßgeblichkeit des Mannesnamens für den
Familiennamen (BVerfGE 48, 337), die Bevorzugung des männli-
chen Geschlechts bei der gesetzlichen Erbfolge nach einer Höfe-
ordnung (BVerfGE 15, 342 ff.), die Schlechterstellung des Wit-
wers gegenüber der Witwe bei der beamtenrechtl. Versorgung
(BVerfGE 21, 340 ff.), die Schlechterstellung der Kinder bei Wai-
senrenten und Kinderzuschüssen nach der Mutter in der Sozialversicherung (BVerfGE 17, 27 ff.) und im Versorgungsrecht (BVerf-
GE 17, 38 ff., 62 ff.). Inzwischen verlangt das BVerfG unter Aufgabe früherer Rechtsprechung (E 17, 1 ff.) auch die volle Gleichbehandlung von Witwer- und Witwenrente in der Sozialversicherung (BVerfGE 39, 169, 186). Das BVerfG hat ferner – rechtlich
allerdings kaum überzeugend und unter nicht ausreichender Berücksichtigung der Ordnungsfunktion des Staatsangehörigkeits-
rechts – die frühere Ableitung der Staatsangehörigkeit ehelicher
Kinder allein vom Vater für unvereinbar mit Abs. 2 gehalten
(E 37, 217). Die Gleichbehandlung der Geschlechter im Arbeitsrecht hat ihren Niederschlag jetzt vor allem in §§ 611 a und 612 III
BGB gefunden. Auch in Tarifverträgen sind Männer und Frauen –
besonders lohnmäßig – gleichzustellen (BAGE 1, 258; 1, 348; 29,
122).

13 Jedoch kann der Gesetzgeber die sich aus dem Geschlecht ergebenden, objektiven *biologischen und funktionalen (arbeitsteiligen)
Unterschiede* differenzierend berücksichtigen, wenn sie das zu regelnde Lebensverhältnis so entscheidend prägen, daß gemeinsame Elemente nicht vorhanden sind oder vollkommen zurücktreten (BVerfG i. st. Rspr., aus neuerer Zeit z. B. E 52, 374). Zulässig unter diesen Gesichtspunkten: Besondere Bestimmungen zum
Schutze der Frau als Mutter und an bestimmten Arbeitsplätzen,
Differenzierungen nach Art der Leistungen für die Familiengemeinschaft (BVerfGE 3, 242; 5, 11 f.; 10, 75), vorrangige Haftung
des nichtehelichen Vaters vor der Mutter für den Unterhalt des
Kindes (BVerfGE 11, 278 ff.; s. aber auch E 26, 274 f.), Sorgerecht der Mutter für das nichteheliche Kind (BVerfGE 56, 363).
Man wird die Formel »biologische und funktionale Unterschiede«
jedoch nicht als erschöpfend anzusehen haben, sondern in Übereinstimmung mit den übrigen formalen Ausprägungen des Gleichheitssatzes (s. o. Rn. 8) notfalls auch noch *andere zwingende
Gründe* für eine unterschiedliche Behandlung der Geschlechter
gelten lassen können; ein entsprechender Hinweis darauf findet
sich in BVerfGE 48, 337. Zulässig danach etwa auch das Frauenmonopol für den Hebammenberuf (BVerwGE 40, 24 f.). Nach
wie vor problematisch ist die unterschiedliche Behandlung von
Mann und Frau bei homosexueller Betätigung (§ 175 StGB;
BVerfGE 6, 422 ff.).

14 In starkem Gegensatz zu der strengen Auslegung, die Art. 3 II
sonst gefunden hat, steht die einseitige *Belastung des Mannes mit
öffentlichen Dienstpflichten* (Wehrpflicht, Ersatzdienstpflicht
usw.) in Art. 12 a.

Absatz 3

15 *Besondere Ausprägungen des Gleichheitssatzes:* Abs. 3 erklärt –
Abs. 1 konkretisierend und formalisierend – bestimmte naturgegebene, geschichtliche oder in eigener Entscheidung begründete
menschliche Verschiedenheiten für rechtlich unbeachtlich. Wie
Abs. 1 und 2 ist auch Abs. 3 objektive Rechtsnorm und Grundrecht (BVerfGE 17, 27). Er verbietet nur die *gezielte* Benachteiligung und Bevorzugung aus den in ihm aufgeführten Gründen und
wird daher nicht verletzt, wenn Vor- oder Nachteile nur als Folge
einer auf anderes gerichteten Regelung eintreten (BVerfGE 39,
368).

16 Der Erwähnung des Merkmals *Geschlecht* kommt im Hinblick auf

Abs. 2 keine Bedeutung mehr zu. *Abstammung* bezeichnet die natürliche biologische Beziehung eines Menschen zu seinen Vorfahren (BVerfGE 9, 128). *»Rassen«* sind die zum wesentlichen Teil durch gemeinsame Erbanlagen, also genetisch verbundenen Menschheitsgruppen. Als Rasse i. S. des Abs. 3 sind aber auch die Juden zu verstehen, obwohl sie viel eher durch gemeinsames Schicksal, Religion und Volkszugehörigkeit als durch gemeinsames Erbgut verbunden sind. Ähnliches gilt für die Zigeuner. Das Verbot der Benachteiligung wegen der *Sprache* gewährleistet in Verbindung mit Art. 2 I den völkischen Minderheiten ihre Eigenständigkeit, den Gebrauch der Sprache und eigene kulturelle Einrichtungen. *Heimat* bezeichnet den dauerhaften – u. U. auch nur früheren – geographischen Lebensraum eines Menschen; damit sollten vor allem die Rechte der Flüchtlinge und Vertriebenen gesichert, nicht jedoch Differenzierungen nach Wohnsitz oder gewöhnlichem Aufenthalt ausgeschlossen werden (BVerfGE 48, 287). Unberührt von Abs. 3 bleibt vor allem die Unterschiedsbehandlung auf Grund der Staatsangehörigkeit (BVerfGE 51, 30; BVerwGE 22, 70; a. M. v. Münch, Art. 3 Rn. 92; vgl. auch BGH, NJW 1981, 518). *Herkunft* meint die von den Vorfahren hergeleitete soziale Verwurzelung (BVerfGE 9, 129). Der Begriff des *Glaubens* umfaßt auch religionsfreie Weltanschauungen (s. Art. 4 Rn. 2). *»Politisch«* sind die auf die Gestaltung von Staat und Gesellschaft bezüglichen Anschauungen.

17 Kein Verstoß gegen Abs. 3, wenn z.B. im Versorgungsverfahren notwendigerweise von der Abstammung ausgegangen wird (BVerfGE 9, 205 f.) oder ein polit. Beamter wegen seiner polit. Einstellung abgewählt wird (BVerfGE 7, 170 f.). Unberührt vom polit. Diskriminierungsverbot bleiben als sonderrechtl. Einschränkungen auch die Verfassungstreupflicht nach Art. 33 II und V und die Vorschriften des GG in Art. 9 II, Art. 18 und 21 II sowie die hieran anschließenden normativen und Einzelfallregelungen. Vgl. hierzu insbes. BVerfGE 28, 49; 39, 368 f.

18 *Zu Absatz 1 bis 3*

Sondervorschriften über die Gleichheit der staatsbürgerlichen Rechte und Pflichten enthält Art. 33.

Artikel 4   [Glaubens- und Gewissensfreiheit]

(1)   Die Freiheit des Glaubens, des Gewissens und die Freiheit des religiösen und weltanschaulichen Bekenntnisses sind unverletzlich.

(2)   Die ungestörte Religionsausübung wird gewährleistet.

(3)   Niemand darf gegen sein Gewissen zum Kriegsdienst mit der Waffe gezwungen werden. Das Nähere regelt ein Bundesgesetz.

1   Art. 4 steht in engem Zusammenhang mit den durch Art. 140 in das GG übernommenen sog. Kirchenartikeln der WeimRVerf (Art. 136–139 und 141) und ist zusammen mit diesen als Einheit zu verstehen.

Absatz 1

2   Abs. 1 gewährleistet das *Grundrecht der Glaubens- und Gewissensfreiheit* und der *Freiheit des religiösen und weltanschaulichen Bekenntnisses*. Jeder soll seine innersten Anschauungen und Überzeugungen frei bilden und – rechtlich das Wichtigere – sie auch nach außen frei bekennen können. Die Glaubens- und Bekenntnisfreiheit erstreckt sich nicht nur auf religiöse Anschauungen und Überzeugungen, sondern auch auf irreligiöse, ja sogar religionsfeindliche Weltanschauungen, d. h. Gedankensysteme, die die Welt ohne Bindung an einen religiösen Glauben universell zu begreifen und die Stellung des Menschen in ihr zu erkennen und bewerten suchen. Vgl. dazu BVerfGE 12, 3 f. Der Begriff der Glaubens- und Bekenntnisfreiheit ist überhaupt weit auszulegen (BVerfGE 35, 376). Die Ansicht, daß das GG nur solche Glaubensbetätigung schützen wolle, die sich bei den heutigen Kulturvölkern auf dem Boden übereinstimmender sittlicher Grundanschauungen im Laufe der geschichtlichen Entwicklung herausgebildet hat (BVerfGE 12, 4), ist fragwürdig und inzwischen wohl aufgegeben (vgl. BVerfGE 41, 50). Die Glaubens- und Bekenntnisfreiheit umfaßt u. a. das Recht, frei über seine Zugehörigkeit zu einer Religions- und Weltanschauungsgemeinschaft zu entscheiden (BVerfGE 30, 423; 44, 49), auch einer solchen fernzubleiben oder aus ihr auszuscheiden – »negative Glaubens- und Bekenntnisfreiheit« (BVerfGE 44, 49), das Recht, für seinen Glauben zu werben und von einem anderen Glauben abzuwerben (BVerfGE 12, 4; 24, 245), das Recht der Eltern, ihren Kindern die von ihnen für richtig gehaltene religiöse oder weltanschauliche Überzeugung zu vermitteln (BVerfGE 41, 47 f.), und ganz allgemein das Recht, seinem Glauben gemäß zu handeln (BVerfGE 32, 106; 33, 28; 41, 49). Auch das Recht der Auskunftverweigerung über Glaubens- und Bekenntnisfragen gehört als weitere Form der negativen Glaubens- und Bekenntnisfreiheit da-

zu (BVerfGE 12, 4; 46, 267), wird allerdings durch Art. 140/
136 III WeimRVerf dahin eingeschränkt, daß den Behörden das
Fragerecht zugestanden wird, wenn von der Zugehörigkeit zu einer Religionsgesellschaft Rechte und Pflichten abhängen oder eine gesetzlich angeordnete Statistik es erfordert. Zur religiösen
Lehrfreiheit (Art. 7 III 3) vgl. Art. 7 Rn. 9. Art. 4 und Eidesver-
weigerung: BVerfGE 33, 23, Art. 4 und Kreuz im Gerichtssaal:
BVerfGE 35, 366. *Gewissensfreiheit* ist die Freiheit, dem persönlichen Bewußtsein vom sittlich Guten und Bösen gemäß zu handeln; vgl. dazu BVerfGE 12, 54 f.; 48, 163.

3 Das Grundrecht der Religions- und Weltanschauungsfreiheit, das
jedermann, auch Ausländern und Kindern und vor allem den Religionsgesellschaften selbst und anderen Vereinigungen mit religiöser oder weltanschaulicher Zwecksetzung zusteht (BVerf-
GE 19, 132; 24, 236, 246 f.; 30, 120; 42, 322), richtet sich *in erster
Linie gegen den Staat.* Art. 4 I ist dabei nicht nur Abwehrrecht,
sondern verpflichtet den Staat auch, Verhältnisse zu schaffen, die
eine freie Grundrechtsausübung gewährleisten (BVerfGE 41,
49). Daraus folgt jedoch nicht, daß allen Eltern eine ihren Wünschen entsprechende religiös oder weltanschaulich geprägte Schule zur Verfügung gestellt werden muß (BVerfGE 6, 339 f.; 41,
46). Gewisse christliche Bezüge in öffentl. Schulen müssen, wenn
die gebotene Zurückhaltung, Offenheit und Toleranz gewahrt
wird, auch von Andersdenkenden hingenommen werden (BVerf-
GE 41, 45 f.). Das freiwillige, überkonfessionelle Schulgebet auf
christlicher Grundlage ist zulässig, wenn sich andersgesonnene
Schüler in voller Freiheit für die Nichtteilnahme entscheiden können (BVerfGE 52, 223, 238 ff.; vgl. auch Art. 7 Rn. 5). In bestimmten Beziehungen kann sich Art. 4 I auch *gegen die Reli-
gions- und Weltanschauungsgemeinschaften selbst* richten, vor allem insofern, als er ihnen verbietet, jemandem die Mitgliedschaft
aufzuzwingen. Dem Recht der Kirchen, ihre Angehörigen zur Erfüllung kirchlicher Pflichten anzuhalten, steht er jedoch nicht entgegen. Schließlich hat Art. 4 I mannigfache *Auswirkungen auf die
Rechtsbeziehungen zwischen Privatpersonen.* So darf z. B. der
Übertritt eines Ehegatten zu einer anderen als der bisher gemeinsamen Glaubensgemeinschaft nicht als Eheverfehlung angesehen
werden, sofern sich nicht aus der Art und Weise des Wechsels ein
anderes ergibt (BVerfGE 17, 305; BGHZ 33, 149 ff.). Auch auf
Arbeitsverhältnisse kann Art. 4 einwirken (vgl. hier z. B. LAG
Düsseldorf, JZ 1964, 258; krit. dazu v. Münch, Art. 4 Rn. 31).

4 Art. 4 ist nicht nur Grundrecht, sondern zugleich Ausfluß des To-

leranzprinzips im religiösen und weltanschaulichen Bereich sowie zusammen mit anderen GG-Normen Stützpfeiler des Grundsatzes der religiösen und weltanschaulichen Neutralität des Staates; vgl. hierzu Art. 140 Rn. 5. Dieser verbietet es dem Staat, eine religiöse oder weltanschauliche Mission zu übernehmen oder seine Machtmittel für eine solche einzusetzen.

Absatz 2

5 *Religionsausübung:* Abs. 2 hebt nur eine Gewährleistung hervor, die an sich schon in Abs. 1 gegeben ist (BVerfGE 24, 245). Unter Religionsausübung sind die mit jeder Religion verbundenen Kulthandlungen zu verstehen, vor allem Gottesdienste, Feiern, Prozessionen, Gebete, Sakramentsspenden, Glockengeläut (BVerfGE 24, 246; BVerwGE 68, 68), Fahnenzeigen, nach BVerfGE 24, 246 ff. auch religiöse Erziehung, karitative Tätigkeit und »andere Äußerungen des religiösen . . . Lebens«. Die ungestörte Religionsausübung wird nicht nur für den einzelnen, sondern auch für diesen in Gemeinschaft mit anderen sowie für die Religionsgesellschaften selbst und religiösen Vereine (BVerfGE 24, 236) gesichert. Niemand darf an einer religiösen Handlung oder der Teilnahme daran gehindert, niemand zu einer solchen gezwungen werden. Zum letzteren s. auch Art. 140/136 IV WeimRVerf. Aus der allgemeinen Gleichbehandlung von Religion und Weltanschauung im GG – vgl. Art. 4 I und Art. 140/137 VII WeimRVerf – ist zu folgern, daß Abs. 2 auch Kulthandlungen auf weltanschaulicher Grundlage schützt (ebenso BVerfGE 24, 246).

Zu Absatz 1 und 2

6 Die Absätze 1 und 2 sehen keine ausdrücklichen *Einschränkungsmöglichkeiten* der in ihnen verbürgten Rechte vor. Dennoch ist auch die Glaubens-, Gewissens-, Bekenntnis- und Religionsausübungsfreiheit nicht schrankenlos. Sie findet vielmehr wie alle sonstigen im Wortlaut uneingeschränkten Grundrechte ihre Grenzen an kollidierenden Grundrechten Dritter (z. B. aus Art. 1 I 1, Art. 4 I selbst, Art. 6 II, Art. 7 II) und an anderen mit Verfassungsrang ausgestatteten Rechtswerten, wenn diesen im Konkurrenzfalle das höhere Gewicht zukommt (BVerfGE 28, 260 f.; 32, 107 f.; 41, 50; 44, 49 f.; 52, 246 f.; BSGE 51, 76). Im übrigen entbindet, wie sich aus Art. 140/137 III WeimRVerf ergibt, religiösweltanschauliche Motivation menschlichen Handelns grundsätzlich nicht von der Beachtung der allgemeinen, für alle gelten-

den Gesetze, insbes. nicht von der der Strafgesetze (vgl. dazu
Art. 140 Rn. 9). Zu den allgemeinen Gesetzen in diesem Sinne
gehört u. a. Art. 5 II (str.; wie hier i. Ergebnis auch Maunz/Dü-
rig, Art. 4 Rn. 90 f.). Auch das »Gewissen« des einzelnen hat
grundsätzlich nicht die Kraft, unbezweifelbare Rechtspflichten zu
relativieren, wie sich u. a. durch Umkehrschluß aus Abs. 3 ergibt
(ebenfalls str.). Allerdings ist bei alledem ggf. zu prüfen, ob das
allgemeine Gesetz seinerseits den in Art. 4 I und II verbürgten
Grundrechten ausreichend Rechnung trägt (vgl. dazu BVerf-
GE 53, 400 f.). Bestimmte Grundrechtsgrenzen können sich auch
aus Sonderrechtsverhältnissen wie z.B. dem Beamtenverhältnis,
hier vor allem bei Lehrern, ergeben. Art. 2 I vermag Art. 4 I und
II wegen seiner Subsidiarität zu diesen nicht einzuschränken
(BVerfGE 32, 107).

Absatz 3

7 *Satz 1: Kriegsdienstverweigerung* nach Abs. 3 ist ein *Grundrecht*
wie Art. 4 I, nicht nur ein noch zu aktualisierender Grundsatz
(BVerfGE 12, 53; 28, 259; 32, 45). »*Niemand*«: also – Art. 12 a I
(Wehrdienst) entsprechend – keine Beschränkung der Kriegsdienstverweigerung auf Deutsche (Art. 116 I).

8 »*Kriegsdienst mit der Waffe*« ist ein Tun, das unmittelbar darauf
gerichtet ist, in einer Kriegshandlung mit den jeweils zur Verwendung kommenden Waffen andere töten zu müssen; dies zu
verweigern, ist der Kerngehalt des Grundrechts aus Art. 4 III
(BVerfGE 48, 163 f. m. w. N.). Nicht zum Kernbereich des
Grundrechts gehört die Verweigerung auch der Ableistung von
Wehrdienst in Friedenszeiten (BVerfGE 48, 164; bestr.). Allerdings ist die Heranziehung zu einer solchen Ausbildung nutzlos.
Nach BVerfGE 12, 56 kann auch die Ausbildung mit der Waffe
im Frieden verweigert werden, weil dem einzelnen nach dem Willen des GG keine Ausbildung aufgezwungen werden soll, die allein dem Zweck dient, ihn auf eine Betätigung vorzubereiten, die
er aus Gewissensgründen ablehnt. »Kriegsdienst mit der Waffe«
meint auch unterstützende Tätigkeiten, da der moderne Waffen-
einsatz oft ein arbeitsteiliger Vorgang ist, und Waffendienst im
Bundesgrenzschutz (s. dazu Art. 12 a I u. § 64 BGSG). Nicht einbezogen sind hingegen der Sanitätsdienst, die Wehrverwaltung
und, sofern sich dies praktisch abgrenzen läßt, der Einsatz von
Waffen, der sich wie z. B. die Raketenabwehr nur gegen andere
Waffen, nicht also gleichzeitig auch gegen Menschen richtet (Bonner Komm., Art. 4 Rn. 98). Dabei ist allerdings zu beachten, daß

die Gesetzgebung nach Art. 12 a II 3 die Möglichkeit eines Ersatzdienstes, der in *keinem* Zusammenhang mit den Verbänden
der Streitkräfte und des Bundesgrenzschutzes steht, vorsehen
muß. Abs. 3 gibt ferner kein Recht, gegenüber der staatl. Arbeitsvermittlung eine Tätigkeit in der Rüstungswirtschaft abzulehnen
(BSGE 54, 9).

9 *»Gegen sein Gewissen«:* Gewissensentscheidung ist jede ernste,
sittliche, d. h. an den Kategorien von »Gut« und »Böse« orientierte Entscheidung, die der einzelne in einer bestimmten Lage als
für sich bindend und unbedingt verpflichtend innerlich erfährt
(BVerfGE 12, 55; 23, 205). Nur die prinzipielle Verweigerung des
Kriegsdienstes mit der Waffe auf Grund einer Gewissensentscheidung des einzelnen, der für sich den Dienst mit der Waffe
schlechthin und allgemein ablehnt, ist geschützt, nicht die »situationsbedingte« Verweigerung der Teilnahme an einem bestimmten Krieg, an einer bestimmten Art von Kriegen oder der Führung
bestimmter Waffen (BVerfGE 12, 58). Eine durch Art. 4 III geschützte Gewissensentscheidung trifft ein grundsätzlicher (»dogmatischer«) Pazifist, aber auch der, dessen *Motive* insofern situa-
tionsbedingt sind, als er hier und heute den Kriegsdienst mit der
Waffe allgemein ablehnt, weil ihn Erlebnisse und Überlegungen
dazu bestimmen, die nur für die augenblickliche historisch-politi-
sche Situation Gültigkeit besitzen, ohne daß sie notwendig zu jeder Zeit und für jeden Krieg gelten müßten (BVerfGE 12, 60).
Entscheidend ist die schwere innere Belastung durch die Vorstellung, Menschen töten zu müssen (BVerfGE 12, 57). In jedem Fall
setzt die Ausübung des Verweigerungsrechts die Offenbarung der
Überzeugung voraus (BVerfGE 52, 246). Bei der Anwendung
der Norm im Einzelfall ist nur festzustellen, ob eine Gewissensentscheidung vorliegt. Die administrative oder richterliche Prü-
fungsbefugnis geht nicht so weit, daß die Gewissensentscheidung
in irgendeinem Sinn – etwa als »irrig«, »falsch« oder »richtig« – be-
wertet werden dürfte (BVerfGE 12, 56). Einer rationalen Abwägung durch den Verweigerer bedarf es nicht; es kann sich auch um
eine Entscheidung aus dem Gefühl handeln. – Übersicht über die
umfangreiche Rechtsprechung des BVerwG bei Becker, DVBl
1981, 105; vgl. ferner BVerwG, DÖV 1984, 677 f.

10 *Satz 2:* Das hier vorgesehene *Bundesgesetz* kann das Kriegsdienstverweigerungsrecht nicht in seinem sachlichen Gehalt einschränken, sondern darf nur die Grenzen offenlegen, die in Satz 1 schon
enthalten sind (BVerfGE 48, 163 m. w. N.). Es muß die Anerkennung der Kriegsdienstverweigerung auf die Wehrpflichtigen

beschränken, bei denen mit hinreichender Sicherheit angenommen werden kann, daß in ihrer Person die Voraussetzungen des Art. 4 III 1 erfüllt sind. Es muß ausschließen, daß der Wehrdienst nach Belieben verweigert werden kann (BVerfGE 48, 168 f.). Dem genügte das gemäß § 26 WehrpflichtG i. d. F. vom 8. 12. 1972 (BGBl. I S. 2277) bis 1983 geltende Prüfungs- und Anerkennungsverfahren (BVerfGE 28, 259; 48, 166), nicht jedoch die Regelung der »Postkartennovelle« vom 13. 7. 1977, BGBl. I S. 1229 (BVerfGE 48, 171, 176). Das frühere Prüfungs- und Anerkennungsverfahren ist allerdings nicht zwingend geboten (BVerfGE 28, 259; 48, 166 f.). Der Gesetzgeber könnte auch auf ein solches verzichten und den Ersatzdienst (Art. 12 a II) als einzige Probe auf die Gewissensprüfung einsetzen, wenn dabei sichergestellt wird, daß nur diejenigen Wehrpflichtigen als Kriegsdienstverweigerer anerkannt werden, die sich zu Recht auf Art. 4 III berufen. Er könnte dabei den Ersatzdienst auf 24 Monate (Dauer des Wehrdienstes einschl. Wehrübungen) verlängern und Ersatzdienstleistende so den Wehrpflichtigen gleichstellen. Eine solche Regelung würde weder Art. 12 a II 2 verletzen, wonach die Dauer des Ersatzdienstes diejenige des Wehrdienstes nicht übersteigen darf, noch gegen Satz 3 verstoßen, der Beeinträchtigungen der freien Gewissensentscheidung im Rahmen des Ersatzdienstes verbietet (BVerfGE 48, 170 f.; bestr.). Mit Art. 4 III 1 und 12 a II vereinbar ist daher auch die seit 1. 1. 1984 geltende *Neuregelung* (KriegsdienstverweigerungsG vom 28. 2. 1983, BGBl. I S. 203). Sie sieht grundsätzlich als Form der Gewissensprüfung vor: Eine Verweigerung unter bewußter Inkaufnahme des anstelle des Wehrdienstes zu leistenden zivilen Ersatzdienstes, der mittels seiner Verlängerung um ein Drittel des Grundwehrdienstes (d. h. also z. Z. 20 statt 15 Monate), seiner den Dienst erschwerenden Ausgestaltung sowie insbes. angesichts der realistischen Erwartung des Wehrpflichtigen, nach entspr. Vermehrung der Ersatzdienststellen auch tatsächlich einberufen zu werden, zu einer »lästigen Alternative« ausgestaltet wurde (BVerwG, DÖV 1984, 677).

11 Die *Rechtsfolgen* der Kriegsdienstverweigerung regelt Art. 12 a II: Der Verweigerer kann zu einem *Ersatzdienst* herangezogen werden.

Artikel 5 [Meinungsfreiheit]

(1) Jeder hat das Recht, seine Meinung in Wort, Schrift und Bild frei

zu äußern und zu verbreiten und sich aus allgemein zugänglichen
Quellen ungehindert zu unterrichten. Die Pressefreiheit und die
Freiheit der Berichterstattung durch Rundfunk und Film werden
gewährleistet. Eine Zensur findet nicht statt.

(2) Diese Rechte finden ihre Schranken in den Vorschriften der
allgemeinen Gesetze, den gesetzlichen Bestimmungen zum
Schutze der Jugend und in dem Recht der persönlichen Ehre.

(3) Kunst und Wissenschaft, Forschung und Lehre sind frei. Die
Freiheit der Lehre entbindet nicht von der Treue zur Verfassung.

1 Art. 5 umfaßt sieben selbständige Grundrechte: das Recht auf
freie Meinungsäußerung, die Informationsfreiheit, die Pressefreiheit, die Freiheit der Berichterstattung durch Rundfunk und Film
sowie die Freiheit von Kunst und Wissenschaft.

Absatz 1

2 Für die in Abs. 1 jedermann verbürgten Grundrechte sind zwei
Komponenten wesensbestimmend: Neben die *subjektive Freiheitsgarantie* tritt der *objektive Bezug zum demokratischen Prinzip* (Art. 20 I), dessen Funktionieren eine frei gebildete und möglichst gut informierte öffentl. Meinung voraussetzt (BVerfGE 27,
81); nach Auffassung des BVerfG sind das Recht der freien Meinungsäußerung, die Presse-, Rundfunk- und Filmfreiheit wie
auch das Grundrecht der Informationsfreiheit (BVerfGE 27, 98)
für eine freiheitliche demokratische Staatsordnung »schlechthin
konstituierend« (BVerfGE 20, 97). Freie Meinungsbildung vollzieht sich in diesem Prozeß der Kommunikation. Indem Abs. 1
Äußerungs-, Verbreitungs- und Informationsfreiheit als Menschenrechte gewährleistet, sucht er diesen Prozeß zu schützen
(BVerfGE 57, 319 f.), und zwar nicht nur für den Bereich der öffentl. Meinungsbildung, sondern auch im privaten Bereich (vgl.
Maunz/Dürig, Art. 5 I, II Rn. 5 ff.).

3 *Satz 1* gewährleistet zunächst die *allgemeine Meinungsfreiheit,*
d. h. das Recht, die eigene Meinung in Wort, Schrift und Bild frei
zu äußern und zu verbreiten, auch das Recht, die eigene Meinung
zu verschweigen (negative Meinungsfreiheit). Sie steht Deutschen (Art. 116 I), Ausländern und inländischen juristischen Personen i. S. des Art. 19 III zu. Zu Meinungsäußerungen der Regierung vgl. Vorbem. vor Art. 62 Rn. 6. Die Grundrechte des Satzes 1 schützen wie alle Grundrechte in erster Linie negativ vor
Eingriffen der öffentl. Gewalt. Darüber hinaus wird der Staat

grundsätzlich aber auch positiv verpflichtet, die genannten Freiheiten zu sichern. Das gilt auch für den Bereich der betrieblichen Arbeitswelt (vgl. BVerfGE 42, 140; BAG, NJW 1980, 1873). Außerdem enthält Satz 1 verfassungsrechtl. Wertentscheidungen, die in der gesamten Rechtsordnung zu beachten sind (BVerfGE 7, 205 ff.).

4 *»Meinungen«* sind *Urteile* jeder Art, insbes. *Werturteile*, also wertende Betrachtungen von Tatsachen, Verhaltensweisen oder Verhältnissen. Aus dem umfassenden Charakter des Meinungsäußerungsrechts (vgl. BVerfGE 61, 7), das sich auf *jede* Meinung erstreckt, folgt, daß es dabei keine entscheidende Rolle spielt, ob ein Urteil objektiv richtig oder falsch ist, ob es emotional oder rational begründet ist (BVerfGE 30, 347), schließlich ob die Meinung »wertvoll« ist oder nicht (BVerfGE 33, 14 f.). Als Beitrag zur geistigen Auseinandersetzung (BVerfGE 42, 149) sind auch falsche, verwerfliche und abwertende Meinungsäußerungen bis zur Grenze des Abs. 2 geschützt. Dies gilt namentlich für den Fall öffentlich geäußerter Kritik, an deren Zulässigkeit auch mit Blick auf das Persönlichkeitsrecht (dazu Art. 1 Rn. 10 ff.) keine überhöhten Anforderungen gestellt werden dürfen (BVerfGE 54, 137; 60, 240).

Konstitutiv dafür, was als Äußerung einer »Meinung« vom Schutz des Grundrechts umfaßt wird, ist das Element der Stellungnahme, des Dafürhaltens im Rahmen der geistigen Auseinandersetzung (BVerfGE 65, 42). Wegen ihrer meist kaum zu lösenden Verzahnung mit wertenden Elementen wird dennoch i. d. R. von der Einbeziehung auch der *Tatsachenmitteilung* in den Grundrechtsschutz auszugehen sein (vgl. Maunz/Dürig, Art. 5 I, II Rn. 50 ff.). Anders als bei der Meinungsäußerung ist an die Tatsachenmitteilung grundsätzlich die Anforderung ihrer Richtigkeit zu stellen. Unrichtige Tatsachenbehauptungen sind kein schützenswertes Gut (BVerfGE 61, 8). Das gilt auch für die Wiedergabe fremder Äußerungen. Das unrichtige Zitat bzw. die Ausgabe einer eigenen Interpretation als Zitat eines anderen wird vom Grundrecht der Meinungsfreiheit nicht gedeckt (BVerfGE 54, 219).

Auch die nur gegen Entgelt zu erlangende Meinungsäußerung (kommerzielle Meinungsverbreitung) wie z. B. bei Presseerzeugnissen fällt unter die Meinungsfreiheit (BVerfGE 30, 352 f.; str. allerdings bei kommerzieller Werbung – vgl. v. Münch, Art. 5 Rn. 7, der nach Inhalt differenziert). Das Grundrecht soll aber nur den *geistigen Kampf der Meinungen* gewährleisten. Danach fällt zwar auch gewerbeschädigende Kritik (BGHZ 45, 307) und die Aufforderung zu einem bestimmten Verhalten (z. B. ein Boykottaufruf) noch unter die geschützten Meinungskundgaben; wird ein solcher Aufruf jedoch nicht nur auf geistige Argumente gestützt, sondern bedient er sich darüber hinaus besonderer Druckmittel (etwa durch die Androhung erheblicher wirtschaftlicher Nachteile), die dem Angesprochenen die Möglichkeit freier Entscheidung nehmen, so ist diese Aufforderung – ebenso wie jede Gewaltanwendung – nicht mehr durch das Grundrecht der freien Meinungsäußerung geschützt (BVerfGE 25, 264 f.).

5 Die Begriffe *»Wort, Schrift und Bild«* sind weit auszulegen und auch nur als beispielhaft anzusehen (vgl. v. Münch, Art. 5 Rn. 9 f.). Über die Form der Meinungsäußerung entscheidet jeder selbst. Ein Anspruch auf *Zuhörerschaft* oder Gehör durch öffentl. Stellen läßt sich aus Art. 5 I 1 nicht ableiten (vgl. BayObLG, NJW 1969, 1127), auch nicht ein Recht auf *Volksbefragung* (BVerfGE 8, 45 f.).

6 Wegen der großen Bedeutung, die der öffentl. Meinung in der modernen Demokratie zukommt, wird die *freie Bildung der öffentlichen Meinung* als durch Abs. 1 mitgarantiert angesehen (BVerfGE 8, 112; 20, 98). Aus dem Grundrecht folgert das BVerfG darüber hinaus sogar ein grundsätzliches *Recht auf polit. Betätigung* (BVerfGE 20, 98). Die körperschaftlich verfaßte Studentenschaft kann hieraus jedoch kein allgemeinpolit. Mandat herleiten (BVerwGE 34, 75).

7 Die außerdem in Satz 1 gewährleistete *Informationsfreiheit* – das Recht, sich selbst zu informieren – ist ein selbständiges Grundrecht (BVerfGE 27, 108 f.), nicht bloßer Bestandteil des Rechts der freien Meinungsäußerung und -verbreitung (BVerfGE 27, 81). Geschützt ist sowohl das aktive Handeln zur Informationsbeschaffung als auch die schlichte Entgegennahme von Informationen (BVerfGE 27, 82 f.).

8 Nur die Unterrichtung *aus allgemein zugänglichen Informationsquellen* ist verfassungsrechtl. gewährleistet. Allgemein zugänglich ist die Informationsquelle (d. h. jeder denkbare Träger von Informationen, auch der Informationsgegenstand selbst) regelmäßig, wenn sie »technisch geeignet und bestimmt ist, der Allgemeinheit, d. h. einem individuell nicht bestimmbaren Personenkreis, Informationen zu verschaffen« (BVerfGE 27, 83). Staatl. Beschränkungsmaßnahmen (z. B. Einfuhrverbote) gegenüber Zeitungen

oder anderen Massenkommunikationsmitteln, die dem ungehin-
derten Zugang zur Informationsquelle entgegenstehen, beseitigen
deren Eigenschaft der Allgemeinzugänglichkeit nicht. Diese ist allein nach tatsächlichen Kriterien zu beurteilen (BVerfGE 33, 85).
Nicht allgemein zugänglich sind Postsendungen an bestimmte Personen (BVerfG, DVBl 1965, 235) sowie der Bereich der Behör-
denvorgänge, so daß das Informationsgrundrecht eine Auskunfts-
erteilung oder Gewährung von Akteneinsicht durch Behörden
nicht umfaßt (BVerwGE 47, 252; 61, 22). Die Informationsfreiheit als Abwehrrecht verpflichtet den Staat auch nicht, allgemein zugängliche Informationsquellen einzurichten (BVerwG,
DÖV 1979, 102).

9   *Ungehindert* ist das Informationsrecht dann, wenn es frei von
rechtl. oder faktischer staatl. Abschirmung, Behinderung, Lenkung, Registrierung oder auch nur Verzögerung (vgl. BVerf-
GE 27, 98 f.) wahrgenommen werden kann. Ein Recht auf unent-
geltliche Unterrichtung läßt sich aus der Informationsfreiheit
nicht herleiten (BVerwGE 29, 218).

10   Satz 2 gewährleistet die *Pressefreiheit* als subjektives *Grundrecht*
sowie als *Garantie des Instituts »Freie Presse«* (BVerfGE 10, 121;
12, 260; 20, 175). Eine freie, nicht von der öffentl. Gewalt gelenkte
und keiner Zensur unterworfene Presse ist ein Wesenselement des
freiheitlichen Staates. Sie ist neben Hörfunk und Fernsehen ein
wichtiger Faktor für die Bildung der öffentl. Meinung, die in der
modernen Demokratie eine entscheidende Rolle spielt (BVerf-
GE 50, 239). Die Freiheit der Presse stellt eine wesentliche Voraussetzung für eine freie polit. Willensbildung des Volkes dar
(BVerfGE 50, 240).

11   Als *Träger des Grundrechts* kommen grundsätzlich alle »im Pressewesen tätigen Personen und Unternehmen« in Betracht (vgl.
BVerfGE 20, 175; für inländ. jurist. Personen i. S. von Art. 19 III
BVerfGE 21, 277 f.). Dazu gehören z. B. auch die in der wirtschaftlichen Verwaltung wie der Buchhaltung eines Presseunter-
nehmens Tätigen (BVerfGE 25, 304). Auf dem Umstand, daß sowohl Verleger als auch Redakteure und Journalisten Grundrechtsträger sind, beruht das in der Beurteilung umstrittene Problem der
sog. *inneren Pressefreiheit* (vgl. die Nachweise bei v. Münch, Art.
5 Rn. 28). Dabei geht es um unternehmensinterne Rechtsbeziehungen partizipatorischer Natur zwischen diesen Grundrechts-
trägern. Trotz des Grundrechtsbezugs ist schon die verfassungsrechtl. Qualität der Fragestellung, mehr noch eine einzig aus dem

Grundrecht herzuleitende Lösung des Problems äußerst zweifelhaft (vgl. Bethge, Zur Problematik von Grundrechtskollisionen,
1977, S. 141 ff.); das Meinungsspektrum reicht vom verfassungsrechtl. Gebot bis zum verfassungsrechtl. Verbot (aufgrund der
Pressefreiheit des Verlegers).

12 Der *Begriff »Presse«*, der alle zur Verbreitung (auch in eng beschränkten Leserkreisen) geeigneten und bestimmten Druckerzeugnisse umfaßt, ist weit und formal auszulegen (v. Münch,
Art. 5 Rn. 21), so daß es hierfür weder auf das technische Herstel-
lungsverfahren noch auf den Inhalt des Erzeugnisses ankommt
(vgl. BVerfGE 21, 278; 39, 164). Er kann insbes. nicht von einer
Bewertung des einzelnen Druckerzeugnisses abhängig gemacht
werden. Eine Beschränkung der Pressefreiheit auf die »seriöse«
Presse ist damit nicht vereinbar (BVerfGE 34, 283).

13 Zu den *von der Pressefreiheit umfaßten Einzelgewährleistungen*
gehören etwa die freie Gründung von Presseorganen, der freie Zugang zu den Presseberufen (BVerfGE 20, 175 f.), die Freiheit, die
Tendenz eines Presseorgans zu bestimmen (BVerfGE 52, 296 f.),
und die freie Verbreitung von Nachrichten und Meinungen
(BVerfGE 50, 240). Der Grundrechtsschutz erstreckt sich auch
auf die Veröffentlichung von Anzeigen (BVerfGE 21, 278). Zur
Frage der Verpflichtung zum Abdruck von Anzeigen (insbes. bei
Monopolstellung d. Zeitung u. polit. Anzeigen) vgl. BVerfGE 42,
62 sowie v. Münch, Art. 5 Rn. 22 a. Die Pressefreiheit verbürgt
alle wesensmäßig mit der Pressearbeit zusammenhängenden Tätigkeiten einschl. der pressetechnischen Hilfstätigkeiten. Sie
schützt ferner den gesamten Bereich publizistischer Vorberei-
tungstätigkeit, insbes. also die Beschaffung von Informationen
und letztlich auch die Informationsquelle (BVerfGE 50, 240). Als
unentbehrlich gehört damit zur Pressefreiheit auch ein gewisser
Schutz des Vertrauensverhältnisses zwischen Presse und privaten
Informanten einschl. der Wahrung des Redaktionsgeheimnisses,
z. B. durch bestimmte Zeugnisverweigerungsrechte (BVerf-
GE 20, 176 f.).

Zur Pressefreiheit gehört ferner vor allem ihre *grundsätzliche
Staatsfreiheit*. Es widerspräche der Verfassungsgarantie, die Presse oder einen Teil von ihr unmittelbar oder mittelbar von Staats
wegen zu reglementieren oder zu steuern (BVerfGE 12, 260). Einer eigenen Pressetätigkeit braucht sich der Staat aber deswegen
nicht völlig zu enthalten. Auch einzelne Kooperationsabkommen
zwischen staatl. Stellen und Presseverlagen sind solange unbe-

denklich, wie dies nicht zu einer staatl. Beherrschung von Presseunternehmen führt. Das BVerfG hält gewisse Einflußnahmen des Staates auf die Presse noch für zulässig, wenn sie wegen der Konkurrenz mit der Fülle der vom Staat unabhängigen Zeitungen und Zeitschriften an dem Bild der freien Presse substanziell nichts ändern (BVerfGE 12, 260). Hierbei dürfte es sich jedoch nur um ein Mindesterfordernis handeln. Zu etwaigen Pressesubventionen vgl. OVG Berlin, OVGE Bln 13, 108: Notwendigkeit ermessensbindender gesetzlicher Grundlage. Zulässig dürften sowohl eine gleichmäßige Subventionierung aller Presseunternehmen wie auch eine gezielte Förderung zur Erhaltung der Pressevielfalt sein.

14 In gewissem Umfang ergeben sich aus Art. 5 auch *Handlungspflichten des Staates* (vgl. oben Rn. 3). Anerkannt sind hier u. a. Auskunftspflichten der Behörden gegenüber der Presse (BVerfGE 20, 176), die man allerdings nur i. S. einer allgemeinen Unterrichtungspflicht zu verstehen haben wird, über deren Umfang und Modalitäten die staatl. Stellen eigenverantwortlich bestimmen können (BVerwG, DVBl 1966, 576), und nicht als durchsetzbaren Auskunftsanspruch im konkreten Einzelfall (str.; vgl. v. Münch, Art. 5 Rn. 24 »Informationsanspruch«). Darüber hinaus ließe sich auch an eine Pflicht des Staates denken, Gefahren abzuwehren, die einem freien Pressewesen aus der Bildung von Meinungsmonopolen erwachsen können (BVerfGE 20, 176; zur Diskussion vgl. v. Münch, Art. 5 Rn. 29).

15 Die *Grenzen der Pressefreiheit* ergeben sich aus Abs. 2. Die Pressefreiheit findet auch dort eine Grenze, wo sie auf andere gewichtige Interessen des freiheitlichen demokratischen Staates stößt und die Erfüllung der publizistischen Aufgabe nicht den Vorrang der Pressefreiheit erfordert (BVerfGE 25, 306; vgl. ferner E 21, 273). Rechtsgüter anderer müssen auch in der Presse geachtet werden (BVerfGE 20, 176). Im übrigen beschränkt sich der Schutz der Pressefreiheit auf die wahrheitsgemäße Berichterstattung, zu der die Presse bei Erfüllung ihrer Aufgabe verpflichtet ist. Die leichtfertige Weitergabe unwahrer Nachrichten, erst recht die bewußte Entstellung der Wahrheit, auch durch das Weglassen wesentlicher Sachverhalte, wird durch Art. 5 nicht gedeckt (BVerfGE 12, 130).

16 *Rundfunkfreiheit:* Zum Rundfunk (Hörfunk u. Fernsehen) gehören drahtloser Raumfunk ebenso wie leitungsgebundener Drahtfunk, soweit sich die Sendungen an die Allgemeinheit richten und von ihr empfangen werden können (OVG Münster, DÖV 1978,

519). Nicht dazu rechnet Individualkommunikation, gleich welcher Übertragungsmedien. Diese Kriterien gelten im Prinzip auch für die Einordnung neuer Medien (Video-Text, Kabel-Text, Bildschirm-Text usw.), wobei zugleich eine Abgrenzung zur Presse zu finden ist (zur Problematik vgl. v. Münch, Art. 5 Rn. 38 b f.). Der Rundfunk ist wie die Presse ein wichtiger Faktor im Prozeß der öffentl. Meinungs- und Willensbildung (BVerfGE 35, 222). Trotz der engen Fassung des Wortlauts (»Berichterstattung«) unterscheidet sich die Rundfunkfreiheit wesensmäßig nicht von der Pressefreiheit. Gemeint ist eine umfassende Rundfunkfreiheit als subjektives Grundrecht wie als institutionelle Garantie (BVerwGE 39, 163 f.); sie gilt in gleicher Weise für berichtende Sendungen wie für Sendungen anderer Art (BVerfGE 35, 222). Die Programmfreiheit des Rundfunks umfaßt grundsätzlich auch Werbesendungen (str.). Die Rundfunkfreiheit deckt nicht allein die Auswahl des dargebotenen Stoffes, sondern auch die Entscheidung über die Art und Weise der Darstellung. Erst wenn die Wahrnehmung der Rundfunkfreiheit mit anderen Rechtsgütern in Konflikt gerät, kann es auf das mit der konkreten Sendung verfolgte Interesse, die Art und Weise der Gestaltung und die erzielte oder voraussehbare Wirkung ankommen (BVerfGE 35, 223).

17 Im Unterschied zur Presse mit ihrer relativ großen Zahl von selbständigen und politisch oder weltanschaulich miteinander konkurrierenden Presseerzeugnissen muß im Rundfunkbereich vor allem mit Rücksicht auf den außergewöhnlich großen finanziellen Aufwand die Zahl der Träger solcher Veranstaltungen verhältnismäßig klein bleiben (BVerfGE 12, 261). Das erfordert zur Verwirklichung und Aufrechterhaltung der in Art. 5 gewährleisteten Freiheit besondere Vorkehrungen, die allgemein verbindlich zu sein haben und daher durch Gesetz zu treffen sind (BVerfGE 31, 326). Als Sache der Allgemeinheit muß der Rundfunk in voller Unabhängigkeit überparteilich betrieben und von jeder einseitigen Beeinflussung freigehalten werden (BVerfGE 31, 327). Die öff.-rechtl. Rundfunkanstalten müssen in ihrem Gesamtprogramm der vollen Meinungsvielfalt Raum geben und dürfen, anders als z. B. die Parteien, die öffentl. Meinung nicht mit bestimmter Tendenz beeinflussen (BVerfGE 59, 258; 60, 63, 67). Der Rundfunk darf weder dem Staat noch einer oder einzelnen gesellschaftlichen Gruppen ausgeliefert sein. Insbesondere schließt Art. 5 aus, daß der Staat unmittelbar oder mittelbar eine Anstalt beherrscht, die Rundfunksendungen veranstaltet (BVerfGE 12, 262 f.). Dem widerspricht allerdings eine staatl. Rechtsaufsicht über die Anstalten nicht (BVerfG aaO S. 261), noch muß schon in jeder Kooperation staatl. Stellen mit einzelnen Rundfunkanstalten ein Verstoß gegen Art. 5 liegen. Alle in Betracht kommenden gesellschaftlich relevanten Kräfte müssen auf die Tätigkeit des Rundfunks Einfluß haben und in dem »von einem Mindestmaß von inhaltlicher Ausgewogenheit, Sachlichkeit und gegenseitiger Achtung« bestimmten Gesamtprogramm zu Worte kommen können (BVerfGE 12, 261 ff.; 48, 277 f.), wobei die Kriterien der »gesellschaftlichen Relevanz« jedoch schwer zu bestimmen sind. Ebenso wie die Presse (s. Rn. 15) unterliegt der Rundfunk dem Gebot der Wahrheitspflicht. Diese Anforderungen gelten auch für die etwaige Veranstaltung privater Rundfunksendungen (BVerfGE 57, 319 ff.).

Die *Regelung des Rundfunkwesens* in den Ländergesetzen verwirklicht weitgehend die vom BVerfG aus Art. 5 entwickelten Grundsätze. Danach steht es zur Verfassungslage auch nicht in Widerspruch, daß den mit solchen Sicherungen ausgestatteten *Rundfunkanstalten* unter den gegenwärtigen Gegebenheiten für die Veranstaltung von Rundfunkdarbietungen ein Monopol eingeräumt ist (BVerfGE 12, 262). Aus Art. 5 folgt allerdings nicht die Notwendigkeit eines solchen Monopols (vgl. BVerfGE 31, 328 f.). Die bestehenden Rundfunkanstalten nehmen nach Auffassung des BVerfG Aufgaben öffentl. Verwaltung wahr, ihre Tätigkeit vollzieht sich im öff.-rechtl. Bereich (BVerfGE 31, 329; 47, 225). Zur Sicherung der Freiheit auf dem Gebiet des Rundfunks ist es jedoch von Art. 5 nicht gefordert, daß Veranstalter von Rundfunksendungen *nur* Anstalten des öffentl. Rechts sein können. Auch eine rechtsfähige *Gesellschaft des Privatrechts* könnte Träger von Rundfunkveranstaltungen sein, wenn sie nach ihrer Organisationsform hinreichende Gewähr bietet, daß in ihr alle gesellschaftlich relevanten Kräfte zu Worte kommen und die Freiheit der Berichterstattung unangetastet bleibt (BVerfGE 12, 262). Daß diesem Erfordernis entsprochen wird, hat der Gesetzgeber sicherzustellen (BVerfGE 57, 295 ff., insbes. 324 ff.).

18 Obwohl juristische Personen des öffentl. Rechts mit Aufgaben öffentl. Verwaltung, sind die *Rundfunkanstalten in bezug auf die Rundfunkfreiheit grundrechtsfähig,* weil sie unmittelbar dem durch dieses Grundrecht geschützten Lebensbereich zuzuordnen sind (BVerfGE 31, 322). Demgemäß können sie sich grundsätzlich für jede Sendung auf den Schutz des Art. 5 I 2 berufen.

19 *Filmfreiheit:* Satz 2 schützt ferner den Film als Medium der Nachrichten- und Meinungsverbreitung. Der Bereich der geschützten

Tätigkeiten entspricht insoweit demjenigen der Presse (oben Rn. 13). Soweit der Film Ausdrucksmittel der Kunst ist, steht er (auch) unter dem Schutz des Abs. 3 (vgl. BVerfGE 33, 70 f.). Eine Ausstrahlung im Fernsehen führt zur Zuordnung zum »Rundfunk«.

20 Das in *Satz 3* enthaltene *Zensurverbot* stellt eine absolute Eingriffsschranke, also kein zu den in Satz 1 und Satz 2 aufgeführten Freiheitsrechten hinzutretendes Grundrecht dar. Unter »Zensur« ist nur die Vorzensur (Präventivzensur), also der Eingriff *vor* Herstellung oder Verbreitung eines Geisteswerkes zu verstehen, insbes. das Abhängigmachen von behördlicher Vorprüfung und Genehmigung seines Inhalts. Eine »Nachzensur« ist im Rahmen der allgemeinen Regeln über die Meinungs- und Pressefreiheit und ihre Schranken zulässig (BVerfGE 33, 72). Das Zensurverbot schützt nur Akte der Meinungsäußerung und Meinungsverbreitung und damit Hersteller und Vertreiber, nicht aber Leser und Bezieher (vgl. BVerfGE 27, 102). Es entfaltet auch keine Drittwirkung gegenüber Privatpersonen (etwa im Verhältnis von Autor zu Verleger, Redakteur usw.). Zum Näheren: BVerfGE 33, 71 f.; 47, 236 f. Vom Zensurverbot darf es keine Ausnahme geben, auch nicht durch »allgemeine Gesetze« nach Abs. 2 (BVerfGE 33, 72). Zensur meint nur inhaltliche Prüfung; die Genehmigungsbedürftigkeit bestimmter Verbreitungsarten (z. B. Abwurf vom Flugzeug) ist ebenso zulässig wie eine »Filmbewertungsstelle«, die auf die Verbreitung unmittelbar keinen Einfluß nimmt (vgl. BVerwGE 23, 194 ff.).

Absatz 2

21 *Grundrechtsschranken:* Alle in Abs. 1 aufgeführten Grundrechte (nicht also das Zensurverbot des Satzes 3) sind in ihrer Schutzwirkung begrenzt durch die in Abs. 2 genannten Schranken (vgl. BVerfGE 27, 84; 33, 72). Am bedeutsamsten ist dabei die *Schranke der allgemeinen Gesetze.* Das BVerfG hat in bezug auf die Meinungsäußerungsfreiheit als allgemeine Gesetze *alle diejenigen* bezeichnet, die *nicht eine bestimmte Meinung verhindern,* sich auch *nicht speziell gegen die Meinungsäußerung als solche richten,* vielmehr dem Schutze eines schlechthin, ohne Rücksicht auf eine bestimmte Meinung zu schützenden Rechtsguts dienen, dem Schutze eines Gemeinschaftswertes, der gegenüber der Meinungsfreiheit den Vorrang hat (BVerfG i. st. Rspr. seit E 7, 209 f.; aus neuerer Zeit – zur Pressefreiheit – z. B. E 50, 240 f.). Allgemeine Gesetze dieser Art finden sich auf allen möglichen Rechtsgebieten, z. B.

im bürgerlichen Recht, Arbeitsrecht (BAGE 1, 194 ff.; 7, 261; 24, 444; 29, 200), Strafrecht (BVerfGE 28, 200; 47, 130), Polizeirecht, Steuerrecht, aber auch im Beamtenrecht (BVerfGE 39, 367) und Soldatenrecht (BVerfGE 28, 292 f.; 44, 197). <u>Auch untergesetzliche Rechtsnormen können allgemeine Gesetze i. S. des Abs. 2 sein</u> (vgl. OVG Münster, DVBl 1972, 509; BAGE 7, 261). Bei Erlaß und Anwendung allgemeiner Gesetze ist jedoch Bedacht darauf zu nehmen, daß die Grundrechte des Abs. 1 nicht jeder Relativierung durch einfaches Gesetz ausgesetzt und schlechthin unter Gesetzesvorbehalt gestellt werden. Nach der seit dem Lüth-Urteil (E 7, 208 ff.) bestehenden Rechtsprechung des BVerfG müssen daher <u>die allgemeinen Gesetze in ihrer das jeweilige Grundrecht beschränkenden Wirkung ihrerseits im Lichte der besonderen Bedeutung dieses Grundrechts für den freiheitlichen demokratischen Staat ausgelegt werden</u>; sie sind so zu interpretieren, daß der besondere Wertgehalt des Grundrechts auf jeden Fall gewahrt bleibt (aus neuerer Zeit z. B. E 50, 241). Die gegenseitige Beziehung zwischen Grundrecht und allgemeinem Gesetz ist demnach nicht als einseitige Beschränkung der Geltungskraft des Grundrechts durch die allgemeinen Gesetze aufzufassen; es findet vielmehr eine *Wechselwirkung* in dem Sinne statt, daß die allgemeinen Gesetze zwar dem Wortlaut nach dem Grundrecht Schranken setzen, ihrerseits aber aus der Erkenntnis der wertsetzenden Bedeutung dieses Grundrechts im freiheitlichen demokratischen Staat ausgelegt und so in ihrer das Grundrecht begrenzenden Wirkung selbst wieder eingeschränkt werden müssen. Ob und wieweit ein durch allgemeines Gesetz geschütztes Rechtsgut gegenüber dem Schutz der Meinungsfreiheit oder einem anderen Kommunikationsrecht des Abs. 1 i. S. dieser Wechselwirkungsbeziehung den Vorrang verdient, läßt sich nur im Einzelfall mit Hilfe einer *Güterabwägung* feststellen (BVerfGE 35, 224). Zu den Grundrechtsschranken in sog. besonderen Gewaltverhältnissen vgl. Vorbem. vor Art. 1 Rn. 12.

22   Das Gebot der materiellen Güterabwägung gilt auch für die zweite Schranke des Abs. 2, die *gesetzlichen Bestimmungen zum Schutze der Jugend* (z. B. vor Gefahren auf sittlichem Gebiet, durch Gewalt- und Kriegsverherrlichung, Rassenhetze; vgl. BVerfGE 30, 347). Abzuwägen ist hier zwischen der Forderung nach umfassendem Grundrechtsschutz und dem verfassungsrechtl. hervorgehobenen Interesse an einem wirksamen Jugendschutz. Wann eine Grundrechtseinschränkung wegen Jugendgefährdung gerechtfertigt ist, beurteilt sich nach in gewisser Weise zeitgebundenen Kri-

terien am Maßstab der Jugendlichen im allgemeinen (vgl. BVerw-
GE 39, 206). Die grundsätzliche Wertentscheidung der Verfas-
sung für die Freiheit der Meinung und Information schließt es aus,
Schriften, von denen weder stets noch wenigstens typischerweise
Gefahren für die Jugend ausgehen, generellen Verboten zu unter-
werfen (BVerfGE 30, 348, 354; vgl. auch E 7, 325; 11, 238; 33, 72;
BVerwGE 39, 212).

23   Die dritte in Abs. 2 genannte Schranke, das *Recht der persönli-
chen Ehre,* ist nicht ausdrücklich als Gesetzesvorbehalt formuliert.
Mit dem BVerfG ist jedoch davon auszugehen, daß auch das
Recht der persönlichen Ehre nur insoweit eine die Rechte des
Abs. 1 einengende Schranke bildet, als dies gesetzlich normiert ist
(BVerfGE 33, 16 f.). Sowohl das Strafrecht als auch das Zivil-
recht enthalten entsprechende Konkretisierungen (vgl. §§ 185 ff.
StGB und §§ 823 ff. BGB). Bei der Verhältnisbestimmung von
Meinungsfreiheit und Ehrenschutz kommt es wie bei den übrigen
Schrankenregelungen wesentlich auf die einzelfallbezogene Ab-
wägung an. Dabei ist ggf. – insbes. bei der Presse – zu berücksichtigen, daß auch die Wahrnehmung berechtigter Interessen (§ 193
StGB) eine besondere Ausprägung des Grundrechts der Meinungsfreiheit darstellt. Die Pflicht zur Rücksichtnahme auf die
Persönlichkeit anderer führt im allgemeinen solange nicht zu einer
grundrechtswidrigen Beschränkung der freien Rede, als diese
durch den Gebrauch einer anderen, nicht kränkenden Form Ausdruck finden kann (BVerfGE 42, 150, 152; vgl. auch die abw. Meinung S. 154 ff.).

Absatz 3

24   In *Satz 1* sind *Kunst und Wissenschaft* sowohl als subjektive Frei-
heitsrechte wie auch als institutionelle Garantien verbürgt.

25   Der *Begriff Kunst* leidet unter der Schwierigkeit seiner Definition.
Neutralität und Toleranz gegenüber einem pluralistischen Kunst-
verständnis können aber nicht von der Abgrenzung entbinden.
Das Wesentliche der künstlerischen Betätigung ist die freie schöp-
ferische Gestaltung, in der Eindrücke, Erfahrungen, Erlebnisse
und Gedanken des Künstlers durch das Medium einer bestimmten
Formensprache zur unmittelbaren Anschauung gebracht werden
(s. BVerfGE 30, 188 f.). Der Freiheitsbereich liegt nicht a priori
fest. Der Kunstbegriff ist nicht auf die klassischen Gegenstände
(Malerei, Bildhauerei, Musik, Dichtkunst) beschränkt. In Anbe-
tracht der Tendenz in der Kunst, starre Formen und Konventio-

nen zu überwinden, kann nur ein weiter Kunstbegriff zu angemessenen Lösungen führen (BVerfG, E. vom 17. 7. 1984, 1 BvR 816/82 – Anachronistischer Zug; zur Begriffsbestimmung vgl. Maunz/Dürig, Art. 5 III Rn. 22 ff.).

26 Die umfassend und vorbehaltlos (BVerfGE 30, 191) garantierte *Kunstfreiheit* betrifft nicht nur die künstlerische Betätigung selbst (Werkbereich), sondern auch die Darbietung und Verbreitung des Kunstwerks (Wirkbereich) – BVerfGE 30, 188 f. Die Gewährleistungswirkung erstreckt sich daher auch auf die Medien (Kommunikationsmittel wie z. B. Buch oder Schallplatte – BVerfGE 36, 331). Damit enthält Abs. 3 Satz 1 ein Freiheitsrecht für alle Kunstschaffenden und alle an der Darbietung und Verbreitung von Kunstwerken Beteiligten, das sie vor Eingriffen der öffentl. Gewalt in den künstlerischen Bereich schützt. Aus Sinn und Zweck der Kunstfreiheitsgarantie ergibt sich zunächst für die staatl. Gewalt das Verbot, auf Methode, Inhalte und Tendenzen der künstlerischen Tätigkeit einzuwirken, insbes. den künstlerischen Gestaltungsraum einzuengen oder allgemein verbindliche Regeln für diesen Schaffensprozeß vorzuschreiben (BVerfGE 30, 190). Als objektive Wertentscheidung stellt die Verfassungsnorm dem modernen Staat zugleich die Aufgabe, ein freiheitliches Kunstleben zu erhalten und zu fördern (BVerfGE 36, 331). Schon von daher erhellt, daß die »Staatsfreiheit« der Kunst weder als absolutes Abstinenzgebot noch in allen Situationen als strikte Neutralitätspflicht des Staates aufzufassen ist. Dies gilt namentlich für Förderungsmaßnahmen (vgl. dazu BVerfG aaO S. 332 f.).

27 Auch der *Begriff Wissenschaft* ist nicht frei von Definitionsschwierigkeiten. Darunter fallen vor allem die auf wissenschaftlicher Eigengesetzlichkeit (Methodik, Systematik, Beweisbedürftigkeit, Nachprüfbarkeit, Kritikoffenheit, Revisionsbereitschaft usw.) beruhenden Prozesse, Verhaltensweisen und Entscheidungen beim Auffinden von Erkenntnissen wie bei ihrer Deutung und Weitergabe (vgl. BVerfGE 35, 112 f. und die Nachweise bei v. Münch, Art. 5 Rn. 66 ff.). Da *Forschung und Lehre* – zu diesen Begriffen s. BVerfG aaO S. 113 f. – die wissenschaftlichen Betätigungsfelder wohl erschöpfend bezeichnen, ist Wissenschaft der gemeinsame Oberbegriff. Der Unterricht an allgemeinbildenden Schulen zählt h. M. nach nicht zur wissenschaftlichen Lehrtätigkeit (vgl. dazu v. Münch, Art. 5 Rn. 69). Im Verhältnis von Wissenschaft und Politik endet der von Abs. 3 geschützte Freiraum dort, wo die wissenschaftlich gewonnenen Erkenntnisse zu Bestimmungsgründen polit. Handelns gemacht werden (BVerfGE 5, 146).

28   Als subjektives *Freiheitsrecht* gewährt das Grundrecht jedem in
der Wissenschaft Tätigen – also keineswegs beschränkt auf den
Hochschulbereich – ein Recht der Abwehr staatl. Einwirkungen
auf den Prozeß der Gewinnung und Vermittlung wissenschaftlicher Erkenntnisse (BVerfGE 35, 112, 125; vgl. auch BVerw-
GE 37, 267). Der Freiraum des Wissenschaftlers ist grundsätzlich
ebenso vorbehaltlos geschützt wie die Freiheit künstlerischer Betätigung (BVerfGE 35, 112 f.). Die allgemeine beamtenrechtl.
Stellung des Hochschullehrers wird durch Art. 5 III 1 nicht berührt (BVerwGE 52, 331). Er kann insbes. aus dem Grundrecht
keinen Anspruch auf unbeschränkte Belassung im Amt oder unbeschränkte Zugehörigkeit zur Hochschule herleiten (BVerf-
GE 3, 115; s. a. BVerwGE 35, 110). Die – noch ausreichende
Freiräume für Forschung belassende – Beschränkung der Wissen-
schaftsfreiheit durch Lehrverpflichtungen ist zulässig (vgl.
BVerwGE 20, 239 f.; BVerwG, DVBl 1980, 927). Auch die Uni-
versitäten sind trotz ihrer öff.-rechtl. Verfassung Träger des
Grundrechts der Wissenschaftsfreiheit (BVerfGE 15, 261 ff.).
Die Gründung privater Hochschulen ist vom Freiheitsbereich des
Art. 5 III 1 mitumfaßt (str.; offengelassen in BVerwG,
DÖV 1979, 750).

29   Außerdem leitet das BVerfG aus der Wissenschaftsfreiheit als Teil
der grundgesetzlichen Wertordnung zwei *staatliche Gewährlei-
stungspflichten* ab: Einmal hat der Staat für die Pflege der freien
Wissenschaft und ihre Vermittlung funktionsfähige Institutionen
zur Verfügung zu stellen. Zum anderen hat er dafür zu sorgen, daß
das Grundrecht der freien wissenschaftlichen Betätigung soweit
unangetastet bleibt, wie das unter Berücksichtigung der anderen
legitimen Aufgaben der Wissenschaftseinrichtungen und der
Grundrechte der verschiedenen Beteiligten möglich ist. Das führt
im öffentl. Wissenschaftsbetrieb grundsätzlich zur Selbstbestimmung des einzelnen Grundrechtsträgers sowie im Rahmen der
korporierten Hochschule zu entsprechenden Teilhabeberechti-
gungen. Dem einzelnen Grundrechtsträger erwächst danach aus
der Wertentscheidung ein Recht auf solche staatl. Maßnahmen
auch organisatorischer Art, die zum Schutz seines grundrechtl.
Freiheitsraumes unerläßlich sind, weil sie ihm freie wissenschaftliche Betätigung erst ermöglichen (BVerfGE 35, 114 ff.). In diesem Zusammenhang fordert das BVerfG für das – verfassungsrechtl. zulässige – Modell der »Gruppenuniversität«, daß den
Hochschullehrern in den Kollegialorganen ihrer Universität in
Fragen der Lehre maßgebender, in Angelegenheiten der For-

schung und bei der Berufung von Hochschullehrern ausschlagge-
bender Einfluß vorbehalten bleiben muß (BVerfGE 35, 124 ff.;
vgl. dazu die abw. Meinung S. 148 ff.). Dabei ist das sog. Homo-
genitätsprinzip zu beachten. Es bedeutet, daß der Gruppe der
Hochschullehrer keine Personen mit minderer Qualifikation zugerechnet werden dürfen (BVerfGE 39, 255). Art. 5 III 1 verlangt
nicht, daß jeder Hochschullehrer unbedingt an der Leitung der
wissenschaftlichen Einrichtung, an der er tätig ist, teilnehmen
oder Einfluß auf sie ausüben kann; es muß nur ein wissenschaftlicher Freiraum für den Wissenschaftler und Hochschullehrer unangetastet bleiben (BVerfGE 57, 92 f.). Zur angemessenen und dif-
ferenzierenden Bezeichnung von Hochschullehrern vgl. (sehr
weitgehend) BVerfGE 61, 210, 246 ff.

30 *Grenzen der Kunst- und Wissenschaftsfreiheit:* Abs. 3 enthält für
die *Kunstfreiheit* keine ausdrücklichen Gewährleistungsschran-
ken. Unanwendbar sind auch Art. 5 II und Art. 2 I. Das Freiheitsrecht ist deswegen aber nicht schrankenlos gewährt. Jedoch folgt
aus der Vorbehaltlosigkeit seiner Verbürgung, daß die Grenzen
der Kunstfreiheit nur aus der Verfassung selbst, d. h. in Abwägung gegen andere verfassungsrechtl. geschützte Rechtswerte zu
bestimmen sind (BVerfGE 30, 193; 47, 369 f.; vgl. auch BVerw-
GE 1, 307; 39, 207 f.). Beschränkungen dieser Art können sich
z. B. aus dem allgemeinen Persönlichkeitsrecht (BVerfGE 30,
193 ff. mit abw. Meinung S. 200 ff. u. 218 ff.) und aus dem
Schutzgut »Bestand der Bundesrepublik Deutschland und ihrer
freiheitlichen demokratischen Grundordnung« ergeben (BVerf-
GE 33, 71). Entsprechend bestimmen sich die Grenzen der ebenfalls nicht unter Gesetzesvorbehalt stehenden *Wissenschaftsfreiheit* (BVerwGE 37, 267 f.; vgl. auch BVerfGE 28, 261 zu Art. 4
III).

31 Die in *Satz 2* aufgeführte *Treuepflicht gegenüber der Verfassung*
stellt bei der vorstehenden Auslegung der Wissenschaftsfreiheit
und ihrer Grenzen mit der h. L. keine zusätzliche Schranke dar
(Hesse § 12 I 6). Angesichts ihrer deklaratorischen Bedeutung
kommt ihr wohl im wesentlichen nur Warnfunktion zu (v. Münch,
Art. 5 Rn. 77).

Artikel 6 [Schutz von Ehe und Familie; nichteheliche Kinder]

**(1)   Ehe und Familie stehen unter dem besonderen Schutze der staat-
lichen Ordnung.**

(2) Pflege und Erziehung der Kinder sind das natürliche Recht der Eltern und die zuvörderst ihnen obliegende Pflicht. Über ihre Betätigung wacht die staatliche Gemeinschaft.

(3) Gegen den Willen der Erziehungsberechtigten dürfen Kinder nur auf Grund eines Gesetzes von der Familie getrennt werden, wenn die Erziehungsberechtigten versagen oder wenn die Kinder aus anderen Gründen zu verwahrlosen drohen.

(4) Jede Mutter hat Anspruch auf den Schutz und die Fürsorge der Gemeinschaft.

(5) Den unehelichen Kindern sind durch die Gesetzgebung die gleichen Bedingungen für ihre leibliche und seelische Entwicklung und ihre Stellung in der Gesellschaft zu schaffen wie den ehelichen Kindern.

1   Art. 6 enthält *mehrere unterschiedliche Grundrechtsgarantien,* die sich alle auf den *Bereich der Familie* beziehen.

Absatz 1

2   Abs. 1 ist eine *Grundsatznorm* für den gesamten Bereich des Ehe und Familie betr. privaten und öffentl. Rechts (BVerfGE 6, 72; 55, 126). Er umfaßt eine Institutsgarantie, ein Abwehrrecht des einzelnen und eine verbindliche Wertentscheidung (BVerfGE 24, 135).

3   Im *Verhältnis zu Art. 3 I* hat Art. 6 I als die speziellere Norm Vorrang (BVerfGE 17, 38), wenn der Prüfungsgegenstand direkt an eine seiner Wertentscheidungen anknüpft (vgl. BVerfGE 28, 346 f.). Im Einzelfall ist daher zu klären, welche Bestimmung nach ihrem spezifischen Sinngehalt die stärkere Beziehung zu dem zu prüfenden Sachverhalt aufweist (BVerfGE 13, 296). Das *Gleichberechtigungsgebot des Art. 3 II* wirkt hingegen im Schutzbereich des Art. 6 I so, daß Männer und Frauen auch in Ehe und Familie gleichberechtigt sind (BVerfGE 10, 67).

4   *Grundrechtsträger* können dem Wesen des Art. 6 I nach nur natürliche Personen sein (BVerfGE 13, 197 f.).

5   »*Ehe*« i. S. des Art. 6 I ist die umfassende, grundsätzlich unauflösbare Lebensgemeinschaft von Mann und Frau (vgl. BVerfGE 10, 66; 31, 82; 53, 245). Sie wird nicht abstrakt, sondern in der Ausgestaltung gewährleistet, wie sie den herrschenden, in der gesetzlichen Regelung maßgebend zum Ausdruck gelangenden Anschauungen entspricht (BVerfGE 15, 332). Der Verfassung liegt somit

das Bild der verweltlichten bürgerlich-rechtl. Einehe zugrunde, die unter Wahrung bestimmter vom Gesetz vorgeschriebener Formen durch freien Entschluß eingegangen wird (vgl. BVerfGE 29, 176) und bei Vorliegen der gesetzlichen Voraussetzungen mit der Folge geschieden werden kann, daß die Ehegatten ihre Eheschließungsfreiheit wiedererlangen (BVerfGE 31, 82 f.; 53, 245). Anders als die zwar gescheiterte, formell aber noch bestehende Ehe (vgl. BVerfGE 55, 141 f.) fallen geschiedene Ehen (vgl. BayObLG, NJW 1972, 2041) und eheähnliche Lebensgemeinschaften (vgl. BVerwGE 15, 316) nicht in den Schutzbereich des Grundrechts. Daraus folgt, daß eheähnliche Gemeinschaften – unabhängig von ihrer Dauer – gegenüber echten Ehen nicht begünstigt werden dürfen (vgl. BVerfGE 9, 35). Jede Ehe hat vor der Rechtsordnung den gleichen Rang (BVerfGE 55, 128). Daher genießt beispielsweise die Ehe, in der nur ein Ehegatte marktwirtschaftliches Einkommen erwirbt, verfassungsrechtl. keinen weitergehenden Schutz als die »Mehrverdienerehe«, in der beide Partner Einkünfte haben (BVerfGE 9, 243). Eine nur religiöse Eheschließung, trotz gesetzlich vorgeschriebener Zivilehe, steht nicht unter dem Schutz des Art. 6 I (OVG Münster, DÖV 1982, 461).

6   »*Familie*« i. S. des Art. 6 I ist die in der Hausgemeinschaft geeinte engere Familie, das sind die Eltern mit ihren Kindern (BVerfGE 48, 339). Schutzobjekt ist damit nicht die Generations-Großfamilie im alten Sinne, sondern die moderne Kleinfamilie. Dazu gehören neben der vollständigen ehelichen Familie mit Vater, Mutter und Kind auch die sog. Restfamilie aus Kind und *einem* sorgeberechtigten Elternteil (BayObLG, NJW 1969, 1767), die Familie mit Stief-, Adoptiv- und Pflegekindern (vgl. BVerfGE 18, 106), das Verhältnis des nichtehelichen Kindes zu seiner Mutter (BVerfG i. st. Rspr. seit BVerfGE 8, 215) und die Gemeinschaft zwischen dem nichtehelichen Kind und seinem Vater (BVerfGE 45, 123).

7   Die in Art. 6 I enthaltene *Verpflichtung zum besonderen Schutz von Ehe und Familie* durch die staatl. Ordnung umfaßt positiv die Aufgabe, Ehe und Familie vor Beeinträchtigungen zu bewahren und durch geeignete Maßnahmen zu fördern, sowie negativ das Verbot, sie zu schädigen oder sonst zu beeinträchtigen (vgl. BVerfGE 6, 76; 55, 126 f.). In letzterer Hinsicht gewährt Art. 6 I dem einzelnen ein *Abwehrrecht* gegen staatl. Eingriffe (BVerfGE 6, 76; 6, 388). Das Beeinträchtigungsverbot erfaßt jedoch nicht jede Rechtsfolge, die sich mittelbar negativ auf Ehe und Fa-

milie auswirken kann, an sich aber nicht auf die Stellung des einzelnen in Ehe und Familie ausgerichtet ist (Fürsorgeerziehung für minderjährige Ehefrau – BGHZ 49, 308 ff.; s. auch BVerwGE 40, 240).

8 Art. 6 I enthält als wesentlichen Bestandteil das Recht der *Eheschließungsfreiheit*, das jedem erlaubt, mit einem selbst gewählten Partner die Ehe einzugehen (BVerfGE 31, 67; 36, 161). Diese Gewährleistung erfordert auch gesetzliche Regeln über die Formen der Eheschließung und ihre sachlichen Voraussetzungen (BVerfGE 31, 69). Die Freiheitsgarantie verpflichtet den Staat jedoch zu äußerster Zurückhaltung bei der Aufstellung von Ehehindernissen (Unzulässigkeit des Eheverbots der »Geschlechtsgemeinschaft« – BVerfGE 36, 163 f.) und bei der Festlegung der Ehevoraussetzungen (Zeugungsfähigkeit/Gebärfähigkeit – BVerfGE 49, 300). Die Ausstrahlungswirkung, die die Grundrechte über die Generalklauseln des Zivilrechtes im Privatrechtsverkehr entfalten (s. Vorbem. vor Art. 1 Rn. 6), läßt vertragliche »Zölibatsklauseln«, die Heiratsverbote für die Dauer von Arbeitsverhältnissen aufstellen, in aller Regel unzulässig werden. Dies schließt jedoch nicht aus, daß bei Beschäftigten von kirchlichen Einrichtungen unter Berücksichtigung des Selbstbestimmungsrechtes nach Art. 140/137 III WeimRVerf im Einzelfall eine Kündigung gerechtfertigt sein kann, wenn die Eheschließung gegen wesentliche Grundsätze der kirchlichen Sittenlehre verstößt (vgl. BVerfG, NJW 1983, 2571; BAG, NJW 1980, 2211).

9 Besondere praktische Bedeutung kommt dem Grundrecht im Hinblick auf *Ausländer* zu.

Der Schutz des Grundrechts erstreckt sich grundsätzlich auch auf nach ausländischem Recht geschlossene Ehen, soweit dabei die Absicht bestand, eine dauernde Gemeinschaft einzugehen (vgl. BVerfGE 62, 330 f.).
Bei Heirat eines Ausländers im Inland sind die deutschen Behörden zur erforderlichen Mitwirkung verpflichtet (BVerfGE 31, 78). Die Anwendung des nach Art. 13 EGBGB maßgebenden Heimatrechts ist im Einzelfall an den Grundrechten zu messen (vgl. BVerfGE 31, 73). Ergibt sich in bezug auf einen konkreten Sachverhalt, der eine starke Inlandsbeziehung aufweist, ein Widerspruch zwischen den Grundrechten und dem ausländischen Recht, so ist letzteres nicht anzuwenden (vgl. BVerfGE 31, 81 f.).

Im Bereich des *Aufenthaltsrechts* kommt bei der Güterabwägung zwischen den privaten Interessen des Ausländers und den öffentl. Belangen der Bundesrepublik Deutschland dem Schutz von Ehe und Familie ein hoher Rang zu (BVerfG i. st. Rspr., z. B. BVerfGE 51, 397 ff.; s. auch BVerwGE 48, 302). Dadurch wird der den Ausländerbehörden nach dem Ausländergesetz eingeräumte Ermessensspielraum bei der Erteilung von Aufenthaltserlaubnissen und bei Ausweisungsentscheidungen eingeschränkt. Mit Deutschen verheiratete Ausländer haben praktisch ein Bleiberecht (BVerfGE 49, 184) aber keinen Anspruch auf Einbürgerung (BVerwG, DVBl 1983, 1005 f.; 1984, 98 ff.). Generalpräventiv motivierte Ausweisungen kommen in diesen Fällen nur bei besonders schweren Straftaten in Betracht (BVerfGE 51, 397 f.; BVerfG, NVwZ 1983, 667 f.). Gemeinsame Kinder mit deutscher Staatsangehörigkeit verstärken das Gewicht der Gründe, die für eine Bleiberecht sprechen (BVerwGE 48, 303; 56, 251). Da Art. 6 I, wiewohl mit geringerer Schutzwirkung im Bereich des Aufenthaltsrechts, auch für rein ausländische Ehen und Familien gilt (BVerwGE 48, 302 f.), kann auch hier im Einzelfall das Ausweisungsermessen wesentlich eingeschränkt sein (vgl. BVerwGE 60, 135 f.). Für volljährige Ausländer besteht aber nicht allein deswegen ein höherer Ausweisungsschutz, weil die Eltern im Bundesgebiet wohnen (BVerwG, DÖV 1984, 172 f.). Der grundrechtl. Schutz der Familie ist auch bei Regelungen über den Nachzug von ausländischen Kindern zu ihren in der Bundesrepublik Deutschland aufenthaltsberechtigten Eltern zu berücksichtigen. Ein generelles Nachzugsverbot wäre daher unzulässig. Gesetzliche Beschränkungen – etwa zur Förderung der Integrationsfähigkeit solcher Kinder und zur Eingliederung der bereits hier lebenden Ausländer – sind jedoch nicht generell ausgeschlossen. Bei der Entscheidung über den Nachzug kann entscheidend sein, ob der Nachziehende voll- oder minderjährig, von welcher Dauer und Verfestigung der Aufenthalt des Nachholenden ist (VGH Mannheim, NJW 1983, 536, 1280) und ob beide Elternteile oder nur einer im Bundesgebiet leben (BVerwG, DÖV 1983, 420). Ein normales Familienleben ist da zu ermöglichen, wo langfristig die Lebensgrundlage für die Familie geschaffen werden soll.

Weiter ist das Schutzgebot des Art. 6 I auch im Rahmen des *Asylrechts* zu beachten. Dem ist bei Ehegatten und abhängigen minderjährigen Kindern eines Asylberechtigten, die nicht selbst politisch verfolgt sind und mit diesem die Familiengemeinschaft fortsetzen wollen, grundsätzlich durch die Gewährung eines Bleiberechts im allgemeinen aufenthaltsrechtl. Verfahren Rechnung zu

tragen, ohne daß deswegen auch ihnen Asyl zu gewähren ist (vgl.
auch BVerwGE 65, 247).

10 Die *Institutsgarantie* für Ehe und Familie verbietet zwar staatl.
Maßnahmen, die auf die Abschaffung dieser Einrichtungen hin-
zielen oder eine solche Abschaffung zumindest fördern, sie beläßt
dem Gesetzgeber aber einen erheblichen Gestaltungsspielraum
(vgl. BVerfGE 53, 245). Dieser erstreckt sich auch auf die Ausgestaltung des Scheidungsrechtes, solange das Prinzip der grundsätzlich unauflöslichen Ehe beachtet wird. So waren die Einführung
des Zerrüttungsprinzips (vgl. BVerfGE 53, 224) und des Versor-
gungsausgleichs (BVerfGE 53, 257) verfassungskonform. Die
starre Fristenregelung des § 1568 II BGB verstößt jedoch gegen
die Pflicht des Staates, eine Scheidung zur Unzeit zu verhindern
und außergewöhnlichen Härten zu begegnen (BVerfGE 55,
141 f.). Art. 6 I schützt Ehe und Familie zwar zunächst nur als äußere Rechtsinstitute. Er garantiert damit aber zugleich auch eine
Sphäre der privaten Lebensgestaltung, die staatl. Einwirkung entzogen ist (vgl. BVerfGE 6, 81). Hinsichtlich des inneren Bereichs
der Ehe ist der Gesetzgeber an Art. 3 II gebunden, während die
Ehegatten bei der Ausgestaltung ihrer Privatsphäre grundsätzlich
frei sind (BVerfGE 6, 81 f.; 51, 398). Dem Gesetzgeber ist es damit versagt, auf bestimmte Formen der Ehe (wie die »Hausfrauen-
ehe«) etwa durch steuerrechtl. Maßnahmen hinzuwirken (BVerf-
GE 6, 79 ff.; 61, 347 ff. – Splittingtarif). Ehe und Familie sind sowohl im immateriell-persönlichen wie auch im materiell-wirtschaftlichen Bereich als selbstverantwortlich handelnd zu respek-
tieren und zu schützen (BVerfGE 33, 238; 61, 346 f.).

11 Das in Art. 6 I enthaltene *Verbot der Diskriminierung* von Ehe
und Familie verbietet grundsätzlich jede Benachteiligung von
Ehegatten gegenüber Ledigen und von Familienmitgliedern gegenüber Nicht-Familienzugehörigen (vgl. BVerfGE 9, 242; 61,
355). Dies hat allerdings nicht zur Folge, daß auch solche Vorschriften verfassungswidrig wären, die nur in bestimmten Fällen
als unbeabsichtigte Nebenfolge eine Belastung von Ehe und Familie herbeiführen (BVerfGE 6, 77; 12, 176). Dabei sind jedoch
strenge Maßstäbe anzulegen (vgl. BVerfGE 12, 169; 15, 335; 18,
107). Eine Verletzung des Grundrechts liegt jedenfalls dann vor,
wenn sich bei dem Vergleich von Verheirateten und Familienmitgliedern mit Ledigen und Nicht-Familienmitgliedern allein aus
dem Umstand des Verheiratetseins oder der Zugehörigkeit zu einer Familie nachteilige Rechtsfolgen ergeben (vgl. BVerfGE 28,

347). Dies schließt jedoch nicht Begünstigung von Unverheirateten (etwa durch eine Ausbildungszulage) aus, wenn dies mit üblicherweise nur bei ihnen vorliegenden sachlichen Gründen (z. B. größere Bedürftigkeit) gerechtfertigt werden kann (BVerfGE 22, 104 f.). Nicht mit Art. 6 I vereinbar ist eine Einkommensbesteuerung verwitweter, geschiedener, getrennt lebender oder unverheirateter Eltern mit Kind, die den zwangsläufigen zusätzlichen Aufwand für die Kindesbetreuung nicht berücksichtigt und für Alleinerziehende im Vergleich zur Ehegattenbesteuerung zu nicht zu rechtfertigenden Mehrbelastungen führt (BVerfGE 61, 342, 348 ff.).

12 Die von dem Gebot zum Schutz von Ehe und Familie mitumfaßte *Förderungspflicht* des Staates wirkt sich besonders im materiell-wirtschaftlichen Bereich (z. B. im Sozialversicherungsrecht) aus (BVerfGE 48, 366). Art und Umfang der Förderung stehen jedoch weitgehend im Ermessen des Gesetzgebers (BVerfGE 21, 6). Die grundsätzliche Förderungspflicht geht auch nicht so weit, daß der Staat verpflichtet wäre, jegliche die Familie betr. finanziellen Belastungen auszugleichen (BVerfGE 23, 264). Auch lassen sich aus dem Förderungsgebot keine konkreten Ansprüche auf bestimmte staatl. Leistungen oder konkrete Formen der Rechtsgewährleistung (etwa in bezug auf das Sorgerecht) herleiten (BVerfGE 39, 326; 57, 385 ff.). Demzufolge ergibt sich zwar aus Art. 6 I i. V. m. dem Sozialstaatsprinzip eine allgemeine Pflicht des Staates zur Förderung im materiell-wirtschaftlichen Bereich und zu einem Familienlastenausgleich (BVerfGE 39, 326; 61, 25 f.), doch können hieraus keine konkreten Maßstäbe für die Behandlung im Steuer- und Rentenrecht abgeleitet werden (vgl. BVerfGE 43, 121; 47, 24; 55, 127).

Absatz 2

13 Gegenüber dem allgemeinen Schutz der Familie durch Abs. 1 enthält Abs. 2 spezielle Bestimmungen, die die *Beziehungen zwischen Eltern und Kindern* in der Familie sowie die *Stellung von Eltern und Staat bei der Kindererziehung* betreffen (vgl. BVerfGE 24, 135). Garantiert wird der Vorrang der Eltern, ihre Eigenständigkeit und Selbstverantwortlichkeit bei der Pflege und Erziehung der Kinder. Zugleich wird aber auch die staatl. Gemeinschaft zum Wächter hierüber bestellt. Als Abwehrrecht gewährt Art. 6 II den Eltern Schutz vor staatl. Eingriffen, soweit diese nicht durch das »Wächteramt« gedeckt sind (BVerfGE 24, 138).

14   Das Grundrecht des Art. 6 II ist ein *Individualrecht*, das jedem Elternteil einzeln zusteht und nicht durch Mehrheitsbildung ausgeübt werden kann (BVerfGE 47, 76). *Grundrechtsträger* sind die
Eltern ehelicher Kinder, die Mutter des außerehelichen Kindes
und Adoptiveltern (vgl. dazu BVerfGE 24, 135, 150; 31, 206; 56,
382). Auch dem mit Kind und Mutter zusammenlebenden nichtehelichen Vater können Rechte aus Art. 6 II nicht abgesprochen
werden (BVerfGE 56, 384). Doch folgt daraus nicht das verfassungsrechtl. Gebot, den Vater an der elterlichen Sorge für sein
nichteheliches Kind zu beteiligen (BVerfGE 56, 383 f.). Keine
Grundrechtsträger sind Großeltern, Stiefeltern und Vormünder
(vgl. BVerfGE 10, 328; 19, 329).

15   *»Pflege und Erziehung«* sind als einheitlicher Begriff zu verstehen,
der die gesamte Sorge für das körperliche Wohl und die seelisch-
geistige Entwicklung des Kindes umfaßt. Hierzu gehören Ernährung, Kleidung und Förderung der körperlichen Entwicklung
ebenso wie die Verwaltung des Kindesvermögens, die Finanzierung seines Unterhaltes, seine Ausbildung und umfassend die Bestimmung der Erziehungsziele und der Erziehungsmittel.

16   Das *Elternrecht* des Art. 6 II schützt elterliches Handeln, das bei
weitester Anerkennung der Selbstverantwortlichkeit der Eltern
noch als Pflege und Erziehung gewertet werden kann (BVerf-
GE 24, 143). Ihm steht eine *Pflichtenbindung* gegenüber, wie sie
in gleicher Weise bei keinem anderen Grundrecht besteht. Die
Pflicht ist hierbei nicht Schranke, sondern wesensbestimmender
Bestandteil des Grundrechts, das daher zutreffender als »Elternverantwortung« zu bezeichnen wäre (BVerfGE 56, 381 f.). Diese
Elternverantwortung ist beispielsweise die Grundlage für die erhöhte Unterhaltspflicht der Eltern gegenüber ihren minderjährigen Kindern (vgl. BGH, NJW 1980, 2415). »Zuvörderst« weist auf
die Priorität elterlicher Verantwortung hin, deutet aber auch an,
daß der Staat auf diesem Gebiet ebenfalls Aufgaben und Pflichten
hat (BVerfGE 24, 135 f.).

17   *Grenzen des elterlichen Erziehungsrechts:* Die Verantwortung
der Eltern für den Gesamtplan der Erziehung ihrer Kinder
(BVerfGE 47, 75) steht in einem *Spannungsverhältnis zum staatli-
chen Erziehungsauftrag in der Schule* (Art. 7 I), der in seinem Be-
reich dem elterlichen Erziehungsrecht gleichgeordnet ist (BVerf-
GE 52, 236 m. w. N.; BVerwGE 18, 42; BayVerfGH 33, 43;
HessStGH, ESVGH 32, 8; DÖV 1983, 546 ff.). Daraus folgt die
Notwendigkeit eines sinnvoll aufeinander bezogenen Zusammen-

wirkens von Eltern und Schule (BVerfGE 34, 183; 47, 74) mit der Folge, daß sich sowohl für das elterliche Erziehungsrecht als auch für den Gestaltungsbereich des Staates Begrenzungen ergeben (in letzterer Hinsicht s. Art. 7 Rn. 5). Der elterlichen Bestimmung grundsätzlich entzogen sind neben der Bestimmung der Schulpflicht und der organisatorischen Gliederung der Schule auch die inhaltliche Festlegung der Ausbildungsgänge und Lernziele sowie die Bestimmung des Unterrichtsstoffes (vgl. BVerfGE 34, 182; 45, 415; 53, 196; s. auch BVerwGE 47, 198; 44, 312 f.; BayObLG, BayVBl 1984, 90 f.). – Auch in *zeitlicher Hinsicht* hat das Erziehungsrecht der Eltern seine Grenzen. Es kommt dann nicht mehr zum Tragen, wenn die Kinder nicht mehr erziehungsbedürftig und -fähig sind. Im übrigen tritt es auch dort zurück, wo *eigene Rechte des Kindes* (z. B. im religiösen Bereich – vgl. BGHZ 21, 352 f.) oder *verfassungsmäßige Pflichten* (wie die Schulpflicht und die Wehrpflicht) bestehen (BVerwGE 22, 237).

18 Das »*Wächteramt*« *des Staates* verpflichtet diesen, die Wahrnehmung der Elternverantwortung zu ermöglichen und durch ihre Überwachung Pflege und Erziehung des Kindes sicherzustellen (vgl. BVerfGE 24, 144). Im Mittelpunkt steht dabei das *Wohl des Kindes*, an dem der Staat seine Maßnahmen ausrichten muß, das ihm aber auch erlaubt, in das elterliche Erziehungsrecht einzugreifen. Die Verantwortung der Eltern ist dabei jedoch so weit wie möglich zu achten (BVerfGE 7, 323; 10, 83). Es muß daher zunächst versucht werden, durch unterstützende Maßnahmen ein verantwortungsgerechtes Verhalten der Eltern zu erreichen, bevor direkt in ihre Erziehungs- und Pflegerechte eingegriffen wird oder diese vorübergehend oder sogar dauernd entzogen werden (BVerfG 24, 144 f.; 60, 89 ff.). In diesem Rahmen ist der Staat beispielsweise berechtigt, die Einwilligung eines Elternteils zur Adoption zu ersetzen, wenn dieser seine Pflichten gegenüber dem Kind schuldhaft verletzt und die Einwilligung böswillig verweigert (BVerfGE 24, 119 ff.), oder gerichtliche Regelungen des Umgangsrechtes des Nichtsorgeberechtigten mit seinem Kind zu treffen (BVerfGE 64, 184 ff.). Die Regelung, daß das Sorgerecht für ein Kind nach der Scheidung ohne Ausnahme nur einem Elternteil allein übertragen werden kann, verletzt die Rechte der natürlichen Eltern aus Art. 6 II, wenn diese willens und fähig sind, die Elternverantwortung zum Wohle des Kindes weiterhin gemeinsam zu tragen (BVerfGE 61, 374 ff. – in Abweichung von E 55, 178 ff.).

Absatz 3

19 Abs. 3 enthält eine *zusätzliche Sicherung der Elternverantwortung* gegenüber dem Staat, indem er den im Rahmen des staatl. Wächteramtes nach Abs. 2 Satz 2 möglichen Eingriffen konkrete Grenzen setzt und einzelne Maßnahmen unter den Vorbehalt einer gesetzlichen Regelung stellt (vgl. BVerfGE 24, 138 ff.). Verhindert werden soll ein Zurückdrängen der elterlichen Erziehungstätigkeit zugunsten staatl. Zwangserziehung. Daher berührt die Einleitung einer Adoption gegen den Willen der Eltern nicht den Schutzbereich des Abs. 3, sondern ist nach Abs. 2 zu beurteilen (BVerfGE 24, 142).

20 *»Trennung«* i. S. des Abs. 3 ist die »Wegnahme« des Kindes von seinen Eltern bei grundsätzlichem Fortbestand der Eltern-Kind-Beziehung und der darauf beruhenden Rechte und Pflichten (BVerfGE 24, 139 ff.). Gegen den Willen der Erziehungsberechtigten – d. h. der Sorgerechtsinhaber – darf dies nur bei Versagen der Erziehungsberechtigten oder im Falle der Verwahrlosung geschehen. Während ein *»Versagen«* voraussetzt, daß die Sorgeberechtigten auf Dauer ihrer Erziehungsverantwortung nicht nachkommen, kann eine *»Verwahrlosung«* auch ohne Pflichtverletzung der Erziehungsberechtigten eintreten. Sie wird dann anzunehmen sein, wenn die Gesamtentwicklung des Kindes so weit hinter der durchschnittlichen Entwicklung zurückbleibt, daß zur Vermeidung weiterer Nachteile für das Kind die Trennung von der Familie erforderlich ist. *Gesetzliche Grundlagen* für derartige staatl. Maßnahmen liefern das JugendwohlfahrtsG (§§ 55 ff.) sowie das bürgerliche Recht (§ 1666 a BGB – vgl. dazu BVerfGE 60, 90 f.).

Absatz 4

21 Als wertentscheidende Grundsatznorm enthält Abs. 4 einen bindenden Auftrag an den Gesetzgeber (BVerfGE 60, 74), in Abweichung vom allgemeinen Gleichheitssatz *Fürsorge und Schutz aller Mütter* zu gewährleisten. Gleichzeitig statuiert er für diese ein echtes Grundrecht (BVerwGE 47, 27). Als Konkretisierung des Sozialstaatsprinzips (BVerfGE 32, 279) schützt er die Frau während der Schwangerschaft und als Mutter eines Kindes darüber hinaus ohne Rücksicht auf Familienstand und Alter (vgl. BVerfGE 32, 277 sowie BVerwG, NJW 1971, 1328).

22 Besondere Bedeutung hat Abs. 4 im *Arbeitsrecht.* Er gewährleistet den Bestand des Arbeitsverhältnisses einer schwangeren Ar-

beitnehmerin und verpflichtet den Gesetzgeber, die werdende
Mutter gegen den Verlust des Arbeitsplatzes zu schützen (BVerf-
GE 32, 277). Insoweit ist das Kündigungsverbot des § 9 Mutter-
schutzG eine Konkretisierung dieser Verfassungsentscheidung
(BAGE 24, 477 ff.). Der Kündigungsschutz geht auch dann nicht
verloren, wenn die Frist zur Mitteilung der Schwangerschaft un-
verschuldet überschritten und die Meldung unverzüglich nachge-
holt wurde (BVerfGE 52, 357 ff.; 55, 157 f.). Hingegen rechtfertigt eine schuldhafte Versäumung der Mitteilungsfrist den Verlust
des Kündigungsschutzes (BVerfGE 32, 273). Auch eine Berufung
in das Beamtenverhältnis kann nicht allein deswegen aufgeschoben werden, weil die Bewerberin schwanger ist (BVerfGE 44,
215). Die Fürsorgepflicht des Staates bedeutet nicht, daß dieser
ausschließlich die Kosten des Mutterschutzes zu tragen (BVerf-
GE 37, 126 f.) oder jede mit der Mutterschaft zusammenhängende Belastung auszugleichen hat (BVerfGE 60, 74). Es ist auch
nicht unzulässig, Mütter, die nicht erwerbstätig oder arbeitslos
sind, vom Bezug des Mutterschaftsgeldes auszuschließen (BVerf-
GE 65, 112).

Absatz 5

23 Als *Schutznorm zugunsten des nichtehelichen Kindes* (BVerf-
GE 17, 153) verbürgt Abs. 5 – ohne Altersbegrenzung (BVerf-
GE 44, 19) – zunächst ein subjektives Grundrecht. Weiterhin enthält er einen bindenden Auftrag an den Gesetzgeber (BVerf-
GE 25, 173), dem dieser durch das G über die rechtl. Stellung der
nichtehelichen Kinder vom 19. 8. 1969 (BGBl. I S. 1243) nachgekommen ist. Darüber hinaus ist die Vorschrift Ausdruck einer verfassungsrechtl. Wertentscheidung, die als unmittelbar anwendbare Generalklausel fungiert (BVerfGE 25, 182) und Justiz und Verwaltung bei der Ermessensausübung bindet (BVerfGE 8, 217).
Art. 6 V ist eine besondere Ausprägung des Art. 3, des Art. 6 I
sowie des Sozialstaatsprinzips und geht diesen im Rahmen seines
Gewährleistungsbereiches als Spezialnorm vor (BVerfGE 26, 60;
26, 272).

24 Die Verpflichtung, *gleiche Bedingungen* wie für das eheliche Kind
nicht nur für die leibliche, sondern auch für die seelische Entwicklung des nichtehelichen Kindes zu schaffen, schließt mit ein, das
Aufwachsen des Kindes in einer »Ersatzfamilie« zu fördern. Daher kann dem Stiefvater nicht das Kindergeld für das von ihm aufgenommene Kind verweigert werden (BVerfGE 22, 173). Art. 6
V gebietet jedoch keine schematische Übertragung der für eheli-

che Kinder geltenden Rechtsvorschriften. Die verschiedene Ausgangslage kann es vielmehr rechtfertigen und sogar gebieten, das nichteheliche Kind in einzelnen Beziehungen anders und günstiger zu behandeln als das eheliche Kind (BVerfGE 26, 61; 58, 390). So ist etwa der allein dem nichtehelichen Kind zustehende Anspruch auf vorzeitigen Erbausgleich (§ 1934 d BGB) im Hinblick auf das bestehende generelle Lebensdefizit des nichtehelichen Kindes nicht zu beanstanden (BVerfGE 58, 389 f.).

Artikel 7 [Schulwesen]

(1) Das gesamte Schulwesen steht unter der Aufsicht des Staates.

(2) Die Erziehungsberechtigten haben das Recht, über die Teilnahme des Kindes am Religionsunterricht zu bestimmen.

(3) Der Religionsunterricht ist in den öffentlichen Schulen mit Ausnahme der bekenntnisfreien Schulen ordentliches Lehrfach. Unbeschadet des staatlichen Aufsichtsrechtes wird der Religionsunterricht in Übereinstimmung mit den Grundsätzen der Religionsgemeinschaften erteilt. Kein Lehrer darf gegen seinen Willen verpflichtet werden, Religionsunterricht zu erteilen.

(4) Das Recht zur Errichtung von privaten Schulen wird gewährleistet. Private Schulen als Ersatz für öffentliche Schulen bedürfen der Genehmigung des Staates und unterstehen den Landesgesetzen. Die Genehmigung ist zu erteilen, wenn die privaten Schulen in ihren Lehrzielen und Einrichtungen sowie in der wissenschaftlichen Ausbildung ihrer Lehrkräfte nicht hinter den öffentlichen Schulen zurückstehen und eine Sonderung der Schüler nach den Besitzverhältnissen der Eltern nicht gefördert wird. Die Genehmigung ist zu versagen, wenn die wirtschaftliche und rechtliche Stellung der Lehrkräfte nicht genügend gesichert ist.

(5) Eine private Volksschule ist nur zuzulassen, wenn die Unterrichtsverwaltung ein besonderes pädagogisches Interesse anerkennt oder, auf Antrag von Erziehungsberechtigten, wenn sie als Gemeinschaftsschule, als Bekenntnis- oder Weltanschauungsschule errichtet werden soll und eine öffentliche Volksschule dieser Art in der Gemeinde nicht besteht.

(6) Vorschulen bleiben aufgehoben.

1 Art. 7 enthält *Einrichtungsgarantien, Grundrechtsnormen und Auslegungsregeln* für den Bereich des Schulwesens (BVerfGE 6,

355), das – vorbehaltlich eines Zusammenwirkens von Bund und
Ländern bei der Bildungsplanung gemäß Art. 91 b – in die ausschließliche Zuständigkeit der Länder fällt (BVerfGE 34, 181; 53,
195 f.; 59, 377).

Absatz 1

2 Abs. 1 stellt das gesamte Schulwesen unter die Aufsicht des Staates. Unter »*Schulwesen*« ist die Gesamtheit der Einrichtungen zu
verstehen, die sich mit der Vermittlung von Bildungsgütern in
Schulen befassen (Maunz/Dürig, Art. 7 Rn. 8). Erfaßt werden öffentl. wie private, allgemeinbildende wie Fortbildungs-, Berufs-
und Fachschulen. Ziel muß jedoch sein, die Gesamtpersönlich-
keit des Schülers zu bilden. Deshalb gehören gewerbliche Unter-
richtsunternehmen, die diese Voraussetzung nicht erfüllen, nicht
zu den *Schulen* i. S. des Art. 7 (BayVGH n. F. 10, 5; 20, 56 f.).
Das gleiche gilt für die Hochschulen (BVerfGE 37, 320).

3 Die *staatliche Schulaufsicht* besteht nicht nur in einem Kontroll-
recht gegenüber dem jeweiligen Schulträger (VGH Kassel,
ESVGH 4, 152; OVG Lüneburg, DVBl 1954, 256), umfaßt vielmehr die *Gesamtheit der staatlichen Befugnisse zur Organisation, Planung, Leitung und Beaufsichtigung des Schulwesens*
(BVerwG, NJW 1976, 864 m. w. N.; vgl. auch BVerfGE 26,
238; 47, 71). Im einzelnen rechnen dazu die organisatorische Gliederung der Schule (BVerfGE 34, 182; 53, 196; BayVGH, BayVBl
1982, 212), die Entscheidung über die Einrichtung der öffentl.
Schulen als Gemeinschafts-, Bekenntnis- oder Weltanschauungsschulen einschl. möglicher Zwischenformen (BVerfGE 41,
44 ff.), die Regelung der allgemeinen Schulpflicht (BVerwG,
DVBl 1975, 429) und des Unterrichtsbetriebs (BayVerfGH 33,
43), die inhaltliche Festlegung der Ausbildungsgänge, der Erzie-
hungs- und Unterrichtsziele und des Unterrichtsstoffes (BVerf-
GE 47, 71 f.; 53, 196; 59, 377 m. w. N.; BVerwGE 47, 198), Planung und Erprobung neuer Inhalte und Formen des Schulunter-
richts (BVerwG, NJW 1976, 864) und die Möglichkeit der Einwirkung auf Errichtung, Änderung und Aufhebung von Schulen
(BVerfGE 26, 238). Mit diesen Kompetenzen ist notwendig die
Befugnis verbunden, über die Zulassung von Schulbüchern für
den Unterrichtsgebrauch zu entscheiden (BVerwG, VerwRspr
25, 401 f.; NVwZ 1984, 104; vgl. auch BVerfGE 31, 245). Aus
dem staatl. Erziehungsauftrag, von dem Art. 7 I ausgeht (BVerf-
GE 34, 183; BVerwGE 5, 155), folgt auch das Recht, die Voraussetzungen für den Zugang zur Schule, für den Übergang von ei-

nem Bildungsweg zum anderen und für die Versetzung innerhalb eines Bildungsweges zu bestimmen, einschl. der Befugnis zur Entscheidung darüber, ob und inwieweit das Lernziel vom Schüler erreicht worden ist (BVerfGE 34, 182; 45, 415; BVerwGE 5, 157, 159).

4 Die Ausübung dieser Befugnisse berührt in vielfältiger Weise Grundrechtspositionen (vgl. auch nachstehend Rn. 5). Deshalb und wegen der weitreichenden Bedeutung der Schulbildung für das Gemeinwesen und seine Bürger ist es nach dem Prinzip des *Vorbehalts des Gesetzes* (dazu allgemein Art. 20 Rn. 9 u. Vorbem. vor Art. 70 Rn. 3) Aufgabe des Gesetzgebers, die wesentlichen Entscheidungen im Schulwesen selbst zu treffen und nicht der Schulverwaltung zu überlassen (BVerfGE 34, 192 f.; 41, 259 f.; 45, 417 f.; 47, 78 ff.; 58, 268 f. m. w. N. zur Rspr. der Verwaltungsgerichte). Dies gilt sowohl für Fragen der Schulorganisation (vgl. BVerfGE 34, 181 ff.: obligatorische Förderstufe; 45, 417 ff.: Neuordnung der gymnasialen Oberstufe) als auch für die Festlegung der Unterrichtsinhalte (vgl. BVerfGE 47, 81 f.; BVerwGE 47, 199; 47, 204 f.; 57, 363 f.: Erziehungs- und Bildungsziele der Schule; BVerwGE 64, 312 ff.: Pflichtfremdsprache in der Bremer Orientierungsstufe) und für die Ausgestaltung des Schulverhältnisses (vgl. OVGE Bln 12, 142: Schulpflichtdauer, Schulaufnahme u. -wechsel; BVerfGE 41, 260; 58, 272 ff.; BVerwGE 56, 157; BayVerfGH 34, 97: Versetzung u. Schulausschluß). Die Anforderungen an den Gesetzesvorbehalt dürfen allerdings nicht überspannt werden. Ob und in welchem Umfang der Gesetzgeber selbst tätig werden muß, richtet sich nach der Intensität, mit der die Grundrechte des Regelungsadressaten betroffen werden (BVerfGE 58, 274). Parlamentsgesetzliche Vollregelungen sind danach nur bei Maßnahmen geboten, die die Grundrechtssphäre besonders nachhaltig beeinflussen. Im übrigen genügen – je nach Gegenstand zu bestimmende – *parlamentarische Leitentscheidungen* (BVerfGE 47, 83; 58, 271), in deren Rahmen die Einzelheiten durch RVO und auch durch allgemeine Verwaltungsvorschriften geregelt werden können (BVerwGE 47, 199; 47, 204 f.; 56, 160; 57, 363 f.).

5 *Begrenzungen des staatlichen Bestimmungsrechts* über die Schule können sich aus der *Garantie der kommunalen Selbstverwaltung* (vgl. dazu mit Blick auf das öffentl. Volksschulwesen BVerfGE 26, 239 ff.; BVerwGE 6, 104 f.; 18, 39), aus dem durch Art. 2 I geschützten *Recht des Schülers auf möglichst ungehinderte Entwicklung seiner Persönlichkeit*, Anlagen und Befähigungen (s.

insoweit BVerfGE 45, 417 m. w. N.; BVerwGE 56, 158) und darüber hinaus vor allem aus Art. 6 II sowie aus Art. 4 I und II ergeben. Im Hinblick auf das *elterliche Erziehungsrecht* (hierzu allgemein Art. 6 Rn. 16 u. hinsichtlich des Spannungsverhältnisses zum staatl. Erziehungsauftrag im Bereich der Schule Art. 6 Rn. 17) ist der Staat gehalten, die Verantwortung der Eltern für den Gesamtplan der Erziehung ihrer Kinder zu achten und für die Vielfalt der Anschauungen in Erziehungsfragen so weit offen zu sein, wie es sich mit einem geordneten staatl. Schulsystem verträgt (BVerfGE 34, 183; 47, 75). Deshalb darf das Wahlrecht der Eltern zwischen den vom Staat zur Verfügung gestellten Schulformen nicht mehr als notwendig begrenzt werden (BVerfGE 34, 185; zur Beschränkung des elterlichen Bestimmungsrechts in bezug auf Schulen, die in Erfüllung der Schulpflicht zu besuchen sind, s. BVerwGE 21, 292). Einen Anspruch auf eine bestimmte, den Elternwünschen entsprechende Schulform oder auf Aufnahme in eine bestimmte Schule des gewählten Schultyps gewährt die Verfassung allerdings nicht (BVerfGE 45, 415 f.; 53, 196; BVerwG, NJW 1981, 1056; VGH Mannheim, DÖV 1984, 389). Das gleiche gilt hinsichtlich der Beteiligung der Eltern an der Schulselbstverwaltung (BVerfGE 59, 380 f.) wie allgemein hinsichtlich der organisatorischen Gestaltung der Schule (vgl. z. B. BVerwGE 47, 206: 5-Tage-Schule u. BayVGH, BayVBl 1982, 213: Klassenstärke). Dagegen besteht ein Recht auf Unterrichtung über Vorgänge in der Schule, deren Verschweigen die Ausübung des elterlichen Erziehungsrechts beeinträchtigen könnte. Dazu gehören insbes. Informationen über Leistungen und Verhalten des Kindes und im Zusammenhang damit auftretende Schwierigkeiten (BVerfGE 59, 381 f. m. w. N.). Gibt der Staat den öffentl. Schulen ein bestimmtes religiös-weltanschauliches Gepräge, sind auch die *Grundrechte der Glaubens-, Gewissens- und Bekenntnisfreiheit* zu beachten. Sie verpflichten den Landesgesetzgeber, die im Schulwesen auftretenden Spannungen zwischen »negativer« und »positiver« Religionsfreiheit unter Berücksichtigung des grundgesetzlichen Toleranzgebots zum Ausgleich zu bringen. Weltanschaulich-religiöse Zwänge für Minderheiten sind so weit wie irgend möglich zu vermeiden. Der sachlichen Auseinandersetzung mit allen religiösen und weltanschaulichen Auffassungen ist Raum zu geben. Geschieht dies, entsteht durch die für die Schule maßgebende Orientierungsbasis auch für Eltern und Kinder, die abweichende Wertvorstellungen haben, kein unzumutbarer Glaubens- und Gewissenskonflikt (BVerfGE 41, 46 ff.; 41, 78 f.; 41, 108). Das gilt auch für die Abhaltung eines

Schulgebetes, wenn die Teilnahme daran freiwillig ist und nicht betwillige Schüler der Teilnahme in zumutbarer Weise ausweichen können (BVerfGE 52, 235 ff.). S. zum Vorstehenden auch Art. 4 Rn. 3.

Absatz 2

6 Das Grundrecht des Abs. 2 stellt sicher, daß *niemand zum Besuch des Religionsunterrichts gezwungen* werden kann (vgl. BVerfGE 41, 78), und enthält eine besondere Gewährleistung der Glaubens- und Gewissensfreiheit im Hinblick darauf, daß der Religionsunterricht nach Abs. 3 Satz 1 an sich ordentliches Lehrfach ist (BVerwGE 42, 352 f.). Das den Erziehungsberechtigten zustehende Bestimmungsrecht wird nach Maßgabe des G über die religiöse Kindererziehung vom 15. 7. 1921 (RGBl. S. 939) zugunsten eigener Mitwirkungs- und Entscheidungsrechte des Kindes eingeschränkt (näher dazu BVerwGE 15, 138 f.; 68, 18 f.; BGHZ 21, 352; OVG Koblenz, AS 15, 443 f.). Das Recht der Länder, für am Religionsunterricht nicht teilnehmende Schüler einen obligatorischen Ersatzunterricht in Philosophie oder Religionskunde einzurichten, bleibt unberührt, weil sich Abs. 2 auf religiös wertneutrale Fächer, die die Schule anstelle des Religionsunterrichts vorsieht, nicht bezieht (BVerwG, VerwRspr 25, 416).

Absatz 3

7 *Satz 1* gewährleistet – vorbehaltlich der Regelung in Art. 141 (vgl. Erläut. dort) – den *Religionsunterricht in den öffentlichen Schulen* mit Ausnahme der bekenntnisfreien Schulen als *ordentliches Lehrfach.* Der Religionsunterricht, der als ordentliches Lehrfach zu den Pflichtlehrfächern gehört, die versetzungserheblich sein können, ist damit zu einem integrierenden Bestandteil der staatl. Schulorganisation und Unterrichtsarbeit erhoben (BVerwGE 42, 347 ff.). Eltern, Schüler und Religionsgemeinschaften haben einen *Anspruch* darauf, *daß in der Schule* – bei entsprechender Schülerzahl auch nichtchristlicher, z. B. islamischer (vgl. Eiselt, DÖV 1981, 205 f.) – *Religionsunterricht erteilt wird* (BGHZ 34, 21). Daß der Staat Schulen bestimmter religiöser oder weltanschaulicher Prägung einrichtet, kann jedoch nicht verlangt werden. Art. 7 III enthält keine Festlegung der Schulformen, setzt vielmehr die verschiedenen Schultypen religiös-weltanschaulicher Art als rechtlich möglich voraus (BVerfGE 41, 46). Die Gestaltungsfreiheit des Staates ist allerdings insoweit eingeschränkt, als sich dieser seiner Verpflichtung aus Satz 1 nicht dadurch entziehen darf, daß er die bekenntnisfreie Schule zur Regelschule erklärt (v. Münch, Art. 7 Rn. 23).

8   *Satz 2* modifiziert die staatl. Schulaufsicht (BVerfGE 27, 201), indem er den *Religionsgemeinschaften* im Interesse der Vermittlung ihrer Glaubenssätze (vgl. BVerwGE 42, 350) das *Recht zur inneren Gestaltung des Religionsunterrichts* garantiert. Dazu gehört auch die Entscheidung darüber, ob und in welchem Umfang Schülern anderer Bekenntnisse die Teilnahme am Unterricht gestattet wird (BVerwGE 68, 20 m. w. N.). Eine geistliche Schulaufsicht besteht nicht (BGHZ 34, 22).

9   *Satz 3* gewährleistet den *Lehrern an öffentlichen Schulen* das *Recht, die Erteilung von Religionsunterricht abzulehnen,* ohne daß ihnen daraus dienstliche oder persönliche Nachteile erwachsen dürfen. Die Vorschrift verbietet es der Schulbehörde allerdings nicht, aus der Entziehung der kirchlichen missio canonica und den ihr zugrunde liegenden Umständen sachgemäße dienstrechtl. Folgerungen zu ziehen, z. B. die Ernennung zum Schulleiter einer katholischen Bekenntnisschule mangels Eignung i. S. des Art. 33 II abzulehnen (BVerwGE 19, 262, 260).

Absatz 4

10   *Satz 1* verbürgt *jedermann* – auch inländischen Stiftungen als juristischen Personen des bürgerlichen Rechts (BVerwGE 40, 349) – das *Grundrecht zur Errichtung von Privatschulen* (BVerfGE 27, 200; BayVerfGH 36, 34). Unter den *Begriff der Privatschulen* fallen sowohl Ersatz- als auch Ergänzungsschulen. *Ersatzschulen* sind Privatschulen, die nach dem mit ihrer Gründung verfolgten Gesamtzweck als Ersatz für eine in dem Land vorhandene oder vorgesehene öffentl. Schule dienen sollen (zum Begriff der öffentl. Schule s. VGH Mannheim, ESVGH 33, 149). Sie unterscheiden sich damit von den *Ergänzungsschulen*, für die vergleichbare öffentl. Schulen i. d. R. nicht bestehen und in denen der Schulpflicht nicht genügt werden kann (BVerfGE 27, 201 f.; BGHZ 52, 332). Nicht zu den Privatschulen i. S. des Satzes 1 gehören private Fachhochschulen (BVerfGE 37, 320).

11   Mit der Gründungsfreiheit ist *auch* die *Privatschule als Institution garantiert* (BVerfGE 6, 355; 27, 200; BayVerfGH 36, 34). Der dem staatl. Einfluß damit entzogene Bereich ist dadurch gekennzeichnet, daß in der Privatschule ein eigenverantwortlich geprägter Unterricht erteilt wird, insbes. soweit er die Erziehungsziele, die weltanschauliche Basis, die Lehrmethode und Lehrinhalte betrifft. Diese Gewährleistung bedeutet die *Absage an ein staatliches Schulmonopol*, ohne daß die Privatschule damit zur staatsfreien Schule wird, und ist zugleich eine Wertentscheidung, die eine Benachteiligung gleichwertiger Ersatzschulen gegenüber den entsprechenden staatl. Schulen allein wegen ihrer andersartigen Erziehungsformen und -inhalte verbietet (BVerfGE 27, 200 f.; vgl. auch BayVerfGH 12, 28). Ansprüche von Schülern und Eltern, etwa auf Erstattung der mit dem Besuch einer Privatschule verbundenen Fahrkosten, lassen sich daraus nicht herleiten (s. BVerwG, DVBl 1982, 729 f.). Dagegen ist in der Rechtsprechung anerkannt, daß der *Träger einer privaten Ersatzschule grundsätzlich*, d. h. vorbehaltlich näherer einfachgesetzlicher Bestimmung insbes. der Zuschußhöhe (vgl. auch VerfGH Nordrh.-Westf., DVBl 1983, 224), *verlangen kann*, für den Unterhalt der Schule aus staatl. Mitteln *subventioniert zu werden* (vgl. insbes. BVerwGE 23, 348 ff.; 27, 362 ff.). Die allgemeine Organisationsgewalt des Staates auf dem Gebiet des Schulwesens erfährt jedoch durch Satz 1 keine Beschränkung. Es ist dem Staat deshalb nicht verwehrt, eine neue öffentl. Schule neben einer bereits bestehenden Privatschule zu errichten, auch wenn dadurch deren wirtschaftliche Grundlage beeinträchtigt wird (BVerfGE 37, 319; BayVGH n. F. 16, 37).

12   Die *Sätze 2–4* betreffen nur diejenigen Privatschulen, die »*als Ersatz für öffentliche Schulen*« dienen sollen (zum Begriff der Ersatzschulen s. oben Rn. 10). Satz 2 stellt die Errichtung solcher Schulen unter den *Vorbehalt staatlicher Genehmigung*. Durch die Erteilung der Genehmigung wird festgestellt, daß gegen die Errichtung keine Bedenken bestehen und daß der Besuch der Schule als Erfüllung der Schulpflicht gilt (BVerfGE 27, 203). Hoheitsbefugnisse werden nicht verliehen (BVerwGE 45, 119). Auf die Genehmigung besteht ein *Rechtsanspruch*, wenn die Voraussetzungen des Satzes 3 erfüllt sind und gemäß Satz 4 die wirtschaftliche und rechtl. Stellung der Lehrkräfte ausreichend gesichert ist (vgl. BVerfGE 27, 200, 204; BVerwGE 17, 237). Weitere Genehmigungsvoraussetzungen dürfen, außer für den Fall des Abs. 5, nicht verlangt werden (BVerwGE 17, 238; 23, 349). Der Landesgesetzgeber ist lediglich befugt, die Einordnung der Ersatzschulen in das Gesamtgefüge des staatl. Schulwesens zu regeln, insbes. zu bestimmen, ob Versetzungen durch die Privatschule und die bei ihr abgelegten Prüfungen allgemein anerkannt werden oder ob es der Prüfung durch einen vom Staat eingesetzten Prüfungsausschuß und einer Aufnahmeprüfung beim Übergang auf öffentl. Schulen bedarf (BVerwGE 17, 238). Im ersten Fall erlangt die Ersatzschule den *Status einer anerkannten Privatschule*, die sich von der nur genehmigten Ersatzschule darin unterscheidet, daß sie mit öff.-rechtl. »Außenwirkung« (BVerfGE 27, 203) die gleichen Berechtigungen wie die öffentl. Schulen erteilt (BVerwGE 17, 41; BayVGH n. F. 35, 29). Ein Anspruch auf eine solche Anerkennung ist verfassungsrechtl. nicht garantiert. Der Landesgesetzgeber kann deshalb die Anerkennung von besonderen, über die Genehmigungsvoraussetzungen des Satzes 3 hinausgehenden Bedingungen, z. B. von der Beachtung der für entsprechende öffentl. Schulen geltenden Aufnahme- und Versetzungsbestimmungen (BVerwGE 68, 188), abhängig machen (BVerfGE 27, 201 ff.).

Absatz 5

13 Für die *Errichtung privater Volksschulen* gelten, da es sich dabei um Ersatzschulen handelt, die Genehmigungsvoraussetzungen des Abs. 4 Sätze 3 und 4 und zusätzlich die Anforderungen nach Abs. 5 (vgl. insoweit zum Begriff des besonderen pädagogischen Interesses VGH Kassel, ESVGH 33, 93 ff.). Die Aufzählung ist erschöpfend. Mittelbar ergibt sich aus Abs. 5 auch, daß *öffentliche Volksschulen* als Gemeinschaftsschulen, Bekenntnis- oder Weltanschauungsschulen eingerichtet werden können (BVerfGE 41, 46). Der Landesgesetzgeber ist insoweit bei der Wahl und Ausgestaltung der Schulform grundsätzlich frei (BVerfGE 41, 86; OVG Münster, OVGE 36, 36 f.).

Absatz 6

14 Abs. 6 beläßt es für das *Verbot der Vorschulen* bei dem unter der Geltung der WeimRVerf geschaffenen Rechtszustand. *Vorschulen* sind Einrichtungen zur Vorbereitung auf den Besuch weiterführender Schulen. Vorklassen mit dem Ziel der Vorbereitung auf den Grundschulbesuch, Förderklassen an Grundschulen und Schulen, bei denen Grundschule und weiterführende Schulen zu einer Einheit verbunden sind, gehören nicht dazu (vgl. v. Münch, Art. 7 Rn. 46 f.).

Artikel 8   [Versammlungsfreiheit]

(1)   Alle Deutschen haben das Recht, sich ohne Anmeldung oder Erlaubnis friedlich und ohne Waffen zu versammeln.

(2)   Für Versammlungen unter freiem Himmel kann dieses Recht durch Gesetz oder auf Grund eines Gesetzes beschränkt werden.

Absatz 1

1 Das Grundrecht der *Versammlungsfreiheit* umfaßt das Recht,
Versammlungen zu veranstalten (vorzubereiten und abzuhalten)
und an solchen teilzunehmen. Es steht in engem Zusammenhang
mit dem Prozeß der demokratischen Meinungs- und Willensbildung, ist aber nicht auf polit. Gemeinschaftshandeln beschränkt.
Das Grundrecht der Versammlungsfreiheit richtet sich gegen den
Staat (öffentl. Gewalt in allen Erscheinungsformen), der die Versammlungsfreiheit nicht nur zu achten, sondern auch Verhältnisse
zu sichern hat, die eine tatsächliche Grundrechtsausübung ermöglichen. Art. 8 vermag darüber hinaus gewisse Drittwirkungen auf
private Rechtsverhältnisse zu äußern (bestr.). Er schützt auch die
negative Versammlungsfreiheit, insbes. also die Nichtteilnahme
an einer Versammlung.

2 Nur *Deutsche* (Art. 116 I) einschl. inländischer juristischer Personen i. S. des Art. 19 III, also nach dessen Auslegung auch nicht-
rechtsfähiger Vereine haben ein verfassungsrechtl. gewährleiste-
tes Versammlungsrecht. Darüber hinaus gewährt § 1 des Ver-
sammlungsgesetzes (VersG) i. d. F. vom 15. 11. 1978 (BGBl. I
S. 1790) auch Nichtdeutschen das Versammlungsrecht nach Maßgabe dieses Gesetzes und der Vorschriften des AusländerG (s.
hier insbes. § 6), jedoch ohne verfassungsrechtl. Sicherung. Vgl.
jetzt auch Art. 11 EMRK. Einschränkungsmöglichkeiten für Angehörige der Streitkräfte und des Ersatzdienstes: Art. 17 a I.

3 *Versammlungen* sind nach h. M. Zusammenkünfte einer Mehrzahl von Menschen mit dem Zwecke, gemeinsam private oder öffentl. Angelegenheiten zu erörtern, sonst geistig aufeinander einzuwirken (z. B. sich in ihren Ansichten zu bestärken) oder ihre
Meinung zwecks Einwirkens auf Dritte, insbes. die Öffentlichkeit
kundzutun (»Kundgebung«, »Demonstration«), also – mangels
gemeinschaftlicher Meinungsbildung oder -kundgabe – *nicht* bloße Menschenansammlungen, Märkte, Ausstellungen, Theater-
und Filmvorführungen, Konzerte, Vorträge und Lehrveranstal-
tungen mit ihren Zuhörerschaften, gesellige und sportliche Veranstaltungen, wohl aber u. U. Einweihungs-, Gedächtnisfeiern u.
dgl., ausnahmsweise – vor allem, wenn mit Diskussionen verbunden – auch Vorträge. Im wesentlichen ebenso die Rechtsprechung, z. B. BVerwGE 56, 69. Versammlungen sind auch »Aufzüge« (»Umzüge«), d. h. Menschengruppen, die, sich fortbeweg-
end, einen der obengenannten Versammlungszwecke verfolgen,
insbes. zwecks Einwirkens auf die Öffentlichkeit demonstrieren.

Abs. 1 gilt für öffentl. wie für nichtöffentl. Versammlungen, für Versammlungen in geschlossenen Räumen wie für solche unter freiem Himmel.

4 *»Ohne Anmeldung und Erlaubnis«:* Damit wird der Bereich staatl. Hemmungsmöglichkeiten eingeschränkt und auch die Abhaltung unvorbereiteter, sog. Spontanversammlungen ermöglicht.

5 *Eingriffe in das Versammlungsrecht,* vor allem Verbot und Auflösung einer Versammlung, sind, von Abs. 2 abgesehen, *nur bei unfriedlicher oder bewaffneter Zusammenkunft* zulässig. Unfriedlich ist eine Versammlung, wenn durch sie nach außen oder in ihr selbst Gewalt gegen Personen oder Sachen geübt oder angedroht oder durch die gepflogenen Erörterungen oder sonstiges Verhalten der Versammlung der staatsbürgerliche Friede in der Bevölkerung bedroht wird. Gewalt kann auch durch passives Verhalten geübt werden, z. B. durch »Sitzstreik« (vgl. BGHSt. 23, 46, 57). Von Störern ausgehende, gegen den Willen der Versammlungsleitung und Versammlungsmehrheit geübte Gewalt, Gewaltdrohung oder Friedensgefährdung machen eine Versammlung nicht unfriedlich, sondern sind polizeilich zu unterbinden. Waffe ist jeder Gegenstand, der durch seine Anfertigung oder den vorgehabten Gebrauch dazu bestimmt ist, Verletzungen beizubringen. Sind nur einzelne Versammlungsteilnehmer bewaffnet, darf nur ihre Teilnahme unterbunden werden. Die Begriffe »unfriedlich« und »bewaffnet« sind – allerdings unvollkommen – in die Tatbestände der §§ 5 und 13 VersG eingeflossen, die die Möglichkeiten polizeilicher Eingriffe in das Versammlungsrecht für *öffentliche* Versammlungen in *geschlossenen* Räumen unter Ausschluß der polizeilichen Generalklausel (»kann nur«) abschließend aufzuzählen und damit den Abs. 1 für die Praxis in den Hintergrund treten lassen. Für *nichtöffentliche* Versammlungen in *geschlossenen* Räumen gilt allein Art. 8 I unmittelbar. Im übrigen findet die Versammlungsfreiheit wie jedes gesetzlich nicht einschränkbare Grundrecht ihre Grenzen in kollidierenden Grundrechten Dritter und anderen mit Verfassungsrang ausgestatteten Rechtswerten, wenn diesen im Konkurrenzfalle das höhe Gewicht zukommt (vgl. besonders BVerfGE 28, 260 f.). Unberührt von Art. 8 bleiben daher z. B. Ordnungsmaßnahmen des Versammlungsleiters nach §§ 7 ff. VersG zur Sicherung des Versammlungszwecks und vor allem gesundheits-, bau- und feuerpolizeiliche Eingriffsrechte der Behörden, die jedoch nicht schikanös angewandt werden dürfen.

6   Im übrigen sind von den Veranstaltern und Teilnehmern einer
Versammlung alle Rechtsvorschriften und Rechtsschranken zu
beachten, die auch sonst für sie gelten (BGHSt 23, 57). Was allgemein verboten ist, wird nicht dadurch erlaubt, daß es in einer oder
durch eine Versammlung geschieht. Art. 8 rechtfertigt vor allem
keinerlei Anwendung von Gewalt (BGHZ 59, 35 f.; 89, 394,
397).

Absatz 2

7   *Sonderregelung für Versammlungen unter freiem Himmel:* »Versammlungen unter freiem Himmel« sind solche, die nicht in geschlossenen, d. h. überdachten und nach den Seiten hin abgeschlossenen Räumen stattfinden. Für diese kann wegen ihrer besonderen potentiellen Gefährlichkeit für den öffentl. Frieden das
Recht der Versammlungsfreiheit unter Sicherheitsgesichtspunk-
ten (nicht mit beliebiger Tendenz) durch Gesetz unmittelbar
(z. B. § 16 VersG, Bannmeilengesetze) oder auf Grund eines Gesetzes durch RVO (vgl. z. B. G zum Schutze des Olympischen
Friedens vom 31. 5. 1972, BGBl. I S. 865) oder Verwaltungsakt
beschränkt werden. Gesetz ist dabei nur das speziell versamm-
lungsregelnde Gesetz. Aufgrund des Abs. 2 sehen §§ 14, 15 VersG
vor: Anmeldepflicht, Auflagen, Verbot und Auflösung bei unmittelbarer Gefährdung der öffentl. Sicherheit oder Ordnung. Zur
grundsätzlichen Verfassungsmäßigkeit dieser Regelungen:
BVerwGE 26, 136 f. Mit Auflagen und Auflösung kann unter
diesen Voraussetzungen auch gegen Spontanversammlungen vorgegangen werden. Bei den versammlungsrechtl. Entscheidungen
sowohl des Gesetzgebers wie auch der Verwaltung und Rechtsprechung sind Sicherheitsinteressen und Versammlungsfreiheit
so gegeneinander abzuwägen, daß letztere die ihr als Grundrecht
gebührende Berücksichtigung erfährt. Insbes. sind möglicherweise gewalttätige Gegendemonstrationen kein Grund für ein Ver-
sammlungsverbot. Bewaffnete und unfriedliche Versammlungen
gefährden immer unmittelbar die öffentl. Sicherheit und Ordnung. Ein Recht auf die Benutzung öffentl. Straßen, Plätze und
Flächen für Versammlungen und besonders Aufzüge besteht nur
im Rahmen der durch Güterabwägung gezogenen Grenzen. Ver-
kehrsrechtl. Vorschriften gelten vorbehaltlich besonderer behördlicher Erlaubnisse wie für jedermann. Für nichtöffentl.
Versammlungen unter freiem Himmel bewendet es z. Z. bei
Art. 8 I.

Artikel 9 [Vereins- und Koalitionsfreiheit]

(1) Alle Deutschen haben das Recht, Vereine und Gesellschaften zu bilden.

(2) Vereinigungen, deren Zweck oder deren Tätigkeit den Strafgesetzen zuwiderlaufen oder die sich gegen die verfassungsmäßige Ordnung oder gegen den Gedanken der Völkerverständigung richten, sind verboten.

(3) Das Recht, zur Wahrung und Förderung der Arbeits- und Wirtschaftsbedingungen Vereinigungen zu bilden, ist für jedermann und für alle Berufe gewährleistet. Abreden, die dieses Recht einschränken oder zu behindern suchen, sind nichtig, hierauf gerichtete Maßnahmen sind rechtswidrig. Maßnahmen nach den Artikeln 12 a, 35 Abs. 2 und 3, Artikel 87 a Abs. 4 und Artikel 91 dürfen sich nicht gegen Arbeitskämpfe richten, die zur Wahrung und Förderung der Arbeits- und Wirtschaftsbedingungen von Vereinigungen im Sinne des Satzes 1 geführt werden.

Absatz 1

1 *Verein* i. S. des durch Art. 9 gewährleisteten Grundrechtes ist »ohne Rücksicht auf die Rechtsform jede Vereinigung, zu der sich eine Mehrheit natürlicher oder juristischer Personen für längere Zeit zu einem gemeinsamen Zweck freiwillig zusammengeschlossen und einer organisierten Willensbildung unterworfen hat« (Legaldefinition des § 2 I VereinsG vom 5. 8. 1964, BGBl. I S. 593). Dieser sog. öff.-rechtl. Vereinsbegriff umfaßt bürgerlich-rechtlich sowohl Vereine wie Gesellschaften. Art. 9 II faßt beide unter dem Begriff »Vereinigungen« zusammen. Wesentlich ist dem Verein i. S. des Art. 9 immer, daß sich die Mitglieder einem irgendwie zum Ausdruck kommenden Gesamtwillen unterordnen, der ihre Tätigkeit lenkt und leitet. Art. 9 erfaßt auch Kapital- und Personalgesellschaften sowie sonstige vereinsmäßige Zusammenschlüsse des wirtschaftlichen Bereichs, nach BVerwGE 37, 348 auch kaufmännische Unternehmen mit Personal. *Keine Vereine* sind soziale Gruppen, Gesinnungsgemeinschaften, »Bewegungen«, Koordinierungsgruppen, die ohne Unterordnung unter einen Gesamtwillen zusammenwirken, Verabredungen, »Aktionen«, Agentenringe, deren Mitglieder ohne Fühlung miteinander sind, öff.-rechtl. Körperschaften und Zwangszusammenschlüsse

(z. B. Ärztekammern, Studentenschaften), Personengemeinschaften, die sonst auf anderer Grundlage als dem Vereinigungs-
willen ihrer Mitglieder zusammengeschlossen sind wie z. B. Be-
triebsgemeinschaften. *Von Art. 9 nicht betroffen* werden ferner:
polit. Parteien (die zwar begrifflich Vereine sind, aber samt ihren
Teilorganisationen der Sonderregelung des Art. 21 unterliegen),
wohl aber ihre Nebenorganisationen (BVerfGE 2, 13), Kommunalparteien und Wählervereinigungen. Weiterhin nicht betroffen
werden: Fraktionen und Gruppen parl. Körperschaften (da es sich
bei ihnen um Einrichtungen des staatl. Parlamentsrechts handelt;
BVerfGE 10, 14), Religions- und Weltanschauungsgemeinschaften (die durch Art. 4 und 140 eine besondere Gewährleistung ihrer Vereinigungsfreiheit erfahren haben, welche vor allem eine
Einschränkung nach Art des Art. 9 II nicht kennt; str., a. M. vor
allem BVerwGE 37, 363 ff.), wohl aber religiöse Vereine wie Orden, Missionsgesellschaften usw. Vgl. zum Vorstehenden auch § 2
II VereinsG.

2 Nur *Deutsche* (Art. 116 I) einschl. inländischer juristischer Personen i. S. des Art. 19 III, also nach dessen Auslegung auch nicht-
rechtsfähiger Vereine haben ein verfassungsrechtl. gewährleiste-
tes Recht der Vereinsfreiheit. *Ausländer*, Ausländervereine und
ausländische Vereine dagegen genießen Vereinigungsfreiheit nur
nach Maßgabe einfacher Gesetze, insbes. des VereinsG (§§ 1, 14,
15, 19 Nr. 4). »Heimatlose Ausländer« sind jedoch den Deutschen hinsichtlich der nichtpolit. Vereinsfreiheit gleichgestellt
(§ 13 G über die Rechtstellung heimatloser Ausländer vom
25. 4. 1951, BGBl. I S. 269). Im übrigen vgl. Art. 11 EMRK.
Auch durch Staatsvertrag kann eine Gleichstellung von Ausländern eingeräumt sein. Das Recht der Vereinsfreiheit steht auch
Beamten, Soldaten, Studenten und Schülern zu, kann hier jedoch
nur im Einklang mit den sich aus dem Wesen des betr. Sonder-
rechtsverhältnisses ergebenden, gesetzlich festzulegenden Pflichten und Einschränkungen ausgeübt werden (vgl. hierzu Vorbem.
vor Art. 1 Rn. 12). Ein Lizensierungsrecht der Hochschulen für
Studentenvereinigungen ist mit Art. 9 I nicht zu vereinbaren
(str.).

3 Die Vereinsfreiheit ist in erster Linie Grundrecht, daneben
Grundsatz des objektiven Rechts mit Gewährleistung des Prinzips
freier sozialer Gruppenbildung (BVerfGE 38, 302 f.; 50, 353)
und eines freien Vereinswesens. Das *Grundrecht der Vereinsfreiheit* besteht zunächst im Recht des einzelnen auf vereinsmäßigen
Zusammenschluß (Gründung, Beitritt, Verbleib) und vereinsmä-

ßige Betätigung, umfaßt aber, da das individuelle Grundrecht nur so voll wirksam werden kann, auch Rechte des Vereins als solchen auf Bestand, freie Bestimmung seiner Organisation und Willensbildung sowie das Recht auf freie Vereinsbetätigung (BVerfGE 13, 175; 30, 241; 50, 354). Der Verein ist also selbst Träger des Grundrechts der Vereinsfreiheit und kann dessen Verletzung u. a. mit der Verfassungsbeschwerde rügen (BVerfGE 13, 175), das Grundrecht der Vereinsfreiheit somit »Doppelgrundrecht«. Durch Art. 9 I ist ferner gewährleistet das Recht der »negativen Vereinsfreiheit«, d. h. das Recht, einem Verein fernzubleiben oder aus ihm auszuscheiden (BVerfGE 10, 102; 38, 298; 50, 354), und für den Verein als solchen das Recht der Selbstauflösung sowie schließlich das Recht des Zusammenschlusses zu Spitzenorganisationen. Unzulässig: Abhängigmachen der Vereinsbildung von behördlicher Erlaubnis, besondere staatl. Vereinsaufsicht, Zwangszusammenschluß zu privaten Vereinen (fragwürdig BVerfGE 4, 26). Vor einer gesetzlich angeordneten, für notwendig zu erachtenden Eingliederung in eine öff.-rechtl. Körperschaft oder Anstalt schützt Art. 9 jedoch ebensowenig wie Art. 2 I (BVerfGE 10, 102; 10, 361; 15, 239; 38, 298). Grundsätzlich unzulässig ist auch ein gesetzlicher Zwang zur Mitgliederaufnahme. Zur Organisationsfreiheit gehören neben einer ausreichenden Satzungsautonomie u. a. die freie Wahl der Rechtsform und die freie Namenswahl (BVerfGE 30, 241). Ob und wieweit sich eine gesetzlich angeordnete Mitbestimmung der Arbeitnehmer mit der Organisations- und Willensbildungsfreiheit von Kapitalgesellschaften vereinbart, ist fraglich und umstritten; zur Auffassung des BVerfG vgl. BVerfGE 50, 356 ff. Eine innerdemokratische Ordnung wird im Unterschied zu den Parteien (Art. 21 I 3) für gewöhnliche Vereine, auch für sog. Interessenverbände, von Art. 9 oder einer anderen Norm des GG nicht gefordert (a. M. Bonner Komm., Art. 9 Rn. 149), ergibt sich aber zumeist aus den (allerdings größtenteils nachgiebigen) Vorschriften des bürgerlichen Vereinsrechts. Das Recht freier individueller und kollektiver Vereinsbetätigung ist durch Art. 9 nur im Rahmen der allgemeinen Gesetze geschützt; die Vereinsfreiheit erlaubt nichts, was sonst verboten ist.

4 *Schranken:* Das Grundrecht der Vereinsfreiheit ist zunächst durch Art. 9 II eingeschränkt. Außerdem können kollidierende Grundreche Dritter und andere mit Verfassungsrang ausgestattete Rechtswerte die Vereinsfreiheit ausnahmsweise in einzelnen Beziehungen beschränken, wenn ihnen im Konkurrenzfalle das

höhere Gewicht zukommt (vgl. BVerfGE 28, 260 f.) und der vereinsmäßigen Betätigung durch Gesetz diejenigen Grenzen gesetzt
werden, die zum Schutze anderer Rechtsgüter geboten sind, sofern der Kernbereich freier Vereinstätigkeit gewahrt bleibt
(BVerfGE 19, 321 f.; 28, 306; 30, 243; 50, 354 f., 369). Art. 2 I
vermag Art. 9 I wegen seines Subsidiaritätsverhältnisses zu diesem nicht einzuschränken (vgl. dazu BVerfGE 32, 107).

5   Das Grundrecht der Vereinsfreiheit richtet sich *gegen* den *Staat,*
    hat aber auch gewisse *Drittwirkungen* auf Privatrechtsverhältnis-
    se, insbes. in Form der negativen Vereinsfreiheit.

    Absatz 2

6   Abs. 2 regelt abschließend die materiellen Voraussetzungen von
    Vereinsverboten. *Verboten* sind:
    1.) Vereinigungen, deren Zwecke oder Tätigkeit den *Strafgeset-*
        zen zuwiderlaufen. Strafgesetz ist jede Strafrechtsnorm, die
        ein Verhalten unabhängig von seiner vereinsmäßigen Bege-
        hung pönalisiert. Sonstige Gesetzwidrigkeiten berechtigen
        nicht zum Verbot.
    2.) Vereinigungen, die sich gegen die *verfassungsmäßige Ord-*
        nung richten. Verfassungsmäßige Ordnung ist hier nicht die
        gesamte verfassungskonforme Rechtsordnung, auch nicht
        die Gesamtheit der Vorschriften des GG, sondern ein enge-
        rer Ordnungsbestand, der vor allem die freiheitliche demo-
        kratische Grundordnung (vgl. Art. 18, Art. 21 u. dort. Er-
        läut. Rn. 13), darüber hinaus aber auch das sonstige Grund-
        gefüge der Verfassung (z. B. die republikanische Staatsform,
        die bundesstaatl. Ordnung, die repräsentative Demokratie,
        die Sozialstaatlichkeit, in der unter dem Gesichtspunkt der
        Verhütung des Mißbrauchs wirtschaftlicher Macht u. a. das
        Kartellverbot des G gegen Wettbewerbsbeschränkungen sei-
        ne Rechtsgrundlage findet) und besonders den »Bestand der
        Bundesrepublik Deutschland« (vgl. Art. 21 II 1) umfaßt. Zu
        eng – nur freiheitliche demokratische Grundordnung –
        BGHSt 7, 227; 9, 103; 9, 286 f. und ein großer Teil des
        Schrifttums; wie hier Maunz/Dürig, Art. 9 Rn. 127.
    3.) Vereinigungen, die sich gegen den Gedanken der *Völkerver-*
        ständigung richten (für die Auslegung vgl. Art. 26 I u. d. Er-
        läut. dazu).
    Auch verborgene, vorübergehende, Zwischen-, Fern- und Ne-
    benziele bzw. -tätigkeiten können die Tatbestände des Abs. 2 er-
    füllen. Doch ist bei bloßen Nebenzielen und -tätigkeiten der

Grundsatz der Verhältnismäßigkeit zu beachten. Rechtserheblich für die »Richtungsbestimmung« einer Vereinigung ist ihr gesamtes Verhalten. Unerheblich dagegen Äußerungen und Handlungen einzelner Mitglieder oder Funktionäre, die nicht dem Verein als solchem zugerechnet werden können. In allen drei Fällen wird eine Vereinigung verfassungswidrig durch ihre gegen Strafgesetze, verfassungsmäßige Ordnung usw. verstoßende Tätigkeit, aber auch schon durch ihre dagegen gerichteten Bestrebungen. Daher ist nicht erforderlich, daß strafbare oder verfassungswidrige Handlungen usw. bereits begangen worden sind, auch nicht, daß eine konkrete Gefahr solcher Handlungen besteht (vgl. dazu BVerwGE 55, 182 f.). Andererseits genügen zur Verfassungswidrigkeit nicht bloß die geschützten Rechtsgüter ablehnende Anschauungen und Meinungen (überspannt BGHSt 9, 101); erforderlich ist vielmehr ein gegen sie gerichtetes *aktives, aggressivkämpferisches Verhalten*, z. B. ein fortlaufendes Untergraben ihrer Geltung, nicht aber angewandte oder beabsichtigte Gewalt oder sonstige Rechtsverletzung. Vgl. zum Vorstehenden BGHSt 19, 55; BVerwGE 37, 358 f.; BVerwG, NJW 1981, 1796 und auch die Erläut. zu Art. 21 Rn. 13.

7 Das normative *Verbot* des Art. 9 II wirkt *im Einzelfalle* nicht ex lege. Eine Vereinigung darf vielmehr aus Gründen der verfassungsrechtl. verbürgten Rechtssicherheit erst dann als verboten behandelt werden, wenn die für den Verbotsausspruch zuständige Behörde (Verwaltungsbehörde oder Gericht) ein förmliches Verbot gegen sie ausgesprochen hat (BVerwGE 4, 189; 47, 351; § 3 VereinsG). Bis dahin sperrt das Erfordernis des konkreten Verbotes jedes Vorgehen gegen den Verein unter Berufung auf Art. 9 II. Unzulässig sind vor allem über die Verhinderung bestimmter gesetzeswidriger Handlungen hinausgehende Betätigungsverbote. Ergibt sich, daß ein Verein einen der Tatbestände des Art. 9 II erfüllt, so ist die zuständige Behörde auf Grund des Verfassungsbefehls grundsätzlich zum Verbot verpflichtet (str.). Es ist also nicht zu prüfen, ob das Verbot politisch oder sonst erforderlich ist. Doch sind die Behörden nicht gehalten, gegen völlig unbedeutende und ungefährliche Vereine vorzugehen, da Art. 9 II einen nicht ganz unerheblichen Angriff und eine nicht ganz unerhebliche Gefahr für die staatl. Ordnung voraussetzt. Der Grundsatz der Verhältnismäßigkeit spielt im Vorfeld des Art. 9 II insofern eine Rolle, als die Behörde zunächst zu prüfen hat, ob ein bestimmtes rechtswidriges Verhalten des Vereins nicht durch Einzelmaßnahmen unterbunden werden kann. Auf sonstige »mildere

Mittel« (Tätigkeitsverbote usw.) kann sie jedoch mangels Rechtsgrundlage im geltenden Vereinsrecht nicht zurückgreifen (a. M.
Maunz/Dürig, Art. 9 Rn. 134 und auch BVerwGE 37, 360 f.).

8 Ein Verfahren nach Art. 18 braucht dem Verbot nicht vorauszu-
gehen; ist Art. 9 II erfüllt, so ist hinsichtlich des Vereins für eine
Grundrechtsverwirkung überhaupt kein Raum.

Absatz 3

9 Abs. 3 behandelt besonders das Vereinigungsrecht der »Sozialpartner«, der Arbeitnehmer und Arbeitgeber, das sog. *Koalitionsrecht.* Es handelt sich, wie aus der Stellung des Abs. 3 hervor-
geht, um einen Spezialfall des allgemeinen Vereinigungsfreiheit
(str.), der über diese vor allem dadurch hinausgreift, daß die Koalitionsfreiheit auch Ausländern gewährleistet ist und nach Satz 2
ausdrücklich eine umfassende Drittwirkung auf Privatrechtsbeziehungen äußert.

10 *Satz 1: Rechtsträger* der Koalitionsfreiheit ist *jedermann*, sind also
nicht nur Deutsche, sondern auch Ausländer, auch juristische Personen und nichtrechtsfähige Vereine einschl. ausländischer Vereinigungen mit Organisation oder Tätigkeit im Inland. Im übrigen
gilt die Koalitionsfreiheit für Arbeitnehmer und Arbeitgeber aller
Berufe, auch für Beamte (BVerfGE 19, 322) und andere Gruppen
des öffentl. Dienstes mit Einschluß der Soldaten.

11 Als *Koalitionen* sind trotz des mißverständlichen Wortlauts nur
solche Vereinigungen anzusehen, deren *Zweck* es ist, *auf die zwischen Arbeitgebern und Arbeitnehmern bestehenden Rechtsverhältnisse einzuwirken,* also vor allem die Gewerkschaften und Ar-
beitgebervereinigungen, beide einschl. ihrer Spitzenverbände,
nicht auch z. B. Unternehmerverbände mit rein wirtschaftlicher
Zielsetzung, Erwerbs- und Wirtschaftsgenossenschaften, Kartelle
usw. Koalitionen müssen staatsunabhängig und gegnerfrei, also
frei und unabhängig auch von der anderen Sozialpartnerseite sein
(BVerfGE 4, 106 f.). Nach BVerfGE 50, 373 ff. kann eine Ar-
beitgebervereinigung auch dann noch gegnerfrei sein, wenn ihr
Unternehmen angehören, die der Mitbestimmung unterliegen.
Tarifwilligkeit ist keine notwendige Voraussetzung der Koali-
tionseigenschaft (str.), jedenfalls nicht die Bereitschaft zum Ar-
beitkampf (vgl. dazu BVerfGE 18, 27 ff.). Ebensowenig verlangt
Abs. 3 für Arbeitnehmervereinigungen eine überbetriebliche Organisation. Tarifwilligkeit, Kampfbereitschaft und überbetriebliche Organisation sind allenfalls für die von der Koalitionseigen-

schaft zu sondernde Frage der Tariffähigkeit von Bedeutung. Gleiches gilt für die Frage der Durchsetzungskraft (vgl. BVerfGE 58, 250).

12 Wie allgemein das Recht der Vereinsfreiheit schützt die *Koalitionsfreiheit* zunächst das Recht des einzelnen auf koalitionsmäßigen Zusammenschluß (Gründung, Beitritt, Verbleib) und koalitionsmäßige Betätigung, ebenso nach BVerfGE 50, 367; 55, 21; 57, 245; BAGE 20, 213 und zutreffender h. M. das Recht der negativen Koalitionsfreiheit (Fernbleiben, Austritt) mit der Folge, daß jeder auch nur mittelbare Organisationszwang (z. B. durch Bevorzugung von Organisierten) verfassungswidrig ist. Sie schützt aber auch die Vereinigungen selbst (BVerfGE 4, 101 f.; 17, 333; 19, 312; 28, 304; 50, 367; 58, 246; BAGE 6, 358) mit ihren Rechten auf Bestand, freie Bestimmung ihrer Organisation und Willensbildung sowie auf koalitionsmäßige Betätigung (vgl. BVerfGE 17, 333; 18, 26; 19, 312; 28, 304; 50, 367; BAGE 21, 205), ist also ein Doppelgrundrecht. Zur Organisationsfreiheit im einzelnen vgl. oben Rn. 3. Ein Gebot innerdemokratischer Ordnung kann, so wünschenswert es wäre, aus Art. 9 III nicht entnommen werden (s. auch dazu Rn. 3; a. M. Ramm, Die Freiheit der Willensbildung 1960 S. 117 ff.; Ridder, Zur verfassungsrechtl. Stellung d. Gewerkschaften 1960 S. 29; Scheuner, Der Inhalt der Koalitionsfreiheit 1960 S. 44; AK, Art. 9 III Rn. 49). Das Betätigungsrecht der Koalitionen ist wie bei gewöhnlichen Vereinen nur im Rahmen der allgemeinen Gesetze gewährleistet und kann bis auf einen unantastbaren Kernbereich auch speziell zum Schutze anderer Rechtsgüter gesetzlich beschränkt werden (BVerfGE 19, 321 f.; 28, 306; 38, 305 f.; 50, 368, 369; 58, 247). Durch Art. 9 III geschützt ist auch die Tätigkeit der Koalitionen im Personalvertretungswesen des öffentl. Dienstes (BVerfGE 19, 319). Schließlich gewährleistet Art. 9 III die Institution eines freien Koalitionswesens.

13 Nach Auffassung des BVerfG verbürgt Abs. 3 zugleich die Einrichtung eines gesetzlich geregelten und geschützten *Tarifvertragsystems* mit frei gebildeten, gegnerunabhängigen Organisationen als Partner und einem Kernbereich der *Tarifautonomie*, da die Koalitionen nur so ihren Zweck erfüllen können (BVerfGE 4, 106 ff.; 20, 317; 44, 340 f.; 50, 369). Entsprechend dürfte für die wichtigsten Spitzenverbände der Beamten ein verfassungsmäßiges Recht auf Beteiligung an den allgemeinen Regelungen der beamtenrechtl. Verhältnisse nach Art etwa der §§ 94 BBG, 58 BRRG anzunehmen sein (a. M. BVerwGE 59, 55). Fraglich kann sein, ob jeder Koalition schon von Verfassungs wegen Tariffähigkeit zukommt oder ob der Gesetzgeber diese von weiteren Voraussetzungen abhängig machen kann. Das BVerfG nimmt letzteres an (BVerfGE 4, 107 ff.; 18, 28; 58, 248 ff.). Die Tarifautonomie überträgt den Koalitionen wichtige, auch im öffentl. Interesse liegende Aufgaben, insbes. eine bedeutsame staatl. ermächtigte Rechtssetzungsbefugnis (BVerfGE 28, 304; 34, 316 f.; 44, 341), läßt aber ihre Natur als privatrechtl. Verband unberührt und macht sie nicht zu Trägern öffentl. Gewalt. Da Abs. 3 nur einen Kernbereich der Tarifautonomie gewährleistet, sind staatl. Schlichtung und im Notfalle selbst Zwangsschlichtung nicht ausgeschlossen, auch nicht der Erlaß staatl. Lohnleitlinien und Lohnstoppvorschriften (str.; a. M. z. B. AK, Art. 9 III Rn. 65). BVerfGE 50, 373 ff. hält aus gleichem Grunde auch eine Mitbestimmung der Arbeitnehmer und ihrer Koalitionen nach Maßgabe des MitbestimmungsG für verfassungsgerecht.

14 *Streik und Aussperrung:* Im Hinblick auf Wortlaut und Entstehungsgeschichte des Art. 9 III hatte die herrschende Meinung des Schrifttums die Frage einer verfassungsrechtl. Gewährleistung des Streik- und Aussperrungsrechts zunächst verneint. Auch die Haltung der Rechtsprechung war ablehnend (BAGE 1, 298; BSGE 1, 124). Inzwischen ist hier jedoch ein Wandel eingetreten. Das neuere Schrifttum sieht im Arbeitskampfrecht einen notwendigen Bestandteil der verfassungsmäßig gewährleisteten Tarifautonomie. Vgl. statt vieler Maunz/Dürig, Art. 9 Rn. 321. Dieser Auffassung hat sich inzwischen auch das BAG angeschlossen (E 33, 150 ff.). Das BVerfG hat bisher eine Stellungnahme vermieden. Jedenfalls aber sind Streik und Aussperrung innerhalb bestimmter Grenzen, die z. T. noch strittig sind, als Bestandteile des *einfachen* Rechtes anerkannt (BAGE 1, 300; 6, 358; 23, 306, 308). Vgl. jetzt auch Europäische Sozialcharta II, Art. 6 Nr. 4 (BGBl. 1964 II S. 1262). Im Hinblick auf Art. 33 V jedoch kein Streikrecht oder streikähnliches Leistungsverweigerungsrecht für *Beamte* (BVerfGE 8, 17; 44, 264; BVerwGE 53, 331; 63, 161), ebensowenig für Richter, Soldaten und Zivildienstpflichtige. Auch, vom Extremfall des Art. 20 IV abgesehen, kein verfassungsrechtl. oder einfaches Recht zum *politischen Streik,* d. h. zum Streik zwecks Durchsetzung polit. Ziele, der vor allem dann rechtswidrig ist, wenn er sich gegen den Staat richtet und dessen Organe zu einem bestimmten Verhalten zwingen will. Zweifellos rechtswidrig ist der Massen- und Generalstreik zur Ausschaltung verfassungsmäßig bestellter oberster Staatsorgane (BGHSt 8,

105). »Die Anerkennung des Arbeitskampfes, das Prinzip der Neutralität und der Gleichheitsgrundsatz des Art. 3 GG verbieten es dem Staat, d. h. seiner Gesetzgebung, seiner Verwaltung und Rechtsprechung, die Kampfmittel der beiden Sozialpartner ungleichmäßig zu behandeln. Es gilt der Grundsatz der Waffengleichheit, der Kampfparität« (BAGE 1, 308; vgl. auch E 23, 308 f.). Einseitige gesetzliche Verbote von Streiks oder Aussperrungen sind verfassungswidrig. Art. 29 V der Hessischen Verfassung ist daher nichtig (BAGE 33, 161 f.).

15 Auch die Koalitionen unterliegen den Schranken des Art. 9 II (vgl. dazu die verfahrensrechtl. Sonderregelung in § 16 VereinsG) und den sonstigen Schranken der allgemeinen Vereinsfreiheit (s. oben Rn. 4).

16 *Satz 2* gewährleistet die Grundsätze der Koalitionsfreiheit auch im Bereich von *Privatrechtsbeziehungen,* verleiht ihnen also ausdrücklich Drittwirkung. »Abreden« (insbes. Arbeits- u. Tarifverträge), die das Koalitionsrecht einschränken oder zu behindern versuchen, sind nichtig, entsprechende »Maßnahmen« (einseitig-privatrechtl. oder öff.-rechtl. Handlungen einschl. solcher rein tatsächlicher Natur, auch Streiks) zumindest rechtswidrig. Verfassungswidrig danach: Verpflichtung der Arbeitgeberseite, nicht-oder andersorganisierte Arbeitnehmer nicht einzustellen oder zu entlassen, tarifvertragliche oder sonstige Ungleichbehandlung von organisierten und nicht- oder andersorganisierten Arbeitnehmern, Solidaritätsbeiträge für Nichtorganisierte (teilw. str.).

17 *Satz 3:* Die in den erwähnten Artikeln vorgesehenen Maßnahmen für den *Verteidigungsfall, Katastrophen- und Staatsnotstand* dürfen sich nicht gezielt gegen Arbeitskämpfe (Streiks, Aussperrungen) richten, die zum Zwecke der Einwirkung auf die Arbeitsverhältnisse geführt werden. Geschützt sind nur die «offiziellen«, von den Koalitionen geführten Arbeitskämpfe, nicht also z. B. wilde Streiks, ferner nur die nach dem geltenden Rechtszustand zulässigen Arbeitskämpfe, also nicht z. B. polit. Streiks, auch nicht teilweise polit. Streiks. Aus Satz 3 kann nur gefolgert werden, daß Arbeitskämpfe mit dem GG vereinbar, nicht aber daß sie auch grundgesetzlich gewährleistet sind (vgl. BTag, Bericht d. Rechtsausschusses zu Drucks. IV/3494 S. 16).

Artikel 10   [Brief-, Post- und Fernmeldegeheimnis]

(1)   Das Briefgeheimnis sowie das Post- und Fernmeldegeheimnis sind unverletzlich.

(2)   Beschränkungen dürfen nur auf Grund eines Gesetzes angeordnet werden. Dient die Beschränkung dem Schutze der freiheitlichen demokratischen Grundordnung oder des Bestandes oder der Sicherung des Bundes oder eines Landes, so kann das Gesetz bestimmen, daß sie dem Betroffenen nicht mitgeteilt wird und daß an die Stelle des Rechtsweges die Nachprüfung durch von der Volksvertretung bestellte Organe und Hilfsorgane tritt.

Absatz 1

1   Mit der Unverletzlichkeit des Brief-, Post- und Fernmeldegeheimnisses garantiert Art. 10 I jedermann, Deutschen wie Ausländern (BGHSt 20, 382), den privaten, vor den Augen der Öffentlichkeit verborgenen Austausch von Nachrichten, Gedanken und Meinungen (BGHSt 29, 249). *Grundrechtsträger* sind gemäß Art. 19 III auch private inländische juristische Personen. Brief-, Post- und Fernmeldegeheimnis sind klassische Abwehrrechte, denen *keine unmittelbare Drittwirkung* für den Privatrechtsverkehr zukommt (BayObLG, DVBl 1974, 598). Als wertentscheidende Grundsatznormen sind sie jedoch auch in den Bereichen des Zivil- und des Strafrechts zu beachten (vgl. insbes. §§ 201 f. StGB). Im Einzelfall ist *Verzicht* auf die Wahrung der durch Art. 10 I geschützten Geheimnisse möglich (BVerwG, NJW 1982, 840; BGHSt 19, 278; OVG Bremen, NJW 1980, 607; BayObLG, DVBl 1974, 598).

2   Das *Briefgeheimnis* schützt den brieflichen Verkehr der einzelnen untereinander gegen eine Kenntnisnahme der öffentl. Gewalt von dem Inhalt des Briefes (BVerfGE 33, 11). Erfaßt wird jedoch nur der außerpostalische, d. h. der ohne Vermittlung der Post und bei postbeförderten Briefen der außerhalb des Einwirkungsbereichs der Post stattfindende Briefverkehr. Der Post anvertraute Briefe genießen den Schutz des Postgeheimnisses (h. M.; vgl. v. Münch, Art. 10 Rn. 11). Nach BVerwGE 6, 300 sind unter *Briefen* nur verschlossene Briefe zu verstehen (weitergehend mit beachtlichen Gründen z. B. Bonner Komm., Art. 10 Rn. 29).

3   Das *Postgeheimnis* schützt die Geheimhaltung des gesamten durch die Post vermittelten Verkehrs nicht nur gegenüber der Post, sondern auch gegenüber der postfremden Exekutive, darüber hinaus auch gegenüber Rechtsprechung und Gesetzgebung (OLG Zweibrücken, NJW 1970, 1759), nicht aber gegenüber Postbediensteten in nichtamtlicher Eigenschaft (BVerwG, NJW

1984, 2111). Es umfaßt alle postrechtl. Vorgänge (BVerwGE 6, 300), bezieht sich deshalb außer auf postalisch übersandte Briefe auch auf *alle* anderen *der Post anvertrauten Sendungen* und Mitteilungen wie Pakete, Päckchen, Warenproben, Postanweisungen und dgl. Auch der Einzug von Nachnahme- und Zeitungsgeldern wird erfaßt. Geschützt sind neben dem Inhalt der Sendung deren Absender und Empfänger und weiter etwa die Tatsache der Postbenutzung sowie Art und Weise, Zeitpunkt und Ort dieser Benutzung (OVG Koblenz, AS 16, 21). Betriebsbedingte Maßnahmen wie Gebührenprüfung, Öffnung unzustellbarer Sendungen oder auch die Prüfung, ob die Voraussetzungen für einen offenen Versand erfüllt sind, sind der Post durch Art. 10 I nicht verwehrt (BVerwGE 6, 301; 32, 132 f.). Ob das Postgeheimnis auch der Post selbst zugute kommt (so BVerwGE 6, 301), ist im Hinblick darauf, daß der Staat und grundsätzlich auch die von ihm für die Wahrnehmung öffentl. Aufgaben errichteten selbständigen Rechtsträger keine Grundrechtsfähigkeit besitzen (vgl. Art. 19 Rn. 7 f.), zweifelhaft (ablehnend v. Münch, Art. 10 Rn. 15).

4   Das gleiche gilt für das *Fernmeldegeheimnis* (vgl. aber OLG Köln, NJW 1970, 1856). Es schützt *jede Art von Fernmeldeverkehr* (Fernsprech-, Telegramm-, Fernschreib- und Funkverkehr) vor Eingriffen der öffentl. Gewalt und bezieht sich, dem Postgeheimnis in vielem vergleichbar, außer auf den Inhalt der jeweils übermittelten Nachricht auch auf die näheren Umstände des Fernmeldeverhältnisses, insbes. darauf, ob, wann und zwischen welchen Personen und Fernmeldeeinrichtungen Fernmeldeverkehr stattgefunden hat oder versucht worden ist (OVG Münster, OVGE 30, 175; OLG Köln, NJW 1970, 1856; BayObLG, DVBl 1974, 598). Verboten ist die unbefugte Weitergabe entsprechender Kenntnisse an andere, aber auch schon die Kenntnisnahme von Inhalt, Verlauf und sonstigen Einzelheiten des Kommunikationsvorgangs in weiterem Maße, als für die Vermittlung und Durchführung des Fernmeldeverkehrs notwendig ist (vgl. OLG Köln, NJW 1970, 1856 f.). Wie im Rahmen des Postgeheimnisses (s. vorstehend Rn. 3) sind auch hier betriebsbedingte Überwachungsmaßnahmen, etwa die Verwendung sog. Zählervergleichsgeräte bei begründetem Verdacht des Mißbrauchs von Telefoneinrichtungen, nicht ausgeschlossen (OLG Köln, NJW 1970, 1857; OLG Hamm, NJW 1982, 1060). Die Vertraulichkeit im staatsintern-dienstlichen Fernmeldeverkehr wird vom Schutzzweck des Art. 10 nicht erfaßt (OVG Bremen, NJW 1980, 607 m. w. N.). Auch gewährt das Grundrecht keinen Anspruch auf

Anschluß an das allgemeine Fernmeldenetz. Ein solcher Anspruch läßt sich allenfalls einfachrechtl., nach den Grundsätzen
des allgemeinen Verwaltungsrechts, mit der Monopolstellung der
Deutschen Bundespost begründen (vgl. BVerwGE 36, 355).

Absatz 2

5   *Satz 1* stellt die in Abs. 1 genannten Grundrechte unter einen *allgemeinen Gesetzesvorbehalt*. Dieser Vorbehalt bedeutet jedoch,
ebenso wie die Einschränkungsbefugnis nach Art. 5 II (vgl. dazu
Art. 5 Rn. 21), keinen absoluten Vorrang zugunsten jeder
Schranken setzenden Gesetzgebung (BVerfGE 27, 102). Vielmehr besteht eine *Wechselwirkung* in dem Sinne, daß das einfache
Gesetz zwar den Grundrechten aus Art. 10 I Grenzen zieht, seinerseits aber aus der Erkenntnis der wertsetzenden Bedeutung
dieser Grundrechte im freiheitlich demokratischen Staat ausgelegt und so in seiner grundrechtsbegrenzenden Wirkung selbst
wieder eingeschränkt werden muß. Dabei ist auf strenge Wahrung
des Verhältnismäßigkeitsgrundsatzes zu achten (BGHSt 29,
249 f.; 31, 298).

6   Grundlage für grundrechtsbeschränkende Maßnahmen können
nicht nur förmliche Gesetze (so aber noch BVerwGE 6, 301; OLG
Köln, NJW 1970, 1856), sondern auch Rechtsverordnungen sein,
sofern sie – wie etwa die Postordnung vom 16. 5. 1963 (BGBl. I
S. 341) – auf einer den Anforderungen des Art. 80 I genügenden
gesetzlichen Ermächtigung beruhen (vgl. BVerfGE 33, 12). Wei-
tere *Beispiele* für Grundrechtseinschränkungen sind Art. 1 des G
zur Beschränkung des Brief-, Post- und Fernmeldegeheimnisses
(G 10) vom 13. 8. 1968 (BGBl. I S. 949; vgl. dazu auch nachste-
hend Rn. 7) und im Blick auf das Briefgeheimnis die §§ 94 ff.
StPO, die §§ 29 ff. des StrafvollzugsG vom 16. 3. 1976 (BGBl. I
S. 581) und das G zur Überwachung strafrechtlicher und anderer
Verbringungsverbote vom 24. 5. 1961 (BGBl. I S. 607; vgl. dazu
BVerfGE 27, 102 f.), in bezug auf das Postgeheimnis außer dem
auch hier einschlägigen G vom 24. 5. 1961 die §§ 99 f. StPO sowie
§ 6 VII des ZollG i. d. F. vom 18. 5. 1970 (BGBl. I S. 529; s.
BGHSt 23, 329 ff.) und hinsichtlich des Fernmeldegeheimnisses
insbes. § 100 a StPO. Zur Frage der (eingeschränkten) Verwert-
barkeit von Zufallsfunden, die bei einer nach dieser Vorschrift
durchgeführten Überwachung außerhalb des eigentlichen Überwachungszwecks angefallen sind, vgl. BGHSt 26, 301 ff.; 27,
356 ff.; 28, 125 ff. sowie BVerfGE 57, 219 (Sondervotum).

7 *Satz 2,* zur Ablösung der von den Drei Mächten gemäß Art. 5 II
des Deutschlandvertrages i. d. F. vom 23. 10. 1954 (BGBl.
1955 II S. 305) vorbehaltenen Rechte (s. dazu BGHSt 20, 352 f.)
durch G vom 24. 6. 1968 (BGBl. I S. 709) eingefügt, ergänzt
Satz 1 um die Ermächtigung, für *Beschränkungen* des Brief-,
Post- und Fernmeldegeheimnisses, *die dem Schutz der freiheitli-*
chen demokratischen Grundordnung oder des Bestandes oder der
Sicherung des Bundes oder eines Landes dienen, die Mitteilung an
den Betroffenen auszuschließen und an die Stelle des Rechtsweges die Nachprüfung durch von der Volksvertretung bestellte Organe und Hilfsorgane zu setzen. Die Regelung ist entgegen zahlreicher Stimmen des Schrifttums (vgl. v. Münch, Art. 10
Rn. 33 ff. m. w. N.; a. A. auch BVerfGE 30, 33 ff. – Sondervotum) mit Art. 79 III vereinbar, bedarf jedoch, insbes. *mit Rück-*
sicht auf den rechtsstaatlichen Grundsatz der Verhältnismäßigkeit,
einengender Auslegung. Danach sind Gesetzgeber und Verwaltung gehalten, die Zahl der Fälle, in denen der von einer Überwachungsmaßnahme Betroffene hierüber *keine Mitteilung* erhält,
und die Folgewirkungen einer solchen Maßnahme auf das unumgänglich Notwendige zu beschränken. Die gesetzliche Regelung
muß sicherstellen, daß eine Überwachung nur angeordnet wird,
wenn konkrete Umstände den Verdacht eines verfassungsfeindli-
chen Verhaltens rechtfertigen und wenn diesem Verhalten im
konkreten Fall nach Erschöpfung anderer Aufklärungsmöglich-
keiten nur durch den Grundrechtseingriff beigekommen werden
kann (näher dazu OVG Münster, OVGE 36, 186 ff.). Die hiervon
Betroffenen sind nachträglich zu benachrichtigen, wenn eine Gefährdung des Überwachungszwecks ausgeschlossen werden kann
(vgl. nunmehr Art. 1 § 5 V, § 9 III G 10 i. d. F. des ÄnderungsG
vom 13. 9. 1978, BGBl. I S. 1546). Die durch die Überwachung
erlangte Kenntnis darf anderen (Vernehmungs-)Behörden nicht
für deren Zwecke zugänglich gemacht werden. Material, das nicht
oder nicht mehr für die Zwecke des Schutzes der freiheitlichen demokratischen Ordnung bedeutsam ist, ist unverzüglich zu ver-
nichten. Was den *Ausschluß des Rechtsweges* anbelangt, muß das
Gesetz eine Nachprüfung vorsehen, die materiell und verfahrensmäßig der gerichtlichen Kontrolle gleichwertig, vor allem mindestens ebenso wirkungsvoll ist, auch wenn der Betroffene keine
Gelegenheit hat, in diesem »Ersatzverfahren« mitzuwirken. Dies
setzt voraus, daß sich unter den von der Volksvertretung zu be-
stellenden Organen und Hilfsorganen *ein* Organ befindet, das,
mit der notwendigen Sach- und Rechtskunde versehen und zu lau-
fender und effizienter Kontrolle befugt, in richterlicher Unabhän-

gigkeit und für alle an der Vorbereitung, verwaltungsmäßigen
Entscheidung und Durchführung der Überwachung Beteiligten
verbindlich über die Zulässigkeit einer Überwachungsmaßnahme
und über die Frage, ob der Betroffene zu benachrichtigen ist, entscheidet und die Überwachungsmaßnahme untersagt, wenn es an
den rechtl. Voraussetzungen dafür fehlt. Die nach Art. 1 § 9 G 10
eingerichtete Kommission entspricht diesen Erfordernissen
(BVerfGE 30, 17 ff.).

Artikel 11   [Freizügigkeit]

(1)   Alle Deutschen genießen Freizügigkeit im ganzen Bundesgebiet.

**(2)   Dieses Recht darf nur durch Gesetz oder auf Grund eines Geset-
zes und nur für die Fälle eingeschränkt werden, in denen eine ausreichende Lebensgrundlage nicht vorhanden ist und der Allgemeinheit
daraus besondere Lasten entstehen würden oder in denen es zur Abwehr einer drohenden Gefahr für den Bestand oder die freiheitliche demokratische Grundordnung des Bundes oder eines Landes, zur Bekämpfung von Seuchengefahr, Naturkatastrophen oder besonders
schweren Unglücksfällen, zum Schutze der Jugend vor Verwahrlosung
oder um strafbaren Handlungen vorzubeugen, erforderlich ist.**

Absatz 1

1   Träger des Grundrechts der Freizügigkeit sind *alle Deutschen* i. S.
von Art. 116 I, d. h. vor allem auch die Deutschen in der DDR,
was durch die Entstehungsgeschichte dieser Verfassungsbestimmung bestätigt wird (BVerfGE 2, 272). Ausgenommen sind
Nichtdeutsche, also Ausländer und Staatenlose, denen bezüglich
ihrer Freizügigkeit im Bundesgebiet nur der Schutz des Art. 2 I
mit der Folge stärkerer Einschränkbarkeit zuteil wird (BVerf-
GE 35, 399 f.). Sofern sie polit. Verfolgte sind, genießen sie außerdem Asylrecht nach Art. 16 II 2, das nach § 29 AsylverfahrensG zu einer Aufenthaltserlaubnis führt, jedoch keine Freizü-
gigkeitsgewährleistung umfaßt. Mit Deutschen verheiratete Ausländer werden über Art. 6 von der Reflexwirkung des Grundrechts des Ehegatten erfaßt (BVerfGE 35, 407 f.; BVerwGE 42,
133 ff., 141 f.; vgl. auch Art. 6 Rn. 9). Ausländer aus EG-Staaten
genießen Niederlassungsfreiheit nach Art. 48 EWG-Vertrag
(BGBl. 1957 II 766) zur beruflichen Betätigung. Das Grundrecht
der Freizügigkeit ist seinem Wesen nach auch auf inländische juristische Personen i. S. des Art. 19 III anwendbar.

2   Freizügigkeit bedeutet das *Recht, ungehindert an jedem Ort* innerhalb des Bundesgebietes *Aufenthalt und Wohnsitz zu nehmen,*
auch *zu diesem Zweck in das Bundesgebiet einzureisen* (BVerf-
GE 2, 273; 43, 211; zweifelnd hinsichtlich eines weitergehenden
Gewährleistungsinhalts BVerfGE 29, 194). Gewährleistet ist vor
allem der freie Zug von Land zu Land, von Gemeinde zu Gemeinde innerhalb des Bundesgebietes (BVerfGE 8, 97), aber wohl
auch der von Wohnung zu Wohnung innerhalb einer Gemeinde.
Geschützt ist damit zugleich das Nicht-Wegziehen-Müssen, d. h.
das Recht auf Verbleiben am Aufenthalts- oder Wohnort der eigenen Wahl (Maunz/Dürig, Art. 11 Rn. 39).

3   Von der Gewährleistung umfaßt ist also jedenfalls *die Ortswahl
zwecks Wohnsitzbegründung,* ohne daß deshalb nach der bisherigen Rechtsprechung auch der benötigte Wohnraum (vgl. BVerf-
GE 8, 97 f.), die Mitnahme einer Betriebsausrüstung (BGH,
VerwRspr 5, 690) oder der Ort der Berufsausübung (BVerfGE 2,
152) zum Schutzbereich gehört. Es erscheint allerdings fraglich,
ob die Freizügigkeit so isoliert von der Existenzgrundlage des einzelnen gesehen werden darf (vgl. v. Münch, Art. 11 Rn. 11). Des
weiteren sind auch feste *Aufenthalte mit einer gewissen Mindest-
verweildauer* dazuzurechnen. Dagegen muß dies für ein kurzfristi-
ges Verweilen, einen eher flüchtigen Aufenthalt als ungeklärt angesehen werden. Im Einzelfall kann die Antwort jedenfalls nur
nicht vom Zeitmaß, von der Dauer des jeweiligen Aufenthalts her
gefunden werden. Hier könnte eine stärkere Herausarbeitung
von Sinn und Zweck des Grundrechts hilfreich sein (vgl. auch
Maunz/Dürig, Art. 11 Rn. 29, 36 ff.). Die Freizügigkeit ist jedenfalls *nicht* i. S. einer *allgemeinen Bewegungsfreiheit* zu verstehen,
wird also auch von deren Beschränkungen wie z. B. Regelungen
im Straßenverkehr nicht berührt. Damit besteht Spezialität im
Verhältnis zur allgemeinen Handlungsfreiheit des Art. 2 I. Es ergeben sich aber auch grundsätzlich keine Überschneidungen mit
dem Grundrecht der körperlich-räumlichen Bewegungsfreiheit
des Art. 2 II 2. Das Grundrecht der Freizügigkeit kann überhaupt nur bei einer nicht festgehaltenen oder eingesperrten Person praktisch werden. Die Festnahme eines Menschen ist primär
ein Eingriff in die Freiheit dieser Person, mit dem zwangsläufig
die Unmöglichkeit der Ausübung anderer Grundrechte, z. B. der
Berufsfreiheit, verbunden ist. Deshalb umfaßt jede elementare
Freiheitsentziehung bereits begriffsmäßig die mit ihr untrennbar
verbundenen Beschränkungen weiterer Freiheiten, also auch der
Freizügigkeit.

4 Während für alle Deutschen die Einreise in das Bundesgebiet und
das Nicht-Ausreisen-Müssen als durch Art. 11 mit gewährleistet
gilt, umfaßt die Freizügigkeit i. S. des Art. 11 *nicht* auch die *Ausreisefreiheit;* diese ist grundrechtl. als Ausfluß der allgemeinen
Handlungsfreiheit durch Art. 2 I, also nur innerhalb der Schranken der verfassungsmäßigen Ordnung geschützt (BVerfGE 6,
34 ff.).

5 Zum *Bundesgebiet* i. S. des Art. 11 gehört auch das Land Berlin.

Absatz 2

6 Das Grundrecht des Abs. 1 steht nicht unter einem allgemeinen
Gesetzesvorbehalt, vielmehr sind gesetzliche oder auf gesetzlicher Grundlage ergehende *Beschränkungen nur in den von Abs. 2
abschließend genannten Fällen zulässig.* Solche Einschränkungen
können trotz der ausschließlichen Gesetzgebungszuständigkeit
des Bundes nach Art. 73 Nr. 3 für die Rechtsmaterie der Freizügigkeit auch durch Landesgesetz erfolgen. Weitere Beschränkungen erlaubt sonst nur noch Art. 17 a II zu Verteidigungszwecken.

7 Auf Grund von Abs. 2 hat der Gesetzgeber auch die Möglichkeit,
das *Verfahren zur Einschränkung der Freizügigkeit* nach seinem
Ermessen zu regeln und dabei aus zwingenden Gründen die Ausübung der Freizügigkeit bis zur endgültigen Entscheidung im Einzelfall – etwa durch ein Verbot mit Erlaubnisvorbehalt – zu su-
spendieren. Allerdings muß das Einschränkungsverfahren der
Gefahr angepaßt sein, die bekämpft werden soll (BVerfGE 2,
280). In bestimmten Situationen, z. B. bei Seuchengefahr oder in
Notstandsgebieten, *kann die Freizügigkeit auch generell eingeschränkt werden* (aaO S. 275). »Einschränkung« ist nicht nur als
Teilbeschränkung der Freizügigkeit zu verstehen; u. U. bedeutet
sie auch volle Abweisung einzelner Berechtigter (aaO S. 284). Eine generelle und endgültige Aufhebung der Freizügigkeit für Bewohner der DDR wäre jedoch mit Art. 11 nicht vereinbar (aaO
S. 276).

8 Der Vorbehalt der *ausreichenden Lebensgrundlage* ist durch Ausfüllung des Sozialstaatsgebotes weitgehend obsolet geworden. Eine Lebensgrundlage i. S. des Abs. 2 ist anzunehmen, wenn nach
Beruf, Alter und Gesundheit zu erwarten ist, daß jemand seinen
Lebensunterhalt selbst verdienen kann (BVerwGE 3, 135). Im
BundessozialhilfeG sind keine Beschränkungen der Freizügigkeit
mehr vorgesehen. Die Beschränkung des § 5 NotaufnahmeG

kann nur bei großen Flüchtlingsströmen gelten. Der Vorbehalt zur *Abwehr einer drohenden Gefahr für den Bestand oder die freiheitliche demokratische Grundordnung* (s. dazu Art. 21 Rn. 13) *des Bundes oder eines Landes* betrifft nur den inneren Notstand, für den Verteidigungsfall schafft Art. 17 a II Beschränkungsmöglichkeiten. Im Rahmen des *Seuchenvorbehaltes* treffen insbesondere §§ 34 ff. BundesseuchenG beschränkende Regelungen. Der *Jugendschutzvorbehalt* ist vor allem durch § 71 I JugendwohlfahrtsG und § 1 II JugendschutzG konkretisiert. Der Vorbehalt zur *Vorbeugung strafbarer Handlungen* ist eng auszulegen. Die Erstreckung auch auf bisher nicht straffällig gewordene Personen dürfte unzulässig sein (str.); vgl. auch BVerwGE 6, 175 f.

Artikel 12 [Berufsfreiheit]

(1) Alle Deutschen haben das Recht, Beruf, Arbeitsplatz und Ausbildungsstätte frei zu wählen. Die Berufsausübung kann durch Gesetz oder auf Grund eines Gesetzes geregelt werden.

(2) Niemand darf zu einer bestimmten Arbeit gezwungen werden, außer im Rahmen einer herkömmlichen allgemeinen, für alle gleichen öffentlichen Dienstleistungspflicht.

(3) Zwangsarbeit ist nur bei einer gerichtlich angeordneten Freiheitsentziehung zulässig.

1 Art. 12 garantiert in Abs. 1 die *Berufsfreiheit als einheitliches Grundrecht* (BGHSt 8, 337 f.; BSGE 22, 95), das neben der Berufswahl- und der Berufsausübungsfreiheit (vgl. dazu BVerfGE 7, 402) auch die Freiheit der Arbeitsplatzwahl (BGHZ 38, 16) und das Recht auf freie Wahl der Ausbildungsstätte (vgl. BVerfGE 33, 329 f.) umfaßt. Die Gewährleistungen der Freiheit von Arbeitszwang und Zwangsarbeit in den Abs. 2 und 3 stehen damit in engem sachlichem Zusammenhang.

Absatz 1

2 *Satz 1: Träger der Grundrechte* aus Art. 12 I sind ausdrücklich nur Deutsche, nicht also auch Ausländer (BVerwGE 59, 294). Inländischen juristischen Personen des Privatrechts garantiert Art. 12 I i. V. m. Art. 19 III die Freiheit, eine Erwerbszwecken dienende Tätigkeit, insbes. ein Gewerbe zu betreiben, soweit diese Erwerbstätigkeit ihrem Wesen und ihrer Art nach in gleicher Weise von einer juristischen wie von einer natürlichen Person ausgeübt wer-

den kann (BVerfGE 65, 209 f. m. w. N.). *Drittwirkung* entfaltet
Art. 12 I *nur mittelbar* über die Generalklauseln und unbestimmten Rechtsbegriffe des bürgerlichen Rechts. Anderer Auffassung
ist zwar auch hier das BAG (allgemein s. Vorbem. vor Art. 1
Rn. 6), doch kommt es bei Anwendung des Art. 12 I auf Arbeitsverhältnisse i. d. R. zu Ergebnissen, die auch bei Annahme bloß
mittelbarer Drittwirkung sachgerecht sind (Maunz/Dürig, Art. 12
Rn. 71 ff.). Dies gilt z. B. für seine Rechtsprechung zu den Grenzen von Wettbewerbsverboten und Rückzahlungsklauseln im Arbeitsrecht (dazu nachstehend Rn. 15).

3 Art. 12 I ist die »lex specialis für das Gebiet des Berufsrechts«.
Dies bedeutet für das *Verhältnis zu anderen Grundrechten* grundsätzlich Vorrang sowohl gegenüber Art. 2 I (BVerfGE 9, 77; 30,
336; 38, 79; 58, 363; BGHZ 85, 179) als auch gegenüber Art. 12 II
(BVerfGE 35, 149 f.; vgl. auch BVerfGE 22, 383; 47, 319). Für
die Abgrenzung zu Art. 14 ist wesentlich, daß das Eigentums-
grundrecht das Erworbene, das Ergebnis der Betätigung, schützt,
Art. 12 I dagegen den Erwerb, die Betätigung selbst. Greift ein
Akt der öffentl. Gewalt eher in die Freiheit der individuellen Er-
werbs- und Leistungstätigkeit ein, ist deshalb der Schutzbereich
des Art. 12 I berührt; begrenzt er mehr die Innehabung und Verwendung vorhandener Vermögensgüter, kommt der Schutz des
Art. 14 in Betracht (BVerfGE 30, 335; 31, 32; BVerwGE 40,
164 f.; s. auch Art. 14 Rn. 3).

4 Unter *Beruf* i. S. des Abs. 1 ist jede wirtschaftlich sinnvolle, er-
laubte, in selbständiger oder unselbständiger Stellung ausgeübte
Tätigkeit zu verstehen, die für den Grundrechtsträger Lebensauf-
gabe und Lebensgrundlage ist und durch die er zugleich seinen
Beitrag zur gesellschaftlichen Gesamtleistung erbringt (BVerf-
GE 7, 397 ff.; 50, 362). Der Begriff ist *weit auszulegen* (BVerf-
GE 7, 397; 14, 22; BSGE 22, 94). Er umfaßt nicht nur alle Berufe,
die sich in bestimmten, traditionell oder sogar rechtlich fixierten
»Berufsbildern« darstellen, sondern auch vom einzelnen erlaub-
termaßen frei gewählte untypische Betätigungen (BVerfGE 7,
397; 13, 106). Dementsprechend breit ist die Palette derjenigen
Tätigkeiten, die von der Rechtsprechung als eigenständiger Beruf
anerkannt worden sind (vgl. dazu die Aufzählung bei v. Münch,
Art. 12 Rn. 22). Auch eine Tätigkeit, die ursprünglich nur ausnahmsweise für eine Übergangszeit zugelassen werden sollte,
dann aber lange Zeit auf Grund wiederholt erteilter Beschäfti-
gungserlaubnisse ausgeübt worden ist, kann als Beruf i. S. des
Art. 12 I anzusehen sein (BVerfGE 32, 23 ff.). Geschützt ist

grundsätzlich auch die »Unternehmerfreiheit« i. S. freier Gründung und Führung von Unternehmen (BVerfGE 50, 363). Berufe im öffentl. Dienst werden von dem Berufsbegriff des Art. 12 I ebenfalls erfaßt. Doch ermöglicht Art. 33 für diese Berufe in weitem Umfang Sonderregelungen (BVerfGE 7, 397 f.; 39, 369; BAGE 21, 111; BSGE 20, 174). Ähnliches gilt für staatl. gebundene Berufe, die in Anlehnung an Art. 33 um so eher Einschränkungen unterworfen werden können, je mehr sie einem öff.-rechtl. Dienstverhältnis angenähert sind (BVerfGE 7, 398). Hierzu gehören vor allem die Berufe des Notars (BVerfGE 16, 21 ff.; 17, 377 f.; 47, 319 f.; 54, 246; BGHZ 64, 217) und des Bezirksschornsteinfegermeisters (VGH Mannheim, ESVGH 25, 124). Eine Eingrenzung erfährt der Berufsbegriff im übrigen allgemein dadurch, daß spezielle Ausübungsformen eines allgemeineren Berufs keinen eigenständigen Beruf darstellen. Beispiele hierfür sind das Auftreten und Verhandeln als Prozeßagent (BVerfGE 10, 192 ff.), die Führung von Vormundschaften durch einen Rechtsanwalt (BVerfGE 54, 270 f.), die Tätigkeit als Kassenarzt (BVerfGE 11, 41; BSGE 41, 270), Kassenzahnarzt (BVerfGE 12, 147; BVerwGE 63, 105) oder Knappschaftsarzt (BSGE 21, 112), der Warenfernverkehr (BVerfGE 16, 163 f.), die Betätigung als Interzonenkaufmann (BVerfGE 18, 361) sowie Gründung und Leitung einer Steuerberatungsgesellschaft (BVerfGE 21, 232).

5   Durch die *Freiheit der Berufswahl* sollen der Berufszugang gesichert und eine sinnvolle Berufsausübung ermöglicht werden (vgl. BVerfGE 30, 313). Geschützt ist insoweit vor allem die – von fremdem Willen unbeeinflußte (BVerwGE 2, 93) – Entscheidung über den Eintritt in einen Beruf, z. B. der Entschluß, ein Handwerk selbständig als stehendes Gewerbe auszuüben (BVerfGE 13, 105), einschl. des Rechts, mehrere Berufe zu wählen und in ihnen gleichzeitig nebeneinander tätig zu sein (BVerfGE 21, 179; BVerwGE 21, 195 f.; BAGE 22, 349). Gewährleistet ist aber auch die Freiheit, keinen Beruf zu ergreifen (BVerfGE 58, 364). Schließlich garantiert das Grundrecht auch die Freiheit des Berufswechsels (BVerfGE 43, 363; 62, 146) und die Freiheit zur Beendigung des Berufs (BVerfGE 9, 344 f.; 44, 117; BVerwGE 35, 148). Dies bedeutet freilich nicht, daß derjenige, der seinen Beruf aufgibt, auch von der Erfüllung der Pflichten freigestellt wäre, die durch die Beendigung des Berufsverhältnisses auf Grund eines verfassungsmäßigen Gesetzes entstehen (BVerfGE 39, 141). Ebensowenig schützt Art. 12 I vor Konkurrenz

(BVerfGE 34, 256 m. w. N.; BVerwGE 65, 173), auch nicht vor
dem Wettbewerb der öffentl. Hand (BVerwGE 39, 336;
BVerwG, NJW 1978, 1540). Erst recht folgt aus dem Grundrecht
der freien Berufswahl *kein »Recht auf Arbeit«*, kein Anspruch gegenüber einem privaten oder öffentl. Arbeitgeber auf Einstellung
(BVerwGE 8, 171 f.; BayVerfGH 13, 144). Mit Art. 12 I wird also auch niemandem seitens des Staates einschränkungslos zugesi-
chert, daß er in einem frei gewählten Beruf einen Wirkungsbereich und Verdienst findet (BAGE 16, 139; 29, 255; BayVGH,
BayVBl 1982, 657; vgl. auch BVerwG, VerwRspr 30, 980: kein
Anspruch auf Ausübung eines Gewerbes im Bereich öffentl. Einrichtungen). Dagegen gewährleistet Satz 1, obwohl dort nicht ausdrücklich erwähnt (vgl. aber Satz 2), auch die *Freiheit der Berufsausübung,* die das »Wie«, die Art und Weise beruflicher Betätigung zum Gegenstand hat (vgl. BVerfGE 30, 313).

6   Die *Freiheit der Wahl des Arbeitsplatzes* als der Stätte, an der eine
berufliche Tätigkeit tatsächlich ausgeübt wird, gilt für unselbständig wie selbständig Tätige, insbes. auch für die Angehörigen der
freien Berufe (BGHZ 38, 16 f.). Sie garantiert auch das Recht,
über Beibehaltung, Aufgabe und Wechsel des Arbeitsplatzes frei
zu entscheiden (BAGE 11, 177; 28, 163), gibt jedoch – wie die Berufswahlfreiheit (vgl. dazu vorstehend Rn. 5) – keinen Anspruch
auf faktische Betätigung in einem bestimmten Beruf (s. BA-
GE 29, 255) oder gar auf Beschäftigung auf einem bestimmten
Arbeitsplatz. Art. 12 I gewährt deshalb auch keinen Kündigungsschutz (BAGE 29, 254 ff.).

7   Die *Freiheit der Wahl der Ausbildungsstätte* schützt den Zugang zu
Einrichtungen, die ein Bewerber besucht haben muß, um nach
Ablegung der nur über diese Einrichtungen erreichbaren Prüfun-
gen Berufe ergreifen oder öffentl. Ämter bekleiden zu können,
die die durch die Prüfungen erlangte Qualifikation voraussetzen
(BVerwGE 6, 15; 16, 243; 47, 332). *Ausbildungsstätten* in diesem
Sinne sind etwa die weiterführenden Schulen unter Ausschluß der
Grund- und Hauptschulen (h. M.; vgl. OVG Koblenz, NJW
1979, 941; offengelassen in BVerfGE 34, 195; s. aber auch BVerf-
GE 41, 261; 58, 272 f.), die Hochschulen (BVerfGE 33, 329;
BVerwGE 7, 136; BayVerfGH 24, 213) und die vom Staat einge-
richteten Vorbereitungsdienste (BVerwG, NJW 1978, 2258
m. w. N.; BAG, NJW 1982, 2397; BayVerfGH 24, 157) einschl.
des zweiten Ausbildungsabschnitts der Lehrer an Grund- und
Hauptschulen (BVerwGE 47, 332; 64, 159; BAGE 36, 349 f.).
Anders als die Berufswahlfreiheit (vgl. oben Rn. 5) und das

Recht auf freie Arbeitsplatzwahl (s. vorstehend Rn. 6) hat das Grundrecht auf freie Wahl der Ausbildungsstätte *nicht nur* den *Charakter eines Abwehrrechts gegen staatliche Eingriffe*, das z. B. berufslenkende Maßnahmen verbietet (BVerfGE 33, 330) oder ausschließt, daß der Zugang zu Ausbildungsstätten auf Angehörige eines Bundeslandes beschränkt bleibt (BVerfGE 33, 351 ff.; BVerwGE 6, 13 ff.; vgl. aber auch BVerwG, DÖV 1983, 467). Denn die freie Wahl der Ausbildungsstätte zielt ihrer Natur nach auf *freien Zugang zu Einrichtungen*; das Freiheitsrecht wäre ohne die tatsächliche Möglichkeit, es in Anspruch nehmen zu können, wertlos. Deshalb können sich, wenn der Staat Ausbildungseinrichtungen geschaffen hat, aus Art. 12 I i. V. m. Art. 3 I und dem Sozialstaatsprinzip *Ansprüche auf Zulassung* zu diesen Einrichtungen ergeben. Dies gilt besonders, wo der Staat ein faktisches, nicht beliebig aufgebbares Monopol für sich in Anspruch genommen hat und wo die Beteiligung an staatl. Leistungen notwendige Voraussetzung für die Grundrechtsverwirklichung ist. Im Bereich der Hochschulen ist beides der Fall (vgl. weiter etwa zum Zugang zu staatl. Vorbereitungsdiensten BVerwG, NJW 1982, 785; VGH Mannheim, ESVGH 26, 211 ff.; OVG Münster, OVGE 36, 259 f.). Jeder hochschulreife Staatsbürger hat daher ein Recht auf Zulassung zum Hochschulstudium seiner Wahl unter möglichster Berücksichtigung der gewählten Ausbildungsstätte (BVerfGE 33, 331 f.; 39, 293; BVerwGE 42, 300; 56, 45). Dieses Recht ist jedoch nur insoweit geschützt, als es auf ein Vollstudium mit berufsqualifizierendem Abschluß gerichtet ist (BVerfGE 59, 205), und steht im übrigen unter dem *Vorbehalt des Möglichen* i. S. dessen, was der einzelne vernünftigerweise von der Gesellschaft beanspruchen kann (BVerfGE 33, 333; 43, 314). Es ist als solches unabhängig von der Rangstelle des Bewerbers in der Masse der Mitbewerber (BVerfGE 39, 270) und garantiert auch die Ausbildung für einen weiteren Beruf in Gestalt eines gleichzeitigen oder anschließenden Zweitstudiums (BVerfGE 45, 397 f.; 62, 146; BVerwG, DVBl 1984, 482).

8   *Satz 2:* Der Regelungsvorbehalt des Satzes 2 bezieht sich über die *Berufsausübung* hinaus auch auf die *Berufswahl* (BVerfGE 7, 402) und auf die *Wahl von Arbeitsplatz* (BGHZ 38, 16 f.) *und Ausbildungsstätte* (BVerfGE 33, 336; BVerwG, NJW 1978, 2258). Er ermächtigt weder zur konstitutiven Festlegung des Inhalts dieser Grundrechte noch zu Beschränkungen, durch die von außen her über den sachlichen Gehalt des Grundrechts verfügt wird. Vorbehalten ist vielmehr, wie sich aus dem *Begriff des »Re-*

gelns« ergibt, die konkretisierende Grenzziehung von innen her, d. h. die nähere Bestimmung der im Wesen des jeweiligen Grundrechts selbst angelegten Grenzen (BVerfGE 7, 403 f.). »Regelungen« auf der Grundlage des Satzes 2 sind deshalb keine »Einschränkungen« i. S. des Art. 19. Hinsichtlich der Schranken, die solchen Regelungen gesetzt sind, bedarf es daher nicht des Rückgriffs auf Art. 19 II. Auch die Anwendung des Art. 19 I 2 scheidet insoweit aus (BVerfGE 7, 377 LS 4; 64, 80 f.; BVerwGE 43, 54; BayObLG, VerwRspr 23, 218).

9   Von der Ermächtigung des Satzes 2 kann *durch Gesetz oder auf Grund eines Gesetzes,* also auch in der Form von Rechtsverordnungen Gebrauch gemacht werden, sofern diese durch eine den Erfordernissen des Art. 80 I entsprechende formell-gesetzliche Grundlage gedeckt sind (BVerfGE 46, 139; 51, 173; 58, 290; BSGE 20, 53 f.). Darüber hinaus kommen als Regelungsarten auch vorkonstitutionelles Verordnungsrecht (BVerfGE 9, 70; 9, 222; BGHZ 54, 122), vorkonstitutionelles Gewohnheitsrecht (BVerfGE 34, 303; 36, 216) und Satzungsrecht autonomer Verbände (BVerfGE 33, 157 ff.; 36, 216 f.; 60, 229 f.; BGHSt 30, 82; BSGE 23, 100 f.) in Betracht, nicht dagegen bloßes Richterrecht (vgl. BVerfGE 16, 219; auch BVerfGE 22, 122) und von der Exekutive erlassene Richtlinien (BVerwGE 51, 239). Die Normsetzung unterhalb der Ebene des formellen Gesetzes ist allerdings gegenständlich beschränkt (vgl. auch BSGE 41, 194; VGH Mannheim, ESVGH 31, 303). So ist es Berufsverbänden prinzipiell verwehrt, durch Satzungsrecht Regelungen zu treffen, die die Freiheit der Berufs*wahl* und damit auch schutzwürdige Interessen von Nichtmitgliedern (Berufsanwärtern) berühren. Solche Regelungen sind, sofern sie nicht lediglich Einzelfragen fachlich-technischen Charakters betreffen, dem Gesetzgeber vorbehalten. Handelt es sich hingegen um Regelungen, die sich nur auf die Freiheit der Berufs*ausübung* beziehen, bestehen keine grundsätzlichen Bedenken dagegen, einen Berufsverband zur Normgebung zu ermächtigen. Einschneidende, das Gesamtbild der beruflichen Betätigung wesentlich prägende Vorschriften sind aber auch hier – zumindest in den Grundzügen – vom Gesetzgeber zu erlassen (BVerfGE 33, 160; 38, 381; BVerwGE 41, 262 f.; BayVerfGH, BayVBl 1982, 526). Auch grundlegende Entscheidungen mit Bezug auf die freie Wahl der Ausbildungsstätte sind Sache des verantwortlichen Gesetzgebers, dürfen also nicht dem Ermessen der Exekutive oder autonomer Körperschaften überlassen werden (BVerfGE 33, 345 f.; 41, 259 ff.; 45, 399; Einzelheiten s. unten Rn. 16).

10 Bei Eingriffen in die Grundrechte des Art. 12 I ist in besonderem
Maße der *Verhältnismäßigkeitsgrundsatz* zu beachten. Die *Stu-
fentheorie*, die das BVerfG im Apothekenurteil (BVerfGE 7,
405 ff.) für *Beschränkungen der Berufsausübungs- und der Berufswahlfreiheit* entwickelt hat, ist das Ergebnis strikter Anwendung
dieses Prinzips (BVerfGE 13, 104; 46, 138). Danach ist die Regelungsbefugnis inhaltlich um so freier, je mehr sie auf reine Aus-
übungsregelungen zielt, und um so begrenzter, je mehr sie die Berufswahl berührt (BVerfGE 7, 403). Im einzelnen gilt insoweit folgendes:

11 *Beschränkungen der Berufsausübungsfreiheit* als Gegenstand der
Regelungsstufe 1 dürfen *nur im Interesse des Gemeinwohls* und
nur zur Lösung solcher Sachaufgaben vorgenommen werden, die
ein Tätigwerden des Normgebers überhaupt zu rechtfertigen vermögen und der Wertordnung des GG nicht widersprechen
(BVerfGE 30, 316). Dabei können in weitem Maße Gesichtspunkte der Zweckmäßigkeit berücksichtigt werden (BVerfGE 28,
31). Doch muß das im Einzelfall eingesetzte Mittel geeignet und
erforderlich sein, um den angestrebten Zweck zu erreichen. Es ist
geeignet, wenn mit seiner Hilfe der gewünschte Erfolg gefördert
werden kann, und erforderlich, wenn ein anderes, gleich wirksames, aber das Grundrecht nicht oder doch weniger fühlbar einschränkendes Mittel nicht gewählt werden kann. Bei der Gesamt-
abwägung zwischen der Schwere des Eingriffs und dem Gewicht
und der Dringlichkeit der ihn rechtfertigenden Gründe muß
schließlich die Grenze der Zumutbarkeit noch gewahrt sein. Je
empfindlicher die Berufsausübenden in ihrer Berufsfreiheit beeinträchtigt werden, desto stärker müssen die Interessen des Gemeinwohls sein, denen die betr. Regelung dienen soll (BVerfGE 30,
316 f.; 59, 355). Dies gilt insbes. dann, wenn die Beschränkung
wegen ihrer Auswirkungen einem Eingriff in die Berufswahlfreiheit nahekommt (BVerfGE 61, 311 m. w. N.). Von der Rechtsprechung als *zulässige Berufsausübungsregelungen* anerkannt
sind *beispielsweise* die Abgrenzung apothekenpflichtiger Waren
(BVerfGE 9, 78 f.), die Beschränkung des Apothekenbetriebs
auf nur eine Apotheke (BVerfGE 17, 241; BVerwGE 40, 164),
Begrenzungen des Rechts zur Apothekenverpachtung (BVerf-
GE 17, 246 f.), Werbebeschränkungen für radiumhaltige Erzeugnisse (BVerfGE 9, 221 f.), Vorschriften über Ladenschluß
(BVerfGE 13, 240 f.; BVerwGE 41, 275 f.; s. aber auch BVerf-
GE 59, 349 ff.) und Arbeitszeit (BVerfGE 22, 20; vgl. auch zum
Nachtbackverbot BVerfGE 23, 56; 41, 370), die Verpflichtung

zur Ausrüstung von Droschken und Mietwagen mit kugelsicheren
Trennwänden und mit Sicherheitsgurten (BVerfGE 21, 72), die
Heranziehung der Banken zur Einbehaltung und Abführung der
Kapitalertragsteuer (BVerfGE 22, 383 ff.), Beschränkungen des
Schwerlastverkehrs in Ferienzeiten (BVerfGE 26, 263 f.), die
Wartezeitregelung des § 20 I Nr. 4 der Bundesrechtsanwaltsord-
nung (BGHZ 37, 249 f.; s. auch BGHZ 56, 384), die Verpflich-
tung der Rechtsanwälte, vor Gericht die Amtstracht zu tragen
(BVerfGE 28, 28, 31), das Verbot, mehrere Beschuldigte zu ver-
teidigen (BVerfGE 39, 164 f.), und das Verbot einer Sozietät von
Anwaltsnotar und Wirtschaftsprüfer (BVerfGE 54, 249) oder von
Steuerberatern mit berufsfremden, keiner Standesaufsicht unterliegenden Personen (BVerfGE 60, 230 f.). Weitere Beispiele sind
die Einführung der Bevorratungspflicht für Erdölerzeugnisse
(BVerfGE 30, 313 ff.), Vertriebsverbote für jugendgefährdende
Schriften (BVerfGE 30, 350 f.), die Vermahlungsbegrenzung
nach dem MühlenstrukturG (BVerfGE 39, 225 ff.) sowie Regelungen über Benutzungszwang (BVerwG, DÖV 1958, 127) und
über Einführung und Handhabung der Polizeistunde in Gastwirt-
schaften (BVerwGE 20, 323). Berufsausübungsregelungen, die
wegen ihrer Folgen die sinnvolle Ausübung eines Berufs faktisch
unmöglich machen, sind wie Eingriffe in die Freiheit der Berufswahl, d. h. nach den Grundsätzen der Rn. 12–14, zu beurteilen
(BVerfGE 36, 58 f.; 61, 309; vgl. auch BVerfGE 38, 85 m. w. N.;
BVerwGE 64, 50).

12 *Beschränkungen der Berufswahlfreiheit* sind nur zulässig, *soweit
sie zum Schutz besonders wichtiger Gemeinschaftsgüter zwingend
erforderlich sind,* d. h. soweit der Schutz von Gütern in Rede
steht, denen bei sorgfältiger Abwägung der Vorrang vor dem Frei-
heitsanspruch des einzelnen eingeräumt werden muß, und soweit
dieser Schutz nicht mit weniger belastenden Mitteln gesichert werden kann. Sind diese Voraussetzungen gegeben, ist stets diejenige
Regelungsstufe zu wählen, die den geringsten Eingriff in die Freiheit der Berufswahl mit sich bringt (BVerfGE 7, 405, 408). Dabei
ist zwischen subjektiven und objektiven Voraussetzungen für den
Berufszugang zu unterscheiden:

13 *Subjektive Zulassungsvoraussetzungen* – Gegenstand der Rege-
lungsstufe 2 – liegen vor, wenn die Aufnahme einer beruflichen
Tätigkeit vom Besitz persönlicher Eigenschaften, Fähigkeiten und
Fertigkeiten des Berufsanwärters abhängig gemacht wird (BVerf-
GE 9, 345). Sie können nicht nur zum Schutz absoluter, d. h. all-

gemein anerkannter und von der jeweiligen Politik des Gemeinwesens unabhängiger Gemeinschaftswerte, sondern auch zum Schutz solcher Gemeinschaftsinteressen aufgestellt werden, die sich erst aus den besonderen wirtschafts-, sozial- und gesellschaftspolit. Vorstellungen und Zielen des Gesetzgebers ergeben, von diesem also erst in den Rang wichtiger Gemeinschaftsgüter erhoben werden (BVerfGE 13, 107). *Beispiele* für subjektive Zulassungsvoraussetzungen, deren Zulässigkeit gesichert ist, sind etwa die Altersgrenze für Hebammen (BVerfGE 9, 344 ff.), der handwerkliche Befähigungsnachweis (BVerfGE 13, 114 ff.), das Erfordernis der Ablegung von Prüfungen für die Ausübung der Zahnheilkunde (BVerfGE 25, 247) oder für Berufstätigkeiten, die an die Befähigung zum Richteramt anknüpfen (BVerfGE 38, 115), das Verlangen der Geschäfts- und Prozeßfähigkeit für die forensische Tätigkeit von Rechtsanwälten (BVerfGE 37, 77), vorläufige Berufsverbote nach der Bundesrechtsanwaltsordnung (BVerfGE 44, 117; 48, 296; 66, 353 f.), Berufsverbote nach § 70 StGB (vgl. BGHSt 17, 43 f.), die von Beamtenbewerbern geforderte Gewähr der Verfassungstreue (BVerfGE 39, 370) sowie Anforderungen an die persönliche Eignung von Steuerberatern (BVerfGE 55, 196) oder an die Zuverlässigkeit von Einzelhandelsunternehmern (BVerwGE 39, 251). Auch die *rechtliche Fixierung von Berufsbildern,* durch die der Zugang zum Beruf nur in bestimmter Weise qualifizierten Bewerbern frei gegeben wird, gehört in diesen Zusammenhang (vgl. im einzelnen BVerfGE 7, 406 f.; 21, 180; 25, 247; 54, 314; 59, 315 f.).

14 *Objektive Zulassungsvoraussetzungen* – Gegenstand der Regelungsstufe 3 – sind Berufszugangsbedingungen, die mit der persönlichen Qualifikation des Berufsanwärters nichts zu tun haben und von diesem nicht beeinflußt werden können (BVerfGE 7, 406; 11, 183; BVerwGE 1, 51). Wegen der damit verbundenen Ausschlußwirkung auch für voll geeignete Bewerber kann im allgemeinen nur die *Abwehr nachweisbarer oder höchst wahrscheinlicher schwerer Gefahren* für ein besonders wichtiges Gemeinschaftsgut einen solchen Eingriff in die freie Berufswahl rechtfertigen (BVerfGE 7, 408; 25, 11). Konkurrenzschutz zugunsten der bereits im Beruf Tätigen darf niemals das Ziel objektiver Zulassungsvoraussetzungen sein (BVerfGE 7, 408; 11, 188 f.). Auch Gesichtspunkte der allgemeinen wirtschafts- und verkehrspolit. Planung und Lenkung reichen als Grund für solche Beschränkungen nicht aus (BVerfGE 11, 190 f.). Dagegen gehören *beispielsweise* die Volksgesundheit (BVerfGE 7, 414; BVerwGE 65, 339;

vgl. auch BVerfGE 40, 222: Leben und Gesundheit der Bürger), die Erhaltung einer menschenwürdigen Umwelt (BVerwGE 62, 230), die Steuerrechtspflege (BVerfGE 21, 179), die Stellung des Rechtsanwalts als unabhängiges Rechtspflegeorgan (BGHZ 57, 240), Minderung und Behebung von Arbeitslosigkeit und Arbeitskräftemangel (BVerfGE 21, 251), die Sicherung der Volksernährung (BVerfGE 25, 16), Bestand, Funktionsfähigkeit und Wirtschaftlichkeit der Deutschen Bundesbahn (BVerfGE 40, 218; BVerwGE 64, 72) sowie Sicherheit und Leichtigkeit des Längsverkehrs auf Binnenwasserstraßen (BGH, DÖV 1972, 648) zu den überragend wichtigen Gemeinschaftsgütern, zu deren Schutz bei schwerer Gefährdung objektive Berufszugangssperren errichtet werden können. Vor diesem Hintergrund hat die Rechtsprechung die Bedürfnisprüfung für den Personenlinienverkehr mit Kraftfahrzeugen (BVerfGE 11, 184 f.; für den Gelegenheitsverkehr mit Droschken u. Mietwagen vgl. dagegen ebd., S. 185 ff.) und die Festsetzung von Höchstzahlen für den allgemeinen Güterfernverkehr (BVerfGE 40, 218; BVerwGE 64, 71 m. w. N.) als zulässige objektive Zulassungsvoraussetzungen anerkannt. Das gleiche gilt für Unvereinbarkeitsvorschriften, die es Steuerbevollmächtigten (BVerfGE 21, 179) und Rechtsanwälten (BGHZ 55, 241; 57, 238 ff.) verbieten, gleichzeitig einen weiteren Beruf auszuüben, und ferner etwa für die Monopolisierung bestimmter Berufe bei staatl. Einrichtungen mit der Wirkung, daß entsprechende Tätigkeiten Privater ausgeschlossen sind (vgl. zum allgemeinen Arbeitsvermittlungsmonopol d. Bundesanstalt f. Arbeit BSGE 31, 242; 43, 101 mit Bezug auf BVerfGE 21, 250 ff.; zum nordrh.-westf. Fährregal BGH, DÖV 1972, 647 f.; zur Monopolisierung der Abfallbeseitigung BVerwGE 62, 230).

15 Die Erläut. in Rn. 10–14 gelten sinngemäß auch für *Eingriffe in die Freiheit der Arbeitsplatzwahl* (vgl. BAGE 13, 177 ff.; BGHZ 38, 16 ff.). Die Lage ist hier ähnlich wie bei Regelungen der Berufsausübung, die sich auf geringfügige Eingriffe in die Berufsmodalitäten beschränken, aber auch nachhaltig auf das Recht der Berufswahl zurückwirken können (s. oben Rn. 11). Auch subjektive Voraussetzungen der Arbeitsplatzwahl, die der einzelne grundsätzlich erfüllen kann, und objektive Voraussetzungen, bei denen dies nicht der Fall ist, sind denkbar. Dabei ist jedoch zu berücksichtigen, daß Beschränkungen der freien Wahl des Arbeitsplatzes für den einzelnen i. d. R. weniger einschneidend sind als Eingriffe in die Berufswahl. Deshalb können Regelungen, die sich auf die Arbeitsplatzwahl beziehen, nicht mit dem gleich strengen

Maßstab gemessen werden, wie er für Beschränkungen der eigentlichen Berufswahl gilt. Im übrigen aber bestimmen sich die Anforderungen, die im Einzelfall an eine beschränkende Regelung zu stellen sind, auch hier nach der Intensität des Eingriffs. Schwerwiegende Eingriffe lassen sich nur aus besonders wichtigen Gründen rechtfertigen. Für leichtere Eingriffe genügen dagegen auch Rechtfertigungsgründe von entsprechend geringerem Gewicht (BGHZ 38, 17 f.). Konkret folgt daraus, daß *beispielsweise* Wettbewerbsverbote für Arbeitnehmer im Hinblick auf den hohen ideellen und materiellen Wert beruflicher Fähigkeiten (BAGE 22, 137) nur zulässig sind, wenn der Begünstigte eine Karenzentschädigung zu zahlen hat, durch die der mit dem Verbot verbundene Verzicht auf die ungehinderte Nutzung beruflichen Könnens und Wissens angemessen ausgeglichen wird (BAGE 34, 224 m. w. N.). Dagegen sind Vereinbarungen, in denen sich ein Dienst- oder Arbeitnehmer für den Fall seines vorzeitigen Ausscheidens aus dem Beschäftigungsverhältnis zur Erstattung bestimmter, von seinem Dienstherrn bzw. Arbeitgeber aufgewendeter Aus- oder Vorbildungskosten verpflichtet, auch im Blick auf den Wertgehalt des Grundrechts auf freie Wahl des Arbeitsplatzes – vorbehaltlich der Prüfung im Einzelfall (s. dazu vor allem BAGE 28, 163 m. w. N.) – grundsätzlich vertretbar (BVerwGE 30, 69; 40, 239; BVerwG, VerwRspr 31, 739 ff.; NJW 1982, 1412; vgl. auch, den Fall einer gesetzlich angeordneten Erstattungspflicht betreffend, BVerfGE 39, 141).

16 Die Zulässigkeit von *Beschränkungen der freien Wahl der Ausbildungsstätte* bestimmt sich wegen des engen funktionalen Zusammenhangs der betroffenen Schutzgüter nach den *gleichen Grundsätzen, wie* sie (gemäß Rn. 12–14) *für Eingriffe in die Berufswahlfreiheit* gelten (vgl. BVerfGE 33, 336 ff.; BVerwGE 7, 288 f.; 10, 139). Auch hier ist zwischen subjektiven Zulassungsvoraussetzungen wie der Eignung (BVerwG, DVBl 1966, 702) und objektiven Zugangssperren zu unterscheiden. Praktische Bedeutung hat Art. 12 I 2 in diesem Zusammenhang vor allem für Zulassungsbeschränkungen infolge Erschöpfung der Ausbildungskapazitäten der Hochschulen (für Beschränkungen des Zugangs zu staatl. Vorbereitungsdiensten vgl. die Nachweise oben in Rn. 7 u. ferner insbes. BVerfGE 39, 371 ff.). Ein hierauf beruhender *absoluter numerus clausus* für Studienanfänger kommt einer objektiven Zulassungsvoraussetzung gleich und ist deshalb nur verfassungsgemäß,
a) wenn er dazu bestimmt ist, die für die Aufrechterhaltung eines ordnungsgemäßen Studienbetriebes notwendige, als überra-

gend wichtiges Gemeinschaftsgut anerkannte Funktionsfähigkeit der Hochschulen zu sichern,

b) wenn er in den Grenzen des unbedingt Erforderlichen unter
erschöpfender Nutzung der vorhandenen, mit öffentl. Mitteln
geschaffenen Ausbildungskapazitäten angeordnet wird und

c) wenn die Auswahl der Studienbewerber und die Verteilung
der Studienplätze nach sachgerechten Kriterien mit einer
Chance für jeden an sich hochschulreifen Bewerber unter möglichster Berücksichtigung der individuellen Wahl des Ausbil-
dungsortes erfolgen (BVerfGE 33, 338 ff.).

Die Art und Weise der Kapazitätsermittlung (s. dazu auch BVerf-
GE 39, 265 ff.; 43, 45 ff.; 54, 192 ff.; BVerwGE 56, 40 ff.; 64,
93 f.; 65, 76 ff.) und Regelungen über die Auswahl der Bewerber
(vgl. hierzu ferner insbes. BVerfGE 37, 113 ff.; 43, 317 ff.) gehören danach zum Kern des Zulassungswesens, der hinsichtlich seiner Grundzüge in den *Verantwortungsbereich des Gesetzgebers*
fällt (BVerfGE 33, 340 ff., 345 ff.; vgl. auch oben Rn. 9). Der
Gesetzgeber muß auch bestimmen, wer für die Vergabe von Stu-
dienplätzen, die in einem Studienfach mit Zulassungsbeschränk-
ung infolge unzureichender Kapazitätsausnutzung frei geblieben
sind, zuständig und in einem Rechtsstreit zu verklagen ist (BVerf-
GE 39, 295). Bewerbern, die in Fächern mit bundesweiten Zu-
gangsbeschränkungen ein Zweit- oder Parallelstudium anstreben,
können im Interesse einer gerechten Verteilung von Lebenschan-
cen strengere Voraussetzungen zugemutet werden als einem Bewerber, der erstmals von seinem Grundrecht Gebrauch macht
(BVerfGE 45, 398; 62, 154 f.). Der *Ausschluß von einer Ausbil-*
dungseinrichtung kann unter den gleichen Bedingungen vorgenommen werden, unter denen das Recht der freien Wahl der Ausbildungsstätte verfassungsrechtl. zulässig beschränkt werden kann
(BVerwGE 7, 137; vgl. auch BVerfGE 41, 264).

Absatz 2

17 Abs. 2 garantiert *jedermann* (»Niemand darf . . .«) die *Freiheit*
von Arbeitszwang als subjektives öffentl. Recht (OLG Hamburg,
NJW 1969, 1780). *Arbeitszwang* bedeutet die Verpflichtung zu
persönlicher Dienstleistung (BVerwGE 22, 29), *Arbeit* jede Tätigkeit, die nicht nur einen unbedeutenden Aufwand erfordert und
üblicherweise dazu geeignet ist, Erwerbszwecken zu dienen (OLG
Hamburg, NJW 1969, 1780). Regelungen, die die Gewährung von
Sozialhilfeleistungen von der Übernahme zumutbarer Arbeit
durch den Hilfesuchenden abhängig machen, sind nicht auf die *Er-*

zwingung einer Arbeit gerichtet (BVerwGE 11, 253; VGH Mannheim, ESVGH 32, 247 f.; OVGE Bln 16, 169). Tatbestandlich nicht erfaßt sind ferner etwa die Verpflichtung von Straßenanliegern zur Gehwegreinigung (BVerwGE 22, 28 f.; VGH Kassel, ESVGH 27, 238 f.: keine *persönliche* Dienstleistung), Schul- und Meldepflichten und die Auferlegung ehrenamtlicher Tätigkeiten (BayVGH n. F. 7, 80: keine *Arbeits*leistung), darüber hinaus, weil nicht schon jeder Zwang zu einer mit der Berufsausübung in Beziehung stehenden Tätigkeit unter den besonderen Regelungsbereich des Abs. 2 fällt (BVerfGE 47, 319), aber auch Mitwirkungspflichten bei der Erhebung von Steuern und Sozialversicherungsbeiträgen (BVerfGE 22, 383; BayVGH n. F. 16, 31), die Heranziehung zum ärztlichen Notfalldienst (BVerwGE 65, 363; OVG Münster, NJW 1982, 2137 f.) und die Bevorratungspflicht für Erdölerzeugnisse (BVerfGE 30, 310 ff.).

18 *Ausgenommen* vom Verbot des Abs. 2 ist die *Inanspruchnahme im Rahmen einer herkömmlichen allgemeinen, für alle gleichen öffentlichen Dienstleistungspflicht.* Dazu gehören nur Dienstleistungspflichten von geringerer Intensität, insbes. die gemeindlichen Hand- und Spanndienste, die Pflicht zur Deichhilfe und die Feuerwehrdienstpflicht als überkommene Pflichten, die der Erfüllung von Gemeinschaftsaufgaben durch zeitweilige Heranziehung zu Naturalleistungen dienen (BVerfGE 22, 383). In diesem Zusammenhang bedeutet *Herkömmlichkeit*, daß die Heranziehung schon seit längerer Zeit zulässig und üblich ist (BayVGH n. F. 7, 81); Änderungen der soziologischen Verhältnisse in dem maßgeblichen Gebiet sind zu berücksichtigen (BVerwGE 2, 314). *Allgemein* ist die Verpflichtung, wenn es sich um Dienstleistungen handelt, die von der Allgemeinheit der Betroffenen zu leisten sind und von allen Pflichtigen ohne weiteres auch erbracht werden können (BayVGH n. F. 7, 83). *Gleichheit* der Dienstleistungspflicht verlangt schließlich gleiche Belastung für alle (BayVGH n. F. 7, 84; 14, 70 f.). Diese Voraussetzung ist ebenso wie das Erfordernis der allgemeinen Inanspruchnahme auch dann noch erfüllt, wenn die Verpflichtung auf Männer bestimmter Jahrgänge beschränkt wird; die Verfassung will nur die Belastung *einzelner* ausschließen, nicht aber verbieten, daß die Gruppe derjenigen, die für eine Dienstleistung gerade dieser Art vernünftigerweise in Betracht kommen, im ganzen belastet wird (BVerfGE 13, 170 f.). Zur Heranziehung im Einzelfall ist wegen des damit verbundenen Grundrechtseingriffs eine ordnungsgemäße gesetzliche Grundlage erforderlich (BVerwGE 2, 314). Für länger dauernde Dienstpflichten

i. S. des *Art. 12 a geht* diese Vorschrift *als Sonderregelung vor*
(vgl. auch OLG Hamburg, NJW 1969, 1782).

Absatz 3

19   Abs. 3 enthält eine *Ausnahme vom grundsätzlichen Verbot der
Zwangsarbeit.* Diese ist nur bei gerichtlich angeordneter Freiheitsentziehung (vgl. dazu Art. 104) zulässig. Dabei setzt Abs. 3 den
Vollzug dieser Form der Freiheitsbeschränkung voraus (OLG
Hamburg, NJW 1969, 1781). Die *Abgrenzung zum Arbeitszwang*
i. S. des Abs. 2 wird im allgemeinen so vorgenommen, daß Arbeitszwang als zwangsweise Einzelheranziehung zu einer bestimmten Arbeitsleistung, Zwangsarbeit dagegen als Inanspruchnahme zu grundsätzlich unbegrenzten Tätigkeiten verstanden
wird (vgl. v. Münch, Art. 12 Rn. 85 m. w. N.). Mit der militärischen Dienstleistung ist keine Zwangsarbeit verbunden (BVerw-
GE 35, 150).

Artikel 12 a   [Dienstpflichten]

**(1)   Männer können vom vollendeten achtzehnten Lebensjahr an zum
Dienst in den Streitkräften, im Bundesgrenzschutz oder in einem Zivilschutzverband verpflichtet werden.**

**(2)   Wer aus Gewissensgründen den Kriegsdienst mit der Waffe ver-
weigert, kann zu einem Ersatzdienst verpflichtet werden. Die Dauer
des Ersatzdienstes darf die Dauer des Wehrdienstes nicht übersteigen.
Das Nähere regelt ein Gesetz, das die Freiheit der Gewissensentscheidung nicht beeinträchtigen darf und auch eine Möglichkeit des Ersatzdienstes vorsehen muß, die in keinem Zusammenhang mit den Verbänden der Streitkräfte und des Bundesgrenzschutzes steht.**

**(3)   Wehrpflichtige, die nicht zu einem Dienst nach Absatz 1 oder 2
herangezogen sind, können im Verteidigungsfalle durch Gesetz oder
auf Grund eines Gesetzes zu zivilen Dienstleistungen für Zwecke der
Verteidigung einschließlich des Schutzes der Zivilbevölkerung in Arbeitsverhältnisse verpflichtet werden; Verpflichtungen in öffentlich-
rechtliche Dienstverhältnisse sind nur zur Wahrnehmung polizeilicher
Aufgaben oder solcher hoheitlichen Aufgaben der öffentlichen Verwaltung, die nur in einem öffentlich-rechtlichen Dienstverhältnis erfüllt werden können, zulässig. Arbeitsverhältnisse nach Satz 1 können
bei den Streitkräften, im Bereich ihrer Versorgung sowie bei der öffentlichen Verwaltung begründet werden; Verpflichtungen in Arbeitsverhältnisse im Bereiche der Versorgung der Zivilbevölkerung sind nur zu-**

lässig, um ihren lebensnotwendigen Bedarf zu decken oder ihren Schutz sicherzustellen.

(4) Kann im Verteidigungsfalle der Bedarf an zivilen Dienstleistungen im zivilen Sanitäts- und Heilwesen sowie in der ortsfesten militärischen Lazarettorganisation nicht auf freiwilliger Grundlage gedeckt werden, so können Frauen vom vollendeten achtzehnten bis zum vollendeten fünfundfünfzigsten Lebensjahr durch Gesetz oder auf Grund eines Gesetzes zu derartigen Dienstleistungen herangezogen werden. Sie dürfen auf keinen Fall Dienst mit der Waffe leisten.

(5) Für die Zeit vor dem Verteidigungsfalle können Verpflichtungen nach Absatz 3 nur nach Maßgabe des Artikels 80 a Abs. 1 begründet werden. Zur Vorbereitung auf Dienstleistungen nach Absatz 3, für die besondere Kenntnisse oder Fertigkeiten erforderlich sind, kann durch Gesetz oder auf Grund eines Gesetzes die Teilnahme an Ausbildungsveranstaltungen zur Pflicht gemacht werden. Satz 1 findet insoweit keine Anwendung.

(6) Kann im Verteidigungsfalle der Bedarf an Arbeitskräften für die in Absatz 3 Satz 2 genannten Bereiche auf freiwilliger Grundlage nicht gedeckt werden, so kann zur Sicherung dieses Bedarfs die Freiheit der Deutschen, die Ausübung eines Berufs oder den Arbeitsplatz aufzugeben, durch Gesetz oder auf Grund eines Gesetzes eingeschränkt werden. Vor Eintritt des Verteidigungsfalles gilt Absatz 5 Satz 1 entsprechend.

1   Art. 12 a regelt in Abs. 1 die Wehrpflicht (vgl. hierzu WehrpflichtG i. d. F. vom 6. 5. 1983, BGBl. I S. 529), in Abs. 2 den Ersatzdienst bei Kriegsdienstverweigerung (vgl. hierzu ZivildienstG i. d. F. vom 29. 9. 1983, BGBl. I S. 1221, ber. S. 1370), in Abs. 3 bis 6 sonstige Dienstpflichten im oder für den Verteidigungsfall (vgl. hierzu ArbeitssicherstellungsG vom 9. 7. 1968, BGBl. I S. 787). Durch diese Dienstpflichten wird insbes. das Grundrecht der Berufsfreiheit (Art. 12) eingeschränkt. Zur Entstehungsgeschichte vgl. Vorbem. vor Art. 115 a Rn. 1. Zur Möglichkeit der Grundrechtsbeschränkung gegenüber Soldaten und Ersatzdienstleistenden s. Art. 17 a Rn. 1 ff.

Absatz 1

2   Die *Wehrpflicht* ist nicht verfassungsrechtl. vorgeschrieben (»können«; vgl. auch BVerfGE 48, 160). Die allgemeine Wehrpflicht, wie sie das WehrpflichtG vorsieht, entspricht allerdings der verfassungsrechtl. Grundentscheidung für die militärische

Verteidigung (BVerfGE 28, 261). Sie ist Ausdruck des allgemei-
nen Gleichheitsgedankens; ihre Durchführung steht unter der
Herrschaft des Art. 3 I i. S. der »Wehrgerechtigkeit«, die insbes.
eine hinreichend bestimmte normative Festlegung der Wehr-
dienstausnahmen verlangt (BVerfGE 48, 162). Die *Beschränkung* der Wehrpflicht *auf Männer* (nicht nur Deutsche; vgl. Art. 4
Rn. 7) verstößt nach BVerfGE 12, 52 f. nicht gegen Art. 3 II u.
III. »Streitkräfte«: s. Art. 87 a Rn. 1. »Bundesgrenzschutz«:
Art. 87 I 2 u. G über den Bundesgrenzschutz vom 18. 8. 1972
(BGBl. I S. 1834). »Zivilschutzverband« (kein militärischer
Dienst): Zivilschutzverbände existieren z. Z. nicht, da das G über
das Zivilschutzkorps vom 12. 8. 1965 (BGBl. I S. 782) aus finan-
ziellen Gründen suspendiert ist (G v. 21. 12. 1967, BGBl. I
S. 1259).

Absatz 2

3 Abs. 2 sieht unter Bezugnahme auf den Inhalt des Art. 4 III einen *Ersatzdienst* vor. Der Ersatzdienst (Zivildienst) ist vom GG
nicht als *alternative Form der Wehrpflichterfüllung* gedacht, sondern *Wehrpflichtigen vorbehalten, die den Dienst mit der Waffe aus
Gewissensgründen verweigern* (s. dazu Art. 4 Rn. 7–11). Grundsätzlich verlangt das GG Wehrdienstleistung (BVerfGE 48,
165 f.; bestr.). Die Ersatzdienstpflicht muß im Verhältnis zum
Wehrdienst eine gleichermaßen aktuelle und gleichbelastende
Pflicht sein, sonst wird der Gleichheitsgrundsatz (Wehrgerechtigkeit) verletzt. Die Einzelheiten des Ersatzdienstes sind in dem in
Rn. 1 genannten ZivildienstG geregelt. Der Ersatzdienst kann
nicht unter Berufung auf Art. 4 I (Gewissensfreiheit) verweigert
werden (BVerfGE 19, 138; 23, 132; h. M.). Doch sieht § 15 a ZivildienstG – über das verfassungsrechtl. Gebotene hinausgehend
– die Möglichkeit vor, anstelle des förmlichen Zivildienstes freiwillige Arbeit in einer Kranken-, Heil- oder Pflegeanstalt zu leisten. Einer Mehrfachbestrafung von Personen, die auf Grund einer prinzipiellen, ein für allemal getroffenen Gewissensentscheidung auch den zivilen Ersatzdienst ablehnen, steht Art. 103 III
entgegen (BVerfGE 23, 204 ff.).

Absatz 3

4 *Zivile Dienstleistungen:* Abs. 3 begründet die Möglichkeit, durch
Gesetz oder auf Grund eines Gesetzes Wehrpflichtige – das sind
nach Abs. 1 Männer vom vollendeten 18. Lebensjahr bis zu den
in den Wehrgesetzen festgelegten Altersgrenzen – zu zivilen

Dienstleistungen zu verpflichten. Dies gilt, wenn sie nicht zu einem Dienst nach Abs. 1 oder 2, der also Vorrang hat, herangezogen sind; eine frühere oder künftige Heranziehung zu solchen Diensten hindert die Verpflichtungen nach Abs. 3 nicht. Die Verpflichtungen sind – mit den Ausnahmen des Abs. 5 – auf den *Verteidigungsfall* (Art. 115 a I) beschränkt. Sie sind nur für Zwecke der Verteidigung einschl. des Schutzes der Zivilbevölkerung zulässig, wozu (wie sich aus Satz 2 ergibt) auch die Versorgung der Streitkräfte (z. B. Rüstungsbetriebe) und der Zivilbevölkerung gehört. Ein Dienstleistungsverweigerungsrecht über Art. 4 III i. V. m. Art. 12 a II hinaus besteht nicht.

5   Zulässig ist eine Verpflichtung nur in *Arbeitsverhältnisse,* die – abgesehen davon, daß sie durch staatl. Willensakt begründet und beendet werden – normale Arbeitsverhältnisse sind. Im Bereich der Polizei kann auch eine Verpflichtung in ein *öffentlich-rechtliches Dienstverhältnis* ausgesprochen werden, ebenso für andere öff.-rechtl. Aufgaben, die nur in einem öff.-rechtl. Dienstverhältnis erfüllt werden können. Dabei genügt es, daß der Gesetzgeber in pflichtgemäßem Ermessen nach dem Zweck der Dienstleistung ein praktisch zwingendes Erfordernis (ein rechtl. schlechthin zwingendes gibt es nach Art. 33 IV und im öffentl. Dienstrecht im allgemeinen nicht) zur Begründung eines solchen Verhältnisses erkennt (BT-Drucks. V/2873 S. 6). Doch ist die Norm als Ausnahmevorschrift eng auszulegen. Auch die Begründung eines Beamtenverhältnisses ist zulässig; bestr. unter Hinweis auf Art. 33 V.

Absatz 4

6   Abs. 4 setzt ein grundsätzliches Verbot der zwangsmäßigen *Heranziehung von Frauen* zu Arbeits- und Dienstleistungen i. S. der Abs. 1–3 voraus. Als Ausnahme läßt Abs. 4 für den *Verteidigungsfall* – nicht dagegen (bestr.) für den Spannungsfall, da Abs. 5 für Dienstleistungen von Frauen nicht gilt – zu, daß Frauen vom 18. bis zum 55. Lebensjahr zu zivilen Dienstleistungen im zivilen Sanitäts- und Heilwesen sowie in der ortsfesten militärischen Lazarettorganisation (d. h. nicht auf Verbandsplätzen und in Feldlazaretten) herangezogen werden, wenn der (dann wohl erhebliche Mehr-)Bedarf nicht durch Freiwillige gedeckt werden kann. Nach der Entstehungsgeschichte der Vorschrift (vgl. BT-Drucks. V/2873 S. 6) dürfen Frauen, was im Text nicht ganz eindeutig zum Ausdruck kommt, nur in Arbeitsverhältnisse verpflichtet werden, nicht auch in öff.-rechtl. Dienstverhältnisse (bestr.). Satz 2 ent-

hält ein striktes Verbot jeder – auch der freiwilligen – Dienstleistung der Frau mit der Waffe. Dagegen sind freiwillige waffenlose
Dienstleistungen von Frauen im Verband der Streitkräfte möglich. Hinsichtlich eines Festhaltens an dem schon ausgeübten Beruf s. Abs. 6, der auch für Frauen gilt.

Absatz 5

7   Abs. 5 erlaubt *Dienstverpflichtungen* nach Abs. 3 – nicht dagegen
von Frauen nach Abs. 4 – bereits *vor Eintritt des Verteidigungsfalles* dann, wenn der BTag den Eintritt des Spannungfalles festgestellt oder der Anwendung gesetzlicher Vorschriften, die solche
Verpflichtungen vorsehen, besonders zugestimmt hat (Art.
80 a I 1); ein Beschluß im Rahmen eines Bündnisvertrages nach
Art. 80 a III genügt dagegen nicht. Auch in normalen Zeiten
können nach Satz 2 und 3 Wehrpflichtige zur Vorbereitung auf
Dienstleistungen, die besondere Kenntnisse oder Fertigkeiten erfordern, zu *Ausbildungsveranstaltungen* herangezogen werden.
Die Inanspruchnahme muß sich zeitlich in engen Grenzen halten
(BT-Drucks. V/2873 S. 7). Die Vorschrift stellt eine Ausnahme-
regelung dar.

Absatz 6

8   Abs. 6 erlaubt ein *Festhalten bereits Berufstätiger an ihrem Beruf
oder Arbeitsplatz* in den in Abs. 3 Satz 2 genannten Bereichen,
falls der Arbeitskräftebedarf auf freiwilliger Grundlage nicht gedeckt werden kann. Die Vorschrift gilt für Männer und Frauen,
und zwar ohne Altersgrenzen, und betrifft alle Arten von Berufstätigkeiten als Selbständige wie in Arbeits- oder öff.-rechtl.
Dienstverhältnissen. Die Verpflichtung ist auf den Verteidigungsfall oder die Zeit nach Entscheidungen des BTages gemäß Art.
80 a I beschränkt. Für die Heranziehung von Ausländern, die
nicht das Grundrecht des Art. 12 I haben, bedarf es der Ermächtigung nach Abs. 6 nicht (h. M.).

Artikel 13   [Unverletzlichkeit der Wohnung]

(1)   Die Wohnung ist unverletzlich.

**(2)   Durchsuchungen dürfen nur durch den Richter, bei Gefahr im
Verzuge auch durch die in den Gesetzen vorgesehenen anderen Organe
angeordnet und nur in der dort vorgeschriebenen Form durchgeführt
werden.**

(3) Eingriffe und Beschränkungen dürfen im übrigen nur zur Abwehr einer gemeinen Gefahr oder einer Lebensgefahr für einzelne Personen, auf Grund eines Gesetzes auch zur Verhütung dringender Gefahren für die öffentliche Sicherheit und Ordnung, insbesondere zur Behebung der Raumnot, zur Bekämpfung von Seuchengefahr oder zum Schutze gefährdeter Jugendlicher vorgenommen werden.

1 Art. 13 garantiert die Unverletzlichkeit der Wohnung, geht als Spezialregelung sowohl Art. 1 als auch Art. 2 I vor (BVerfGE 51, 105) und ist deshalb nur nach Maßgabe der Abs. 2 und 3 sowie des Art. 17 a II beschränkbar.

Absatz 1

2 Die Unverletzlichkeit der Wohnung ist ihrem Ursprung nach ein echtes Individualrecht, das dem einzelnen im Hinblick auf seine Menschenwürde und im Interesse seiner freien Entfaltung einen »elementaren Lebensraum« (BVerfGE 42, 219; 51, 110), das Recht, »in Ruhe gelassen zu werden« (BVerfGE 32, 75; 51, 107), gewährleisten soll. *Grundrechtsträger* sind Deutsche wie Ausländer. Da das Grundrecht auch korporativ betätigt werden kann, erstreckt sich sein Schutz darüber hinaus außer auf nichtrechtsfähige Personenvereinigungen auch auf private inländische juristische Personen (BVerfGE 32, 72; 42, 219; 44, 371).

3 Art. 13 normiert für die öffentl. Gewalt ein grundsätzliches Verbot des Eindringens in die Wohnung oder des Verweilens darin gegen den Willen des Wohnungsinhabers. Dazu gehören etwa der Einbau von Abhörgeräten und ihre Benutzung in der Wohnung, nicht aber Erhebungen, die sich auf die Wohnverhältnisse des Auskunftspflichtigen beziehen und ohne Eindringen oder Verweilen in der Wohnung vorgenommen werden können (BVerfGE 65, 40). Im Hinblick auf seine *negatorische Zielrichtung* (BVerfGE 7, 238) lassen sich aus dem Grundrecht weder Ansprüche auf Zuteilung einer Wohnung (vgl. BayVerfGH 15, 51; auch BVerfGE 1, 104) noch eine Pflicht des Gesetzgebers zur Schaffung eines sozialen Mietrechts (OLG Schleswig, NJW 1983, 50; vgl. jedoch AK, Art. 13 Rn. 26) herleiten. Auch als Rechtfertigungsgrund für sog. Hausbesetzungen scheidet Art. 13 deshalb aus. Privatrechtl. Mietverhältnisse werden von dem Grundrecht nicht berührt (VGH Mannheim, ESVGH 10, 70; vgl. auch BVerfGE 7, 238).

4 Der *Begriff der Wohnung* i. S. der räumlichen Privatsphäre
(BVerfGE 65, 40) ist weit auszulegen (BVerfGE 32, 69 ff.;
BGHZ 31, 289). Er umfaßt nach h. M. alle Räume, die der Be-
rechtigte der allgemeinen Zugänglichkeit entzogen und zur Stätte
seines Lebens und Wirkens gemacht hat (vgl. Bonner Komm.,
Art. 13 Rn. 16). Dazu rechnen außer der Wohnung i. e. S. und
den zur Wohnungseinheit gehörenden Räumen und Nebengelas-
sen (Keller, Böden usw.; vgl. BayVGH n. F. 9, 4) z. B. auch fahr-
bare und schwimmende Räume (Wohnwagen, Wohnboote),
Gast- und Hotelzimmer (BGHZ 31, 289), ferner Arbeits-, Be-
triebs- und Geschäftsräume (BVerfGE 32, 68 ff.; 42, 219; 44,
371; BAGE 19, 225), nicht dagegen Gefängniszellen oder Ge-
meinschaftsunterkünfte von Soldaten, Ersatzdienstleistenden
und Polizeibeamten. Nichtnutzung hebt den Charakter als Wohnung nicht auf, sofern sich nicht gleichzeitig die Widmung durch
den Berechtigten ändert.

5 *Verzicht* auf den Schutz des Art. 13 ist möglich. Er schließt eine
»Verletzung« der Wohnung aus.

Absatz 2

6 Abs. 2 regelt – in Abgrenzung zu dem hier nicht einschlägigen
Abs. 3 (BVerfGE 57, 355) – die Voraussetzungen, unter denen
Wohnungsdurchsuchungen zulässig sind. Kennzeichnend für den
Begriff der Durchsuchung ist das ziel- und zweckgerichtete Suchen staatl. Organe nach Personen oder Sachen oder zur Ermittlung eines Sachverhalts, um etwas aufzuspüren, was der Inhaber
der Wohnung von sich aus nicht offenlegen oder herausgeben will
(BVerfGE 51, 106 f.; BVerwGE 28, 287 ff.; 47, 36 f.). Betre-
tungs- und Besichtigungsrechte im Rahmen der Wirtschafts-, Ar-
beits- und Steueraufsicht, denen eine solche Zielsetzung fehlt, fallen ebensowenig darunter (BVerfGE 32, 72 f.; BVerwGE 37,
289; 47, 37) wie die Versiegelung von Geschäftsräumen (VGH
Kassel, ESVGH 23, 241) oder die Aufforderung an die sich in einer Wohnung aufhaltenden Personen, bestimmte Räume zu verlassen (BVerwGE 47, 37 f.).

7 Abs. 2 gilt *nicht nur* für *strafprozessuale, sondern auch* für *andere
behördliche Durchsuchungen*. Deshalb sind auch Durchsuchun-
gen zur Zwangsvollstreckung bürgerlich-rechtl. Titel und Durchsuchungen im Rahmen der Verwaltungsvollstreckung nur unter
den Voraussetzungen dieser Vorschrift zulässig (BVerfGE 51,
106 ff.; 57, 355; BVerwGE 28, 286 ff.; OVG Münster, OVGE 35,

42; BayVGH n. F. 35, 49 f.). Gesetzliche Durchsuchungsregelungen, die darüber keine ausdrückliche Bestimmung treffen (vgl. insbes. § 758 ZPO), sind deswegen aber nicht verfassungswidrig. Sie werden vielmehr durch Abs. 2, der *unmittelbar geltendes und anzuwendendes Recht* enthält, dahin ergänzt, daß die Durchsuchung, soweit nicht Gefahr im Verzuge ist, der Anordnung durch den Richter bedarf (BVerfGE 51, 114; 57, 355; BVerwGE 28, 290).

8 Dieser *Richtervorbehalt* dient dem Zweck, das Grundrecht aus Abs. 1 im Hinblick darauf verstärkt zu sichern, daß das gewaltsame staatl. Eindringen in eine Wohnung und deren Durchsuchung regelmäßig einen schweren Eingriff in die persönliche Lebenssphäre des Betroffenen bedeutet (BVerfGE 51, 107; 57, 355). Die mit der Einschaltung des Richters gewährleistete Prüfung durch eine unabhängige, neutrale Instanz erstreckt sich einmal auf das Vorliegen der *gesetzlichen Voraussetzungen* für die im Einzelfall beabsichtigte Durchsuchung, führt freilich bei Durchsuchungen zum Zweck der Zwangsvollstreckung (s. oben Rn. 7) nicht auch zur materiell-rechtl. Überprüfung des Inhalts des jeweiligen vollstreckbaren Titels (BVerfGE 51, 113; 57, 355 f.; BayVGH n. F. 35, 51). Darüber hinaus hat der Richter zu prüfen, ob der bei Anordnung wie Durchführung der Wohnungsdurchsuchung zu beachtende (BVerfGE 20, 186 f.; 42, 219 f.) *Verhältnismäßigkeitsgrundsatz* gewahrt ist (BVerfGE 51, 113; 57, 356; 59, 97; KG, NJW 1982, 2327). Aufgabe des Richters ist es danach auch, von vornherein für eine angemessene Begrenzung der Zwangsmaßnahme zu sorgen sowie Meßbarkeit und Kontrollierbarkeit des Grundrechtseingriffs zu gewährleisten (BVerfGE 42, 220). Ein auf § 102 oder § 103 StPO gestützter Durchsuchungsbefehl, der keinerlei tatsächliche Angaben über den Inhalt des Tatvorwurfs enthält und zudem weder die Art noch den denkbaren Inhalt der Beweismittel, denen die Durchsuchung gilt, erkennen läßt, wird diesen Erfordernissen jedenfalls dann nicht gerecht, wenn solche Kennzeichnungen nach dem Ergebnis der Ermittlungen ohne weiteres möglich und den Zwecken der Strafverfolgung nicht abträglich sind (BVerfGE 42, 220; 44, 371). Vor der Durchführung einer Durchsuchung im Rahmen der Zwangsvollstreckung ist insbes. zu prüfen, ob diese Maßnahme für den Schuldner eine unverhältnismäßige Härte bedeuten würde (BVerfGE 51, 113; 57, 356). Ein richterliches Urteil, das zur Zahlung einer Geldsumme verurteilt, genügt diesen Anforderungen nicht, weil ihm noch nichts in Richtung auf eine Durchsuchung zu entnehmen ist (vgl.

BVerfGE 51, 111 f.). Wohl aber deckt die im Vollstreckungsver-
fahren ergangene richterliche Anweisung an den Gerichtsvollzieher zur Durchführung der Zwangsvollstreckung diejenigen Maßnahmen, die in ihrem Verlaufe normalerweise einzutreten pfle-
gen, mithin auch die Durchsuchung der Wohnung des Schuldners
zum Zwecke der Pfändung beweglicher Sachen (BVerfGE 16,
240 f.; vgl. auch BGHZ 82, 273). Die richterliche Durchsuchungs-
anordnung kann *ausnahmsweise ohne Anhörung des Betroffenen*
erfolgen, wenn die Sicherung gefährdeter Interessen einen sofor-
tigen Zugriff erfordert (BVerfGE 51, 111; 57, 358 f.; BayVGH
n. F. 35, 52).

9 Bei *Gefahr im Verzuge,* d. h. wenn die durch die Anrufung des
Richters eintretende Verzögerung den Erfolg der Durchsuchung
gefährden würde (BVerfGE 51, 111; BVerwGE 28, 291), ist eine
richterliche Anordnung der Wohnungsdurchsuchung nicht erforderlich. Es genügt in diesem Fall ausnahmsweise die *Anordnung
durch ein anderes gesetzlich ermächtigtes Organ.* Die Ermächtigung kann, weil Abs. 2 hierfür nicht ausdrücklich ein förmliches
Gesetz verlangt (vgl. demgegenüber Art. 104 I für Beschränkungen der Freiheit der Person), auch in einer den Erfordernissen des
Art. 80 entsprechenden RVO erteilt werden (vgl. auch Bonner
Komm., Art. 13 Rn. 80; a. A. mit der h. L. etwa OVG Berlin,
DÖV 1974, 28). *Gesetzliche Formvorschriften* zur Durchführung
der Durchsuchung sind zu beachten. Ob solche Vorschriften ver-
fassungsrechtl. geboten sind, ist umstritten (vgl. die Nachweise in
OVG Berlin, DÖV 1974, 28). In jedem Fall ist auch hier der Ver-
hältnismäßigkeitsgrundsatz zu wahren (BVerfGE 20, 186 f.;
BVerwGE 47, 39).

Absatz 3

10 Abs. 3 bestimmt, unter welchen Voraussetzungen das Wohnungsgrundrecht *»Eingriffen und Beschränkungen«,* die nicht Durchsuchungen i. S. des Abs. 2 sind (BVerfGE 32, 73), zugänglich ist.
Bei der Auslegung dieser Begriffe ist davon auszugehen, daß das
Schutzbedürfnis des Wohnungsinhabers bei den insgesamt der
»räumlichen Privatsphäre« zuzuordnenden Räumen (vgl. oben
Rn. 4) verschieden groß ist. Die *Wohnung im engeren Sinne* gehört zur privaten Intimsphäre. Dem mit Rücksicht darauf stärke-
ren Bedürfnis nach Fernhaltung von Störungen entspricht es, die
Begriffe »Eingriffe und Beschränkungen« insoweit streng auszulegen. Behördliche Betretungs- und Besichtigungsrechte nach Art
des § 17 II der Handwerksordnung i. d. F. vom 28. 12. 1965

(BGBl. 1966 I S. 1) sind deshalb bei Wohnräumen grundsätzlich ausgeschlossen (BVerfGE 32, 75; 37, 147). Das gilt auch, soweit in solchen Räumen zugleich eine berufliche oder geschäftliche Tätigkeit ausgeübt wird. Bei *reinen Geschäfts- und Betriebsräumen* ist das Schutzbedürfnis dagegen geringer, weil ihnen nach ihrer Zweckbestimmung größere Offenheit nach außen eignet und die darin vorgenommenen Tätigkeiten deswegen in besonderem Maße auch die Interessen anderer und der Allgemeinheit berühren können. Es ist deshalb folgerichtig, daß die mit dem Schutz dieser Interessen beauftragten Behörden in gewissem Rahmen diese Tätigkeiten an Ort und Stelle kontrollieren und zu diesem Zweck die Räume betreten dürfen. Betretungs- und Besichtigungsrechte für Geschäfts- und Betriebsräume sind daher nicht als nach Abs. 3 zu beurteilende Eingriffe und Beschränkungen zu qualifizieren, sofern

a) eine besondere gesetzliche Vorschrift zum Betreten der Räume ermächtigt,

b) das Betreten und die Vornahme von Besichtigungen einem erlaubten Zweck dienen und für dessen Erreichung erforderlich sind,

c) das Gesetz diesen Zweck sowie Gegenstand und Umfang der zugelassenen Besichtigung deutlich erkennen läßt und

d) das Betreten und Besichtigen der Räume nur für Zeiten gestattet wird, in denen die Räume normalerweise für die jeweilige geschäftliche oder betriebliche Nutzung zur Verfügung stehen (BVerfGE 32, 75 ff.; vgl. auch BVerwG, VerwRspr 24, 199 f.).

»Normalerweise« ist dabei nicht lediglich auf Nutzungen während der üblichen Geschäfts- und Betriebszeiten bezogen, stellt vielmehr auf die tatsächliche Nutzung ab und erfaßt deshalb auch Nutzungen, die im Zuge der Leistung von Überstunden oder Sonderschichten erfolgen (vgl. BT-Drucks. 7/5262 S. 36).

11 *Eingriffe und Beschränkungen zur Abwehr einer gemeinen Gefahr oder einer Lebensgefahr für einzelne Personen* bedürfen keiner besonderen gesetzlichen Ermächtigung, können vielmehr unmittelbar auf Abs. 3 gestützt werden. Dabei bedeutet *Gefahrenabwehr* den Schutz gegen eine bereits eingetretene oder unmittelbar bevorstehende Gefahr (Bonner Komm., Art. 13 Rn. 115). Eine (all-)*gemeine Gefahr* liegt vor, wenn ihr – wie bei Überschwemmungen, Explosionsunglücken, Feuer- und Einsturzgefahren – unbestimmt viele Personen oder Sachen ausgesetzt sind. Demgegenüber reicht es für die Annahme einer *Lebensgefahr für einzelne Perso-*

nen aus, daß nur eine einzige Person gefährdet ist. Daß sie Inhaberin der von dem Eingriff betroffenen Wohnung ist oder sich in dieser aufhält, ist nicht erforderlich.

12 *Eingriffe und Beschränkungen zur Verhütung dringender Gefahren für die öffentliche Sicherheit und Ordnung* sind nur auf gesetzlicher Grundlage zulässig. Entgegen der h. M. (vgl. v. Münch, Art. 13 Rn. 35 m. w. N.) kommen hierfür wie im Fall des Abs. 2 (s. oben Rn. 9) nicht nur formelle Gesetze, sondern auch Rechtsverordnungen »auf Grund« gesetzlicher, in Übereinstimmung mit Art. 80 I erteilter Ermächtigung in Betracht (BVerwGE 37, 286 zu § 34 II GewO und § 4 II der darauf gestützten VO über den Geschäftsbetrieb der gewerblichen Pfandleiher i. d. F. vom 1. 6. 1976, BGBl. I S. 1334). Eine *dringende Gefahr* i. S. des Abs. 3 ist gegeben, wenn eine Sachlage oder ein Verhalten bei ungehindertem Ablauf des objektiv zu erwartenden Geschehens mit hinreichender Wahrscheinlichkeit ein wichtiges Rechtsgut schädigen wird (BVerwGE 47, 40). Hieraus wie aus dem Begriff der *Gefahrenverhütung* ergibt sich, daß die dringende Gefahr für die öffentl. Sicherheit und Ordnung nicht schon eingetreten zu sein braucht. Es genügt, daß die Grundrechtsbeschränkung dem Zweck dient, einen Zustand, der eine solche Gefahr darstellen würde, nicht eintreten zu lassen (BVerfGE 17, 251 f.). Der Begriff der *öffentlichen Sicherheit und Ordnung* ist mit dem polizeirechtl. Begriff der öffentl. Sicherheit oder Ordnung identisch (allg. M.). Als besonders wichtige Beispiele der Gefahrenverhütung im Bereich dieses Schutzgutes nennt Abs. 3 die Behebung der Raumnot i. S. von allgemeiner Wohnungsnot (OVG Münster, DVBl 1952, 352 f.; 1953, 53), die Bekämpfung von Seuchengefahr (vgl. dazu insbes. das Bundes-SeuchenG i. d. F. vom 18. 12. 1979, BGBl. I S. 2262, u. das TierseuchenG i.d.F. vom 28. 3. 1980, BGBl. I S. 386) und den Schutz gefährdeter Jugendlicher (hierzu s. etwa das JugendschutzG i. d. F. vom 27. 7. 1957, BGBl. I S. 1058).

13 Wie bei Durchsuchungen nach Abs. 2 (vgl. oben Rn. 8 f.) ist auch im Rahmen des Abs. 3 der *Verhältnismäßigkeitsgrundsatz* streng zu beachten (BayVGH, BayVBl 1981, 758). Daraus ergibt sich, daß in die Wohnungsfreiheit nur eingegriffen werden darf, wenn und soweit die Maßnahme zur Gefahrenabwehr geeignet und erforderlich ist, und daß im Einzelfall die rechtsstaatl. Bedeutung der Unverletzlichkeit der Wohnung mit dem öffentl. Interesse an der Wahrung von Recht und Ordnung abgewogen werden muß (BVerwGE 47, 40).

Artikel 14 [Eigentum, Erbrecht und Enteignung]

(1) **Das Eigentum und das Erbrecht werden gewährleistet. Inhalt und Schranken werden durch die Gesetze bestimmt.**

(2) **Eigentum verpflichtet. Sein Gebrauch soll zugleich dem Wohle der Allgemeinheit dienen.**

(3) **Eine Enteignung ist nur zum Wohle der Allgemeinheit zulässig. Sie darf nur durch Gesetz oder auf Grund eines Gesetzes erfolgen, das Art und Ausmaß der Entschädigung regelt. Die Entschädigung ist unter gerechter Abwägung der Interessen der Allgemeinheit und der Beteiligten zu bestimmen. Wegen der Höhe der Entschädigung steht im Streitfalle der Rechtsweg vor den ordentlichen Gerichten offen.**

1 In Art. 14 mit seiner freiheitsverbürgenden Eigentumsgewährleistung einerseits und der Sozialbindung sowie der Enteignungsmöglichkeit andererseits wird das Spannungsverhältnis zwischen individualrechtl. Freiheitsgarantie und ordnungspolit. Komponenten besonders deutlich. Gleichzeitig wird der dynamische Charakter der Vorschrift ersichtlich, wobei die Bestandsgarantie des Art. 14 I 1, der Regelungsauftrag des Art. 14 I 2 und die Sozialpflichtigkeit des Eigentums nach Art. 14 II in einem unlösbaren Zusammenhang stehen. Keiner dieser Faktoren darf über Gebühr verkürzt, alle müssen zu einem verhältnismäßigen Ausgleich gebracht werden (BVerfGE 50, 340).

Auf das Grundrecht aus Art. 14 können sich seinem Wesen nach nicht nur natürliche Personen, sondern auch juristische Personen des Privatrechts berufen (BVerfGE 4, 17; 35, 360), nicht jedoch ausländische juristische Personen (BVerfGE 21, 208 f.), deren Eigentum allerdings durch zahlreiche völkerrechtl. Verträge geschützt wird. Der Staat und die öff.-rechtl. Körperschaften und Anstalten sind grundsätzlich keine Grundrechtsträger (vgl. Art. 19 Rn. 8). Eine Gemeinde kann sich auch außerhalb des Bereichs der Wahrnehmung öffentl. Aufgaben nicht auf das Grundrecht berufen (BVerfGE 61, 105). Die Kirchen genießen für ihr Vermögen außerdem den Schutz des Art. 140 / Art. 138 II WeimRVerf.

Absatz 1

2 Die in *Satz 1* verbürgte *Garantie des Eigentums* (E) hat eine doppelte Bedeutung: Sie stellt zum einen ein elementares Grundrecht

dar, zum anderen gewährleistet sie das E als Rechtsinstitut. Als
Grundrecht kommt der E-Garantie die Aufgabe zu, dem Träger
des Grundrechts einen Freiheitsraum im vermögensrechtl. Bereich zu sichern (Recht auf Nichtbeeinträchtigung) und ihm dadurch eine eigenverantwortliche Gestaltung seines Lebens zu ermöglichen (BVerfGE 50, 339; 53, 290). Dabei muß sich der
Schutz des E im sozialen Rechtsstaat auch und gerade für den sozial Schwachen durchsetzen. Denn dieser Bürger ist es, der dieses
Schutzes um seiner Freiheit willen in erster Linie bedarf (BVerf-
GE 42, 77). Als *Rechtsinstitut* ist das Privateigentum im wesentlichen durch die Privatnützigkeit und die grundsätzliche Verfügungsbefugnis über das E-Objekt gekennzeichnet (BVerfGE 24,
389; 53, 290). Die Institutsgarantie verbietet es, daß solche Sachbereiche der Privatrechtsordnung entzogen werden, die zum elementaren Bestand grundrechtl. geschützter Betätigung im vermögensrechtl. Bereich gehören (BVerfGE 24, 389). Die Schaffung
von öffentl. E mit besonderer Rechtsform ist dadurch nicht grundsätzlich ausgeschlossen (BVerfG aaO S. 388 ff.; vgl. auch v.
Münch, Art. 14 Rn. 11 ff.).

3 Art. 14 will das E so schützen, wie das bürgerliche Recht und die
gesellschaftlichen Anschauungen es geformt haben (BVerf-
GE 11, 70; 28, 142); jedoch ist auch die Ausprägung durch öff.-
rechtl. Vorschriften zu berücksichtigen (vgl. etwa BVerfGE 21,
79 ff.; 51, 211). Der *Begriff des Eigentums* umfaßt nur das E
im engeren Sinne, sondern alle privaten *vermögenswerten Rechte*
(BGHZ 6, 278). Dazu gehören dingliche Rechte, Forderungen
und Mitgliedschaftsrechte (z. B. Aktien: BVerfGE 14, 276 f.),
auch die Rechte als Mitglied einer Gesamthandsgemeinschaft
(BVerfGE 24, 384), ferner das Recht am eingerichteten und ausgeübten Gewerbebetrieb als Sach- und Rechtsgesamtheit (BVerf-
GE 13, 229; 30, 335; 45, 173). Dagegen ist die Freiheit im wirtschaftlichen Verkehr nicht durch Art. 14, sondern durch Art. 2 I
geschützt (BVerfGE 12, 347 f.; 14, 282 f.). Einschränkungen individueller Leistungs- und Erwerbstätigkeit sind an Art. 12 zu
messen, da Art. 14 nur das Erworbene, das Ergebnis der Betätigung, nicht dagegen den Erwerb, die Betätigung selbst schützt
(BVerfGE 30, 335; s. auch Art. 12 Rn. 3). Vom Schutz des
Art. 14 umfaßt sind auch das Anteilseigentum und das E der Un-
ternehmensträger (BVerfGE 50, 341), ferner das »geistige Eigentum«, d. h. die Verwertungsbefugnisse i. S. des Urheberrechts
(BVerfGE 31, 239; 49, 392) sowie das schutzwürdige und rechtmäßig eingetragene Warenzeichen (BVerfGE 51, 216). Dem

Schutz des E unterfallen hingegen weder allgemein das Vermögen als solches (BVerfGE 37, 343) noch bloße Gewinnchancen, Interessen oder Verdienstmöglichkeiten (BVerfGE 28, 142; 48, 296). Ebensowenig ist aus Art. 14 der Schutz vor Konkurrenz (BVerfGE 55, 27) oder bei Grundstücken der Anspruch auf Einräumung gerade derjenigen Nutzungsmöglichkeit herzuleiten, die dem Eigentümer den größtmöglichen wirtschaftlichen Vorteil verspricht (BVerfGE 58, 345).

Vermögenswerte subjektive Rechte des öffentlichen Rechts fallen – entgegen der wesentlich weitergehenden Rspr. des BGH (E 6, 278) – nur dann unter den E-Begriff, wenn sie ihrem Inhaber eine Rechtsposition verschaffen, die der eines Eigentümers so nahe kommt, daß Art. 14 Anwendung finden muß (BVerfG i. st. Rspr. seit E 4, 240; aus neuerer Zeit 53, 289). Dies ist insbes. dann der Fall, wenn sich das Recht als Äquivalent eigener Leistung erweist. Je höher der einem Anspruch zugrunde liegende Anteil eigener Leistung ist, desto stärker tritt der verfassungsrechtl. wesentliche personale Bezug und mit ihm ein tragender Grund des E-Schutzes hervor (BVerfGE 53, 291 f.). Dementsprechend hat das BVerfG Versicherungsrenten und Rentenanwartschaften aus den gesetzlichen Rentenversicherungen dem Schutz des Art. 14 unterstellt (BVerfGE 53, 257; 58, 109; 64, 97). Soweit hingegen öff.-rechtl. Ansprüche vom Staat in Erfüllung seiner Fürsorgepflicht eingeräumt werden, ohne daß eine den E-Schutz rechtfertigende Leistung des einzelnen hinzutritt, liegt keine dem Art. 14 unterstehende Rechtsposition vor. Daher genießen keinen E-Schutz Ansprüche auf künftige Gewährung einer Wohnungsbauprämie (BVerfGE 48, 413) oder auf Leistungen nach dem LAG (BVerfGE 11, 70 f.; 19, 370; 32, 128). Für vermögensrechtl. Ansprüche von Angehörigen des öffentl. Dienstes, die ihre Grundlage in einem öff.-rechtl. Dienstverhältnis haben, gilt folgendes: Soweit es sich um Beamte und Versorgungsempfänger handelt, besteht eine Sonderregelung in Art. 33 V, so daß die E-Garantie des Art. 14 auf deren Ansprüche nicht anwendbar ist. Praktisch besteht jedoch kaum ein Unterschied, weil der Vermögensbestand der beamtenrechtl. Besoldungs- und Versorgungsansprüche durch Art. 33 V in gleicher Weise gesichert ist, wie er es durch Art. 14 sein würde (BVerfGE 16, 115). Lediglich bei Berufssoldaten, für die Art. 33 V nicht gilt, werden die vermögensrechtl. Ansprüche dem Art. 14 unterstellt (BVerfGE 16, 116; 22, 422).

Art. 14 enthält keine staatl. Wertgarantie des Geldes (BFH, NJW 1974, 2334; vgl. auch BVerfGE 50, 104 ff.).

4 *Satz 2:* Da es keinen vorgegebenen und absoluten Begriff des E
gibt, und Inhalt und Funktion des E der Anpassung an die gesellschaftlichen und wirtschaftlichen Verhältnisse fähig und bedürftig
sind (BVerfGE 20, 355; 31, 240), hat die Verfassung dem Gesetzgeber die Aufgabe übertragen, *Inhalt und Schranken des Eigentums durch Gesetz zu bestimmen,* d. h. eine generelle und abstrakte Festlegung der mit dem E verbundenen Rechte und Pflichten gegenüber der öffentl. Gewalt, aber auch im Verhältnis zu Privatpersonen vorzunehmen. Zur Inhalts- und Schrankenbestimmung (die Begriffe sind insoweit als Einheit zu verstehen – vgl.
BVerfGE 50, 339 f.) genügt ein materielles Gesetz, also auch eine RVO (BVerfGE 8, 79; 9, 343) oder Satzung (BGHZ 77, 183).
Art. 19 I gilt für derartige Regelungen nicht (BVerfGE 20, 356;
21, 93). Für die Gestaltungsfreiheit des Gesetzgebers sind Eigenart und Funktion des E-Objekts von maßgebender Bedeutung.
Dem Gesetzgeber sind enge Grenzen gezogen, soweit es um die
Funktion des E als Element der Sicherung der persönlichen Freiheit des einzelnen geht. Dagegen ist die Befugnis des Gesetzgebers um so weiter, je mehr das E-Objekt in einem sozialen Bezug
und einer sozialen Funktion steht (BVerfGE 50, 340; 53, 292).
Dem Gesetzgeber stellt sich daher die Aufgabe, den *Freiheitsraum des einzelnen* im Bereich der E-Ordnung und die *Belange
der Allgemeinheit* in einen gerechten Ausgleich zu bringen. Hierzu hat das GG selbst in Abs. 2 dem Gesetzgeber ausdrücklich eine
verbindliche Richtschnur gegeben (BVerfGE 25, 117). Jede gesetzliche Inhalts- und Schrankenbestimmung muß sowohl die
grundlegende Wertentscheidung des GG zugunsten des Privateigentums im herkömmlichen Sinne beachten als auch mit allen übrigen Verfassungsnormen in Einklang stehen, also insbes. mit
dem Gleichheitssatz, dem Grundrecht auf freie Entfaltung der
Persönlichkeit und den Prinzipien des Rechts- und Sozialstaats,
wobei auch der Grundsatz der Verhältnismäßigkeit zu beachten
ist (BVerfGE 26, 222). Ist dies geschehen, so kann auch kein Verstoß gegen Art. 19 II vorliegen (BVerfGE 58, 348).

5 Bei Bestimmung der Befugnisse der *Eigentümer von Grundstük-
ken* wirken zivilrechtl. und öff.-rechtl. Gesetze gleichrangig zusammen (BVerfGE 58, 336). Die Rechtsprechung stellt auf die
Situationsgebundenheit ab. Diese äußert sich darin, daß alle Arten
der Nutzung oder Benutzung der jeweiligen Lage des Grundstücks und der sich daraus im allgemeinen Interesse ergebenden
Bindungen entsprechen müssen. Dieser tatsächliche und rechtl.

Zustand im Zeitpunkt der hoheitlichen Maßnahme wird vom Bestandsschutz umfaßt (BVerfGE 58, 352). Bei Grundstücken, die im Naturschutzgebiet liegen, führt dies grundsätzlich dazu, daß eine aus Gründen des Naturschutzes angeordnete Nutzungsbeschränkung keine Enteignung, sondern lediglich Ausdruck ihrer Sozialbindung ist (BGHZ 77, 354).

6 Auch die allgemeinen *Zeitumstände* sind bei der Inhalts- und Schrankenbestimmung des Eigentums zu berücksichtigen. Bestimmte Maßstäbe können nicht zu jeder Zeit und in jedem Zusammenhang dasselbe Gewicht haben. Regelungen, die in Kriegs- und Notzeiten gerechtfertigt sind, können unter veränderten wirtschaftlichen und gesellschaftlichen Verhältnissen eine andere verfassungsrechtl. Beurteilung erfahren (BVerfGE 52, 30). Die E-Gewährleistung nach Satz 1 bedeutet daher nicht die Unantastbarkeit einer Rechtsposition für alle Zeiten. Die E-Garantie und das konkrete E sollen keine unüberwindlichen Schranken bilden, wenn *Reformen* sich als notwendig erweisen. Art. 14 hindert den Gesetzgeber nicht, bestehende Rechte inhaltlich umzuformen und unter Aufrechterhaltung des bisherigen Zuordnungsverhältnisses neue Befugnisse und Pflichten festzulegen (vgl. BVerfGE 31, 284 f.; 42, 294; BVerwGE 56, 198 f.). Die Fortsetzung einer E-Nutzung (insbes. bei Grundstücken), mit der umfangreiche Investitionen verbunden waren, kann nicht abrupt untersagt werden; es bedarf einer Übergangsregelung (vgl. BVerfGE 58, 349 f. m. w. N.). Zur Sicherung der Finanzgrundlagen der Rentenversicherungen hat der Gesetzgeber bei Eingriffen größere Gestaltungsfreiheit (insbes. bei der Verkürzung von Vergünstigungen) zur Entlastung der Solidargemeinschaft (BVerfGE 58, 111, 113, 123). Dem Steuerzugriff ist durch Art. 14 I allerdings eine äußerste Grenze gesetzt: zumindest die erdrosselnde, konfiskatorische Steuer ist verfassungswidrig (vgl. BVerfGE 63, 368 m. w. N.).

7 Die *Verwirkung* des E (Art. 18), die *Einziehung* als Nebenfolge einer strafrechtl. Verurteilung (§§ 74 ff. StGB), die *Vernichtung von Sachen,* von denen für die Allgemeinheit Gefahren ausgehen (BVerfGE 20, 356 ff.; 22, 422), etwa die Tötung seuchenverdächtiger Tiere (BVerwGE 7, 260 ff.) oder die Vernichtung infektionsverdächtiger Lebensmittel (BVerwGE 12, 96), sind vom GG ausdrücklich oder stillschweigend und entschädigungslos gestattet. Obwohl es sich hier um Fälle einer vollen Rechtsentziehung handelt, liegt insoweit doch nur eine Eigentumsbindung vor, die der Gesetzgeber konkretisieren kann (BVerfGE 22, 422).

8 Neben dem E gewährleistet Art. 14 I das *Erbrecht* als Rechtsinstitut wie als Individualrecht (BVerfGE 19, 206; 44, 17; s. a. Rn. 1, 2) und überläßt es dem Gesetzgeber, Inhalt und Schranken des Erbrechts zu bestimmen. Grundrechtsträger sind Erblasser und Erbe (u. als solcher wohl auch das werdende Leben – § 1923 II BGB). Die Institutsgarantie bedeutet, daß die Abschaffung der Privaterbfolge oder die Beseitigung der Testierfreiheit eine unzulässige Antastung des Wesensgehalts des verfassungskräftig garantierten Erbrechts wäre. Der Gesetzgeber kann jedoch – in beschränktem Umfang – die Grenzen der Testierfreiheit weiter oder enger ziehen (BSGE 37, 202). Er kann im einzelnen bestimmen, welche Ansprüche zum Vermögen des Erblassers gehören und mit seinem Tod auf den Erben übergehen (BVerwGE 35, 287).

Absatz 2

9 Das verfassungsrechtl. Postulat einer am Gemeinwohl orientierten Nutzung des Privateigentums (BVerfGE 37, 140 f.; 38, 370; 52, 32), die sog. *Sozialbindung des Eigentums* umfaßt das Gebot der Rücksichtnahme auf die Belange der Allgemeinheit und der Mitbürger. Das Maß und der Umfang der dem E von Verfassungs wegen zugemuteten und vom Gesetzgeber gemäß Art. 14 I 2 zu realisierenden und zu aktualisierenden (vgl. BVerfGE 20, 356) Bindung hängt davon ab, ob und in welchem Ausmaß das E-Objekt in einem sozialen Bezug und einer sozialen Funktion steht. Je stärker jemand auf die Nutzung fremden E angewiesen ist – z. B. im Bereich des Mietrechts oder der Bodenordnung –, um so weiter ist der Gestaltungsbereich des Gesetzgebers. Abs 2 gewährt kein Selbsthilferecht. Hausbesetzungen und Benutzung fremder privater Gegenstände ohne gesetzliche Ermächtigung können durch Art. 14 II nicht gerechtfertigt werden. Die *Abgrenzung zwischen Inhaltsbestimmung und Sozialbindung einerseits und Enteignung andererseits* ist problematisch (dazu Rn. 10 sowie v. Münch, Art. 14 Rn. 45 ff.).

Absatz 3

10 *Satz 1:* Der *Enteignungsbegriff* des GG ist *weit*. Die Enteignung muß stets von (inländischen) Staatsorganen oder von ihnen Beliehenen ausgehen (BVerfGE 14, 277). Der Begriff der Enteignung umfaßt nicht nur die klassische Enteignung, d. h. die vollständige Entziehung des E an Sachen. Gegenstand der Enteignung kann alles sein, was den E-Schutz des Abs. 1 Satz 1 genießt, also jedes vermögenswerte Recht. Die Enteignung ist dadurch gekennzeichnet, daß das *Vermögensrecht ganz oder teilweise entzogen wird* (BVerfGE 52, 27; 56, 260). Eine Enteignung kann aber nach vorherrschender Meinung auch dann vorliegen, wenn das Vermögensrecht zwar in der Hand des bisherigen Berechtigten bestehen bleibt, aber in seinem substantiellen Gehalt gemindert oder in erheblichem Ausmaß durch Nutzungs-, Verwendungs- oder Verfügungsverbote beschränkt wird. Dabei ist die Grenze zwischen (entschädigungspflichtiger) Enteignung und (hinzunehmender) Inhalts- und Schrankenbestimmung des E nicht immer leicht zu ziehen. In der Rechtsprechung dominieren zwei Theorien – die *Zumutbarkeitstheorie* des BVerwG und die *Sonderopfer-* (oder modifizierte Einzelakt-)*Theorie* des BGH. Während das BVerwG auf die Schwere und Tragweite des Eingriffs abhebt (BVerwGE 5, 145; 36, 251; 55, 29), ist für den BGH entscheidend, ob der staatl. Eingriff die betroffenen einzelnen oder Gruppen im Vergleich zu anderen ungleich trifft und sie zu einem besonderen, den übrigen nicht zugemuteten Opfer für die Allgemeinheit zwingt (BGHZ 6, 280; 30, 243; 60, 130). Das BVerfG hat bisher offen gelassen, welche der beiden Theorien es für richtig hält (vgl. BVerfGE 21, 131). Für die Praxis führt eine Kombination beider Theorien zu sinnvollen Ergebnissen; auch der BGH stellt gelegentlich zur Vermeidung unbefriedigender Ergebnisse auf die Zumutbarkeit ab (vgl. BGH, NJW 1965, 1907 ff.), und das BVerwG bezieht auch schon das Moment der Vergleichbarkeit mit ein (vgl. BVerwG, NJW 1962, 2171). Damit ist Enteignung eine rechtmäßige, vermögensmindernde Beeinträchtigung durch hoheitlichen Eingriff, die den Betroffenen gegenüber vergleichbaren anderen ungleich oder unzumutbar schwer belastet (vgl. v. Münch, Art. 14 Rn. 53).

11 *Beispiele* für *Enteignung* sowie *Inhalts- und Schrankenbestimmung* des E in der Rechtsprechung:

Enteignung: Beeinträchtigungen des Gewerbebetriebes durch Bau einer U- oder S-Bahn (BGHZ 57, 359 ff.; BGH, NJW 1977, 1817); *wesentliche Erschwerung der Grundstückszufahrt durch Straßenhöherlegung* (BGHZ 30, 243 ff.); Belastung eines Grundstücks mit einer *Dienstbarkeit* (BVerfGE 56, 260); erhebliche Beeinträchtigung der Benutzung von Wohnräumen durch *Verkehrslärm* (BGHZ 49, 148 ff.; 54, 388; 64, 220 ff.; vgl. auch § 42 BundesimmissionsschutzG); *einzelne konkrete Bauverbote* (BGHZ 37, 273).

Inhalts- und Schrankenbestimmungen: Bauverpflichtungen (BV-

erfGE 7, 299); *Bebauungspläne*, wenn sie nicht Nachbargrundstücke durch Änderung der Grundstückssituation unerträglich treffen (BVerwG, NJW 1975, 845); *Grundstücksveräußerungsverbote* (BVerfGE 26, 215 ff.); *generelle Bauverbote* in bestimmten örtlichen Bereichen (BVerwGE 16, 116; BGHZ 23, 30 ff.); *Immissionen* im zugelassenen Maß (BVerwG, NJW 1984, 250); Unterstellung unter *Denkmalschutz* (BVerwGE 24, 62; OVG Lüneburg, DVBl 1984, 284); Auskiesungsverbot aus Gründen des *Landschaftsschutzes* (BGH, DÖV 1984, 525), *Veränderungssperren* (bis zu vier Jahren BGHZ 73, 174; BVerwGE 51, 135 ff.; vgl. auch § 17 II BBauG); *Anschluß- und Benutzungszwang* (BGHZ 40, 360; 54, 297 m. w. N.); *Verbot der Zweckentfremdung von Wohnraum* (BVerfGE 38, 370 f.); die *erweiterte Mitbestimmung* der Arbeitnehmer nach dem MitbestimmungsG vom 4. 5. 1976 (BGBl. I S. 1153; vgl. BVerfGE 50, 339 ff.); *Abgaben* – soweit nicht erdrosselnd oder konfiskatorisch – (BVerfGE 4, 17; 23, 314; BVerwGE 6, 266 ff.).

12   Nach Satz 1 ist eine Enteignung *nur zum Wohle der Allgemeinheit* zulässig. Hieran sind strenge Anforderungen zu stellen. Allein der Gesetzgeber kann Gemeinwohlaufgaben bestimmen (BVerfGE 56, 261 f.). Die Enteignung muß ultima ratio sein. Sie ist nur dann zulässig, wenn es keine andere rechtl. und wirtschaftlich vertretbare Lösung gibt, etwa durch die Einräumung dinglicher oder obligatorischer Rechte (vgl. BVerfGE 24, 405). Nur wenn es zur Erfüllung einer öffentl. Aufgabe unumgänglich ist, das E in die Hand des Staates zu bringen, ist auch die E-Zuweisung an die öffentl. Hand vom Gemeinwohl getragen (BVerfGE 38, 180).

13   Von der Enteignung unterscheidet sich der *enteignungsgleiche Eingriff* durch das Merkmal der Rechtswidrigkeit. Enteignungsgleiche Eingriffe sind bisher in Anlehnung an Art. 14 III entschädigt worden, wenn sie sich für den Fall der gesetzlichen Zulässigkeit nach Inhalt und Wirkung als Enteignung darstellten. Der BGH hat sogar die Fälle rechtswidrig-schuldhafter Eingriffe der öffentl. Hand mit einbezogen (vgl. BGHZ 6, 270; 13, 88; 32, 210 ff.; 37, 46 ff.; 76, 383; 76, 387 f.). Das gleiche gilt für den *aufopferungsgleichen Eingriff in nichtvermögenswerte Rechte*, etwa bei Impfungen, die Körperschäden verursachen (vgl. BGHZ 31, 187; 45, 76 f.). Das BVerfG geht allerdings aufgrund des in Abs. 3 normierten Vorbehalts gesetzlicher Entschädigungsregelungen davon aus, daß es Enteignungsentschädigung allein auf gesetzlicher Grundlage geben und, wenn diese fehlt, eine Klage sich nur auf Aufhebung des Eingriffsaktes richten kann (BVerfGE 58,

324; vgl. auch E 46, 285). Damit ist der Fortbestand des Instituts des enteignungsgleichen Eingriffs strittig geworden. Der BGH hält allerdings an ihm fest (BGHZ 90, 17, 29, 31; vgl. neuestens auch BVerfGE 61, 202 f.). Im Ergebnis wird der Anwendungsbereich des »enteignungsgleichen Eingriffs« auf die Fälle einzuschränken sein, wo Sonderopfer als Nebenfolge rechtmäßiger Hoheitsakte oder allein wegen der Rechtswidrigkeit des Eingriffes eintreten. Ohne gesetzliche Regelung des Staatshaftungsrechtes ist dieses richterliche Haftungsrecht wohl unentbehrlich.

14 *Satz 2* nennt zwei zulässige Formen der Enteignung: durch Gesetz (Legalenteignung) und auf Grund eines Gesetzes (Administrativenteignung). In beiden Fällen gilt Abs. 3 (BVerfGE 45, 330). Die Legalenteignung kommt nur in eng begrenzten Fällen in Frage (BVerfGE 24, 399 f.; 45, 331 f.). Der *Junktimklausel* des Satzes 2 mit ihrer *Verknüpfung von Enteignung und Entschädigungsregelung* kommt eine mehrfache Funktion zu. Sie dient zunächst dem Ziel, daß der Zugriff auf die durch Art. 14 I 1 geschützten Güter in einem rechtsstaatl. geordneten Verfahen durchgeführt wird. Gleichzeitig soll der Gesetzgeber veranlaßt werden, das Gesetz daraufhin zu prüfen, ob der zu regelnde Sachverhalt einen Enteignungstatbestand i. S. des Abs. 3 darstellt. Vor allem aber auch soll sich der Gesetzgeber schlüssig werden, *in welcher Art* (z. B. Geld, Ersatzland, Rechte) *und welchem Ausmaß (Umfang) zu entschädigen ist* (BVerfGE 46, 286 f.). Gesetze, die darüber keine Bestimmung treffen oder keine den Erfordernissen des Satzes 3 entsprechenden Regelungen enthalten, sind in vollem Umfang verfassungswidrig (BVerfGE 24, 418; 46, 287). Für Gesetze, die vor Inkrafttreten des GG verkündet worden sind, gilt die Junktimklausel nicht, wohl aber das Gebot, eine Satz 3 entsprechende Entschädigung zu gewähren, so daß vorkonstitutionelle Gesetze, die eine angemessene Entschädigung ausdrücklich oder stillschweigend ausschließen, nichtig geworden sind (BVerfGE 4, 237). Im Verteidigungsfall sind nach Art. 115 c II Nr. 1 vorläufige Entschädigungsregelungen zulässig.

15 *Satz 3* gebietet für die Festsetzung der *Höhe der Entschädigung* eine *Interessenabwägung*. Den Maßstab für die Bestimmung der Enteignungsentschädigung bilden – auf der Basis des Verkehrswertes (BGHZ 57, 368) – einerseits die Interessen der Beteiligten, andererseits die Interessen der Allgemeinheit. Die Enteignungsentschädigung soll das Ergebnis eines *Interessenausgleichs* sein und nicht die einseitige Anerkennung der Interessen des Betroffenen, aber auch nicht allein die der Allgemeinheit darstellen

(BVerfGE 24, 420 f.). Die Systematik des Abs. 3 Sätze 2 und 3
verbietet die Auffassung, *nur* eine Entschädigung nach dem Ver-
kehrswert entspreche der Verfassung (BVerfGE 46, 285). Der
Gesetzgeber hat auf situationsbedingte Besonderheiten des Sachverhalts und die Zeitumstände Rücksicht zu nehmen und kann je
nach den Umständen vollen Ersatz, aber auch eine darunter liegende Entschädigung bestimmen (BVerfGE 24, 421). Vielfach –
vor allem bei der Entschädigung für enteignete Grundstücke –
wird im Hinblick auf die unterschiedliche Beschaffenheit und verschiedenartige Nutzbarkeit eine individuelle Festsetzung geboten
sein, so daß das Gesetz nur abstrakte Entschädigungsmaßstäbe
enthalten darf; besteht kein bedeutsamer Unterschied in den
wertbestimmenden Faktoren, so kann der Gesetzgeber auch einen konkreten Maßstab wählen (BVerfGE 24, 419 f.). Maßgebender *Zeitpunkt* für die *Berechnung der Entschädigung* ist grundsätzlich der Termin der Zustellung des Bescheides über die Ent-
schädigungsfestsetzung (BGHZ 40, 87 ff.). In Zeiten schwanken-
der Preise oder bei unrichtiger Festsetzung der Enteignungsentschädigung durch die Verwaltungsbehörde ist die letzte mündli-
che Verhandlung des Gerichts entscheidend (BGHZ 30, 281;
BGH, DVBl 1964, 553 ff.).

16   Wird die Aufgabe, der die Enteignung dienen soll, nicht ausgeführt oder das enteignete Grundstück hierfür nicht benötigt, entfällt die Legitimation für den Zugriff auf das Privateigentum und
damit der Rechtsgrund für den E-Erwerb durch die öffentl. Hand.
Der Enteignete hat mit dem Wegfall der die Enteignung legitimie-
renden Voraussetzungen aus Art. 14 I 1 einen Anspruch auf
Rückübereignung des entzogenen Gegenstandes (»*Rückenteig-
nung*«); s. BVerfGE 38, 181 und zur dann fälligen »Entschädigung« BGHZ 76, 365.

17   Die Bestimmung des *Satzes 4*, wonach wegen der Höhe der Entschädigung im Streitfall der *Rechtsweg vor den ordentlichen Gerichten* offensteht, stellt nicht nur eine Rechtswegregelung, sondern *auch* eine besondere *Rechtsschutzgarantie* dar, die verhindern soll, daß die Exekutive im Streitfall endgültig über die Entschädigung befindet (BVerfGE 35, 361). Als ordentliche Gerichte
sind alle Zivilgerichte anzusehen, wobei die Besetzung der Bau-
landkammern so lange auf keine Bedenken stößt, als durch Vorsitz und Zahl das Übergewicht der Richter der ordentlichen Gerichtsbarkeit gewahrt bleibt (BVerfGE 4, 408). Satz 4 verbietet
weder, daß dem Rechtsstreit über die Entschädigung ein unver-
bindliches Verwaltungsverfahren vorgeschaltet wird (BVerf-

GE 8, 246), noch schließt er die im deutschen Verwaltungsrecht
seit langem übliche Zweispurigkeit des Enteignungsverfahrens
aus. Die ordentlichen Gerichte können zwar als Vorfrage entscheiden, ob ein Tatbestand vorliegt, der eine Enteignung darstellt, jedoch ist der Betroffene nicht gehindert, Anfechtungskla-
ge vor den Verwaltungsgerichten zu erheben, sofern nicht das einschlägige Gesetz die Zivilgerichte auch insoweit für ausschließlich
zuständig erklärt hat (vgl. BVerfGE 58, 318 ff.). Die Zivilgerichte sind dann an die rechtskräftige Entscheidung der Verwaltungsgerichte mit der Feststellung über die Rechtmäßigkeit des Enteig-
nungsaktes gebunden (vgl. BGHZ 15, 19), nicht aber an die
Gründe (BGHZ 20, 379). Die Regelung des Satzes 4 gilt gleichermaßen für Verfahren bei enteignungsgleichen Eingriffen
(BGHZ 7, 298 f.).

Artikel 15 [Sozialisierung]

**Grund und Boden, Naturschätze und Produktionsmittel können zum
Zwecke der Vergesellschaftung durch ein Gesetz, das Art und Ausmaß
der Entschädigung regelt, in Gemeineigentum oder in andere Formen
der Gemeinwirtschaft überführt werden. Für die Entschädigung gilt
Artikel 14 Abs. 3 Satz 3 und 4 entsprechend.**

1   Ob Art. 15 ein Grundrecht darstellt, ist umstritten (vgl. v.
Münch, Art. 15 Rn. 4). Die Aufnahme des grundlegenden sozia-
listischen Postulats erfolgte im ParlRat aus unterschiedlichen Mo-
tiven. Da das GG wirtschaftspolitisch neutral ist und keine unmittelbare Festlegung und Gewährleistung einer bestimmten Wirtschaftsordnung enthält (BVerfGE 4, 17 f.; 50, 336 f.), kann in
Art. 15 weder ein Verfassungsauftrag zur Sozialisierung gesehen
werden noch ein Gebot, alles zu unterlassen, was eine künftige
Sozialisierung erschweren könnte; die Vorschrift stellt vielmehr
eine Ermächtigung an den Gesetzgeber dar (Kompetenznorm ist
Art. 74 Nr. 15), dessen polit. Entscheidung es überlassen bleibt,
ob und in welchem Umfang er davon Gebrauch macht (BVerf-
GE 12, 363 f.). Zu Sozialisierungen auf Bundesebene ist es bisher
nicht gekommen (hinsichtlich der Verstaatlichungen durch
Art. 41 HessVerf vgl. Bonner Komm., Art. 15 Rn. 45 ff.).

2   Alle Maßnahmen nach Art. 15 müssen *zum Zwecke der Vergesellschaftung* erfolgen. Erforderlich sind die Absicht, im Wege der
staatl. Sozialisierungspolitik der Gemeinwirtschaft Raum zu
schaffen (BVerwGE 17, 314), und die Eignung der betroffenen

Wirtschaftsbereiche für diesen Zweck. Unter *Gemeinwirtschaft*
ist ein System zu verstehen, in dem wirtschaftliche Tätigkeit nicht
im Interesse der Unternehmenseigner mit Gewinnerzielungsab-
sicht, sondern im Interesse des Gemeinwohls zur optimalen Bedarfsdeckung nach dem Kostendeckungsprinzip betrieben wird.
Gemeineigentum als Unterfall der Gemeinwirtschaft entsteht,
wenn bisher privates Eigentum dem Staat oder einer Körperschaft
oder Anstalt des öffentl. Rechts oder einer in deren Eigentum stehenden juristischen Person bzw. einer Selbstverwaltungskörper-
schaft übertragen wird, die gemeinwirtschaftliche Ziele verfolgt.
Bei *anderen Formen der Gemeinwirtschaft* wird nicht das bisherige
Privateigentum übertragen, sondern durch eine wesentliche Beteiligung der öffentl. Hand ergänzt, die eine am Gemeinwohl
orientierte Unternehmensführung ermöglicht. Gemeinwirtschaft
kann ebenso in Genossenschaften oder ähnlichen Organisationsformen betrieben werden. Nicht gemeinwirtschaftlich sind auf
Gewinnerzielung gerichtete staatl. Erwerbsunternehmen und Finanzmonopole.

3   *Satz 1* zählt die Objekte einer möglichen Sozialisierung abschließend auf. Unter *Grund und Boden* sind Grundstücke einschl. ihrer Bestandteile und ihres Zubehörs zu verstehen. Soweit der
Grund und Boden einem Unternehmen dient, das nicht sozialisie-
rungsfähig ist, weil es nicht zu den Produktionsmitteln gehört,
scheidet eine Vergesellschaftung aus. Das gleiche gilt für Grundstücke, die mit privaten Eigenheimen bebaut sind. Auch eine Bo-
denreform, die auf eine Neuverteilung des Bodens unter Beibehaltung von Individualeigentum zielt, ist keine Sozialisierung.
Unter *Naturschätze* fallen vor allem Wasser, Wasserkraft, Atom-
kraft und abbaufähige Mineralien wie Kohle, Erze, Erdöl, Steine,
Sand und Erden. Unter dem Begriff *Produktionsmittel* sind einengend die der Gewinnung und Herstellung (einschl. der Be- und
Verarbeitung) wirtschaftlicher Erzeugnisse dienenden Gegenstände und Rechtstitel, und zwar sowohl die der Produktion unmittelbar dienenden Betriebseinrichtungen (Gebäude, Maschi-
nen, Werkzeuge) als auch die für die Produktion verwandten Be-
triebsmittel (Rohstoffe, Halbfabrikate) und schließlich die in der
Produktion eingesetzten Urheberrechte zu verstehen. Nicht zu
den Produktionsmitteln gehören Banken, Versicherungen, Han-
dels- und Verkehrsunternehmen.

4   Die Sozialisierung gemäß Art. 15 ist nur durch *förmliches Gesetz*
möglich; anders als bei der Enteignung ist eine Sozialisierung auf
Grund eines Gesetzes durch Verwaltungsakt nicht zulässig. Ein

die Sozialisierung anordnendes Gesetz kann alle in Satz 1 genannten Gegenstände betreffen, es kann sich aber auch auf einzelne Gruppen derselben oder auch nur auf bestimmte Teile von Grund und Boden, auf bestimmte Arten von Naturschätzen oder Produktionsmitteln oder auf Unternehmen eines Wirtschaftszweiges von einer bestimmten Größe an beziehen. Individual-Sozialisierungsgesetze, d. h. Gesetze, die nur ein bestimmtes oder mehrere bestimmte Unternehmen gezielt herausgreifen und nicht eine abstrakt abgegrenzte Gruppe von Unternehmen erfassen, sind im Hinblick auf Art. 19 I 1 unzulässig.

5 Die in Satz 1 enthaltene *Junktimklausel*, wonach ein die Überführung in Gemeinwirtschaft anordnendes Gesetz Art und Ausmaß der Entschädigung regeln muß, ist Art. 14 III 2 nachgebildet. Die Entschädigungsregelung muß im Gesetz selbst enthalten sein und darf nicht in einem späteren Gesetz nachgeschoben werden.

6 *Satz 2* verweist für die Entschädigung auf Art. 14 III 3 und 4 mit seinen Regelungen über die Entschädigungsgrundsätze und den Rechtsweg.

Artikel 16 [Ausbürgerung, Auslieferung, Asylrecht]

(1) Die deutsche Staatsangehörigkeit darf nicht entzogen werden. Der Verlust der Staatsangehörigkeit darf nur auf Grund eines Gesetzes und gegen den Willen des Betroffenen nur dann eintreten, wenn der Betroffene dadurch nicht staatenlos wird.

(2) Kein Deutscher darf an das Ausland ausgeliefert werden. Politisch Verfolgte genießen Asylrecht.

Absatz 1

1 *Satz 1* schützt jeden Inhaber der deutschen Staatsangehörigkeit (StA) mit grundrechtl. Wirkung vor einer Zwangsausbürgerung. Zum Begriff der deutschen StA vgl. Erläut. zu Art. 116 Rn. 3. Auf Deutsche ohne deutsche StA (Art. 116 I) kann Satz 1 nach BVerwGE 8, 343 nicht entsprechend angewandt werden. *»Entziehung« der Staatsangehörigkeit* heißt Aberkennung oder gegen den Willen des Betroffenen durch staatl. Akt. Das Verbot der Entziehung (einschl. des Widerrufs) gilt nicht nur für »willkürliche« Ausbürgerung, sondern vorbehaltlich Satz 2 absolut. Es richtet sich gegen die öffentl. Gewalt in allen ihren Erscheinungsformen. Weder dürfen Verwaltung oder Gerichte Deutsche zwangsweise ausbürgern noch darf der Gesetzgeber dies tun. Das

gegen den Gesetzgeber gerichtete Verbot gilt nicht nur für Maß-
nahme- und Einzelfallgesetze, sondern ebenso für generelle Gesetze (a. M. v. Mangoldt/Klein, Art. 16 Anm. III 2 a). Auch
wenn der Betroffene noch eine andere StA besitzt, darf ihm die
deutsche nicht entzogen werden. Ein Widerruf rechtswidriger,
insbes. erschlichener Einbürgerungen ist, da Art. 16 I 1 nur die
rechtl. einwandfrei erworbene StA schützt, zulässig. Das Entzie-
hungsverbot erstreckt sich auch auf internationale Staatsangehö-
rigkeitsregelungen, z. B. bei etwaigen Gebietsabtretungen.

2   *Satz 2:* Das Verbot des Satzes 1 hindert nicht, bei Erfüllung bestimmter, gesetzlich festgelegter Tatbestände den *Verlust der
deutschen Staatsangehörigkeit* vorzusehen. Doch muß es sich dabei um vom Betroffenen selbst willentlich gesetzte, also vermeid-
bare und ihrem Wesen nach auf Abkehr vom deutschen Staatsver-
band gerichtete Tatbestände handeln, z. B. wenn er seine Entlassung beantragt, auf die deutsche StA verzichtet oder im Ausland
lebt und dort eine fremde StA erwirbt. Wo das nicht der Fall ist,
liegt eine nach Satz 1 verbotene Entziehung vor. Zulässig ist,
Doppelstaater vor die Alternative einer Option zu stellen. Der
Verlust tritt nicht ein, wenn der Betroffene dadurch gegen seinen
Willen staatenlos würde, auch nicht, wenn eine fremde StA zwar
rechtl. besteht, von dem fremden Staat bzw. Gebietsmachthaber
aber nicht anerkannt wird (BVerwG, DÖV 1959, 866).

Absatz 2

3   *Satz 1:* Das Grundrecht der *Nichtauslieferung* schützt als subjektiv-öffentl. Recht alle Deutschen (Art. 116 I) vor einer Auslieferung an das Ausland. Das Auslieferungsverbot beruht seinem
Grundgedanken nach auf dem Recht jedes Staatsbürgers, sich in
seinem Heimatland aufhalten zu dürfen, und auf der Verpflichtung dieses Staates, seine im Staatsgebiet lebenden Bürger in jeder Weise zu schützen, insbes. sie davor zu bewahren, zwangsweise in fremde Hoheitsgewalt verbracht und dort vor Gericht gestellt zu werden (BVerfGE 29, 192 f.).

4   *Auslieferung* ist das zwangsweise Verbringen einer Person in den
Bereich einer ausländischen Hoheitsgewalt auf Ersuchen des ausländischen Staates (vgl. BVerfGE 10, 139). Das Verbot ist nach
h. M. in einem umfassenden Sinne zu verstehen; es beschränkt
sich also nicht auf die zwischenstaatl. Rechtshilfe in Strafsachen,
sondern steht der Überstellung eines Deutschen auch auf Grund
anderer gerichtlicher oder behördlicher Ersuchen aus dem Aus-

land entgegen. Aus ihm folgt u. a., daß sich die BReg jeder Mitwirkung zu enthalten hat, wenn ein Deutscher aus dem Bereich deutscher Hoheitsgewalt zwangsweise entfernt und in den Bereich einer nichtdeutschen Hoheitsgewalt überführt wird (vgl. BVerfG aaO). Auch eine vorläufige Auslieferung (mit der Zusicherung der Rückführung durch den ausländischen Staat) ist mit dem Auslieferungsverbot nicht vereinbar. Im Falle der *Durchlieferung* eines Deutschen ist weder seine Weitergabe an den Bestimmungsstaat noch seine Rückführung an den übergebenden Staat zulässig (BVerfG aaO). Die Auslieferung setzt allerdings die uneingeschränkte Gewalt über die auszuliefernde Person voraus; diese ist im Falle grenzabfertigender Tätigkeit von deutschen Beamten auf ausländischem Hoheitsgebiet nicht gegeben. Demgegenüber ist umstritten (vgl. v. Münch, Art. 16 Rn. 19), ob das Auslieferungsverbot nach seinem Inhalt und Zweck der *Rücklieferung* eines Deutschen, der vom ausländischen Staat an die Bundesrepublik Deutschland nur vorläufig, d. h. unter der Bedingung späterer Rücklieferung, ausgeliefert worden ist, entgegensteht. Nach Ansicht des BVerfG (E 29, 194 – entgegen E 10, 139) ist die Rücklieferung zulässig, denn hier büßt der Betroffene in der Gesamtbetrachtung und damit im Ergebnis nichts von seinem Schutzanspruch gegen seinen Heimatstaat ein. Art. 16 II 1 schließt schon auf Grund seines Wortlauts (»an das Ausland«) eine *Zulieferung an deutsche Gerichte* außerhalb des Geltungsbereichs des GG nach dem G über die innerdeutsche Rechts- und Amtshilfe in Strafsachen nicht aus (BVerfGE 4, 304 f. für das damals nicht zur Bundesrepublik gehörende Saargebiet). Eine Zulieferung nach diesem Gesetz setzt allerdings voraus, daß dem Betroffenen dadurch keine erheblichen, mit rechtsstaatl. Grundsätzen nicht zu vereinbarenden Nachteile erwachsen (BVerfGE 37, 65 f.). Die Bewilligung der Auslieferung durch die BReg ist ein anfechtbarer Verwaltungsakt (OVG Münster, DVBl 1963, 731 f.).

5   Aus Satz 1 ergibt sich, daß bei einer Auslieferung die Eigenschaft des Verfolgten als Nichtdeutscher eindeutig feststehen muß (BVerfGE 17, 227).

6   Satz 2 enthält ein subjektiv-öffentl. *Recht politisch Verfolgter auf Asylgewährung*, an das alle staatl. Gewalt gebunden ist. Es geht über die vom Völkerrecht gewährte Rechtsstellung hinaus, unterliegt also insbes. nicht den dort bestehenden Schranken (vgl. BVerfGE 54, 356; BVerwGE 49, 203). Es ist das einzige Grundrecht, das ausschließlich Nichtdeutsche, d. h. Ausländer und

Staatenlose, schützt. Für Deutsche (etwa aus der DDR), die vor
polit. Verfolgung Schutz suchen, bietet Art. 11 einen grundrechtl. Anspruch auf freien Zuzug in das Bundesgebiet (BVerf-
GE 2, 273), wo sie vor einer Auslieferung an das Ausland durch
Satz 1 geschützt sind. Zur Rechtslage von Flüchtlingen und Vertriebenen deutscher Volkszugehörigkeit im Hinblick auf Art. 116
I vgl. v. Münch, Art. 16 Rn. 22.

7   Der *Begriff des politisch Verfolgten* ist weit auszulegen. Insbes.
setzt er nicht die Begehung einer polit. Straftat voraus (BVerf-
GE 9, 180). Der Verfolgte braucht sich überhaupt nicht politisch
betätigt zu haben. Asylrechtl. Schutz genießt jeder, der aus polit.
Gründen Verfolgungsmaßnahmen in seinem Heimatland (und
nicht nur in einem Teil von diesem – BVerwG, NJW 1983, 2588)
mit Gefahr für Leib oder Leben oder Beschränkungen seiner persönlichen Freiheit ausgesetzt wäre oder – allgemein gesagt – wer
im Falle der Rückkehr (Auslieferung) in seinen Herkunftsstaat,
dessen Staatsangehörigkeit er besitzt (BVerwG, JZ 1983, 294),
polit. Repressalien zu erwarten hätte (BVerfGE 54, 357
m. w. N.; zur Bestrafung wegen Flucht aus einem Ostblockstaat
BVerwGE 39, 27). Unter Verfolgung aus polit. Gründen wird jede Verfolgung zu verstehen sein, die entweder durch kein Gesetz
erlaubt ist oder deren gesetzliche Grundlage mit den rechtsstaatl.
Grundsätzen und der Wertordnung des GG im Widerspruch steht
(vgl. auch BGHSt 6, 166; 14, 104). Zum Bereich der persönlichen
Freiheit gehören grundsätzlich auch die Rechte auf freie Religionsausübung sowie ungehinderte berufliche und wirtschaftliche
Betätigung. Da Voraussetzungen und Umfang des polit. Asyls
wesentlich vom obersten Verfassungsprinzip der Unverletzlichkeit der Menschenwürde bestimmt sind, können Beeinträchtigungen der letztgenannten Rechtsgüter ein Asylrecht nur dann begründen, wenn sie nach ihrer Intensität und Schwere die Menschenwürde verletzen und über das hinausgehen, was die Bewohner des Heimatstaats auf Grund des dort herrschenden Systems allgemein hinzunehmen haben (BVerfG aaO). Dabei kann sich die
Verfolgung auch nur pauschal gegen Gruppen von Menschen
richten, die durch gemeinsame Merkmale wie Rasse, Nationalität, Religion oder polit. Überzeugung verbunden sind (vgl.
BVerwGE 55, 82; BVerwG, NJW 1983, 2588; BVerwG,
MDR 1983, 1047 ff.). Auch Verfolgungsmaßnahmen von nichtstaatl. Seite sind als polit. Verfolgung anzusehen, wenn der Staat
diese billigt oder duldet und den davon Betroffenen den erforderlichen Schutz versagt (BVerfGE 54, 358 f.; BVerwG,

NVwZ 1983, 744 ff.). Politisch Verfolgter kann auch jemand sein, der erst während seines Aufenthalts in der Bundesrepublik Deutschland die Tatsachen schafft, die eine polit. Verfolgung in seinem Heimatland befürchten lassen (lt. BVerfGE 9, 181 u. 38, 402 nur ausnahmsweise unter Anlegung eines besonders strengen Maßstabs; a. A. v. Münch, Art. 16 Rn. 24 m. w. N.). Familienangehörige haben Asylanspruch nur, wenn sie selbst von der Verfolgung mitbetroffen sind (vgl. aber auch Art. 6 Rn. 9).

8 Die Voraussetzungen für die grundrechtl. Gewährleistung des Art. 16 II 2 decken sich mit denen, die nach §§ 1, 2 AsylverfahrensG – AsylVfG – vom 16. 7. 1982 (BGBl. I S. 946) für die Anerkennung als Asylberechtigter maßgeblich sind (BVerfGE 54, 355 – zu § 28 AuslG a. F.). Seitdem die *Genfer Flüchtlingskonvention* von der Bundesrepublik Deutschland ohne Begrenzung auf einen Stichtag anzuwenden ist, besteht im Ergebnis kein wesentlicher Unterschied zwischen Flüchtlingen i. S. von § 3 I AsylVfG und sonstigen Asylberechtigten (vgl. BVerfGE 54, 356; auch BVerwGE 49, 48). Allerdings ist die Versagung der Anerkennung als polit. Flüchtling nach der Genfer Konvention für die Frage der Asylgewährung an polit. Verfolgte nicht präjudiziell (BVerfGE 9, 181). Auch die positive Entscheidung eines anderen Vertragsstaats der Genfer Konvention erzeugt für die Bundesrepublik Deutschland keine Bindungswirkung i. S. einer Anerkennung, zumal im Auslieferungsverfahren die Frage der drohenden polit. Verfolgung erneut am Maßstab des Art. 16 II 2 sachlich zu prüfen ist (vgl. BVerfGE 63, 206). Eine solche Entscheidung stellt allerdings ein gewichtiges, im Verfahren nicht zu übergehendes Indiz für eine polit. Verfolgung dar (BVerfGE 52, 399, 405 f.).

9 Wer nach einer Auslieferung wirksamen Schutz vor polit. Verfolgung durch den *Grundsatz der Spezialität* (Verfolgung nur der Taten, für die die Auslieferung bewilligt ist), genießt, ist nicht polit. Verfolgter und kann demzufolge kein polit. Asylrecht verlangen. Zwar steht das Asylrecht auch der Auslieferung wegen einer rein kriminellen Straftat entgegen, wenn zu besorgen ist, daß über diese Bestrafung hinaus aus polit. Gründen Gefahr für Leib oder Leben oder für die persönliche Freiheit des Auszuliefernden besteht (BVerfGE 15, 251). Doch ist bei einer vertraglichen Zusicherung durch den ausländischen Staat, sich über die bezeichnete Bestrafung hinausgehender Maßnahmen zu enthalten – vgl. wegen der Voraussetzungen im einzelnen § 11 des G über internationale Rechtshilfe in Strafsachen vom 23. 12. 1982 (BGBl. I S. 2071) –, unter der Voraussetzung, daß kein gegenteiliges Verhalten des Vertragsstaates zu befürchten ist, die Spezialität der Strafverfolgung als Garantie gegen eine polit. Verfolgung anzusehen (vgl. BVerfGE 38, 402 f.; 60, 358 f.).

10   Auch für *Inhalt und Umfang des zu gewährenden Asyls* gilt, daß sie wesentlich bestimmt werden von der Unverletzlichkeit der Menschenwürde, die als oberstes Verfassungsprinzip die Verankerung eines weitreichenden Asylanspruchs im GG entscheidend beeinflußt hat (BVerfGE 54, 357). Konkret bedeutet nach dem BVerwG das Grundrecht auf Asyl in seinem Kerngehalt Schutz vor polit. Verfolgung durch Verbot der Zurückweisung an der Grenze und durch Verbot der Abschiebung in einen Verfolgerstaat; zugleich enthalte es einen Auftrag an den Gesetzgeber, das weitere Schicksal der Asylberechtigten entsprechend der humanitären Zielsetzung des Grundrechts zu regeln (BVerwGE 49, 202). Diesem Auftrag ist mit der Übernahme der Genfer Konvention und durch das AsylVfG entsprochen. Nach § 29 I AsylVfG ist asylberechtigten Ausländern eine unbefristete Aufenthaltserlaubnis zu erteilen. Ob dieses *Aufenthaltsrecht* im Bundesgebiet ebenfalls Teil der grundrechtl. Gewährleistung ist, wird nicht einheitlich beantwortet, vom BVerfG im Zusammenhang mit der Frage des Aufenthaltsrechts eines nichtasylberechtigten Ausländers allerdings bejaht (BVerfGE 49, 183 f.), vom BVerwG für den Regelfall angenommen, bis zur Klärung der Asylberechtigung sogar beim Asylbewerber (E 62, 206). Wegen weitergehender Rechtsfolgen wie Fürsorge oder Gleichstellung mit Deutschen – richtigerweise wohl vom Gesetzgeber zu bestimmen – vgl. auch v. Münch, Art. 16 Rn. 25. Aufenthaltsbeschränkung und Unterbringung in Gemeinschaftsunterkünften sind bei Asylbewerbern zulässig (BVerfG, NVwZ 1983, 603 f.; NJW 1984, 558).

11   *Grenzen des Asylrechts* hat das AuslG in § 14 I 2 gezogen, der unter bestimmten Voraussetzungen die Abschiebung eines polit. Verfolgten in einen Verfolgerstaat zuläßt. Diese Vorschrift ist vom BVerwG (E 49, 208 f.) ebenso für verfassungsgemäß angesehen worden wie die Ausweisung eines Asylberechtigten aus Gründen der öffentl. Sicherheit und Ordnung (BVerwGE 4, 237; zur Kritik der Literatur, die weitgehend von einem unbeschränkbaren Asylrecht nach Art. 16 II 2 ausgeht, vgl. v. Münch, Art. 16 Rn. 23, 28 f.). Im übrigen ist das Asylrecht für denjenigen Grundrechtsinhaber, der die Asylberechtigung zum Kampf gegen die freiheitliche demokratische Grundordnung mißbraucht, nach Art. 18 verwirkbar.

12 Das Asylrecht bedarf geeigneter *Organisationsformen und Verfahrensregelungen* (BVerfGE 60, 295) sowie einer grundrechtskonformen Anwendung des Verfahrensrechts, weil anders die materielle Asylrechtsverbürgung nicht wirksam in Anspruch genommen und verwirklicht werden kann (BVerfGE 56, 236). Damit ist es i. d. R. nicht vereinbar, wenn aufenthaltsbeendende Maßnahmen vor einer Entscheidung über das Asylbegehren ergehen und durchgesetzt werden (BVerfGE 56, 238 ff.). Auch bei anscheinend »mißbräuchlichen« Asylanträgen ist die Durchführung eines förmlichen Anerkennungsverfahrens geboten. Maßgebend für die Feststellung von Verfolgungsgründen ist der Zeitpunkt der letzten gerichtlichen Tatsachenentscheidung (BVerfGE 54, 359 f.).

Artikel 17 [Petitionsrecht]

Jedermann hat das Recht, sich einzeln oder in Gemeinschaft mit anderen schriftlich mit Bitten oder Beschwerden an die zuständigen Stellen und an die Volksvertretung zu wenden.

1 Mit dem – in Art. 17 a I ausdrücklich so bezeichneten – Petitionsrecht eröffnet Art. 17 die Möglichkeit, menschliche Sorgen und Nöte auch außerhalb förmlicher Rechtsbehelfs- und Gerichtsverfahren, z. B. durch Dienstaufsichtsbeschwerden (BFHE 82, 377), zur Kenntnis staatl. Stellen zu bringen (OVG Berlin, DVBl 1976, 262; OVG Münster, NJW 1979, 281). Dies kann *einzeln, aber auch in Gemeinschaft mit anderen*, durch sog. Sammelpetitionen, geschehen. *Grundrechtsträger* ist jedermann. Auf die Staatsangehörigkeit kommt es ebensowenig an wie auf den Aufenthaltsort. Deshalb sind z. B. auch im Ausland lebende Ausländer, deren Petition sich gegen Maßnahmen einer Behörde der Bundesrepublik Deutschland richtet, petitionsberechtigt (OVG Münster, NJW 1979, 281; vgl. auch BVerwG, NJW 1981, 700). Geschäfts- und Prozeßfähigkeit i. S. des Zivil- bzw. Prozeßrechts sind nicht erforderlich. Es genügt, daß der Petent in der Lage ist, seine Gedanken in Form einer Petition zum Ausdruck zu bringen (OVG Berlin, DVBl 1976, 262). Für private inländische juristische Personen gilt das Grundrecht gemäß Art. 19 III.

2 Gewährleistet sind *»Bitten und Beschwerden«*. Durch Bitten werden Wünsche geäußert, durch Beschwerden Mängel mit dem Ziel ihrer Beseitigung gerügt. Wesentlich ist der Petition ein bestimmtes Begehren (BVerwG, NJW 1976, 638; vgl. auch BVerfGE 2, 299). Bloße Mitteilungen, Hinweise, Belehrungen, Vorwürfe oder Anerkennungen fallen deshalb nicht unter Art. 17. Das gleiche gilt im Hinblick auf die Funktion des Petitionsrechts, Anrufungsbegehren außerhalb formaler Verfahren zu ermöglichen (s. oben Rn. 1), für Klagen und Anträge im gerichtlichen Verfahren (BVerfGE 13, 150) und für förmliche Rechtsbehelfe im Verwaltungsverfahren. Nicht vom Petitionsbegriff erfaßt sind schließlich Stimmabgaben im Rahmen einer Volksbefragung, weil Art. 17 nicht auch Ausübung von Staatsgewalt im status activus gewährleistet (BVerfGE 8, 115; vgl. auch BVerfGE 8, 45 f.).

3 *Petitionsadressaten* sind »*die zuständigen Stellen*« und, d. h. parallel und nicht alternativ, »*die Volksvertretung*«. Damit ist der Adressatenkreis so weit gezogen, daß er sämtliche Stellen des Bundes oder der Länder umfaßt, gleichgültig, ob sie der gesetzgebenden, vollziehenden oder rechtsprechenden Gewalt, der unmittelbaren oder mittelbaren (z. B. kommunalen) Verwaltung oder der Eingriffs-, Leistungs- oder Fiskalverwaltung angehören (OVG Münster, NJW 1979, 281). *Volksvertretungen* sind die Parlamente des Bundes und der Länder, nicht aber ihre einzelnen Mitglieder (BayVerfGH 20, 139; a. A. OLG Düsseldorf, NVwZ 1983, 502). Ob auch die kommunalen Vertretungskörperschaften zu den Volksvertretungen rechnen, ist umstritten (bejahend vor allem OVG Münster, NJW 1979, 281 f.; verneinend etwa OVG Lüneburg, OVGE 23, 407; BayObLG, NJW 1981, 1109; offengelassen in BVerwG, NJW 1981, 700). Auf jeden Fall sind sie im Rahmen der ihnen zugewiesenen Sachaufgaben zuständige Stellen i. S. des Art. 17 (BayObLG, NJW 1981, 1109). Die *Zuständigkeit* des angegangenen Petitionsadressaten *im Einzelfall* bestimmt sich nach dem jeweiligen (verfassungs- und einfachrechtl.) Organisationsrecht.

4 Zu den *Voraussetzungen für die Zulässigkeit* einer Petition gehört einmal, daß sie schriftlich abgefaßt ist. Erforderlich ist eigenhändige Unterzeichnung durch Namensunterschrift oder mittels notariell beglaubigten Handzeichens (deshalb keine Petitionsübermittlung über Bildschirmtext; s. BT-Drucks. 9/2389 S. 6). Anonyme Eingaben sind unbeachtlich (vgl. auch § 8 G über den Wehrbeauftragten des Deutschen Bundestages i. d. F. vom 16. 6. 1982, BGBl. I S. 677). Nach h. M. ist eine Petition ferner unzulässig, wenn sie etwas gesetzlich Verbotenes fordert (insoweit a. A. AK, Art. 17 Rn. 26) oder beleidigenden, herausfordernden oder erpresserischen Inhalt hat (BVerfGE 2, 229; Bay-

VerfGH 20, 139). Auch die Zuständigkeit des Petitionsadressaten rechnet zu den Zulässigkeitsvoraussetzungen (BVerfGE 2, 229). Die angegangene Stelle kann bei Unzuständigkeit nicht über die Petition entscheiden. Sie ist jedoch verpflichtet, die Eingabe an das zuständige Organ weiterzuleiten (OVG Lüneburg, OVGE 23, 408; OLG Düsseldorf, NVwZ 1983, 502). Eine eigene Beschwer des Petenten muß nicht vorliegen. Es genügt, daß er für einen anderen oder für Gemeinwohlbelange eintreten will (OLG Düsseldorf, NJW 1972, 651).

5   Art. 17 begründet keine allgemeine Auskunftspflicht des Staates (OVG Münster, OVGE 18, 222; 19, 17; VGH Kassel, ESVGH 12/I, 71) und gibt dem Petenten auch keinen Anspruch auf eine bestimmte Sachentscheidung (BVerwG, NJW 1976, 638; BayVerfGH 35, 9). Der Petent kann aber verlangen, daß seine Eingabe von der zuständigen Stelle entgegengenommen und sachlich geprüft wird (BVerfGE 2, 230; 13, 90). Darüber hinaus hat er, sofern ihm in der gleichen Sache nicht schon früher von derselben Stelle ein ordnungsgemäßer Bescheid erteilt worden ist (BVerfGE 2, 231 f.; BayVerfGH 32, 10 f.), ein *einklagbares Recht auf Beantwortung der Petition* (BVerwG, NJW 1976, 638). Die Antwort darf sich nicht auf eine bloße Empfangsbestätigung beschränken, muß vielmehr zumindest die Kenntnisnahme von Inhalt der Petition und die Art ihrer Erledigung ergeben (BVerfGE 2, 230; BVerwG, NJW 1976, 638). Eine Begründungspflicht besteht, vorbehaltlich besonderer gesetzlicher Regelung, nicht (BVerfGE 2, 230; BayVerfGH 29, 42). Petitionsbescheide sind – ebenso wie interne Stellungnahmen, die der Petitionsadressat von anderen staatl. Stellen eingeholt hat – keine Verwaltungsakte (BVerwG, NJW 1977, 118; BayVerfGH 10, 25; OVG Berlin, DVBl 1976, 262). Doch ist für die *prozessuale Verfolgung des Petitionsrechts* die allgemeine Leistungsklage im Verwaltungsrechtsweg gegeben (OVG Hamburg, DVBl 1967, 86; OVG Berlin, DVBl 1976, 261 f.). Wie diese hat auch die Petition selbst keine aufschiebende Wirkung (BayVerfGH 32, 11).

6   Die *Möglichkeit, das Petitionsrecht einzuschränken,* sieht ausdrücklich nur Art. 17 a I – für Sammelpetitionen der Angehörigen der Streitkräfte und des Ersatzdienstes – vor (vgl. insoweit Art. 17 a Rn. 4). Doch sind weitere Beschränkungen des Grundrechts dadurch nicht ausgeschlossen. Sie sind zulässig, wenn und soweit der Schutz kollidierender Grundrechte Dritter oder die Wahrung anderer mit Verfassungsrang ausgestatteter Rechtswerte Begrenzungen erfordern (vgl. BVerfGE 49, 55 ff.). Hierher

gehören etwa die Vorschriften zum *Schutz der persönlichen Ehre*.
Art. 17 ist zwar im Rahmen der nach § 193 StGB gebotenen Güterabwägung zu berücksichtigen, gibt aber keinen selbständigen
Rechtfertigungsgrund für Verleumdungen, böswillige Verdre-
hungen der Wahrheit und grobe Ehrverletzungen (OLG Düsseldorf, NJW 1972, 651). Für *Beamte* ergeben sich Ausübungs-
schranken aus ihrer besonderen Rechtsbeziehung zu ihrem
Dienstherrn (Art. 33 IV und V). Dazu rechnet vor allem die Einhaltung des Dienstwegs bei Petitionen, die nicht lediglich persönliche, sondern dienstliche Angelegenheiten betreffen. Für Petitionen gegenüber zuständigen Stellen im Exekutivbereich gilt diese
Bindung ausnahmslos. Auch bei Petitionen an die zuständige
Volksvertretung ist sie grundsätzlich zu beachten, sofern nicht im
Einzelfall besonders schwerwiegende Beanstandungen vorge-
bracht werden und verwaltungsinterne Abhilfe nicht erwartet
werden kann. *Untersuchungs- und Strafgefangene* schließlich müssen – vorausgesetzt, daß der Kerngehalt des Grundrechts unangetastet bleibt – diejenigen Beschränkungen hinnehmen, die sich
aus dem Haftzweck zwingend ergeben. Sie können deshalb keine
Kontaktaufnahme zu Mitgefangenen zum Zwecke der Abfassung
einer gemeinschaftlichen Petition verlangen, sofern und solange
solche Kontakte mit dem Haftzweck unvereinbar sind. Auch der
Anspruch auf sofortige Weiterleitung einer Petition ist nicht absolut geschützt. Vielmehr kann auch insoweit eine Güterabwägung
im Interesse überragender Gemeinschaftswerte zu vorübergehenden Beschränkungen der Grundrechtsausübung führen (BVerf-
GE 49, 57 f.).

Artikel 17 a [Grundrechtseinschränkungen für Verteidigungs- und Ersatzdienstzwecke]

**(1) Gesetze über Wehrdienst und Ersatzdienst können bestimmen,
daß für die Angehörigen der Streitkräfte und des Ersatzdienstes während der Zeit des Wehr- oder Ersatzdienstes das Grundrecht, seine
Meinung in Wort, Schrift und Bild frei zu äußern und zu verbreiten (Artikel 5 Abs. 1 Satz 1 erster Halbsatz), das Grundrecht der Versammlungsfreiheit (Artikel 8) und das Petitionsrecht (Artikel 17), soweit es
das Recht gewährt, Bitten oder Beschwerden in Gemeinschaft mit anderen vorzubringen, eingeschränkt werden.**

**(2) Gesetze, die der Verteidigung einschließlich des Schutzes der Zi-
vilbevölkerung dienen, können bestimmen, daß die Grundrechte der
Freizügigkeit (Artikel 11) und der Unverletzlichkeit der Wohnung
(Artikel 13) eingeschränkt werden.**

1 Art. 17 a gewährt *kein selbständiges Grundrecht* (BVerfGE 44, 205), enthält vielmehr für die in Abs. 1 und 2 abschließend aufgeführten Grundrechte spezielle, einerseits personal, andererseits gegenständlich begrenzte *Gesetzesvorbehalte*, die den Gesetzgeber in die Lage versetzen sollen, die im Interesse des Verteidigungs- und des Ersatzdienstwesens notwendigen Regelungen zu treffen. »*Gesetze*« i. S. sowohl des Abs. 1 als auch des Abs. 2 sind nicht nur Gesetze im formellen Sinne, sondern auch Rechtsverordnungen auf der Grundlage einer den Anforderungen des Art. 80 I genügenden Ermächtigung (h. M.).

Absatz 1

2 *Sinn und Zweck* des Abs. 1 ist es, eine an den spezifischen Erfordernissen des Wehr- und des Ersatzdienstes ausgerichtete Ausgestaltung des Wehr- bzw. Ersatzdienstverhältnisses zu ermöglichen (vgl. BVerfGE 44, 202 f.). Soweit auf die Angehörigen der Streitkräfte bezogen, dient die Vorschrift damit zugleich dem Ziel, die Funktionsfähigkeit und Wirksamkeit der Bundeswehr zu gewährleisten (BVerfGE 28, 291; 44, 202).

3 *Gesetze über Wehrdienst und Ersatzdienst* sind alle Gesetze, die das Dienstverhältnis der Streitkräfte und im Rahmen des Ersatzdienstes regeln. *Angehöriger der Streitkräfte* ist, wer auf Grund freiwilliger Verpflichtung oder zur Erfüllung seiner Wehrpflicht Dienst in der Bundeswehr, *Angehöriger des Ersatzdienstes*, wer Zivildienst nach Maßgabe des ZivildienstG i. d. F. vom 29. 9. 1983 (BGBl. I S. 1221) leistet. Grundrechtsbeschränkungen gegenüber diesem Personenkreis sind auf der Grundlage des Art. 17 a I nur für die *Zeit des Wehr- bzw. Ersatzdienstes* möglich. Die Vorschrift bezieht sich deshalb lediglich auf aktive Soldaten und aktive Ersatzdienstleistende. Nicht erfaßt sind z. B. Reservisten der Bundeswehr. Für sie gelten ausschließlich die allgemeinen Grundrechtsschranken (BVerwGE 43, 22 f.).

4 Abs. 1 hat auch im Blick auf Art. 5 abschließenden Charakter, ermächtigt deshalb nur zur Einschränkung der *Meinungsäußerungsfreiheit* und läßt die anderen Gewährleistungen dieser Vorschrift, insbes. die Informationsfreiheit, unberührt. Auf der Grundlage dieser Ermächtigung sind z. B. § 15 I und II SoldG i. d. F. vom 19. 8. 1975 (BGBl. I S. 2273; dazu BVerfGE 28, 291 ff.; 44, 202; BVerwGE 73, 237 f.) und § 29 ZivildienstG ergangen. In bezug auf die *Versammlungsfreiheit*, die für Versammlungen unter freiem Himmel bereits unter dem allgemeinen Gesetzesvorbehalt des Art. 8 II steht, liegt die Bedeutung des Art. 17 a I in der Möglichkeit, Versammlungen in geschlossenen Räumen oder die Teilnahme an solchen Versammlungen zu untersagen. Von dieser Möglichkeit ist bisher kein Gebrauch gemacht worden. Das *Petitionsrecht* schließlich ist nur hinsichtlich der Befugnis, Petitionen »in Gemeinschaft mit anderen« (Sammelpetitionen) einzureichen, beschränkbar. Entsprechende Regelungen enthalten § 34 SoldG i. V. m. § 1 IV Wehrbeschwerdeordnung i. d. F. vom 11. 9. 1972 (BGBl. I S. 1737) sowie § 41 III ZivildienstG. Grundrechtsbegrenzende Bestimmungen nach Art der vorstehend genannten Beispielsfälle sind nur zulässig, wenn und soweit sie der Zweck des Wehr- oder Ersatzdienstverhältnisses erfordert. Der besondere Wertgehalt des Grundrechts, das eingeschränkt werden soll, ist auch im Rahmen des Art. 17 a I zu beachten (BVerwGE 43, 55). Diese – durch G vom 19. 3. 1956 (BGBl. I S. 111) in das GG eingefügte – Vorschrift hat den *Zitierzwang nach Art. 19 I 2* gegenüber dem früheren Recht nicht erweitert. Deshalb bedarf es beispielsweise im Zusammenhang mit einer Regelung, die das Grundrecht der freien Meinungsäußerung einschränkt, keiner Zitierung des Art. 5, soweit sich die Regelung inhaltlich als »allgemeines Gesetz« i. S. des Art. 5 II darstellt. Daß die Beschränkung formal auf Art. 17 a I gestützt ist, ändert daran nichts (BVerfGE 28, 291 f.; 44, 201 f.).

5 Rn. 4 gilt hinsichtlich der materiellen Anforderungen, die an Grundrechtseingriffe im Anwendungsbereich des Art. 17 a I zu stellen sind, für beschränkende *Anordnungen im Rahmen des Gesetzesvollzugs* entsprechend. Zulässig ist es z. B., den Soldaten der Bundeswehr zu verbieten, innerhalb dienstlicher Anlagen an ihren Privatwagen Anti-Atomkraft-Aufkleber zu führen. Ein solches Verbot ist im Interesse der Funktionsfähigkeit der Bundeswehr erforderlich und stellt deshalb eine nicht zu beanstandende Einschränkung des Grundrechts auf freie Meinungsäußerung dar (BVerwGE 73, 237 ff.).

6 Grundrechte, die in Abs. 1 nicht genannt sind, sind nach Maßgabe der für sie allgemein geltenden Gesetzes- und Schrankenvorbehalte, einschl. desjenigen des Abs. 2, auch für Soldaten und Ersatzdienstleistende einschränkbar.

Absatz 2

7 Abs. 2 erweitert die nach Art. 11 und 13 bestehenden Möglichkeiten zur Beschränkung des Freizügigkeitsgrundrechts und des

Rechts auf Unverletzlichkeit der Wohnung für *Gesetze, die der Verteidigung einschließlich des Schutzes der Zivilbevölkerung dienen.* Dieser Begriff ist weit auszulegen (allg. M.). Er umfaßt alle Regelungen, die im Hinblick auf die Sondersituation eines gegen die Bundesrepublik Deutschland gerichteten militärischen Angriffs unter Verteidigungsgesichtspunkten wie zum Schutz der Zivilbevölkerung notwendig sind. Diese Regelungen können nicht erst im (und beschränkt auf den) Spannungs- und Verteidungsfall, sondern auch schon im Frieden erlassen werden. Sie können Freizügigkeit und Wohnungsgrundrecht *gegenüber jedermann* einschränken, brauchen sich also – anders als Regelungen auf der Grundlage des Abs. 1 (vgl. dazu oben Rn. 3) – nicht auf Maßnahmen gegen Angehörige der Streitkräfte und des Ersatzdienstes zu beschränken. Der Gesetzgeber hat von der Ermächtigung des Abs. 2 in bezug auf Art. 11 z. B. im ArbeitssicherstellungsG vom 9. 7. 1968 (BGBl. I S. 787), im VerkehrssicherstellungsG i. d. F. vom 8. 10. 1968 (BGBl. I S. 1082) sowie in § 18 SoldG und § 31 ZivildienstG, in bezug auf Art. 13 u. a. im VerkehrssicherstellungsG, in § 44 IV WehrpflichtG i. d. F. vom 6. 5. 1983 (BGBl. I S. 529) und in § 23 a ZivildienstG Gebrauch gemacht.

Artikel 18   [Grundrechtsverwirkung]

Wer die Freiheit der Meinungsäußerung, insbesondere die Pressefreiheit (Artikel 5 Abs. 1), die Lehrfreiheit (Artikel 5 Abs. 3), die Versammlungsfreiheit (Artikel 8), die Vereinigungsfreiheit (Artikel 9), das Brief-, Post- und Fernmeldegeheimnis (Artikel 10), das Eigentum (Artikel 14) oder das Asylrecht (Artikel 16 Abs. 2) zum Kampfe gegen die freiheitliche demokratische Grundordnung mißbraucht, verwirkt diese Grundrechte. Die Verwirkung und ihr Ausmaß werden durch das Bundesverfassungsgericht ausgesprochen.

1   Die Vorschrift ist zusammen mit Art. 9 II und Art. 21 II (vgl. auch Art. 10 II 2) Ausdruck des Willens zur Selbsterhaltung und Selbstverteidigung der freiheitlichen Demokratie gegenüber ihren Gegnern und damit Ausprägung des dem GG eigenen Wesenszugs der »streitbaren Demokratie« (BVerfGE 25, 100; 63, 308 ff. m. w. N.). Während durch Art. 9 II und Art. 21 II Gefahren begegnet werden soll, die vom *verbandsmäßigen Wirken* mit verfassungsfeindlicher Grundtendenz ausgehen, dient Art. 18 der

Abwehr von Gefahren, die der freiheitlichen demokratischen Grundordnung durch *individuelle verfassungsfeindliche Tätigkeit* drohen.

2   Als handelnde Grundrechtsträger kommen – je nach Grundrecht – Deutsche wie Nichtdeutsche in Betracht. Soweit sie grundrechtsfähig sind, können auch inländische juristische Personen (Art. 19 III) die von ihnen mißbrauchten Grundrechte verwirken (vgl. § 39 II BVerfGG). Hier werden dann allerdings i. d. R. auch die Voraussetzungen für Maßnahmen nach Art. 9 II oder Art. 21 II gegeben sein (zum str. Verhältnis d. Bestimmungen s. v. Münch, Art. 18 Rn. 29 ff.).

3   *Verwirkbar* sind nur die in Satz 1 ausdrücklich aufgeführten Grundrechte (BVerfGE 10, 123; 25, 97). Der Katalog ist abschließend (BVerfGE 63, 306). Der *Grundrechtsmißbrauch* besteht im Gebrauch dieser Grundrechte zum *Kampf gegen die freiheitliche demokratische Grundordnung*, also in einer vorsätzlichen Tätigkeit (i. S. eines natürlichen Handlungswillens, auf Zurechnungsfähigkeit und Unrechtsbewußtsein kommt es nicht an), die die Beseitigung oder die Beeinträchtigung dieser Ordnung *in der Bundesrepublik Deutschland* zum Ziel hat. Der Begriff der freiheitlichen demokratischen Grundordnung ist derselbe wie in Art. 21 II; vgl. dazu Art. 21 Rn. 13. Voraussetzung für eine Verwirkung ist die *fortgesetzte staatsfeindliche politische Betätigung*. Dabei kommt es entscheidend auf die Gefährlichkeit des Grundrechtsträgers für die Zukunft an. Die im Zeitpunkt der Antragstellung bestehende Gefahr für die freiheitliche demokratische Grundordnung muß während des Verfahrens fortbestehen (BVerfGE 38, 24 f.).

4   *Verwirkung:* Mit dem Ausspruch der Verwirkung verliert der Betroffene nicht das Grundrecht als solches, sondern dessen verfassungsrechtl. Gewährleistung, d. h. das Recht, sich auf das Grundrecht zu berufen. Str. ist, ob nur das mißbrauchte Grundrecht oder auch die übrigen verwirkungsfähigen Grundrechte für mitverwirkt erklärt werden können (vgl. v. Münch, Art. 18 Rn. 8 f.).

5   Die Verwirkung muß und kann nur das *Bundesverfassungsgericht* aussprechen, das hierüber in einem besonderen, in den §§ 36 ff. BVerfGG geregelten Verfahren zu entscheiden hat. Die Entscheidung muß bestimmen, welche Grundrechte verwirkt sind; sie kann die Verwirkungsdauer befristen; außerdem können dem Betroffenen konkrete Beschränkungen auferlegt sowie staatsbürgerliche Rechte aberkannt werden (§ 39 I u. II BVerfGG). Schon wegen der erforderlichen Bestimmung des Ausmaßes der Verwirkung hat der Ausspruch konstitutive Bedeutung mit ex-nunc-Wirkung (BGH, NJW 1954, 713 f.).

6   *Verhältnis zu anderen Staatsschutzregelungen:* Aus dem Verfassungsrang der Vorschrift mit dem Entscheidungsmonopol des BVerfG folgt, daß gesetzliche Bestimmungen über den gleichen Tatbestand mit gleichen oder gleichartigen Rechtsfolgen unzulässig sind. Das Monopol des BVerfG darf nicht dadurch gegenstandslos gemacht werden, daß Gesetzgeber oder Rechtsprechung (durch Auslegung) Tatbestände schaffen, deren Rechtsfolgen der Verwirkung von Grundrechten gleichkommen (BVerfGE 63, 306 f.; s. a. E 10, 123). Andererseits können Staat und Verfassung außer durch die (präventive) Grundrechtsverwirkung mit Rücksicht auf die unterschiedliche Zielsetzung auch straf- oder berufsrechtl. (durch repressive Verbote und Zulassungsvoraussetzungen) geschützt werden, soweit diese nicht faktisch einer Grundrechtsverwirkung gleichkommen (BVerfGE 63, 307). So ist ein durch Strafgerichte im Zusammenhang mit einer strafbaren Handlung ausgesprochenes Berufsverbot mit Art. 18 vereinbar (BVerfGE 25, 95 ff.).

7   Bisher ist eine Grundrechtsverwirkung zweimal beantragt, aber noch nie ausgesprochen worden (vgl. BVerfGE 11, 282 f.; 38, 23 ff.).

Artikel 19   [Grundrechtssicherung]

(1)   Soweit nach diesem Grundgesetz ein Grundrecht durch Gesetz oder auf Grund eines Gesetzes eingeschränkt werden kann, muß das Gesetz allgemein und nicht nur für den Einzelfall gelten. Außerdem muß das Gesetz das Grundrecht unter Angabe des Artikels nennen.

(2)   In keinem Falle darf ein Grundrecht in seinem Wesensgehalt angetastet werden.

(3)   Die Grundrechte gelten auch für inländische juristische Personen, soweit sie ihrem Wesen nach auf diese anwendbar sind.

(4)   Wird jemand durch die öffentliche Gewalt in seinen Rechten verletzt, so steht ihm der Rechtsweg offen. Soweit eine andere Zuständigkeit nicht begründet ist, ist der ordentliche Rechtsweg gegeben. Artikel 10 Abs. 2 Satz 2 bleibt unberührt.

1   Die Vorschrift umfaßt mehrere Bestimmungen, die – ohne selbst materiellen Grundrechtscharakter zu haben – dem *Schutz der Grundrechte* dienen. Während sich das Verbot des grundrechtseinschränkenden Einzelfallgesetzes und das Zitiergebot des Abs. 1 generell, die Wesensgehaltssperre des Abs. 2 vorzugsweise an den zu Grundrechtseinschränkungen ermächtigten Gesetzgeber richten, erweitert Abs. 3 den Kreis der begünstigten Grundrechtsträger um die inländischen juristischen Personen. Die Rechtsschutzgarantie des Abs. 4 stellt die gerichtliche Überprüfbarkeit aller hoheitlichen Akte der Exekutive sicher. Wie Art. 1 III, Art. 20 III, Art. 79 III und Art. 81 IV ist auch Art. 19 dazu bestimmt, den Grundrechten im Rechtsleben zur durchgreifenden Wirksamkeit zu verhelfen.

Absatz 1

2   In Abs. 1 wird der grundrechtsbeschränkende Gesetzgeber bestimmten Bindungen unterworfen. Diese gelten allerdings *nur für solche Grundrechte, die vom Grundgesetz unter einen ausdrücklichen Gesetzesvorbehalt gestellt sind,* d. h. deren Beschränkung oder Einschränkung durch Gesetz oder auf Grund eines Gesetzes von der Verfassung selbst vorgesehen ist. Die Frage, ob zu den Grundrechten i. S. dieser Vorschrift über die Art. 1 bis 17 hinaus auch die justiziellen Grundrechte (Verfahrensgarantien) in den Art. 101, 103 und 104 gehören – von BVerfGE 21, 373; 61, 104 im formellen Sinne verneint, vom Schrifttum verschiedentlich bejaht (vgl. v. Münch, Art. 19 Rn. 4) – verliert in diesem Zusammenhang insofern an praktischer Bedeutung, als Art. 101 und 103 keine Beschränkungsvorbehalte enthalten und Art. 104 I nur eine spezielle Form des Gesetzesvorbehalts zum Grundrecht der Freiheit der Person (Art. 2 II 2 u. 3) darstellt. Ausdrückliche Gesetzesvorbehalte finden sich in Art. 2 II 3, Art. 6 III, Art. 8 II, Art. 10 II, Art. 11 II, Art. 13 III sowie Art. 16 I 2. *Keine* Gesetzesvorbehalte in dem hier maßgeblichen Sinne sind insbes. die Art. 2 I (Schrankentrias der allg. Handlungsfreiheit), Art. 5 II (allg. Gesetze als Schranken der Grundrechte aus Art. 5 I), Art. 12 I 2 (gesetzliche Regelung der Berufsausübung), Art. 14 I 2 (Inhalts- und Schrankenbestimmung beim Eigentum), Art. 14 III 2 (Enteignungsgesetze) und Art. 15 Satz 1 (Vergesellschaftung durch Gesetz). Ebensowenig gehört ein zu einem Grundrecht vorgesehenes Ausführungsgesetz – z. B. Art. 4 III 2 – zu den Beschränkungsvorbehalten i. S. von Abs. 1. Auch Gesetze, die nur bereits in den Grundrechten selbst enthaltene Schranken verdeutlichen, fallen nicht unter Abs. 1.

3 *Satz 1:* Von *grundrechtseinschränkenden Gesetzen* verlangt Satz 1, daß sie *allgemein gelten und nicht nur einen Einzelfall regeln.* Hierzu hat das BVerfG geklärt, daß sog. Maßnahmegesetze (zum Begriff vgl. Vorbem. vor Art. 70 Rn. 6) als solche weder unzulässig sind noch strengeren verfassungsrechtl. Anforderungen unterliegen als andere Gesetze (BVerfGE 10, 108). Verboten dagegen sind Einzelfallgesetze (Individualgesetze), diese aber auch nur, wenn sie die Einschränkung von Grundrechten zum Gegenstand haben, nicht dagegen außerhalb dieses Bereichs (BVerfGE 25, 398). Zur Vermeidung einer Einzelfallregelung müssen die gesetzlichen Tatbestandsmerkmale so abstrakt gefaßt sein, daß sie nicht nur im Falle einer bestimmten Person erfüllt sind, daß vor allem nicht nur ein einmaliger Eintritt der vorgesehenen Rechtsfolge möglich ist (BVerfGE 13, 229). Ob der Sache nach eine Norm ein Individualgesetz oder einen allgemeinen Rechtssatz darstellt, ist zunächst durch Auslegung ihres Inhalts zu ermitteln. Auf die subjektive Vorstellung des Gesetzgebers kommt es dabei nicht an. Auch ein sog. getarntes Individualgesetz fällt unter das Verbot. Davon kann aber nur gesprochen werden, wenn der Gesetzgeber ausschließlich einen bestimmten Einzelfall oder eine bestimmte Gruppe von Einzelfällen regeln will und zur Verdeckung dieser Absicht generell formulierte Tatbestandsmerkmale so in einer Norm zusammenfaßt, daß diese nur auf die konkreten Sachverhalte Anwendung finden kann, die dem Gesetzgeber vorschwebten und auf die die Vorschrift zugeschnitten ist (BVerfGE 10, 244). Demgegenüber verlangt das Gebot des Satzes 1, daß sich auf Grund der abstrakten Fassung des gesetzlichen Tatbestandes tatsächlich nicht genau übersehen läßt, auf wie viele und welche Fälle das Gesetz in der Zukunft Anwendung findet (BVerfGE 36, 401). Ein unzulässiges Einzelfallgesetz ist verfassungswidrig und damit nichtig. Da ein solches Gesetz nicht zur verfassungsmäßigen Ordnung i. S. von Art. 2 I gehört, verstößt es zugleich gegen dieses Grundrecht, das jedermann gegen unrechtmäßige Beeinträchtigungen durch die Staatsgewalt im Persönlichkeitsbereich schützt (vgl. BVerfGE 36, 400).

4 *Satz 2* enthält das *Zitiergebot,* das der Gesetzgeber bei der Schaffung grundrechtseinschränkender Gesetzesbestimmungen durch Nennung des eingeschränkten Grundrechts mit Angabe des Artikels, ggf. auch des Absatzes, zu beachten hat. Das BVerfG hat hierzu jedoch wiederholt die Notwendigkeit einer engen Auslegung dieser Formvorschrift betont, um sie nicht zu einer leeren Förmlichkeit erstarren zu lassen und den die verfassungsmäßige

Ordnung konkretisierenden Gesetzgeber in seiner Arbeit nicht
unnötig zu behindern (BVerfGE 35, 188). Zu dieser engen Auslegung gehört, daß das Zitiergebot nur für förmliche, d. h. im formellen Gesetzgebungsverfahren vom Parlament verabschiedete
Gesetze gilt, daß es nicht eingreift bei solchen (nachkonstitutio-
nellen) Gesetzen, die lediglich bereits geltende Grundrechtsbeschränkungen unverändert oder nur mit geringen Abweichungen
wiederholen oder auf diese verweisen (BVerfGE 61, 113); denn
die Vorschrift soll allein verhindern, daß neue, dem bisherigen
Recht fremde Möglichkeiten des Eingriffs in Grundrechte geschaffen werden, ohne daß der Gesetzgeber sich darüber Rechenschaft ablegt und dies ausdrücklich zu erkennen gibt (BVerfGE 5,
16). Daraus folgt schließlich sogar, daß Gesetze, bei denen eine
weitergehende Einschränkung des Grundrechts der persönlichen
Freiheit offenkundig ist – wie etwa bei der Schaffung neuer Straf-
tatbestände mit der Androhung von Freiheitsstrafen oder bei der
Erweiterung der Haftgründe im Strafprozeßrecht –, nicht der besonderen Hervorhebung der Grundrechtsbeschränkung durch ein
entsprechendes Zitat im Änderungsgesetz bedürfen (BVerf-
GE 35, 189). Im übrigen betrifft das Zitiergebot nur Gesetze, die
darauf abzielen, ein Grundrecht über die in ihm selbst angelegten
Grenzen hinaus einzuschränken (BVerfGE 28, 46). Es gilt deshalb ausschließlich für solche Grundrechtsbeschränkungen, zu
denen der Gesetzgeber im GG ausdrücklich ermächtigt ist, nicht
dagegen für die Begrenzung derjenigen Grundrechte, die von
vornherein mit Schranken versehen sind wie die allgemeine
Handlungsfreiheit des Art. 2 I (BVerfGE 10, 99). Nicht zitierpflichtig sind ferner Einschränkungen der Meinungs- und Informationsfreiheit einschl. der Presse- und Rundfunkfreiheit (Art. 5
I), weil diese Grundrechte nach Art. 5 II nur im Rahmen der allgemeinen Gesetze und der anderen dort genannten Schutzbestim-
mungen garantiert sind (BVerfGE 33, 77 f.). Das gilt auch dann,
wenn ein freiheitsbeschränkendes Gesetz für Wehr- und Ersatzdienstleistende sich formal auf Art. 17 a stützt (BVerfGE 28,
291 f.; 44, 201 f.). Desgleichen fallen Regelungen, die auf der
Grundlage des Art. 12 I 2 die Berufsfreiheit konkretisieren, nicht
unter das Zitiergebot (BVerfGE 13, 122 f.; 64, 72; vgl. auch
Art. 12 Rn. 8). Schließlich sind Inhalts- und Schrankenbestimmungen des Eigentums und des Erbrechts (Art. 14 I 2) ebensowenig zitierpflichtig wie Enteignungsgesetze i. S. von Art. 14 III 1
(BVerfGE 24, 396 f.). Wo das Zitergebot gilt, haben Verstöße
dagegen die Nichtigkeit des Einschränkungsgesetzes zur Folge
(BVerfGE 5, 15 f.).

Absatz 2

5 Die *Wesensgehaltsgarantie* des Abs. 2 stellt eine absolute Eingriffsgrenze für den Gesetzgeber, aber auch – im Hinblick auf Abs. 1 Satz 1 (»auf Grund eines Gesetzes«) – für Verwaltung und Rechtsprechung dar, soweit das Gesetz auslegungsfähig ist oder der Exekutive einen entsprechenden Ermessensspielraum beläßt. Unmittelbar soll diese Sperre nur für die Fälle gelten, in denen der Gesetzgeber von seiner Ermächtigung zu Grundrechtseinschränkungen nach Abs. 1 Gebrauch macht (BVerfGE 31, 69 zu Art. 6 I; vgl. auch E 13, 122 zu Art. 12 I). Sowohl der allgemein gehaltene Wortlaut (»in keinem Falle«) als auch der Schutzzweck der Vorschrift – sie schützt nämlich vor einer Beseitigung der Substanz der Grundrechte und verbietet damit ihre prinzipielle Preisgabe (BVerfGE 30, 24) – sprechen aber dafür, sie auf alle Eingriffsfälle zu erstrecken, also auch dann anzuwenden, wenn diese nicht auf der Befugnis des Gesetzgebers zur Schrankenbestimmung einzelner Grundrechte beruhen (Maunz/Dürig, Art. 19 II Rn. 20; v. Münch, Art. 19 Rn. 21). Auch dort, wo vorbehaltlos garantierte Grundrechte zugunsten anderer verfassungsgeschützter Rechtsgüter auf Grund einer Güterabwägung zurückgedrängt werden, dürfte deshalb die Wesensgehaltsgrenze zu achten sein. Den Verfassungsgesetzgeber bindet Abs. 2 allerdings nicht, für ihn gilt Art. 79 III, der über den dort genannten Art. 1 jedenfalls den Menschenwürdegehalt der Grundrechte schützt.

6 Die genaue *Bestimmung des Wesensgehalts* von Grundrechten stellt sich naturgemäß als schwierig dar. Laut BVerfG muß der unantastbare Wesensgehalt für jedes Grundrecht aus seiner besonderen Bedeutung im Gesamtsystem der Grundrechte ermittelt werden (BVerfGE 22, 219). Für die Frage, ob eine Grundrechtseinschränkung den Wesensgehalt des betr. Grundrechts »antastet«, soll außer dem zu regelnden Lebensverhältnis, der tatsächlich getroffenen Regelung und den gesellschaftlichen Anschauungen das rechtl. geläuterte Urteil über die Bedeutung, die das Grundrecht nach der getroffenen Einschränkung noch für das soziale Leben im ganzen besitzt, maßgebend sein (BVerfGE 2, 285). Andererseits darf die Wesensgehaltsgrenze nicht durch Abwägungen i. S. der Verhältnismäßigkeit relativiert werden, da es sich hierbei um eine absolute (letzte) Grenze handelt (BVerfGE 16, 201) und der Verhältnismäßigkeitsgrundsatz unabhängig davon bei jeder Grundrechtsbeschränkung zu beachten ist. Deshalb muß unter dem Wesensgehalt eines Grundrechts dessen absolut feststehender Kern verstanden werden; dieser wiederum ist beschränkt auf diejenigen Eigenschaften, die – ausgehend von der Definition der betr. Freiheitsgarantie – die Natur und die Grundsubstanz des Grundrechts ausmachen (vgl. v. Münch, Art. 19 Rn. 25). Mindestens umfaßt der Wesensgehalt denjenigen Gehalt des Grundrechts, der die notwendige Folgerung aus dem Gebot staatl. Achtung der Menschenwürde (Art. 1 I) darstellt (vgl. BVerwGE 47, 357, wonach der Wesensgehalt sich hierauf beschränkt). Schließlich ist umstritten, ob Abs. 2 das Grundrecht als Individualrecht (= subjektiv-öffentl. Recht) oder als normativen Teil der Verfassung, d. h. die abstrakte (objektive) Freiheitsgarantie als solche schützt (vgl. v. Münch, Art. 19 Rn. 34). Richtig dürfte die Auslegung sein, daß auf jeden Fall die Substanz des Grundrechts als Institut, also seine objektive Funktion für die Gesamtheit der Grundrechtsträger erhalten werden muß (keine prinzipielle Preisgabe; vgl. BVerfGE 30, 24). Bei der lebenslangen Freiheitsstrafe soll sich die Frage der Vereinbarkeit mit der Wesensgehaltssperre deshalb nicht stellen, weil aus der Entstehungsgeschichte des GG zwar nicht ohne weiteres die allgemeine verfassungsrechtl. Billigung dieser althergebrachten Strafe, wohl aber ihre Verträglichkeit speziell mit Art. 2 II 2 und Art. 19 II hergeleitet werden kann (BVerfGE 45, 270 f.).

Absatz 3

7 In Abs. 3 wird die Möglichkeit der Grundrechtsträgerschaft auch *inländischen juristischen Personen* zuerkannt. Voraussetzung ist, daß die jeweiligen Grundrechte ihrem Wesen nach auf die juristischen Personen anwendbar sind. Dieses Erfordernis führt von vornherein zu einer grundsätzlichen Unterscheidung zwischen den juristischen Personen des privaten und denen des öffentl. Rechts. Während die Voraussetzung der wesensmäßigen Anwendbarkeit von Grundrechten bei *juristischen Personen des Privatrechts* weitgehend erfüllt sein wird, gelten die Grundrechte für *juristische Personen des öffentlichen Rechts grundsätzlich nicht, soweit diese öffentliche Aufgaben wahrnehmen* (BVerfGE 45, 78 m. w. N.; 61, 101). Dabei handelt es sich bei dem Umstand, daß eine Tätigkeit ihrer Rechtsnatur nach zur Erfüllung einer öffentl. Aufgabe erbracht wird, um das eigentlich entscheidende Kriterium für den grundsätzlichen Ausschluß der Grundrechtsträgerschaft. Darum kommt es auf die Frage, ob eine solche Aufgabe in öff.-rechtl. oder privatrechtl. (Organisations-)Formen – etwa durch eine juristische Person des Privatrechts, deren alleiniger Inhaber eine Körperschaft des öffentl. Rechts ist – durchgeführt wird, für die Grundrechtsgeltung nicht an (BVerfGE 45, 78 ff.).

8 Allerdings ist auch einer *juristischen Person des öffentlichen Rechts* in folgenden Fällen *ausnahmsweise Grundrechtsfähigkeit* (und damit auch die Möglichkeit zur Erhebung einer Verfassungsbeschwerde) zuzuerkennen: 1. Die justiziellen Grundrechte des Art. 101 I 2 (Recht auf den gesetzlichen Richter) und des Art. 103 I (Anspruch auf rechtl. Gehör vor Gericht) stehen jedem zu, der an einem gerichtlichen Verfahren als Partei oder in ähnlicher Stellung beteiligt ist (BVerfGE 18, 447; 61, 104 f.); das kann u. a. auch eine juristische Person des öffentl. Rechts sein. 2. Grundrechtsschutz genießt eine juristische Person des öffentl. Rechts auch bei der Wahrnehmung öffentl. Aufgaben dann, wenn sie ausnahmsweise dem durch das Grundrecht geschützten Lebensbereich unmittelbar zuzuordnen ist (BVerfGE 31, 322; 62, 369 f.), nämlich den Bürgern zur Verwirklichung ihrer Grundrechte dient und als eigenständige, vom Staat unabhängige oder jedenfalls distanzierte Einrichtung Bestand hat (BVerfGE 45, 79). Das trifft für die Universitäten und Fakultäten in bezug auf das Grundrecht der Wissenschaftsfreiheit (Art. 5 III 1) sowie für die Rundfunkanstalten in bezug auf das Grundrecht der Freiheit der Berichterstattung (Art. 5 I 2) zu (BVerfGE 61, 102 m. w. N.). Entsprechendes gilt für die Kirchen und sonstigen Religionsgesellschaften sowie ihre Untergliederungen auch in der Form von Körperschaften des öffentl. Rechts, insbes. in bezug auf das Grundrecht der Glaubens- und Bekenntnisfreiheit (Art. 4 I u. II), da sie in ihrem Eigenbereich weder staatl. Aufgaben wahrnehmen noch staatl. Gewalt ausüben (BVerfGE 21, 374; 42, 321 ff.; 53, 387; 57, 240 f.). Auch bei einer Personalvertretung, die Rechte von Beschäftigten gegenüber dem Staat als Dienstherrn zu wahren hat, kann sich die Frage nach ihrer Grundrechtsfähigkeit stellen (vgl. BVerfGE 51, 87). Nicht als in dieser Art eigenständige, vom Staat distanzierte Einrichtungen sind hingegen – trotz Selbstverwaltungsrechts – die Gemeinden anzusehen, die grundsätzlich auch dann nicht grundrechtsfähig sind, wenn sie nicht in Erfüllung öffentl. Aufgaben tätig werden (BVerfGE 61, 103 ff. m. w. N.).

9 Während der Staat und seine Verwaltungsträger für eine Grundrechtsträgerschaft i. S. von Abs. 3 regelmäßig ausscheiden, wird der *Begriff der juristischen Person im Bereich der privatrechtlichen Personenvereinigungen* vom BVerfG *weit ausgelegt.* Das bedeutet, daß *auch nichtrechtsfähige Vereinigungen,* soweit sie zu eigener Willensbildung und zu eigenständigem Handeln fähig sind, als Grundrechtsträger in Frage kommen (vgl. BVerfGE 10, 99). Das ist in der Rechtsprechung des BVerfG besonders für die Handelsgesellschaften OHG und KG (vgl. BVerfGE 4, 12, 17; 42, 219), ferner in bezug auf Art. 3 I für die nichtrechtsfähigen polit. Parteien (BVerfGE 3, 391 f.; 6, 276 f.) anerkannt. Mit Recht bejaht BVerwGE 40, 348 f. auch die Grundrechtsfähigkeit von *Stiftungen.*

10   Soweit danach juristische Personen und andere rechtl. Personengesamtheiten grundrechtsfähig sein können, kommen dafür *alle Grundrechte* in Betracht, *die auch kollektiv betätigt werden können* (BVerfGE 42, 219) und *für eine voll wirksame korporative Ausübung der dem Vereinigungszweck dienenden Tätigkeiten erforderlich sind.* Dazu zählen namentlich Art. 2 I und Art. 3 I (BVerfGE 19, 215), Art. 4 I, Art. 5 I (BVerfGE 21, 277 f.), Art. 5 II, Art. 7 IV (BVerwGE 40, 348 f.), Art. 8, Art. 9 I (BVerfGE 13, 175; BVerwGE 54, 219), Art. 9 III, Art. 10 I, Art. 11 I (s. o. Art. 11 Rn. 1), Art. 12 I (BVerfGE 21, 266; 53, 13), Art. 13 (BVerfGE 42, 219), Art. 14 (BVerfGE 4, 17), Art. 17, Art. 19 IV (s. Rn. 13). Dagegen ist eine Reihe von Grundrechten wegen ihres ausschließlichen Bezugs zum Menschen als Individuum nicht auf rechtl. verselbständigte Personenvereinigungen übertragbar. Dazu gehören: Art. 1 I (Menschenwürde), Art. 2 II (Leben und körperliche Unversehrtheit; Freiheit der Person - BVerwGE 54, 220), Art. 3 II (Gleichberechtigung der Geschlechter), Art. 4 III (Kriegsdienstverweigerung), Art. 6 (Ehe u. Familie – BVerfGE 13, 297 f.; vgl. auch HessStGH, NJW 1980, 2405), Art. 12 III (Zwangsarbeit), Art. 12 a (öffentl. Dienstverpflichtungen), Art. 16 (Staatsangehörigkeit, Auslieferung, Asyl).

11   Im Hinblick auf den Wortlaut von Abs. 3 hat das BVerfG es abgelehnt, auch *ausländischen juristischen Personen* – die Auslandseigenschaft bestimmt sich nach ihrem Sitz (d. h. dem tatsächlichen Verwaltungsmittelpunkt) – die Grundrechtsträgerschaft zuzubilligen (BVerfGE 21, 208 f.). Dem wird in der Literatur nicht überall gefolgt (vgl. v. Münch, Art. 19 Rn. 31 ff.; für zumindest entsprechende Anwendung auf ausländische juristische Personen Degenhart, EuGRZ 1981, 161). Dies schließt nicht aus, daß etwa ein aus Art. 14 abgeleiteter Entschädigungsanspruch (aus enteignungsgleichem Eingriff) mangels unterschiedlicher Behandlung des Grundstückseigentums bei inländischen und ausländischen juristischen Personen durch den Gesetzgeber *einfach-rechtlich* auch ausländischen Gesellschaften zusteht (BGHZ 76, 383 ff.). Im übri-

gen kommt im Gerichtsverfahren ausländischen juristischen Personen der Schutz der justiziellen Grundrechte (Art. 101 I 2, Art. 103 I) wie jeder Partei zugute (s. oben Rn. 8).

Absatz 4

12 Als wesentliche rechtsstaatl. Verbürgung gewährleistet das *»formelle Hauptgrundrecht«* des Art. 19 IV jedermann den *lückenlosen gerichtlichen Rechtsschutz* gegen behauptete rechtswidrige Eingriffe der öffentl. Gewalt in seine Rechte (vgl. BVerfGE 22, 110; 58, 40) und garantiert damit mittelbar auch den Bestand der Rechtsordnung insgesamt. Die überragende Bedeutung, die dieser Grundsatznorm für die gesamte Rechtsordnung im Verfassungsgefüge des GG zukommt, muß auch bei der Übertragung von Hoheitsrechten auf zwischenstaatl. Einrichtungen beachtet werden (BVerfGE 58, 40). Eine solche Übertragung ist deshalb nur bei grundsätzlicher Gewährleistung eines anderweitigen Rechtsschutzes zulässig (BVerfGE 58, 41 ff.).

13 *Satz 1: Grundrechtsträger* kann jede natürliche oder juristische Person sein (vgl. BVerfGE 22, 110; 35, 401; 42, 123). Eine Körperschaft des öffentl. Rechts kann sich jedoch nicht auf Art. 19 IV berufen, wenn sie in ihrer Eigenschaft als Träger von Hoheitsrechten einem anderen Hoheitsträger gegenübertritt, da in diesem Fall das von Art. 19 IV vorausgesetzte Über-Unterordnungsverhältnis fehlt (vgl. BFHE 62, 115).

14 *»Öffentliche Gewalt«* i. S. des Satzes 1 sind nur Akte der durch das GG gebundenen deutschen öffentl. Gewalt (vgl. BVerfGE 1, 10 f.; 58, 27). Die Vorschrift begründet keine Auffangzuständigkeit deutscher Gerichte für Akte ausländischer Staaten oder supranationaler Organisationen gegenüber Einwohnern der Bundesrepublik Deutschland (vgl. BVerfGE 58, 29 f.), wohl aber für die Anerkennung und Vollstreckung ausländischer Hoheitsakte (BVerfGE 59, 282 f.; 63, 375 ff.). Erfaßt werden grundsätzlich *alle Akte der Exekutive* (BVerfGE 10, 267) einschl. der Justizverwaltungsakte (BVerfGE 28, 14 f.). Eingeschlossen sind damit prinzipiell auch *Maßnahmen im sog. besonderen Gewaltverhältnis* (vgl. hierzu Vorbem. vor Art. 1 Rn. 12) und *Regierungsakte* (mit Ausnahme von solchen, die rein staatspolit. Natur sind und in Ausübung polit. Ermessens ergehen – vgl. BVerwGE 15, 65 f.; OVG Münster, DVBl 1967, 52). Nicht abschließend geklärt ist die Anwendbarkeit des Art. 19 IV auf *Gnadenakte*. Für eine generelle gerichtliche Überprüfbarkeit spricht, daß auch hier verletzbare

Rechtsbindungen – z. B. durch Art. 3 – bestehen (vgl.
HessStGH, NJW 1974, 792). Das BVerfG hat eine Klagemöglich-
keit bisher allerdings nur beim Widerruf von Gnadenerweisen anerkannt (BVerfGE 30, 111), nicht dagegen auch bei der Ablehnung von Gnadengesuchen (vgl. BVerfGE 25, 358 ff.; a. A. die
vier dissentierenden Richter ebd. S. 363 ff.). Für die Verwaltung
läßt sich aus der Rechtsweggarantie auch die grundsätzliche *Verpflichtung zur Begründung* der von ihr erlassenen Maßnahmen
herleiten. Nicht zur öffentl. Gewalt i. S. des Art. 19 IV 1 gehören
die *Rechtsprechung* (BVerfGE 15, 280; 22, 110; vgl. auch BVerf-
GE 42, 248; 58, 231 f.) sowie nach Ansicht des BVerfG die *Gesetzgebung* (BVerfGE 24, 49 ff.; 45, 334; a. A. BGHZ 22, 33),
hinsichtlich der es auch in aller Regel an einer unmittelbaren
Rechtsverletzung fehlen wird. Auch Maßnahmen im *innerkirchlichen Bereich* erfolgen nicht in Ausübung öffentl. (staatl.) Gewalt;
vgl. aber Art. 140 Rn. 11, 12. Die *Wahlprüfung* im Bunde ist der
Rechtsschutzgarantie des Art. 19 IV durch Art. 41 entzogen (vgl.
BVerfGE 22, 281; 66, 234).

15   Art. 19 IV 1 setzt voraus, daß jemand die *Verletzung von eigenen
Rechten* behauptet (vgl. BVerfGE 27, 305; 31, 39; 51, 185). Gewährleistet werden damit nicht Popularklageverfahren (BVerfGE
13, 151) oder Verbandsklagen. Das GG steht jedoch ihrer Einführung durch den Gesetzgeber prinzipiell nicht entgegen. Zu den
dem einzelnen gewährten Rechtspositionen gehören nicht nur
Grundrechte, sondern alle subjektiv-öffentl. Rechte. Erfaßt ist
auch der Anspruch auf fehlerfreie Ermessensausübung (BVerfGE
27, 305). Nicht ausreichend ist hingegen die Verletzung bloßer
wirtschaftlicher Interessen oder der Verstoß gegen Rechtssätze,
die nur im Allgemeininteresse ergangen sind und nicht zur Einräumung subjektiver Rechtspositionen geführt haben (vgl. BVerfGE
31, 39 f.). Eine *Rechtsverletzung* – möglich durch Handeln oder
Unterlassen (vgl. BVerfGE 46, 177 f.) – liegt vor, wenn ein der
Befriedigung der eigenen Interessen des Betroffenen dienender
zwingender Rechtssatz zu seinem Nachteil nicht oder nicht richtig
angewandt worden ist (BVerwGE 6, 169 f.). Bei der Annahme einer Rechtsverletzung ist die Rechtsprechung i. d. R. großzügig
(vgl. etwa BVerfGE 9, 198; 27, 305 ff.).

16   *Rechtsweg* i. S. des Art. 19 IV 1 ist der *Weg zu den Gerichten* als
staatl. Institutionen (BVerfGE 4, 94). Garantiert wird nicht nur
die formale Möglichkeit, Gerichte anzurufen, sondern auch der
Anspruch auf *tatsächlich wirksame gerichtliche Kontrolle* (BVerf-
GE 37, 153; 44, 305; 60, 294 ff.). Der Rechtsweg darf weder ausge-

schlossen noch in unzumutbarer, aus Sachgründen nicht gerecht-
fertigter Weise erschwert werden (BVerfGE 40, 274 f.; 49, 256 f.;
54, 97; 57, 21). Daher sind auch klare Rechtswegvorschriften geboten (vgl. BVerfGE 57, 22), und das einem gerichtlichen Verfahren vorgeschaltete Verwaltungsverfahren muß dementsprechend
ausgestaltet sein (BVerfGE 61, 110). Gewährleistet ist der Anspruch auf vollständige – auch die Beurteilungsgrundlagen umfassende – Nachprüfung der angefochtenen Maßnahme in rechtl.
und tatsächlicher Hinsicht durch ein Gericht (vgl. BVerfGE 28,
15 f.; 51, 312). Dazu muß das Gericht über hinreichende Prü-
fungs- und Entscheidungsbefugnisse verfügen (BVerfGE 61, 82).
Rechtsschutz ist innerhalb einer den Umständen des einzelnen
Falles entsprechenden angemessenen Zeit zu gewähren (BVerf-
GE 55, 369; 60, 269). *Vorläufiger Rechtsschutz* ist durch Art. 19
IV 1 geboten, wenn ohne ihn schwere und unzumutbare, anders
nicht abwendbare Nachteile entstünden, zu deren nachträglicher
Beseitigung die Entscheidung in der Hauptsache nicht mehr in der
Lage wäre (BVerfGE 46, 179). Nur überwiegende öffentl. Belange können es in Ausnahmefällen rechtfertigen, daß der Rechts-
schutzanspruch des Bürgers hinter im Interesse der Allgemeinheit
unaufschiebbaren Maßnahmen einstweilen zurücktritt (BVerfGE
51, 284 f.).

17   Die nähere normative *Ausgestaltung des Rechtsweges* hat der Gesetzgeber vorzunehmen (vgl. BVerfGE 60, 268; BVerwGE 57,
273 ff.). Art. 19 IV 1 gewährleistet keinen *Instanzenzug* (BVerf-
GE 11, 233; 49, 340). Ist aber ein solcher durch Gesetz geschaffen
worden, darf der Zugang zu den einzelnen Instanzen nicht unzumutbar erschwert werden (BVerfGE 41, 26). Formale Zugangs-
voraussetzungen wie Vertretungs- und Fristenregelungen sind zulässig (BVerfGE 9, 199 f.). Jedoch verlangt die Rechtsschutzgarantie des Art. 19 IV 1, daß nicht durch zu enge Auslegung von
Fristenregelungen der Zugang zu den Gerichten abgeschnitten
wird. Dies gilt insbes. bei Anträgen auf Wiedereinsetzung in den
vorigen Stand (vgl. BVerfGE 41, 327 f., 335; 42, 123 ff.; 50, 3; 54,
84). Auch muß eine verfrüht eingelegte Beschwerde berücksichtigt werden (BVerfGE 54, 97 f.). Art. 19 IV erweitert auch einen
an sich gegebenen, in seiner Ausgestaltung aber unvollständig gebliebenen Rechtsweg (BFHE 55, 227; BGHZ 34, 249; BVerwG,
DVBl 1983, 943).

18   *Satz 2:* Art. 19 IV 1 sichert keinen bestimmten Rechtsweg
(BVerfGE 31, 368). Als *Auffangtatbestand* (BVerfGE 57, 21)
sieht aber Satz 2 die Zuständigkeit der ordentlichen Gerichte vor,
soweit nicht gesetzlich andere Zuständigkeiten begründet sind.

19 *Satz 3* wurde im Rahmen der Notstandsverfassung durch G vom 24. 6. 1968 (BGBl. I S. 709) eingefügt und verweist auf Art. 10 II 2. Danach kann der Rechtsweg für Maßnahmen, die im Rahmen der Überwachung des Brief-, Post- und Fernmeldeverkehrs erfolgen und dem Schutz der freiheitlichen demokratischen Grundordnung oder dem Bestand oder der Sicherung von Bund und Ländern dienen, durch ein gleichwertiges Kontrollverfahren ersetzt werden (vgl. dazu Art. 10 Rn. 7). Trotz dagegen geäußerter Bedenken, insbes. des Einwandes, daß diese Ermächtigung gegen die Wesensgehaltsgarantie des Art. 19 II und gegen die materiellen Schranken der Verfassungsrevision nach Art. 79 III verstoße (vgl. etwa Häberle, JZ 1971, 145 ff. sowie die abweichende Meinung in BVerfGE 30, 33 ff.), ist die Regelung nach Ansicht des BVerfG verfassungskonform (BVerfGE 30, 17 ff.).

II. Der Bund und die Länder

Vorbemerkungen

1 Abschnitt II enthält zunächst *Vorschriften über den Bund,* seine
Staatsform (Art. 20), seine Farben (Art. 22), sein Gebiet
(Art. 23) und seine Stellung in der Völkergemeinschaft (Art. 24–
26), sodann *Regelungen von gemeinsamer Bedeutung für Bund
und Länder* (Art. 21, 33–35) und *Vorschriften über das Bund-
Länder-Verhältnis.* Das Verhältnis des Bundes zu den Ländern
wird vor allem in Art. 28 (Normativbestimmungen für die Län-
derverfassungen), Art. 30 (Verteilung der Aufgaben u. Befugnisse zwischen Bund u. Ländern), Art. 31 (Vorrang des Bundesrechts vor dem Landesrecht), Art. 32 (Auswärtige Beziehungen)
und Art. 37 (Bundeszwang) behandelt. Weitere wichtige Vorschriften über das Bund-Länder-Verhältnis finden sich in den
Art. 50 f. (Beteiligung der Länder an der Gesetzgebung und Verwaltung des Bundes durch den BRat), Art. 70–75 und 105 (Abgrenzung der Gesetzgebungszuständigkeiten zwischen Bund u.
Ländern), Art. 83–91 (Abgrenzung der Verwaltungszuständigkeiten), Art. 92–96, 98–100 (Zuständigkeitsabgrenzung in der
Gerichtsarkeit) und Art. 104 a–109 (Finanzwesen).

2 Im GG fehlen, wie in den meisten Verfassungen, Regelungen des
*politischen Verhältnisses zwischen Staat und gesellschaftlichen
Mächten.* Von diesen ist lediglich den Parteien in sehr allgemeiner
Form ein Mitwirkungsrecht bei der polit. Willensbildung gewährleistet (Art. 21), sonst aber auch ihr polit. Verhältnis zum Staat
ungeregelt geblieben. Eingehender sind die Beziehungen zwischen Staat und Religionsgemeinschaften durch Art. 140 geordnet. Für alle übrigen gesellschaftlichen Organisationen verbürgt
das GG (Art. 9) nur die freie Verbandsbildung; ihre polit. Einflußmöglichkeiten überläßt es dem freien Spiel der Kräfte auf der
Grundlage und in den Schranken des nach Art. 5 *für alle* gegebenen Rechtes zur polit. Meinungs- und Willensäußerung. Für die
Abgrenzung von Staat und gesellschaftlichen Organisationen ist
außerdem das als Verfassungsgewohnheitsrecht anzusehende Ge-
waltmonopol des Staates sowie das strafrechtsbewehrte Verbot
der Nötigung von Verfassungsorganen (§§ 105 ff. StGB) von Bedeutung; vgl. dazu auch BGHSt 23, 57.

Artikel 20   [Staatsform]

(1)   Die Bundesrepublik Deutschland ist ein demokratischer und sozialer Bundesstaat.

(2)   Alle Staatsgewalt geht vom Volke aus. Sie wird vom Volke in Wahlen und Abstimmungen und durch besondere Organe der Gesetzgebung, der vollziehenden Gewalt und der Rechtsprechung ausgeübt.

(3)   Die Gesetzgebung ist an die verfassungsmäßige Ordnung, die vollziehende Gewalt und die Rechtsprechung sind an Gesetz und Recht gebunden.

(4)   Gegen jeden, der es unternimmt, diese Ordnung zu beseitigen, haben alle Deutschen das Recht zum Widerstand, wenn andere Abhilfe nicht möglich ist.

1   Art. 20 legt den Namen des im GG verfaßten deutschen Staates und die Grundelemente der staatl. Ordnung fest. Die in ihm enthaltenen Staatsstrukturprinzipien stehen grundsätzlich im Verhältnis der Gleichrangigkeit zueinander und sind nach Art. 79 III auch jeder Grundgesetzänderung entzogen. Art. 20 bezieht sich nur auf die staatl., nicht auf die gesellschaftliche Ordnung, und nur auf die Bundesrepublik Deutschland als Gesamtstaat; die staatl. Grundordnung der Länder ist bundesrechtlich in Art. 28 I vorgezeichnet.

Absatz 1

2   Mit den Worten »Bundesrepublik Deutschland« wird der Name des deutschen Staatswesens bestimmt und nach herrschender, im Hinblick auf Art. 79 III aber nicht unzweifelhafter Meinung zugleich auch die republikanische Staatsform verankert. Der Begriff »Republik« hat im modernen und auch dem GG zugrundeliegenden Sprachgebrauch nur noch die Bedeutung von Nicht-Monarchie. Die Bezeichnung »Deutschland« enthält ein Bekenntnis zur Identität der Bundesrepublik mit dem Deutschen Reich.

3   Das Wort »demokratisch« legt die Art der Republik, die sehr verschiedene Formen annehmen kann, näher fest und bedeutet, daß die Staatsgewalt der Bundesrepublik Deutschland nicht in der Hand eines einzelnen, einer Gruppe, einer oder mehrerer Parteien oder sonstiger Verbände, eines Standes, Berufs, einer Klasse, Religionsgemeinschaft, Nationalität oder Rasse, sondern beim Gesamtvolk liegen soll. Im übrigen ist der Begriff der *Demokratie* in Abs. 1 allgemein und in einer gewissen Distanz zu den konkreten Erscheinungsformen der Demokratie zu verstehen, die gerade das GG verwirklicht hat. Dies vor allem deswegen, weil Art.

79 III sonst dem Verfassungsgesetzgeber allzuviel entziehen würde, was wegen der stetigen Entwicklung, in der sich die polit. Verhältnisse jedes Staates befinden, zu seiner Verfügung bleiben
muß. Da ein Staat von der Größe der Bundesrepublik in unmittelbarer Demokratie nicht regierbar ist, enthält Abs. 1, wie dann
auch in Abs. 2 Satz 2 bestätigt, praktisch auch eine Entscheidung
für die mittelbare Demokratie mit der Folge, daß zum wesentlichen Inhalt des grundgesetzlichen Demokratiegebots vor allem
das Bestehen einer Volksvertretung gehört, die über umfassende
Gesetzgebungsrechte verfügt, die Regierung kontrolliert und
vom Volke in demokratischen, d. h. allgemeinen, gleichen, freien
und geheimen Wahlen gewählt wird (vgl. dazu BVerfGE 1, 33; 18,
154; 41, 414). Weitere Wesensmerkmale der Demokratie sind das
Gleichheitsprinzip (alle Staatsangehörigen müssen die gleichen
staatsbürgerlichen Rechte besitzen) und das Mehrheitsprinzip
(die maßgebenden polit. Entscheidungen müssen von der Mehrheit des Volkes bzw. der Volksvertretung getragen sein) als Gegensatz zu jeder Form von »Minderheitsherrschaft«. Als Demokratie i. S. des Abs. 1 ist, wie sich insbes. auch aus Art. 18 und 21
ergibt, eine *freiheitliche Demokratie* zu verstehen, in der das Volk
auch tatsächlich die Grundrichtung der staatl. Willensbildung frei
und maßgeblich bestimmt, keine »gelenkte« oder bloße Scheinde-
mokratie nach dem Muster der kommunistischen Staaten. Zur
freiheitlichen Demokratie gehören auch die Möglichkeit freier
polit. Meinungs- und Willensbildung mit den entsprechenden
Rechtsgewährleistungen und eine von mehr als unvermeidbaren
staatl. Einflüssen freie Willensbildung vom Volke zu den Staatsorganen hin (BVerfGE 20, 97), ferner die Möglichkeit polit. Opposition und des Machtwechsels. Daß die Bundesrepublik eine
»Parteiendemokratie«, d. h. eine Demokratie mit frei gebildeten
Parteien sein soll, ergibt sich nicht aus Art. 20, sondern erst aus
Art. 21.

4 *Sozialstaat:* Die Sozialstaatsklausel soll ganz allgemein ein Gegengewicht zu den freiheitlichen Ordnungsprinzipien des GG bilden
und die Härten, die die reine Durchführung einer freien, kapitali-
stischen Wirtschaftsordnung vielfältig mit sich bringt, abschleifen.
Sie ist vor allem Schutzprinzip für die wirtschaftl. Schwachen
(BSGE 10, 100) und verpflichtet den Staat, auch diesen Freiheit
von Not, ein menschenwürdiges Dasein und eine angemessene
Beteiligung am allgemeinen Wohlstand zu gewährleisten. Im übrigen ist die Reichweite des Sozialstaatsbegriffes noch unklar.
Nach BVerfGE 22, 204 zielt die Sozialstaatsklausel überhaupt auf

eine gerechte und ausgeglichene Gestaltung der gesellschaftlichen
Verhältnisse. Schon in dieser Definition verliert der Sozialstaats-
begriff an Konturen, vor allem in seinem Verhältnis zu Art. 3 I.
Leitgedanken wie Ausgleich sozialer Gegensätze und Konflikte,
Gesellschaftsgestaltung, Daseinsvorsorge, Fortschritt, Wirt-
schafts- und Wohlstandswachstum, Staatsplanung usw., die ihm
häufig zugeschrieben werden, sind mehr als polit. Ziele und Maxi-
men denn als rechtlich faßbare Begriffsmerkmale des Sozialstaa-
tes und justiziable Forderungen des Sozialstaatsgebots anzusehen. Sicher ist das Sozialstaatsprinzip nicht auf eine Beseitigung
jedweder Ungleichheiten in den sozialen Verhältnissen, auf eine
allfällige »Gleichmacherei« gerichtet. Es enthält auch keine Verpflichtung zur allgemeinen Besitzstandswahrung sozialer Rechte
(BSGE 15, 76). Hauptsächliches Ziel der Sozialstaatsklausel ist
die Bewältigung sozialer Notlagen und Beeinträchtigungen, wie
sie z. B. durch Krankheit, Alter, Invalidität, Arbeitslosigkeit und
sonstige benachteiligende Lebensumstände herbeigeführt werden. Besondere, bereits konkretisierte Ausprägungen des Sozial-
staatsgedankens sind die Sozialversicherung (BVerfGE 28, 348),
die Fürsorge für Hilfsbedürftige (BVerfGE 40, 133; 43, 19), die
Kriegsopferversorgung und Kriegslastenverteilung (BVerfGE 11,
56; 27, 283), die Sozialbindung des Eigentums (Art. 14 II) und die
Ermächtigung zu einer Gesetzgebung gegen den Mißbrauch wirtschaftlicher Machtstellung (Art. 74 Nr. 16). Ein enger Zusammenhang des Sozialstaatsgebots besteht vor allem mit Art. 1, 3, 6
und 9 III. Die Sozialstaatsklausel ist unmittelbar geltendes Recht,
aber in hohem Maße der konkreten Ausgestaltung bedürftig
(BVerfGE 5, 198; 10, 370 f.). Sie richtet sich in erster Linie an den
Gesetzgeber, der im einzelnen zu bestimmen hat, was sozialstaatl.
geboten ist (BVerfGE 1, 105; 8, 329; 22, 204; 27, 253). Doch haben auch Regierung, Verwaltung und Rechtsprechung das Sozialstaatsprinzip in ihrer Tätigkeit zu beachten. Unmittelbare Rechtsansprüche lassen sich aus der Sozialstaatsklausel nur ausnahmsweise ableiten (BVerfGE 1, 105), z. B. i. V. m. Art. 1 I und
Art. 2 ein Anspruch auf existenzsichernde Sozialhilfe (vgl.
insoweit BVerwGE 1, 159; 52, 346). Zur Verwirklichung des Sozialstaatsgebots kann der Staat auch die Hilfe privater Organisationen einschalten (BVerfGE 22, 204).

5   Für eine bestimmte *Wirtschaftsordnung* hat sich das GG nach
Meinung des BVerfG nicht entschieden (a. M. Nipperdey, Die
Grundrechte IV/2 S. 908 f.). Der Gesetzgeber kann daher die
ihm jeweils sachgemäß erscheinende Wirtschaftspolitik verfol-

gen, sofern er dabei das GG beachtet (BVerfGE 4, 17 f.; 7, 400; 50, 336 ff.), das allerdings in seinen Grundrechten (Art. 2 I, Art. 9, 12, 14) auch dem Wirtschaftsleben und der Unternehmer-initiative wesentliche Freiheitsräume sichert (BVerfGE 29, 266 f.; 50, 366) und jedenfalls einer umfassenden zentralen Plan-wirtschaft entgegensteht.

6 Aus der Bestimmung, daß die Bundesrepublik Deutschland ein *Bundesstaat* ist, folgt einmal, daß sie kein bloßer Staatenbund der Länder ist, sondern selbst Staatscharakter besitzt, zum anderen ergibt sich daraus, daß auch die Länder als Glieder der Bundesre-publik Staaten sind, und zwar Staaten mit eigener, nicht vom Bund abgeleiteter, sondern von ihm anerkannter staatl. Hoheits-macht (BVerfGE 1, 34). Die vom GG verfaßte Staatsgewalt ist demgemäß zwischen dem »Bundesrepublik« oder »Bund« ge-nannten Gesamtstaat und den »Länder« genannten Gliedstaaten aufgeteilt, der Staat des GG somit ein *»zweigliedriger«*, kein aus der Bundesrepublik als Gesamtstaat, dem Bund als Zentralstaat und den Ländern als Gliedstaaten bestehender *»dreigliedriger«* Bundesstaat (BVerfGE 13, 77 f.). Im Näheren ergibt sich die Aufteilung der staatl. Aufgaben und Befugnisse zwischen Bund und Ländern aus den Art. 30, 70 ff., 83 ff., 92 ff. und 105 ff. Ver-einzelt bestehen auch ungeschriebene Zuständigkeiten des Bun-des (vgl. dazu Art. 30 Rn. 2, Vorbem. vor Art. 70 Rn. 2 sowie vor Art. 83 Rn. 5). Die Vermutung der Zuständigkeit spricht nach Art. 30 für die Länder. Die Bundeszuständigkeiten bedür-fen eines besonderen Nachweises. In der Verfassungswirklichkeit liegt das Schwergewicht der Gesetzgebung beim Bund, das Schwergewicht der Verwaltung und Rechtsprechung bei den Län-dern. Dabei ist besonders zu vermerken, daß die Verwaltungsbe-hörden und Gerichte der Länder in großem Umfange auch Bun-desrecht anzuwenden haben. Da die strikte Trennung der Kom-petenzräume, wie sie das GG grundsätzlich vorschreibt, nicht überall den praktischen Bedürfnissen entspricht, sehen die Art. 91 a und 91 b seit 1969 auch sog. Gemeinschaftsaufgaben von Bund und Ländern vor. Die dem Bund und den Ländern vom GG übertragenen Zuständigkeiten sind unverzichtbar (BVerfGE 1, 35; 32, 156; 41, 311; 55, 301). Zwischen Bund und Ländern be-steht, wie sich besonders aus Art. 28 III (Verfassungsgewährlei-stung), Art. 31 (Vorrang des Bundesrechts) und Art. 37 (Bundes-zwang) ergibt, ein *Über- und Unterordnungsverhältnis* (BVerfGE 1, 51; 13, 78), das jedoch nur so weit reicht, wie das GG es vor-sieht, und sein Gegengewicht in der Mitwirkung des BRats an der

Gesetzgebung und Verwaltung des Bundes (Art. 50) findet. Wo
keine Überordnung des Bundes vorgeschrieben ist, sind Bund
und Länder gleichgestellt. Trotz des weitreichenden Über- bzw.
Unterordnungsverhältnisses sind Rechtsstreitigkeiten sowie Verträge zwischen Bund und einzelnen, mehreren oder allen Ländern
nicht ausgeschlossen. Solche Verträge sind Staatsverträge im bundesstaatl. Sinne, nicht solche des Völkerrechts, da das Verhältnis
zwischen Bund und Ländern durch die bundesstaatl. Ordnung
und nicht völkerrechtl. geregelt ist (BVerfGE 1, 51 f.; 34, 231 f.).
Gleiches gilt auch für das Verhältnis zwischen den Ländern. Im
bundesstaatl. Gefüge stehen alle Länder einzeln und gleichberechtigt nebeneinander; kein Land kann durch andere Länder
überstimmt werden; alle Länder haben den gleichen Status und
Anspruch auf gleiche Behandlung durch den Bund (BVerfGE 1,
315; 12, 255; 39, 119). Zu den Rechtsbeziehungen zwischen Bund
und Ländern und den Ländern untereinander gehört auch die
Pflicht des Bundes und seiner Gliedstaaten zu »bundesfreundlichem Verhalten«, zur *Bundestreue,* d. h. zum Zusammenwirken,
zur gegenseitigen Rücksichtnahme und Unterstützung (BVerfGE
1, 315 f.; 6, 361 f.; 12, 254 ff.; 34, 232). Daraus ergibt sich z. B. eine Pflicht der finanzstärkeren Länder, den schwächeren in gewissen Grenzen Hilfe zu leisten (BVerfGE 1, 131), und eine Rück-
sichtspflicht der Länder bei Gesetzesregelungen, deren Auswirkungen über die Landesgrenzen hinausreichen (BVerfGE 4, 140).
Auch etwa erforderliche Verhandlungen zwischen Bund und Ländern sind unter dem Gebot der Bundestreue zu führen (BVerfGE
12, 255 f.). Vgl. weiter BVerfGE 6, 362; 8, 138 f.; 21, 326. Kommt
ein Land seiner Pflicht zur Bundestreue nicht nach, so kann es
notfalls durch Bundeszwang (Art. 37) dazu angehalten werden.
Die bundesstaatl. Ordnung des GG schließt auch Verträge zwischen den Ländern nicht aus, nach h. M. und Praxis auch nicht gemeinschaftliche Einrichtungen der Länder, sofern sie sich auf
Landesangelegenheiten beschränken (BVerwGE 22, 306 ff.; 23,
197). Den einzelnen Ländern wird durch Art. 20 I weder ein Da-
seinsrecht noch, wie sich vor allem aus Art. 29 ergibt, der vorhandene Gebietsstand verbürgt. Die Bundesstaatlichkeit der Bundesrepublik dient nicht mehr nur der Wahrung stammesmäßiger, kultureller, sozialer und wirtschaftlicher Besonderheiten, sondern
hat zunehmend auch Bedeutung für die Aufteilung der Staatsgewalt und den parteipolit. Machtausgleich gewonnen.

Die Entscheidung des GG für einen bundesstaatl. Aufbau muß
auch Verfassungswirklichkeit sein und bleiben. Von den drei Kri-

terien der Staatlichkeit – Staatsgewalt, Staatsgebiet, Staatsvolk –
ist das letztere bei den Ländern infolge Fehlens von Landesstaats-
angehörigkeitsgesetzen nur undeutlich ausgeprägt. Man hat je-
doch, wie auch in den Landtagswahlgesetzen geschehen, als
Staatsvolk der einzelnen Länder diejenigen Deutschen
(Art. 116 I) anzusehen, die in dem betr. Lande seßhaft sind.
Art. 20 I verbietet es auch, die Staatlichkeit der Länder durch
Kompetenzentzug auszuhöhlen; vgl. dazu Art. 79 III u. Erläut.
Rn. 4.

Absatz 2

7 *Satz 1* formuliert das Grundprinzip der demokratischen Staatsform, die sog. *Volkssouveränität,* das Letztbestimmungsrecht des
Volkes über den Staatswillen. Mit »alle Staatsgewalt« ist die gesamte staatl. Herrschaftsmacht als höchste Gewalt im Staatsgebiet gemeint. Unter *Volk* ist die *Gesamtheit der in der Bundesre-*
publik seßhaften oder sich zu ihr bekennenden deutschen Staats-
bürger unter Einschluß der Deutschen ohne deutsche Staatsange-
hörigkeit (Art. 116 I) zu verstehen.

8 *Satz 2* enthält die organisationsrechtl. Folgerungen aus dem Prinzip der Volkssouveränität. »*Volk*« ist hier im Gegensatz zu Satz 1
die Aktivbürgerschaft, d. h. der *wahl- und abstimmungsberech-*
tigte Teil des Volkes im oben unter Satz 1 definierten Sinne. So
auch BVerfGE 13, 95. »Wahlen« sind die Wahlen zum BTag.
»Abstimmungen« sind die in Art. 29 und 118 vorgesehenen
Volksbegehren und Volksentscheide, und nur diese. Auch kon-
sultative Volksbefragungen sind im Hinblick auf etwaige, die Ent-
schließungsfreiheit der zuständigen Verfassungsorgane beein-
trächtigende Wirkungen unzulässig. Abgesehen von den beiden
genannten Formen der Volkswillensbildung wird die Staatsgewalt
durch besondere Organe der Gesetzgebung (hauptsächlich BTag
und BRat), der vollziehenden Gewalt (BPräs, BReg und Verwaltungsbehörden) und der Rechtsprechung (Gerichte) ausgeübt.
Praktisch liegt darin die Grundentscheidung der Verfassung für
eine *mittelbare Demokratie,* während die Entscheidung für den
spezifisch repräsentativen Charakter der Demokratie erst aus
Art. 38 I 2 zu folgern ist. Zugleich bekennt sich das GG mit Satz 2
zum Prinzip der staatl. *Gewaltenteilung* (Näheres dazu Vorbem.
vor Art. 38 Rn. 1).

Absatz 3

9 Abs. 3 bindet die gesetzgebende Gewalt an die verfassungsmäßige Ordnung, die vollziehende Gewalt und Rechtsprechung an Gesetz und Recht. Die damit verfügte *Unterwerfung der gesamten Staatsgewalt unter das Recht* ist der *Kernsatz des Rechtsstaatsprinzips,* zu dessen weitverzweigten Erscheinungsformen und Ausstrahlungen vor allem noch die Grundrechtsbindung der drei Gewalten (Art. 1 III), eine unabhängige Justiz (Art. 97 I), der Gerichtsschutz gegen Rechtsverletzungen durch die öffentl. Gewalt (Art. 19 IV), die Verfassungsgerichtsbarkeit (Art. 93) sowie nach der Rechtsprechung des BVerfG die Verfassungsgebote der Rechtssicherheit (BVerfGE 2, 403; 3, 237; 13, 271; 15, 319; 18, 439; 23, 32; 24, 229; 30, 386), der materiellen Gerechtigkeit (BVerfGE 7, 92; 7, 196; 20, 331; 25, 290) und der Verhältnismäßigkeit von Mittel und Zweck (BVerfGE 19, 348 f.; 30, 316; im Näheren: Vorbem. vor Art. 1 Rn. 11) gehören, die jedoch teils ihre eigenen Rechtsgrundlagen in der Verfassung haben, teils als bloße Verzweigungen des Rechtsstaatsprinzips in Art. 20 nicht miterfaßt sind, also auch nicht der Unabänderlichkeitsgarantie des Art. 79 III unterliegen. Vgl. dazu BVerfGE 30, 24 f. Die Rechtsbindung des *Gesetzgebers* an die verfassungsmäßige Ordnung erstreckt sich auf den Gesamtinhalt des GG und das etwa geltende Verfassungsgewohnheitsrecht. Sogar für den Verfassungsgesetzgeber ergeben sich nach Art. 79 III Rechtsbindungen aus dem GG. Nach Meinung des BVerfG ist der Gesetzgeber und auch der Verfassungsgesetzgeber darüber hinaus an einen Grundbestand überpositiven Rechts gebunden (vgl. BVerfGE 1, 61; 3, 230 f., aber auch 10, 81), eine Auffassung, die das Gericht jedoch sehr im Unbestimmten gelassen hat, die im Hinblick auf die mangelnde Faßbarkeit eines »Naturrechts«, vorstaatl. Rechtsgrundsätze u. dgl. Bedenken unterliegt und daher noch immer umstritten ist. (Wie das BVerfG auch BGHSt 2, 237 ff.) Folge der in Abs. 3 festgelegten Rechtsbindung des Gesetzgebers ist, daß verfassungswidrige Gesetze keinen Bestand haben können. Die Bindung der vollziehenden Gewalt und Rechtsprechung an »Gesetz und Recht« erstreckt sich auf Rechtsnormen jeder Art. In seiner Anwendung auf die *vollziehende Gewalt* legt Abs. 3 den *Grundsatz der Gesetzmäßigkeit der Verwaltung* fest. Danach erfordert jeder Verwaltungseingriff in die Rechtssphäre des einzelnen eine hinreichend bestimmte gesetzliche Grundlage (BVerfGE 8, 325 f.) und ein mit den Gesetzen übereinstimmendes Vorgehen. Die Rechtsbindung der *rechtsprechenden Gewalt* deckt sich mit der Gesetzesbindung der Richter nach Art. 97 I. In Abs. 3 wurzelt ferner der sog. *Vorrang des Gesetzes* vor allen anderen Staatswillensäußerungen; dazu Näheres in der Vorbem. vor

Art. 70 Rn. 4. Aus Abs. 3, aber auch aus Erwägungen des Demokratieprinzips leitet das BVerfG schließlich den neuerdings be-
trächtlich erweiterten *Grundsatz des Vorbehalts des Gesetzes* ab,
dem zufolge der Gesetzgeber in allen wichtigen Lebensbereichen,
insbes. solchen, die die Grundrechte der Bürger berühren, die
grundlegenden und wesentlichen staatl. Entscheidungen selbst zu
treffen hat. Näheres dazu: Vorbem. vor Art. 70 Rn. 3.

Absatz 4

10 Abs. 4 gewährleistet ein *Widerstandsrecht* gegen Versuche, die in
den vorausgehenden Absätzen 1–3 umrissene Verfassungsordnung zu beseitigen, wenn andere Abhilfe nicht möglich ist. Die
Zweckmäßigkeit einer solchen Regelung ist im Hinblick auf die
polit. Wirklichkeit revolutionärer Situationen problematisch. Das
Recht des Widerstands steht allen Deutschen (Art. 116 I) zu. Auf
das Widerstandsrecht können sich nicht nur Staatsbürger, sondern
auch Inhaber öffentl. Ämter in dieser Eigenschaft berufen (str.).
Voraussetzung berechtigter Widerstandsleistung ist ein Vorhaben, die Verfassungsordnung insgesamt zu beseitigen, also der
Ansatz zum echten Umsturz, nicht die bloße Beeinträchtigung der
staatl. Ordnung, nicht die begrenzte Verfassungsverletzung. Der
Begriff »unternimmt« ist i. S. des Hochverratstatbestandes (§ 81 I
StGB) zu verstehen, umfaßt also bereits den Versuch des Umstur-
zes, nicht dagegen bloße Vorbereitungshandlungen, wie sie z. B.
nach Art. 9 II und Art. 21 II genügen. Abs. 4 findet Anwendung, wenn der Umsturz von staatl. Seite, aber auch dann, wenn
er von gesellschaftlichen Kräften ausgeht. Der Widerstand kann
individuell oder kollektiv, aktiv oder passiv und auch durch Gewaltanwendung geleistet werden. Er ist an gesetzliche Schranken
nicht gebunden, darf aber nicht exzessiv sein. Letzte Voraussetzung des Widerstandsrechts ist der Umstand, daß andere Abhilfe
nicht möglich ist, also von der staatl. Gewalt kein wirksamer Widerstand gegen die Beseitigung der Verfassungsordnung mehr zu
erwarten ist. Die Voraussetzungen des Widerstands müssen objektiv vorgelegen haben. Bloße subjektive Annahmen der Wider-
standsleistenden genügen nicht. Liegen die Voraussetzungen des
Widerstands objektiv vor, so wird auch gesetzwidriges Abwehr-
verhalten rechtmäßig. Ob Abs. 4 an der Unabänderlichkeitsgarantie des Art. 79 III teilnimmt, ist umstritten, aber mit der h. M.
wohl zu verneinen, da es sich hier nicht um einen der »Grundsätze« des Art. 20 handelt. Das Widerstandsrecht ist ein grundrechts-
ähnliches Recht (Art.93 I Nr. 4 a). Außerhalb des Art. 20 IV

gibt es kein polit. Widerstandsrecht. Widerstandsaktivitäten, wie sie u. a. im Zusammenhang mit der Stationierung von Mittelstreckenwaffen vorgekommen sind, können sich auf das Ausnahmerecht dieser Vorschrift nicht berufen.

Artikel 21   [Parteien]

(1)   Die Parteien wirken bei der politischen Willensbildung des Volkes mit. Ihre Gründung ist frei. Ihre innere Ordnung muß demokratischen Grundsätzen entsprechen. Sie müssen über die Herkunft und Verwendung ihrer Mittel sowie über ihr Vermögen öffentlich Rechenschaft geben.

(2)   Parteien, die nach ihren Zielen oder nach dem Verhalten ihrer Anhänger darauf ausgehen, die freiheitliche demokratische Grundordnung zu beeinträchtigen oder zu beseitigen oder den Bestand der Bundesrepublik Deutschland zu gefährden, sind verfassungswidrig. Über die Frage der Verfassungswidrigkeit entscheidet das Bundesverfassungsgericht.

(3)   Das Nähere regeln Bundesgesetze.

1   Art. 21 gilt nur für deutsche Parteien im Geltungsbereich des GG. Er gilt nicht nur im Bund, sondern wirkt auch in die Verfassungen der Länder hinein. Die den Parteien durch Art. 21 verliehene Rechtsstellung kommt ihnen auch in den Verfassungsordnungen der Länder zu (BVerfGE 1, 227; 4, 378; 6, 375; 23, 29; 27, 17; 66, 114). Obwohl die Parteien rechtsbegrifflich Vereine sind, ist Art. 21 uneingeschränkt lex specialis zu Art. 9. Das gilt auf jeden Fall für Art. 21 II im Verhältnis zu Art. 9 II (BVerfGE 2, 13; 12, 304, 307; 13, 177; 17, 166), dessen Verbotstatbestände einschl. strafrechtswidriger Zielsetzung daher für Parteien nicht in Betracht kommen, ist aber mit der h. M. auch für Art. 21 I in seinem Verhältnis zu Art. 9 I anzunehmen, der kaum etwas enthält, was in besonderer Ausprägung der Parteienfreiheit nicht auch Art. 21 I aussagt (BVerfGE 12, 304, 307; 25, 78). Doch können die Auslegungen, die Art. 9 I in Rechtsprechung und Schrifttum gefunden hat, weitgehend auch für das Parteienrecht herangezogen werden.

2   Art. 21 gliedert die Parteien in das verfassungsrechtl. geordnete polit. Leben ein, macht sie zu Bestandteilen des Verfassungsaufbaues und hebt sie in den Rang einer *verfassungsrechtlichen Insti-*

tution (BVerfG i. st. Rspr. seit E 1, 225), läßt sie jedoch *nicht zu Teilen der Staatsorganisation*, zu Staatsorganen oder Körperschaften des öffentl. Rechts werden (BVerfGE 20, 101; 52, 85). Auch ihre Bezeichnung als »Verfassungsorgane« (BVerfGE 12, 280) kann nur i. S. von Faktoren eines verfassungsrechtl. geordneten Funktionssystems der polit. Willensbildung verstanden werden.

3 Art. 21 ist eine der zentralen, für die demokratische Staatsform wichtigsten Bestimmungen des GG, gehört jedoch nach dem klaren Wortlaut des Art. 79 III und, weil jedenfalls theoretisch auch andere Formen der freiheitlichen Demokratie als die parl. Parteiendemokratie denkbar sind, nicht zu den unabänderlichen Verfassungsnormen. Zum Verhältnis zu Art. 38 I 2 vgl. die Erläut. daselbst Rn. 10.

Absatz 1

4 *Parteien* sind Vereinigungen, deren Zweck es ist, i. S. bestimmter polit. Ziele an der Vertretung des Volkes in den Parlamenten (Bundestag oder Landtage) mitzuwirken. Eine genaue Begriffsbestimmung – verfassungskonforme Legaldefinition (BVerfGE 24, 263 f.; 24, 361; 47, 222) – mit gewissen Mindesterfordernissen an Dauerhaftigkeit, Mitgliederzahl, Organisation und Widerhall in der Öffentlichkeit enthält § 2 I PartG. Als »Vereinigungen« kommen nur körperschaftliche Personenverbindungen, praktisch nur rechtsfähige und nichtrechtsfähige Vereine in Betracht, nicht unorganisierte Gesinnungsgemeinschaften oder Parteibündnisse (Wahlbündnisse, Listenverbindungen, Fraktionsgemeinschaften, »Blöcke«, »Fronten« usw.). Der jeder Partei wesentliche Zweck der »Vertretung des Volkes« setzt Teilnahme an parl. Wahlen voraus (BVerfGE 24, 264; 24, 361) – und zwar im Unterschied zu den Interessenverbänden aller Art die Teilnahme mit *eigenen* Wahlvorschlägen (vgl. § 2 II PartG u. BVerfGE 24, 265) –, nicht jedoch Wahlerfolge. Keine Parteien i. S. des Art. 21 und des § 2 I PartG sind Kommunalparteien (BVerfGE 6, 372 f., BVerwGE 6, 99 f.; 8, 327 f.), für nur einzelne Parlamentswahlen gebildete Wählervereinigungen, Ausländerparteien und Exterritorialparteien, d. h. Parteien mit Sitz oder Geschäftsleitung außerhalb des GG-Geltungsbereichs (§ 2 III PartG). Zu den Parteien gehören alle ihre Untergliederungen (Teilorganisationen), nicht jedoch ihre Nebenorganisationen und rechtlich auch nicht ihre Fraktionen.

5 *Satz 1* enthält eine institutionelle *Existenzverbürgung der politi-*

schen Parteien und die *Gewährleistung ihres in der modernen Demokratie üblichen Wirkens*. Die Demokratie des GG soll, da dem ParlRat nur so eine moderne Demokratie im Großflächenstaat möglich schien, eine »Demokratie mit Parteien« und in diesem Sinne eine »Parteiendemokratie« sein, jedoch kein »idealtypischer Parteienstaat«, d. h. kein Staat, der den Parteien eine monopolistische Herrschaft über die polit. Willensbildung einräumt, die Verfassungsorgane mit imperativen Mandaten ihrem Willen unterwirft, den Staat den Parteien zur freien Verfügung überantwortet und jede Usurpation staatl. und gesellschaftlicher Macht durch die Parteien rechtfertigt.

6   Satz 1 verbürgt i. V. m. Satz 2 die Existenz der Parteien als *frei aus dem Volk heraus gebildeter, »frei konkurrierender und aus eigener Kraft wirkender Gruppen«* (BVerfGE 20, 107) *außerhalb der organisierten Staatlichkeit*. Satz 1 und 2 schließen jede organisatorische Eingliederung der Parteien in den Staatsapparat und auch jede sonstige Verschmelzung von Parteien und Staat wie etwa eine Staatsfinanzierung der Gesamttätigkeit der Parteien verfassungskräftig aus (BVerfGE 20, 56). Die Parteien sind weder mit dem Staat noch mit dem Volk zu identifizieren, sondern eigenständige Faktoren des Verfassungslebens, die eine Mittlerstellung zwischen beiden einnehmen (BVerfGE 20, 101 f.; 44, 145, 149; 47, 140; 52, 82 f.), jedoch als Organisationen »aus dem Volk« und als Handlungseinheiten des Volkes (BVerfGE 2, 11; 11, 241; 11, 273; 60, 66) im Gefüge der polit. Willensbildung in erster Linie dem Volke zugeordnet sind. Die Parteien gehören dem gesellschaftlich-politischen Bereich an (BVerfGE 20, 201) mit der Folge, daß sie als Personenvereinigungen des privaten Rechts zu gründen sind, grundsätzlich nach privatem Rechte leben und Freiheits- und Grundrechte genießen.

7   Satz 1 gewährleistet den Parteien die *Mitwirkung bei der politischen Willensbildung des Volkes*, in erster Linie ihre Mitwirkung bei den polit. Wahlen (Bundestags-, Landtags-, Kommunalwahlen), aber auch – zusammen mit Satz 2, Art. 5 und anderen Grundrechten – die Teilnahme an der allgemeinen polit. Meinungs- und Willensbildung im Volke und die vorformende Einflußnahme auf die polit. Willen bildenden staatl. Verfassungsorgane, insbes. die Parlamente und Regierungen (vgl. dazu auch § 1 II PartG), jedoch keinen maßgebenden Einfluß auf die Gerichte und Behörden der Verwaltung. Den Parteien wird durch Satz 1 nur ein Recht der *Mitwirkung* an und *kein Monopol* der polit. Willensbildung gewährleistet (BVerfGE 20, 114; 41, 416 f.).

Der freiheitliche und egalitäre Charakter des GG duldet Ausschließlichkeitsrechte der Parteien weder bei der allgemeinen polit. Meinungs- und Willensbildung noch bei den Wahlen (vgl. Erläut. zu Art. 38 Rn. 4 a. E., 6) und auch nicht bei der Einwirkung auf die staatl. Verfassungsorgane, obwohl die Parteien hier eine ausgeprägte faktische Vorzugsstellung vor allen anderen polit. Einflußträgern besitzen.

8 Existenz und Mitwirkung der Parteien an der polit. Willensbildung werden vor allem von drei Verfassungsgrundsätzen bestimmt:

1. dem aus dem Wortlaut des Satzes 1 (»Die Parteien . . .«) und Satz 2 zu erschließenden *Mehrparteienprinzip;* ihm zufolge muß jederzeit die Möglichkeit des Bestehens mehrerer Parteien gegeben sein, und zwar mehrerer unabhängiger, nicht durch »Blockpolitik«, »Nationale Fronten« u. dgl. gebundener Parteien;

2. dem *Grundsatz der Parteienfreiheit* (s. unten Rn. 9);

3. dem aus den Grundlagen der demokratischen Ordnung, aus Art. 20 I 1 sowie aus Art. 3 I u. III i. V. m. Art. 21 I 1 u. 2 folgenden *Grundsatz der Chancengleichheit (Wettbewerbsgleichheit)* der Parteien (BVerfG seit E 1, 255 i. st. Rspr., aus neuerer Zeit BVerfGE 47, 225; 52, 88). Der Grundsatz der Chancengleichheit der Parteien ist von größter Bedeutung für die vom GG verfaßte polit. Willensbildung. Er gilt vor allem für den Sachbereich der Wahlen, d. h. die Wahlgesetzgebung, die Durchführung einzelner Wahlen, den Wahlkampf (BVerfGE 21, 200; 24, 344), insbes. die Wahlwerbung (BVerfGE 44, 146; 47, 225) einschl. der Beteiligung an Rundfunkwahlsendungen (BVerfGE 7, 107 f.; 14, 132 f.; 20, 116; 47, 225), für die Erstattung von Wahlkampfkosten (BVerfGE 20, 116; 24, 339 ff.; 41, 413), und deckt sich hier weitgehend mit dem Grundsatz der Wahlgleichheit (s. Art. 38 I 1 u. dort. Erläut. Rn. 7). Er gilt aber auch im gesamten Vorfeld der Wahlen, insbes. für die Teilnahme am ständigen Prozeß der polit. Meinungs- und Willensbildung (BVerfGE 8, 68; 14, 132), an Rundfunksendungen außerhalb der Wahlkämpfe (BayVerfGH 23, 155, 162), die Beteiligung an zulässigen Subventionen und den zwischenparteilichen Wettbewerb um die Finanzierung mit privaten Fremdmitteln (BVerfGE 6, 280; 8, 64 f.; 20, 116; 52, 89; 66, 114). Die Rechtsstellung der Fraktionen hingegen unterliegt eigenen, dem Abgeordneten- und

Parlamentsrecht zugehörigen Gleichheitsregeln (bestr.). Der
Grundsatz der Chancengleichheit der Parteien erfordert strenge und formale Gleichbehandlung; zwischen den Parteien darf
nur ausnahmsweise, nur aus besonderen zwingenden Gründen
und in engen Grenzen differenziert werden (BVerfG i. st.
Rspr., aus neuerer Zeit z. B. E 44, 146; 47, 227; 52, 89). Die tie-
fen Einbrüche in die Chancengleichheit, die das BVerfG in seiner Rechtsprechung über Wahlsendezeiten (BVerfGE 7, 99;
13, 204; 14, 121) und vor allem zur Wahlkampfkostenerstattung
(BVerfGE 24, 300) gutgeheißen hat, lassen sich damit allerdings nur schwer vereinbaren. Sachgegebene Chancenunter-
schiede zwischen den Parteien braucht der Staat nicht auszugleichen, darf sie aber auch nicht verschärfen (BVerfG i. st. Rspr.,
aus neuerer Zeit E 52, 89). Der Grundsatz der Chancengleichheit ist nicht nur objektives Recht, sondern auch Anspruch und
Grundrecht der Parteien aus Art. 3 i. V. m. Art. 21 (BVerfG
i. st. Rspr., aus neuerer Zeit z. B. E 47, 225). Eine gesetzliche
Sonderregelung für die Gleichbehandlung der Parteien im
Sachbereich öffentl. Leistungen enthält § 5 PartG.

9   *Satz 2: Die Gründung von Parteien ist frei.* Sie darf daher von
Staats wegen nicht zahlenmäßig begrenzt und nicht von einer Erlaubnis abhängig gemacht werden. Anmeldepflicht ohne staatl.
Untersagungsrecht und Registrierung ohne konstitutiven Charakter sind zulässig. Satz 2 deckt auch die Gründung verfassungswidriger Parteien (Art. 21 II 1), denn der Totaleingriff in das Par-
teileben verlangt eine Entscheidung des BVerfG, und diese kann
erst gegen eine existent gewordene Partei ergehen. So wie
Art. 9 I die Vereinsfreiheit schlechthin, gewährleistet auch Satz 2
nicht nur die freie Parteibildung, sondern eine *umfassende Parteienfreiheit,* die vor allem das Recht grundsätzlicher Organisations-
und Willensbildungsfreiheit, das Recht freier Zweckwahl und polit. Richtungsbestimmung, das Recht zu freier Parteibetätigung in
den Schranken der allgemeinen Gesetze und die Freiheit von besonderer Staatsaufsicht einschließt. Satz 2 garantiert auch das
grundsätzliche Recht freier Einnahmen- und Ausgabenwirt-
schaft, schließt jedoch eine auf das Demokratieprinzip gegründete Gesetzgebung zur Begrenzung der Wahlkampfkosten nicht
aus. Ebenso wie die Vereinsfreiheit ist die Parteienfreiheit des
Satzes 2 zugleich Grundsatz des objektiven Rechts wie – auf
Deutsche beschränktes – subjektives Recht (Grundrecht) des einzelnen und der Parteien selbst. Verfassungsrechtl. gewährleistet
ist auch die negative Parteienfreiheit (Recht auf Fernbleiben von

und Ausscheiden aus einer Partei, Recht der Partei auf Selbstauflösung).

10   *Satz 3:* Die *»demokratischen Grundsätze«* sind nicht nach staatl.
Maßstäben, sondern vereinstypisch und in einem dem Wesen der
Parteien angepaßten Sinne zu verstehen. Satz 3 enthält vor allem
eine Absage an das den diktatorischen Parteien eigene Führer-
prinzip und positiv das Gebot einer Willensbildung »von unten
nach oben«, d. h. von der Mitgliederbasis zur Führungsspitze hin.
Es genügt wie bei allen modernen Massenorganisationen eine mittelbare Demokratie, in der die Mitgliederrechte auf den höheren
Organisationsstufen durch Vertreterversammlungen ausgeübt
werden. Im einzelnen dürften an die innere Ordnung der Parteien
besonders die folgenden Forderungen zu stellen sein: Zuständigkeit der Mitglieder- oder Vertreterversammlung für die Grundentscheidungen des Parteilebens (Satzung, Programm, Auflösung
usw.), Stellung der Mitglieder- oder Vertreterversammlung als
oberstes Parteiorgan, regelmäßig wiederkehrende Wahl der Par-
teivorstände und übrigen Parteiorgane durch die Mitglieder- oder
Vertreterversammlung und Verantwortlichkeit der Organe dieser
gegenüber, Kollegialform der Parteiführung, Mehrheitsentschei-
dung in allen Parteiorganen, gleiches Stimmrecht sowie angemessene Meinungs- und Entscheidungsfreiheit aller Mitglieder, ausreichender Schutz vor Mißbrauch der Verbandsgewalt, Aufstellung der Wahlbewerber unter Zustimmung der Parteimitglieder
und gebietliche Aufgliederung der Partei mit selbständigen Zuständigkeiten der nachgeordneten Organisationen. Der sog. »demokratische Zentralismus« der kommunistischen Parteien läßt
sich nicht mit Satz 3 vereinbaren.

11   *Satz 4:* Die *öffentliche Rechenschaft über die Einnahmen,* mit der
das GG etwaige von größeren Zuwendungen ausgehende polit.
Einflüsse auf die Parteien durchschaubar machen will, ist jetzt in
§§ 23 ff. PartG geregelt. Bei der Auslegung des Satzes 4 war
zweifelhaft, ob er eine individuelle Aufführung der Geldgeber fordert oder auch kategoriell-summenmäßige Angaben genügen
läßt. Für die individuelle Angabe spricht der Wortlaut der Vorschrift, dagegen der Grundsatz der Parteienfreiheit, der es in seiner Ausprägung als Einnahmefreiheit (oben Rn. 9) verbietet, die
Offenlegung so zu gestalten, daß sie die Parteien in einem wesentlichen Umfange von den Quellen ihrer privaten Fremdfinanzie-
rung abschneidet. Der Gesetzgeber hat sich daher in § 25 PartG
für ein »Mischsystem« entschieden. Seit dem ÄndG vom
21. 12. 1983 (BGBl. I S. 1481) sind die Parteien auch zur *öffentli-*

lichen Rechenschaft über ihre Ausgaben und ihr *Vermögen* verpflichtet. Vgl. dazu § 24 PartG, der diese Pflicht allerdings nur
mangelhaft konkretisiert.

Absatz 2

12 Abs. 2 erklärt *Parteien* mit den hier genannten Bestrebungen für
verfassungswidrig und gibt damit die Möglichkeit, sie aus dem polit. Leben auszuschalten. Gleichzeitig gewährt er ihnen im Vergleich zu gewöhnlichen Vereinen in zweierlei Hinsicht einen er-
höhten Schutz:

1. Der Tatbestand des Art. 21 II 1 ist enger gezogen als der des
   Art. 9 II, der den Parteien zugestandene Bewegungsraum also weiter.
2. Das Recht, eine Partei für verfassungswidrig zu erklären, ist
   im Gegensatz zu Art. 9 II der Exekutive entzogen und dem
   BVerfG vorbehalten.

Beide Begünstigungen bilden zusammen das *»Parteienprivileg«.*

13 *Satz 1* illegalisiert staats- und verfassungsfeindliche Parteien nicht
erst bei strafrechtswidrigem Umsturzversuch und geplanter Gewalt, sondern bereits bei Verfolgung bestimmter demokratie-
widriger oder gegen den Staatsbestand gerichteter polit. Ziele.
Art. 21 I 1 ist ein Bestrebungstatbestand von ausgeprägtem Präventivcharakter (BVerfGE 5, 142; 9, 165; 20, 100), der den Gefahren für Verfassung und Staat rechtzeitig begegnen will, dessen einzelne Tatbestandsmerkmale jedoch gerade wegen seiner weitge-
spannten Grundanlage restriktiv auszulegen sind. Zweierlei Bestrebungen machen eine Partei alternativ verfassungswidrig: solche gegen die freiheitliche demokratische Grundordnung und solche gegen den Bestand des Staates. Der Begriff der *freiheitlichen
demokratischen Grundordnung* umfaßt die spezifisch liberalen
und demokratischen Grundelemente der verfassungsmäßigen
Ordnung, das, was für eine freiheitliche Demokratie wesensnot-
wendig ist. BVerfGE 2, 12 f. kennzeichnet sie im wesentlichen zutreffend als eine Gewalt und Willkür ausschließende »rechtsstaat-
liche Herrschaftsordnung auf der Grundlage der Selbstbestimmung des Volkes nach dem Willen der jeweiligen Mehrheit und
der Freiheit und Gleichheit«, zu deren grundlegenden Prinzipien
mindestens zu rechnen sind »die Achtung vor den im Grundgesetz
konkretisierten Menschenrechten, vor allem vor dem Recht der
Persönlichkeit auf Leben und freie Entfaltung, die Volkssouveränität, die Gewaltenteilung, die Verantwortlichkeit der Regierung, die Gesetzmäßigkeit der Verwaltung, die Unabhängigkeit

der Gerichte, das Mehrparteienprinzip und die Chancengleichheit für alle politischen Parteien mit dem Recht auf verfassungsmäßige Bildung und Ausübung einer Opposition«. Der »*Bestand der Bundesrepublik*« ist gefährdet, wenn ihre staatl. Existenz, ihre völkerrechtl. Unabhängigkeit oder ihre gebietliche Unversehrtheit bedroht wird. Es muß eine wesentliche *Beeinträchtigung der Grundordnung* oder eine ernsthafte *Gefährdung des Staatsbestandes* geplant sein, die jedoch auch durch ein allmähliches Untergraben der bestehenden Ordnung herbeigeführt werden kann (BVerfGE 2, 20; 5, 380 ff.). Zum »*Daraufausgehen*« genügt nicht die bloße Absicht. Die Partei muß vielmehr begonnen haben, ihre Vorstellungen durch praktisches Handeln der Verwirklichung näher zu bringen, sie muß eine aggressive Haltung gegen die in Art. 21 II 1 geschützten Rechtsgüter eingenommen haben und zum *Kampfe gegen die Grundordnung oder den Staatsbestand* übergegangen sein (BVerfGE 5, 141; vgl. auch Wortlaut des Art. 18). Daher ist noch kein Raum für Art. 21 II, wo eine Partei nur Theorien und Anschauungen vertritt, die die obersten Verfassungswerte in Zweifel ziehen, kritisieren, ablehnen oder ihnen andere entgegensetzen (BVerfGE 5, 141). Die reine Meinungsäußerung bleibt voll im Schutzbereich des Art. 5. Erst beim Übergang vom Bekennen zum Bekämpfen wird die kritische Grenze überschritten. Allerdings kann der Tatbestand der Verfassungswidrigkeit schon durch eine systematische, den Umsturz allgemein vorbereitende Schulungs- und Propagandaarbeit erfüllt werden (BVerfGE 5, 208–223). Nicht erforderlich ist im Hinblick auf den Präventivcharakter des Art. 21 II, daß sich die verfassungswidrigen Bestrebungen der Partei bereits zu konkreten Aktionen gegen Staat oder Verfassung verdichtet haben (BVerfGE 5, 141 ff.) oder die Tätigkeiten der Partei zu einer unmittelbaren Gefahr für Grundordnung oder Staatsbestand geworden sind. Ohne Bedeutung ist, ob und wann sich die verfassungswidrigen Ziele verwirklichen lassen und ob sie auf legalem oder illegalem Wege erreicht werden sollen. »*Ziele*« und »*Verhalten der Anhänger*« sind in Satz 1 als Erkenntnismittel für die Richtung verfassungswidriger Bestrebungen und mehr beispielhaft zu verstehen. In Wirklichkeit ist die Verfassungswidrigkeit einer Partei nach ihrem *gesamten Verhalten* zu beurteilen, aber auch nur nach dem, was ihr *zugerechnet* werden kann, denn verfassungswidrig müssen die Bestrebungen der Partei selbst sein (BVerfGE 5, 143), nicht nur die einzelner Personen oder Gruppen innerhalb der Partei oder solcher, die mit ihr in Verbindung stehen.

14 Parteien, die den Tatbestand des Satzes 1 erfüllen »*sind verfas-sungswidrig*«, d. h. mit Verfassungskraft rechtswidrig, von der Verfassung mißbilligt und nicht gewollt. Mit welchen Folgen, ist in neuerer Zeit umstritten. Kein Zweifel ist jedoch, daß die Möglich-keit eines Verbots eingeschlossen werden sollte. Die Parallelität zu Art. 9 II, der entschiedene Abwehrwille der Verfassung gegen die Feinde der Freiheit und die Gefahren auch außerparlamentari-scher Verfassungsfeindschaft ergeben schwerwiegende Gründe für die Auffassung, das Parteiverbot als einzig in Betracht kom-mende Rechtsfolge anzusehen. So auch § 46 BVerfGG. Die mate-rielle Verfassungswidrigkeit tritt mit Verwirklichung des in Satz 1 enthaltenen Tatbestandes ein, die formelle Verfassungswidrigkeit mit der Verbotsfolge wird erst mit dem Spruch des BVerfG in Kraft gesetzt.

15 *Satz 2:* Über die Verfassungswidrigkeit einer Partei kann nur das BVerfG entscheiden, keine Exekutivbehörde und auch nicht der Gesetzgeber durch Einzelfall- oder generelles Gesetz. Bis zur Ent-scheidung des BVerfG ist jedes Einschreiten gegen den Bestand der Partei und ihre sonst legale Tätigkeit verboten (BVerfG i. st. Rspr., zuletzt 47, 228). Überhaupt kann die Verfassungswidrig-keit einer Partei ganz allgemein erst dann rechtlich geltend ge-macht werden, wenn sie vom BVerfG nach § 46 I BVerfGG förmlich ausgesprochen ist – sog. *Entscheidungsmonopol des BVerfG* (BVerfGE 12, 304; 13, 52; 13, 126; 17, 166). Eine mittel-bare, faktische Ausnahme von diesem Grundsatz macht BVerf-GE 39, 334 (ebenso BVerwGE 47, 330) insoweit, als es im öffentl. Dienstrecht nachteilige Entscheidungen gegen Mitglieder angeb-lich verfassungswidriger Parteien wegen ihrer Parteizugehörigkeit auch dann zuläßt, wenn die betr. Partei noch nicht verboten ist. Sie ist, falls Art. 21 II 2 nicht in einem wesentlichen Punkte seines Sinns und Zwecks beraubt werden soll, höchstens dann zu recht-fertigen, wenn sie, BVerfGE 47, 234 entsprechend, auf Parteien beschränkt wird, die *evident* verfassungswidrig sind. Auch BVerf-GE 40, 287 (Behauptung der Verfassungswidrigkeit einer Partei in einer Regierungspublikation) läßt eine nicht unbedenkliche Auflockerung des verfassungsgerichtlichen Entscheidungsmono-pols und damit des Parteienrechtsschutzes erkennen.

16 Umstritten ist, ob die Einleitung eines Parteiverbotsverfahrens dem Legalitäts- oder Opportunitätsprinzip untersteht. Nach BVerfGE 5, 113, 129 und überwiegender Meinung liegt es im Er-messen der antragsberechtigten Organe (§ 43 BVerfGG), ob sie ein Verbotsverfahren in Gang setzen wollen. Aber auch dann bestehen noch Meinungsverschiedenheiten über den Umfang des Ermessens. Völlig dem Belieben der zuständigen Stellen überlassen kann das Antragsrecht in einer »wehrhaften Demokratie« wie der des GG kaum sein. Das Verfahren vor dem BVerfG ist in den §§ 43 ff. BVerfGG näher geregelt. Die stattgebende Entscheidung des BVerfG stellt die Verfassungswidrigkeit der Partei fest, löst sie auf und zieht i. d. R. das Parteivermögen ein. Damit ist die Partei erloschen. Die polit. Rechte der Mitglieder und der Nebenorganisationen der Partei bleiben unberührt. Nicht überzeugen kann die Auffassung des BVerfG, daß sich als zwingende Folge des Art. 21 II für die Abgeordneten der Partei ein Verlust ihrer Mandate ergebe (BVerfGE 2, 72 ff.). Sie hat auch weder im Schrifttum noch in der Rechtsprechung allgemeine Billigung gefunden. Eher vertretbar ist die Meinung, daß Art. 21 das Schicksal der Mandate der Entscheidung des Gesetzgebers überlassen hat. Dann hat wenigstens der Wegfall der Bundestagsmandate eine ausreichende Rechtsgrundlage in § 46 I Nr. 5, IV BWahlG. Sicher ist, daß infolge Wegfalls der sie tragenden Partei die Fraktionen erlöschen.

Absatz 3

17   PartG i. d. F. vom 15. 2. 1984 (BGBl. I S. 242), BVerfGG § 13 Nr. 2, §§ 43–47. Landesgesetzliche Regelungen reinen Parteienrechts sind ausgeschlossen, Parteien betreffende Regelungen z. B. des Wahl- oder Rundfunkrechts jedoch zulässig.

Artikel 22   [Bundesflagge]

Die Bundesflagge ist schwarz-rot-gold.

1   Art. 22 spricht nur von der *Bundesflagge*, erstreckt sich jedoch ganz allgemein auf die *Bundesfarben*. Er gilt für alle Farbsymbole des Bundes auf Flaggen, Fahnen, Standarten, Wimpeln, Wappen, Ordensbändern usw. Eine besondere Handelsflagge ist im Gegensatz zu Art. 3 Satz 2 WeimRVerf nicht vorgesehen; die in Art. 22 festgelegte Flagge soll auch die der Schiffahrt sein (vgl. G über das Flaggenrecht der Seeschiffe und die Flaggenführung der Binnenschiffe vom 8. 2. 1951, BGBl. I S. 79).

2   Die Gesetzgebung über das Führen der Bundesflagge und der übrigen Bundessymbole steht kraft Natur der Sache dem Bunde zu. Die staatsinternen Anordnungen hierzu trifft nach Herkommen der BPräs.

3   Die Bundesflagge, die Standarte des BPräs, die Dienstflagge der

Bundesbehörden und die Bundespostflagge sind in der Anordnung des BPräs über die deutschen Flaggen vom 7. 6. 1950
(BGBl. S. 205) näher festgelegt. Durch Anordnung des BPräs
vom 25. 5. 1956 (BGBl. I S. 447) wurde eine besondere Dienstflagge für die Seestreitkräfte der Bundeswehr, durch Anordnung
des BPräs vom 18. 9. 1964 (BGBl. I S. 817) wurden die Truppen-
dienstfahnen eingeführt. Das Bundeswappen und der Bundesad-
ler sind durch eine Bek. des BPräs, die Dienstsiegel durch einen
Erlaß des BPräs, beide vom 20. 1. 1950 (BGBl. S. 26), geregelt,
die Amtsschilder der Bundesbehörden durch Erlaß des BMI vom
25. 9. 1951 (BGBl. I S. 927). Als Wappen und Siegel sind die des
Weimarer Staates übernommen worden.

4   Länder und Gemeinden sind nach der gegenwärtigen Rechtslage
nicht verpflichtet, überhaupt oder bei bestimmten Anlässen neben ihren eigenen Symbolen die Bundesflagge oder Bundesfarben zu zeigen.

5   Im übrigen ist das Zeigen der Bundesfarben jedermann erlaubt.
Andererseits kann ohne gesetzliche Grundlage niemand dazu gezwungen werden. Auch kann auf Grund des Art. 22 niemandem
verboten werden, andere Farben und Flaggen als die Bundesfarben und die Bundesflagge zu zeigen; ein solches Verhalten unterliegt, da unter das Recht der freien Meinungsäußerung fallend,
nur den Schranken des Art. 5 II.

aufgeh. 1990

Artikel 23   **[Geltungsbereich des Grundgesetzes]**

**Dieses Grundgesetz gilt zunächst im Gebiete der Länder Baden,
Bayern, Bremen, Groß-Berlin, Hamburg, Hessen, Niedersachsen,
Nordrhein-Westfalen, Rheinland-Pfalz, Schleswig-Holstein, Würt-
temberg-Baden und Württemberg-Hohenzollern. In anderen Teilen
Deutschlands ist es nach deren Beitritt in Kraft zu setzen.**

1   Wie Präambel und Art. 146 geht Art. 23 von der komplizierten
und vor allem völkerrechtl. nicht unumstrittenen Rechtslage
Deutschlands aus (s. Vorspruch Rn. 3), zu dem die Bundesrepublik verfassungsrechtl. als nicht abtrennbarer Teil gehört. Die Bestimmung *berücksichtigt die Realität der Teilung Deutschlands,
hält aber die Wiedervereinigung rechtlich offen* (Satz 1: »zunächst«; »Beitritt« nach Satz 2; vgl. BVerfG i. st. Rspr., zuletzt
E 36, 16 ff.). Sie verbietet, daß sich die BReg vertraglich in eine
Abhängigkeit begibt, nach der sie rechtl. nicht mehr allein, son-

dern nur im Einverständnis mit einem Vertragspartner die Aufnahme nach Satz 2 verwirklichen kann (BVerfGE 36, 28). Der Grundlagenvertrag mit der DDR vom 21. 12. 1972 (BGBl. 1973 II S. 421) steht Art. 23 nicht entgegen (BVerfG aaO S. 2 f., 29). Zum Saar-Abkommen vom 23. 10. 1954 (BGBl. 1955 II S. 296) s. BVerfG 4, 174 f. – Art. 23 wird völkerrechtl. überlagert vom Deutschlandvertrag i. d. F. vom 23. 10. 1954 (BGBl. 1955 II S. 305), insbes. Art. 2, 6 und 7 (Vorbehalte der Drei Mächte in bezug auf Deutschland als Ganzes und Berlin).

2   *Nicht* das heutige *Bundesgebiet* wird umschrieben, sondern (in Satz 1) der räumliche *Geltungsbereich des GG zur Zeit seines Erlasses.* Zu diesen Begriffen, die nicht immer und überall dekkungsgleich sein müssen, und zur »Gebietshoheit« Maunz/Dürig, Art. 23 Rn. 5 ff. Überblick über Außengrenzen und bisherige Grenzregelungen des Bundes bei v. Münch, Art. 23 Rn. 15 ff; ebenda Rn. 13 ff. zu den Begriffen Festlandsockel und Wirtschaftszone. Zu Grenzregelungen der Bundesländer untereinander vgl. Art. 29 VII.

3   *Satz 1* zählt die zwölf *Länder* auf, die 1949 bestanden (die drei südwestdeutschen bilden heute das Land Baden-Württemberg, vgl. Art. 118), nicht also das erst später nach Satz 2 beigetretene Saarland. »Groß-Berlin« wird im Unterschied zur Präambel aufgeführt. Der territoriale Bestand der Länder bemißt sich nach der Rechtslage 1949 (BVerfGE 4, 288); kein Fortbestand und Anspruch auf Wiederherstellung früherer Länder (BVerfGE 1, 51). Für die Grenzen der Länder waren nach 1945 zum Teil besatzungsrechtl. Regelungen maßgeblich, insbes. die Zonengrenzen. Über die Grenze zur DDR vgl. Grundlagenvertrag (Rn. 1) Art. 3 II mit Zusatzprotokoll einschl. der Erklärung zu Protokoll über die Aufgaben der Grenzkommission. Bundesgebiet und Gebiet der Länder stimmen überein (h. M.). Nach verbreiteter, aber nicht zwingender Meinung bedarf es bei Gebietsänderungen des Bundes über Art. 32 und 59 hinaus einer Zustimmung des betroffenen Landes (vgl. Maunz/Dürig, Art. 23 Rn. 12; wie hier v. Münch, Art. 32 Rn. 27; Schmidt-Bleibtreu/Klein, Art. 32 Rn. 11).

4   Die Bezeichnung »Groß-Berlin« entspricht der Terminologie von 1949. Gemeint ist das Land *Berlin* (West). Für und in Berlin gilt das GG, soweit nicht aus der Besatzungszeit stammende und noch heute aufrechterhaltene Vorbehalte der Drei Mächte (s. Art. 144 u. Erläut.) seine Anwendung, insbes. auch die Aus-

übung der Jurisdiktion des BVerfG, beschränken (grundlegend
BVerfGE 7, 7 u. 10). Berlin ist ein Land der Bundesrepublik (zuletzt BVerfGE 37, 62); str. Tatsächlich überlagern internationale
Regelungen in Berlin das Verfassungsrecht so sehr, daß die Aus-
sagekraft der verfassungsrechtl. Einordnung nicht überschätzt
werden darf. Vgl. dazu auch die Wiedergabe der rechtl. Situation
aus der Sicht der Besatzungsmächte in der Formulierung des Vier-
mächte-Abkommens über Berlin vom 3. 9. 1971 (Beilage BAnz
Nr. 174 vom 15. 9. 1972 S. 44): »Die . . . (Regierungen der Drei
Mächte) . . . erklärten, daß die Bindungen zwischen den Westsektoren Berlins und der Bundesrepublik Deutschland aufrechterhalten und entwickelt werden, wobei sie berücksichtigen, daß
diese Sektoren so wie bisher kein Bestandteil (konstitutiver Teil)
der Bundesrepublik Deutschland sind und auch weiterhin nicht
von ihr regiert werden.«

5   *Satz 2* ist praktisch geworden mit dem Beitritt des Saarlandes zum
1. 1. 1957. Der Begriff »Deutschland« ist str. Er umfaßt auf jeden
Fall die DDR (zuletzt grundsätzlich BVerfGE 36, 15–17). Der
Begriff *»Beitritt«* verdeutlicht die Freiwilligkeit; das GG verzichtet also auf das völkerrechtl. Instrument der Annexion. Ein Beitritt würde i. d. R. von den zuständigen Organen der »anderen
Teile« ausgesprochen (vgl. BVerfGE 36, 29 zur DDR-Verfas-
sung). Nach einer Beitrittserklärung tritt das GG nicht automatisch in Kraft. Es bedarf dazu eines ausdrücklichen Aktes der Legislative (Saarland: G vom 23. 12. 1956, BGBl. I S. 1011), zu
dem allerdings eine Verpflichtung besteht. Inkraftsetzung des GG
u. U. auch stufenweise, d. h. nach Übergangszeit mit vorher nur
beschränkter oder modifizierter Geltung.

Artikel 24   [Zwischenstaatliche Einrichtungen]

**(1)   Der Bund kann durch Gesetz Hoheitsrechte auf zwischenstaatli-
che Einrichtungen übertragen.**

**(2)   Der Bund kann sich zur Wahrung des Friedens einem System ge-
genseitiger kollektiver Sicherheit einordnen; er wird hierbei in die Beschränkungen seiner Hoheitsrechte einwilligen, die eine friedliche und
dauerhafte Ordnung in Europa und zwischen den Völkern der Welt
herbeiführen und sichern.**

**(3)   Zur Regelung zwischenstaatlicher Streitigkeiten wird der Bund
Vereinbarungen über eine allgemeine, umfassende, obligatorische, internationale Schiedsgerichtsbarkeit beitreten.**

1 Öffnung der deutschen Staatlichkeit für eine »supranationale« Ordnung, insbes. in Europa. Die volle verfassungsrechtl. Tragweite der Bestimmung ist erst mit Ausbau der Europäischen Gemeinschaften (EG) deutlich geworden. Abs. 2 und 3 lassen sich als Unterfälle der in Abs. 1 zugelassenen Aufgabe von Hoheitsrechten verstehen. Alle Absätze bilden zusammen eine innere Einheit. Gemeinsam ist ihnen, daß die Aufgabe von Hoheitsrechten überall nur eines einfachen formellen Gesetzes bedarf, also anders als im Normalfalle des Art. 79 II (vgl. auch Art. 59 Rn. 9) keine verfassungsändernden Mehrheiten erfordert.

Absatz 1

2 Abs. 1 ermöglicht die *Übertragung von Hoheitsrechten* durch einfaches Gesetz (und zwar im Regelfall, nämlich wenn ein völkerrechtl. Vertrag vorausgeht, durch Vertragsgesetz) unter folgenden Voraussetzungen: Nicht die Länder können übertragen, sondern nur der Bund (und zwar dieser nach h. M. auch Hoheitsrechte der Länder) und nur auf *zwischenstaatliche Einrichtungen*. Diese entstehen durch Verträge zwischen Völkerrechtssubjekten. Praktisch geworden ist Abs. 1 insbes. in den Fällen der EG und auch der NATO (BVerfG, NJW 1985, 606 ff.; str.), nicht jedoch in den Fällen der Vereinten Nationen und der Westeuropäischen Union (WEU), in denen es nicht zu »Übertragungen« gekommen ist. Art. 24 ermächtigt nicht nur zur eigentlichen *Übertragung* von Hoheitsrechten, sondern öffnet die innerstaatl. Rechtsordnung auch derart, daß der ausschließliche Herrschaftsanspruch der Bundesrepublik Deutschland im Geltungsbereich des GG zurückgenommen und der unmittelbaren Geltung und Anwendbarkeit eines Rechts aus anderen Quellen Raum gelassen wird (BVerfGE 37, 280). Die Übertragung kann widerruflich oder unwiderruflich sein. Der zwischenstaatl. Einrichtung muß nicht die Befugnis zum unmittelbaren Durchgriff auf einzelne eingeräumt sein. S. dazu BVerfG, NJW 1985, 606.

3 Das auf Grund der Übertragung von Hoheitsrechten erlassene Recht der EG ist weder Bestandteil der innerstaatl. Rechtsordnung noch Völkerrecht, sondern eigenständiges autonomes Recht einer zwischenstaatl. Einrichtung (BVerfG, zuletzt E 37, 277 f.), das innerstaatl. bindet, einfaches nationales Recht verdrängt und von den nationalen Behörden auszuführen ist.

4 Art. 24 läßt die Übertragung von Hoheitsrechten *nicht schrankenlos* zu. Die durch Art. 79 III gesetzten Grenzen sind zu berück-

sichtigen (BVerfGE 37, 279: »die Grundstruktur der Verfassung, auf der ihre Identität beruht«; S. 296: »mit den elementaren Grundsätzen des Grundgesetzes und seiner Wertordnung im Einklang«, »Schutz des Kernbestandes der Grundrechte«). Ebenso Art. 19 IV; eine Übertragung von Hoheitsrechten ist deshalb nur bei grundsätzlicher Gewährleistung eines anderweitigen Rechtsschutzes zulässig (BVerfGE 58, 40 ff.). Die Einzelheiten sind str., insbes. die Frage, ob das BVerfG gegenwärtig (noch) obige Grenzen überschreitendes, sekundäres Gemeinschaftsrecht (von den EG-Organen gesetztes Gemeinschaftsrecht) als für die deutschen Behörden und Gerichte unanwendbar erklären darf (so BVerfGE 37, 271 ff.; a. A. ebenda Minderheit S. 291 ff.; schwankend inzwischen E 52, 202 f.; vgl. auch v. Münch, Art. 24 Rn. 29 ff.). Unstreitig überprüfungsfähig ist deutsches ausführendes Recht (BVerfGE 30, 310).

Absatz 2

5   Abs. 2 behandelt die Einordnung der Bundesrepublik in ein *»System gegenseitiger kollektiver Sicherheit«.* Der Begriff ist weit und i. S. des Völkerrechts auszulegen. Neben universalen Schutzsystemen (»zwischen den Völkern der Welt«) kommen auch regionale (»in Europa«) in Betracht, z. B. die NATO und die WEU. »Gegenseitigkeit« verlangt nicht völlige Gleichheit der einzelnen Beiträge, aber gleichberechtigte und gleichverpflichtende Einordnung und Garantien. Die Einordnung und Beschränkung erfolgt durch einfache Gesetze, i. d. R. Vertragsgesetze.

Absatz 3

6   Abs. 3 behandelt die Regelung *zwischenstaatlicher Streitigkeiten,* also solcher unter Völkerrechtssubjekten, nicht internationaler Streitigkeiten mit Einzelpersonen. Unter *»internationaler Schiedsgerichtsbarkeit«* ist auch die eigentlich internationale Gerichtsbarkeit zu verstehen, so daß als Träger der hier angesprochenen Streiterledigung nicht nur der Ständige Schiedshof, sondern auch der Internationale Gerichtshof, beide in Den Haag, in Betracht käme. Abs. 3 erklärt programmatisch die Bereitschaft der Bundesrepublik und verpflichtet ihre Organe, sich einer denkbar weitgehenden internationalen Schiedsgerichtsbarkeit zu unterwerfen, falls eine solche zustandekommt: einer Schiedsgerichtsbarkeit, die allgemein (nicht regional oder anderweit teilnahmebeschränkt), umfassend (nicht sachlich begrenzt) und obli-

gatorisch (Einlassungszwang) ist. Da kaum Aussicht auf das Zustandekommen so weitgreifender Vereinbarungen zwischen den Staaten der Welt besteht, ist die praktische Bedeutung des Abs. 3 gering. Wenn weniger weitgreifende Schiedsgerichtsvereinbarungen in Frage stehen, sind die zuständigen Bundesorgane in ihrer Entscheidung verfassungsrechtl. nicht gebunden.

Artikel 25 [Völkerrecht und Bundesrecht]

Die allgemeinen Regeln des Völkerrechtes sind Bestandteil des Bundesrechtes. Sie gehen den Gesetzen vor und erzeugen Rechte und Pflichten unmittelbar für die Bewohner des Bundesgebietes.

1   Art. 25 nimmt das allgemeine Völkerrecht in seiner jeweiligen Fassung in die innerstaatl. Rechtsordnung auf, verleiht ihm den Vorrang vor den einfachen Gesetzen und stattet es, soweit norminhaltlich in Betracht kommend, mit unmittelbarer Geltung für den einzelnen aus.

2   *Satz 1:* Für die Aufnahme in das Bundesrecht kommen naturgemäß nur *generelle Regelungen des Völkerrechts,* also Regelungen normativen Charakters in Betracht, nicht auch Verträge und sonstige nur Einzelfälle behandelnde Regelungen. Generelle Regelungen dieser Art enthalten das ungeschriebene Völkergewohnheitsrecht, anerkannte allgemeine Rechtsgrundsätze des Völkerrechts und nur ausnahmsweise auch völkerrechtl. Verträge, nämlich dann, wenn sie völkerrechtl. Gewohnheitsrecht niederlegen (BVerfGE 15, 32 ff.; 16, 33; 23, 317; 31, 177). »Allgemeine Regeln des Völkerrechts« i. S. des Satzes 1 sind nur die *allgemein anerkannten Völkerrechtsnormen,* d. h. diejenigen Regeln, die von der weit überwiegenden Mehrheit der Staaten, insbes. auch von den in der Welt maßgebenden Mächten, jedoch im Gegensatz zur Praxis des Art. 4 WeimRVerf. nicht notwendigerweise auch von der Bundesrepublik Deutschland als verpflichtend anerkannt werden (BVerfGE 15, 34; 16, 33). Nicht darunter fallen nur regional oder sonst innerhalb bestimmter Staatengruppen anerkannte Völkerrechtsregeln. Der Bestand allgemein anerkannter Völkerrechtsregeln ist geringer als oft angenommen wird. Außerdem ist zu berücksichtigen, daß das Völkergewohnheitsrecht großenteils nur abdingbare Normen enthält und daher auch solche internationale Verträge in innerstaatl. Recht transformiert werden können, die mit dem allgemeinen Völkerrecht nicht voll übereinstimmen (BVerfGE 18, 448).

3 *Satz 2:* Die allgemeinen Regeln des Völkerrechts haben Vorrang
vor den einfachen Gesetzen, nicht jedoch vor dem GG und sonstigem Verfassungsrecht des Bundes (BVerfGE 6, 363), wohl aber –
nach Art. 31 – Vorrang vor dem Verfassungsrecht der Länder
(BVerfGE 1, 233). Das allgemeine Völkerrecht verdrängt im Wi-
derspruchsfall jede dem GG nachrangige deutsche Rechtsnorm.
Das macht es auch unmöglich, die Anwendbarkeit allgemeinen,
zwingenden Völkerrechts durch einen späteren Akt einfacher
staatl. Rechtsetzung auszuschließen.

4 Die allgemeinen Regeln des Völkerrechts berechtigen und verpflichten im allgemeinen nur die Staaten und ihre Organe. Daß sie
auch Privatpersonen mit Rechten und Pflichten ausstatten, ist sel-
tene Ausnahme (vgl. BVerfGE 46, 362). Innerstaatl. Berechti-
gung und Verpflichtung von Einzelpersonen durch Art. 25
kommt nur bei solchen Völkerrechtsregeln in Betracht, die ihrem
Inhalt nach für eine Subjektivierung geeignet sind, also unmittelbar auch den einzelnen begünstigen oder belasten können. Nach
BVerfGE 15, 33 soll sich die Geltung für Einzelpersonen bereits
aus Satz 1 ergeben, eine Auffassung, die jedoch schwerlich als
zwingend angesehen werden kann. »Bewohner des Bundesgebietes« sind alle Personen im Bundesgebiet, auch Ausländer, für die
deutsches Recht gilt.

5 Wegen der Schwierigkeiten, die mit der Feststellung des einschlägigen Völkerrechts häufig verbunden sind, haben die Gerichte,
wenn in einem Verfahren Zweifel entstehen, ob eine Regel des
Völkerrechtes Bestandteil des Bundesrechts ist oder ob sie unmittelbar Rechte und Pflichten für den einzelnen erzeugt, nach
Art. 100 II die Entscheidung des BVerfG einzuholen.

Artikel 26 [Friedenssicherung]

**(1) Handlungen, die geeignet sind und in der Absicht vorgenommen
werden, das friedliche Zusammenleben der Völker zu stören, insbesondere die Führung eines Angriffskrieges vorzubereiten, sind verfassungswidrig. Sie sind unter Strafe zu stellen.**

**(2) Zur Kriegführung bestimmte Waffen dürfen nur mit Genehmi-
gung der Bundesregierung hergestellt, befördert und in Verkehr gebracht werden. Das Nähere regelt ein Bundesgesetz.**

1 Art. 26 ist normativer Ausdruck der *Friedensbereitschaft* der
Bundesrepublik Deutschland; Zusammenhang mit Präambel,

Art. 9 II, Art. 24 und 25, Ergänzung zu Art. 87 a und
Art. 115 a ff., die nur Regelungen für einen Verteidigungs- und
Spannungsfall treffen. Programmsatz und Rechtsnorm, die auf
die Verhinderung militärischer Gewaltanwendung jeder Art zwi-
schen den Völkern hinzielt. Ausgangspunkt sind die völkerrechtl.
Begriffe: Gebot des Friedens, Ausschluß von Androhung und
Anwendung bewaffneter Gewalt. Insbesondere zur völkerrechtl.
Situation vgl. v. Münch, Art. 26 Rn. 3 ff.

Absatz 1

2 Wie »die Führung eines Angriffskrieges vorzubereiten« werden
auch alle anderen *Handlungen* von Staatsorganen oder Privatpersonen geächtet, die sowohl »geeignet« sind als auch »in der Absicht« vorgenommen werden, *das friedliche Zusammenleben der
Völker zu stören.* Der Begriff des Störens ist eng auszulegen und
wie in den §§ 80, 80 a StGB wohl auf Kriegsgefahr erzeugende
Handlungen zu beschränken (str.). Nach BVerwG, DÖV 1983,
120 muß es sich mindestens um eine Störung handeln, die eine
schwerwiegende Beeinträchtigung zwischenstaatl. Beziehungen
zur Folge haben kann. Eigene Abwehr- und Schutzmaßnahmen
oder die Beteiligung an einem internationalen »Crisis Manage-
ment« sind hingegen innerstaatl. ebenso zulässig wie völkerrechtl.
Verfassungsrechtl. erlaubt sind darüber hinaus Verteidigungs-
bündnisse, insbes. Bündnisse i. S. des Art. 24 II. Für die Beurteilung einzelner Handlungen wird im Zweifel auf die völkerrechtl.
Betrachtung abzustellen sein.

3 Aus *Satz 1* ergibt sich die *Rechtsfolge der Verfassungswidrigkeit*
und damit Rechtsunwirksamkeit. Sie tritt vor allem ein, wenn
Staatsorgane, etwa durch Rechtsetzung oder durch Verwaltungshandeln, Abs. 1 verletzen. Hinzutreten können Sanktionen gegen die Staatsorganträger, z. B. Dienststrafverfahren gegen Beamte oder die Präsidentenanklage nach Art. 61. *Satz 2* sieht für
Handlungen von Einzelpersonen die *Strafbarkeit* vor. Der Gesetzgebungsauftrag ist seit 1968 durch die Strafbestimmungen der
§§ 80, 80 a StGB erfüllt (ob vollständig, ist str.).

Absatz 2

4 Abs. 2 regelt als Spezialfall der Friedenssicherung die *Kontrolle
von Kriegswaffen,* und zwar i. S. eines Verbots mit Erlaubnis-
bzw. Befreiungsvorbehalt für die Herstellung, Beförderung und
das Inverkehrbringen von Waffen, die zum Kriegführen (nicht

nur geeignet, sonder auch) bestimmt sind. Der Gesetzgebungsauftrag in Satz 2 ist wahrgenommen insbes. durch das G über die
Kontrolle von Kriegswaffen vom 20. 4. 1961 (BGBl. I S. 444),
das die Waffen nach Satz 1 enumerativ bestimmt und die Voraussetzungen für eine Genehmigung festlegt. Das Wort »Bundesregierung« zwingt nicht zu Kollegialentscheidungen (str.); § 11 des
G sieht dementsprechend Delegationen vor.

Artikel 27   [Handelsflotte]

**Alle deutschen Kauffahrteischiffe bilden eine einheitliche Handels-
flotte.**

Traditionelle Bestimmung (gleichlautend Art. 81 WeimRVerf)
von nur noch geringer Tragweite. Keine Kompetenznorm im
Bund-Länder-Verhältnis. Bedeutung: Zwischenstaatlich gewährt der Bund allen Schiffen der Handelsflotte, gleichgültig in
welchem Bundesland sie beheimatet sind, einheitlichen Schutz.
Innerstaatlich gibt es nur eine einheitliche Staatszugehörigkeit
dieser Schiffe; sie treten unter der Bundesflagge, nicht unter der
Flagge der Bundesländer auf. Der Begriff »deutsch« ist hier ohne
Einbeziehung der DDR zu verstehen. »Kauffahrteischiffe« sind
die zum Erwerb durch die Seefahrt bestimmten Schiffe.

Artikel 28   [Landesverfassungen, Selbstverwaltung]

**(1)   Die verfassungsmäßige Ordnung in den Ländern muß den Grund-
sätzen des republikanischen, demokratischen und sozialen Rechtsstaates im Sinne dieses Grundgesetzes entsprechen. In den Ländern, Kreisen und Gemeinden muß das Volk eine Vertretung haben, die aus allgemeinen, unmittelbaren, freien, gleichen und geheimen Wahlen hervorgegangen ist. In Gemeinden kann an die Stelle einer gewählten Körperschaft die Gemeindeversammlung treten.**

**(2)   Den Gemeinden muß das Recht gewährleistet sein, alle Angele-
genheiten der örtlichen Gemeinschaft im Rahmen der Gesetze in eigener Verantwortung zu regeln. Auch die Gemeindeverbände haben im
Rahmen ihres gesetzlichen Aufgabenbereiches nach Maßgabe der Gesetze das Recht der Selbstverwaltung.**

**(3)   Der Bund gewährleistet, daß die verfassungsmäßige Ordnung der
Länder den Grundrechten und den Bestimmungen der Absätze 1 und 2
entspricht.**

Absatz 1

1 Abs. 1 enthält Normativbestimmungen für die *Verfassungsordnung der Länder,* die nicht unmittelbar in den Ländern gelten,
sondern nur eine Pflicht der Länder zu bestimmter Gestaltung ihrer Verfassung dem Bund gegenüber begründen (BVerfGE 1,
236; 22, 204) und auf die daher im Verletzungsfalle auch keine
Verfassungsbeschwerde gestützt werden kann (BVerfGE 3,
390 f.; 6, 129 f.). Das GG läßt den Ländern grundsätzlich freie
Hand in der Ausgestaltung ihrer Verfassungen (BVerfGE 4, 189;
36, 361). Um das für einen Bundesstaat unentbehrliche Mindestmaß polit. Homogenität zu sichern, schreibt Abs. 1 den Ländern
jedoch die Beachtung einiger Grundprinzipien polit. Ordnung
vor: die verfassungsmäßige Ordnung in den Ländern muß den
Grundsätzen des republikanischen, demokratischen und sozialen
Rechtsstaates i. S. des GG entsprechen. »Verfassungsmäßige
Ordnung« ist nicht nur das konstitutionelle Normengefüge, sondern auch die konkrete Verfassungswirklichkeit (str.), denn auf
diese kommt es im kritischen Fall u. U. mehr an als auf die formale Normeneinhaltung. Die die Länder nach Abs. 1 bindenden
Staatsprinzipien entsprechen den in Art. 20 niedergelegten
Grundsätzen und sind in deren Sinne auszulegen. Vgl. dazu die
Erläut. zu Art. 20 Rn. 2–4 u. 9. Freie Wahl ist den Ländern vor allem bei der Gestaltung ihres Regierungssystems gelassen. Das
parl. Regierungssystem ist nicht obligatorisch. Daher statthaft:
Präsidialdemokratie und Regierung auf Zeit. Zulässig sind auch
Zweite Kammern in einer Gestalt, die mit dem Demokratieprinzip vereinbar ist, ebenso die vom Bund grundsätzlich nicht aufgenommenen Formen unmittelbarer Demokratie (Volksbegehren,
Volksentscheid). Über allgemeine, unmittelbare, freie, gleiche
und geheime Wahlen vgl. die Erläut. zu Art. 38. Ein Wahlsystem
ist den Ländern ebensowenig vorgeschrieben wie dem Bundesgesetzgeber. Es besteht grundsätzlich auch keine Pflicht der Länder,
ihr Wahlrecht nach dem Bundeswahlrecht auszurichten (BVerf-
GE 4, 44 f.). Neu gegenüber der WeimRVerf ist, daß auch für
die Kreise, d. h. die eine Stufe über den Gemeinden stehenden
Gebietskörperschaften, unmittelbare Wahlen gefordert werden.
»Volk« i. S. des Art. 28 I 2 ist wie in Art. 20 II die Gesamtheit
der in der Bundesrepublik seßhaften oder sich zu ihr bekennenden deutschen Staatsbürger einschl. der Deutschen ohne deutsche
Staatsangehörigkeit (Art. 116 I), womit ein Wahlrecht von Ausländern – auch auf der Gemeindeebene – ausgeschlossen ist (str.).

2 Zu beachten bleibt, daß es auch abgesehen von Abs. 1 Grundge-
setznormen gibt, die in das Verfassungsrecht der Länder hineinwirken – so z. B. Art. 21 (vgl. BVerfGE 1, 227; 4, 378; 6, 375; 27,
17), Art. 25, die Bund-Länder-Kompetenzverteilung –, wie überhaupt das Verfassungsleben der Länder nicht ausschließlich in ihren Verfassungsurkunden geregelt ist (BVerfGE 1, 232; 27, 55).

3 Landesverfassungsrecht, das den Vorschriften des Abs. 1 widerspricht, ist nach Art. 31 nichtig.

Absatz 2

4 *Satz 1* enthält eine institutionelle Garantie der *gemeindlichen
Selbstverwaltung* für die öffentl. Angelegenheiten der örtlichen
Gemeinschaft und sucht damit ein Stück Demokratie durch Beteiligung der Staatsbürger an der Gestaltung ihres engeren Lebens-
kreises zu sichern. »Gemeinden« sind die den Ländern eingeglie-
derte unterste Stufe in der Hierarchie der öffentl. Gebietskörperschaften und Teil der organisierten Staatlichkeit im weitesten Sinne des Wortes. Gewährleistet wird in Abs. 2 nur die Selbstverwaltung als solche, nicht der Bestand der vorhandenen Gemeinden gegen Eingemeindungen, Gemeindezusammenschlüsse, Ge-
bietsveränderungen und der vorhandenen Selbstverwaltungs-
rechte im einzelnen (BVerfGE 1, 175; 22, 205). Abs. 2 enthält also keine Status-quo-Garantie (BVerfGE 1, 178; 23, 367). Selbstverwaltung heißt weisungsfreie Verwaltung durch eigene, selbst-
bestimmte Organe in eigenem Namen und eigener Verantwortung. Das Recht der Selbstverwaltung beschränkt sich auf Angelegenheiten der örtlichen Gemeinschaft, erstreckt sich hier allerdings grundsätzlich auf *alle* örtlichen Angelegenheiten (Grundsatz der Allzuständigkeit). »Angelegenheiten des örtlichen Wir-
kungskreises sind nur solche Aufgaben, die in der örtlichen Gemeinschaft wurzeln oder auf die örtliche Gemeinschaft einen spezifischen Bezug haben und von dieser örtlichen Gemeinschaft
eigenverantwortlich und vollständig bewältigt werden können«
(BVerfGE 8, 134; 50, 201). Die Schwerpunkte örtlicher Angelegenheiten liegen auf den Gebieten des Schulwesens, der Theater,
Museen und Sportanlagen, der Krankenhäuser, des Bauwesens,
des Nahverkehrs, der Wasserversorgung, Abfallbeseitigung usw.
Nicht von Art. 28 II betroffen wird die Erledigung staatl. Auf-
tragsangelegenheiten, die heute den Hauptteil gemeindlicher
Verwaltungsarbeit in Anspruch nimmt. Was im einzelnen zu dem
durch Art. 28 II gesicherten Bereich gehört, bestimmt sich weit-

gehend nach dem geschichtlich gewachsenen Erscheinungsbild der gemeindlichen Selbstverwaltung (BVerfGE 7, 364; 17, 182; 22, 205; 23, 366; 26, 238; 50, 201, BVerwGE 18, 142). Doch sind auch neuere Entwicklungen zu berücksichtigen. Wesentliche Bestandteile des Selbstverwaltungsrechts sind die Personalhoheit (BVerfGE 1, 175; 8, 359; 9, 289; 17, 181 f.), die Organisationsheit und die Finanzhoheit der Gemeinden, die eine besondere Gewährleistung in Art. 106 V–VIII erfahren hat und eine ausreichende Finanzausstattung, aber kein eigenes bedarfsdeckendes Steuererhebungsrecht fordert. Auch die Rechtsetzungshoheit (Satzungsautonomie) gehört zum Wesen der gemeindlichen Selbstverwaltung, ebenso die örtliche Raumplanung (vgl. BVerfGE 56, 298 u. vor allem BVerwGE 40, 329; 51, 13). Schließlich garantiert Art. 28 II 1 den Gemeinden, daß Eingriffe in ihre Gebietshoheit nur aus Gründen des öffentl. Wohls und nach vorheriger Anhörung vorgenommen werden (BVerfGE 50, 50; 50, 202 f.; StGH Nieders., OVGE 33, 497). Betätigung in staatspolit. Angelegenheiten, wie etwa der auswärtigen oder Verteidigungspolitik (z. B. Volksbefragungen in Rüstungssachen, Erklärung zu »atomwaffenfreien Gemeinden«), überschreitet den den Gemeinden zustehenden Wirkungskreis (BVerfGE 8, 134; Theis, JuS 1984, 422). Im übrigen richten sich der Umfang und die Führung der gemeindlichen Selbstverwaltung nach den Gesetzen. Auch Bundesgesetze können das Selbstverwaltungsrecht beschränken (BVerfGE 1, 175 f.), ebenso Rechtsverordnungen (BVerfGE 26, 237; 56, 309). Das Selbstverwaltungsrecht der Gemeinden steht also unter einem allgemeinen Gesetzesvorbehalt, der jedoch insofern begrenzt ist, als die staatl. Gesetze den Kernbestand und Wesensgehalt gemeindlicher Selbstverwaltung unangetastet lassen müssen und das Selbstverwaltungsrecht nicht aushöhlen dürfen (BVerfGE 1, 175, 178; 17, 182; 21, 130; 22, 205; 23, 365; 26, 238; 56, 312; BVerwGE 19, 122 f.; 19, 320). Die Selbstverwaltungsgarantie der Gemeinden gilt auch für ihr Verhältnis zu Kreisen und anderen Gemeindeverbänden (BVerwGE 67, 321; BVerwG, DÖV 1984, 548). Das Recht kommunaler Wählergruppen (Rathausparteien, Wählervereinigungen) auf chancengleiche Teilnahme an den Gemeindewahlen, das BVerfGE 11, 273 ff.; 11, 361 ff.; 12, 25 aus Art. 28 II ableiten, ergibt sich richtigerweise bereits aus den auch für Kommunalwahlen gültigen Grundsätzen der allgemeinen und gleichen Wahl.

5 *Satz 2:* Den Gemeindeverbänden ist das Recht der Selbstverwaltung nur innerhalb ihres gesetzlichen Aufgabenbereiches gewähr-

leistet. Es fehlt ihnen im Gegensatz zu den Gemeinden die grundsätzliche Allzuständigkeit (BVerfGE 21, 129).

6 Art. 28 II ist Grundsatz des objektiven Rechts, begründet aber
auch subjektive Rechte. Gemeinden und Gemeindeverbände haben bei Verletzung ihres in Art. 28 II verbürgten Selbstverwaltungsrechtes *durch Gesetz* (oder Rechtsverordnung – BVerf-
GE 26, 236) das Recht der Verfassungsbeschwerde nach Maßgabe des Art. 93 I Nr. 4 b, bei Verletzung durch staatl. Einzelakt
das Recht der Klage im Verwaltungsstreitverfahren.

Absatz 3

7 Abs. 3 gibt dem Bund das Recht und die Pflicht, die Übereinstimmung der verfassungsmäßigen Ordnung der Länder mit den
Grundrechten und den in Abs. 1 und 2 genannten Vorschriften sicherzustellen. Dafür stehen ihm u. a. die Rechte aus Art. 37 und
die Klagen aus Art. 93 I Nr. 2 u. 3 zur Verfügung. Bei Verstößen
des Landesgesetzgebers gegen die Grundsätze des Art. 28 I 1 ist
auch die LReg berechtigt, das BVerfG anzurufen (BVerfGE 9,
277). Subjektiv-rechtl. Ansprüche Dritter auf Bundesinterven-
tion sind mit der Gewährleistungspflicht des Abs. 3 nicht verbunden (s. dazu BVerwG, NJW 1977, 118 f.).

Artikel 29 [Neugliederung des Bundesgebietes]

**(1) Das Bundesgebiet kann neu gegliedert werden, um zu gewährlei-
sten, daß die Länder nach Größe und Leistungsfähigkeit die ihnen obliegenden Aufgaben wirksam erfüllen können. Dabei sind die lands-
mannschaftliche Verbundenheit, die geschichtlichen und kulturellen
Zusammenhänge, die wirtschaftliche Zweckmäßigkeit sowie die Erfordernisse der Raumordnung und der Landesplanung zu berücksichtigen.**

**(2) Maßnahmen zur Neugliederung des Bundesgebietes ergehen
durch Bundesgesetz, das der Bestätigung durch Volksentscheid bedarf.
Die betroffenen Länder sind zu hören.**

**(3) Der Volksentscheid findet in den Ländern statt, aus deren Gebie-
ten oder Gebietsteilen ein neues oder neu umgrenztes Land gebildet
werden soll (betroffene Länder). Abzustimmen ist über die Frage, ob
die betroffenen Länder wie bisher bestehenbleiben sollen oder ob das
neue oder neu umgrenzte Land gebildet werden soll. Der Volksentscheid für die Bildung eines neuen oder neu umgrenzten Landes kommt
zustande, wenn in dessen künftigem Gebiet und insgesamt in den Ge-**

bieten oder Gebietsteilen eines betroffenen Landes, deren Landeszugehörigkeit im gleichen Sinne geändert werden soll, jeweils eine Mehrheit der Änderung zustimmt. Er kommt nicht zustande, wenn im Gebiet eines der betroffenen Länder eine Mehrheit die Änderung ablehnt; die Ablehnung ist jedoch unbeachtlich, wenn in einem Gebietsteil, dessen Zugehörigkeit zu dem betroffenen Land geändert werden soll, eine Mehrheit von zwei Dritteln der Änderung zustimmt, es sei denn, daß im Gesamtgebiet des betroffenen Landes eine Mehrheit von zwei Dritteln die Änderung ablehnt.

(4) Wird in einem zusammenhängenden, abgegrenzten Siedlungs- und Wirtschaftsraum, dessen Teile in mehreren Ländern liegen und der mindestens eine Million Einwohner hat, von einem Zehntel der in ihm zum Bundestag Wahlberechtigten durch Volksbegehren gefordert, daß für diesen Raum eine einheitliche Landeszugehörigkeit herbeigeführt werde, so ist durch Bundesgesetz innerhalb von zwei Jahren entweder zu bestimmen, ob die Landeszugehörigkeit gemäß Absatz 2 geändert wird, oder daß in den betroffenen Ländern eine Volksbefragung stattfindet.

(5) Die Volksbefragung ist darauf gerichtet festzustellen, ob eine in dem Gesetz vorzuschlagende Änderung der Landeszugehörigkeit Zustimmung findet. Das Gesetz kann verschiedene, jedoch nicht mehr als zwei Vorschläge der Volksbefragung vorlegen. Stimmt eine Mehrheit einer vorgeschlagenen Änderung der Landeszugehörigkeit zu, so ist durch Bundesgesetz innerhalb von zwei Jahren zu bestimmen, ob die Landeszugehörigkeit gemäß Absatz 2 geändert wird. Findet ein der Volksbefragung vorgelegter Vorschlag eine den Maßgaben des Absatzes 3 Satz 3 entsprechende Zustimmung, so ist innerhalb von zwei Jahren nach der Durchführung der Volksbefragung ein Bundesgesetz zur Bildung des vorgeschlagenen Landes zu erlassen, das der Bestätigung durch Volksentscheid nicht mehr bedarf.

(6) Mehrheit im Volksentscheid und in der Volksbefragung ist die Mehrheit der abgegebenen Stimmen, wenn sie mindestens ein Viertel der zum Bundestag Wahlberechtigten umfaßt. Im übrigen wird das Nähere über Volksentscheid, Volksbegehren und Volksbefragung durch ein Bundesgesetz geregelt; dieses kann auch vorsehen, daß Volksbegehren innerhalb eines Zeitraumes von fünf Jahren nicht wiederholt werden können.

(7) Sonstige Änderungen des Gebietsbestandes der Länder können durch Staatsverträge der beteiligten Länder oder durch Bundesgesetz mit Zustimmung des Bundesrates erfolgen, wenn das Gebiet, dessen Landeszugehörigkeit geändert werden soll, nicht mehr als 10 000 Ein-

wohner hat. Das Nähere regelt ein Bundesgesetz, das der Zustimmung des Bundesrates und der Mehrheit der Mitglieder des Bundestages bedarf. Es muß die Anhörung der betroffenen Gemeinden und Kreise vorsehen.

1   Eine ungelöste *Neugliederungsproblematik* bestand bereits im Deutschen Reich, dessen zunächst 26, später 17 Gliedstaaten vielfach auf dynastische Zufallsbildungen zurückgingen. Die WeimR-Verf sah eine (Neu-)Gliederung vor, die das Mißverhältnis zwischen Preußen – Zweidrittel des Reichsgebietes – und den kleinen Ländern hätte beseitigen können. Nach 1945 teilten die Besatzungsmächte Preußen auf und schufen in den Grenzen ihrer Besatzungszonen neue Länder aus Teilen Preußens und kleineren Ländern oder Teilen von diesen (vgl. Art. 23 Rn. 3). Damit wurden z. T. historische Zusammenhänge gestört und wiederum Zufallsgrenzen gezogen.

2   Art. 29 ist *mehrfach geändert* worden. Er sah in der ursprünglichen Fassung eine Verpflichtung des Bundes zur Neugliederung des gesamten Bundesgebietes vor. Hierzu kam es nicht. Eine Wiederherstellung kleinerer historischer Länder, für die sich z. T. erfolgreiche Volksbegehren und -entscheide aussprachen, hätte den materiellen Zielen der Neugliederung widersprochen. Eine Zusammenfassung noch größerer Gebiete, die eine Sachverständigenkommission dem BMI 1972 empfohlen hatte, fand politisch zu wenig Widerhall. Insgesamt haben die nach 1945 geschaffenen Länder in den Jahrzehnten seither eine beachtliche staatl. und polit. Identität gewonnen, so daß eine Aufhebung des Art. 29 diskutiert wurde. Stattdessen ist er 1976 neu gefaßt und modifiziert worden: *Aus der Verpflichtung des Bundes wurde eine Ermächtigung* (BVerfGE 49, 13 u. 17). Zu den früheren Fassungen vgl. die ältere Kommentarliteratur und Rechtsprechung des BVerfG. – Auf Art. 118 beruht die Bildung des Landes Baden-Württemberg (1951), auf Art. 23 der Beitritt des Saarlandes (1957).

Absatz 1

3   Eine etwaige Neugliederung hat ausschließlich im Interesse und zum Wohl des Ganzen zu erfolgen; sie dient weder dem Interesse der bestehenden noch zur Wahrung der Interessen ehemaliger Länder (BVerfG, zuletzt E 49, 13; vgl. auch S. 20). Abs. 1 enthält die *Richtbegriffe für die Neugliederung*, wobei Satz 2 lediglich ihre »Berücksichtigung« verlangt. »Erfordernisse der Raumordnung« und der »Landesplanung« sind 1976 eingefügt worden an-

stelle des früheren, jedoch als zu unbestimmt empfundenen Richt-
begriffs »soziales Gefüge«. Im einzelnen vgl. Maunz/Dürig,
Art. 29 Rn. 22 ff. – Der Begriff *»Bundesgebiet«* kann hier aus tatsächlichen und rechtl. Gründen nur die westdeutschen Bundesländer erfassen, nicht auch Berlin (zu Berlin s. Art. 23 Rn. 4).

Absatz 2

4 Abs. 2 sieht in Anknüpfung an Abs. 1 a. F. die Neugliederung
durch *Bundesgesetz* vor, das der *Bestätigung durch Volksentscheid,* nicht aber der Zustimmung des BRats bedarf. Neu ist, daß
bei Volksentscheiden ausschließlich der Wille der unmittelbar betroffenen Bevölkerung den Ausschlag gibt. Neu ist ferner, daß die
betroffenen Länder gehört werden müssen.

Absätze 3 bis 6

5 *Absatz 3* regelt den Volksentscheid, der nur in den betroffenen
Ländern stattfindet. Art. 29 a. F. hatte die Möglichkeit auch eines Volksentscheids im *gesamten* Bundesgebiet vorgesehen. Die
Abstimmungsfrage ist so zu fassen, daß nur die beiden Alternativen: Beibehaltung des bisherigen Zustandes oder Bildung des
neuen bzw. neu umgrenzten Landes gewählt werden können.
Letztlich entscheidend ist nicht ein Wille zur Veränderung, sondern die Auffassung der Abstimmungsberechtigten in den betroffenen bisherigen Ländern. Denn mit Zweidrittelmehrheit in einem der betroffenen Länder kann jede Änderung der Länderglie-
derung verhindert werden. Allerdings öffnet *Absatz 4* ein Ventil
für spontane Neugliederungswünsche. Er nennt die Voraussetzungen für ein Volksbegehren, das im Erfolgsfalle (Unterstützung
durch ein Zehntel der zum BTag Wahlberechtigten eines Gebietes, für das eine Änderung der Landeszugehörigkeit gefordert
wird) entweder zu einem Bundesgesetz nach Abs. 2 führt, mit
dem dem Änderungswunsche Rechnung getragen wird (das aber
dem Volksentscheid unterliegt), oder ein Bundesgesetz zur Folge
hat, das eine Volksbefragung in den betroffenen Ländern anordnet. Nach *Absatz 5* führt die Volksbefragung bei Erfolg (Mehrheit
für eine vorgeschlagene Änderung) wiederum zum Tätigwerden
des Bundesgesetzgebers, der in seiner Entscheidung zwar frei ist,
sie aber dem Volksentscheid unterwerfen muß. Auf den Volksentscheid wird nur dann verzichtet, wenn bereits die Volksbefragung eindeutige Mehrheiten erbracht hatte und der Gesetzgeber
sich an das Ergebnis hält. Das nach *Absatz 6* vorgesehene G über
das Verfahren bei Volksentscheid, Volksbegehren und Volksbefragung ist am 30. 7. 1979 ergangen (BGBl. I S. 1317).

Absatz 7

6 *Sonstige Änderungen des Gebietsbestandes der Länder* sind zulässig, wenn das betroffene Gebiet nicht mehr als 10 000 Einwohner
hat, und zwar entweder durch Staatsvertrag der beteiligten Länder oder durch Bundesgesetz, das im Unterschied zum G nach ʼ
Abs. 2 der Zustimmung des BRates bedarf. Das in Satz 2 und 3
genannte G über das Verfahren bei sonstigen Änderungen des
Gebietsbestandes der Länder ist ebenfalls am 30. 7. 1979 ergangen (BGBl. I S. 1325). Hiernach sind auch Staatsverträge der
Länder im BGBl. bekanntzumachen. Eine Zusammenstellung
von Staatsverträgen der Länder über Gebietsänderungen bringt
v. Münch, Art. 29 nach Rn. 79.

Artikel 30   [Zuständigkeitsverteilung zwischen Bund und Ländern]

**Die Ausübung der staatlichen Befugnisse und die Erfüllung der staatli-
chen Aufgaben ist Sache der Länder, soweit dieses Grundgesetz keine
andere Regelung trifft oder zuläßt.**

1 Art. 30 enthält die *Grundregel für die Zuständigkeitsverteilung
zwischen Bund und Ländern.* Die Vorschrift hat für die bundesstaatl. Struktur der Bundesrepublik Deutschland zentrale Bedeutung (BVerfGE 12, 244; 61, 205). Die Grundentscheidung, daß
die Länder für die Erfüllung der staatl. Aufgaben zuständig sind,
soweit das GG nichts anderes bestimmt oder zuläßt, wird in Art.
70 I für den Bereich der Gesetzgebung und in Art. 83 für den verwaltungsmäßigen Vollzug des Bundesrechts wiederholt und bestätigt (zu Art. 70 I s. BayVerfGH 28, 65, zu Art. 83 OVG
Lüneburg, OVGE 28, 431). Auch Art. 92, der die rechtsprechende Gewalt des Bundes auf die im GG vorgesehenen Bundesgerichte beschränkt, kann in diesem Sinne verstanden werden (vgl.
BVerfGE 8, 176; BVerwGE 22, 307).

2 Art. 30 begründet eine widerlegbare *Vermutung für die Zuständigkeit der Länder.* Für die rechtsetzende, verwaltende wie rechtsprechende *Tätigkeit des Bundes* bedarf es deshalb jeweils eines
besonderen verfassungsrechtlichen Titels (vgl. BVerfGE 12, 229;
42, 28). Er kann sich *aus dem geschriebenen Verfassungsrecht,* insbes. aus den Kompetenzbestimmungen der Art. 73 ff. (105),
87 ff. (108, 120 a) und 93 ff., für die Gesetzgebung und Verwal-

tung aber auch stillschweigend *aus der Natur der Sache* (BVerf-
GE 11, 98 f.; 12, 251; 22, 217; 26, 257; 41, 312) oder *kraft Sachzusammenhangs* (BVerfGE 3, 421; 15, 20; 26, 256; 41, 312) ergeben.
Auf stillschweigender Zuweisung beruht beispielsweise die Zuständigkeit des Bundes für gesamtdeutsche Angelegenheiten (vgl.
auch nachstehend Rn. 3 und 4 sowie Vorbem. vor Art. 70 Rn. 2
und Art. 87 Rn. 3).

3   Hinsichtlich der *verwaltenden Staatstätigkeit* gilt Art. 30 sowohl
für die gesetzesakzessorische als auch für die gesetzesfreie Erfüllung öffentl. Aufgaben (BVerfGE 12, 246; 22, 217) ohne Rücksicht darauf, ob Mittel des öffentl. oder des privaten Rechts verwendet werden (BVerfGE 12, 244). Auch die Wahrnehmung von
Förderungsaufgaben durch Hingabe von Haushaltsgeldern fällt
unter Art. 30 (vgl. BVerfGE 22, 216). Förderungsaktivitäten des
Bundes setzen deshalb ebenfalls eine entsprechende Kompetenzzuweisung voraus. Sie bestimmt sich gemäß Art. 104 a I grundsätzlich danach, ob der Bund für die zu fördernde Aufgabe eine
ausdrückliche oder durch das GG stillschweigend zugelassene
Verwaltungszuständigkeit besitzt (s. Art. 104 a Rn. 1). Letzteres
ist bei Aufgaben der Fall, die eindeutig überregionalen Charakter
haben, nämlich ihrer Art nach – wie z. B. gesamtdeutsche und internationale Aufgaben oder die Förderung zentraler Einrichtungen mit Wirkungsbereich im gesamten Bundesgebiet – nicht durch
ein Land allein wirksam wahrgenommen werden können (BVerf-
GE 22, 217).

4   Die insoweit bestehenden Verwaltungskompetenzen und Finan-
zierungsbefugnisse des Bundes klarzustellen, ist das Ziel des von
den Ländern bisher nicht formell gebilligten Entwurfs einer Verwaltungsvereinbarung über die Finanzierung öffentl. Aufgaben
von Bund und Ländern (sog. *Flurbereinigungsabkommen;* abgedruckt in: Gemeinsame Forschungsförderung durch Bund und
Länder, hrsg. vom BMinister f. Forschung und Technologie,
1979). Danach kann der Bund Aufgaben in folgenden Bereichen
finanzieren:

a) Wahrnehmung der Befugnisse und Verpflichtungen, die im
bundesstaatl. Gesamtverband ihrem Wesen nach dem Bund ei-
gentümlich sind (gesamtstaatl. Repräsentation);

b) Förderung von bundeswichtigen Auslandsbeziehungen, insbes. zu nichtstaatl. internationalen und ausländischen Organisationen und Einrichtungen (Auslandsbeziehungen);

c) Förderung der Beziehungen im geteilten Deutschland und Maßnahmen, die erforderlich sind, um den Auswirkungen der Teilung Deutschlands zu begegnen;

d) Vorhaben der wissenschaftlichen Großforschung vornehmlich im Bereich der Kern-, Weltraum-, Luftfahrt- und Meeresforschung sowie auf dem Gebiet der Datenverarbeitung. Zur Großforschung gehören Vorhaben, die wegen ihrer besonderen wissenschaftlichen Bedeutung und ihres außerordentlichen finanziellen Aufwands sinnvollerweise nur vom Gesamtstaat gefördert werden können (Großforschung);

e) Maßnahmen der Wirtschaftsförderung, die sich auf das Wirtschaftsgebiet des Bundes als Ganzes beziehen und ihrer Art nach nicht durch ein Land allein wirksam wahrgenommen werden können;

f) Förderung zentraler Einrichtungen und Veranstaltungen nichtstaatl. Organisationen im Bereich der Gesetzgebungszuständigkeit des Bundes, die für das Bundesgebiet als Ganzes von Bedeutung sind und deren Bestrebungen ihrer Art nach nicht durch ein Land allein wirksam gefördert werden können (nichtstaatl. zentrale Einrichtungen);

g) Maßnahmen, die zur sachgemäßen Erfüllung von Aufgaben der Bundesbehörden notwendig sind (ressortzugehörige Funktionen).

5   Vereinbarungen, die nicht wie diese auf Kompetenzabgrenzung und Kompetenzbestätigung, sondern auf Kompetenzverschiebung gerichtet sind, sind unzulässig (BVerfGE 1, 35; 41, 311; 55, 301; 63, 39 m. w. N.). Auch die Durchführung von Landesgesetzen durch Bundesbehörden ist mit Art. 30 nicht vereinbar (BVerfGE 12, 221; 21, 325 ff.; zur Erledigung von Verwaltungsaufgaben der Länder durch Einrichtungen des Bundes im Wege der sog. *Organleihe* vgl. BVerwG, NJW 1976, 1469 sowie Vorbem. vor Art. 83 Rn. 8). Eine Beschränkung der Bundesgerichte auf die Entscheidung über Bundesrecht läßt sich Art. 30 dagegen nicht entnehmen (BAGE 4, 346 ff.).

Artikel 31 [Vorrang des Bundesrechts]

Bundesrecht bricht Landesrecht.

1   Traditionelle Bestimmung (WeimRVerf Art. 13) und Grundsatznorm bundesstaatl. Ordnung, die vor allem auch in Art. 28 zur Wirkung kommt (Erläut. zu Art. 28 Rn. 3). »*Kollisionsnorm*«,

die voraussetzt, daß derselbe Gegenstand, dieselbe Rechtsfrage geregelt sind, und zwar im übrigen rechtsgültig (BVerfGE 26, 135).

2 *Bundesrecht* ist jede von einem Bundesorgan erlassene Norm (BVerfGE 18, 414): Verfassung, Gesetz, Rechtsverordnung, ferner Bundesgewohnheitsrecht, Völkerrecht nach Maßgabe des Art. 25 und »fortgeltendes« Bundesrecht (Art. 123 ff.). Entsprechendes gilt für den Begriff des *Landesrechts*, zu dem außerdem Satzungen der Gemeinden und Gemeindeverbände zu rechnen sind. Verwaltungsvorschriften sind kein Recht. Auch Tarifverträge erfaßt Art. 31 nicht (h. M.). Die Kompetenzregelungen der Art. 71 ff. verhindern für das einfache Recht i. d. R., daß es zur Kollision kommt, schränken somit die praktische Bedeutung der Bestimmung ein. Sie besteht insbes. noch für das Verhältnis von Bundesverfassungsrecht zum Landesrecht, von Landesverfassungsrecht zum Bundesrecht, Bundesrechtsverordnungen zu Landesrecht. »Bricht« (vgl. BVerfGE 36, 365): *Entgegenstehendes – inhaltlich widersprechendes – Landesrecht ist nichtig* (vgl. BVerfGE 51, 96), *sein Erlaß unzulässig.* Die Bestimmung bedeutet also nach »rückwärts« Aufhebung, nach »vorwärts« eine Sperre. Das »gebrochene« Landesrecht lebt nach Außerkrafttreten des Bundesrechts nicht wieder auf.

3 Ob *inhaltsgleiches Landesrecht,* das sachlich mit einfachem Bundesrecht übereinstimmt, ebenfalls unwirksam ist, ist bestr.; vgl. zum Streitstand v. Münch, Art. 31 Rn. 23. Das BVerfG hat die Frage in E 40, 327 offengelassen, in E 36, 366 ff. aber entschieden, daß mit dem GG inhaltsgleiche Vorschriften des Landesverfassungsrechts rechtswirksam bleiben, also neben den GG-Normen »parallel« laufen (bestr.). Zum Rahmenrecht vgl. Art. 75 Rn. 1. Für *landesrechtliche Grundrechte* sieht Art. 142 eine Sonderregelung vor.

4 Unberührt von Art. 31 bleibt der Fall, daß die Bundesnorm abweichendes Landesrecht, z. B. als lex specialis, im Einzelfall zuläßt.

5 Zur *verfassungsgerichtlichen Klärung* von Kollisionsfragen vgl. Art. 93 I Nr. 2.

Artikel 32   [Auswärtige Beziehungen]

(1) Die Pflege der Beziehungen zu auswärtigen Staaten ist Sache des Bundes.

**(2)   Vor dem Abschlusse eines Vertrages, der die besonderen Verhält-
nisse eines Landes berührt, ist das Land rechtzeitig zu hören.**

**(3)   Soweit die Länder für die Gesetzgebung zuständig sind, können
sie mit Zustimmung der Bundesregierung mit auswärtigen Staaten Verträge abschließen.**

Absatz 1

1 Abs. 1 ist, als lex specialis gegenüber Art. 30, die grundsätzliche
Bestimmung über die Zuständigkeitsverteilung zwischen Bund und
Ländern für die Pflege der Beziehungen zu auswärtigen Staaten
(vgl. daneben Art. 73 Nr. 1, Art. 87 I 1, ferner Art. 59, der die Zuständigkeitsverteilung innerhalb des Bundes auf seine Organe regelt). Die *Pflege der Beziehungen zu auswärtigen Staaten* (vgl. auch
Art. 59 I 2) umfaßt nicht nur den Teilbereich »Abschluß völkerrechtl. Verträge«, sondern *alle Handlungen und Maßnahmen, die
im Bereich der auswärtigen Angelegenheiten* (in Wahrnehmung sowohl der Interessen des Bundes als auch der Interessen der Länder)
erforderlich werden (vgl. die Aufschlüsselungen bei v. Münch,
Art. 32 Rn. 2, 19 ff.). Dieser umfassenden Bundeskompetenz entsprechend liegt die gesamte diplomatische und konsularische Vertretung ausschließlich in der Hand des Bundes. Zur Pflege der Beziehungen zu »auswärtigen Staaten« gehört auch die zu den zwischenstaatl. Einrichtungen (vgl. Art. 24 Rn. 2) und anderen anerkannten Völkerrechtssubjekten, ebenso die Entwicklungshilfe. Die
Beziehungen zur DDR fallen nicht als auswärtige Beziehung, sondern als gesamtdeutsche Angelegenheit kraft Natur der Sache in die
Zuständigkeit des Bundes (vgl. Art. 30 Rn. 2, Art. 59 Rn. 3,
Art. 73 Rn. 1). Nicht unter den Begriff »auswärtige Staaten« fällt,
wie schon unter der WeimRVerf anerkannt war, der Heilige Stuhl.
Länderkonkordate bedürfen daher nicht der Zustimmung der
BReg nach Abs. 3 (BVerfGE 6, 362).

Absatz 2

2 Abs. 2 bindet den *Bund* über die allg. Rechtspflicht zu länder-
freundlichem Verhalten (er muß die Interessen der Länder wahren und darf insbes. seine Zuständigkeit nicht zur Zurückdrän-
gung der Länderkompetenzen in Anspruch nehmen) hinaus. Er
*muß ein Land, dessen »besondere Verhältnisse« durch den Ver-
tragsschluß »berührt« werden, vorher anhören.* Die *besonderen
Verhältnisse* eines Landes werden nicht schon dann berührt, wenn

ein Staatsvertrag die Bundesrepublik im Ganzen betrifft und damit die Interessen aller Länder erfaßt, sondern nur dann, wenn der Vertrag die Regelung vorwiegend örtlicher und regionaler Verhältnisse beabsichtigt, einem Lande eigentümliche, d. h. nicht im ganzen Bundesgebiet gleichmäßig anzutreffende Veranstaltungen, Einrichtungen oder Verhältnisse betrifft. *»Vorherige Anhörung«:* Dem Lande muß so rechtzeitig Gelegenheit zur Äußerung gegeben werden, daß eine Stellungnahme noch berücksichtigt (d. h. geprüft) werden kann. Zu gebietsändernden Verträgen vgl. Erläut. zu Art. 23 Rn. 3.

Absatz 3

3 Verträge, die von den Ländern abgeschlossen werden, haben Rechtswirkungen nur für das betr. Land, nicht für den Bund. Die *Zuständigkeit der Länder* ergibt sich aus den Gesetzgebungskatalogen i. V. m. Art. 70. Im Bereich der konkurrierenden Gesetzgebungszuständigkeit dürfen die Länder Staatsverträge also nur schließen, soweit der Bund von seiner Zuständigkeit noch nicht durch Gesetzgebung oder Vertragsschluß Gebrauch gemacht hat. Die *Zustimmung der Bundesregierung* muß grundsätzlich vor Abschluß des Vertrages vorliegen; eine nachträglich erteilte Genehmigung kann aber den Formmangel heilen. Str. ist, ob ein ohne Zustimmung der BReg geschlossener völkerrechtl. Vertrag Rechtsgültigkeit erlangt (Überblick bei v. Münch, Art. 32 Rn. 36). Die Zustimmung der BReg steht in deren polit. Ermessen.

4 Überblick über Verträge nach Abs. 3 bei v. Münch, Art. 32 S. 349 ff. Liegen die Voraussetzungen des Abs. 3 vor, können die Länder auch *Verwaltungsabkommen* schließen (BVerfGE 2, 369 f.; a. A. insbes. Maunz/Dürig, Art. 32 Rn. 71: Zuständigkeit folge aus Art. 83 ff., daher Zustimmung der BReg nicht erforderlich).

5 *Die Abschlußkompetenz der Länder nach Abs. 3 schließt eine Abschlußkompetenz des Bundes selbst auf dem Gebiet der ausschließlichen Landesgesetzgebung nicht aus* (sehr bestr.; vgl. zum Streitstand v. Münch, Art. 32 Rn. 37; a. A. insbes. u. ausführlich Maunz/Dürig, Art. 32 Rn. 29 ff.). Dem Bund fehlen aber in den Fällen des Abs. 3 regelmäßig die innerstaatl. Ausführungsbefugnisse, die *»Transformationskompetenz* (bestr.; vgl. v. Münch, Art. 32 Rn. 40). Die praktische Bedeutung beider Streitfragen ist wesentlich gemildert durch das sog. »Lindauer Abkommen«

vom 14. 11. 1957 zwischen Bund und Ländern (Wortlaut bei Maunz/Dürig, Art. 32 Rn. 45), durch die Arbeit der hierauf beruhenden Ständigen Vertragskommission der Länder sowie ergänzende Absprachen zwischen Bund und Ländern. Die Verständigung umfaßt einerseits die Beteiligung der Länder (u. U. schon bei den Verhandlungen selbst), andererseits die Klarstellung, welche Verträge der Bund unbeanstandet schließen kann.

Für nichtvertragliche Auslandskontakte der Länder läßt Art. 32 nur einen engen Spielraum. Vgl. dazu Kölble, DÖV 1965, 145.

6 Auslandskontakte der Gemeinden/Gemeindeverbände (G/GV) werden in Art. 32 nicht geregelt. G/GV sind keine Völkerrechtssubjekte. G/GV unterliegen also nicht den Einschränkungen des Abs. 3, wenn sie Verträge mit G/GV in anderen Staaten schließen. Derartige Verträge (Hauptbeispiele: Städtepartnerschaften, Lösung regionaler grenzüberschreitender Probleme) oder andere Kontakte bemessen sich nicht nach Völkerrecht, sondern nach innerstaatl. Privat- oder Verwaltungsrecht. Die G/GV handeln auch bei ihren Auslandskontakten auf der Grundlage von Art. 28 II, sie müssen also die Schranken des Art. 28 II einhalten, sich insbes. auf die Regelung von »Angelegenheiten der örtlichen Gemeinschaft«, des »örtlichen Wirkungsbereichs« beschränken (vgl. Erläut. zu Art. 28 Rn. 4). Der Grundsatz der Bundestreue (Erläut. zu Art. 20 Rn. 6) kann im Einzelfall auch eine Abstimmung mit der BReg erfordern. – Die gesamte verfassungsrechtl. Beurteilung der Auslandskontakte von G/GV ist str. und noch wenig geklärt.

Artikel 33 [Staatsbürgerliche Rechte und Pflichten, Öffentlicher Dienst]

(1)   Jeder Deutsche hat in jedem Lande die gleichen staatsbürgerlichen Rechte und Pflichten.

(2)   Jeder Deutsche hat nach seiner Eignung, Befähigung und fachlichen Leistung gleichen Zugang zu jedem öffentlichen Amte.

(3)   Der Genuß bürgerlicher und staatsbürgerlicher Rechte, die Zulassung zu öffentlichen Ämtern sowie die im öffentlichen Dienste erworbenen Rechte sind unabhängig von dem religiösen Bekenntnis. Niemandem darf aus seiner Zugehörigkeit oder Nichtzugehörigkeit zu einem Bekenntnisse oder einer Weltanschauung ein Nachteil erwachsen.

(4)   Die Ausübung hoheitsrechtlicher Befugnisse ist als ständige Aufgabe in der Regel Angehörigen des öffentlichen Dienstes zu übertragen, die in einem öffentlich-rechtlichen Dienst- und Treueverhältnis stehen.

(5)   Das Recht des öffentlichen Dienstes ist unter Berücksichtigung der hergebrachten Grundsätze des Berufsbeamtentums zu regeln.

1   Art. 33 faßt Normen über staatsbürgerliche Rechte und Vorschriften über den öffentl. Dienst in Bund und Ländern zusammen. Er enthält teils grundrechtsähnliche Rechte, teils institutionelle Garantien und Weisungen an den Gesetzgeber. Die grundrechtsähnlichen Rechte können nach Art. 93 I Nr. 4 a auch mit der Verfassungsbeschwerde verteidigt werden. Art. 33 gilt nicht für den Kirchenbereich (BVerwGE 28, 351).

Absatz 1

2   Abs. 1 lehnt sich nahezu wörtlich an Art. 110 II WeimRVerf an. Er enthält ein den Art. 3 konkretisierendes Gebot an die Länder, alle Deutschen (Art. 116 I) in ihren *staatsbürgerlichen Rechten und Pflichten* gleich zu behandeln, und ein Verbot, den eigenen Landesangehörigen eine bevorzugte Stellung einzuräumen. Unter staatsbürgerlichen Rechten und Pflichten ist nicht nur der Inbegriff der polit. Mitwirkungsrechte, sondern die gesamte Rechtsstellung des Staatsbürgers in seinem Verhältnis zum Staat zu verstehen, also z. B. auch beim Zugang zu staatl. Ämtern und Ausbildungsstätten. Eine sich aus der Natur der Sache ergebende Anknüpfung bestimmter Rechte und Pflichten an die Seßhaftigkeit im Lande (z. B. bei Zuerkennung des Wahlrechts zu den Landtagen) wird durch Abs. 1 nicht ausgeschlossen. Zulässig bleibt vor allem eine unterschiedliche Behandlung bei reinen Vorteilsgewährungen, z. B. Stipendien.

Absatz 2

3   Abs. 2 entspricht dem Art. 128 I WeimRVerf. Der Begriff *»öffentliches Amt«* umfaßt alle beruflich oder ehrenamtlich wahrgenommenen Funktionsbereiche in Staat, Gemeinden und sonstigen Körperschaften, Anstalten oder Stiftungen des öffentl. Rechts sowie öffentl. Betrieben in privater Rechtsform mit Ausnahme der durch öffentl. Wahlen besetzten Ämter (Abgeordnete, volksgewählte Bürgermeister usw.) und der sonstigen polit. Ämter (BPräs, Regierungsmitglieder, Parl. Staatssekretäre usw.). Ein öffentl. Amt ist auch das des Notars.

4 Abs. 2 fordert zunächst einen *gleichen Zugang* zu den öffentl.
Ämtern, und zwar sowohl bei der Einstellung wie auch bei späterer Beförderung. Er gewährt diese Gleichheit jedoch nur unter der
Voraussetzung und im Rahmen der im öffentl. Interesse erforderlichen Qualifikationen für die Ausübung öffentl. Ämter und nennt
als solche *Eignung, Befähigung und fachliche Leistung*. Bei der
Übertragung öffentl. Ämter darf *nur* auf die drei in Abs. 2 genannten Kriterien abgestellt werden. *Nicht* berücksichtigt werden
dürfen vor allem die in Art. 3 III aufgeführten Gruppenzugehö-
rigkeiten, aber auch nicht persönliche Beziehungen und Parteizu-
gehörigkeiten. Abs. 2 enthält in Übereinstimmung mit Abs. 5 ein
klares *Verbot der Ämterpatronage* jedweder Form. Im vorstehenden Sinne auch § 8 I 2 BBG und § 7 BRRG. Die Begriffe Eignung, Befähigung und fachliche Leistung sind nicht scharf voneinander zu trennen, sondern gehen ineinander über. Der Begriff
Eignung umfaßt mehr oder minder die gesamte Persönlichkeit,
vor allem auch die körperlichen und charakterlichen Voraussetzungen für ein Amt, Befähigung betont darüber hinaus Eigenschaften wie Allgemeinwissen, Lebenserfahrung und Begabun-
gen, aber auch wohl schon einschlägige Vorbildung, während
fachliche Leistung auf Fachwissen, Fachkönnen und besonders
auf deren Nachweis durch bereits erbrachte Leistungen (»Bewäh-
rung«) abstellt. Fachliche Leistung kann nicht nur für Beförderun-
gen, sondern auch für die Einstellung (z. B. bei Außenseitern)
von Bedeutung sein. Eignung, Befähigung und fachliches Lei-
stungserfordernis im einzelnen sind für jede Art von Ämtern besonders zu beurteilen. Im Rahmen aller drei Kriterien sind auch
Diensterfahrung und Dienstalter zu berücksichtigen.

5 Zur »Eignung« gehört auch die *Verfassungstreue* (BVerwGE 47,
334 ff.; BAGE 36, 347), d. h. der Wille zum Rechtsgehorsam gegenüber allen Verfassungsvorschriften und eine positive Einstellung zu den Grundentscheidungen der Verfassung. Für die zentrale Struktur der verfassungsmäßigen Ordnung der Bundesrepublik, die »freiheitliche demokratische Grundordnung«, hat der
Gesetzgeber die Verfassungsloyalität zur *aktiven* Verfassungstreue gesteigert, indem er vom Bewerber und Amtsträger verlangt, daß er jederzeit für die freiheitliche demokratische Grundordnung eintritt (§ 7 I Nr. 2, § 52 II BBG, § 4 I Nr. 2, § 35 I
3 BRRG), eine Forderung, die zwar verfassungsrechtl. keinen
Bedenken unterliegt, von der aber zweifelhaft ist, ob sie sich schon
aus dem GG selbst ergibt. Die Verfassungstreuepflicht gilt für jedes öffentl. Amt. Verfassungsrechtl. problematisch ist, ob die Ab-

lehnung von Bewerbern oder dienstliche Maßnahmen gegen Amtsträger, ggf. ihre Entlassung, auf die *Mitgliedschaft in Parteien* gestützt werden können, die bisher nicht verboten worden sind, der Dienstherr aber dennoch für verfassungswidrig oder wenigstens »verfassungsfeindlich« hält. Hier gerät Art. 33 in Konflikt mit Art. 21 II 2 (Entscheidungsmonopol des BVerfG über die Verfassungswidrigkeit von Parteien). Das BVerfG (E 39, 334), die übrige Rechtsprechung (vor allem BVerwGE 47, 330; BAGE 28, 62) und die überwiegende Staatspraxis haben die Frage mit der Begründung bejaht, daß Art. 21 II 2 durch dienstrechtl. Entscheidungen der oben genannten Art entweder überhaupt nicht berührt werde oder dem Art. 33 II im Normenkonflikt jedenfalls das größere Gewicht zukomme. Ersteres ist nicht überzeugend zu begründen und die völlige Ausschaltung eines Verfassungsartikels im Normenkonflikt widerspricht anerkannten Verfassungsauslegungsprinzipien. Man wird daher die h. M. und Staatspraxis nur insoweit für bedenkenfrei halten können, als die Verfassungswidrigkeit der betr. Partei evident und unzweifelhaft ist. Siehe dazu auch BVerfGE 47, 234 und Art. 21 Rn. 15.

6 Die in Abs. 2 aufgestellten Kriterien können gewisse Modifikationen durch das Sozialstaatsprinzip (Art. 20 I) erfahren, z. B. zugunsten von Schwerbehinderten, bei den obersten Bundesbehörden auch durch den landsmannschaftlichen Grundsatz des Art. 36.

7 Aus Abs. 2 sind keine Rechtsansprüche auf Übertragung bestimmter Ämter abzuleiten (vgl. BVerfGE 39, 354; BVerwGE 28, 160; 68, 110), wohl aber ein Recht auf sachgemäße Beurteilung einer Bewerbung oder Beförderungsmöglichkeit im Hinblick auf die in Abs. 2 genannten Amtsübertragungsprinzipien. Ein solches Recht kann auch mit der Verfassungsbeschwerde verfolgt werden (vgl. Art. 93 I Nr. 4 a).

Absatz 3

8 Abs. 3 stellt einen Anwendungsfall des allgemeinen Gleichheitssatzes dar. Das hier Ausgesprochene – Unabhängigkeit des Zugangs zu öffentl. Ämtern, staatsbürgerlicher und sonstiger Rechte von religiöser und weltanschaulicher Überzeugung – ist auch in Art. 3 III, Art. 33 II und Art. 140/136 I, II WeimRVerf enthalten. Abs. 3 verbietet vor allem wie schon Abs. 2 konfessionelle Patronage und konfessionellen Proporz im öffentl. Dienst. Nur

bei konfessionsgebundenen Ämtern (z. B. Lehrer an Bekenntnisschulen, Theologieprofessoren an staatl. Hochschulen) darf unter
den Gesichtspunkten der Eignung und Befähigung (Abs. 2) auch
konfessionell differenziert werden (BVerwGE 17, 270; 19, 260).

Absatz 4

9 Der Begriff der *hoheitsrechtl. Befugnisse* ist schwer abzugrenzen.
Er umfaßt sicher nicht nur die Eingriffsverwaltung, sondern erstreckt sich weit in die Leistungsverwaltung hinein, vor allem auch
auf Tätigkeiten im Regierungs- und parl. Bereich sowie in der Di-
plomatie. Als nichthoheitlich kommen besonders Funktionen
wirtschaftlich-fiskalischer Natur und in Dienstleistungsbetrieben
in Betracht. Eine Rolle für die Abgrenzung kann auch der Verantwortungsbereich spielen. Untergeordnete Tätigkeiten in Ho-
heitsbereichen verleihen noch keine hoheitsrechtl. Befugnisse.
Mit Angehörigen des öffentl. Dienstes, die in einem öff.-rechtl.
Dienst- und Treueverhältnis, also einem besonders engen und
nach beiden Seiten besonders verpflichtenden Dienstverhältnis
stehen, sind die *Berufsbeamten* einschl. der Berufsrichter gemeint, also nicht auch Ehrenbeamte, Angestellte und Arbeiter
des öffentl. Dienstes. Abs. 4 enthält zusammen mit Abs. 5 eine im
Interesse höchstmöglicher Stabilität und Funktionsfähigkeit des
Staates eingeführte *institutionelle Garantie des Berufsbeamtentums.* Vom Grundsatz des Abs. 4 können, wie sich aus den Worten
»in der Regel« ergibt, Ausnahmen gemacht werden, vor allem,
wenn es sich wie z. B. im Krieg oder in sonstigen Ausnahmelagen
um Personaleinsatz für vorübergehende Aufgaben handelt.

Absatz 5

10 Abs. 5 weist Bundes- und Landesgesetzgeber an, die Rechtsverhältnisse der in Abs. 4 genannten, in einem öff.-rechtl. Dienst-
und Treueverhältnis stehenden Personen unter *Berücksichtigung
der hergebrachten Grundsätze des Berufsbeamtentums* zu regeln.
Mit »öffentlichem Dienst« ist hier nur der in einem öff.-rechtl.
Dienst- und Treueverhältnis geleistete Dienst i. S. des Abs. 4 gemeint. Abs. 5 betrifft daher nur Berufsbeamte und Berufsrichter
(zu den letzteren BVerfGE 12, 87; 15, 302), nicht auch Soldaten
(BVerfGE 3, 334; 16, 111) und andere Angehörige des öffentl.
Dienstes (BVerfGE 3, 186), wohl aber mit den sachgegebenen
Einschränkungen die Beamten auf Zeit, Probe und Widerruf. Der
Verfassungsauftrag geht nicht dahin, die hergebrachten Grundsät-
ze des Berufsbeamtentums unbesehen in neues Recht umzusetzen,

sondern verlangt nur, sie zu *berücksichtigen*, d. h. mitzubeachten neben anderen Erfordernissen, die sich aus den Grundsätzen der freiheitlichen, rechts- und sozialstaatl. Demokratie oder gewandelten Zeitverhältnissen notwendig ergeben (vgl. dazu BVerfGE 11, 215; 15, 195). Ganz ausgeschaltet werden darf ein hergebrachter Grundsatz jedoch nicht.

11 Zu den hergebrachten Grundsätzen des Berufsbeamtentums zählen hauptsächlich – vgl. bes. BVerfGE 9, 286 –: Ausgestaltung des Dienstverhältnisses als Lebensberuf; grundsätzliche Anstellung auf Lebenszeit; Treuepflicht des Beamten, aber auch Treupflicht des Staates (Fürsorge, Schutz, loyale Behandlung, Förderung usw.; vgl. BVerfGE 43, 165); Leistungsprinzip bei Einstellung, Beförderung, Arbeitseinsatz und Besoldung (BVerfGE 56, 163 f.); Gehorsam; Allgemeinwohlverpflichtung; polit. und sonstige Unparteilichkeit (»Neutralität«); Gesetzes- und besonders Verfassungstreue (s. o. Rn. 5); polit. Zurückhaltung (BVerfG, NJW 1983, 2691); Amtsverschwiegenheit (BVerwGE 66, 41 f.); angemessene Amtsbezeichnung (BVerfGE 38, 12 f.); Pflicht des Staates zur Gewährung eines Lebensunterhalts, der dem Dienstrang, der Verantwortung des Amtes, der Bedeutung des Berufsbeamtentums, den allgemeinen wirtschaftlichen und finanziellen Verhältnissen sowie dem allgemeinen Lebensstandard entspricht und nicht Leistungsentgelt ist – »Alimentationsprinzip« (BVerfG i. st. Rspr. seit E 8, 1, 16 f.; aus neuerer Zeit E 44, 265 f.; 55, 392 u. 56, 165); die Bestimmung dieses Lebensunterhalts durch Gesetz (BVerfGE 8, 18 f.; 44, 264); Koalitionsrecht, aber kein Streikrecht (s. Art. 9 Rn. 14); Beendigung des Dienstverhältnisses nur nach Maßgabe gesetzlicher Regelungen; angemessene, der früheren Besoldung aus dem zuletzt bekleideten Amt (BVerfGE 61, 43) entsprechende Versorgung nach Ausscheiden aus dem Dienst (Ruhegehalt, Hinterbliebenenversorgung).

12 »Grundsätze« müssen eine maßgeblich prägende Bedeutung für das Berufsbeamtentum haben, können also nicht nur Nebensächliches betreffen (BVerfGE 43, 185). »Hergebracht« sind Grundsätze, wenn sie während eines längeren, traditionsbildenden Zeitraums, mindestens schon unter der WeimRVerf gegolten haben (BVerfGE 8, 343; 58, 76 f.).

13 Obwohl Abs. 5 in erster Linie im Allgemeininteresse erlassen ist (BVerfGE 8, 343) und sich an den Gesetzgeber wendet, enthält er in gewissem Umfange auch unmittelbar geltendes Recht (BVerfGE 9, 286; BGHZ 9, 325 ff.) und grundrechtsähnliche Ansprüche,

die nach Art. 93 I Nr. 4 a mit der Verfassungsbeschwerde ver-
folgt werden können (BVerfGE 8, 11, 17 f.; 12, 87; 43, 167).
Abs. 5 stellt jedoch, anders als Art. 129 WeimRVerf, keine
»wohlerworbenen Rechte« der Beamten unter Verfassungsschutz
(BVerfGE 8, 11 f.), gewährleistet also keinen einmal erworbenen
Anspruch auf eine Besoldung oder Versorgung bestimmter Höhe
(BVerfGE 8, 1; 44, 263; 55, 392).

Artikel 34   [Haftung bei Amtspflichtverletzungen]

**Verletzt jemand in Ausübung eines ihm anvertrauten öffentlichen Am-
tes die ihm einem Dritten gegenüber obliegende Amtspflicht, so trifft
die Verantwortlichkeit grundsätzlich den Staat oder die Körperschaft,
in deren Dienst er steht. Bei Vorsatz oder grober Fahrlässigkeit bleibt
der Rückgriff vorbehalten. Für den Anspruch auf Schadensersatz und
für den Rückgriff darf der ordentliche Rechtsweg nicht ausgeschlossen
werden.**

1   Art. 34 regelt für Bund, Länder und Gemeinden sowie für alle
sonstigen öffentl. Rechtssubjekte bundeseinheitlich die *Haftung
des Staates* für pflichtwidriges Hoheitshandeln seiner Amtsträger.
Der Verfassungsartikel begründet selbst keine unmittelbare Haftung des Staates, sondern leitet die nach einfachem Recht entstandenen Ansprüche gegen einen Amtsträger auf den Staat über. Für
die Ansprüche nach einfachem Recht ist § 839 BGB maßgebend.
Danach haftet ein Beamter für jede schuldhafte Verletzung einer
ihm gegenüber einem Dritten obliegenden Amtspflicht. Bei
Amtspflichtverletzungen ist § 839 BGB gegenüber den allgemeinen Bestimmungen der §§ 823, 826 BGB lex specialis. 1981 war
ein G erlassen worden, in dem eine unmittelbare Haftung des
Staates für Amtspflichtverletzungen begründet wurde. Dieses
Staatshaftungsgesetz wurde jedoch vom BVerfG wegen fehlender
Gesetzgebungskompetenz des Bundes für nichtig erklärt (BVerf-
GE 61, 149; s. auch Art. 74 Rn. 1). Die Haftung des Staates beruht demnach weiterhin auf § 839 BGB und Art. 34. Aus dem
Wort »grundsätzlich« muß geschlossen werden, daß die Staatshaftung in Ausnahmefällen eingeschränkt werden darf, wie z. B.
nach dem Postgesetz.

2   *Satz 1:* Die Staatshaftung tritt nur für einen Schaden ein, der in
Ausübung eines öffentlichen Amtes entstanden ist. Für fiskalische
Tätigkeit des Staates gilt Art. 34 nicht. Der Schaden muß »in Aus-
übung« der öffentl. Gewalt und nicht nur gelegentlich dieser ein-

getreten sein, d. h., er muß dazu in einem inneren Zusammenhang stehen (BGHZ 42, 176; 69, 132). Das Wort »jemand« in
Satz 1 bedeutet, daß die handelnde Person nicht »Beamter« sein
muß. Art. 34 umfaßt jeden Amtsträger, insbes. auch Angestellte.

3 Der Amtsträger muß eine *Amtspflicht* verletzt haben. Amtspflichten ergeben sich aus Gesetzen und anderen Rechtsnormen, vor allem aus den Beamtengesetzen, aber auch aus Dienst- und Verwaltungsvorschriften. Ebenso können allgemeine Rechtsgrundsätze,
z. B. das Verhältnismäßigkeitsprinzip, Amtspflichten begründen.
Zwischen der Amtspflichtverletzung und dem Schaden muß ein
adäquater Kausalzusammenhang bestehen. Voraussetzung der
Staatshaftung ist, daß es sich um eine Amtspflicht einem *Dritten
gegenüber* handelt. Es kommt darauf an, ob die Amtspflicht dem
Amtsträger im Interesse einzelner Personen auferlegt worden ist.
Die Verletzung einer bloßen Amtspflicht gegenüber dem Staat
oder der öffentl. Körperschaft genügt nicht. Wenn der Zweck der
Amtspflicht lediglich die Aufrechterhaltung der öffentl. Ordnung
oder das Interesse des Dienstherrn an einer ordnungsgemäßen
Amtsführung des Amtsträgers ist, besteht sie nicht einem Dritten
gegenüber (BGHZ 26, 232). Die Rechtsprechung legt den Begriff
des Dritten tendenziell weit aus.

4 Die *Verantwortlichkeit* trifft den Staat (Bund oder Länder), die
Körperschaft (Gemeinden, sonstige öffentl. Körperschaften, umstritten inwieweit auch Kirchen), Anstalt oder Stiftung des öffentl.
Rechts, in deren Dienst der Amtsträger steht. Letzteres bedeutet
nach der Rechtsprechung in aller Regel, daß haftet, wer den
Amtsträger angestellt hat (Anstellungstheorie). Fehlt ein öff.-
rechtl. Anstellungsverhältnis (z. B. Schiedsmann, KFZ-Sachver-
ständiger) oder ist ein Amtsträger von zwei öffentl. Rechtsträgern
angestellt (der Oberfinanzpräsident ist z. B. Bundes- und Landesbeamter), so haftet die Körperschaft, deren Aufgaben der
Amtsträger wahrgenommen hat (BGHZ 87, 204 f.).

5 Nach *Satz 2* ist der *Rückgriff* gegen den schädigenden Amtsträger
vorbehalten, d. h. die Verfassung schreibt ihn nicht bindend vor.
Im Beamtenrecht ist er in § 78 BBG und § 46 BRRG geregelt.
Nach Art. 34 darf er aber im Falle hoheitlicher Tätigkeit nur bei
Vorsatz und grober Fahrlässigkeit, also nicht bei leichter Fahrlässigkeit vorgesehen werden. Bei erwerbswirtschaftlicher Staatstätigkeit ist ein Rückgriff nach der Verfassung unbeschränkt zulässig.

6 *Satz 3* legt die Zuständigkeit der *ordentlichen Gerichte* (Zivilge-

richte) für die Geltendmachung von Schadensersatzansprüchen gegen den Staat und von Rückgriffsansprüchen gegen den Amtsträger, und zwar auch für Nichtbeamte, mit Verfassungskraft fest.

Artikel 35   [Rechts- und Amtshilfe, Hilfe in besonderen Gefahrenlagen]

(1)   Alle Behörden des Bundes und der Länder leisten sich gegenseitig Rechts- und Amtshilfe.

(2)   Zur Aufrechterhaltung oder Wiederherstellung der öffentlichen Sicherheit oder Ordnung kann ein Land in Fällen von besonderer Bedeutung Kräfte und Einrichtungen des Bundesgrenzschutzes zur Unterstützung seiner Polizei anfordern, wenn die Polizei ohne die Unterstützung eine Aufgabe nicht oder nur unter erheblichen Schwierigkeiten erfüllen könnte. Zur Hilfe bei einer Naturkatastrophe oder bei einem besonders schweren Unglücksfall kann ein Land Polizeikräfte anderer Länder, Kräfte und Einrichtungen anderer Verwaltungen sowie des Bundesgrenzschutzes und der Streitkräfte anfordern.

(3)   Gefährdet die Naturkatastrophe oder der Unglücksfall das Gebiet mehr als eines Landes, so kann die Bundesregierung, soweit es zur wirksamen Bekämpfung erforderlich ist, den Landesregierungen die Weisung erteilen, Polizeikräfte anderen Ländern zur Verfügung zu stellen, sowie Einheiten des Bundesgrenzschutzes und der Streitkräfte zur Unterstützung der Polizeikräfte einsetzen. Maßnahmen der Bundesregierung nach Satz 1 sind jederzeit auf Verlangen des Bundesrates, im übrigen unverzüglich nach Beseitigung der Gefahr aufzuheben.

1   Art. 35 regelt allgemeine (Abs. 1) und besondere (Abs. 2 und 3) *Pflichten zwischenbehördlichen Beistands*. Dabei ist Abs. 1 notwendige Folge der sowohl horizontalen wie vertikalen Gewaltentrennung mit Ausübung der Staatsgewalt durch verschiedene Behörden (BVerfGE 7, 190; 31, 46; BVerwGE 38, 340). Die Vorschrift ist Ausdruck der Einheit des Staatsorganismus (BVerfGE 7, 190), indem sie (unter Wahrung vorrangiger rechtsstaatl. Sicherungen; vgl. nachstehend Rn. 4) sämtliche Behörden des Staates dem gemeinsamen Ganzen verbindet (vgl. auch BAGE 9, 327). Entsprechendes gilt für die Abs. 2 und 3, die in Konkretisierung des im bundesstaatl. Gesamtverband bestehenden Treueverhältnisses spezielle Hilfeleistungs- und Unterstützungspflichten im Bereich der öffentl. Sicherheit und Ordnung begründen (s. BVerwG, DÖV 1973, 491 unter Hinweis auf BVerfGE 31, 355).

Rechte des einzelnen lassen sich aus Art. 35 nicht herleiten (vgl. BFH, JZ 1970, 184).

Absatz 1

2 *Rechtshilfe* ist wie *Amtshilfe* ergänzende Hilfe, der Beistand nämlich, den eine Behörde einer anderen auf entsprechendes – besonderes oder generelles – Ersuchen zur Durchführung der dieser Behörde obliegenden öffentl. Aufgaben leistet (BGHZ 34, 187; BAGE 9, 326; OVG Koblenz, AS 15, 31 f.). Behörden sind dabei nicht nur Verwaltungsbehörden (einschl. solcher von Einrichtungen der mittelbaren Staatsverwaltung; vgl. BVerwGE 38, 340; OVG Lüneburg, OVGE 19, 490), sondern auch die Gerichte, nicht dagegen Behörden der Kirchen. Ist die ersuchte Stelle ein Gericht, wird im allgemeinen von Rechtshilfe, sonst von Amtshilfe gesprochen (vgl. v. Münch, Art. 35 Rn. 6). Weder Rechtsnoch Amtshilfe liegt vor, wenn einer Behörde im Über- und Unterordnungsverhältnis Weisungsbefugnisse gegenüber einer anderen Behörde zustehen. Dies ist auch bei der sog. *Organleihe* der Fall (vgl. Vorbem. vor Art. 83 Rn. 8), die sich von Rechts- und Amtshilfe weiter dadurch unterscheidet, daß sie sich nicht auf Aushilfe im Einzelfall beschränkt, sondern die Übernahme eines ganzen Aufgabenbereiches umfaßt, der von der entliehenen Einrichtung für die entleihende erledigt wird (BVerfGE 63, 32).

3 *Gegenstand der Rechts- und Amtshilfe* kann jede Art von behördlichem Beistand sein. In Betracht kommen z. B. die Erteilung von Auskünften, die Übermittlung von Abschriften und Aktenauszügen, die Gewährung von Akteneinsicht (BGH, NJW 1952, 305; BAGE 9, 326), aber auch die Vernehmung von Zeugen (BVerfGE 7, 190) und Beschuldigten (BVerfGE 31, 46).

4 Die näheren Einzelheiten über *Voraussetzungen sowie Umfang und Grenzen der Rechts- und Amtshilfe* ergeben sich nicht aus Abs. 1 (BVerwGE 38, 340; 50, 310). Die Bestimmung hat insoweit nur den Charakter einer Rahmenvorschrift (OLG Düsseldorf, NJW 1957, 1037), die der Ausfüllung durch den einfachen Gesetzgeber bedarf. Entsprechende Regelungen enthalten etwa die §§ 156 ff. GVG und die §§ 4 ff. des VerwaltungsverfahrensG vom 25. 5. 1976 (BGBl. I S. 1253). Nach den zuletzt genannten Vorschriften kommt ergänzende Hilfe insbes. in Betracht, wenn die ersuchende Behörde aus rechtl. Gründen (z. B. Fehlen der örtlichen Zuständigkeit; vgl. BGHZ 54, 163) oder tatsächlich (z. B. Fehlen der erforderlichen Dienstkräfte) an der Vornahme der Amtshandlung gehindert ist, wenn sie zur Durchführung ihrer Aufgaben Tatsachenkenntnisse oder Beweismittel benötigt, über die die ersuchte Behörde verfügt, oder wenn sie die Amtshandlung nur mit erheblich größerem Aufwand vornehmen könnte als die ersuchte Behörde. Diese ist zur Hilfeleistung grundsätzlich verpflichtet. Die erbetene Hilfe kann jedoch abgelehnt werden, wenn sie durch eine andere Behörde wesentlich einfacher oder mit erheblich geringerem Aufwand erbracht werden kann, wenn sie von der ersuchten Behörde nur mit unverhältnismäßig großem Aufwand geleistet werden könnte oder wenn durch die Vornahme der Amtshandlung die Erfüllung eigener Aufgaben der ersuchten Behörde ernstlich gefährdet würde. Verboten ist die Hilfeleistung, wenn durch die Erledigung des Hilfeersuchens dem Wohl des Bundes oder eines Landes erhebliche Nachteile bereitet würden oder wenn die *ersuchte Behörde zur Hilfe aus rechtlichen Gründen nicht in der Lage* ist. Letzteres ist insbes. dann der Fall, wenn die um Hilfe angegangene Behörde nicht über die Befugnisse verfügt, die zur Vornahme der von ihr erbetenen Amtshandlung notwendig sind (vgl. auch OLG Düsseldorf, NJW 1957, 1037). Ein Regelungsdefizit, das insoweit für originäre Grundrechtseingriffe besteht, wird also durch Art. 35 I nicht ausgeglichen. Doch bietet diese Vorschrift die formelle Grundlage auch für die *Weitergabe personenbezogener Daten*, die von der ersuchten Behörde im Rahmen ihres Aufgabenbestandes und mit den ihr zugewiesenen Befugnissen rechtmäßig erhoben worden sind. Ob es für die Übermittlung solcher Daten an die ersuchende Behörde daneben trotz der materiellen Beschränkungen, die sich bereits aus dem Verhältnismäßigkeitsprinzip ergeben, noch einer spezialgesetzlichen Ermächtigung bedarf, ist umstritten (Übersicht über den Streitstand bei Barbey, FS zum 125jährigen Bestehen der Juristischen Gesellschaft zu Berlin, 1984, S. 27 f.). Im Hinblick auf das Urteil des BVerfG zum VolkszählungsG 1983 (BVerfGE 65, 44 ff.) wird man dies, abweichend von der Vorauflage, jedenfalls bei Änderung des Verwendungszwecks der betr. Daten grundsätzlich bejahen müssen, auf die flexiblere frühere Rechtsprechung (vgl. insbes. BVerfGE 27, 352) deshalb nur noch bedingt zurückgreifen können.

Absatz 2

5   Abs. 2 betrifft Beistandspflichten zur *Bekämpfung von Gefahren für die öffentliche Sicherheit oder Ordnung* im Bereich der Länder. Dieser Begriff, in Satz 1 umfassend i. S. des allgemeinen Polizeirechts verwendet, schließt an sich auch Naturkatastrophen und Unglücksfälle in der Bedeutung des Satzes 2 ein. Satz 2 reicht jedoch insofern weiter, als er das personelle und sächliche Hilfspotential nicht auf den BGS beschränkt, und geht deshalb als lex specialis vor.

6 *Satz 1,* durch G vom 28. 7. 1972 (BGBl. I S. 1305) eingefügt, dient der – hinsichtlich ihrer Notwendigkeit umstrittenen (vgl. 6. BTag, 195. Sitzung v. 22. 6. 1972, StenBer. S. 11430 f.) – verfassungsrechtl. Absicherung des in § 9 I 1 Nr. 1 BGSG geregelten BGS-Einsatzes. Ein solcher Einsatz kann *nur auf Anforderung eines Landes* erfolgen. Voraussetzung ist ferner, daß die Bereitstellung des BGS in Fällen von besonderer Bedeutung (Beispiel: Großdemonstrationen) *zur Aufrechterhaltung oder Wiederherstellung der öffentlichen Sicherheit oder Ordnung notwendig* ist, weil die Polizei des anfordernden Landes ohne Unterstützung durch den BGS eine ihr obliegende Aufgabe nicht oder nur unter erheblichen Schwierigkeiten erfüllen könnte. Das Anforderungsbegehren kann sich auf *Kräfte* (Bedienstete) und/oder *Einrichtungen* (z. B. Gerätschaften und Gebäude) des BGS beziehen. Ihm ist zu entsprechen, sofern nicht eine Verwendung des BGS für Bundeszwecke (so § 9 III BGSG) oder zur Gewährleistung der öffentl. Sicherheit oder Ordnung in einem anderen Land dringender ist. Im Rahmen seines Einsatzes sind dem BGS sowohl technische, nichthoheitliche Hilfeleistungen als auch hoheitliche Tätigkeiten gestattet. Da sich sein Auftrag darauf beschränkt, die Polizei des anfordernden Landes bei der *Wahrnehmung einer Landesaufgabe* zu unterstützen, unterliegt er dabei den fachlichen Weisungen dieses Landes (§ 9 I BGSG). Auch die Befugnisse des BGS richten sich nach dem Recht des Landes, in dem er verwendet wird (§ 10 III BGSG).

7 Daß Satz 1 im Unterschied zu Satz 2 nur die Inanspruchnahme des BGS regelt, bedeutet nicht, daß die Länder gehindert wären, ihre Polizeikräfte oder Kräfte und Einrichtungen anderer Verwaltungszweige nach Maßgabe des Landesverfassungsrechts oder des einfachen Landesrechts einem anderen Land auf dessen Anforderung hin *freiwillig* zur Verfügung zu stellen (vgl. BRat, 383. Sitzung v. 7. 7. 1972, StenBer. S. 597). Entsprechendes gilt für die Überlassung von Kräften und Einrichtungen anderer Bundesverwaltungen i. S. des Satzes 2 (dazu nachstehend Rn. 8). Einer freiwilligen Bereitstellung auch der Streitkräfte steht jedoch Art. 87 a II entgegen, soweit sie auf Tätigkeiten gerichtet ist, die unter den Einsatzbegriff dieser Vorschrift fallen (s. hierzu Art. 87 a Rn. 6).

8 *Satz 2* bezieht das Anforderungsrecht der Länder für den Fall der
Hilfe bei Naturkatastrophen und besonders schweren Unglücksfällen außer auf den BGS auch auf die Polizeikräfte anderer Länder sowie auf Kräfte und Einrichtungen anderer Verwaltungen
und der Streitkräfte. *Naturkatastrophen* sind Ereignisse, die ihre
Ursachen in einem Naturgeschehen haben (z. B. Überschwemmungen). Demgegenüber sind *Unglücksfälle* auf technische Un-
zulänglichkeiten oder menschliches Versagen zurückzuführen
(z. B. Explosionen, Massenvergiftungen). Mit *»anderen Verwaltungen«,* deren Kräfte und Einrichtungen (dazu s. oben Rn. 6) an-
gefordert werden können, sind neben den Verwaltungen des Bundes und anderer Länder auch diejenigen der Gemeinden und sonstiger innerstaatl. Körperschaften gemeint. Auf seiten des Bundes
kommen etwa die Wasser- und Schiffahrtsverwaltung oder die
Postverwaltung in Betracht.

9 Hinsichtlich der Verpflichtung der angegangenen Stellen, den
Anforderungen des betroffenen Landes grundsätzlich nachzukommen (vgl. dazu auch BVerwG, DÖV 1973, 491), hinsichtlich
der im Rahmen der Hilfeleistung möglichen Tätigkeiten und hinsichtlich der Bindung der zur Verfügung gestellten Hilfskräfte an
die fachlichen Weisungen und an das Befugnisrecht des Einsatz-
landes gelten die Erläut. in Rn. 6 entsprechend. Verweigert ein
Land die von ihm verlangte Hilfe ohne rechtfertigenden Grund,
kann es von der BReg im Wege des Bundeszwangs (Art. 37) zur
Erfüllung seiner Verpflichtungen angehalten werden. In bezug
auf die *Streitkräfte* bleibt die Befehls- und Kommandogewalt nach
Art. 65 a unberührt. Unabhängig davon unterliegen aber auch sie
den fachlichen Weisungen des Landes, dessen Aufgaben sie bei
der Hilfeleistung nach Satz 2 zu erfüllen haben.

Absatz 3

10 *Satz 1* sieht *besondere Weisungs- und Einsatzrechte der Bundesregierung* für den Fall vor, daß eine Naturkatastrophe oder ein besonders schwerer Unglücksfall (dazu Rn. 8) das Gebiet mehr als
eines Landes gefährdet *(überregionaler Katastrophenfall).* Außer
der Überregionalität der Gefährdung setzt die Inanspruchnahme
dieser Befugnisse voraus, daß das Eingreifen des Bundes zur wirksamen Gefahrenbekämpfung erforderlich ist. Bei der Gefahrenbekämpfung selbst handelt es sich wie in den Fällen des Abs. 2
(vgl. vorstehend Rn. 6 und 9) um eine *Landesaufgabe.* Die Befug-

nisse der auf Weisung der BReg zur Verfügung gestellten Polizeikräfte anderer Länder und der von der BReg eingesetzten Einheiten des BGS und der Streitkräfte richten sich deshalb nach dem
Recht desjenigen Landes, in dem diese Hilfskräfte verwendet
werden (vgl. § 10 III i. V. m. § 9 I 1 Nr. 3 BGSG). Zulässig ist
auch hier eine Verwendung nicht nur zu bloß technischer Hilfe,
sondern auch zur Wahrnehmung hoheitlicher Aufgaben (s. oben
Rn. 6 und 9).

11 Mittels des *Weisungsrechts nach Satz 1, 1. Altern.* können die Regierungen nicht gefährdeter Bundesländer verpflichtet werden,
ihre Polizeikräfte den von der überregionalen Gefahrenlage betroffenen Ländern zur Verfügung zu stellen. Darüber hinaus können diese Länder angehalten werden, die landesfremden Polizeikräfte anzunehmen und einzusetzen. Dagegen hat die BReg nicht
das Recht, diesen Polizeikräften und den eigenen Kräften der gefährdeten Länder konkrete Einsatzweisungen für die Gefahrenbekämpfung »vor Ort« zu erteilen. Pflichtverletzungen der Länder
berechtigten den Bund, nach Art. 37 oder Art. 93 I Nr. 3 vorzugehen.

12 Am weitesten reichen die Befugnisse der BReg, wenn sie (nach
Entscheidung des Regierungskollegiums; vgl. § 9 II BGSG) von
den *Einsatzmöglichkeiten nach Satz 1, 2. Altern.* Gebrauch macht.
Die Einheiten des BGS und der Streitkräfte, die nach dieser Vorschrift zur Gefahrenbekämpfung verwendet werden, unterstehen
nämlich auch während eines solchen Einsatzes dem Weisungsrecht des zuständigen BMinisters. Dieses Weisungsrecht schließt
die Befugnis zur Erteilung fachlicher Weisungen ein (vgl. § 9 I 2
BGSG). Bei der Ausübung dieser Befugnis ist freilich zu berücksichtigen, daß BGS und Streitkräfte nur »*zur Unterstützung der
Polizeikräfte*« gefährdeter Länder eingesetzt werden können.
Hieraus wird zu folgern sein, daß der Einsatz der Hilfskräfte des
Bundes nicht ohne Rücksichtnahme auf die Vorstellungen der zuständigen Landesbehörden erfolgen und (durch Weisungen) gesteuert werden kann, sondern mit den von seiten der Länder vorgesehenen Maßnahmen abgestimmt werden muß.

13 *Satz 2:* Maßnahmen, die die BReg nach Satz 1 getroffen hat, sind
*aufzuheben, wenn es der Bundesrat verlangt oder wenn die Gefahr
beseitigt ist.* Dem Aufhebungsverlangen des BRates ist nach dem
eindeutigen Wortlaut der Vorschrift auch dann nachzukommen,
wenn die Gefahrensituation noch nicht beendet ist. Die BReg hat
jedoch beim Fortbestehen der Gefahr erneut die Befugnisse nach

Satz 1, wenn sich die Gefahrenlage seit dem Beschluß des BRates verschärft hat.

Artikel 36   [Landsmannschaftlicher Grundsatz]

(1) Bei den obersten Bundesbehörden sind Beamte aus allen Ländern in angemessenem Verhältnis zu verwenden. Die bei den übrigen Bundesbehörden beschäftigen Personen sollen in der Regel aus dem Lande genommen werden, in dem sie tätig sind.

(2) Die Wehrgesetze haben auch die Gliederung des Bundes in Länder und ihre besonderen landsmannschaftlichen Verhältnisse zu berücksichtigen.

Absatz 1

1   *Bundesbehörden:* Abs. 1 befaßt sich mit den landsmannschaftlichen Gesichtspunkten beim personellen Aufbau der Bundesbehörden.

2   *Satz 1* betrifft die *obersten Bundesbehörden* und hier nur die *Beamten.* Er dient nicht nur den Interessen der Länder, sondern auch denen des Bundes an einer ausgewogenen, vielseitig informierten und für die Belange *aller* Teile der Bundesrepublik Deutschland aufgeschlossenen Zentralbürokratie. Oberste Bundesbehörden sind alle Bundesbehörden, die keiner anderen Bundesbehörde nachgeordnet sind, also Bundespräsidialamt, Bundeskanzleramt, Bundesministerien, aber auch der Bundesrechnungshof und die Bundesbank. Man wird Satz 1 entsprechend auch auf alle anderen Bundeszentralbehörden und die obersten Bundesgerichtshöfe anzuwenden haben (str.). Welcher Art die Beziehung der anzustellenden Beamten zu dem Lande sein muß, ist nicht bestimmt. Den Worten »Beamte aus allen Ländern« wird nicht die Bedeutung »Länderbeamte« gegeben werden müssen. Der Bund kann seiner Verpflichtung vielmehr auch durch Anstellung von Landesangehörigen (s. Art. 20 Rn. 6 a. E.) genügen, die bisher nicht Länderbeamte waren. Der »Länderquote« sind auch diejenigen Personen zuzurechnen, die in dem betr. Lande als Flüchtlinge und Vertriebene Aufnahme gefunden haben. Das »angemessene Verhältnis« bestimmt sich nach den Bevölkerungszahlen. Einen Rechtsanspruch auf Erfüllung der in Satz 1 niedergelegten Verpflichtung haben nur die Länder (vgl. Art. 93 I Nr. 3), nicht dagegen die interessierten Beamten.

3   *Satz 2* legt für die bei den *übrigen Bundesbehörden* beschäftigten

Personen – Beamte, Angestellte, Arbeiter – das *Heimatprinzip* fest. Davon kann abgesehen werden, wenn es im Einzelfall begründet ist (z. B. bei Einstellung von Spezialisten).

Absatz 2

4 *Bundeswehr:* Abs. 2 schreibt die Berücksichtigung der Gliederung des Bundes in Länder und der besonderen landsmannschaftlichen Verhältnisse für die gesamte Organisation der Bundeswehr vor. Das bedeutet, daß, soweit militärisch möglich, die Territorialorganisation der Bundeswehr mit Einschluß der Wehrverwaltung in Übereinstimmung mit den Ländergrenzen aufzubauen und die Masse der Truppen landsmannschaftlich zusammenzufassen ist. Abs. 2 enthält nur einen Programmsatz für den Gesetzgeber.

Artikel 37 [Bundeszwang]

(1) Wenn ein Land die ihm nach dem Grundgesetze oder einem anderen Bundesgesetze obliegenden Bundespflichten nicht erfüllt, kann die Bundesregierung mit Zustimmung des Bundesrates die notwendigen Maßnahmen treffen, um das Land im Wege des Bundeszwanges zur Erfüllung seiner Pflichten anzuhalten.

(2) Zur Durchführung des Bundeszwanges hat die Bundesregierung oder ihr Beauftragter das Weisungsrecht gegenüber allen Ländern und ihren Behörden.

1 Art. 37 dient der *Wahrung der Gesamtverfassung* (BVerfGE 13, 79), insbes. dem Schutz der bundesstaatl. Ordnung, nicht aber Interessen des einzelnen (BVerwG, NJW 1977, 118). Mit Hilfe des Bundeszwangs soll sichergestellt werden können, daß die Länder die Pflichten erfüllen, die ihnen infolge ihrer Einordnung in den bundesstaatl. Gesamtverband obliegen. Dies gilt allgemein, nicht nur im Bereich der Ausführung des Bundesrechts durch die Länder, wo der Bundeszwang Vollstreckungsmaßnahme am Ende eines bundesaufsichtlichen Verfahrens nach Art. 84 III–V oder Art. 85 III und IV sein kann (vgl. Art. 84 Rn. 14, Art. 85 Rn. 8).

2 Außer nach Art. 37 kann die BReg auch nach Art. 93 I Nr. 2 oder 3 vorgehen. Welches dieser Mittel sie sich bedient, steht in ihrem verfassungsgerichtlich nicht überprüfbaren Ermessen (BVerfGE 7, 372). Im Zusammenhang mit Mängelrügen i.S. des Art. 84 IV ist jedoch die Sperre zu berücksichtigen, die diese Vor-

schrift der unmittelbaren Anrufung des BVerfG setzt (vgl.
Art. 84 Rn. 14).

Absatz 1

3   Voraussetzung für ein Vorgehen des Bundes nach Art. 37 ist, daß
     ein Land *Bundespflichten nicht erfüllt,* die ihre Grundlage im GG
     oder in einem anderen Bundesgesetz haben. Dazu gehören im
     Hinblick auf die Funktion des Bundeszwangs (vgl. oben Rn. 1)
     nur Pflichten gegenüber dem Bund oder gegenüber anderen Län-
     dern, die sich aus der Stellung des Landes als Gliedstaat im Rah-
     men des bundesstaatl. Prinzips ergeben, nicht also solche, die auf
     Privatrecht beruhen oder dem Land als Fiskus obliegen. Auch die
     Nichterfüllung von Verpflichtungen, die wie die Pflicht zur Bun-
     destreue (dazu s. Art. 20 Rn. 6) nicht ausdrücklich normiert sind,
     kann den Bundeszwang auslösen.

4   Nur *Pflichtwidrigkeiten oberster Landesorgane* können zur An-
     wendung des Bundeszwangs führen. Pflichtwidrigkeiten nachge-
     ordneter Organe genügen nicht, es sei denn, daß das zuständige
     oberste Landesorgan sie ausdrücklich billigt oder auch nur duldet
     und nicht für Abhilfe sorgt.

5   Die Feststellung, daß die Voraussetzungen des Bundeszwangs
     vorliegen, und die Entscheidung, ob der Bundeszwang angewen-
     det werden soll, trifft die *Bundesregierung* als Kollegium i. S. des
     Art. 62. Entscheidet sie sich für die Durchführung des Bundes-
     zwangs, so muß sie gleichzeitig die zur Beseitigung der Pflicht-
     widrigkeit notwendigen Maßnahmen beschließen. Sie müssen am
     Grundsatz der Verhältnismäßigkeit ausgerichtet sein und sind an
     die *Zustimmung des Bundesrates* gebunden, deren Erteilung im
     Verfahren der Mängelrüge nach Art. 84 IV mit der Feststellung
     des BRates zusammenfallen kann, daß das betr. Land bei der
     Ausführung des Bundesrechts geltendes Recht verletzt hat.

6   Die *Maßnahmen des Bundeszwangs* sind im GG nicht ausdrück-
     lich festgelegt. In Betracht kommen vor allem polit., finanzieller
     oder wirtschaftlicher Druck, z. B. die Einstellung von Finanzzu-
     weisungen des Bundes, die vorübergehende Nichterfüllung son-
     stiger Bundesaufgaben gegenüber dem Land, die Ersatzvornah-
     me unterlassener Handlungen durch Bundesorgane oder durch
     Dritte, die Einsetzung eines Bundeskommissars mit allgemeiner
     oder spezieller Vollmacht und die zeitweilige Übernahme admini-
     strativer oder legislativer Funktionen des Landes durch den Bund
     (allg. M.). Auch die Auszahlung von Zuwendungen, die ein Land

unter Verstoß gegen Bundespflichten an seine Bediensteten leistet, kann nach BVerfGE 3, 57 im Wege des Bundeszwangs untersagt werden.

7   *Adressat* dieser Maßnahmen ist das Landesorgan, das die zu beseitigende Pflichtverletzung begangen hat. Dies wird i. d. R. die für das Verhalten des Landes verantwortliche LReg sein. Denkbar und zulässig sind aber auch Maßnahmen gegenüber Parlament und Bevölkerung des pflichtwidrig handelnden Landes (in letzterer Hinsicht bestr.; wie hier z. B. Maunz/Dürig, Art. 37 Rn. 57).

Absatz 2

8   Das *Weisungsrecht* nach Abs. 2 besteht gegenüber allen Ländern, beschränkt sich also nicht auf das durch den Bundeszwang betroffene Land und kann unmittelbar auch gegenüber den nachgeordneten Behörden des jeweiligen Landes ausgeübt werden. Es gestattet sowohl Einzelweisungen als auch allgemeine Weisungen. Da es selbst nicht zu den Maßnahmen i. S. des Abs. 1 gehört, ist seine Inanspruchnahme nicht an die Zustimmung des BRates gebunden.

III. Der Bundestag

Vorbemerkungen

1 Die Verfassungsorganisation des Bundes ist grundsätzlich dem
Gewaltenteilungsprinzip nachgebildet (Art. 20 II 2): Die *Gesetzgebung (Legislative)* liegt schwerpunktmäßig beim BTag, die *vollziehende Gewalt (Exekutive)* beim BPräs, der BReg und den Verwaltungsbehörden, die *Rechtsprechung (Judikative)* ist den Gerichten übertragen. Eine einigermaßen grenzfeste Gewaltenteilung ist jedoch nur in der Absonderung der Rechtsprechung von
den beiden übrigen Gewalten verwirklicht. Ansonsten wird das
Prinzip der Gewaltenteilung von zahlreichen, z. T. weitreichenden Ausnahmen durchbrochen. Mit seinem Haushalts-, Kredit-
bewilligungs- und Vertragszustimmungsrecht (Art. 110 II 1,
Art. 115 Satz 1, Art. 59 II) sowie seinem Entscheidungsrecht
über Krieg und Frieden (Art. 115 a I 1, Art. 115 III) greift der
BTag tief in die Exekutive über. Der BReg wiederum sind durch
das Recht der Gesetzesinitiative (Art. 76 I), die Notwendigkeit
ihrer Zustimmung zu ausgabeerhöhenden oder einnahmemin-
dernden Gesetzen (Art. 113 I) und das ihr in weitem Umfange zustehende Rechtsverordnungsrecht wichtige Funktionen auf dem
Gebiete der Rechtsetzung übertragen. Der Zuständigkeitsbereich des BRats ist von vornherein auf Gesetzgebung und Verwaltung verteilt (Art. 50). Stark beeinträchtigt wird die Selbständigkeit der Gewalten weiter durch die Beteiligung des BTags an der
Wahl des BPräs, die Wahl des BKanzlers durch den BTag und die
mit dem parl. Regierungssystem verbundene Abhängigkeit der
Regierung vom Vertrauen des BTags (Art. 63, 67, 68). Außerdem fehlt es an wichtigen Stellen – vor allem zwischen Parlament
und Regierung – an Unvereinbarkeiten. Alles in allem stellt das
GG sonach weniger auf eine genaue Gewaltentrennung in den
Funktionen als vielmehr auf eine Gewaltenhemmung, d. h. eine
gegenseitige Begrenzung und ausgeglichene Verteilung der Gewichte zwischen den drei Gewalten zwecks Mäßigung der Staatsmacht ab (BVerfGE 3, 247; 7, 188; 9, 279 f.; 22, 111; 34, 59 f.).
Verletzungen des verfassungsrechtl. Gewaltenteilungsprinzips
sind unter diesen Umständen nur schwer feststellbar und allein
noch bei Übergriffen in den Kernbereich der einzelnen Gewalten
deutlich auszumachen. Aber auch diese so großzügig verstandene
Gewaltenteilung wird noch weiter abgeschwächt durch den gewal-
tenverwischenden Einfluß der herrschenden polit. Parteien auf
die Verfassungsorgane, der vor allem zu einem weitgehenden Ab-

bau des Spannungsverhältnisses von Parlament und Regierung, ja sogar einer gewissen Fusion beider Gewalten geführt hat. Die Verfassungswirklichkeit der Bundesrepublik Deutschland ist heute im polit. Führungsbereich weithin nicht mehr von einem Gegensatz der staatl. Gewalten, sondern in erster Linie von dem Gegensatz zwischen Regierung und Parlamentsmehrheit auf der einen und der Bundestagsopposition auf der anderen Seite bestimmt. Dabei handelt es sich, da die Opposition in aller Regel keinen Anteil an der effektiven Staatsmacht hat, jedoch nicht, wie häufig gesagt wird, um eine neue Form der Gewaltenteilung, sondern um eine die alte Ordnung überlagernde Neuerscheinung des polit. Kräftefeldes, die verfassungsrechtl. erst unvollkommen verarbeitet ist. Eine echte Form staatl. Machtverteilung ermöglicht dagegen der föderative Aufbau der Bundesrepublik, wenn sich in den Ländern andere parteipolit. Mehrheiten bilden als im Bund.

2 Das GG kennt nur die eingangs genannten *drei Gewalten*, z. B. keine eigene Militärgewalt – die Bundeswehr gehört zur vollziehenden Gewalt –, keine besondere Auswärtige Gewalt – die auswärtigen Angelegenheiten sind vorbehaltlich gewisser Ausnahmen (z. B. Art. 59 II) Sache der Exekutive – und keine besondere »Planungsgewalt« – de lege lata ist die zentrale Planung in erster Linie eine aus der Staatsleitung folgende Aufgabe der Regierung mit Einwirkungsmöglichkeiten des Parlaments durch Gesetzgebung, Haushaltsfeststellung und Regierungskontrolle.

3 Alle besonderen Verfassungsorgane repräsentieren das Volk (BVerfGE 44, 315) und besitzen demokratische Legitimation (BVerfGE 49, 125). Sofern das GG im Einzelfalle nichts anderes bestimmt, stehen sie sämtlich im Verhältnis rechtl. *Gleichordnung* zueinander. Es gibt weder eine Hierarchie der besonderen Verfassungsorgane noch eine Suprematie eines einzelnen Verfassungsorgans, auch keine solche des Parlaments (BVerfGE 49, 124). Wohl aber ist für die gegenseitigen Beziehungen der besonderen Verfassungsorgane eine dem Gebot bundesfreundlichen Verhaltens im Verhältnis von Bund und Ländern (s. Erläut. zu Art. 20 Rn. 6) ähnliche *Verfassungspflicht zur gegenseitigen Rücksichtnahme* und *loyalen Zusammenarbeit* (»Verfassungsorgantreue«) anzunehmen (vgl. dazu BVerfGE 35, 199; 45, 39), die jedoch die Entscheidungsfreiheit der Verfassungsorgane *in der Sache* nicht beschränkt.

4 *Bundestag:* Der BTag ist die Volksvertretung des Bundes, das Kernstück der Repräsentativdemokratie des GG und kraft seiner

Wahl durch das Volk die sinnfälligste Verkörperung des demokratischen Prinzips im Aufbau der Verfassungsorgane. Er reprä-
sentiert das Bundesvolk in seiner Gesamtheit und steht als unitari-
sches Verfassungsorgan im Gegensatz zum föderativen BRat. Der
BTag bildet allein das Parlament des Bundes. Trotz seiner hoch-
gradigen demokratischen Legitimation ist der BTag kein allen anderen übergeordnetes Verfassungsorgan mit universeller, in
grundlegenden polit. Fragen vielleicht sogar monopolistischer
Entscheidungsmacht, sondern wie alle Verfassungsorgane auf die
ihm vom GG eingeräumten Zuständigkeiten beschränkt (BVerf-
GE 49, 124 ff.). Seine Hauptaufgaben sind die Gesetzgebung
(Art. 76 ff.), die Kanzlerwahl (Art. 63), die Mitwirkung an der
Wahl des BPräs (Art. 54), aus dem Exekutivbereich die Feststellung des Haushaltsplans (Art. 110 II 1), die Kreditbewilligung
(Art. 115 Satz 1), die Zustimmung zu bestimmten Staatsverträgen (Art. 59 II), die Feststellung des Verteidigungsfalles und der
Friedensschluß (Art. 115 a I 1, Art. 115 I III), außerdem die
Regierungskontrolle (vgl. jetzt ausdrücklich Art. 45 b) einschl.
der parl. Rechnungskontrolle (Art. 114 I). Befugnisse im Bereich
der staatl. Exekutive – auch solche der Mitwirkung – hat der BTag
nur, soweit sie ihm ausdrücklich zugewiesen sind (BVerfGE 1,
394). Er kann sie sich auch nicht dadurch verschaffen, daß er
Exekutivakte in Gesetzesform erläßt. Das Recht der Regierungskontrolle des BTags, das vor allem in Art. 43, 44, 45 b und 114 seinen grundgesetzlichen Niederschlag gefunden hat, erstreckt sich
auf die gesamte Tätigkeit der Regierung; sie ist keine nur nachträgliche, sondern ergreift ggf. auch die noch nicht abgeschlossene
Willensbildung der Regierung. Auf diesem Wege wird dem BTag
auch eine Teilnahme an der polit. Planungsarbeit der Regierung
ermöglicht. Die Kontrolle darf jedoch nicht zu einer Mitregierung
und -verwaltung des Parlaments ausgeweitet werden. In der
Staatspraxis ist die Regierungskontrolle infolge der engen Interes-
senverflechtung von Regierung und Parlamentsmehrheit heute
schwergewichtig auf die Opposition übergegangen.

5   Der BTag wird vom Volke gewählt. Die Zahl seiner Mitglieder ist
verfassungsrechtl. nicht festgelegt und wird durch Gesetz (Wahlgesetz) bestimmt. Zur gesetzlichen Mitgliederzahl des BTags vgl.
Art. 121 Rn. 2. Im Gegensatz zu den oft nur kurzlebigen Reichs-
tagen der Weimarer Zeit soll der BTag eine stabile parl. Grundlage der Staatswillensbildung, insbes. auch der Regierungstätigkeit
abgeben. Er kann daher nur in zwei bestimmten Fällen
(Art. 63 IV, Art. 68) zur Überwindung einer bloß negativ einigen

Parlamentsmehrheit aufgelöst werden. Nicht einmal das Recht der Selbstauflösung ist ihm gewährt. Obwohl der BTag, wie vorher schon der Reichstag, weitgehend zu einem Organ der Parteiendemokratie geworden ist, ist das Recht des BTags nach dem Vorbild des herkömmlichen Parlamentsrechts, insbes. den Grundsätzen der Repräsentativdemokratie geregelt, die vor allem eine volle, rechtl. nicht beschränkbare Entscheidungsfreiheit der Volksvertretung und ihrer Mitglieder zum Inhalt hat.

Artikel 38   [Wahl, Abgeordnete]

(1)   Die Abgeordneten des Deutschen Bundestages werden in allgemeiner, unmittelbarer, freier, gleicher und geheimer Wahl gewählt. Sie sind Vertreter des ganzen Volkes, an Aufträge und Weisungen nicht gebunden und nur ihrem Gewissen unterworfen.

(2)   Wahlberechtigt ist, wer das achtzehnte Lebensjahr vollendet hat; wählbar ist, wer das Alter erreicht hat, mit dem die Volljährigkeit eintritt.

(3)   Das Nähere bestimmt ein Bundesgesetz.

1   Art. 38 legt für die Wahl des BTags neben den wichtigsten Erfordernissen der Wahlberechtigung und Wählbarkeit nur die allgemeinen demokratischen Wahlrechtsgrundlagen fest. Das Wahlsystem wird – anders als in der WeimRVerf – offengelassen. Weiteres dazu in Rn. 15. Die Wahl des BTags ist die wichtigste Form der polit. Willensbildung des Volkes auf der Bundesebene und der Grundvorgang des Verfassungslebens, auf dem grundsätzlich alle andere Staatsgewalt aufbaut (vgl. Art. 63, Art. 54 I u. III, Art. 94 I 2).

Absatz 1

2   *Satz 1:* Wahl ist eine Abstimmung, durch die eine oder mehrere Personen aus einem größeren Personenkreis ausgelesen werden (BVerfGE 47, 276). Bei jeder Wahl muß also eine Auslesemöglichkeit vorhanden sein. Zu wählen sind nach Satz 1 die Abgeordneten des BTags, also Personen, nicht Parteien; auch bei der Listenwahl können nur Bewerbermehrheiten gewählt werden, nicht Listen als solche. Alle Abg. bedürfen der Legitimation durch Volkswahl; unzulässig daher Berufung von Abg. durch andere Staatsorgane, Parteien, Zuwahl des Parlaments usw. Ausnahme: Art. 144 II.

3 Die fünf *Wahlrechtsgrundsätze* sind nicht nur als Gegensätze zu
bestimmten Formen früheren Wahlrechts, sondern als *allgemeine
Rechtsprinzipien* zu verstehen. Sie gelten daher nicht nur für die
Wähler, sondern auch für die Wahlbewerber, Parteien und andere Wahlvorschlagsträger, nicht nur für die Wahlberechtigung,
sondern auch für das sog. passive Wahlrecht (Wählbarkeit u.
Wahlbewerbung) und das Wahlvorschlagsrecht (BVerfGE 11,
272), nicht nur für die Stimmabgabe, sondern grundsätzlich für
das gesamte Wahlverfahren, besonders auch für die Zulassung
von Wahlvorschlägen und die Stimmenverwertung. Die einzelnen
Wahlrechtsgrundsätze sind, wo geboten, im Zusammenhang mit
den übrigen Wahlgrundsätzen (BVerfGE 3, 24; 21, 206) und unter Berücksichtigung des jeweiligen Wahlsystems (BVerfGE 1,
244; 3, 394; 16, 136) auszulegen. Aus Satz 1 ergeben sich auch
grundrechtsähnliche Rechte, die mit der Verfassungsbeschwerde
verteidigt werden können (Art. 93 I Nr. 4 a).

4 *Allgemeine Wahl:* Das Wahlrecht muß grundsätzlich allen Staats-
bürgern zustehen. Der Ausschluß bestimmter Gruppen (z. B. Berufe, Klassen, Nationalitäten, Rassen, Konfessionen, polit.
Gruppen) vom Wahlrecht ist unzulässig (BVerfGE 15, 166 f.; 36,
141). Das Wahlrecht darf auch nicht von besonderen, nicht von jedermann erfüllbaren Voraussetzungen (z. B. des Vermögens, des
Einkommens, der Steuerentrichtung, der Bildung, der Lebens-
stellung) abhängig gemacht werden. Es muß grundsätzlich jeder
Wahlberechtigte sein Wahlrecht auch ausüben können; jedoch
keine Pflicht des Gesetzgebers zu allen erdenklichen Erleichte-
rungen, z. B. zur Einführung der Briefwahl (BVerfGE 12, 142 f.;
15, 167). Das allgemeine Wahlrecht kann nur aus zwingenden
Gründen eingeschränkt werden (BVerfGE 28, 225; 36, 141). Zulässig insoweit: Forderung eines bestimmten Wahlalters (BVerf-
GE 36, 142; 42, 341), Ausschluß von Geisteskranken und Gei-
stesschwachen, Aberkennung des Wahlrechts oder der Wählbarkeit durch straf- oder verfassungsgerichtliches Urteil (BVerf-
GE 36, 141 f.), Beschränkung des Wahlrechts auf Staatsbürger
und auf Personen, die im Wahlgebiet seßhaft sind (BVerfGE 5, 6;
36, 142; 58, 205). Der Grundsatz der allgemeinen Wahl gilt auch
für das passive Wahlrecht (BVerfGE 11, 272), d. h. Wählbarkeit
und Wahlbewerbungsrecht. Er gilt weiter für das Wahlvorschlagsrecht (BVerfGE 11, 272; 41, 417): unzulässig daher sachliche Zulassungsbeschränkungen durch Geldkautionen und überspannte
Unterschriftserfordernisse; zulässig jedoch gesetzliche Vorkehrungen gegen übermäßige Stimmenzersplitterung und zur Aus-

schaltung gänzlich aussichtsloser Wahlvorschläge (BVerfGE 3, 27; 3, 396; 12, 27; 12, 133 f.; 14, 135; 30, 247; 38, 277 f.; 60, 168). Die Teilnahme an der Wahl muß grundsätzlich allen Parteien möglich sein (BVerfGE 3, 31). Der Grundsatz der allgemeinen Wahl (und der freien und der gleichen Wahl) erfordert aber auch die Zulassung parteifreier Wahlvorschläge (vgl. dazu BVerfGE 13, 13 f.; 41, 417).

5 *Unmittelbare Wahl:* Die Wähler müssen die Abg. selbst auswählen. Zwischen den Wähler und die Bestimmung der Abg. darf sich kein fremder Wille (z. B. Wahlmänner, Volksvertretungen nachgeordneter Gebietskörperschaften) schieben (BVerfGE 7, 68; 7, 84; 47, 279 f.). Vom Beginn der Stimmabgabe an darf das Wahlergebnis nur noch von der Entscheidung der Wähler abhängen (BVerfGE 3, 50). Der Grundsatz der unmittelbaren Wahl gilt auch für die Berufung von Ersatzmännern. Zulässig ist die Listenwahl mit dem Wähler bekannten, für Dritte unabänderlich festgelegten Bewerbern (BVerfGE 3, 50 f.; 7, 69, 71; 21, 356), unzulässig dagegen, daß die Parteien usw. nach dem Ausscheiden von Abg. die Ersatzmänner frei bestimmen, Änderungen an der Reihenfolge der Listenanwärter vornehmen oder bei Listenerschöpfung von sich aus Ersatzleute nachschieben (BVerfGE 3, 49 ff.; 7, 72, 85; 47, 280). Zulässig ist auch die mehrfache Stimmenauswertung bei sog. mehrgleisiger Wahl und die Stimmenübertragung, die der Wähler selbst vornimmt (Alternativ- oder Hilfsstimmgebung) oder sich kraft Gesetzes vollzieht (z. B. Reststimmenübertragung, Stimmenverrechnung über Listenverbindungen usw.).

6 *Freie Wahl:* Der Grundsatz der freien Wahl fordert, daß der Wähler bei der Wahl seinen Willen unverfälscht zum Ausdruck bringen kann. Er muß gegen Zwang, Druck und alle die freie Willensentscheidung ernstlich beeinträchtigenden Wahlbeeinflussungen von staatl. oder nichtstaatl. Seite geschützt sein (BVerfGE 7, 69; 15, 166; 47, 282; 66, 380). Gesetzliche Wahlpflicht ist nach herrschender, aber zunehmend bestrittener Auffassung zulässig. Zum Wesen der Wahlfreiheit gehört auch ein grundsätzlich freies Wahlvorschlagsrecht für alle Wahlberechtigten (BVerfGE 41, 417; 47, 282; BTag, Beschl. v. 7. 5. 1981 zu Drucks. 9/316 Anl. 40, StenBer. S. 1799). Unstatthaft daher jede über rein formelle Zulassungsbedingungen hinausgehende, materielle Beschränkung des Wahlvorschlagsrechts auf bestimmte Parteien oder gar nur die »Einheitsliste« einer, mehrerer oder aller Parteien. Gegen den Grundsatz der freien Wahl verstößt auch ein Parteienmonopol für Wahlvorschläge (BVerfGE 41, 417), und zwar

entgegen BVerfGE 5, 82 selbst bei der Listenwahl. Bestritten ist,
ob der Grundsatz der Wahlfreiheit die Beteiligung der Mitglieder
von Parteien und Wählergruppen bei der Kandidatenaufstellung
verlangt (bejahend BVerfGE 47, 282; a. M. OVG Münster, OV-
GE 22, 72 ff.). Zulässig unter dem Gesichtspunkt der freien
Wahl: Listenwahl, Zulassung oder Verbot von Listenverbindungen und gemeinsamen Wahlvorschlägen mehrerer Parteien oder
Wählergruppen, zwischenparteiliche Wahlabsprachen über die
Aussparung von Wahlkreisen, unstatthaft dagegen gesetzlicher
Zwang, bei Vermeidung erheblicher Wahlnachteile in allen Wahlkreisen Bewerber aufzustellen (BayVerfGH 3, 125 ff.; StGH
Bad.-Württ., ESVGH 11 II, 28). Der Grundsatz der freien Wahl
fordert auch freie Wählbarkeit (BVerfGE 25, 63), ungehinderte
Wahlbewerbung und Wahlannahme (s. dazu Art. 48 I und II) sowie einen freien Wahlkampf, in dem neben anderen Freiheitsrechten besonders die Freiheit der öffentl. Meinungsäußerung gesichert ist (BVerfGE 44, 139). Nach der negativen Seite schlägt
sich der Grundsatz der Wahlkampffreiheit in einem allgemeinen
Verbot rechtswidriger Wahlbeeinflussung nieder, das einen wesentlichen Bestandteil des materiellen Wahlprüfungsrechts bildet.

7   *Gleiche Wahl:* Jede Wählerstimme muß im Rahmen des gegebenen Wahlsystems den gleichen Einfluß auf das Wahlergebnis, den
gleichen Wert, insbes. in Verhältniswahlsystemen grundsätzlich
auch den gleichen Erfolgswert haben (BVerfG i. st. Rspr., zuletzt
BVerfGE 34, 91). Der Grundsatz der Wahlgleichheit ist im Gegensatz zum allgemeinen Gleichheitssatz (Art. 3 I) streng formal
zu verstehen. Nach ihm soll jeder sein Wahlrecht in formal möglichst gleicher Weise ausüben können (BVerfG i. st. Rspr.; vgl.
aus neuerer Zeit BVerfGE 47, 277; 51, 234; 60, 167). Abweichungen von der Regel der formalen Wahlrechtsgleichheit bedürfen einer besonderen Rechtfertigung und sind nur aus zwingenden
Gründen, d. h. schwerwiegenden Bedürfnissen der Wahlrechts-
gestaltung, und in engen Grenzen zulässig (BVerfG i. st. Rspr.;
vgl. z. B. BVerfGE 41, 413 und 51, 235). Einen zwingenden
Grund für die Abweichung vom Grundsatz der formalen Wahlgleichheit bildet vor allem die Funktionsfähigkeit des Parlaments;
statthaft daher die Stimmenverwertung einschränkende Sperr-
klauseln zur Abwehr von Splitterparteien, die bei sog. Prozent-
klauseln jedoch grundsätzlich nicht mit mehr als 5 vH der abgegebenen Stimmen bemessen werden dürfen (BVerfG i. st. Rspr.,
aus neuerer Zeit E 47, 277; 51, 235 ff. und h. M. des Schrifttums;

abw. Hamann/Lenz, Art. 38 Anm. B 5 d und zahlreicher werdende Gegenstimmen). Zulässig ferner die Anwendung des die
größeren Parteien begünstigenden Verhältnisrechnungssystems
d'Hondt (BVerfGE 16, 144). Als allgemeines Rechtsprinzip erstreckt sich der Grundsatz der Wahlgleichheit auch auf das Wahlvorschlagsrecht und die Einreichung von Wahlvorschlägen; er
schließt aber nicht aus, daß neuen Parteien und Wählergruppen
zum Nachweis ausreichender Unterstützung in der Bevölkerung
die Beibringung einer angemessenen Zahl von Wählerunter-
schriften auferlegt wird (BVerfG i. st. Rspr. seit E 3, 27; vgl. auch
E 12, 133 f.). Zur Wahlgleichheit gehört weiter die Gleichheit des
passiven Wahlrechts (vgl. z. B. BVerfGE 34, 98; 41, 413; 63,
242), also der Wählbarkeit und des Wahlbewerbungsrechts.
Grundsätzlich müssen alle Staatsbürger die gleiche Chance haben, Mitglied des Parlaments zu werden (BVerfGE 40, 318), auch
parteilose Bewerber (BVerfGE 41, 413 ff.). Jedoch kein Verstoß
gegen die Wahlgleichheit durch die unterschiedlichen Erfolgs-
chancen der Bewerber auf starren Listen (BVerfGE 7, 70 f.).
Von größter praktischer Bedeutung ist heute die Wahlgleichheit
der Parteien. Als wichtigster Bestandteil ihres allgemeines Rechts
auf Chancengleichheit (s. Erläut. zu Art. 21 Rn. 8) steht auch den
Parteien ein grundrechtl. Anspruch auf Gleichbehandlung – und
zwar formale Gleichbehandlung – im Sachbereich der Wahlen zu
(BVerfG i. st. Rspr. seit E 1, 242, 255, aus neuerer Zeit E 47,
225; 51, 235; 52, 88 f.). Das Gebot der Wahlgleichheit ist ferner
bei der Wahlkreiseinteilung zu beachten, besonders bei der Mehrheitswahl in Einerwahlkreisen (BVerfGE 13, 128; 16, 136),
grundsätzlich aber auch bei der Einteilung der Verhältniswahl-
kreise. Schließlich verlangt das Gebot der Wahlgleichheit noch eine gleichmäßige Behandlung aller Wahlbeteiligten durch die
Wahlbehörden und die öffentl. Gewalt im Wahlkampf (BVerf-
GE 42, 138), insbes. eine strikte Neutralität der Regierung (s. dazu Vorbem. vor Art. 62 Rn. 6).

8 *Geheime Wahl:* Dem Grundsatz der geheimen Wahl zufolge muß
jeder sein Wahlrecht so ausüben können, daß andere Personen
keine Kenntnis von seiner Wahlentscheidung erhalten. Geheim-
schutz genießt in erster Linie die Stimmabgabe. Aber auch sonst
dürfen die Wahlberechtigten nicht gezwungen werden, ihren
Wählerwillen mehr als für eine ordnungsgemäße Wahldurchfüh-
rung erforderlich zu offenbaren (BVerfGE 3, 24; 4, 386 f.; 5, 82;
12, 35 f.; 12, 139). Daher können auch übermäßig hohe Unterschriftserfordernisse für Wahlvorschläge oder eine geheimnisge-

fährdende Wahlbezirkseinteilung gegen den Grundsatz der geheimen Wahl verstoßen. Der Wähler selbst muß den gesetzlichen Vorschriften entsprechend geheim wählen, kann aber außerhalb der Wahlhandlung seine Wahlentscheidung offenbaren. Die Briefwahl in ihrer gegenwärtigen bundesgesetzlichen Ausgestaltung verstößt nicht gegen den Grundsatz der geheimen Wahl (BVerfGE 21, 204 ff.; 59, 119). Vorbehaltlich eines Aussageverweigerungsrechts kann der Wähler im Strafprozeß und im Wahlprüfungsverfahren auch über seine Stimmabgabe vernommen werden (str.; a. M. z. B. v. Münch, Art. 38 Rn. 48).

9 *Satz 2* stellt mit seinem *Grundsatz des freien Mandats* die wichtigste Verankerung des Prinzips der Repräsentativdemokratie im GG dar. Er betrifft zwar zunächst nur die *Abgeordneten,* hat aber wesentliche Auswirkungen auch auf die Rechtsstellung der Fraktionen und des gesamten Parlaments, ja sogar die der Regierung und grundsätzlich aller anderen Staatsorgane. Das Prinzip des freien Mandats besagt im einzelnen:

1. Die Abg. sind *Vertreter des gesamten Volkes,* nicht eines Landes, eines Wahlkreises, einer Partei oder sonstigen Bevölkerungsgruppe. Oberste Richtschnur ihrer Mandatsausübung hat das Wohl des Gesamtvolkes, nicht das einer Teilgruppe des Volkes zu sein.

2. Die Abg. sind *an Aufträge und Weisungen nicht gebunden,* sondern nur ihrem Gewissen unterworfen, d. h. dem, was ihrer Überzeugung nach dem Wohle von Volk und Staat am besten dient. Alle Weisungen und Aufträge an Abg. sind nicht nur ohne rechtl. bindende Kraft und damit nichtig, sondern, wenn das freie Mandat wirksam sein soll, überhaupt unzulässig. Satz 2 verbietet jedes imperative Mandat. Die volle, im übrigen unverzichtbare rechtl. Entscheidungsfreiheit der Abg. gilt auch für das Verhältnis zu ihrer Partei. »Die Verfassung will die Freiheit des Mandats trotz der Parteizugehörigkeit des Abgeordneten« (BT-Drucks. VI/3080 S. 10 Nr. 24). Die Parteien können ihre Abg. nur »bitten«, »ersuchen«, Empfehlungen und Erwartungen aussprechen, sie aber nicht zu einer parteibestimmten Ausübung ihres Mandats verpflichten oder zwingen. Damit sind auch das parteiimperative Mandat und der Grundsatz, daß Parteien dem Staat befehlen, verfassungskräftig ausgeschlossen. Gleiche rechtl. Unabhängigkeit besitzen die Abg. gegenüber den Fraktionen. Verfassungswidrig daher der förmliche Fraktionszwang, d. h. die Verpflichtung der Abg., nach Mehrheitsbeschlüssen der

Fraktion zu stimmen, und das Androhen oder Anwenden von Sanktionen bei Zuwiderhandlungen. Vgl. zum Vorstehenden BVerfGE 10, 14; 20, 103; 44, 318. Zulässig jedoch die Übung einer gewissen Fraktionsdisziplin nach Maßgabe empfehlender Fraktionsbeschlüsse unter Wahrung letztlicher Entscheidungsfreiheit der Abg., die im übrigen allgemein und nicht nur für »Gewissensfragen« gilt. Zulässig auch der Parteiausschluß nach § 10 PartG und Fraktionsausschluß bei schwerwiegenden polit. Meinungsverschiedenheiten.

3. Die Abg. können weder von der Wählerschaft noch von der Partei aus ihrem Amt *abberufen* werden. Verpflichtungen von Abg. oder Wahlbewerbern, bei Ausscheiden aus der Partei oder Fraktion oder bei Eintritt sonstiger Umstände das Mandat niederzulegen (»Rücktrittsreverse«) sind verfassungswidrig und nichtig, ebenso sog. »Blankoverzichte« (BVerfGE 2, 72 ff.) und die Vereinbarung von Vertragsstrafen für den Austrittsfall. Verfassungswidrig ist auch die von einer Partei verlangte »Rotation« ihrer Abg. während der Wahlperiode, da sie praktisch keine freie Entscheidung des Abg. mehr zuläßt.

4. *Ausscheiden* (Ausschluß, Austritt) *aus der Fraktion oder Partei* lassen das Abgeordnetenmandat unberührt. Daran kann herrschender und zutreffender Meinung nach auch durch einfaches Gesetz nichts geändert werden. Zur Frage des Mandatsverlusts nach Parteiverbot vgl. Erläut. zu Art. 21 Rn. 16.

10 Art. 38 I 2 hat ungeachtet weitgehender tatsächlicher Abhängigkeit der Abg. von ihren Parteien nach wie vor volle Rechtsgültigkeit und auch durch Art. 21 keine Einschränkung erfahren. Er geht, sofern er überhaupt mit dem Parteienartikel kollidiert, als Spezialnorm des Parlamentsrechts dem sehr allgemein gehaltenen Art. 21 I 1 vor (a. M. BVerfGE 2, 72 f.: Widersprüchlichkeit, Gleichrang und gegenseitige Abwägung im Einzelfalle).

11 Aus der Auftrags- und Weisungsfreiheit der Abg. (oben Rn. 9 Nr. 2) ist auch eine volle rechtl. Unabhängigkeit der *Fraktionen* gegenüber ihren Parteien zu folgern; auch ihren Fraktionen gegenüber können die Parteien nur Empfehlungen oder Erwartungen aussprechen, nicht aber sie durch Parteibeschlüsse oder zweiseitige Vereinbarung verpflichten. Entsprechende Folgen hat Art. 38 I 2 ferner für die *Rechtsstellung des Gesamtparlaments* gegenüber außerparlamentarischen Mächten und dem Volke. Auch wenn die Entscheidung der Wählerschaft in eine ganz bestimmte, aus dem Wahlprogramm der Mehrheitsparteien ersichtliche Richtung gegangen ist, bleibt das Parlament rechtl. frei, eine andere Politik einzuschlagen. Schließlich und endlich ist aus Art. 38 I 2 zu folgern, daß, wenn schon das GG den Abg. trotz ihrer engen faktischen Bindung an Volk und Parteien volle polit. Entscheidungsfreiheit gewährleistet, dies um so mehr für die *Regierung und alle anderen Staatsorgane* zu gelten hat.

12 Die dem Abg. durch Art. 38 I 2 gewährleistete Eigenständigkeit umfaßt auch ein selbständiges Rederecht, dessen Ausübung jedoch den vom Parlament kraft seiner Autonomie gesetzten Schranken unterliegt (BVerfGE 10, 12 f.). Auch sonst kann die Entfaltungsmöglichkeit des Abg. Einschränkungen unterworfen werden, die die Funktionsfähigkeit des Parlaments fordert (s. BayVerfGH 29, 95).

13 Gegen Maßnahmen, die die verfassungsrechtl. gewährleistete Rechtsstellung des Abg. beeinträchtigen, kann dieser nach Art. 93 I Nr. 1 das BVerfG anrufen (BVerfGE 10, 10 f.).

Absatz 2

14 Abs. 2 enthält nur Bestimmungen über das *Wahl- und Wählbarkeitsalter.* Er besagt nicht, daß jeder, der die Altersvoraussetzungen erfüllt, auch tatsächlich wahlberechtigt und wählbar ist. Der Gesetzgeber kann vielmehr im Rahmen des Grundsatzes der allgemeinen Wahl (oben Rn. 4) weitere Wahlrechts- und Wählbarkeitsvoraussetzungen festlegen, was er in §§ 12 f. und 15 BWahlG auch getan hat. Im übrigen ist aus Art. 20 II zu folgern, daß nur Deutsche i. S. des Art. 116 I wahlberechtigt und wählbar sein können.

Absatz 3

15 Abs. 3 ermächtigt in erster Linie zum Erlaß eines *Bundeswahlgesetzes,* aber auch zu gesetzlichen Regelungen über die Rechtsverhältnisse der Abgeordneten. Von der letztgenannten Ermächtigung hat der Gesetzgeber im *Abgeordnetengesetz* vom 18. 2. 1977 (BGBl. I S. 297) allerdings nur einen beschränkten und mehr auf Art. 48 und Art. 137 I gestützten Gebrauch gemacht. Die Ermächtigung zum Erlaß eines Bundeswahlgesetzes beschränkt sich nicht auf die in Art. 38 I und II angesprochenen Punkte, sondern berechtigt zur Regelung der Gesamtmaterie des Bundestagswahlrechtes einschl. Festlegung der Zahl der Abg., des Wahlsystems, des Wahlverfahrens, des Wahlkampfes und auch der Wahlkampfkostenerstattung (hier zu Unrecht a. M. BVerfGE 20, 115; 24,

353 f.: Zugehörigkeit zur Regelungskompetenz des Art. 21 III).
Bei Bestimmung des Wahlsystems kann sich der Gesetzgeber für
die Mehrheitswahl, die Verhältniswahl oder für eine Verbindung
der beiden Grundwahlsysteme entscheiden, jedoch immer nur für
eine Wahlsystemgestaltung, die den in Abs. 1 Satz 1 enthaltenen
Wahlrechtsgrundsätzen entspricht, denn das Wahlsystem ist der
Verfassung untergeordnet und muß sich an ihr messen lassen. Bei
der Verbindung mehrerer Grundwahlsysteme muß nach der
Rechtsprechung des BVerfG (1, 246; 6, 90; 11, 362; 13, 129) innerhalb jedes Abschnitts Folgerichtigkeit herrschen. Das derzeit gültige Bundeswahlgesetz i. d. F. vom 1. 9. 1975 (BGBl. I S. 2325)
verbindet Elemente der Mehrheitswahl (Wahl in den Wahlkreisen) mit solchen der Verhältniswahl (Wahl nach Landeslisten),
läuft aber im Gesamtergebnis auf eine reine Verhältniswahl hinaus. Es ist kein Zustimmungsgesetz (s. Art. 84 Rn. 4 a. E.).

Artikel 39 [Wahlperiode, Sitzungen]

**(1) Der Bundestag wird auf vier Jahre gewählt. Seine Wahlperiode
endet mit dem Zusammentritt eines neuen Bundestages. Die Neuwahl
findet frühestens fünfundvierzig, spätestens siebenundvierzig Monate
nach Beginn der Wahlperiode statt. Im Falle einer Auflösung des Bundestages findet die Neuwahl innerhalb von sechzig Tagen statt.**

**(2) Der Bundestag tritt spätestens am dreißigsten Tage nach der Wahl
zusammen.**

**(3) Der Bundestag bestimmt den Schluß und den Wiederbeginn sei-
ner Sitzungen. Der Präsident des Bundestages kann ihn früher einberufen. Er ist hierzu verpflichtet, wenn ein Drittel der Mitglieder, der Bundespräsident oder der Bundeskanzler es verlangen.**

Absatz 1

1 *Satz 1:* Die *Wahlperiode* dauert vier Jahre. Eine vorzeitige *Auflö-
sung des BTags* ist nur in den Fällen der Art. 63 IV und 68 durch
Anordnung des BPräs möglich. *Kein Recht des BTags zur
Selbstauflösung!*

2 *Satz 2: Beginn der Wahlperiode:* Mit dem erstmaligen Zusammentritt des BTags (Abs. 2). *Ende der Wahlperiode:* Mit dem ersten
Zusammentritt des neuen BTags. Dadurch, daß das Ende der
Wahlperiode mit dem ersten Zusammentritt des neuen BTags zu-
sammenfällt, erhält die Dauer der Wahlperiode eine gewisse Be-
weglichkeit. Die bewegliche Wahlperiode hat den Vorteil, daß sie

einen aufschublosen Zusammentritt des neuen BTags gestattet und ein nahtloses Aneinanderschließen der Wahlperioden ohne sog. parlamentslose Zeit ermöglicht. Diese Regelung gilt auch bei vorzeitiger Auflösung des BTags. Auch dann endet die Wahlperiode nicht mit der Auflösung selbst, sondern erst mit dem Zusammentritt des neuen BTags. Die Bundesrepublik Deutschland hat damit ein dauernd handlungsfähiges Parlament.

3 Mit dem Ende der Wahlperiode gelten alle Vorlagen im BTag – ausgenommen Petitionen und Vorlagen, die keiner Beschlußfassung bedürfen – als erledigt (§ 125 GO BTag). Dieses sog. Prinzip der sachlichen *Diskontinuität der Wahlperioden,* das nur für den BTag, nicht aber auch für BReg und BRat gilt, wird heute überwiegend als Verfassungsgewohnheitsrecht angesehen. Angelegenheiten, die den BTag bei Ende der Wahlperiode noch nicht erreicht haben, unterfallen nicht der Diskontinuität. Dennoch werden Gesetzesvorlagen, zu denen der BRat nach Art. 76 II bereits Stellung genommen, die die BReg dem alten BTag aber nicht mehr übermittelt hat, in der Staatspraxis dem BRat noch einmal zugeleitet. Angelegenheiten, die im BTag abschließend behandelt sind, mit denen sich aber noch andere Bundesorgane zu befassen haben, können auch dann weiterbetrieben werden, wenn die Wahlperiode inzwischen ihr Ende gefunden hat; die Vorlage verfällt jedoch, wenn sich der BTag im Zuge des Art. 77 II-IV nochmals mit ihr befassen müßte. Vgl. auch Erläut. zu Art. 76 Rn. 10 u. 13. sowie zu Art. 78 Rn. 2

4 *Satz 3 und 4:* Die *Neuwahl des Bundestages* wird nach § 16 BWahlG durch Bestimmung des Wahltermins vom BPräs mit Gegenzeichnung (Art. 58) angeordnet. Der BPräs ist dabei an die in Abs. 1 Satz 3 und 4 vorgeschriebenen Zeiträume gebunden. Für die Fristenberechnung gelten bei normalem Ende der Wahlperiode § 187 I, § 188 II BGB, bei Neuwahl nach Auflösung des BTags die Vorschriften des § 188 I BGB. Eine vorfristige Wahl ist ungültig, eine verspätet vorgenommene Wahl jedoch im Interesse der Fortführung des Verfassungsprozesses trotz Rechtsverletzung gültig und allenfalls in besonders gelagerten Fällen im Wahlprüfungsverfahren mit Erfolg anfechtbar. Im Verteidigungsfall findet keine Neuwahl statt; die Wahlperiode des alten BTags verlängert sich bis auf sechs Monate nach Beendigung des Verteidigungsfalles (Art. 115 h I 1); die Auflösung des BTags ist für die Dauer des Verteidigungsfalles ausgeschlossen (Art. 115 h III). Falls sonst ordnungsgemäße Wahlen nicht durchführbar sind, bedarf es im Gegensatz zu früher (vgl. BVerfGE 1, 33; v. Mangoldt/Klein,

Art. 39 Anm. IV 2) keiner gesetzgeberischen Maßnahmen mehr, da sich die Wahlperiode jetzt nach Abs. 1 Satz 2 automatisch verlängert; zur verspäteten Neuwahl s. o.

Absatz 2

5 Abs. 2 setzt, damit sich die neue Wählerentscheidung möglichst bald nach der Wahl auswirken kann, für den *ersten Zusammentritt des Bundestages* eine Frist von 30 Tagen nach der Wahl, die auch dann gilt, wenn die Wahlperiode des alten BTags bis dahin noch keine vier Jahre gedauert hat. Die genaue Terminbestimmung ist Sache des Präsidenten des alten BTags (§ 1 I GO BTag).

Absatz 3

6 Die frühere Aufteilung der Wahlperiode in Sitzungsperioden ist entsprechend der bereits im Reichstag geübten Praxis weggefallen. Der BTag tagt nun auch de jure dauernd und vertagt sich nur von Sitzung zu Sitzung. Schluß und Wiederbeginn der Sitzungen bestimmt der BTag selbst *(Selbstversammlungsrecht des Parlaments)*. Der BTPräs kann den BTag u. U. selbständig einberufen (vgl. dazu § 20 V, § 21 I und III GO BTag). Das ist praktisch sogar die Regel. Er ist zur Einberufung verpflichtet, wenn es ein Drittel der Mitglieder des BTags, der BPräs (vor allem mit Rücksicht auf dessen Rechte nach Art. 63 und 68) oder der BKanzler verlangen, und zwar auch dann, wenn es nicht den Wünschen des BTags entspricht. Ein bestimmter Ort für die Sitzungen des BTags ist im GG nicht festgelegt. Die jeweilige Tagesordnung wird im Ältestenrat vereinbart, vom BTPräs bekanntgegeben und vom Plenum beim Beginn seiner Sitzung i. d. R. stillschweigend »festgestellt« (§ 20 GO BTag). Umstritten ist, ob der BTPräs bei einer Pflichteinberufung nach Satz 3 zugleich die von den Antragstellern begehrte Tagesordnung festlegen kann oder ob das Haus auch dann Herr der Tagesordnung bleibt. Der Zweck der Vorschrift spricht für die Festlegung.

Artikel 40 [Bundestagspräsident, Geschäftsordnung]

(1) Der Bundestag wählt seinen Präsidenten, dessen Stellvertreter und die Schriftführer. Er gibt sich eine Geschäftsordnung.

(2) Der Präsident übt das Hausrecht und die Polizeigewalt im Gebäude des Bundestages aus. Ohne seine Genehmigung darf in den Räumen des Bundestages keine Durchsuchung oder Beschlagnahme stattfinden.

Absatz 1

1   Abs. 1 ermächtigt den BTag zur Selbstbestimmung seiner Organisation und seines Verfahrens (sog. *Parlamentsautonomie*). Er
schließt damit auch eine Gesetzesregelung dieses Sachbereiches
aus.

2   *Satz 1:* Als selbstverständlich ist vorauszusetzen, daß der *Präsident* des BTags, seine Stellvertreter und die Schriftführer aus der
Mitte des BTags zu wählen sind. Zu ihrer Wahl im einzelnen vgl.
§§ 2, 3 GO BTag. Nach deutschem Parlamentsbrauch werden der
BTPräs aus der größten Fraktion, die Stellvertreter unter Berücksichtigung der Fraktionsstärken gewählt. Wahl für die Dauer der
Wahlperiode (§ 2 I GO BTag). Abwahl des Präsidenten ist nicht
ausdrücklich vorgesehen, aber entgegen der h. M. nach allgemeinen demokratischen Grundsätzen durch Mehrheitsbeschluß des
BTags möglich (wie hier auch v. Münch, Art. 40 Rn. 4). Aufgaben des BTPräs: § 7 GO BTag; er vertritt insbes. den BTag nach
außen, auch in Verfassungs- und anderen Rechtsstreitigkeiten,
führt seine Verwaltungsgeschäfte, leitet die Verhandlungen und
wahrt die Ordnung im Hause. BTPräs und Stellvertreter bilden
das *Präsidium* (§ 5 GO BTag). Weitere Organe (Unterorgane)
des BTags: der *Sitzungsvorstand* (§ 8 GO BTag), der *Ältestenrat*
(§ 6 GO BTag) und vor allem die *Ausschüsse* (§§ 54–74 GO
BTag), bei denen heute das Schwergewicht der Parlamentsarbeit
liegt. Ältestenrat und Ausschüsse sind im Verhältnis der Fraktionsstärken zusammenzusetzen (§§ 12, 57 GO BTag). Einige
Ausschüsse sind bereits vom GG oder durch Gesetz vorgesehen;
im übrigen liegt die Bildung von Ausschüssen im Ermessen des
BTags. Die Ausschüsse sind Hilfsorgane des Plenums, die keine
weiteren Befugnisse haben können als der BTag im ganzen und
nur zur Vorbereitung von dessen Beschlüssen tätig werden
(§ 54 I 1 GO BTag), jedoch nicht anstelle des Plenums Entscheidungen treffen können. Der BTag, der nur als ganzer das Volk re-
präsentiert (BVerfGE 44, 316; 56, 405), ist auch nicht befugt, ihm
nach dem GG zustehende Entscheidungsrechte auf einen Ausschuß zu übertragen. Verfassungsrechtl. umstritten daher § 22
Satz 3 BHO (Entsperrung von Haushaltsmitteln durch Zustimmung des Haushaltsausschusses). Eine besondere Rechtsstellung
nehmen die aus den Abg. der einzelnen Parteien bestehenden
Fraktionen (§ 10 GO BTag) ein. Sie sind keine Parteigremien,
sondern von den Abg. gebildete Gliederungen des Parlaments
und damit Teile der Staatsorganisation (BVerfG i. st. Rspr. seit

BVerfGE 1, 223, 229, aus neuerer Zeit E 43, 147), jedoch anders als die Ausschüsse keine Organe (Unterorgane) des BTags, da ihr Handeln nicht dem BTag als ganzem zugerechnet werden kann, sondern selbständige Parlamentsgliederungen eigener Art.

3 *Satz 2:* Die *Geschäftsordnung* des BTags i. d. F. vom 2. 7. 1980 (BGBl. I S. 1237) regelt vor allem Organisation und Geschäftsgang des BTags und besteht zum wesentlichen Teil aus Rechtsnormen besonderer Art, die weder dem Begriff der Rechtsverordnung noch dem der autonomen Satzung (so aber BVerfGE 1, 148) zugerechnet werden können, dem Verfassungs- und Gesetzesrecht jedoch rangmäßig auf jeden Fall nachstehen (BVerfG aaO). Sie berechtigt und verpflichtet nur die Mitglieder des BTags; Rechte des BTags gegenüber anderen Staatsorganen oder Dritten können aus ihr nicht hergeleitet werden. Die GO BTag gilt an sich nur für die Wahlperiode des BTags, der sie beschlossen hat, wird jedoch in der Praxis jeweils vom neuen BTag übernommen. Die Folgen der Verletzung von Geschäftsordnungsvorschriften sind problematisch. Der h. M., daß die Gültigkeit geschäftsordnungswidrig gefaßter Beschlüsse unberührt bleibe, wird man nicht ganz ohne Vorbehalte zustimmen können. Die GO BTag kann alle Fragen der Organisation, des Geschäftsgangs und der Disziplin des BTags regeln, die herkömmlich der Parlamentsautonomie zuzurechnen sind, z. B. auch die Beschlußfähigkeit des BTags (BVerfGE 44, 314 f.).

Absatz 2

4 Das *Hausrecht* ist Ausfluß des Eigentums und fiskalischer Natur, die *Polizeigewalt* Ausübung von Hoheitsrechten. Bei der praktischen Handhabung sind die Grenzen beider flüssig. Im Bereich der Gebäude des BTags obliegt dem BTPräs neben der Sitzungspolizei im Plenum die gesamte polizeiliche Gefahrenabwehr unter Ausschluß der Zuständigkeit der örtlichen Polizeibehörde, die aber zur Amtshilfe verpflichtet bleibt (Art. 35 I). Zur Ausübung der Polizeigewalt kann der BTPräs eigenes Personal oder örtliches Polizeipersonal in Anspruch nehmen. Neben Durchsuchungen und Beschlagnahmen sind auch Festnahmen, Verhaftungen und andere Polizeimaßnahmen an die Genehmigung des BTPräs gebunden. Genehmigung bedeutet hier vorherige Zustimmung. »Räume des Bundestages« sind alle Räumlichkeiten, die der BTag für Bundestagsarbeit bestimmt hat. Vgl. ferner BannmeilenG vom 6. 8. 1955 (BGBl. I S. 504).

Artikel 41   [Wahlprüfung]

(1)   Die Wahlprüfung ist Sache des Bundestages. Er entscheidet auch, ob ein Abgeordneter des Bundestages die Mitgliedschaft verloren hat.

(2)   Gegen die Entscheidung des Bundestages ist die Beschwerde an das Bundesverfassungsgericht zulässig.

(3)   Das Nähere regelt ein Bundesgesetz.

1   Abweichend von der WeimRVerf, die ein Wahlprüfungsgericht beim Reichstag vorsah und die Wahlprüfung in einer Instanz abwickelte, ist nunmehr die Wahlprüfung (WPr) wieder wie in der RVerf 1871 dem Parlament, also dem BTag übertragen worden, gegen dessen Entscheidung jedoch das BVerfG angerufen werden kann.

Absatz 1

2   Abs. 1 unterscheidet zwischen der WPr im engeren, eigentlichen Sinne (Satz 1) und der WPr im weiteren Sinne, die auch die Entscheidung über den Verlust der Mitgliedschaft im BTag umfaßt (Satz 2).

3   *Satz 1:* »Wahlprüfung« heißt *Prüfung der Gültigkeit der Wahlen* (so auch § 1 WPrüfG). Zu prüfen sind »die Wahlen«, d. h. alle Vorgänge, die zum Erwerb einer Mitgliedschaft im BTag erforderlich sind. Zu prüfen ist nicht nur das Verhalten der Wahlorgane und Wahlbehörden, sondern ebenso das der Wähler, der Wahlbewerber, der Parteien und überhaupt alles, was in rechtswidriger Weise verfälschend auf den wirklichen Wählerwillen einwirken kann. Ziel der WPr ist die Feststellung, ob und wieweit die Wahlen gültig, d. h. rechtsbeständig, oder ungültig sind. Dabei ist unter Ungültigkeit herkömmlicherweise nicht ihre Nichtigkeit, sondern ihre Aufhebbarkeit und Aufhebung ex nunc zu verstehen. Ungültig – teilungültig – ist eine Wahl auch dann, wenn der Wahlakt der Wähler Rechtsbestand behält und nur die Wahlergebnisfeststellung aufzuheben ist oder der Mandatserwerb rechtsfehlerhaft war. Die Gültigkeit einer Wahl kann nur durch *Gesetzwidrigkeiten* (»Unregelmäßigkeiten«, Wahlfehler) im Wahlablauf in Frage gestellt werden. WPr ist ausschließlich *Rechtskontrolle*, und zwar eine besondere Form der Verfassungskontrolle (»Verfassung« hier im materiellen Sinne verstanden), der Sache nach also Rechtsprechung. Sie dient in erster Linie nicht dem Rechtsschutz

der Beteiligten, sondern der *Gewährleistung des objektiven Rechts und öffentlichen Interessen,* d. h. der Sicherung einer *gesetzmäßigen Bildung der Volksvertretung* (BVerfGE 1, 238; 1, 433; 22, 281; 34, 96 f.; 34, 203; 35, 301; 37, 89; 48, 280). Ob und wieweit sich die WPr auch dem Schutz subjektiver Rechte der Wahlbeteiligten (Wähler, Wahlbewerber, Parteien usw.) öffnen will, ist der Entscheidung des einfachen Gesetzgebers überlassen. Daß die WPr *immer* nur darauf gerichtet ist, die rechtmäßige Zusammensetzung der Volksvertretung zu prüfen, und Wahlfehler deshalb allein dann zu korrigieren seien, wenn sie die Sitzverteilung verschoben haben können (so BVerfG i. st. Rspr., aus neuerer Zeit E 58, 175, und die h. M. des Schrifttums), gehört nicht zu Begriff und Wesen der WPr überhaupt. Ein solcher Satz ist daher auch nicht aus Art. 41 zu folgern, sondern allenfalls der einfachen Gesetzgebung, deren Aufgabe es ist, Zweck und Umfang der WPr näher zu regeln, oder dem materiellen Wahlprüfungsrecht zu entnehmen, im Bundesrecht aber auch auf dieser Rechtsebene wohl kaum nachzuweisen. Welche Wahlfehler Folgen für die Gültigkeit einer Wahl haben und welcher Art diese sind, d. h. wann und wieweit Wahlen – u. U. nur Teile des Wahlverfahrens – aufzuheben sind, ist bundesgesetzlich nicht geregelt und bestimmt sich nach den Normen des sog. *materiellen Wahlprüfungsrechts,* d. h. im wesentlichen nach der zu Gewohnheitsrecht verdichteten Spruchpraxis der Wahlprüfungsorgane. Das WPrüfG des Bundes beschränkt sich im Gegensatz zu einer Reihe von Wahlprüfungsgesetzen der Länder, die z. T. auch materielles Wahlprüfungsrecht enthalten, so gut wie ganz auf die Regelung des Wahlprüfungsverfahrens. Im Rahmen der WPr sind ggf. auch das Wahlgesetz auf seine Verfassungsmäßigkeit und die Wahlordnung außerdem auf ihre Gesetzmäßigkeit zu überprüfen, da nur so eine volle Gültigkeitsprüfung der Wahlen möglich ist (a. M. der BTag i. st. Praxis). Auf jeden Fall ist das BVerfG im Beschwerdeverfahren zu einer solchen Prüfung berechtigt und verpflichtet (BVerfGE 1, 237; 16, 135; 21, 204 ff.; 34, 95).

4 Die WPr ist Sache des *Bundestages.* Dieser trifft bei der WPr Rechtsentscheidungen, aber nicht als Gericht in Ausübung echter Rechtsprechungsfunktionen i. S. der Art. 92 ff., sondern *als politische Körperschaft.* Die eigentliche Rechtsprechung beginnt in der bundesrechtl. WPr erst nach Erhebung der Beschwerde beim BVerfG. Keine Ablehnung des BTags wegen Befangenheit u. dgl. (BVerfGE 46, 198).

5 Das *Wahlprüfungsverfahren* im BTag ist näher im WPrüfG geregelt. Danach findet eine WPr nur statt, wenn Einspruch gegen die Gültigkeit einer Wahl erhoben wird (Anfechtungsprinzip). Die Entscheidung des BTags wird von einem Wahlprüfungsausschuß in einem prozeßähnlich ausgestalteten Verfahren vorbereitet und endgültig durch einen Plenarbeschluß getroffen. Das Beschwerdeverfahren vor dem BVerfG ist im BVerfGG näher geregelt. Das Wahlprüfungsverfahren hat *Ausschließlichkeitscharakter*. Das heißt:

1. Für alle Wahlrechtsstreitigkeiten, bei denen es um den Rechtsbestand, d. h. die Gültigkeit oder Ungültigkeit einer Wahl – auch einzelner Verfahrensbestandteile der Wahl – geht, sind die beiden Wahlprüfungsorgane (BTag, BVerfG) ausschließlich zuständig.

2. Kein anderes Verfahren kann in den Rechtsbestand einer Wahl eingreifen, d. h. darin ausmünden, eine Wahl ganz oder teilweise – auch einzelne Entscheidungen und Maßnahmen des Wahlverfahrens – aufzuheben. Das gilt insbes. von den Verfahren nach Art. 93 I Nr. 1 und 2, wenn die Ungültigkeit von Wahlrechtsvorschriften geltend gemacht wird, und vom Verfassungsbeschwerdeverfahren. Es gilt vor allem auch von etwaigen Verwaltungsstreitverfahren über Wählerrechte: Art. 41 entzieht die Korrektur von Wahlfehlern einschl. solcher, die eine Verletzung subjektiver Rechte enthalten, dem Rechtsweg des Art. 19 IV (BVerfGE 22, 281; 34, 94; 44, 94; 46, 198; 66, 234). Im Schrifttum ist diese Rechtsprechung allerdings umstritten.

6 *Satz 2* meint nur einen *Mitgliedschaftsverlust* aus Rechtsgründen und gibt keine Ermächtigung zu ermessensmäßiger Mandatsaberkennung. Damit ist die gesamte Entscheidungsmacht über Entstehen und Erlöschen von Parlamentsmandaten den Wahlprüfungsinstanzen übertragen. Also keine Möglichkeit der Verfassungsbeschwerde in Mandatsverlustfällen (BVerfGE 6, 445 ff.) und keine Möglichkeit des Organstreits nach Art. 93 I Nr. 1. Satz 2 erstreckt sich nur auf den Fall, daß ein rechtswirksam gewählter Abg. *nachträglich* sein Mandat verloren hat. Ursprüngliche Ungültigkeit des Mandatserwerbs wird trotz der bloßen Ex-nunc-Wirkung des wahlprüfungsrechtl. Ungültigerklärung bereits von Satz 1 erfaßt.

Absatz 2

7 Zur *Beschwerde* an das BVerfG vgl. §§ 13 Nr. 3, 14, 48 BVerfGG.

Der Kreis der Beschwerdeberechtigten ist grundsätzlich enger gezogen als der zum Wahleinspruch an den BTag Berechtigten. Verfahrensbeteiligte sind der Beschwerdeführer und der BTag. Beschwerdefähig sind nur die Schlußentscheidungen des BTags. Das BVerfG hat die angefochtene Wahl nicht etwa nur auf Verfassungsverletzungen, sondern auf ihre Übereinstimmung mit sämtlichen einschlägigen Rechtsvorschriften zu prüfen. Keine Möglichkeit, mit der Beschwerde neue Anfechtungsgründe geltend zu machen (BVerfGE 16, 144).

Absatz 3

8 WahlprüfungsG vom 12. 3. 1951 (BGBl. I S. 166, 1965 I S. 977, 1975 I S. 1593) und BundesverfassungsgerichtsG i. d. F. vom 3. 2. 1971 (BGBl. I S. 105, 1974 I S. 469, 1976 I S. 2485). Abs. 3 würde auch zu einer Regelung des materiellen Wahlprüfungsrechts ermächtigen.

Artikel 42 [Öffentlichkeit der Sitzungen, Beschlußfassung, Berichte]

(1) Der Bundestag verhandelt öffentlich. Auf Antrag eines Zehntels seiner Mitglieder oder auf Antrag der Bundesregierung kann mit Zweidrittelmehrheit die Öffentlichkeit ausgeschlossen werden. Über den Antrag wird in nichtöffentlicher Sitzung entschieden.

(2) Zu einem Beschlusse des Bundestages ist die Mehrheit der abgegebenen Stimmen erforderlich, soweit dieses Grundgesetz nichts anderes bestimmt. Für die vom Bundestage vorzunehmenden Wahlen kann die Geschäftsordnung Ausnahmen zulassen.

(3) Wahrheitsgetreue Berichte über die öffentlichen Sitzungen des Bundestages und seiner Ausschüsse bleiben von jeder Verwantwortlichkeit frei.

Absatz 1

1 Die Vorschriften über die *Öffentlichkeit* der Verhandlungen des BTags beziehen sich nur auf das Plenum. Ausschußsitzungen sind vorbehaltlich gesetzlicher Sonderbestimmungen (z. B. Art. 44 I, § 8 WPrüfG) grundsätzlich nicht öffentlich (§ 69 I 1 GO BTag). »Öffentlich« bedeutet Zugang für jedermann nach Maßgabe der räumlichen Möglichkeiten. »Verhandeln« umfaßt Aussprachen und Abstimmungen. Geheimabstimmungen, d. h. Abstimmungen mit geheimer Stimmabgabe, sind durch Satz 1 nicht ausgeschlossen. Zum »Zehntel seiner Mitglieder« vgl. Art. 121. »Bundesregierung« ist hier das Regierungskollegium. »Zweidrittelmehrheit« ist die der Abstimmenden, nicht, wie zumeist angenommen wird, die der Anwesenden. Der Beschluß bedarf keiner Begründung.

Absatz 2

2 Grundsätzlich ist zur Fassung von *Beschlüssen des Bundestages* die einfache Mehrheit der abgegebenen Stimmen erforderlich. Stimmengleichheit bedeutet also Ablehnung. Stimmenthaltung ist möglich. Enthaltungen gelten als nicht abgegebene Stimmen, ebenso ungültige Stimmen. Abstimmungsformen nach §§ 48, 51, 52 GO BTag: Handzeichen, Aufstehen und Sitzenbleiben, »Hammelsprung«, namentliche Abstimmung. Damit ist eine geheime Abstimmung für Sachentscheidungen praktisch ausgeschlossen. Anders bei Wahlen (§ 2 I, §§ 4, 97 II 1 GO BTag). Nach überwiegender Meinung könnte der BTag auch für einzelne Sachentscheidungen geheime Abstimmung vorsehen. Ausnahmen vom Grundsatz der einfachen Mehrheit: Art. 29 VII, Art. 42 I, Art. 54 VI, Art. 61 I, Art. 63 II–IV, Art. 67 I, Art. 68 I, Art. 77 IV, Art. 79 II, Art. 80 a I u. III, Art. 87 III 2, Art. 115 a I. Weitere Ausnahmen kann die GO BTag nach Satz 2 für die vom BTag vorzunehmenden Wahlen anordnen. Die Regelung der Beschlußfähigkeit ist der GO BTag überlassen. Nach deren § 45 ist der BTag beschlußfähig, wenn mehr als die Hälfte der Abg. (d. i. der gesetzl. Mitgliederzahl) im Sitzungssaal anwesend ist. Von gewissen Ausnahmefällen abgesehen gilt der BTag als beschlußfähig, solange nicht das Gegenteil ausdrücklich festgestellt ist. Die Beschlüsse des BTags sind mit der Ergebnisverkündung rechtswirksam und grundsätzlich unverrückbar (Ausnahmen: s. Troßmann, Parlamentsrecht des Deutschen Bundestages 1977 Anhang A zu § 54). Einer Mitteilung nach außen bedürfen Beschlüsse des BTags nur, wenn es besonders vorgeschrieben ist (z. B. in § 13 WPrüfG).

Absatz 3

3 Die für jedermann geltende *Verantwortlichkeitsfreiheit* dient der Sicherung einer unbeeinträchtigten Öffentlichkeit der Parlamentsverhandlungen. Geschützt sind *Berichte,* also Tatsachenmitteilungen, nicht auch Meinungsäußerungen, Werturteile und Schlußfolgerungen, auch abgekürzte Berichte, es sei denn, daß sie durch Auslassungen irreführen und dadurch nicht mehr wahrheitsgetreu sind.

Artikel 43 [Anwesenheit von Regierungs- und Bundesratsmitgliedern]

(1) Der Bundestag und seine Ausschüsse können die Anwesenheit jedes Mitgliedes der Bundesregierung verlangen.

(2) Die Mitglieder des Bundesrates und der Bundesregierung sowie ihre Beauftragten haben zu allen Sitzungen des Bundestages und seiner Ausschüsse Zutritt. Sie müssen jederzeit gehört werden.

Absatz 1

1 Das Recht des Anwesenheitsverlangens mit Erscheinenspflicht *(Zitierrecht)* steht nur dem BTag und seinen Ausschüssen, nicht auch anderen Bundestagsorganen, Fraktionen, Minderheiten von Abg. und einzelnen Abg. zu. Vgl. auch §§ 42, 68 GO BTag. Mit dem Recht des Anwesenheitsverlangens ist ein entsprechendes *Fragerecht*, und zwar auch hier nur des BTags selbst und seiner Ausschüsse, verbunden. *Grundsätzlich* besteht *Antwortpflicht* (BVerfGE 13, 125). Darüber, ob eine bestimmte Frage ausnahmsweise nicht oder erst später beantwortet werden soll, sowie über Umfang und Inhalt der Antwort entscheidet die BReg. Keine Pflicht der BReg, jederzeit über alles erschöpfend Auskunft zu geben. Gesteigerte Auskunftspflicht gegenüber Untersuchungsausschüssen: Art. 44 Rn. 6. Die geschäftsordnungsmäßig vorgesehenen Fragerechte einzelner oder mehrerer Abg. (Große, Kleine Anfragen und Einzelfragen nach §§ 100 ff. GO BTag) beruhen nicht auf dem Zitierrecht und begründen keine Antwortpflicht der Regierung (Troßmann, Parlamentsrecht des Deutschen Bundestages 1977 § 111 Rn. 37; vgl. auch OVG Münster, OVGE 31, 16).

Absatz 2

2 Das *Zutrittsrecht* von Angehörigen der BReg und des BRats sowie ihrer Beauftragten (hauptsächlich Ministerialbeamte) gilt für das Plenum und *alle* Ausschüsse, auch die durch Gesetz eingerichteten (z. B. Wahlprüfungsausschuß) und die Untersuchungsausschüsse. Es gilt auch für Geheimsitzungen. Mit dem Zutrittsrecht verbunden ist ein *Recht auf Gehör* (Worterteilung), und zwar auch außerhalb der Tagesordnung, jedoch nicht, wenn ein Abg. das Wort hat oder während einer Abstimmung. Näheres: §§ 43 f. GO BTag, für Mitglieder des BRats § 33 GO BRat. Die Redezeit der Regierungsmitglieder kann vom BTag nicht beschränkt werden

und ist auch nicht auf die Fraktionsredezeiten anzurechnen (BVerfGE 10, 17 ff.). Die Mitglieder des BRats, die ebenfalls keiner Redezeitbeschränkung unterliegen, sind nicht nur berechtigt, gemäß § 30 GO BRat die Meinung des BRats als solchen, sondern auch die ihrer Regierung zum Ausdruck zu bringen. Entgegen einer vielfach vertretenen Meinung (z. B. v. Mangoldt/ Klein, Art. 43 Anm. IV 4) ist ein besonderes Antragsrecht mit dem Rederecht der Mitglieder von BReg und BRat nicht verbunden. Die Regierungs- und Bundesratsmitglieder unterstehen der allgemeinen Ordnungsgewalt des BTPräs bzw. Ausschußvorsitzenden, unterliegen jedoch nicht den besonderen Ordnungsmaßnahmen der §§ 36 ff. GO BTag.

Artikel 44   [Untersuchungsausschüsse]

(1)   Der Bundestag hat das Recht und auf Antrag eines Viertels seiner Mitglieder die Pflicht, einen Untersuchungsausschuß einzusetzen, der in öffentlicher Verhandlung die erforderlichen Beweise erhebt. Die Öffentlichkeit kann ausgeschlossen werden.

(2)   Auf Beweiserhebungen finden die Vorschriften über den Strafprozeß sinngemäß Anwendung. Das Brief-, Post- und Fernmeldegeheimnis bleibt unberührt.

(3)   Gerichte und Verwaltungsbehörden sind zur Rechts- und Amtshilfe verpflichtet.

(4)   Die Beschlüsse der Untersuchungsausschüsse sind der richterlichen Erörterung entzogen. In der Würdigung und Beurteilung des der Untersuchung zugrunde liegenden Sachverhaltes sind die Gerichte frei.

Absatz 1

1   Es handelt sich um eine alte parl. Einrichtung zur Regierungskontrolle und zur Information der Volksvertretung überhaupt. Ursprünglich vor allem ein Instrument des Parlaments zur Aufdeckung von Mißständen in Regierung und Verwaltung, sind die Untersuchungsausschüsse (UA) im parl. Regierungssystem mehr und mehr zu einer Stätte der Auseinandersetzung zwischen Opposition und Regierungsmehrheit geworden. Wegen des Übergewichts der Mehrheit, vor allem mangels eines gegen die Mehrheit durchsetzbaren Beweisantragsrechts der Minderheit ist die Arbeit vieler UA ohne vollen Aufklärungserfolg geblieben.

Die UA sind wie alle anderen Ausschüsse Organe (Unterorgane) des BTags.

2 *Zweck:* Die Einsetzung von UA kann der Regierungs- und Behördenkontrolle im Bund, der Beschaffung von Gesetzgebungsmaterial und jedem anderen im Aufgabenbereich des BTags liegenden Informationszwecke dienen. Auch »Justizenqueten« sind zulässig. Zu Untersuchungen in Verteidigungsfragen vgl. Art. 45 a II und III.

3 Die *Einsetzung* eines UA bedarf eines Plenarbeschlusses des BTags. Der Beschluß hat Stärke und Zusammensetzung des Ausschusses (vgl. §§ 12, 57 GO BTag) sowie für diesen bindend den Gegenstand der Untersuchung zu bestimmen. Der Gegenstand muß hinreichend konkretisiert sein. Einem Minderheitsantrag ist unverzüglich stattzugeben, es sei denn, daß er verfassungs- oder sonst rechtswidrig ist. Bei Rechtsmängeln, die nur einzelne Punkte betreffen, ist Teilstattgabe zulässig und i. d. R. geboten. Der Untersuchungsgegenstand eines Minderheitsantrags darf gegen den Willen der Minderheit nicht verändert, auch nicht erweitert werden; zulässig ist allenfalls eine klarere Fassung und die Einbeziehung von Zusatzfragen zwecks Gewinnung eines wirklichkeitsgetreueren Bildes des beantragten Untersuchungsgegenstandes (BVerfGE 49, 86 ff.).

4 *Aufgaben:* Die UA können nur Tatsachen feststellen und werten sowie Empfehlungen aussprechen, nicht aber mit eigenen Entscheidungen in staatl. oder private Verhältnisse eingreifen. Lediglich zur Durchführung ihrer Untersuchungen ist den UA eine gewisse behördliche Stellung nach Maßgabe der Abs. 2 und 3 eingeräumt.

5 Das *Verfahren* der UA ist in Art. 44, der vor allem grundsätzliche Öffentlichkeit der Verhandlungen vorschreibt, und in der GO BTag (§§ 54 ff.) geregelt. Für die Teilnahme der Mitglieder der BReg und des BRats gilt Art. 43, und zwar uneingeschränkt. Der nach Satz 2 zulässige Ausschluß der Öffentlichkeit bedarf keiner Begründung.

Absatz 2

6 Die Vorschriften über *Beweiserhebungen* im Strafprozeß sind in der StPO (§§ 48–93, 244) und im GVG enthalten. Ihre nur sinngemäße Anwendung ergibt sich vor allem daraus, daß es bei parl. Untersuchungen keinen Beschuldigten gibt. Über die zu erhebenden Beweise wird durch Mehrheitsbeschluß entschieden. Die Minderheit hat anders als nach Art. 34 I WeimRVerf kein Recht, bestimmte Beweiserhebungen zu erzwingen. Doch darf die Mehrheit zweifelsfrei »erforderliche« Beweiserhebungen (s. Abs. 1 Satz 1) nicht abschneiden. Die §§ 54, 96 StPO sind in einer dem Untersuchungszweck weitestmöglich gerecht werdenden Weise anzuwenden. Recht auch auf Auskunft von Regierungsmitgliedern und Recht auf Aktenvorlage, das nur durch ganz besondere Umstände (z. B. schutzwürdige Regierungsinterna) und Grundrechte Dritter eingeschränkt wird (BVerfG, DÖV 1984, 754), sowie Recht zum Zeugniszwang und zur Vereidigung. Für die Anwendung sonstiger Strafprozeßvorschriften besteht keine Rechtsgrundlage, insbes. keine Befugnis der UA zur Durchsuchung, Beschlagnahme und Verhaftung. Maßnahmen dieser Art müssen beim zuständigen Richter beantragt werden. Zum Brief-, Post- und Fernmeldegeheimnis vgl. Art. 10 u. Erläut. dazu. Die strafprozessualen Möglichkeiten zur Einschränkung des Post- und Fernmeldegeheimnisses haben im Verfahren der UA keine Geltung. Rechtsstreitigkeiten, die sich aus der Anwendung hoheitlicher Befugnisse der UA gegen Dritte ergeben (z. B. aus einer Zeugenvorladung), sind im Verwaltungsrechtsweg zu klären (BVerwG, DÖV 1981, 300).

Absatz 3

7 Die Pflicht zur *Rechts- und Amtshilfe* ergibt sich bereits aus Art. 35 I. Abs. 3 hat daher nur klarstellende Bedeutung.

Absatz 4

8 *UA und Gerichte:* Ausschuß- und Gerichtsuntersuchungen in derselben Sache sind möglich. Beide sind in der Ermittlung und Beurteilung des Sachverhalts voneinander unabhängig. Die »Beschlüsse«, d. h. die Feststellungen der UA (Tatsachenfeststellungen, Schlußfolgerungen u. Wertungen) können jedoch nicht richterlicher Erörterung oder gar Überprüfung unterzogen werden (»Kritik- und Bestandssicherung« im Interesse des Parlamentsansehens). Also vor allem keine Klage gegen Ausschußberichte (a. M. v. Münch, Art. 44 Rn. 25). In der Sache erleidet die Tätigkeit der Gerichte keine Einschränkungen.

9 Das Ende der Wahlperiode beendet auch die Tätigkeit von UA.

10 Die Enquete-Kommissionen des § 56 GO BTag sind keine UA i. S. des Art. 44.

Artikel 45   (aufgehoben)

Artikel 45 a   **[Ausschüsse für Auswärtiges und für Verteidigung]**

(1)   Der Bundestag bestellt einen Ausschuß für auswärtige Angelegenheiten und einen Ausschuß für Verteidigung.

(2)   Der Ausschuß für Verteidigung hat auch die Rechte eines Untersuchungsausschusses. Auf Antrag eines Viertels seiner Mitglieder hat er die Pflicht, eine Angelegenheit zum Gegenstand seiner Untersuchung zu machen.

(3)   Artikel 44 Abs. 1 findet auf dem Gebiet der Verteidigung keine Anwendung.

Absatz 1

1   Das Recht der Ausschüsse ist im allgemeinen nur in der GO BTag geregelt. Es liegt grundsätzlich in der Hand des BTags, welche Ausschüsse er bilden will. Ursprünglich einziger vom GG selbst geforderter Ausschuß war der inzwischen weggefallene Ausschuß des Art. 45 (Ausschuß zur Wahrung der Rechte des BTags). Durch Ergänzungsgesetz vom 19. 3. 1956 wurden zur Verstärkung der parl. Regierungskontrolle auf bestimmten Gebieten zwei weitere Ausschüsse grundgesetzlich vorgeschrieben: der Ausschuß für auswärtige Angelegenheiten und der Ausschuß für Verteidigung. *Auswärtige Angelegenheiten* sind alle Angelegenheiten mit notwendiger und unmittelbarer Auslandsbeziehung, alle »die sich aus der Stellung der Bundesrepublik als Völkerrechtssubjekt . . . ergeben« (BVerfGE 33, 60), also nicht auch die Beziehungen zur DDR. Mit *Verteidigung* ist in Art. 45 a nur die militärische Verteidigung einschl. des Wehrersatzwesens und aller anderen Bundeswehrangelegenheiten, nicht auch die Zivilverteidigung gemeint.

Absatz 2

2   Das *Untersuchungsrecht des Verteidigungsausschusses* (VA) unterliegt den gleichen Schranken, die den übrigen Untersuchungsausschüssen durch Art. 44 gezogen sind. Der VA hat nicht mehr Rechte als im Aufgabenbereich des BTags liegen, also vor allem kein Recht, durch eigene Entscheidungen in die Bundeswehr einzugreifen oder ihr Richtlinien oder Weisungen zu geben. Vor den übrigen Ausschüssen des BTags hat der VA jetzt gemeinsam mit den Untersuchungsausschüssen das gesteigerte Recht auf Antwort von den Mitgliedern der BReg voraus. Der VA kann seine Untersuchungen im Auftrag des Plenums (a. M. Maunz/Dürig, Art. 45 a Rn. 9 f.), aber, da er Untersuchungsausschuß kraft Gesetzes ist, in Abweichung von der sonst für Untersuchungsausschüsse geltenden Regel auch aus eigener Initiative durchführen. Eine Berichtspflicht gegenüber dem Plenum besteht nur, wenn dieses Bericht verlangt. Die Sitzungen des VA sind, auch wenn er die Rechte eines Untersuchungsausschusses ausübt, nach den allgemeinen Bestimmungen der GO BTag (§ 69 I) vertraulich und nicht, wie in dem durch Abs. 3 ausgeschalteten Art. 44 I für die Untersuchungsausschüsse vorgeschrieben, öffentlich.

Absatz 3

3 Da bereits der VA die Rechte eines Untersuchungsausschusses hat, ist das allgemeine Recht des BTags, Untersuchungsausschüsse zu bilden, für das Gebiet der Verteidigung ausdrücklich ausgeschlossen worden.

Artikel 45 b [Wehrbeauftragter des Bundestages]

Zum Schutz der Grundrechte und als Hilfsorgan des Bundestages bei der Ausübung der parlamentarischen Kontrolle wird ein Wehrbeauftragter des Bundestages berufen. Das Nähere regelt ein Bundesgesetz.

1 Als organisatorisch verselbständigtes, also dem BTag nicht eingegliedertes, sondern angegliedertes *Hilfsorgan der Parlamentskontrolle* über die Streitkräfte wird – nach schwedischem Vorbild – ein Wehrbeauftragter (WB) des BTags berufen. Er soll insbes. zum *Schutze der Grundrechte der Soldaten* tätig werden, ohne daß damit jedoch hier bestehende andere Möglichkeiten wie z. B. das Petitionsrecht des Art. 17 eine Beeinträchtigung erfahren. Während der Verteidigungsausschuß die Parlamentskontrolle über die Streitkräfte allgemein und hauptsächlich unter polit. Gesichtspunkten auszuüben hat, ist die Tätigkeit des WB speziell für das Gebiet der *inneren Truppenführung* und zur Kontrolle von Einzelfällen gedacht. Sein Zuständigkeitsbereich beschränkt sich auf die Streitkräfte. Die Berufung eines WB ist verfassungsrechtl. Pflicht, liegt also nicht im Ermessen des BTags. Der WB steht in einem öff.-rechtl. Amtsverhältnis, ist aber nicht Beamter (§ 15 I G über den Wehrbeauftragten).

2 Die in Satz 2 vorgesehene nähere Regelung ist durch das G über den Wehrbeauftragten des Deutschen Bundestages i. d. F. vom 16. 6. 1982 (BGBl. I S. 677) erfolgt: Geheime Wahl durch den BTag auf fünf Jahre, Tätigwerden auf Weisung des BTags oder Verteidigungsausschusses zur Prüfung bestimmter Vorgänge oder aus eigener Initiative, wenn dem WB Umstände bekannt werden, die auf eine Verletzung der Grundrechte von Soldaten oder der Grundsätze über die innere Führung schließen lassen. Jeder Soldat ist berechtigt, sich einzeln unmittelbar an den WB zu wenden. Der WB hat wie das Parlament kein Recht zur Entscheidung von Einzelfällen und zur Weisung an Bundeswehrstellen. Er hat nach Schluß eines jeden Kalenderjahres einen schriftlichen Gesamtbericht über seine Tätigkeit zu erstellen. Vgl. auch §§ 113 ff. GO BTag.

Artikel 45 c [Petitionsausschuß]

(1) Der Bundestag bestellt einen Petitionsausschuß, dem die Behandlung der nach Artikel 17 an den Bundestag gerichteten Bitten und Beschwerden obliegt.

(2) Die Befugnisse des Ausschusses zur Überprüfung von Beschwerden regelt ein Bundesgesetz.

Absatz 1

1 Vgl. zunächst Art. 17 und die dazugehörigen Erläut., besonders zu den Begriffen »Bitten« und »Beschwerden«. Der Petitionsausschuß (PA) ist der dritte grundgesetzlich vorgeschriebene Ausschuß des BTags. Er darf nur auf Petitionen hin, nicht auch aus eigener Initiative tätig werden. Der PA ist innerhalb des BTags für die Behandlung von Petitionen ausschließlich zuständig. Über die einzelnen Petitionen entscheidet formell und sehr summarisch der BTag als Plenum. Näheres: §§ 108 ff. GO BTag. Auch wenn Petitionen der BReg »zur Berücksichtigung« überwiesen werden, handelt es sich nur um Empfehlungen und nicht um verpflichtende Aufforderungen (vgl. dazu BayVerfGH 30, 179). Petitionen bleiben auch nach Ende einer Wahlperiode anhängig und sind vom neugewählten PA weiterzubehandeln (§ 125 Satz 2 GO BTag).

Absatz 2

2 Abs. 2 gilt nur für die an den BTag gerichteten *Beschwerden*, d. h. Eingaben, in denen Mängel gerügt werden. Ihm entsprechend ist das G über die Befugnisse des Petitionsausschusses des Deutschen

Bundestages vom 19. 7. 1975 (BGBl. I S. 1921) ergangen. Es gibt
dem PA Ansprüche auf Aktenvorlage, Auskunft und Zutritt zu
den Einrichtungen der BReg, der Bundesbehörden und der bundesunmittelbaren Körperschaften, Anstalten und Stiftungen des
öffentl. Rechts sowie das Recht, Petenten, Zeugen und Sachverständige anzuhören, jedoch keine Zwangsbefugnisse, wie sie die
Untersuchungsausschüsse (Art. 44) besitzen, und vor allem keine
Rechte zum Eingriff in den Gang der Behördentätigkeit.

Artikel 46   [Verantwortungs- und Verfolgungsfreiheit der Abgeord-
neten]

**(1)   Ein Abgeordneter darf zu keiner Zeit wegen seiner Abstimmung
oder wegen einer Äußerung, die er im Bundestage oder in einem seiner
Ausschüsse getan hat, gerichtlich oder dienstlich verfolgt oder sonst außerhalb des Bundestages zur Verantwortung gezogen werden. Dies gilt
nicht für verleumderische Beleidigungen.**

**(2)   Wegen einer mit Strafe bedrohten Handlung darf ein Abgeordne-
ter nur mit Genehmigung des Bundestages zur Verantwortung gezogen
oder verhaftet werden, es sei denn, daß er bei Begehung der Tat oder
im Laufe des folgenden Tages festgenommen wird.**

**(3)   Die Genehmigung des Bundestages ist ferner bei jeder anderen
Beschränkung der persönlichen Freiheit eines Abgeordneten oder zur
Einleitung eines Verfahrens gegen einen Abgeordneten gemäß Arti-
kel 18 erforderlich.**

**(4)   Jedes Strafverfahren und jedes Verfahren gemäß Artikel 18 ge-
gen einen Abgeordneten, jede Haft und jede sonstige Beschränkung
seiner persönlichen Freiheit sind auf Verlangen des Bundestages auszusetzen.**

1   Art. 46 gilt nur für Bundestagsabgeordnete. Er soll die Funktionsfähigkeit des BTags sichern, ist also letzten Endes ein Vorrecht
des Hauses und nicht des einzelnen Abg. Abs. 1 schützt die Ent-
scheidungs- und Redefreiheit der Abg., Abs. 2–4 gewähren einen
zeitlich begrenzten Schutz der Abg. vor Strafverfolgung und anderer staatl. Beeinträchtigung ihrer persönlichen Freiheit.

Absatz 1

2   Die *Verantwortungsfreiheit* oder *Indemnität* des Abs. 1 gilt zeitlich
unbeschränkt, also auch nach Ausscheiden aus dem BTag. Sie ist

unaufhebbar und, da letztlich dem Schutze des Parlaments dienend, für den Abg. unverzichtbar. Geschützt sind Abstimmungen und sonstige Willenskundgebungen, Tatsachenbehauptungen und Meinungsäußerungen jeder Art im Plenum, in den Ausschüssen und anderen Unterorganen des BTags, in den Fraktionen, in schriftlichen Anfragen und in sonstiger parl. Mandatsausübung, nicht jedoch Verleumdungen (Satz 2; § 187 StGB) und Tätlichkeiten und vor allem nicht Äußerungen des Abg. in Parteigremien, Parteiveranstaltungen, gegenüber der Presse oder sonst außerhalb des BTags. Auch kein Indemnitätsschutz, wenn ein Abg. eine schriftliche Parlamentsanfrage vor ihrer Beantwortung an die Presse weiterleitet (BGHZ 75, 384). Abs. 1 verbietet für seinen Schutzbereich jedes Zurverantwortungziehen durch die öffentl. Gewalt außerhalb des BTags (gerichtlich, auch zivilgerichtlich, standesgerichtlich, polizeilich, disziplinarisch usw.), nicht jedoch Gegenmaßnahmen von privater Seite. Strafrechtlich bildet Abs. 1 nur einen persönlichen Strafausschließungsgrund. Etwaige Rechtswidrigkeit unter Abs. 1 fallender Äußerungen bleibt unberührt (Notwehrrecht). Statthaft sind Ordnungsmaßnahmen des BTPräs, da sie innerhalb des BTags ergehen. Aus gleichem Grunde steht Abs. 1 auch einem Fraktionsausschluß nicht entgegen. Ordnungsmaßnahmen der Parteien verbieten sich zwar nicht aus Abs. 1, wohl aber aus Art. 38 I 2, ausgenommen der Parteiausschluß unter den Voraussetzungen des § 10 IV PartG. Regierungsmitglieder sind von Abs. 1 nur geschützt, wenn sie in ihrer Eigenschaft als Abg. gehandelt haben.

Absatz 2

3 Die *Verfolgungsfreiheit* oder *Immunität* ist im Gegensatz zum Vorrecht des Abs. 1 zeitlich auf die Dauer der Abgeordneteneigenschaft beschränkt und durch Beschluß des BTags aufhebbar. Auch hier jedoch keine Verzichtsmöglichkeit des einzelnen Abg. und kein Anspruch des Abg. auf Aufhebung oder Nichtaufhebung seiner Immunität. Die Immunitätsrechte gelten nach h. M. auch gegenüber der Fortsetzung eines Verfahrens, das schon vor Erwerb der Mitgliedschaft im BTag eingeleitet war (sog. »mitgebrachte Verfahren«). Abs. 2 schützt vor der gesamten öffentl. Strafgewalt einschl. Dienst-, Standesgerichts-, Ordnungsstrafen, Sicherungs- und Besserungsmaßnahmen, jedoch nicht vor der Erhebung von Privatklagen, vor einer Zivilrechtsverfolgung einschl. – vorbehaltlich Abs. 3 – ziviler Zwangsvollstreckung sowie vor Verwaltungszwang. Er gewährt nicht nur Schutz vor Strafentscheidungen, sondern bereits vor Untersuchungshandlungen, also auch staatsanwaltschaftlicher und polizeilicher Ermittlung. Ist jedoch eine Genehmigung des BTags erteilt, so deckt sie jede weitere in dem betr. Verfahren zulässige Maßnahme außer der Verhaftung, die besonders genehmigt werden muß. »Verhaftung« ist zunächst jede Freiheitsbeschränkung zu Strafverfolgungszwecken. Doch bedürfen auch Verhaftung zur Strafvollstreckung und die Vollstreckung einer Freiheitsstrafe selbst besonderer Genehmigung. Keiner Genehmigung bedürfen Maßnahmen gegen tatbeteiligte Dritte und Untersuchungshandlungen, von denen der Abg. betroffen wird, die sich aber gegen eine andere Person richten. Nach der Praxis des BTags ebenfalls zulässig: Unfallaufnahme, Blutprobe, Geldbuße für Ordnungswidrigkeiten, Verwarnung und Verwarnungsgeld, Quarantänemaßnahmen und polizeil. Inverwahrnahme. Ganz allgemein kein Schutz des Abg. vor Festnahme und anderen Untersuchungshandlungen bei »flagranten Delikten«; hier nur Aussetzungsverlangen des BTags nach Abs. 4 möglich.

4 In seiner neueren Praxis gibt der BTag die Ermittlungen in Strafsachen dadurch frei, daß er – außer bei Beleidigungen polit. Charakters – die Immunität seiner Mitglieder generell aufhebt und eine Genehmigung nur noch für die Anklageerhebung, den Antrag auf Erlaß eines Strafbefehls oder einer Strafverfügung, freiheitsentziehende und -beschränkende Maßnahmen im Ermittlungsverfahren und die Vollstreckung von Freiheitsstrafen oder Erzwingungshaft nach §§ 96, 97 OWiG verlangt (vgl. Beschl. d. BTags, BGBl. 1980 I S. 1264).

5 Die Genehmigung zur Durchführung des Verfahrens ist von der zuständigen Behörde (Staatsanwaltschaft, Gericht, Ehren- und Berufsgericht usw.) einzuholen. Genehmigung bedeutet vorherige Zustimmung. Sie ist Prozeß- bzw. Prozeßhandlungsvoraussetzung. Solange die Immunität dauert, ruht die Strafverfolgungsverjährung. Zur Geschäftsbehandlung im BTag vgl. § 107 GO BTag und Anlage 6 zur GO BTag (»Grundsätze in Immunitätsangelegenheiten usw.«), BGBl. 1980 I S. 1261.

6 Die Entscheidung des BTags ist Ermessenssache. Dabei sind die Interessen des Parlaments an ungestörter Mitarbeit seiner Mitglieder gegen die Interessen der Rechtspflege abzuwägen. Die einzelne Entscheidung des BTags hat Gültigkeit nur für die laufende Wahlperiode.

Absatz 3

7 *»Andere Beschränkungen der persönlichen Freiheit«:* vor allem
Polizeihaft, Ordnungs-, Zwangs- und Beugehaft, Zwangsvorfüh-
rung, einstw. Unterbringung nach ZPO, StPO, GVG, OWiG oder
AO.

Absatz 4

8 Sog. *Reklamationsrecht:* Abs. 4 betrifft vor allem Fälle nach Verhaftung auf frischer Tat und Fälle ursprünglich erteilter Genehmigung, die wegen neuer Gesichtspunkte rückgängig gemacht werden soll.

Artikel 47 [Zeugnisverweigerungsrecht]

**Die Abgeordneten sind berechtigt, über Personen, die ihnen in ihrer
Eigenschaft als Abgeordnete oder denen sie in dieser Eigenschaft Tatsachen anvertraut haben, sowie über diese Tatsachen selbst das Zeug-
nis zu verweigern. Soweit dieses Zeugnisverweigerungsrecht reicht, ist
die Beschlagnahme von Schriftstücken unzulässig.**

Art. 47 will vor allem den Informationsfluß zu den Abg. sichern.
Er begründet nur ein Recht der Abg. zur Zeugnisverweigerung,
keine Pflicht, vor allem keine Verpflichtung gegenüber dem An-
vertrauenden. Das Recht der Zeugnisverweigerung dauert auch
nach Beendigung der Mitgliedschaft im BTag fort. Umstritten ist,
ob Satz 2 nur für Schriftstücke, die sich im Gewahrsam des Abg.
befinden, gilt oder auch für Schriftstücke im Gewahrsam Dritter.
Die weitere Auslegung verdient den Vorzug (a. M. Maunz/Dürig,
Art. 47 Rn. 22). Unzulässig sind auch die einer nach Satz 2 verbo-
tenen Beschlagnahme dienende Durchsuchung und behördlicher
Herausgabezwang. Zulässig: Beschlagnahme im genehmigten
Strafverfahren gegen den Abg. selbst. Dem Zwecke des Art. 47
entsprechend müssen dessen Vorschriften auch für Hilfspersonen
des Abg. gelten.

Artikel 48 [Wahlurlaub, Behinderungsverbot, Entschädigung]

**(1) Wer sich um einen Sitz im Bundestage bewirbt, hat Anspruch auf
den zur Vorbereitung seiner Wahl erforderlichen Urlaub.**

**(2) Niemand darf gehindert werden, das Amt eines Abgeordneten zu
übernehmen und auszuüben. Eine Kündigung oder Entlassung aus diesem Grunde ist unzulässig.**

(3) Die Abgeordneten haben Anspruch auf eine angemessene, ihre Unabhängigkeit sichernde Entschädigung. Sie haben das Recht der freien Benutzung aller staatlichen Verkehrsmittel. Das Nähere regelt ein Bundesgesetz.

1 Art. 48 will sicherstellen, daß von der verfassungsrechtl. verbürgten allgemeinen Wählbarkeit (s. Art. 38 Rn. 4) auch tatsächlich Gebrauch gemacht werden kann.

Absatz 1

2 Abs. 1 gilt für Wahlbewerber im öffentl. Dienst und im privaten Pflichtverhältnis. Der *Urlaub* kann nicht eigenmächtig genommen werden; der Bewerber muß um ihn nachsuchen. Falls der Bewerber nicht bereits in einen Wahlvorschlag aufgenommen ist, muß er wenigstens von seinem Wahlvorschlagsträger hierfür aufgestellt sein. Für das Ausmaß des Urlaubs kommt es auf die Inanspruchnahme des Bewerbers, nicht auf die Interessen des Dienstherrn an. Nach § 3 Satz 1 AbgG besteht jetzt für alle Bewerber innerhalb der letzten zwei Monate vor dem Wahltag ein Urlaubsanspruch bis zu zwei Monaten. Abs. 1 begründet keinen Anspruch auf *bezahlten* Urlaub. So jetzt ausdrücklich auch § 3 Satz 2 AbgG. Bei Weigerung des Dienstherrn muß im einschlägigen Rechtsweg geklagt werden. Kein Anspruch auf Urlaub, wenn der Bewerber eine Strafhaft verbüßt (BVerfG, NVwZ 1982, 96).

Absatz 2

3 Auch Abs. 2 gilt nur für Bundestagsbewerber und -abgeordnete.

Satz 1: Verboten ist jede unmittelbare oder mittelbare *Behinderung der Annahme oder Ausübung des Abgeordnetenamtes*, auch beruflicher, wirtschaftlicher, gesellschaftlicher oder von Parteien ausgehender Zwang oder Druck. Rechtsgeschäfte, die gegen das Hinderungsverbot verstoßen, sind nach § 134 BGB nichtig. Verboten sind nach BVerfGE 42, 327 ff. jedoch nur Maßnahmen, die die Annahme oder Ausübung eines Abgeordnetenamts erschweren oder unmöglich machen *sollen*, nicht auch Regelungen, die unvermeidlicherweise die tatsächliche Folge einer Beeinträchtigung der Mandatswahrnehmung haben. Einer strafrechtl. Verfolgung steht Abs. 2 nicht entgegen (zu beachten hier jedoch Art. 46), auch nicht einem etwaigen Verbot gleichzeitiger Mitgliedschaft im BTag und einem LTag.

4 *Satz 2:* Ein *Arbeitsverhältnis* darf wegen Übernahme oder Aus-

übung eines Abgeordnetenamtes *nicht* gegen den Willen des
Wahlbewerbers oder Abg. *gelöst werden*. Lohn- und Gehaltskür-
zungen wegen Ausfalls geschuldeter Arbeit sind jedoch möglich,
ggf. auch Beurlaubung ohne Bezüge. Nach BGHZ 43, 387 soll
Abs. 2 auch von vertraglichen Pflichten zu selbständiger Tätigkeit
entbinden können, ohne Schadensersatzansprüche auszulösen.
Doch ist das zweifelhaft. In § 2 AbgG sind die Sicherungen für
Wahlbewerber und Abg. noch weiter ausgebaut worden. Für Angehörige des öffentl. Dienstes vgl. Art. 137 I.

Absatz 3

5 *Satz 1:* Mit der Abgeordnetenentschädigung soll jedermann ohne
Rücksicht auf seine finanziellen Verhältnisse der Zugang zum Parlament offengehalten und sichergestellt werden, daß die Unabhängigkeit und Entscheidungsfreiheit der Abg. nicht von der wirtschaftlichen Seite her gefährdet wird. *»Entschädigung«* ist ihrem
Wesen nach Deckung notwendigen Aufwands, nicht Entgelt für
erbrachte Leistungen. Nach der neueren Rechtsprechung des
BVerfG – vor allem BVerfGE 40, 296 – hat die tatsächliche Entwicklung jedoch dahin geführt, daß die Abg. zu Berufspolitikern
geworden sind und ihre Entschädigung zum erheblichen Teil den
Charakter eines Entgelts für die Inanspruchnahme durch das
Mandat angenommen hat. Dieser nicht nur der Unabhängigkeits-,
sondern auch der Existenzsicherung dienende Teil der Entschädigung sei so hoch anzusetzen, daß er ohne Rücksicht auf etwaiges
anderes Einkommen eine Lebensführung gestattet, die der Bedeutung des Abgeordnetenamtes entspricht (»Vollalimenta-
tion«), und für alle Abg. gleich zu bemessen. Das Entgelt sei Einkommen und der Besteuerung zu unterwerfen. Obwohl die Allge-
meingültigkeit dieser Sicht der Dinge schon vom Tatsächlichen
her einigermaßen fragwürdig ist, hat ihr der Gesetzgeber durch
das AbgG vom 18. 2. 1977 Rechnung getragen. Nach Meinung
des BVerfG hat die aufgezeigte Entwicklung zu einem Bedeutungswandel des Art. 48 III selbst geführt (aaO S. 315). Dem
kann jedoch nicht beigepflichtet werden. Die jetzt geltende
Vollalimentationsregelung ist daher richtigerweise nur als einfachgesetzlich vorgeschrieben anzusehen.

6 *Satz 2:* Vom Recht auf freie Verkehrsmittelbenutzung sind auch
die kommunalen Verkehrsbetriebe ausgenommen.

Satz 3: G vom 18. 2. 1977 (BGBl. I S. 297).

Artikel 49 (aufgehoben)

IV. Der Bundesrat

Vorbemerkungen

1   Der BRat ist das aus den Regierungen der Länder hervorgehende
föderative Repräsentativorgan des Bundes und einer der wichtigsten Bestandteile der bundesstaatl. Ordnung des GG. Er setzt sich
aus Mitgliedern der Länderregierungen zusammen, ist also eine
Körperschaft von Regierungsvertretern (»Bundesratsprinzip« im
Gegensatz zum »Senatsprinzip« mit gewählten Ländervertretern), eine von der Konstruktion her besonders wirksame Form
des Föderalismus, die sonst in der Welt kein Vor- oder Nachbild
hat und sich verfassungsgeschichtlich erklärt: der BRat entspricht
dem Reichsrat der WeimRVerf, übertrifft diesen aber an Gewicht
im System der Verfassungsorgane erheblich. Der BRat ist keine
zweite Kammer eines einheitlichen Gesetzgebungsorgans
(BVerfGE 37, 380), sondern steht außerhalb des Parlaments, das
sich allein im BTag verkörpert. Er hat dennoch eine durch die
Volkswahl der Landtage und die Abhängigkeit der Landesregierungen von deren Vertrauen vermittelte demokratische Grundlage. Durch den BRat wirken die Länder an der polit. Willensbildung des Bundes, vor allem seiner Gesetzgebung mit, um hier ihre
Gesichtspunkte, die nicht nur Länderinteressen betreffen, sondern auch allgemeinpolit. Art sein können, ihre Sachkenntnis und
Verwaltungserfahrung zur Geltung zu bringen. Dabei darf der
BRat jedoch nicht als Gemeinschaftsorgan der Länder zur einseitigen Vertretung von Länderinteressen verstanden werden. Er ist
vielmehr Bundesorgan mit Bundesverantwortung, mit der Pflicht,
den Notwendigkeiten des Gesamtstaates Rechnung zu tragen,
und der besonderen Aufgabe, Bundes- und Länderinteressen in
möglichste Übereinstimmung zu bringen.

2   Da der BRat ein polit. Verfassungsorgan ist, in dem polit. Willensbildung stattfindet, sind parteipolit. Einflüsse auf den BRat
und seine Entscheidungen nach Art. 21 I 1 GG legitim und besonders in hochpolit. Angelegenheiten immer wirksam gewesen.
Es sind auch keine verfassungsrechtl. Bedenken dagegen zu erheben, daß sich die Oppositionsparteien des BTags der ihnen im
BRat gegebenen Einflußmöglichkeiten bedienen. Eine über die
»Verfassungsorgantreue« (s. Vorbem. vor Art. 38 Rn. 3 a. E.)
hinausgehende Pflicht zur Anpassung an die von BReg und BTag
betriebene Politik obliegt dem BRat nicht. Die für den Fall von
Meinungsverschiedenheiten zwischen den Verfassungsorganen
vorgesehene Form demokratischer Konfliktlösung ist der Kom-

promiß. Obwohl die parteipolit. Kräfte vor dem BRat nicht halt-gemacht haben, ist ihr Einfluß und die Schärfe ihrer Gegensätze im BRat doch wesentlich geringer als im BTag und der BRat selbst in beträchtlichem Maße ein Zentrum eigenständiger, föderativ orientierter polit. Macht geblieben.

3 Im Gegensatz zu BTag, BPräs und BReg ist der BRat ein ständi-ges, keiner periodischen Erneuerung unterliegendes Verfassungs-organ.

Artikel 50 [Aufgaben des Bundesrates]

Durch den Bundesrat wirken die Länder bei der Gesetzgebung und Verwaltung des Bundes mit.

1 Art. 50 enthält nur eine allgemeine, grundsätzliche Umschrei-bung der Aufgaben des BRats (BVerfGE 1, 311; 8, 120). Seine Zuständigkeiten im einzelnen ergeben sich aus dem GG und ein-fachem Recht; sie bedürfen stets einer besonderen Rechtsgrund-lage. Die Mitwirkung »der Länder« ist nach Art. 51 eine solche der Landesregierungen.

2 *Mitwirkung bei der Gesetzgebung:* Der BRat ist reguläres Gesetz-gebungsorgan. Er besitzt ein in jüngerer Zeit verstärkt in An-spruch genommenes Initiativrecht (Art. 76 I), das Recht der Stel-lungnahme zu Regierungsvorlagen (Art. 76 II), gegen Gesetzes-beschlüsse des BTags die Möglichkeit der Anrufung des Vermitt-lungsausschusses (Art. 77 II) und ein hemmendes Einspruchs-recht (Art. 77 III u. IV). In zahlreichen, die Interessen der Län-der besonders stark berührenden Fällen bedürfen Gesetze seiner Zustimmung (»Zustimmungsgesetze«); zum Näheren vgl. Art. 78 Rn. 3. Ein erhebliches Anschwellen der Gesetzgebung im Ver-waltungsbereich und eine besonders weitgehende Auslegung des Art. 84 I haben dazu geführt, daß der Anteil der Zustimmungsge-setze im Gegensatz zum Sinn dieser Einrichtung und den Verhält-nissen in den Anfangsjahren heute den der gewöhnlichen Gesetze (»Einspruchsgesetze«) schon übertrifft. Schließlich hat der BRat wichtige Befugnisse im Gesetzgebungsnotstand (Art. 81). Die grundsätzliche Mitwirkung der Länder an der Gesetzgebung kann nach Art. 79 III auch durch Verfassungsänderung nicht beseitigt werden.

3 *Mitwirkung bei der Verwaltung* (auch Regierungsfunktionen und überhaupt die gesamte vollziehende Gewalt umfassend): In zahl-

reichen Fällen Zustimmungsrecht zum Erlaß von Rechtsverordnungen und allgemeinen Verwaltungsvorschriften der BReg
(Art. 80 II, Art. 84 II, Art. 85 II, Art. 108 VII, Art. 109 IV,
Art. 119), Mitwirkung bei der Bundesaufsicht (Art. 84 III, IV),
beim Bundeszwang (Art. 37 I), beim Polizeieinsatz im inneren
Notstand (Art. 91 II 2) usw. Ein generelles Mitwirkungsrecht an
der Bundesverwaltung hat der BRat nicht. Zuweisung anderer als
der im GG vorgesehenen Verwaltungszuständigkeiten durch einfaches Bundesgesetz ist jedoch möglich (BVerfGE 1, 311). Insgesamt gesehen bleibt die Mitwirkung des BRats bei der Verwaltung
an Bedeutung hinter der bei der Gesetzgebung zurück.

Artikel 51 [Zusammensetzung]

**(1) Der Bundesrat besteht aus Mitgliedern der Regierungen der Län-
der, die sie bestellen und abberufen. Sie können durch andere Mitglieder ihrer Regierungen vertreten werden.**

**(2) Jedes Land hat mindestens drei Stimmen, Länder mit mehr als
zwei Millionen Einwohner haben vier, Länder mit mehr als sechs Millionen Einwohner fünf Stimmen.**

**(3) Jedes Land kann so viele Mitglieder entsenden, wie es Stimmen
hat. Die Stimmen eines Landes können nur einheitlich und nur durch
anwesende Mitglieder oder deren Vertreter abgegeben werden.**

Absatz 1

1 Die *Mitglieder* des BRats und ihre Vertreter müssen den LReg
(Kabinette) angehören, brauchen jedoch nicht unbedingt Mini-
sterrang zu haben. Nur in die Ausschüsse können nach Art. 52 IV
auch Regierungsbeamte entsandt werden. Bestellung und Abbe-
rufung der Mitglieder durch Beschluß der einzelnen LReg. Die
Bestellung ist auf die Person zu richten. Daher Beendigung der
Mitgliedschaft bei Ausscheiden aus der LReg, aber Fortbestand
bei Ressortwechsel. Gleichzeitige Mitgliedschaft im BRat und im
BTag ist nach h. M. miteinander unvereinbar, da beide Organe
einen eigenen Willen gegengewichtig zur Wirkung bringen sollen
(vgl. auch § 2 GO BRat). Das gilt auch für die stellv. Mitglieder
des BRats. Die Mitglieder des BRats besitzen weder Indemnitäts-
noch Immunitätsrechte nach Vorbild des Art. 46 noch ein Zeugnisverweigerungsrecht entspr. Art. 47, sind jedoch wie die Abg.
des BTags Organträger mit eigener verfassungsrechtl. Stellung.
Die Berliner Vertreter im BRat haben nach Art. 144 II und dem

Genehmigungsschreiben der Militärgouverneure zum GG vom
12. 5. 1949 bei den nach außen wirksamen Beschlüssen des BRats
nur ein beratendes Mitwirkungsrecht.

Absatz 2

2 Gegenwärtige *Stimmenverteilung:* Bremen, Hamburg, Saarland
3, Berlin, Hessen, Rheinl.-Pfalz, Schlesw.-Holst. 4, Baden-
Württ., Bayern, Niedersachsen, Nordrhein-Westf. 5, also insgesamt 45 Stimmen, ohne Berlin 41 Stimmen. Zur Stimmberech-
nung im einzelnen vgl. § 27 GO BRat.

Absatz 3

3 *Stimmabgabe:* Die Stimmen jedes Landes können nur durch anwesende Mitglieder oder Vertreter und nur geschlossen und einheitlich abgegeben werden. Enthaltung für einzelne Stimmen ist
unzulässig. Die Stimmzahl eines Landes ist unabhängig von der
Zahl seiner erschienenen Vertreter. Die Stimmen werden i. d. R.
nach den Weisungen der betr. LReg (Kabinett) abgegeben. Diese
hat dabei frei von bindenden Beschlüssen anderer Verfassungsorgane ihres Landes, insbes. des LTags zu entscheiden (BVerf-
GE 8, 120 f.). An der Entscheidungsfreiheit der LReg kann
durch Landesrecht nichts geändert werden. Die allgemeine Regierungskontrolle der LTage auch in Bundesratsangelegenheiten
bleibt jedoch unberührt. Für die Bundesratsmitglieder instruk-
tionsfreie Ausnahmefälle: Art. 53 a I 3 (Gemeinsamer Ausschuß), Art. 77 II 3 (Vermittlungsausschuß). Die Instruktionen
der LReg sind nur im Innenverhältnis rechtserheblich; eine wei-
sungswidrige Stimmabgabe ist trotzdem gültig und kann nicht
rückgängig gemacht werden.

Artikel 52 **[Präsident, Geschäftsgang]**

(1) **Der Bundesrat wählt seinen Präsidenten auf ein Jahr.**

(2) **Der Präsident beruft den Bundesrat ein. Er hat ihn einzuberufen,
wenn die Vertreter von mindestens zwei Ländern oder die Bundesregierung es verlangen.**

(3) **Der Bundesrat faßt seine Beschlüsse mit mindestens der Mehrheit
seiner Stimmen. Er gibt sich eine Geschäftsordnung. Er verhandelt öffentlich. Die Öffentlichkeit kann ausgeschlossen werden.**

(4) **Den Ausschüssen des Bundesrates können andere Mitglieder
oder Beauftragte der Regierungen der Länder angehören.**

1 Organisation und Geschäftsgang des BRats sind weitgehend parlamentsähnlich gestaltet.

Absatz 1

2 Als selbstverständlich ist zu unterstellen, daß der *Präsident* des BRats schon von Verfassungs wegen nur aus der Mitte des BRats gewählt werden kann. § 5 I GO BRat schreibt es jedenfalls so vor. Die Präsidentenwahl wird nach einer Vereinbarung der Ministerpräsidenten (Königsteiner Abkommen vom 30. 8. 1950) so durchgeführt, daß sich diese in der Reihenfolge der Einwohnerzahlen ihrer Länder jährlich in einem festen Turnus ablösen. Das Präsidentenamt endet vorzeitig, wenn der amtierende Ministerpräsident aus der LReg und damit dem BRat ausscheidet, nicht dagegen, wenn er als einfacher Minister in der LReg verbleibt. Befugnisse des BRPräs: Abs. 2 Satz 1 (Einberufung), § 6 GO BRat (Vertretung in allen Angelegenheiten des BRats, Hausrecht), § 20 I GO BRat (Leitung der Sitzungen des BRats). Nach § 5 GO BRat wählt der BRat außerdem drei Vizepräsidenten, die den BRPräs im Falle seiner Verhinderung oder bei vorzeitiger Amtserledigung nach Maßgabe ihrer Reihenfolge vertreten, ihn beraten (§ 7 GO BRat) und zusammen mit ihm das Präsidium bilden (§ 8 I GO BRat). Das Präsidium entscheidet über die inneren Angelegenheiten des BRats, soweit die Entscheidung nicht dem Gesamtorgan oder dem BRPräs zusteht (§ 8 II GO BRat). Weitere Organe (Unterorgane) des BRats: Ständiger Beirat, Schriftführer, Ausschüsse, Sekretariat und Direktor (§§ 9, 10, 11, 14 GO BRat).

Absatz 2

3 *Einberufung:* Das Einberufungsrecht des BRPräs trägt ausschließlichen Charakter; niemand als er kann den BRat einberufen. Pflicht zur Einberufung in den Fällen des Satzes 2, nach § 15 I GO BRat auch schon, wenn nur *ein* Land es verlangt. Die hier vorgenommene Erweiterung der Einberufungspflicht ist mit Sinn und Zweck des Satzes 2 vereinbar und daher wohl zulässig (a. M. Maunz/Dürig, Art. 52 Rn. 13). Mit »Bundesregierung« ist in Satz 2 das Kabinett gemeint, nicht der einzelne BMinister.

Absatz 3

4 *Beschlüsse:* Stimmenmehrheit ist die Mehrheit aller im BRat ver-

tretenen Stimmen, bei den z. Z. vorhandenen 41 Stimmen also eine Zahl von mindestens 21 Stimmen. Stimmenthaltung en bloc ist
möglich. Qualifizierte Mehrheiten: Art. 61 I 3, Art. 79 II. Ab-
stimmungsregeln: § 29 ff. GO BRat. Die Beschlüsse des BRats
werden mit dem Ende der Sitzung wirksam (§ 32 GO BRat).

Geschäftsordnung des BRates vom 1. 7. 1966 (BGBl. I S. 437).
Die GO BRat ist rechtlich ebenso einzuordnen und zu beurteilen
wie die des BTags (s. Erläut. zu Art. 40 Rn. 3).

Das Gebot der *Öffentlichkeit* gilt nur für die Vollsitzungen des
BRats. Zu den Begriffen »öffentlich« und »verhandeln« s. die Er-
läut. zu Art. 42 Rn. 1, zum Ausschluß der Öffentlichkeit § 17 GO
BRat.

Absatz 4

5 Genau wie der BTag kann auch der BRat nach seinem Ermessen
Ausschüsse bilden. Näheres: §§ 11 und 36 ff. GO BRat. In die
Ausschüsse entsendet jedes Land einen Vertreter, der nicht Mitglied des BRats zu sein braucht, sondern auch ein anderes Mitglied oder ein Beauftragter der jeweiligen LReg sein kann. Die
Entsendung von Beauftragten überwiegt. Die Ausschüsse leisten
ähnlich wie im BTag den Hauptteil der Bundesratsarbeit. Sie haben zwar die Beschlüsse des BRats nur vorzubereiten und Empfehlungen auszusprechen (§ 26 III 1, § 39 I GO BRat), bilden
aber eine wichtige Schaltstelle für den Einfluß der Ministerialbü-
rokratie der Länder. Ihre Sitzungen sind nicht öffentlich (§ 37 II
GO BRat).

Artikel 53 [Teilnahme der Bundesregierung]

**Die Mitglieder der Bundesregierung haben das Recht und auf Verlan-
gen die Pflicht, an den Verhandlungen des Bundesrates und seiner
Ausschüsse teilzunehmen. Sie müssen jederzeit gehört werden. Der
Bundesrat ist von der Bundesregierung über die Führung der Geschäfte
auf dem laufenden zu halten.**

1 Art. 53 entspricht weitgehend den in Art. 43 getroffenen Regelungen, hat hier jedoch nichts mit parl. Verantwortlichkeit zu tun,
sondern dient lediglich der gegenseitigen Information von BRat
und BReg.

2 *Satz 1: Recht und Pflicht der Teilnahme* an den Verhandlungen des

BRats bestehen nur für die Mitglieder der BReg; zur Teilnahme von Staatssekretären und anderen Beauftragten der BReg vgl. § 18 GO BRat. Mit dem Teilnahme- bzw. Zutrittsrecht der Regierungsmitglieder ist nach Satz 2 ein *Rederecht* verbunden. Das *Recht des Anwesenheitsverlangens* steht nur dem BRat und seinen Ausschüssen zu, nicht auch den einzelnen Mitgliedern und LReg. Mit ihm ist ein *Fragerecht* verbunden, das ebenfalls nur dem BRat und seinen Ausschüssen zusteht (gegen ein Fragerecht einzelner Länder wiederholt die BReg, z. B. in der 328. Sitzung des BRats v. 4. 10. 1968, StenBer. S. 212). Die weitergehende Regelung der §§ 19, 40 II GO BRat hat der BReg gegenüber keine verpflichtende Kraft. Für die *Antwortgabe* der BReg gelten dieselben Grundsätze wie im BTag (vgl. die Erläut. zu Art. 43 Rn. 1).

Satz 2: Jederzeitiges Gehör: Auch außerhalb der Tagesordnung.

3 *Satz 3* begründet eine Pflicht der BReg zur laufenden *Unterrichtung des Bundesrats* über die wichtigen Regierungsgeschäfte, die jedoch bisher Praxis im wesentlichen nur in der Form einer Unterrichtung auf Verlangen und aus besonderem Anlaß gewonnen hat. Der Pflicht der BReg steht ein Recht des BRats (nicht seiner einzelnen Mitglieder) auf Unterrichtung gegenüber, das vor allem ein entsprechendes Fragerecht einschließt.

IV a. Gemeinsamer Ausschuß

Vorbemerkungen

Dem aus einem einzigen Artikel bestehenden Abschnitt IV a liegt der Gedanke zugrunde, im Verteidigungsfalle auch bei Verhinderung des BTags die Staatsführung nicht ganz der Exekutive zu überantworten, sondern die Befugnisse der Gesetzgebungskörperschaften des Bundes durch eine Art *Notparlament* wahrnehmen zu lassen. Der Gemeinsame Ausschuß (GA) besteht schon in Friedenszeiten, besitzt aber zunächst nur Informationsrechte. Erst wenn im Verteidigungsfall der BTag ausfällt, wachsen ihm seine eigentlichen Entscheidungsbefugnisse zu.

Artikel 53 a

(1) Der Gemeinsame Ausschuß besteht zu zwei Dritteln aus Abgeordneten des Bundestages, zu einem Drittel aus Mitgliedern des Bundesrates. Die Abgeordneten werden vom Bundestage entsprechend dem Stärkeverhältnis der Fraktionen bestimmt; sie dürfen nicht der Bundesregierung angehören. Jedes Land wird durch ein von ihm bestelltes Mitglied des Bundesrates vertreten; diese Mitglieder sind nicht an Weisungen gebunden. Die Bildung des Gemeinsamen Ausschusses und sein Verfahren werden durch eine Geschäftsordnung geregelt, die vom Bundestage zu beschließen ist und der Zustimmung des Bundesrates bedarf.

(2) Die Bundesregierung hat den Gemeinsamen Ausschuß über ihre Planungen für den Verteidigungsfall zu unterrichten. Die Rechte des Bundestages und seiner Ausschüsse nach Artikel 43 Abs. 1 bleiben unberührt.

1 Der GA ist weder Teil des BTags noch Teil des BRats, sondern ein selbständiges Verfassungsorgan, das im Verteidigungsfall unter bestimmten Voraussetzungen (Art. 115 a II, Art. 115 e I) den größten Teil der Funktionen von BTag und BRat wahrnimmt; Ausnahmen: Art. 115 e II. Art. 53 a ist mit Art. 79 III vereinbar, weil dieser keine bestimmte Form der Länderbeteiligung an der Gesetzgebung festschreibt.

Absatz 1

2 *Zusammensetzung:* Die Zahl der Mitglieder richtet sich nach der Zahl der Bundesländer einschl. Berlins (Satz 3 Halbs. 1). Den

z. Z. 11 Ländervertretern stehen somit 22 Abg. des BTags gegenüber.

Die Abg. werden vom BTag durch Beschluß im Stärkeverhältnis der Fraktionen (§ 10 I GO BTag) bestimmt. Neben dem BKanzler und den BMinistern können, da zum Regierungsbereich gehörig, auch Parl. Staatssekretäre nicht in den GA entsandt werden. Die dem GA angehörenden Mitglieder des BRats und ihre Vertreter sind von den einzelnen Ländern (LReg) zu bestellen. Sie sind im Interesse der Funktionsfähigkeit des GA und der Gleichstellung aller seiner Mitglieder nicht an Weisungen gebunden. Doch wird man den LReg ein Abberufungsrecht zugestehen müssen.

Ob die Berliner Abg. und Vertreter Stimmrecht im GA haben, ist umstritten und nur unter Schwierigkeiten zu bejahen.

3 Die nach Satz 4 beschlossene *Geschäftsordnung* (GO GA) vom 23. 7. 1969 (BGBl. I S.1102) regelt u. a. Zusammensetzung, Vorsitz, Präsenzpflicht, Einberufung und Verfahren des GA. Vorsitzender des GA ist der BTPräs. Die Beratungen des GA sind nicht öffentlich. Der GA faßt seine Beschlüsse nicht getrennt nach Bundestags- und Bundesratsmitgliedern, sondern einheitlich, auf der Grundlage gleichen Stimmrechts aller Mitglieder und, soweit das GG nichts anderes bestimmt, mit der Mehrheit der abgegebenen Stimmen (s. dazu § 13 GO GA u. die Erläut. zu Art. 42 Rn. 2).

Absatz 2

4 *Die Informationspflicht der Bundesregierung* soll den GA in die Lage versetzen, im Verteidigungsfalle mit Sachverstand schnelle Entscheidungen zu treffen. Sie gilt schon in Friedenszeiten. Abgesehen davon hat der GA vor Eintritt des Verteidigungsfalles keine besonderen Rechte, insbes. steht ihm kein Einspruchsrecht gegen Planungen der Regierung zu.

Neben den ausdrücklich bestätigten Rechten des BTags nach Art. 43 I gelten auch die des BRats nach Art. 53 fort.

V. Der Bundespräsident

Vorbemerkungen

1 Der BPräs ist der höchste Repräsentant, das Staatsoberhaupt der
Bundesrepublik Deutschland (vgl. dazu Stern II § 30 I 2). Er hat
zwar formal eine ähnliche Stellung wie der Reichspräsident der
WeimRVerf, unterscheidet sich aber von diesem wesentlich dadurch, daß er nicht mehr vom Volk, sondern von einer aus Parla-
mentariern des Bundes und Ländervertretern zusammengesetz-
ten Bundesversammlung gewählt wird und seine Befugnisse erheblich eingeschränkt worden sind. Er soll, anders als der frühere
Reichspräsident, kein Gegengewicht zum Parlament mehr bilden,
sondern in den vom BTag ausgehenden Fluß der Staatswillensbildung eingeordnet sein. Die Staatsleitung und Spitze der Exekutive
der Bundesrepublik ist zwischen Staatsoberhaupt und Regierung
mit starkem Übergewicht der letzteren geteilt. Dabei liegt der
Stellung als Staatsoberhaupt entsprechend der Schwerpunkt der
Befugnisse des BPräs in den repräsentativen, staatsverkörpern-
den Funktionen und gewissen außerordentlichen Kompetenzen in
Krisenlagen, während die Masse der Regierungsgeschäfte und die
normale, vor allem die laufende polit. Staatsleitung der BReg
übertragen ist. Die Zuständigkeiten des BPräs sind an verschiedenen Stellen des GG aufgeführt, können sich aber auch stillschweigend aus der Verfassung ergeben (z. B. für den Bereich der
Staatssymbole, Staatsfeiern und -ehrungen) oder durch einfaches
Gesetz begründet werden (z. B. § 16 BWahlG). Wichtigste Aufgaben und Rechte des BPräs: Art. 63 I (Wahlvorschlag
f. d. BKanzler), Art. 63 II und IV, Art. 64 I (Ernennung
d. BKanzlers u. d. BMinister), Art. 60 I (Ernennung d. Bundesbeamten, Bundesrichter, Offiziere usw.), Art. 60 II (Ausübung
d. Begnadigungsrechtes f. d. Bund), Art. 59 I (Völkerrechtl.
Vertretung), Art. 63 IV, Art. 68 I (Auflösung d. BTags in Sonderfällen), Art. 81 (Erklärung d. Gesetzgebungsnotstands),
Art. 82 I (Ausfertigung u. Verkündung d. Gesetze). Genommen
sind dem BPräs an wichtigen Zuständigkeiten neben der Kanzler-
auswahl, die er noch in Gang bringen, aber nicht mehr bestimmen kann, vor allem das allgemeine Recht der Parlamentsauflö-
sung, das Notverordnungsrecht, der Oberbefehl über die Streitkräfte und der Bundeszwang. Auch im verbliebenen Zuständigkeitsbereich ist der BPräs nach Art. 58 fast überall an die Mitwirkung der Regierung gebunden. Sein polit. Einfluß kann daher
i. d. R. nur negativ durch Verweigerung wirksam werden, ist aber

in dieser Begrenzung von der Verfassung zugelassen. Er wird seine Einflußrechte mit Zurückhaltung auszuüben haben. Aus den gegenüber der WeimRVerf verminderten Befugnissen des BPräs kann jedoch nicht gefolgert werden, daß er zu einem bloßen von der polit. Staatswillensbildung ausgeschlossenen Vollzugsorgan der Regierung mit rein formalen Zuständigkeiten geworden ist. Bei der für die Führung der Staatsgeschäfte erforderlichen Zusammenarbeit von Präsident und Regierung müssen beide Teile Rücksicht auf die Meinung der anderen Seite nehmen. Wegen seiner begrenzten Befugnisse kann der BPräs zwar nicht als pouvoir neutre angesehen werden. Doch wird man es zu seinen Aufgaben rechnen können, durch Rat und Mahnung ausgleichend und integrierend auf das Staatsleben einzuwirken. Dazu muß er über den Parteien und den gesellschaftlichen Teilinteressen stehen.

2 Der BPräs ist Verfassungsorgan, nicht Beamter. Er ist dem BTag nicht verantwortlich und kann während der Dauer seiner Amtszeit nicht aus polit. oder sonstigen Gründen abgewählt, sondern nur bei vorsätzlicher Gesetzesverletzung vom BVerfG seines Amtes für verlustig erklärt werden (Art. 61). Zur Durchführung seiner Aufgaben steht dem BPräs das Bundespräsidialamt (Oberste Bundesbehörde) zur Verfügung. Um dem BPräs die volle und sachgemäße Ausübung seiner Rechte zu ermöglichen, hat ihn der BKanzler laufend über seine Politik und die Geschäftsführung der BReg zu unterrichten; außerdem nimmt der Chef des Bundespräsidialamtes regelmäßig an den Sitzungen der BReg teil (§§ 5, 23 I GO BReg).

Artikel 54   [Wahl]

(1)   Der Bundespräsident wird ohne Aussprache von der Bundesversammlung gewählt. Wählbar ist jeder Deutsche, der das Wahlrecht zum Bundestage besitzt und das vierzigste Lebensjahr vollendet hat.

(2)   Das Amt des Bundespräsidenten dauert fünf Jahre. Anschließende Wiederwahl ist nur einmal zulässig.

(3)   Die Bundesversammlung besteht aus den Mitgliedern des Bundestages und einer gleichen Anzahl von Mitgliedern, die von den Volksvertretungen der Länder nach den Grundsätzen der Verhältniswahl gewählt werden.

(4)   Die Bundesversammlung tritt spätestens dreißig Tage vor Ablauf der Amtszeit des Bundespräsidenten, bei vorzeitiger Beendigung

**spätestens dreißig Tage nach diesem Zeitpunkt zusammen. Sie wird
von dem Präsidenten des Bundestages einberufen.**

**(5)   Nach Ablauf der Wahlperiode beginnt die Frist des Absatzes 4
Satz 1 mit dem ersten Zusammentritt des Bundestages.**

**(6)   Gewählt ist, wer die Stimmen der Mehrheit der Mitglieder der
Bundesversammlung erhält. Wird diese Mehrheit in zwei Wahlgängen
von keinem Bewerber erreicht, so ist gewählt, wer in einem weiteren
Wahlgang die meisten Stimmen auf sich vereinigt.**

(7)   Das Nähere regelt ein Bundesgesetz.

Absatz 1

1   Der BPräs wird von einem *besonderen Wahlkörper (Bundesversammlung)* gewählt, der unitarische und föderative Elemente in
sich vereinigt. Näheres in dem unter Rn. 8 vermerkten Gesetz
(BPräsWG). Um nicht die Autorität des künftigen Präsidenten
durch Diskussionen über seine Person zu gefährden, erfolgt die
Wahl ohne Aussprache.

2   *Wählbar* ist jeder zum BTag wahlberechtigte Deutsche (Art.
116 I), der das 40. Lebensjahr vollendet hat. Die Wählbarkeit
wechselt also mit der jeweiligen Regelung des aktiven Wahlrechts
im BWahlG. Vgl. dazu §§ 12 f. BWahlG. Über das Wahlgesetz
hinausgehende Anforderungen an Staatsangehörigkeitsbesitz,
Wohnsitzdauer usw. sind unzulässig. Mitgliedschaft in einer
Volksvertretung, einer Regierung, Beamteneigenschaft, Parteizugehörigkeit stehen der Wahl nicht entgegen (vgl. aber Art. 55).
Wählbar ist im Hinblick auf Art. 3 II auch eine Frau.

Absatz 2

3   Die *Amtsdauer* beträgt fünf Jahre. Sie übersteigt also die Wahlperiode des BTags um ein Jahr. Damit soll verhindert werden, daß
durch Unsicherheit in der Besetzung des Präsidentenamtes Ver-
wicklungen bei der Kanzlerwahl und Regierungsbildung auftreten. Beginn der Amtszeit: Mit Annahme der Wahl, jedoch nicht
vor Ablauf der Amtsperiode des Vorgängers (§10 BPräsWG); die
Vereidigung ist nicht Voraussetzung des Amtserwerbs, sondern
erste Amtspflicht. Ende der Amtszeit: Normalerweise mit dem
Ablauf des fünften Jahrestages des Tages, an dem die Amtszeit
begann (Fristberechnung nach § 187 I, § 188 II BGB), sonst
durch Tod, Rücktritt, Wählbarkeitsverlust, Amtsverlust durch
Spruch des BVerfG (Art. 61 II), Übernahme unvereinbarer Äm-

ter; im Verteidigungsfall: Art. 115 h I 2. Ein etwaiger Rücktritt
dürfte dem BTPräs gegenüber zu erklären sein. Anschließende
Wiederwahl ist zwecks Vermeidung eines zu nachhaltigen Präsi-
denteneinflusses nur einmal zulässig, unterbrochene ohne Beschränkung. Die Unterbrechung braucht keine volle Amtsperiode gedauert zu haben, um eine Wiederwahl zu ermöglichen (a. M.
v. Mangoldt/Klein, Art. 54 Anm. VII).

Absatz 3

4   Die *Bundesversammlung* (BVersammlung) besteht aus den Mitgliedern des BTags einschl. Berliner Vertretern und einer gleichen
Anzahl von Mitgliedern, die von den Volksvertretungen der Länder (ebenfalls einschl. Berlins) gewählt werden, i. d. R. also aus
1036 Mitgliedern. Die Frage des Stimmrechts der Berliner Vertreter ist bestr., in der Praxis der BVersammlung seit 1954 allerdings
immer bejaht worden (s. auch Art. 144 Rn. 4). Die Zahl der von
den einzelnen Ländern zu wählenden Vertreter stellt die BReg
nach Maßgabe der letzten amtlichen Bevölkerungszahlen fest und
macht sie im BGBl. bekannt (§ 2 I BPräsWG). »Mitglieder des
BTags« bedeutet die gesetzliche Mitgliederzahl (Art. 121) z. Z.
der Feststellung der BReg. Die Ländervertreter brauchen nicht
Mitglieder der betr. Landesparlamente zu sein. Ihre Wahl ist nach
den Grundsätzen der Verhältniswahl vorzunehmen, d. h. so, daß
die verschiedenen Gruppen in den LTagen eine ihrer Stärke entsprechende Vertretung erhalten. Über Einzelheiten der Vertre-
terwahl einschl. Wahlprüfung vgl. § 2 II, §§ 3–6 BPräsWG.

Absatz 4

5   *Zusammentritt:* Abs. 4 will sicherstellen, daß eine Unterbrechung
in der Besetzung des Präsidentenamtes nicht oder doch nur kurze
Zeit eintritt. Über die Fristenberechnung vgl. oben Rn. 3. Frist-
überschreitung hat keinen Einfluß auf die Gültigkeit der Wahl.
Die Einberufung der BVersammlung, also auch die Bestimmung
von Zeit und Ort ihres Zusammentritts ist Sache des BTPräs, der
hierüber aus eigenem, durch das GG zugebilligtem Rechte nach
seinem Ermessen entscheidet und durch etwaige Beschlüsse des
BTags nicht gebunden ist.

Absatz 5

6   Abs. 5 ist durch Art. 39 I 2 gegenstandslos geworden, da es keine
parlamentslose Zeit mehr gibt.

Absatz 6

7 *Wahlablauf:* Für die ersten beiden Wahlgänge ist im Interesse einer möglichst breiten Unterstützung absolute Mehrheit der gesetzlichen Mitgliederzahl erforderlich (Art. 121), für den etwaigen dritten Wahlgang genügt relative Mehrheit. Über Wahlvorschläge vgl. § 9 BPräsWG: danach ist jedes Mitglied der BVersammlung vorschlagsberechtigt. Die Wahlhandlung ist vom
BTPräs zu leiten, dem auch die gesamte übrige Geschäfts- und Sit-
zungsleitung der BVersammlung obliegt (§ 8 BPräsWG). Auf den
Geschäftsgang findet die GO BTag sinngemäße Anwendung, sofern sich die BVersammlung keine eigene Geschäftsordnung gibt
(§ 8 Satz 2 BPräsWG), was bisher noch nicht der Fall gewesen ist.
Die Mitglieder der BVersammlung sind an Aufträge und Weisungen nicht gebunden (vgl. Erläut. zu Art. 38 Rn. 9) und genießen
die Rechte der Art. 46, 47 und 48 II (§ 7 BPräsWG).

Absatz 7

8 G über die Wahl des Bundespräsidenten durch die Bundesversammlung vom 25. 4. 1959 (BGBl. I S. 230).

Artikel 55   [Unvereinbarkeiten und Unabhängigkeit]

**(1)   Der Bundespräsident darf weder der Regierung noch einer gesetz-
gebenden Körperschaft des Bundes oder eines Landes angehören.**

**(2)   Der Bundespräsident darf kein anderes besoldetes Amt, kein Ge-
werbe und keinen Beruf ausüben und weder der Leitung noch dem
Aufsichtsrate eines auf Erwerb gerichteten Unternehmens angehören.**

1 Die Unvereinbarkeiten des Art. 55 sind zum Teil Ausfluß der Gewaltenteilung, vor allem aber Sicherungen unabhängiger und un-
beeinträchtigter Ausübung des Präsidentenamtes.

Absatz 1

2 *Politische Unvereinbarkeiten:* Ausgeschlossen ist vor allem eine
Personalunion von Präsidenten- und Kanzleramt. Die genauen
rechtl. Auswirkungen von Abs. 1 sind umstritten. Sicherlich
braucht ein unvereinbares Amt oder Mandat nicht vor der Wahl
zum BPräs niedergelegt zu werden; die Annahme der Wahl durch
einen Abg. des BTags oder BMinister ist daher rechtswirksam.
Auch nach der Wahl braucht der Gewählte sein Amt oder Mandat

nicht sofort niederzulegen. Die Unvereinbarkeit wird erst mit
dem Amtsantritt des BPräs wirksam (ausführl. dazu Hömig,
DÖV 1974, 798). Hat dieser sein Amt oder Mandat vor Amtsantritt noch nicht niedergelegt, so liegt es beim Wortlaut des Abs. 1
am nächsten, daß der Erwerb des Präsidentenamtes (§ 10
BPräsWG) kraft Gesetzes zum Verlust der Mitgliedschaft in den
genannten Organen führt, wie umgekehrt auch der Erwerb der
Mitgliedschaft in ihnen zum Verlust des Präsidentenamtes führt
(s. Erläut. zu Art. 54 Rn. 3). Amts- und Mandatsaufgabe haben
dann nur noch deklaratorische Bedeutung. Das ist jedenfalls die
klarste und einfachste Lösung. Nach v. Mangoldt/Klein, Art. 55
Anm. III 2 d, begründet die Wahl zum BPräs nur Pflichten zur
unverzüglichen Amts- oder Mandatsniederlegung.

Nicht verboten: Mitgliedschaft in einer polit. Partei, üblich aber
dem Sinne des Amtes entsprechend die Einstellung aktiver Betätigung für sie.

3   Die Aufzählung der polit. Unvereinbarkeiten in Abs. 1 ist nicht
erschöpfend. Nach h. M. sind auch leitende Gemeindeämter und
die Mitgliedschaft in gemeindlichen Volksvertretungen mit dem
Präsidentenamt nicht vereinbar.

Absatz 2

4   *Sonstige Unvereinbarkeiten:* Unzulässig ist hier nur die *Ausübung*
eines besoldeten Amtes, Gewerbes oder Berufs, nicht das bloße
Innehaben eines Amtes oder Betriebs und die bloße Zugehörigkeit zu einem Beruf, bei Vorständen und Aufsichtsräten von Erwerbsunternehmen allerdings auch schon die Zugehörigkeit.
»Amt« ist ein öffentl. Amt. Unter »Gewerbe« ist jede dauerhaft
auf Gewinnerzielung gerichtete Tätigkeit zu verstehen. Zum Begriff des Berufes vgl. die Erläut. zu Art. 12 Rn. 4.

Artikel 56   [Amtseid]

**Der Bundespräsident leistet bei seinem Amtsantritt vor den versam-
melten Mitgliedern des Bundestages und des Bundesrates folgenden
Eid:**

**»Ich schwöre, daß ich meine Kraft dem Wohle des deutschen Volkes
widmen, seinen Nutzen mehren, Schaden von ihm wenden, das
Grundgesetz und die Gesetze des Bundes wahren und verteidigen,
meine Pflichten gewissenhaft erfüllen und Gerechtigkeit gegen jedermann üben werde. So wahr mir Gott helfe.«**

Der Eid kann auch ohne religiöse Beteuerung geleistet werden.

Zur Leistung des in Art. 56 formulierten Eides ist der BPräs auf
Grund seines Amtes verpflichtet. Eidesleistung nicht vor der
BVersammlung (Art. 54), sondern vor den versammelten Mitgliedern des BTags und BRats. Die Eidesformel ist unabänderlich
(a. M. hinsichtl. einer Erweiterung v. Mangoldt/Klein, Art. 56
Anm. IV 2, VIII 3). Sie bekräftigt nur Pflichten, die ohnehin als
selbstverständlich mit dem Präsidentenamt und überhaupt jedem
staatl.-polit. Führungsamt verbunden anzusehen sind. Die Eidesleistung ist keine rechtl. Voraussetzung des Amtserwerbes. Amtshandlungen des unvereidigten BPräs sind deshalb rechtswirksam.
Ob Wiederwahl mit ununterbrochener Amtsfortsetzung eine
neue Vereidigung erforderlich macht, ist str. Dagegen spricht der
Wortlaut des Art. 56. Dementsprechend auch die Staatspraxis,
die die erstmalige Vereidigung genügen läßt.

Artikel 57 [Vertretung]

**Die Befugnisse des Bundespräsidenten werden im Falle seiner Verhin-
derung oder bei vorzeitiger Erledigung des Amtes durch den Präsidenten des Bundesrates wahrgenommen.**

Der BPräs wird abweichend vom Weimarer Vorbild durch den jeweils amtierenden *Bundesratspräsidenten* vertreten, und zwar ohne Rücksicht darauf, ob dieser die Wählbarkeitsvoraussetzungen des Art. 54 I 1 erfüllt, und ohne Geltung der Unvereinbarkeitsregelungen des Art. 55 für ihn. Die Vertretung gilt sowohl
bei Verhinderung (z. B. Krankheit, Auslandsaufenthalt, Frei-
heitsverlust) ohne zeitliche Schranken als auch bei vorzeitiger
Amtserledigung und sonstiger Vakanz sowie hinsichtlich aller Befugnisse. Im Streitfalle, ob Verhinderung vorliegt, kann das
BVerfG nach Art. 93 I Nr. 1 angerufen werden. Der BRPräs
wird für die Zeit seiner Stellvertretung im BRat durch den Vizepräsidenten des BRats vertreten (§ 7 I 2 GO BRat). Auf diesen
geht auch die Stellvertretung des BPräs über, wenn der BRPräs
seinerseits verhindert ist. Der BRPräs hat bei Übernahme der
Vertretung keinen Eid nach Art. 56 zu leisten, da er nicht selbst
BPräs wird, sondern nur vorübergehend dessen Befugnisse wahrnimmt (so auch die Staatspraxis; a. M. v. Mangoldt/Klein,
Art. 56 Anm. IV 6; Maunz/Dürig, Art. 56 Rn. 5; v. Münch,
Art. 56 Rn. 7). Er übt diese Befugnisse unmittelbar kraft GG,

nicht im Auftrag des BPräs aus und ist daher in seiner Amtsführung unabhängig und an Weisungen des verhinderten Präsidenten nicht gebunden.

Artikel 58   [Gegenzeichnung]

Anordnungen und Verfügungen des Bundespräsidenten bedürfen zu ihrer Gültigkeit der Gegenzeichnung durch den Bundeskanzler oder durch den zuständigen Bundesminister. Dies gilt nicht für die Ernennung und Entlassung des Bundeskanzlers, die Auflösung des Bundestages gemäß Artikel 63 und das Ersuchen gemäß Artikel 69 Abs. 3.

1   Mit dem Erfordernis der Gegenzeichnung will das GG die Einheitlichkeit der Staatsleitung so weit sichern, daß der BPräs jedenfalls nicht aktiv in Gegensatz zur Politik der Regierung treten kann. Da der BPräs zwar für seine Amtshandlungen voll verantwortlich ist, aber keiner Kontrolle durch das Parlament unterliegt, soll die Gegenzeichnung zugleich die parl. Verantwortung eines Regierungsmitglieds für die Handlungen des BPräs begründen.

2   *Satz 1:* Unter *»Anordnungen und Verfügungen«* sind alle in amtlicher Eigenschaft getroffenen, nach außen wirkenden, schriftförmigen Entscheidungen des BPräs zu verstehen. Sie können nur nach formeller Gegenzeichnung rechtswirksam werden. Mit der Gegenzeichnung billigt die Regierung den betr. Präsidialakt und übernimmt für ihn die parl. Verantwortung sowie die sonstige polit. und rechtl. Mitverantwortung. Die Verantwortlichkeit des BPräs nach Art. 61 bleibt unberührt.

3   In seinem *sonstigen Amtsverhalten,* etwa bei Führung seines Briefwechsels, bei Gestaltung seiner Reden und Gespräche, seiner Besuche, Einladungen und Empfänge ist der BPräs frei (str.), in Einzelfällen, besonders auf dem Felde der auswärtigen Angelegenheiten, jedoch u. U. aus Gründen der Verfassungsorgantreue zur Abstimmung mit der Regierung verpflichtet. Zur Praxis vgl. BPräs Carstens, Bulletin 1983 S.942 f. Auch im »freien« Bereich der Amtsführung des BPräs kann die Regierung vom BTag zur Verantwortung gezogen werden, soweit sie das präsidiale Verhalten ausdrücklich oder stillschweigend gebilligt hat.

4   Die *Gegenzeichnung* hat nicht beliebig alternativ durch BKanzler oder BMinister zu erfolgen, sondern in Angelegenheiten, die die Richtlinien der Politik oder seinen sonstigen Amtsbereich betreffen, durch den BKanzler, im übrigen durch den oder, wenn die

Zuständigkeit mehrerer Ressorts berührt wird, durch die zuständigen BMinister. Doch ist wohl anzunehmen, daß der BKanzler als Hauptverantwortungsträger gegenüber dem BTag, auch wenn er regelwidrig zeichnet, stets wirksam gegenzeichnet. Für die »Vollziehung« von Gesetzen verlangt § 29 GO BReg (mit nur interner Wirkung) die Gegenzeichnung des BKanzlers *und* des zuständigen BMinisters. Im Verhinderungsfalle zeichnet für den BKanzler sein Stellvertreter (Art. 69 I), für den zuständigen BMinister ein anderer BMinister, nicht der Staatssekretär (§ 14 GO BReg).

5 *Satz 2: Nicht gegenzeichnungsbedürftig* sind neben den hier genannten Fällen das Verlangen der Einberufung des BTags (Art. 39 III 3), der Kanzlervorschlag (Art. 63 I), der eigene Rücktritt, die Anrufung des BVerfG nach Art. 93 I Nr. 1 und selbstverständlich niemals die Ablehnung von Amtshandlungen. Auch der Verkehr des BPräs mit dem BKanzler ist nicht gegenzeichnungsbedürftig.

Artikel 59   [Völkerrechtliche Vertretung]

(1) Der Bundespräsident vertritt den Bund völkerrechtlich. Er schließt im Namen des Bundes die Verträge mit auswärtigen Staaten. Er beglaubigt und empfängt die Gesandten.

(2) Verträge, welche die politischen Beziehungen des Bundes regeln oder sich auf Gegenstände der Bundesgesetzgebung beziehen, bedürfen der Zustimmung oder der Mitwirkung der jeweils für die Bundesgesetzgebung zuständigen Körperschaften in der Form eines Bundesgesetzes. Für Verwaltungsabkommen gelten die Vorschriften über die Bundesverwaltung entsprechend.

1 Art. 59 regelt nur Organzuständigkeiten innerhalb des Bundes. Die völkerrechtl. Kompetenzen des Bundes im Verhältnis zu den Ländern ergeben sich aus Art. 32. Die Vertretungsmacht des Bundes ist danach umfassend, insbes. nicht auf den Umfang seiner Gesetzgebungszuständigkeiten beschränkt. Keine Anwendung des Art. 59 auf fiskalische Tätigkeit der Bundesrepublik im internationalen Rechtsverkehr (a. M. v. Mangoldt/Klein, Art. 59 Anm. III 4 b).

Absatz 1

2 *Satz 1:* Der BPräs hat als Staatsoberhaupt de jure allein (vorbehaltlich Art. 58) das Recht, im *völkerrechtlichen Verkehr* namens der Bundesrepublik Deutschland rechtswirksam zu handeln, insbes. bindende Erklärungen (z. B. Neutralitätserklärungen, Anerkennung von Staaten und Regierungen, Aufnahme und Abbruch diplomatischer Beziehungen) abzugeben und entgegenzunehmen sowie vor allem Verträge mit auswärtigen Mächten zu schließen. Minder wichtige Vertretungsbefugnisse sind durch allgemeine oder besondere Bevollmächtigung delegierbar und werden in der Praxis auch delegiert, vor allem auf den BKanzler oder den Außenminister. Völkerrechtl. Erklärungen über das Bestehen des Verteidigungsfalles kann der BPräs nach Art. 115 a V nur mit Zustimmung des BTags bzw. des Gemeinsamen Ausschusses abgeben. Umstritten ist, ob das Vertretungsrecht des BPräs eine bloße Erklärungskompetenz darstellt oder auch ein wenigstens negativ wirksames außenpolit. Mitspracherecht enthält. Da nichts dazu zwingt, den BPräs als bloßes Vollzugsorgan der Regierung anzusehen, ist das letztere anzunehmen (a. M. Maunz/Dürig, Art. 59 Rn. 5). Mit dem Vertretungsrecht wird dem BPräs also ein u. U. nicht unerheblicher Einfluß auf die Außenpolitik ermöglicht. Dabei ist allerdings von einer grundsätzlichen Kooperationspflicht des BPräs auszugehen, die es ihm verbietet, die Außenpolitik der Regierung nach Ermessen zu durchkreuzen, ihn aber nicht hindert, seine Mitwirkung zu versagen, wenn dem Staat ein ernstlicher Schaden droht (vgl. auch den Eideswortlaut in Art. 56).

3 *Satz 2:* Das Recht der *Vertragsschließung* erstreckt sich entgegen dem mißverständlichen Wortlaut (»Staaten«) auf Verträge mit allen auswärtigen Mächten, d. h. grundsätzlich allen anerkannten Völkerrechtssubjekten, also z. B. auch auf solche mit zwischenstaatl. und supranationalen Organisationen (Vereinte Nationen, EG usw.), ferner auf alle Arten von Verträgen einschl. solcher rechtsetzenden Inhalts und des Beitritts zu multilateralen Verträgen. *Keine* »Verträge mit auswärtigen Staaten« i. S. des Satzes 2: Abkommen mit der Alliierten Hohen Kommission (BVerfGE 1, 366 f.), mit ausländischen Körperschaften des öffentl. Rechts, die ausschließlich staatl. Recht unterstehen (BVerfGE 2, 374 f.), Konkordate (BVerfGE 6, 362) sowie Verträge mit der DDR (str.; wie hier Hömig, JZ 1973, 203 ff.; vgl. auch Art. 32 Rn. 1). Dem BPräs steht der entscheidende, rechtsbindungserzeugende Akt der Vertragschließung, die *Ratifikation,* zu. Die Führung der Vertragsverhandlungen und die Unterzeichnung von Verträgen dagegen obliegt Vertretern der Bundesrepublik, die vom BPräs hierzu bevollmächtigt werden (§§ 79 II, 82 I GGO II). Mit der Ratifi-

kation wird der Vertrag bestätigt und endgültig geschlossen. Die
völkerrechtl. Wirksamkeit jedoch tritt erst durch Austausch oder
Hinterlegung der Ratifikationsurkunden oder zu einem noch
späteren für das Inkrafttreten vereinbarten Zeitpunkt ein. Der
BPräs kann sein Ratifikationsrecht in minder wichtigen Angelegenheiten auf Bevollmächtigte übertragen, die dann auch zum
endgültigen Vertragsabschluß berechtigt sind.

4 *Satz 3: »Gesandte«* sind alle bei den Staatsoberhäuptern beglaubigten *diplomatischen Vertreter,* nicht auch die bei den Außenmi-
nistern akkreditierten Geschäftsträger, sonstige Angehörige des
diplomatischen Dienstes und die konsularischen Vertreter. »Be-
glaubigung« ist die förmliche Erklärung, daß eine bestimmte Person ermächtigt ist, die Bundesrepublik Deutschland beim Emp-
fangsstaat oder bei internationalen Organisationen völkerrechtl.
zu vertreten. »Empfang« ist die Entgegennahme des Beglaubi-
gungsschreibens fremder diplomatischer Vertreter. Auch die Erteilung des dem Empfang üblicherweise vorausgehenden agré-
ments ist Sache des BPräs.

Absatz 2

5 Abs. 2 will die *gesetzgebenden Körperschaften* in die wichtigsten
rechtsverpflichtenden Entscheidungen der Außenpolitik einschalten und sicherstellen, daß ihre legislatorische Entschließungsfrei-
heit nicht durch die von der Exekutive abgeschlossenen internationalen Verträge beeinträchtigt wird. Er gilt für alle »Verträge
mit auswärtigen Staaten« i. S. des Abs.1 Satz 2, nach BVerf-
GE 36, 13 darüber hinaus auch für Verträge mit der DDR. Jedenfalls gilt er nur für Verträge, die im Namen der Bundesrepublik
Deutschland geschlossen werden, nicht auch für solche der Länder nach Art. 32 III (BVerfGE 2, 371). Einseitige völkerrechtl.
Erklärungen, z.B. Vertragskündigungen, und sonstiges nichtver-
tragliches Handeln im Völkerrechtsverkehr, sind zustimmungsfrei. Daher ist auch für Rüstungsmaßnahmen auf Grund von Na-
tobeschlüssen, z.B. die Stationierung von Mittelstreckenwaffen,
nur das Einverständnis der Regierung erforderlich. (BVerfG,
NJW 1985, 603 ff). Abs. 2 überträgt einen Teil der grundsätzlich
bei der Exekutive (BPräs, BReg; s. BVerfGE 2, 379) liegenden
»auswärtigen Gewalt« auf die Legislative (BVerfGE 1, 369). Die
Zustimmungs- und Mitwirkungsrechte der Gesetzgebungskörperschaften sind nicht delegierbar (BVerfGE 1, 395).

6 *Satz 1: Politische Verträge* sind alle Verträge von außenpolit. Bedeutung, d. h. Verträge, die »wesentlich und unmittelbar den Bestand des Staates oder dessen Stellung und Gewicht innerhalb der Staatengemeinschaft oder die Ordnung der Staatengemeinschaft betreffen« (BVerfGE 1, 382), nicht dagegen Verträge, die nur sekundäre Auswirkungen auf die polit. Beziehungen zu auswärtigen Mächten haben. Als polit. Verträge kommen in Betracht vor allem Friedens-, Neutralitäts-, Bündnisverträge, Sicherheitspakte, Nichtangriffs- und Abrüstungsverträge, Gebietsänderungsverträge, Verträge nach Art. 24 I, Wirtschafts- und Zollunionen usw. Nicht dagegen bloße Wirtschafts- und Kulturabkommen, es sei denn daß sie, wie z. B. grundsätzlich die »klassischen« Handelsverträge, die den Wirtschaftsverkehr zweier Staaten möglichst umfassend regeln, bedeutsam auch für die polit. Beziehungen der Bundesrepublik sind. Ob dies zutrifft, ist eine Frage des Einzelfalles. Polit. Geheimverträge sind nur in Gestalt eines Austausches rechtsunverbindlicher Absichtserklärungen möglich.

7 Auf *Gegenstände der Bundesgesetzgebung* beziehen sich alle Verträge, die zu ihrer innerstaatl. Durchführung ein Bundesgesetz (d. h. ein formelles Bundesgesetz, infolgedessen z. B. auch Haushalts- oder Kreditermächtigungsgesetz) erfordern, also nicht durch bloße Ausübung bereits vorhandener Regierungs- und Verwaltungszuständigkeiten vollziehbar sind. So besonders BVerfGE 1, 389 f. Zustimmungspflichtig sind auch Änderungen von Verträgen, zumindest dann, wenn zustimmungsbedürftige Regelungen abgeändert werden sollen, ferner Verträge, die die Bundesrepublik Deutschland verpflichten, Rechtsvorschriften bestimmten Inhalts zu erlassen oder nicht zu erlassen, und nach überwiegender Meinung und Praxis auch Verträge, die einen bereits durch Gesetz festgelegten Rechtszustand bekräftigen, der nunmehr völkerrechtl. gebunden wird (»Parallelabkommen«), ebenfalls Verträge, die zu ihrer Durchführung einer Verordnung bedürfen, die nicht ohne Mitwirkung einer Gesetzgebungskörperschaft ergehen kann (BVerfGE 1, 390).

8 Es ist möglich, daß ein Vertrag sowohl die polit. Beziehungen des Bundes regelt wie auch Gegenstände der Bundesgesetzgebung betrifft (»Mischverträge«). Für die Frage der Zustimmungs- und Mitwirkungsbedürftigkeit kommt es ausschließlich auf den sachlichen Inhalt, nicht auf die äußere Form des Abkommens an. Auch bloße Regierungsabkommen (Verträge, in deren Rubrum als vertragsschließende Parteien die Regierungen der beteiligten Staaten erscheinen) können zustimmungspflichtig sein.

9 Die Zustimmung oder Mitwirkung der Gesetzgebungskörperschaften muß der Ratifikation vorausgehen. »Mitwirkung« ist die
Beteiligung des BRats, wenn für die entsprechende innerstaatl.
Regelung ein Einspruchsgesetz (Art. 77 Rn.1) genügen würde und
grundsätzlich wohl auch bei polit. Verträgen (a. M. F. Klein, JZ
1971, 752; Maunz/Dürig, Art. 59 Rn. 20: generelle Zustimmungsbedürftigkeit). Die Zustimmung und Mitwirkung hat zwingend in
der Form eines Bundesgesetzes zu erfolgen, ist aber ihrem Inhalt
und Wesen nach Beteiligung an einem Regierungsakt (BVerf-
GE 1, 395). Auch das Verfahren ist gesetzesförmig mit folgenden
Besonderheiten: Initiativrecht nur der BReg, keine Abände-
rungsanträge, sondern nur Möglichkeit der Billigung oder Ablehnung des Vertrags im ganzen (§ 82 II GO BTag). Die Gesetzgebungskörperschaften können jedoch auf Vorbehaltserklärungen
der Regierung bei endgültigem Vertragsabschluß dringen. Bloße
Entschließungen der Gesetzgebungskörperschaften zum Inhalt eines Vertrags vermögen weder völkerrechtl. noch innerstaatl. verbindliche Rechtswirkungen zu erzeugen. Greift ein Vertrag in
Grundgesetzesrecht ein, bedarf die Zustimmung der Form und
des Verfahrens eines verfassungsändernden Gesetzes (BVerf-
GE 36, 14). Das Vertragsgesetz ermächtigt den BPräs zur Ratifikation, ohne ihn rechtl. dazu zu verpflichten (bestr.), und transformiert den Vertrag, soweit er normativen Inhalt hat, nach der
innerstaatl. Verkündung seines Wortlauts und seines völkerrechtl. Zustandekommens zum Zeitpunkt seines völkerrechtl. Inkrafttretens in innerstaatl. Recht mit der Geltungskraft eines Bundesgesetzes (BVerfGE 1, 410 f.; 6, 294 f.; 29, 360; 42, 284; 63,
354). Ein ohne die erforderliche Zustimmung ratifizierter Vertrag
ist innerstaatl. rechtsunwirksam. Ob er völkerrechtl. bindet, ist
umstritten und allenfalls dann zu verneinen, wenn der Mangel offenkundig ist. Die Zustimmung der Gesetzgebungskörperschaften hindert nach h. M. und Praxis die Exekutive nicht daran, einen Vertrag später aus eigener Machtvollkommenheit zu kündi-
gen.

10 Bei Verträgen über *Gegenstände der ausschließlichen Landesgesetzgebung* steht die Transformationskompetenz den Ländern zu,
die darüber frei entscheiden und zu einer Transformation aus
Gründen der Bundestreue (vgl. Art. 20 Rn. 6) allenfalls dann verpflichtet sind, wenn sie dem Vertrag vor seinem Abschluß zugestimmt haben. Dementsprechend auch die Staatspraxis nach dem
Lindauer Abkommen vom 14. 11. 1957 (vgl. Art. 32 Rn. 5), wonach die BReg in einschlägigen Fällen das Einverständnis der Länder einholt, bevor der Vertrag verbindlich wird.

11 Vertragsgesetze stehen im Rang unter der Verfassung; sie sind daher ggf. nach Art. 93 I Nr. 2, Art. 100 I und, wenn sie unmittelbar geltendes Recht schaffen, auch im Rahmen einer Verfassungsbeschwerde auf ihre Verfassungsmäßigkeit zu prüfen. Vgl. dazu die Erläut. zu Art. 93 Rn. 6 u. 16, Art. 100 Rn. 3. Vertragsgesetze haben auch sonst keinen höheren Rang als andere Bundesgesetze.

12 *Satz 2: Verwaltungsabkommen* sind im Gegensatz zu den sonst in Art. 59 in Rede stehenden Staatsverträgen Verträge, die sich materiell nur auf Verwaltungstätigkeiten der Behörden beziehen und Regelungen enthalten, die die Verwaltung innerstaatl. aus eigener Machtvollkommenheit ohne Einschaltung des Gesetzgebers treffen könnte. § 82 GGO II unterscheidet dabei zwischen *Regierungsabkommen* und bloßen *Ressortabkommen*. Regierungsabkommen werden von der Regierung, Ressortabkommen von den Fachministern geschlossen. Für beide wird gewohnheitsrechtl. eine generelle Abschlußermächtigung durch den BPräs angenommen und eine besondere Abschlußvollmacht des Staatsoberhaupts nicht für erforderlich gehalten. Noch nicht völlig geklärt ist die Bedeutung des Satzes, daß für Verwaltungsabkommen die Vorschriften über die Bundesverwaltung gelten. Gemeint ist wohl eine Verweisung auf die Vorschriften des VIII. Abschnitts des GG im ganzen. Der Bund ist für den Abschluß von Verwaltungsabkommen in Angelegenheiten der bundeseigenen Verwaltung (Art. 87 ff.) sowie dort zuständig, wo er allgemeine Verwaltungsvorschriften erlassen kann. Von Bedeutung sind hier vor allem Art. 84 II und Art. 85 II 1 (Zustimmung des BRats). Im übrigen fällt der Abschluß von Verwaltungsabkommen in die Zuständigkeit der Länder.

Artikel 60 [Ernennungsrecht, Gnadenrecht, Verfolgungsfreiheit]

(1) Der Bundespräsident ernennt und entläßt die Bundesrichter, die Bundesbeamten, die Offiziere und Unteroffiziere, soweit gesetzlich nichts anderes bestimmt ist.

(2) Er übt im Einzelfalle für den Bund das Begnadigungsrecht aus.

(3) Er kann diese Befugnisse auf andere Behörden übertragen.

(4) Die Absätze 2 bis 4 des Artikels 46 finden auf den Bundespräsidenten entsprechende Anwendung.

Absatz 1

1 »*Ernennung*« ist die Berufung in ein öff.-rechtl. Dienstverhältnis
oder Amt, also auch eine Beförderung (str.), »*Entlassung*« die Beendigung eines öff.-rechtl. Dienstverhältnisses, auch die Versetzung in den Ruhestand, nicht aber in den einstweiligen Ruhestand
und auch nicht die Versetzung in ein anderes Amt. Bundesrichter
sind nach h. M. alle Richter im Bundesdienst. Zum Begriff des
Bundesbeamten vgl. § 2 BBG. Unter Offizieren und Unteroffizie-
ren sind die der Bundeswehr und des Bundesgrenzschutzes zu verstehen. Alle Ernennungen und Entlassungen haben im Rahmen
der einschlägigen Gesetze zu erfolgen (vgl. besonders Art. 33, 36,
94 ff., 108 I, BundesbeamtenG, Deutsches RichterG, RichterwahlG, SoldatenG). Der BPräs hat vor jeder Ernennung und Entlassung die hierfür erforderlichen *rechtlichen Voraussetzungen zu
prüfen* und bei ihrem Fehlen den Vorschlag abzulehnen. Da die
Stellung des BPräs nicht als die eines bloßen Beurkundungsorgans
verstanden werden kann, ist ihm mit der h. M. aber auch ein sach-
liches *Prüfungs- und Ablehnungsrecht* zuzugestehen, das allerdings mit einer gewissen Zurückhaltung auszuüben ist. Es wird dabei u. a. seine Aufgabe sein, eine einseitige oder sonst sachwidrige
Infiltration des Staatsapparates zu verhindern. Im übrigen ist der
BPräs überall zur Weigerung verpflichtet, wo es gilt, einen ernstli-
chen Schaden für den Staat abzuwenden. Das sachliche Prüfungs-
und Ablehnungsrecht besteht auch gegenüber Richtern. Doch
nimmt die h. M. eine Ausnahme für die Ernennung von Bundes-
verfassungsrichtern an (Art. 94, § 10 BVerfGG). Ablehnende
Entschließungen des BPräs bedürfen keiner Gegenzeichnung.
Vgl. außerdem § 15 II, §§ 18, 19 GO BReg. Anderweitige gesetzliche Bestimmungen: z. B. in § 176 I 2 BBG, § 4 II, § 47 I,
§ 55 VI SoldG; die anderweitigen Regelungen müssen Ausnahmecharakter behalten und dürfen nicht zu einer Aushöhlung der
Rechte des BPräs führen.

Absatz 2

2 Das *Begnadigungsrecht* des BPräs, seine »Befugnis, im Einzelfall
eine rechtskräftig erkannte Strafe ganz oder teilweise zu erlassen,
sie umzuwandeln oder ihre Vollstreckung auszusetzen« (BVerf-
GE 25, 358), beschränkt sich auf *Bundessachen*, d. h. vor allem
die früher erstinstanzlich durch den BGH entschiedenen und die
jetzt in Art. 96 V, § 120 GVG und § 452 StPO genannten Strafsachen sowie die Entscheidungen der Disziplinar- und Ehrengerichte des Bundes und der Wehrdienstgerichte. Im übrigen steht das

Begnadigungsrecht den Ländern zu. Der BPräs kann nur Einzel-
begnadigungen in rechtskräftigen Sachen aussprechen. Amne-
stien, d. h. Massenbegnadigungen durch Regelung der Straffol-
gen »einer unübersehbaren und unbestimmten, nach Typen ge-
kennzeichneten Zahl von Straftaten« (BVerfGE 2, 222) und die
Niederschlagung schwebender Verfahren bedürfen eines Gesetzes (Bundeszuständigkeit auch für die von Ländergerichten ausgesprochenen Strafen nach Art. 74 Nr. 1). Über Umfang und
Ausübung des Gnadenrechts: Anordnung des BPräs vom
5. 10. 1965 (BGBl. I S. 1573). Gnadenrecht in bezug auf Solda-
tenrechte: § 5 SoldG. Gnadenentscheidungen unterliegen keiner
gerichtlichen Nachprüfung (BVerfGE 25, 357; 30, 110; BVerw-
GE 14, 73), wohl aber nach BVerfGE 30, 111 der Widerruf von
Gnadenerweisen. Vgl. auch Art. 19 Rn. 14.

Absatz 3

3 Zur *Übertragung* des Ernennungs- und Entlassungsrechts vgl. für
Bundesrichter und Bundesbeamte Anordnung des BPräs vom
14. 7. 1975 (BGBl. I S. 1915), für Soldaten § 4 II, § 47 I, § 35 VI
SoldG und Anordnung des BPräs vom 10. 7. 1969 (BGBl. I
S. 775), zur Übertragung des Gnadenrechts Anordnung des
BPräs vom 5. 10. 1965 (BGBl. I S. 1573).

Absatz 4

4 *Verfolgungsfreiheit:* Vgl. Erläut. zu Art. 46 Rn. 3 ff. Ein Indem-
nitätsrecht ähnlich dem Art. 46 I steht dem BPräs also nicht zu.

Artikel 61 [Anklage vor dem Bundesverfassungsgericht]

**(1) Der Bundestag oder der Bundesrat können den Bundespräsiden-
ten wegen vorsätzlicher Verletzung des Grundgesetzes oder eines anderen Bundesgesetzes vor dem Bundesverfassungsgericht anklagen.
Der Antrag auf Erhebung der Anklage muß von mindestens einem
Viertel der Mitglieder des Bundestages oder einem Viertel der Stimmen des Bundesrates gestellt werden. Der Beschluß auf Erhebung der
Anklage bedarf der Mehrheit von zwei Dritteln der Mitglieder des Bundestages oder von zwei Dritteln der Stimmen des Bundesrates. Die Anklage wird von einem Beauftragten der anklagenden Körperschaft vertreten.**

**(2) Stellt das Bundesverfassungsgericht fest, daß der Bundespräsi-
dent einer vorsätzlichen Verletzung des Grundgesetzes oder eines an-**

deren Bundesgesetzes schuldig ist, so kann es ihn des Amtes für verlustig erklären. Durch einstweilige Anordnung kann es nach der Erhebung der Anklage bestimmen, daß er an der Ausübung seines Amtes verhindert ist.

1 Die Bestimmung hat bei der stark eingeschränkten Machtstellung des BPräs und ohne entsprechende Ministeranklage kaum einen rechten Sinn.

Absatz 1

2 Anklage nur wegen vorsätzlicher Rechtsverletzungen, die der BPräs in Ausübung amtlicher Funktionen begangen hat. Die ministerielle Gegenzeichnung schließt eine Anklage nicht aus. Ob, wie verschiedentlich angenommen wird, auch der Vertreter des BPräs (Art. 57) angeklagt werden kann, muß im Hinblick darauf, daß der BRPräs nur die Befugnisse des BPräs wahrnimmt, zweifelhaft erscheinen. Näheres über das Verfahren: §§ 49 ff. BVerfGG.

Absatz 2

3 Das der Anklage stattgebende Urteil lautet auf Feststellung der Rechtsverletzung. Das BVerfG kann aber den BPräs auch seines Amtes für verlustig erklären (§ 56 BVerfGG). Tut es das nicht, so ist dem BPräs überlassen, selbst die notwendigen Folgerungen zu ziehen. Einstw. Anordnung: § 53 BVerfGG.

VI. Die Bundesregierung

Vorbemerkungen

1 Die Regierungsgewalt (Staatsleitung) ist nach dem GG aufgeteilt zwischen BPräs und BReg. Dabei besitzt der BPräs vorwiegend repräsentative Funktionen und außerordentliche Befugnisse in Krisenlagen, während die substantielle und dauernde polit. Staatsleitung im Gegensatz zur WeimRVerf jetzt *eindeutig* auf die BReg verlagert ist. Dem entsprechen auch die Zuständigkeitsvermutungen im Verhältnis beider Verfassungsorgane. Die neuerlich vielfach vertretene Theorie einer zwischen Parlament und Regierung aufgeteilten Staatsleitung hat die Bestimmung des obersten Staatswillens im Auge und verkennt den eigentlichen Begriff der Staatsleitung als einer umfassenden, initiativpflichtigen, jederzeit handlungsbereiten und kontinuierlichen Führungstätigkeit.

2 Obwohl zur »vollziehenden Gewalt« gehörig (Art. 20 II 2), hat die BReg keineswegs nur den Auftrag, den Willen anderer Verfassungsorgane, insbes. den des Gesetzgebers zu vollziehen. Ihre wichtigste Aufgabe ist es vielmehr, der gesamten Staatstätigkeit polit. Ziele zu weisen und eine bestimmte Richtung zu geben. So auch BVerfGE 9, 281. Sie hat unbeschadet der Rechte anderer Verfassungsorgane bei der obersten Staatswillensbildung eine *politische Führungsaufgabe,* zu der vor allem das Ergreifen von Initiativen, das Steuern der Entwicklung und die mehr oder weniger langfristige Planung in allen Bereichen des staatl. Lebens gehören. Neben ihren staatsleitenden Befugnissen besitzt die BReg noch umfassende, zumeist auf die einzelnen Minister verlagerte Verwaltungszuständigkeiten, wobei die Grenzen zwischen Regierung und Verwaltung flüssig sind. Außerdem verfügt sie über das außerordentlich wichtige und eng mit ihrer polit. Führungs- und Gestaltungsaufgabe zusammenhängende Recht der Gesetzesinitiative (Art. 76 I), die Möglichkeiten delegierter Rechtsetzung (Art. 80), den wesentlichen Teil der Organisationsgewalt im Bereich der Exekutive und zahlreiche andere Befugnisse, die ihr eine starke, in verschiedener Hinsicht sogar beherrschende Stellung im Verfassungsleben verleihen.

3 Das Verhältnis der BReg zum BTag ist durch das *parlamentarische Regierungssystem* bestimmt. Danach ist die BReg in ihrem Bestand vom Vertrauen des Parlaments abhängig. Eine besondere Intensivierung hat das parl. System im GG dadurch erfahren, daß der BTag durch sein Recht der Kanzlerwahl und -abwahl

(Art. 63, 67) schon die Regierungs*bildung* praktisch allein bestimmt, eine Abschwächung insofern, als der amtierende Regierungschef nur durch Wahl eines neuen BKanzlers gestürzt und der einzelne Minister vom Parlament überhaupt nicht zum Rücktritt gezwungen werden kann. Einen wesentlichen Teil des parl. Regierungssystems bildet ferner die Verantwortlichkeit der Regierung vor dem Parlament und in engem Zusammenhang mit ihr das dem BTag zustehende Recht der Regierungskontrolle (Vorbem. vor Art. 38 Rn. 4). Die parl. Verantwortlichkeit besteht in einer Rechenschaftspflicht der BReg und belastenden Reaktionen des BTags bis zur Abwahl des BKanzlers (Art. 67). Sog. »ministerial-« oder sonstige »parlamentsfreie« Räume in der Regierungsverantwortlichkeit sind ohne Verfassungsänderung nur in engen Grenzen zulässig (vgl. dazu BVerfGE 9, 382). Die Regierungskontrolle des Parlaments hat infolge der weitreichenden Interessenidentität von Regierung und Parlamentsmehrheit, des gewachsenen Umfangs der Regierungsgeschäfte, der weitgehenden Möglichkeiten der Regierung, Tatsachen zu schaffen, und ihres Informationsvorsprungs heute stark an Wirksamkeit verloren. Ungeachtet ihrer Abhängigkeit vom BTag ist die BReg kein Vollzugsausschuß des Parlaments, sondern selbständiges Verfassungsorgan, das seine Rechte nicht vom BTag, sondern unmittelbar aus dem GG ableitet, ein Verfassungsorgan mit eigener Aufgabe, eigener Verantwortung und eigener Entscheidungsgewalt (BVerfGE 9, 281), die der BTag weder an sich ziehen noch seinen Weisungen unterwerfen und auf die die BReg auch nicht verzichten kann. Die BReg steht daher zum Parlament nicht im Verhältnis rechtl. Unterordnung. Der BTag kann die BReg kritisieren, anregen, »ersuchen«, »auffordern«, Erwartungen aussprechen, ihr aber nicht befehlen. Infolgedessen können die sog. schlichten Parlamentsbeschlüsse (dazu eingehend Sellmann, Der schlichte Parlamentsbeschluß, 1966) zwar politisch auf die Regierung einwirken, sie rechtlich aber nicht verpflichten (s. auch BVerwGE 12, 20). Auf keinen Fall kann das Parlament Regierungsakte aufheben. Eine über Art. 43 I hinausgehende Berichtspflicht der BReg gegenüber dem BTag besteht nur insoweit, als sie das Gesetz vorschreibt oder sie zur Ausübung der parl. Regierungskontrolle unentbehrlich ist.

4 Zum BRat steht die BReg in keinem ihren Beziehungen zum BTag vergleichbaren Abhängigkeitsverhältnis. Sie ist dem BRat auch nicht in einer sonstigen Form verantwortlich. Der dem Art. 43 I entsprechende Art. 53 dient lediglich der Information des BRats.

5 Innerhalb der BReg ist die Stellung des BKanzlers vor allem durch Art. 63, 64 I, 65 Satz 1 und Art. 67 stark herausgehoben und im Gegensatz zur WeimRVerf auch gegenüber Parlament und BPräs sehr gefestigt (»Kanzlerdemokratie«).

6 Auch in der parl. Parteiendemokratie ist die Regierung nicht Instrument der Mehrheitsparteien, sondern Staatsorgan und daher der allgemeinen staatl. Pflicht zur *Nichteinmischung und Neutralität in der parteipolitischen Auseinandersetzung* unterworfen. Sie darf ihre Politik verfolgen und sich an *sachlichen* Auseinandersetzungen über anstehende polit. Fragen beteiligen, insbes. »der Öffentlichkeit ihre Politik, ihre Maßnahmen und Vorhaben sowie die künftig zu lösenden Fragen darlegen und erläutern« (BVerfGE 20, 100), jedoch weder durch Einsatz staatl. Möglichkeiten die Regierungsparteien unterstützen noch die Oppositionsparteien *als solche* bekämpfen und auch keine Sympathiewerbung mit öffentl. Mitteln für sich und ihre Mitglieder betreiben. Bei ihren Meinungskundgaben kann sich die Regierung als staatl. Organ nicht auf Art. 5 berufen (OVG Münster, NJW 1983, 2402), sie besitzt aber ein Meinungsäußerungsrecht »kraft Amtes« (BVerwG, DÖV 1984, 940f.), an das allerdings strengere Wahrheits- und Prüfungsanforderungen zu stellen sein werden als an das Äußerungsrecht privater Grundrechtsinhaber. Äußerste Zurückhaltung hat die Regierung vor allem in Wahlzeiten zu üben (BVerfGE 44, 126, 152). Wahlkämpfe zu führen, ist Sache der Parteien und nicht Sache der Regierung, die daher weder ihre eigene »Wiederwahl« betreiben noch zugunsten oder zu Lasten wahlwerbender Parteien in den Wahlkampf eingreifen darf (BVerfGE 63, 243). Das Gebot der Zurückhaltung und Unparteilichkeit gilt auch für die Öffentlichkeitsarbeit der Regierung (BVerfGE 44, 125). Diese darf in Wahlzeiten zwar in sachgemäßer Begrenzung fortgeführt, aber nicht zur Wahlpropaganda für die Regierung und Regierungsparteien ausgeweitet werden. Es ist der Regierung daher untersagt, die Öffentlichkeit vor der Wahl mit regierungswerbenden Anzeigen und regierungswerbendem Informationsmaterial zu überschwemmen, ebenso, solches Material den hinter ihr stehenden Parteien zu Wahlzwecken zur Verfügung zu stellen (BVerfGE 44, 126, 154). Zulässig jedoch ist, daß sich Regierungsmitglieder über die sachliche Bedeutung einer anstehenden Wahl äußern und zu möglichst hoher Wahlbeteiligung auffordern, zulässig auch die Beteiligung von Regierungsmitgliedern am Wahlkampf in nichtamtlicher Eigenschaft, also als Staatsbürger und Parteiangehörige (BVerfGE 63, 243).

Artikel 62   [Zusammensetzung]

Die Bundesregierung besteht aus dem Bundeskanzler und aus den Bundesministern.

1   Der *Bundeskanzler* ist nicht Vorgesetzter der BMinister, aber auch nicht nur primus inter pares, sondern echter Regierungschef. Er allein wird vom BTag gewählt und abgewählt (Art. 63, 67), während die BMinister auf seinen Vorschlag ernannt und entlassen werden (Art. 64). Außerdem bestimmt er die Richtlinien der Politik und leitet er die Geschäfte der BReg (Art. 65). Er ist der leitende Staatsmann der Bundesrepublik Deutschland und Hauptträger der Regierungsverantwortung gegenüber dem BTag. Zur Durchführung seiner Aufgaben steht ihm das Bundeskanzleramt zur Verfügung.

2   Weiter gehören zur BReg sämtliche *Bundesminister*. Kein BMinister, der nicht Kabinettsmitglied ist. Abgesehen von ihrer Funktion als Mitglied der BReg sind die BMinister in aller Regel Chefs bestimmter Regierungs- und Verwaltungsbereiche (Ressorts). Doch ist auch die Berufung von BMinistern mit nichtministeriellem Geschäftsbereich (»Sonderaufgaben«) oder überhaupt ohne Geschäftsbereich zulässig. Art. 65 Satz 2 steht dem, da er nur den Normalfall des Ressortministers im Auge hat, nicht entgegen. Zahl und Geschäftsbereiche der BMinister sind durch das GG nicht festgelegt (wenn auch z. T. vorausgesetzt – s. Art. 65 a, Art. 96, 108 III, Art. 112, 114 I), sondern werden vom BKanzler bestimmt (vgl. auch § 9 Satz 1 GO BReg). Ob der Gesetzgeber Zahl und Geschäftsbereiche der BMinister bestimmen könnte, ist mit Rücksicht auf den Verfassungsgrundsatz der Gewaltenteilung nicht unzweifelhaft und umstritten. Praktisch ist die Errichtung von Ministerien jedoch insofern vom Gesetzgeber abhängig, als sie nur im Rahmen des Haushaltsplans möglich ist. Amtsträger ohne Bundesministerrang, z. B. Staatsminister, Parl. Staatssekretäre (vgl. G vom 24. 7. 1974, BGBl. I S. 1538), Staatsräte, Generalbevollmächtigte, Bundeskommissare können keine Aufnahme in das Kabinett finden, sind also nicht Mitglieder der BReg. Vertreten werden die BMinister in der Regierung durch einen anderen Minister, bei Erklärungen vor dem BTag, BRat und in den Sitzungen der BReg durch den Parl. Staatssekretär, als Behördenleiter durch den beamteten Staatssekretär und in Sonderfällen durch den Parl. Staatssekretär (§ 14 GO BReg).

3 BKanzler und BMinister sind keine Beamte, sondern stehen als
Verfassungsorganträger in einem *besonderen öffentlich-rechtlichen Amtsverhältnis* zum Bund. Ihre Rechtsverhältnisse sind
durch das BundesministerG i. d. F. vom 27. 7. 1971 (BGBl. I
S. 1166) näher geregelt, insbes. Beginn und Ende des Amtes, Unvereinbarkeiten, Amtsbezüge, Versorgung. Eine staatsgerichtli-
che Kanzler- und Ministeranklage gibt es im Gegensatz zur
WeimRVerf nicht mehr, nach § 8 BMinG auch kein Disziplinarverfahren.

4 Die BReg (Kabinett) ist nicht nur eine Versammlung von Kanzler
und Ressortchefs, sondern ein *Verfassungsorgan* und polit. Füh-
rungsgremium.

5 Gerichtlich und außergerichtlich wird die BReg i. d. R. durch
den jeweils zuständigen Fachminister vertreten. Vgl. hier auch
§ 20 I GGO II.

Artikel 63   [Wahl des Bundeskanzlers]

**(1)   Der Bundeskanzler wird auf Vorschlag des Bundespräsidenten
vom Bundestage ohne Aussprache gewählt.**

**(2)   Gewählt ist, wer die Stimmen der Mehrheit der Mitglieder des
Bundestages auf sich vereinigt. Der Gewählte ist vom Bundespräsidenten zu ernennen.**

**(3)   Wird der Vorgeschlagene nicht gewählt, so kann der Bundestag
binnen vierzehn Tagen nach dem Wahlgange mit mehr als der Hälfte
seiner Mitglieder einen Bundeskanzler wählen.**

**(4)   Kommt eine Wahl innerhalb dieser Frist nicht zustande, so findet
unverzüglich ein neuer Wahlgang statt, in dem gewählt ist, wer die meisten Stimmen erhält. Vereinigt der Gewählte die Stimmen der Mehrheit der Mitglieder des Bundestages auf sich, so muß der Bundespräsident ihn binnen sieben Tagen nach der Wahl ernennen. Erreicht der
Gewählte diese Mehrheit nicht, so hat der Bundespräsident binnen sieben Tagen entweder ihn zu ernennen oder den Bundestag aufzulösen.**

1 Art. 63 gilt für jede Neuwahl des BKanzlers mit Ausnahme der in
Art. 67 I 1 und Art. 68 I 2 genannten Sonderfälle.

Absatz 1

2 Der BKanzler wird vom BTag, und zwar jedem BTag neu gewählt
(vgl. Art. 69 II). Er braucht dem BTag nicht anzugehören, muß
aber, wie wohl auch aus Art. 54 I 2 zu entnehmen, wenigstens das
Wahlrecht zum BTag besitzen (so auch Maunz/Dürig, Art. 63
Rn. 23). Die *Initiative für die Kanzlerwahl* liegt zunächst *beim
Bundespräsidenten*, der zu einem Vorschlag nicht nur ermächtigt,
sondern auch verpflichtet ist. Rechtlich ist der BPräs in der Auswahl des Kanzlerkandidaten frei. Vor allem kein Zwang, den
Führer der stärksten Partei oder Fraktion zu nominieren. Praktisch sind dem Vorschlagsrecht des BPräs jedoch enge Grenzen
gesetzt. Der Vorschlag muß dem Wahlergebnis und den sonstigen
polit. Gegebenheiten entsprechen, wenn der BPräs nicht Gefahr
laufen will, durch Ablehnung seines Vorschlags Ansehenseinbu-
ßen zu erleiden. Vorherige Fühlungnahmen mit den Partei- bzw.
Fraktionsführern sind daher unentbehrlich. In aller Regel gehen
der Kanzlerwahl auch Verhandlungen zwischen den Parteien und
Fraktionen voraus, die in mehr oder weniger förmlichen *Koalitionsvereinbarungen* (»Koalitionsverträgen«) über die Zusammensetzung der künftigen Regierung und die einzuschlagende
Regierungspolitik (»Regierungsprogramm«) ausmünden. Bei
diesen auch durch Art. 21 I 1 legitimierten Vereinbarungen handelt es sich nach überwiegender und zutreffender Meinung nicht
um rechtsverbindliche Verträge, sondern um übereinstimmende
polit. Absichtserklärungen, die auf Treu und Glauben abgegeben
werden und ohne Rechtsverletzung zurückgezogen werden können. Schon mangels Rechtsverbindlichkeit der Koalitionsvereinbarungen können diese den BPräs bei Ausübung seines Vor-
schlagsrechts und später den BKanzler nicht verpflichten, wohl
aber politisch empfindlich einengen.

3 Der Vorschlag des BPräs bedarf keiner Gegenzeichnung (Erläut.
zu Art. 58 Rn. 5). »Ohne Aussprache«: vgl. Erläut. zu Art. 54
Rn. 1. Geheime Wahl: § 4 Satz 1, § 49 GO BTag.

Absatz 2

4 Im *ersten Wahlgang* kann nur über den Vorschlag des BPräs abgestimmt werden. Zur Wahl erforderlich ist die *absolute Mehrheit
der gesetzlichen Mitgliederzahl*, also sämtlicher Mitglieder des
BTags (Art. 121) unter Ausschluß der Berliner Abg. (s. Art. 144
Rn. 4). Damit soll zunächst auf die Bildung einer Mehrheitsregie-
rung hingewirkt werden. Wird der vorgeschlagene Bewerber
nicht gewählt, so ist das Vorschlagsrecht des BPräs verbraucht.
Wird er gewählt und hat er die Wahl angenommen, so hat ihn der

BPräs unverzüglich, spätestens nach sieben Tagen (vgl. Abs. 4 Satz 2) durch Aushändigung der Ernennungsurkunde (§ 2 BMinG) zu *ernennen*. Die Urkunde bedarf keiner Gegenzeichnung (Art. 58 Satz 2). Der BPräs ist verpflichtet, die Ernennung vorzunehmen, es sei denn, daß Bedenken gegen die Rechtswirksamkeit, insbes. die Verfassungsmäßigkeit der Wahl bestehen. Offene Wahl dürfte deren Rechtswirksamkeit nicht in Frage stellen, da die Geheimwahl nicht verfassungsrechtl., sondern nur durch die GO BTag vorgeschrieben ist. Aus Gründen in der Person darf die Ernennung des Gewählten nur verweigert werden, wenn ihm die Wahlberechtigung zum BTag fehlt. Wird der Gewählte nicht spätestens nach sieben Tagen ernannt, so kann der BTag Klage beim BVerfG nach Art. 93 I Nr. 1 erheben; vgl. auch Art. 61. Bisher sind alle Kanzler im ersten Wahlgang gewählt worden.

Absatz 3

5 *Weitere Wahlgänge:* Nach Abs. 3 darf erst verfahren werden, wenn die Wahl nach Abs. 2 zu keinem positiven Ergebnis geführt hat. Das *Vorschlagsrecht geht nunmehr auf den Bundestag über,* aus dessen Mitte die neuen Wahlvorschläge zu machen sind (vgl. § 4 Satz 2 GOBTag). Innerhalb der 14-Tage-Frist können beliebig viele Wahlgänge stattfinden. Der BTag kann die Frist aber auch ungenutzt verstreichen lassen. Auch in der zweiten Phase ist zur Wahl des BKanzlers die *absolute Mehrheit der gesetzlichen Mitgliederzahl* des BTags (s. Rn. 4) erforderlich. Für die Ernennung gilt das in Rn. 4 Gesagte entsprechend.

Absatz 4

6 *Letztmögliches Wahlstadium* nach erfolglosem Ablauf der zweiten Phase, in dem als Notlösung zur Wahl des BKanzlers die *relative Mehrheit genügt.* Erreicht der Gewählte nur diese, so hat der BPräs ein befristetes Wahlrecht zwischen *Ernennung* des BKanzlers (und damit Freigabe des Weges zur Bildung einer Minderheitsregierung) und *Auflösung des Bundestags.* Nach Ablauf der Wahlfrist bleibt nur die Pflicht zur Ernennung (a. M. v. Mangoldt/Klein, Art. 63 Anm. V 4 c: Der BTag ist automatisch aufgelöst). Die Auflösung ist eine empfangsbedürftige Willenserklärung des BPräs, die mit dem Empfang durch den BTag rechtswirksam wird. Sie bedarf keiner Gegenzeichnung (Art. 58 Satz 2). Die Auflösung kommt auch dann in Betracht, wenn eine Stimmengleichheit mehrerer Bewerber nicht zu beseitigen ist. Für die

Ernennung eines Gewählten gilt, abgesehen vom Wegfall der Er-
nennungspflicht bei Bundestagsauflösung, das in Rn. 4 Gesagte
entsprechend. Vgl. auch für das letzte Wahlstadium § 4 GO
BTag.

Artikel 64   [Ernennung und Entlassung der Bundesminister, Eid]

**(1)   Die Bundesminister werden auf Vorschlag des Bundeskanzlers
vom Bundespräsidenten ernannt und entlassen.**

**(2)   Der Bundeskanzler und die Bundesminister leisten bei der Amts-
übernahme vor dem Bundestage den in Artikel 56 vorgesehenen Eid.**

Absatz 1

1   *Ernennung:* Die BMinister werden anders als der Kanzler nicht
vom BTag gewählt, sondern auf Vorschlag des BKanzlers vom
BPräs ernannt. Die eigentliche Kabinettsbildung ist also allein Sache der Exekutive. Der Kanzler ist rechtlich in der Auswahl der
Minister frei, was jedoch nicht verhindern kann, daß er – meist
schon vor seiner Wahl – von der eigenen Fraktion oder Partei, bei
Bildung einer Koalitionsregierung vor allem durch Koalitionsvereinbarungen weitgehend festgelegt wird. Er kann seine Minister
mangels einer Unvereinbarkeitsregelung dem BTag entnehmen,
braucht es aber nicht und hat sogar die Möglichkeit der Bildung eines reinen Fachkabinetts. Doch ist der parl. Minister die Regel
und die Bildung von Fachkabinetten – etwa i. S. der amerikani-
schen Staatspraxis – infolge tief verwurzelter Gewohnheiten
kaum noch denkbar. Parteipolit. gesehen gestattet das GG die
Bildung einer Einparteienregierung, einer Mehrparteienregie-
rung und auch die Bildung einer Allparteienregierung. Der
BKanzler kann selbst ein oder mehrere Ressorts übernehmen.
Ohne Vorschlag des Kanzlers kann kein BMinister rechtswirksam
ernannt werden. Der BPräs darf und muß einen Vorschlag ablehnen, wenn ihm Rechtsgründe entgegenstehen, z. B. der Vorgeschlagene nicht zum BTag wahlberechtigt oder Mitglied einer
LReg ist (§ 4 BMinG). Er kann einen Ministerkandidaten aber
auch aus zwingenden Gründen des Staatswohls wegen mangeln-
der Verfassungstreue oder sonstiger schwerwiegender Bedenken
ablehnen (str.). Ein darüber hinausgehendes Mitspracherecht bei
der Kabinettsbildung steht dem BPräs wohl *nicht* zu (a. M. unter
Hinweis auf die ausdrücklichen Ernennungsverpflichtungen in
Art. 63 II 2, IV 2, 3, Art. 67 I 2 Hamann/Lenz, Erläut. zu

Art. 64). Die Ernennung erfolgt durch Aushändigung einer vom BPräs vollzogenen und vom BKanzler gegengezeichneten Urkunde, die auch den dem Minister übertragenen Geschäftszweig angibt (§ 2 BMinG). Eine Ernennung nach Abs.1 ist auch erforderlich, wenn ein Minister ein anderes Ressort übernehmen soll (aus der Praxis: 5. BTag, 70. Sitzung v. 8. 11. 1966, StenBer. S. 3304).

2 *Entlassung:* Ein BMinister kann auf Vorschlag des BKanzlers jederzeit fristlos und ohne Begründung entlassen werden. Vor allem auf Grund *dieser* Regelung gewinnt der Kanzler gegenüber seinen Ministern, die somit ständig von seinem Vertrauen abhängig sind, eine überlegene Machtstellung. Dem Vorschlag des Kanzlers, einen Minister zu entlassen, muß der BPräs stattgeben. Der BTag kann im Gegensatz zum Rechtszustand unter der WeimRVerf (Art. 54) die Entlassung eines Ministers nicht mehr durch Mißtrauensvotum erzwingen, sondern ihn nur tadeln und den Wunsch zum Ausdruck bringen, daß er zurücktreten oder entlassen werden möge. Die Neuregelung ist ein nicht ganz unwesentlicher Beitrag zur Regierungsstabilität. Unberührt von alledem bleibt das Recht der BMinister, jederzeit und ohne Begründung selbst ihre Entlassung zu verlangen (»Rücktritt«). Dem Verlangen muß, wenn der Minister darauf besteht, in jedem Falle stattgegeben werden. Ein »Rücktrittsangebot« stellt die Entlassung in das Ermessen des BKanzlers.

Einzelheiten über Ernennung und Entlassung: §§ 2, 3, 9 und 10 BMinG.

Absatz 2

3 *Eid:* BKanzler und BMinister sind verfassungsrechtl. zur Leistung des Eides verpflichtet. Die Eidesleistung ist jedoch keine Voraussetzung rechtswirksamen Amtserwerbs und rechtswirksamer Amtsausübung (Ausnahme: § 2 II BMinG). Vgl. auch die Erläut. zu Art. 56.

Artikel 65   [Stellung des Bundeskanzlers und der Bundesminister]

Der Bundeskanzler bestimmt die Richtlinien der Politik und trägt dafür die Verantwortung. Innerhalb dieser Richtlinien leitet jeder Bundesminister seinen Geschäftsbereich selbständig und unter eigener Verantwortung. Über Meinungsverschiedenheiten zwischen den Bundesministern entscheidet die Bundesregierung. Der Bundeskanzler leitet ihre Geschäfte nach einer von der Bundesregierung beschlossenen und vom Bundespräsidenten genehmigten Geschäftsordnung.

1   Art. 65 regelt die generelle Zuständigkeitsverteilung innerhalb
der BReg, und zwar ähnlich wie unter der WeimRVerf nach einem Gemisch von drei Prinzipien: dem Kanzlerprinzip, dem Ressortprinzip und dem Kollegialprinzip. Dabei ist das den Vorrang
des Regierungschefs verfolgende Kanzlerprinzip stärker als in der
WeimRVerf betont und am ausdehnungsfähigsten. Im übrigen
hängt das Zusammenspiel der drei Prinzipien wesentlich von den
beteiligten Persönlichkeiten und den koalitionspolit. Machtver-
hältnissen ab. Den Grundsätzen des Art. 65 unterliegt auch die
Aufteilung der exekutiven Organisationsgewalt. Schlüsse auf das
Verhältnis der BReg zu anderen Verfassungsorganen sind aus
Art.65 im allgemeinen nicht zu ziehen. Zu zahlreichen Einzelfragen aus dem Bereich des Art. 65 vgl. besonders Kölble, DÖV
1973, 1.

2   *Satz 1:* Das *Kanzlerprinzip* kommt vor allem darin zum Durch-
bruch, daß der BKanzler, nicht wie im sog. Kabinettssystem das
Regierungskollegium, die *Richtlinien der Politik bestimmt,* d. h.
die grundsätzlichen und richtungweisenden Entscheidungen über
die Führung der Regierungsgeschäfte trifft. Die Richtlinien der
Politik binden nach h. M. nur die BMinister. Da die BReg in gewisser Hinsicht polit. Führungsorgan des Gesamtstaates ist, haben sie aber auch eine über den Regierungsapparat hinausreichende Bedeutung (s. dazu BVerfGE 49, 124 f.). Doch sind
BTag, BPräs und BRat innerhalb ihres Kompetenzbereichs formell nicht den Richtlinien des BKanzlers unterworfen. Der
BKanzler ist bei Aufstellung und Handhabung der polit. Richtlinien frei und *rechtlich* weder an Weisungen noch an die Zustimmung anderer Verfassungsorgane, von Fraktionen oder Parteien
gebunden. Die Richtlinienbefugnis des Kanzlers ist unverzichtbar
und auch durch Koalitionsvereinbarungen rechtswirksam nicht
einschränkbar. *Tatsächlich* kann der BKanzler jedoch nicht um-
hin, bei Festlegung und Handhabung seiner Richtlinien die polit.
Grundsätze der ihn tragenden Mehrheitsfraktionen zu berücksichtigen und bekannten Einstellungen anderer Verfassungsorgane, insbes. des BTags, ggf. aber auch des BRats und BPräs Rechnung zu tragen. Die polit. Richtlinien des BKanzlers finden in ihren großen Zügen üblicherweise zunächst einmal Ausdruck in der
Regierungserklärung, die die BReg nach ihrer Bildung im BTag
bekanntzugeben pflegt, können aber jederzeit auch später festgelegt werden. Sie sind an keine besondere Form gebunden, müssen
sich auch nicht ausdrücklich als Richtlinien bezeichnen, jedoch als
solche hinreichend erkennbar sein. Die Richtlinien sind keine

Rechtssätze (a. M. Maunz/Dürig, Art. 65 Rn. 2). Inhaltlich tragen sie im allgemeinen generellen Charakter; sie können sich in Angelegenheiten mit »Richtlinienbedeutung«, d. h. praktisch allen Fragen von besonderem polit. Gewicht, aber auch bis zu bindenden Vorgaben in Einzelfällen verdichten (a. M. v. Mangoldt/ Klein, Art. 65 Anm. III 2 b; Maunz/Dürig, Art. 65 Rn. 2). An sich ziehen kann der BKanzler fremde Regierungszuständigkeiten auf Grund seiner Richtlinienbefugnis jedoch nicht. Die Richtlinien der Politik sind jederzeit abänderbar. Näheres über die Richtlinienbefugnis des Kanzlers enthalten die §§ 1, 3, 4 und 12 GO BReg. In der Praxis nimmt der BKanzler nur selten Bezug auf seine Richtlinienbefugnis. Meist regeln sich die Dinge in anderer Form. Zur »Verantwortung« des Kanzlers vor dem BTag – nur eine solche kommt in Frage – vgl. Art. 67 GG und die Erläut. dazu Rn. 3.

3 Abgesehen von der Richtlinienbefugnis findet das Kanzlerprinzip Ausdruck vor allem noch darin, daß der Kanzler die Geschäfte der BReg leitet (Art. 65 Satz 4), den Vorsitz im Kabinett führt (§ 22 I GO BReg) und die alleinige Befugnis zur laufenden Unterrichtung des BPräs und zum persönlichen Vortrag bei ihm hat (§ 5 GO BReg).

4 *Satz 2:* Den BMinistern obliegt die polit. Leitung und Verwaltung der einzelnen Geschäftsbereiche der Regierung. Sie haben insoweit innerhalb der vom Kanzler bestimmten Richtlinien der Politik einen selbständigen Aufgaben- und Verantwortungsbereich *(Ressortprinzip)*. Neben den Richtlinien der Politik sind für den BMinister auch noch die Beschlüsse des Kabinetts in den der BReg als Kollegium zustehenden Angelegenheiten verbindlich. Abgesehen davon können Kanzler und Kabinett jedoch nicht in die Zuständigkeiten eines Ministers eingreifen, insbes. nicht seine Befugnisse an sich ziehen und an seiner Stelle ausüben, ihm keine Weisungen erteilen und vor allem keine Weisungen unmittelbar in die Ressorts hinein geben. Art. 65 Satz 2 schließt auch die Unterstellung eines BMinisters mit Geschäftsbereich unter den BKanzler oder einen anderen BMinister aus. Ob sich aus dem Ressortprinzip eine Verpflichtung des BKanzlers ergibt, den zuständigen Minister an allen sein Ressort betreffenden Angelegenheiten zu beteiligen, ist umstritten, die Frage aber wohl zu bejahen. Einzelheiten über die Stellung der BMinister innerhalb der BReg: §§ 9 ff. GO BReg. Zu den Befugnissen des jeweiligen Ressortministers gehört auch das Organisationsrecht im eigenen Geschäftsbereich. Gesetzliche Regelung der inneren Organisation

bestimmter Behörden (vgl. § 66 SoldG) ist im Hinblick auf den Grundsatz der Gewaltenteilung nicht unproblematisch. Die Selbständigkeit und Verantwortlichkeit der BMinister besteht zunächst dem Kanzler gegenüber. Sie hat aber auch eine dem BTag zugewandte Seite (a. M. Maunz/Dürig, Art. 65 Rn. 4, Bonner Komm., Art. 65 Anm. II 6; wie hier Kölble, DÖV 1973, 12). Aus deren Bereich ist die Rechenschaftspflicht vor allem in Art. 43 I angesprochen. Der Minister muß sich Mängel in seinem Geschäftsbereich politisch anrechnen lassen und für sie einstehen. Über die gegen einen Minister möglichen Reaktionen des BTags vgl. die Erläut. zu Art. 67 Rn. 2.

5   *Satz 3:* Nicht nur bei Meinungsverschiedenheiten zwischen BMinistern, sondern auch über die Geschäftsordnung der BReg (Satz 4) und zahlreiche andere Angelegenheiten hat die BReg als Kollegium zu entscheiden *(Kollegialprinzip).* Grundsätzlich ist überall, wo im GG oder in einem Bundesgesetz die BReg genannt wird, von der Legaldefinition des Art. 62, also davon auszugehen, daß das Kollegium gemeint ist (BVerfGE 26, 395 f.). Doch gilt das nicht ausnahmslos (vgl. z. B. Art. 84 Rn. 8 u. 15, Art. 85 Rn. 3, Art. 86 Rn. 3). Eine internrechtl. Erweiterung der Kollegialzuständigkeiten enthält § 15 GO BReg, der alle Angelegenheiten von allgemeiner polit., wirtschaftlicher, sozialer, finanzieller oder kultureller Bedeutung sowie wichtige Personalsachen der Beratung und Beschlußfassung des Kabinetts unterstellt. Dagegen bestehen grundsätzlich keine Bedenken, da es sich fast durchgehend um schon von Verfassungs wegen ressortübergreifende Fragen handelt. Lediglich in den Personalsachen mag wegen Art. 65 Satz 2 zweifelhaft sein, ob hier ein Kabinettsbeschluß für den Minister auch wirklich rechtsverbindlich ist. Die BReg faßt ihre Beschlüsse – i. d. R. in gemeinschaftlicher Sitzung (§ 20 GO BReg) – mit Stimmenmehrheit; bei Stimmengleichheit entscheidet der Vorsitzende (§ 24 II GO BReg). Der BKanzler kann also in Kollegialsachen theoretisch überstimmt werden, hat aber in Fällen von besonderer polit. Bedeutung für die Regierungspolitik u. U. die Möglichkeit, von seiner Richtlinienbefugnis Gebrauch zu machen (str.). Ein gewisses Widerspruchsrecht gegen Mehrheitsbeschlüsse der BReg haben in Finanzfragen der BMF und in Rechtsfragen der BMI und BMJ (§ 26 GO BReg).

6   *Kabinettsausschüsse* (z. B. Bundessicherheitsrat, »Wirtschaftskabinett«) können nicht an Stelle des Gesamtkabinetts, des Kanzlers oder zuständigen Ministers Entscheidungen treffen, sondern solche nur vorbereiten.

7 *Satz 4:* Der Kanzler leitet die Geschäfte der BReg nach einer von dieser beschlossenen und vom BPräs genehmigten *Geschäftsordnung.* Die Ermächtigung zum Geschäftsordnungserlaß schließt eine gesetzliche Regelung der Regierungsgeschäftsführung aus. Die Geschäftsordnung der BReg vom 11. 5. 1951 (GMBl. S. 137) – GO BReg – besteht aus politisch z. T. sehr wichtigen Rechtsnormen besonderer Art, die die Beziehungen der Mitglieder der BReg untereinander regeln, und nichtrechtssatzmäßigen Geschäftsregeln. Ihre Rechtsnatur entspricht etwa der der GO BTag (vgl. Erläut. zu Art. 40 Rn. 3). Nach der GO BReg führt der Kanzler den Vorsitz in den Kabinettssitzungen, an denen neben den BMinistern auch der Staatssekretär des Bundeskanzleramtes und der Chef des Bundespräsidialamtes regelmäßig teilnehmen. Wegen des Genehmigungsrechts des BPräs kann von der GO BReg nicht, jedenfalls aber nicht in beliebigem Umfange, durch Kabinettsbeschluß abgewichen werden.

Artikel 65 a   [Befehls- und Kommandogewalt über die Streitkräfte]

Der Bundesminister für Verteidigung hat die Befehls- und Kommandogewalt über die Streikräfte.

1 Das GG kennt im Gegensatz zum Verfassungsrecht der konstitutionellen deutschen Monarchien und auch zur WeimRVerf (Art. 47) *keinen Oberbefehl des Staatsoberhauptes über die Streitkräfte mehr.* Es hat den Begriff des Oberbefehls im herkömmlichen Sinne, der eine Zusammenfassung verschiedenartiger höchster Rechte auf militärischem Gebiet darstellte und von der monarchischen Staatsform her auch rechtl. schwer faßbare irrationale Elemente enthielt, überhaupt fallengelassen. Die früher im militärischen Oberbefehl enthaltenen Rechte sind auf Staatsoberhaupt und Regierung verteilt worden, und zwar nach den Grundsätzen, die auch sonst für die Aufteilung der vollziehenden Gewalt zwischen Präsidenten und Regierung maßgebend sind, d. h. derart, daß die mehr repräsentativen (Orden, Ehrenzeichen, Uniformen) und einzelne besonders herausgehobene Befugnisse, insbes. das Ernennungsrecht nach Art. 60 I, dem Staatsoberhaupt übertragen sind, das Schwergewicht der Führungskompetenzen jedoch bei der BReg liegt. Der tiefere Grund für die Neuverteilung der Zuständigkeiten war die bewußte Beseitigung der überkommenen staatsrechtl. Sonderstellung der bewaffneten Macht, die früher vor allem in gewissen unmittelbaren Beziehungen derselben zum Staatsoberhaupt als dem Träger des Oberbefehls Ausdruck gefunden hatte. Das GG behandelt nunmehr die *Streitkräfte wie alle anderen Zweige der vollziehenden Gewalt* und unterwirft sie grundsätzlich den allgemeinen Regeln, die für diese gelten, unterstellt sie vor allem vorbehaltlos der in erster Linie in der BReg verkörperten polit. Führung des Staates und damit auch in vollem Umfange der parl. Verantwortlichkeit und Kontrolle. Anlaß für diese Gleichstellung sind neben gewissen polit.-historischen Erfahrungen der Weimarer Zeit auch die Notwendigkeiten moderner Kriegsführung gewesen, die im Verteidigungsfalle die Zusammenfassung aller Machtbefugnisse, der militärischen wie der zivilen, in einer Hand, nämlich in der der Regierung, fordern. Es darf jedoch nicht verkannt werden, daß die fast völlige Ausschaltung des BPräs aus der Verfügung über die bewaffnete Macht auch ihre Gefahren, insbes. solche des parteipolit. Mißbrauchs hat.

2 Die *Befehls- und Kommandogewalt* (BK-Gewalt) über die Streitkräfte ist der Kern der ehemals im Oberbefehl zusammengefaßten Rechte. Gemeint ist die *oberste* BK-Gewalt. Sie erstreckt sich nur auf die Streitkräfte, nicht auch auf die Bundeswehrverwaltung (Art. 87 b) und die Truppendienstgerichte. Die BK-Gewalt liegt unbeschadet der Richtlinienbefugnis des Kanzlers (Art. 65) beim *Verteidigungsminister*. Mit Verkündung des *Verteidigungsfalles* geht sie auf den *Bundeskanzler* über (Art. 115 b). Für die Vertretung des BMVg gilt § 14 GO BReg.

3 Befehls- und Kommandogewalt bilden eine untrennbare Einheit. Der Ausdruck will nicht besagen, daß es neben der Befehlsgewalt noch eine vielleicht nur von Offizieren ausübbare Kommandogewalt gibt, sondern im Gegenteil klarstellen, daß keine der Befehlsgewalt des BMVg entzogene Kommandogewalt besteht. Der BMVg ist also in allen militärischen Befehlsangelegenheiten höchste Instanz. Die BK-Gewalt des BMVg über die Streitkräfte *unterscheidet sich ihrem Wesen nach nicht vom Weisungsrecht irgendeines anderen Ministers* über seinen Geschäftsbereich, wenn sie auch im einzelnen straffer geregelt werden kann. Sie umfaßt kein besonderes Militärverordnungsrecht mehr; die Rechtsetzung auf dem Gebiete des Wehrwesens regelt sich vielmehr nach den allgemeinen Verfassungsbestimmungen, das Verordnungsrecht insonderheit nach Art. 80. Ebensowenig umfaßt die BK-Gewalt ein besonderes, aus den allgemeinen Verfassungsbestimmungen

herausfallendes internationales Vertragsschließungsrecht, noch
weniger irgendeine Form der Gerichtsherrlichkeit (vgl. dazu
Art. 96 II u. III). Die militärische Führungsspitze der Bundeswehr ist mit dem Generalinspekteur als Hauptabteilungsleiter
und den Inspekteuren der Waffengattungen als Abteilungsleitern
in das Verteidigungsministerium eingegliedert.

4   Der BMVg darf nach Art. 66 nicht gleichzeitig aktiver Soldat
sein.

5   Zu beachten bleibt, daß die BK-Gewalt kraft internationaler
Rechtsbindung im Kriege durch die Befugnisse des NATO-Ober-
befehlshabers begrenzt ist.

Artikel 66   [Unvereinbarkeiten]

**Der Bundeskanzler und die Bundesminister dürfen kein anderes besol-
detes Amt, kein Gewerbe und keinen Beruf ausüben und weder der
Leitung noch ohne Zustimmung des Bundestages dem Aufsichtsrate eines auf Erwerb gerichteten Unternehmens angehören.**

Art. 66 will die von fremden Pflichten und Interessen unbeein-
trächtigte Ausübung der höchsten Regierungsämter gewährleisten. Er entspricht der für den BPräs in Art. 55 II getroffenen
Regelung mit der Ausnahme, daß Zugehörigkeit zum Aufsichts-
rat eines Erwerbsunternehmens mit Zustimmung des BTages
möglich ist. Vgl. daher auch die dort. Erläut. Das BMinG verbietet in § 4 ausdrücklich nochmals die Mitgliedschaft in einer LReg
und trifft in § 5 ergänzende Bestimmungen zu Art. 66. Zulässig
ist trotz des sog. Diätenurteils (BVerfGE 40, 296) nach wie vor
die gleichzeitige Mitgliedschaft eines BMinisters im BTag, in einem LTag oder in einer Gemeindevertretung.

Artikel 67   [Mißtrauensvotum]

**(1)   Der Bundestag kann dem Bundeskanzler das Mißtrauen nur da-
durch aussprechen, daß er mit der Mehrheit seiner Mitglieder einen
Nachfolger wählt und den Bundespräsidenten ersucht, den Bundeskanzler zu entlassen. Der Bundespräsident muß dem Ersuchen entsprechen und den Gewählten ernennen.**

**(2)   Zwischen dem Antrage und der Wahl müssen achtundvierzig
Stunden liegen.**

1   Das Mißtrauensvotum mit der Folge des Regierungssturzes ist
notwendiger Bestandteil des parl. Regierungssystems, nach dem
der Bestand der Regierung vom Vertrauen des Parlaments abhängig ist, und die durchgreifendste Maßnahme, mit der das Parlament sein Recht der Regierungskontrolle geltend machen kann.
Im Interesse möglichster Regierungsstabilität schränkt das GG
die sonst weitgehend üblichen Möglichkeiten des Mißtrauensvotums in zweierlei Hinsicht ein:

1. Es erlaubt ein Mißtrauensvotum nur gegen den Kanzler, nicht
   auch gegen einzelne Minister; damit soll die Erosion einer Regierung durch Ministerrücktritte so weit wie möglich vermieden werden.
2. Es läßt als einzige Form des Mißtrauensvotums die Neuwahl
   eines BKanzlers zu; auf diese Weise soll in Erinnerung an die
   Zustände unter der WeimRVerf nur in der Opposition und
   Negation einigen Mehrheiten im BTag die Möglichkeit des
   Regierungssturzes genommen werden (sog. »konstruktives«
   oder »positives« Mißtrauensvotum).

Das allein gegen den Kanzler zulässige, konstruktive Mißtrauensvotum ist jedoch nur bedingt geeignet, stabile Regierungen zu gewährleisten, da die meisten parl. Regierungen ihr vorzeitiges Ende durch Auseinanderfallen der sie tragenden Koalitionen, Par-
teispaltung, Parteiaustritte oder den Verfall der Autorität des
Regierungschefs finden. Dagegen kann Art. 67 keinen Schutz
bieten. Die hohe Regierungsstabilität der Bundesrepublik
Deutschland seit 1949 ist in erster Linie der Konzentration des
polit. Kräftefeldes auf wenige, verhältnismäßig gut integrierte
Parteien und einer weitgehend krisenfreien Entwicklung der
wirtschaftlichen und sozialen Verhältnisse zu verdanken.

Von den bisher eingebrachten Mißtrauensanträgen hatte der von
1972 gegen BKanzler Brandt keinen Erfolg, während der von
1982 gegen BKanzler Schmidt zum Sturze seiner Regierung
führte.

Absatz 1

2   Das *Mißtrauen* i. S. des Art.67 *kann nur dem Kanzler ausgespro-*
chen werden, nicht einzelnen Ministern, auch nicht der Regierung
im ganzen. Doch führt die Entlassung des Kanzlers automatisch
zur Amtsbeendigung der Regierung insgesamt (Art. 69 II, § 9
BMinG). Mißbilligung bestimmten Verhaltens einzelner Minister
durch den BTag ist zulässig. Ob auch dem einzelnen Minister das
Mißtrauen ausgesprochen werden kann, ist umstritten, doch wohl

zu bejahen; auf jeden Fall aber bleibt ein solcher Mißtrauensbeschluß ohne Rechtsfolgen, d. h. ohne Zwang des Ministers zum Rücktritt und ohne Zwang des Kanzlers und BPräs, den Minister zu entlassen. Gleiches gilt für parl. Aufforderungen zum Rücktritt oder zur Entlassung eines Ministers.

3 *Einzige Form des Mißtrauensvotums mit der Folge des Regierungssturzes ist die Wahl eines neuen Bundeskanzlers.* Damit sind nur solche Mehrheiten des BTags in die Lage versetzt, eine Regierung zu Fall zu bringen, die sich nicht nur in der Ablehnung der alten Regierung, sondern auch positiv über die Wahl eines neuen Kanzlers und damit praktisch über eine neue Regierung einig sind. Das konstruktive Mißtrauensvotum ist eine dem Landesverfassungsrecht entnommene Neuschöpfung ohne Vorbild und auch ohne Nachahmung im ausländischen Verfassungsrecht, die den Grundsatz, daß die Regierung vom Vertrauen des Parlaments abhängig ist, einschränkt. Es versagt allen anderen gegen die Regierung gerichteten Beschlüssen des Parlaments (Ablehnung von Gesetzesvorlagen und Regierungsanträgen, Streichung von Haushaltsposten, Mißbilligung von Regierungsmaßnahmen, Verweigerung eines Vertrauensvotums usw.) Rechtswirkungen auf den Bestand der Regierung. Selbst eine generelle Mißbilligung der Regierungspolitik, ein ausdrücklich ausgesprochenes Mißtrauensvotum gegen den Kanzler und eine Rücktrittsaufforderung des BTags – Beschlüsse, die allerdings schon in ihrer Zulässigkeit bestritten sind – haben Rechtsfolgen nur, wenn die Wahl eines neuen Kanzlers hinzutritt. Kommt diese nicht zustande, so bleibt die Regierung – ggf. als Minderheitsregierung – mit allen Rechten im Amt. Für die Weiterentwicklung der Vertrauenskrise zwischen Parlament und Regierung sind u. U. die Art. 68 und 81 von Bedeutung. Zur geschäftsordnungsmäßigen Behandlung von Mißtrauensanträgen im BTag vgl. § 97 GO BTag. Die Vorschriften des Art. 63 finden, da Art. 67 eine eigene Grundlage für die Wahl eines neuen Kanzlers darstellt, keine Anwendung. Nach § 97 II 1 GO BTag ist die Wahl mit verdeckten Stimmzetteln, also geheim durchzuführen.

4 Der Neuwahlbeschluß des BTags erfordert die Stimmen der *Mehrheit der Mitglieder des Bundestages* (Art. 121; kein Stimmrecht d. Berliner Abg.). Zur Neuwahl muß noch das Ersuchen an den BPräs treten, den alten Kanzler zu entlassen. Eine Rücktrittserklärung des abgewählten Kanzlers ist nicht erforderlich. Der BPräs ist verpflichtet, dem Ersuchen des BTags zu entsprechen und den neuen Kanzler zu ernennen. Ein Weigerungsrecht hat der

BPräs nur, wenn die Neuwahl des Kanzlers wegen schwerer
Rechtsverstöße unwirksam ist. Ernennung des neuen und Entlassung des alten Kanzlers bedürfen keiner Gegenzeichnung
(Art. 58 Satz 2). Das Amtsverhältnis des alten Kanzlers endet mit
der Entlassung durch Aushändigung der Entlassungsurkunde
oder amtlicher Veröffentlichung (§ 10 Satz 2 BMinG), das des
neuen beginnt mit Aushändigung der Ernennungsurkunde oder,
falls der Eid vorher geleistet worden ist, mit der Vereidigung
(§ 2 II BMinG).

Tritt der Kanzler noch vor Beschluß des Mißtrauensvotums zurück, so ist Neuwahl des BKanzlers nach Art. 63 erforderlich.

Absatz 2
5   Abs. 2 soll Übereilungen und Beschlüsse von Zufallsmehrheiten
    verhindern.

Artikel 68   [Vertrauensfrage]
**(1)   Findet ein Antrag des Bundeskanzlers, ihm das Vertrauen auszu-
sprechen, nicht die Zustimmung der Mehrheit der Mitglieder des Bundestages, so kann der Bundespräsident auf Vorschlag des Bundeskanzlers binnen einundzwanzig Tagen den Bundestag auflösen. Das Recht
zur Auflösung erlischt, sobald der Bundestag mit der Mehrheit seiner
Mitglieder einen anderen Bundeskanzler wählt.**
**(2)   Zwischen dem Antrage und der Abstimmung müssen achtund-
vierzig Stunden liegen.**

1   Art. 68 sieht für den Fall fehlender, ungenügender oder unsiche-
    rer parl. Unterstützung der Regierung vor, den BTag zu einer ein-
    deutigen Stellungnahme zu zwingen und dann ggf. weitere verfas-
    sungsrechtl. Maßnahmen einzuleiten.

Absatz 1
2   *Satz 1* gibt dem BKanzler die Möglichkeit, für sich die *Vertrauens-
    frage* zu stellen. Er kann sie auch mit einer Gesetzesvorlage ver-
    binden (Art. 81 I 2). Sie kann schriftlich oder mündlich gestellt
    werden. Ob ein Vertrauensantrag auch von anderer Seite gestellt
    werden oder der BTag den Kanzler wenigstens zur Stellung eines
    solchen auffordern kann, ist umstritten. Jedenfalls aber steht es
    im freien Ermessen des Kanzlers, ob und wann *er* einen Vertrau-
    ensantrag stellen will. Gezwungen werden kann er dazu nicht. (So
    auch die Staatspraxis – Verhalten des BKanzlers Erhard – nach

dem Vertrauensfragebeschluß des BTags vom 8. 11. 1966, Sten-
Ber. S. 3280 ff.) Ebenso sicher ist, daß nur ein vom Kanzler ge-
stellter Vertrauensantrag die Folgen des Art. 68 nach sich zieht.
Mit dem Vertrauensbeschluß wird rechtlich kein Werturteil über
den BKanzler abgegeben, sondern lediglich darüber entschieden,
ob er weiterregieren soll. Ein erfolgreicher Vertrauensantrag wird
die polit. Stellung des BKanzlers regelmäßig stärken. Findet der
Kanzler nicht die Zustimmung der absoluten Mehrheit des BTags
(Art. 121; kein Stimmrecht d. Berliner Abg.), so kann der BPräs
auf Vorschlag des Kanzlers den *Bundestag* binnen 21 Tagen nach
Verkündung des Abstimmungsergebnisses *auflösen*. Ob der
BPräs dem Auflösungsvorschlag stattgeben will, steht, wenn der
Vorschlag mit der Verfassung in Einklang steht, in seinem Ermes-
sen. Zur Auflösung des BTags vgl. die Erläut. zu Art. 63 Rn. 6; in
Art. 68 jedoch Gegenzeichnung erforderlich (Art. 58). Der
BKanzler kann aber, wenn er nicht die erforderliche Mehrheit im
BTag gefunden hat, auch zurücktreten oder mit oder ohne Kabi-
nettsänderung weiterregieren. Vgl. außerdem Art. 81, wonach
der BPräs, wenn er den BTag nicht auflösen will, der Regierung
mit Zustimmung des BRats die Möglichkeit verschaffen kann,
Gesetze auch gegen den Willen des BTags zu erzwingen.

Art. 68 kann, wie 1972 und 1982 geschehen, auch mit dem vorge-
faßten Ziel der Auflösung des BTags zwecks Neuwahlen angewandt werden, wenn der BKanzler keine Mehrheit im BTag hat
oder sich einer stetigen parl. Unterstützung für die Wahlperiode
nicht mehr sicher sein kann (BVerfGE 62, 1 ff.), also wenn nur
Neuwahlen stabile Verhältnisse schaffen können. Die Meinungen
des Schrifttums hierzu gehen auseinander.

3 *Satz 2* behält dem BTag in der Spannungslage die *Möglichkeit parlamentarischer Krisenlösung durch die Wahl eines anderen Kanzlers* vor. Er beschränkt damit das Auflösungsrecht des BPräs nach
Satz 1, das mit der Wahl des anderen BKanzlers erlischt. Das Erlöschen tritt erst mit der vollendeten Wahl ein, da erst dann die
parl. Krisenlösung gesichert ist (a. M. Maunz/Dürig, Art. 68
Rn. 7: Erlöschen bereits mit Beginn des Wahlgangs). Die Kanzlerneuwahl nach Satz 2 kann nur binnen 21 Tagen nach Ablehnung des Vertrauensantrags (vgl. § 98 II GO BTag) und nur so
lange stattfinden, wie der BPräs die Auflösung noch nicht ausgesprochen hat. Die Vorschriften der Art. 63 und 67 finden, da
Satz 2 eine eigene Rechtsgrundlage für die Kanzlerneuwahl darstellt, keine Anwendung. Nach Ablauf der 21-Tage-Frist ist eine
Abwahl des Kanzlers nur noch nach Art. 67 möglich. Tritt der

Kanzler noch vor einer Kanzlerneuwahl nach Satz 2 zurück, so
kommt Art. 63 zum Zuge. Auch bei einer Wahl nach Satz 2 muß
der BPräs entsprechend Art. 67 I 2 den alten Kanzler entlassen
und den neugewählten ernennen.

Absatz 2

4   Abs. 2 will wie Art. 67 II Übereilungen und Beschlüsse von Zufallsmehrheiten verhindern. Die Abstimmung ist im Gegensatz zu
der über einen Mißtrauensantrag (§ 97 II 1 GO BTag) offen.

Artikel 69   [Bundeskanzlerstellvertreter, Amtsdauer der Regierung]

**(1)   Der Bundeskanzler ernennt einen Bundesminister zu seinem
Stellvertreter.**

**(2)   Das Amt des Bundeskanzlers oder eines Bundesministers endigt
in jedem Falle mit dem Zusammentritt eines neuen Bundestages, das
Amt eines Bundesministers auch mit jeder anderen Erledigung des
Amtes des Bundeskanzlers.**

**(3)   Auf Ersuchen des Bundespräsidenten ist der Bundeskanzler, auf
Ersuchen des Bundeskanzlers oder des Bundespräsidenten ein Bundesminister verpflichtet, die Geschäfte bis zur Ernennung seines Nachfol-
gers weiterzuführen.**

Absatz 1

1   Der Stellvertreter (Stellv.) wird allein vom BKanzler ohne Beteiligung des BPräs bestimmt. Zur Bestellung eines Stellv. ist der
Kanzler zwecks jederzeitiger Handlungsfähigkeit der Regierung
verpflichtet. Er kann jeden BMinister, aber auch nur einen solchen zum Stellv. bestimmen. Bei der Auswahl des Stellv. ist der
Kanzler meist durch Koalitionsvereinbarungen an die Ernennung
eines bestimmten Ministers faktisch gebunden. Der Stellv. führt
inoffiziell die Bezeichnung »Vizekanzler«. Nach § 8 GO BReg
vertritt der Stellv. den Kanzler, wenn dieser allgemein verhindert
ist (z. B. bei schwerer Erkrankung) in seinem gesamten Geschäftsbereich. Er hat dann auch die Richtlinienbefugnis des
Art. 65 Satz 1. Meist läßt sich der Kanzler jedoch unter Vorbehalt
der wichtigsten Kanzlerrechte, also nur teilweise vertreten. Der
Kanzler kann seinem Stellv. für die Ausübung der Kanzlerrechte
Weisungen erteilen. Die Feststellung des Vertretungsfalles obliegt dem BKanzler, wenn dieser dazu nicht mehr in der Lage ist,
wohl dem Vizekanzler. Auch in der Vertretungszeit ist ein Miß-

trauensvotum (Art. 67) nur gegen den Kanzler zulässig, ebenso eine Vertrauensfrage (Art. 68) nur für den Kanzler. Keine Stellvertretung mehr nach Erledigung des Kanzleramts durch Tod usw.; hier wegen Abs. 2 nur Berufung in die Kanzleramtsführung nach Abs.3 möglich (a. M. Maunz/Dürig, Art.69 Rn.2; wie hier v. Mangoldt/Klein, Art. 69 Anm. III 1 b).

Absatz 2

2 Das Amt des BKanzlers endet, abgesehen von den allgemeinen Beendigungsgründen (Tod usw.) und der Entlassung nach Rücktritt oder gemäß Art. 67 I 1 oder Art. 68 I 2, auch mit dem Zusammentritt eines neuen BTags. Das Amt der BMinister endet, abgesehen von den allgemeinen Beendigungsgründen und der Entlassung nach Rücktritt oder gemäß Art. 64 I, mit jedweder Erledigung des Amtes des BKanzlers, insbes. ebenfalls mit dem Zusammentritt des neuen BTags. Das polit. Schicksal der Minister ist also ganz an das des Kanzlers gebunden. Vgl. auch §§ 9 f. BMinG. Die Aushändigung von Entlassungsurkunden nach § 10 BMinG hat in den Fällen des Abs. 2 nur feststellende Bedeutung. Für den Verteidigungsfall vgl. Art. 115 h II.

Absatz 3

3 Ein Weiterführungsersuchen an den Kanzler kann nur vom BPräs, ein Weiterführungsersuchen an Minister vom BKanzler und wohl nur, wenn kein Kanzler vorhanden ist oder der Kanzler passiv bleibt, auch vom BPräs ausgehen. Die Stellung von Weiterführungsersuchen steht im Ermessen des Ermächtigten, das jedoch durch die Pflicht zur Sicherung der Regierungskontinuität weitgehend gebunden ist. Ist bereits ein neuer BKanzler gewählt (vgl. Art. 67 I 1, Art. 68 I 2), kommt eine Weiterführung durch den alten Kanzler in aller Regel nicht mehr in Betracht. Kann der bisherige Kanzler aus irgendwelchen Gründen nicht mehr beauftragt werden, so braucht das Weiterführungsersuchen nicht unbedingt an seinen Stellvertreter gerichtet zu werden. Das Ersuchen des BPräs bedarf keiner Gegenzeichnung (Art. 58 Satz 2). Der Ersuchte ist zur Weiterführung der Geschäfte verpflichtet, es sei denn, die Weiterführung ist aus besonderem Grunde nicht zumutbar (Ausnahme str.). Geschäftsführende Regierungen und Regierungsmitglieder haben – von einigen wenigen Ausnahmen (Art. 68, 81) abgesehen – die gleichen Rechte und Pflichten wie normale. Keine Beschränkung auf »laufende Geschäfte«. Zurückhaltung bei polit. Entscheidungen von größerer Tragweite entspricht aber dem Herkommen.

VII. Die Gesetzgebung des Bundes

Vorbemerkungen

1 Der VII. Abschnitt enthält Vorschriften über die *Gesetzgebungszuständigkeiten* von Bund und Ländern (Art. 70–75) sowie über das *Gesetzgebungsverfahren* (Art. 76–82). Der Gesetzgebungskatalog der Art. 73 ff. ist nicht vollständig. Das GG enthält an zahlreichen anderen Stellen weitere Regelungen über die Gesetzgebungsbefugnis des Bundes (vgl. etwa Art. 21 III, Art. 38 III, Art. 105). Das GG unterscheidet zwischen ordentlichem (Art. 76–80) und außerordentlichem Gesetzgebungsverfahren im Gesetzgebungsnotstand (Art. 81). Für das Gesetzgebungsverfahren im Verteidigungsfall gelten die besonderen Bestimmungen des Art. 115 d.

2 Neben den geschriebenen sind auch *ungeschriebene* (besser: stillschweigend mitgeschriebene) *Gesetzgebungszuständigkeiten* des Bundes anerkannt (vgl. auch Art. 30 Rn.2), deren Umfang allerdings umstritten ist. Eine *Bundeszuständigkeit kraft Sachzusammenhangs* wird dann bejaht, wenn eine dem Bund ausdrücklich zugewiesene Materie verständigerweise nicht geregelt werden kann, ohne daß zugleich eine nicht ausdrücklich zugewiesene Materie mitgeregelt wird, wenn also ein Übergreifen in nicht ausdrücklich zugewiesene Materien unerläßliche Voraussetzung ist für die Regelung einer der Bundesgesetzgebung zugewiesenen Materie (vgl. BVerfGE 3, 421; 26, 256). Eine Kompetenz aus der *Natur der Sache* wird angenommen, »wenn gewisse Sachgebiete, weil sie ihrer Natur nach eine eigenste, der partikularen Gesetzgebungszuständigkeit a priori entrückte Angelegenheit des Bundes darstellen, vom Bund und nur von ihm geregelt werden können« (BVerfGE 26, 257). Hierunter fallen etwa gesamtdeutsche Angelegenheiten (z. B. ZonenrandförderungsG vom 5. 8. 1971, BGBl. I S. 1237; G über die Errichtung von Rundfunkanstalten des Bundesrechts vom 29. 11. 1960, BGBl. I S. 862) sowie die nationale oder gesamtstaatl. Repräsentation (z. B. G über Titel, Orden und Ehrenzeichen vom 26. 7. 1957, BGBl. I S. 844).

3 Der primär aus Art. 20 III hergeleitete *Vorbehalt des Gesetzes* (s. dazu Art. 20 Rn. 9) hat in den letzten Jahren in seiner Behandlung in Rechtsprechung und Lehre eine bemerkenswerte Wandlung erfahren. Diente er ursprünglich nur dem Schutz des Bürgers vor Eingriffen in Freiheit und Eigentum mit der Folge, daß der Verwaltung Eingriffe insoweit nur durch Gesetz oder auf Grund

eines Gesetzes gestattet waren, so erfuhr er allmählich eine Ausweitung vom Gesetzes- zum Parlamentsvorbehalt. Danach ist der
Gesetzgeber verpflichtet – losgelöst vom Merkmal des »Eingriffs«
–, in der Ordnung eines Lebensbereichs, zumal bei der Grundrechtsausübung, soweit diese staatl. Regelung zugänglich ist, alle
wesentlichen Entscheidungen selbst zu treffen (»Wesentlichkeits-
theorie«). Inwieweit danach staatl. Handeln einer Rechtsgrundlage in Gestalt eines förmlichen Gesetzes bedarf, läßt sich nur im
Blick auf den jeweiligen Sachbereich und die Intensität der geplanten oder getroffenen Regelung ermitteln (BVerfGE 49,
126 f.; 58, 268 ff.). Insbesondere im Schulrecht hat diese Rechtsprechung zu einer starken »Verrechtlichung« und zu einer – freilich nicht ohne Kritik gebliebenen (vgl. etwa Pieske, DVBl 1979,
329 ff.) – deutlichen Einschränkung des Spielraums der Exekutive geführt (vgl. auch Art. 7 Rn. 4).

4 Der in Art. 20 III angelegte *Vorrang des Gesetzes* besagt, daß der
in Gesetzesform geäußerte Staatswille rechtl. jeder anderen
staatl. Willensäußerung vorgeht (BVerfGE 8, 169; 40, 297). Da
der Gesetzgeber jedoch den Anwendungsbereich seiner Vorschriften begrenzen kann, sind gesetzliche Bestimmungen möglich, nach denen durch Rechtsverordnung oder allgemeine Ver-
waltungsvorschrift eine vom Gesetz abweichende Regelung getroffen werden kann (s. auch Art. 80 Rn. 1). Die Grenze der Befugnis des Gesetzgebers, seinen Vorschriften Subsidiarität gegenüber bestimmten staatl. Willensäußerungen niedrigeren Ranges
beizulegen, ist dort zu ziehen, wo sich dadurch innerhalb des
Staatsgefüges eine Gewichtsverschiebung zwischen gesetzgeben-
der Gewalt und Verwaltung ergäbe (vgl. BVerfGE 8, 170 f.).

5 Das rechtsstaatl. Gebot hinreichender *Bestimmtheit der Gesetze*
verwehrt dem Gesetzgeber nicht die Verwendung von unbestimmten Rechtsbegriffen oder von Generalklauseln (vgl. BVerf-
GE 56, 12 f.). Vor allem im Steuerrecht ist dies unverzichtbar,
um den besonderen Umständen des Einzelfalls Rechnung tragen
zu können (BVerfGE 48, 222). Zulässig ist auch, daß ein Gesetz
die Tatbestände nicht selber festlegt, sondern auf andere – ggf.
auch landesrechtl. (vgl. BVerfGE 60, 155, 161) – Normen verweist. Allerdings muß ein solches Gesetz aus Gründen der
Rechtsstaatlichkeit und Rechtssicherheit für den Betroffenen klar
erkennen lassen, welche Vorschriften im einzelnen gelten sollen;
die in Bezug genommenen Regelungen müssen überdies ordnungsgemäß verkündet worden sein (vgl. BVerfGE 26, 365 ff.;

47, 311 f.; näher dazu Art. 82 Rn. 5). Bei der Verweisung auf
nichtstaatl. – zumeist technisches – Recht (vgl. insoweit auch
BVerfGE 64, 214 f.) ist nur die sog. statische, nicht die dynamische Verweisung (»in der jeweils geltenden Fassung«) zulässig
(vgl. im einzelnen Marburger, Die Regeln der Technik im Recht,
1979, S. 379 ff., 408 ff.).

6 Gesetze enthalten grundsätzlich generelle und abstrakte Regelungen. Doch ist der Gesetzgeber auch befugt, konkrete situationsge-
bundene Sachverhalte zu regeln, z. B. die Krisenlage eines Wirtschaftszweiges zu beheben (BVerfGE 25, 23) oder ein Wahlgesetz für eine bestimmte Bundestagswahl zu erlassen, das dann
freilich immer noch für eine unbestimmte Vielzahl von Personen,
Rechten und Handlungen gilt. *Maßnahmegesetze* dieser Art sind
als solche weder unzulässig noch unterliegen sie einer strengeren
verfassungsrechtl. Prüfung als andere Gesetze (BVerfG i. st.
Rspr., z. B. E 25, 396). Der Gesetzgeber ist aber auch nicht gehindert, echte *Einzelfallgesetze* (Individualgesetze) zu erlassen,
die sich tatsächlich nur auf eine bestimmte Person oder auf einen
einzigen Fall beziehen, wenn sachliche Gründe für eine solche Regelung bestehen. Art. 19 I 1, wonach »das Gesetz allgemein und
nicht nur für den Einzelfall gelten« muß, bezieht sich nur auf
grundrechtseinschränkende Gesetze (s. Art. 19 Rn. 3). Verfassungswidrig ist ein Einzelfallgesetz jedoch dann, wenn der Gesetzgeber die Gesetzesform zu sachfremden Zwecken mißbraucht
oder damit in Funktionen eingreift, die die Verfassung der vollziehenden Gewalt oder der Rechtsprechung vorbehalten hat (vgl.
BVerfGE 25, 398).

7 Das GG verbietet nicht schlechthin – außer im Strafrecht (vgl.
Art. 103 II) – eine *Rückwirkung von* (belastenden) *Gesetzen.*
Hier ist zu unterscheiden zwischen echter Rückwirkung, die dann
vorliegt, wenn ein Gesetz nachträglich ändernd in abgewickelte,
der Vergangenheit angehörende Tatbestände eingreift, und
unechter Rückwirkung, bei der auf noch nicht abgewickelte Sachverhalte und Rechtsbeziehungen für die Zukunft eingewirkt wird.
Echte Rückwirkung ist grundsätzlich verboten. Das ergibt sich aus
dem dem Rechtsstaatsprinzip immanenten Gebot der Rechtssicherheit, die für den Bürger in erster Linie Vertrauensschutz bedeutet (BVerfG i. st. Rspr., z. B. BVerfGE 25, 403 f.). Dabei
kommt es freilich nicht auf die subjektiven Vorstellungen des einzelnen Betroffenen, sondern auf eine objektive Betrachtung an
(vgl. BVerfGE 32, 123). Nach der überwiegend zum Steuerrecht
entwickelten Rechtsprechung des BVerfG besteht kein Vertrau-

ensschutz, wenn der Bürger in dem Zeitpunkt, auf den der Eintritt der Rechtsfolge vom Gesetz zurückbezogen wird, mit dieser Regelung rechnen mußte. Nicht schutzwürdig ist ferner das Vertrauen, wenn das geltende Recht unklar und verworren ist. Dies berechtigt den Gesetzgeber, die Rechtslage rückwirkend zu klären. Der Bürger kann sich auch nicht auf den durch eine ungültige Norm erzeugten Rechtsschein verlassen. Insofern ist der Gesetzgeber befugt, eine nichtige Bestimmung rückwirkend durch eine rechtl. nicht zu beanstandende Norm zu ersetzen. Das Vertrauen in den Bestand des geltenden Rechts ist erst von dem Zeitpunkt ab nicht mehr schutzwürdig, in dem der BTag ein in die Vergangenheit zurückwirkendes Gesetz beschlossen hat (vgl. zum ganzen BVerfGE 13, 271 f.; 30, 286 ff.). Da in den Fällen der *unechten Rückwirkung* primär nur der Schutz des Vertrauens in die Zukunft zu bewerten ist, unterliegt der Gesetzgeber hier weniger strengen Bindungen. Zwar gehört es auch dann zum Vertrauensschutz, daß – insbes. im Steuerrecht – die Verläßlichkeit des jeweils geltenden Rechts die Voraussehbarkeit der rechtl. Folgen menschlichen Handelns und damit die eigenverantwortliche Lebensgestaltung gewährleistet (BVerfGE 13, 223 f.). Doch hat der Gesetzgeber bei belastenden Gesetzen mit unechter Rückwirkung das Vertrauen des einzelnen auf einen Fortbestand einer bestehenden Regelung abzuwägen mit der Bedeutung des gesetzgeberischen Anliegens für das Wohl der Allgemeinheit (BVerfGE 25, 154; 30, 404; 59, 166). Dabei ist die bloße Enttäuschung von Hoffnungen unerheblich, denn der Vertrauensschutz geht nicht so weit, jegliche Enttäuschung zu ersparen. Nur wenn die Abwägung ergibt, daß das Vertrauen des einzelnen den Vorrang verdient, ist auch die unechte Rückwirkung unzulässig.

Artikel 70   [Zuständigkeitsverteilung zwischen Bund und Ländern]

(1)   Die Länder haben das Recht der Gesetzgebung, soweit dieses Grundgesetz nicht dem Bunde Gesetzgebungsbefugnisse verleiht.

(2)   Die Abgrenzung der Zuständigkeit zwischen Bund und Ländern bemißt sich nach den Vorschriften dieses Grundgesetzes über die ausschließliche und die konkurrierende Gesetzgebung.

Absatz 1

1   Art. 70 grenzt – als Konkretisierung des Art. 30 – die Gesetzgebungstätigkeit zwischen Bund und Ländern ab. Dabei geht das

GG vom Grundsatz der Länderzuständigkeit aus; der *Bund* hat
gemäß Abs. 1 *Gesetzgebungsbefugnisse nur, soweit das Grundgesetz sie ihm verleiht* (vgl. auch Art. 30 Rn. 2). Dies ist in erster Linie in den Befugniskatalogen der Art. 73 ff. geschehen. Jedoch
sind – in engem Rahmen – auch ungeschriebene Gesetzgebungskompetenzen anerkannt (vgl. Vorbem. vor Art. 70 Rn. 2). Bei
Zweifeln über die Zuständigkeit spricht keine Vermutung zugunsten einer Bundeskompetenz. Die Systematik des GG verlangt
vielmehr eine strikte Interpretation der Art. 73 ff. (BVerfG i. st.
Rspr., z. B. E 61, 174). Allerdings kommt bei der Ermittlung des
Umfangs einer Kompetenznorm auch der bisherigen Staatspraxis
wesentliche Bedeutung zu (BVerfGE 41, 220; 65, 39). Art. 70 I
gilt – trotz seiner systematischen Stellung im VII. Abschnitt – als
Grundregel der bundesstaatl. Verfassung für *jede* Art von Gesetzgebung, also auch für das Gebiet des Steuerrechts. Die Länder
können daher solche Steuern erfinden und regeln, die nicht durch
Art. 105 der ausschließlichen oder konkurrierenden Gesetzgebungskompetenz des Bundes zugewiesen sind (BVerfGE 16,
78 f.). Eine Schranke für die Ausübung des Rechts der Gesetzgebung ergibt sich sowohl für den Bund wie für die Länder aus dem
Grundsatz der Bundestreue (BVerfGE 4, 115, 140; zur Bundestreue vgl. Art. 20 Rn. 6). Ein Verzicht der Länder auf ihre Kompetenzen ist – auch etwa über den BRat – nicht möglich. Denn
Kompetenzverschiebungen sind selbst mit Zustimmung der Beteiligten nicht zulässig (vgl. BVerfGE 4, 139; 32, 156; 55, 301 sowie Art. 30 Rn. 5).

2 Entgegen dem Anschein, den die Formulierung des Abs. 1 erweckt, liegt das *Schwergewicht der Gesetzgebung in der Praxis* eindeutig *beim Bund*, wie schon ein Blick auf den materiellen Zu-
ständigkeitskatalog der Art. 73 ff. zeigt. Im übrigen hat sich im
Laufe der Verfassungsentwicklung eine zunehmende Konzentration der Gesetzgebungszuständigkeiten beim Bund ergeben. Annähernd die Hälfte aller bisherigen Verfassungsänderungen be-
zog sich auf die Gesetzgebung des Bundes. Materien von Gewicht
sind für die einfache Landesgesetzgebung noch das Schulwesen,
das Polizei- und Ordnungsrecht, das Kommunalwesen sowie das
Straßen- und Wegerecht. Die Länder haben deshalb im BRat bei
Verfassungsänderungen mit dem Ziel einer Zuständigkeitsverla-
gerung auf den Bund zuletzt immer kritischer im Hinblick auf die
Bewahrung ihrer Eigenstaatlichkeit die Frage nach den durch
Art. 79 III gesetzten Schranken gestellt.

Absatz 2

3 Art. 70 II geht davon aus, daß es nur *zwei Arten der Gesetzgebung des Bundes* gibt, nämlich die *ausschließliche* und die *konkurrierende* (BVerfGE 1, 35; BVerwGE 3, 339 f.; str., vgl. v. Mangoldt/Klein, Art. 75 Anm. II 6; v. Münch, Art. 75 Rn. 2). Weist eine Materie zu mehreren Sachgebieten, die kompetenzmäßig zum einen in den Bereich des Bundes, zum anderen in den der Länder fallen, einen Sachbezug auf, so kann sie grundsätzlich letztlich nur *einem* Kompetenzbereich zugewiesen werden. Eine Doppelzuständigkeit, auf deren Grundlage Bund und Länder ein und denselben Gegenstand in unterschiedlicher Weise regeln könnten, ist nach Ansicht des BVerfG dem System der verfassungsrechtl. Kompetenznormen fremd und wäre mit der in Art. 70 II zum Ausdruck gekommenen Abgrenzungsfunktion nicht vereinbar (BVerfGE 36, 202 f.; 61, 204). Für die kompetenzrechtl. Zuordnung kommt es in erster Linie auf den funktionalen Zusammenhang, auf den Hauptzweck der Regelung und auf die Materie an, in die die Norm eingreift (HessStGH, DÖV 1982, 321 f.). Entscheidend ist nicht der gewählte Anknüpfungspunkt, sondern der Gegenstand des Gesetzes (BVerfGE 58, 145).

Artikel 71 [Ausschließliche Gesetzgebung des Bundes]

Im Bereiche der ausschließlichen Gesetzgebung des Bundes haben die Länder die Befugnis zur Gesetzgebung nur, wenn und soweit sie hierzu in einem Bundesgesetze ausdrücklich ermächtigt werden.

Art. 71 enthält eine Legaldefinition der ausschließlichen Gesetzgebungszuständigkeit des Bundes. Bei dem ermächtigenden Gesetz des Bundes muß es sich genauso um ein formelles Gesetz handeln wie bei dem auf Grund der Ermächtigung erlassenen Gesetz des Landes, das nicht Bundes-, sondern Landesrecht ist (BVerfGE 18, 415). Die Vorschrift hat kaum praktische Bedeutung erlangt, da eine Ermächtigung der Länder im Hinblick auf den Sinn der ausschließlichen Gesetzgebungsbefugnis des Bundes nur die Ausnahme sein kann, etwa um regionale Besonderheiten zu regeln. Von der Möglichkeit des Art. 71 ist bisher nur wenig Gebrauch gemacht worden (vgl. die Nachweise bei v. Mangoldt/Klein, Art. 71 Anm. IV 12 und den zweifelhaften Fall des § 22 PartG). Durch eine Ermächtigung nach Art. 71 werden die Länder nur berechtigt, nicht verpflichtet. Ein ohne Ermächtigung auf dem Gebiet der ausschließlichen Gesetzgebungsbefugnis des Bundes erlassenes Landesgesetz ist nichtig. Unzulässig ist auch eine Beeinträchtigung der Zuständigkeit der Bundesorgane (insbes. BTag und BReg) zur ausschließlichen eigenverantwortlichen Bewältigung ihrer Sachaufgaben, indem die Länder mittels einer Volksbefragung polit. Druck auf den verfassungsmäßig gebildeten Bundesstaatswillen ausüben (vgl. BVerfGE 8, 117 f. – Volksbefragung zur atomaren Bewaffnung).

Artikel 72   [Konkurrierende Gesetzgebung]

(1)   Im Bereiche der konkurrierenden Gesetzgebung haben die Länder die Befugnis zur Gesetzgebung, solange und soweit der Bund von seinem Gesetzgebungsrechte keinen Gebrauch macht.

(2)   Der Bund hat in diesem Bereiche das Gesetzgebungsrecht, soweit ein Bedürfnis nach bundesgesetzlicher Regelung besteht, weil

1. eine Angelegenheit durch die Gesetzgebung einzelner Länder nicht wirksam geregelt werden kann oder

2. die Regelung einer Angelegenheit durch ein Landesgesetz die Interessen anderer Länder oder der Gesamtheit beeinträchtigen könnte oder

3. die Wahrung der Rechts- oder Wirtschaftseinheit, insbesondere die Wahrung der Einheitlichkeit der Lebensverhältnisse über das Gebiet eines Landes hinaus sie erfordert.

1   Zur konkurrierenden Gesetzgebung zählen nicht nur die in Art. 74 genannten Sachbereiche, sondern insbes. auch die Materien der Art. 74 a und 105 II. Art. 72 enthält eine doppelte Einschränkung: Einerseits sind die Länder zur Gesetzgebung nur befugt, solange und soweit der Bund von seinem Gesetzgebungsrecht keinen Gebrauch macht (Abs. 1); andererseits kann der Bund nur legiferieren, soweit ein Bedürfnis nach bundesgesetzlicher Regelung besteht (Abs. 2). Macht der Bund zulässigerweise von seinem Recht zur Gesetzgebung Gebrauch, wird aus der Konkurrenz zwischen Landes- und Bundesgesetzgebung ein Vorrang zugunsten des Bundes (vgl. dazu Art. 31 Rn. 2).

Absatz 1

2   Die *Gesetzgebungsbefugnis der Länder* besteht, *solange und soweit der Bund nicht die gleiche Materie gesetzlich regelt.* Hat der

Bundesgesetzgeber den Sachbereich *erschöpfend geregelt,* sind die *Länder von der Gesetzgebung ausgeschlossen* (BVerfGE 32, 327; 37, 198 f.). Dabei kann die Entscheidung, ob eine bundesrechtl. Regelung erschöpfend ist, nur einer Gesamtwürdigung des betr. Normenkomplexes entnommen werden. Grundsätzlich tritt die Sperrwirkung erst mit Erlaß des Bundesgesetzes ein. Das BVerfG hat die Frage offen gelassen, ob das die Landesgesetzgebung ausschließende »Gebrauchmachen« schon mit dem Einbringen des Entwurfs eines Bundesgesetzes beginnt; bei umfangreichen und schwierigen Materien – wie z. B. der Neuordnung des Besoldungs- und Versorgungsrechts – verbietet jedenfalls die Pflicht zu bundesfreundlichem Verhalten, daß die Länder noch von ihrem Gesetzgebungsrecht Gebrauch machen, sobald der Bund dieselbe Materie zum Gegenstand eines Gesetzgebungsverfahrens zu machen beginnt (BVerfGE 34, 28 f.). Freilich kann der Bund die Länder nicht durch ein bloßes Sperrgesetz ohne eigene inhaltliche Regelung von der Gesetzgebung ausschließen (BVerfGE 5, 25; 34, 28). Umgekehrt darf sich der Landesgesetzgeber nicht in Widerspruch setzen zu dem erkennbaren Willen des Bundesgesetzgebers, eine Frage überhaupt nicht zu regeln oder ein Landesgesetz nicht zuzulassen (vgl. BVerfGE 32, 327). Beseitigt der Bundesgesetzgeber nachträglich die Sperre des Art. 72 I, so lebt die Gesetzgebungsbefugnis der Länder wieder auf, nicht jedoch ein Landesgesetz, das zuvor kompetenzlos erlassen und deshalb nichtig war (vgl. BVerfGE 29, 17).

Absatz 2

3 Ein Bedürfnis nach bundesgesetzlicher Regelung besteht nur, wenn eine der in den Nrn. 1–3 alternativ aufgezählten Voraussetzungen zu bejahen ist. In der Praxis spielt lediglich das in Nr. 3 enthaltene Merkmal der *Wahrung der Rechts- oder Wirtschaftseinheit,* insbes. der Wahrung der *Einheit der Lebensverhältnisse* eine Rolle. Dieser im Grunde als Begrenzung der Gesetzgebungsbefugnis des Bundes gedachte Tatbestand ist zum eigentlichen Träger der Vereinheitlichung geworden. Diese Tendenz ist noch verstärkt worden durch die Rechtsprechung des BVerfG, die im Ergebnis darauf hinausläuft, das Bedürfnis nach bundes*gesetzlicher* Regelung mit dem Bedürfnis nach bundes*einheitlicher* Regelung gleichzusetzen (vgl. BVerfGE 18, 415; 26, 383). Dabei wird dem Gesetzgeber auch zugestanden, auf das ihm erwünscht erscheinende Maß an Einheitlichkeit im Sozialleben hinzustreben (BVerfGE 13, 233). Die Entscheidung des Bundesgesetzgebers

über das Vorliegen eines Bedürfnisses nach bundesgesetzlicher Regelung ist eine echte Ermessensentscheidung, die nur insoweit justiziabel ist, als geprüft werden kann, ob der Gesetzgeber sein Ermessen mißbraucht oder eindeutig und evident überschritten hat (vgl. BVerfGE 4, 127; 26, 383; 65, 63).

Artikel 73   [Gegenstände der ausschließlichen Gesetzgebung des Bundes]

Der Bund hat die ausschließliche Gesetzgebung über:
1. **die auswärtigen Angelegenheiten sowie die Verteidigung einschließlich des Schutzes der Zivilbevölkerung;**
2. **die Staatsangehörigkeit im Bunde;**
3. **die Freizügigkeit, das Paßwesen, die Ein- und Auswanderung und die Auslieferung;**
4. **das Währungs-, Geld- und Münzwesen, Maße und Gewichte sowie die Zeitbestimmung;**
5. **die Einheit des Zoll- und Handelsgebietes, die Handels- und Schiffahrtsverträge, die Freizügigkeit des Warenverkehrs und den Waren- und Zahlungsverkehr mit dem Auslande einschließlich des Zoll- und Grenzschutzes;**
6. **die Bundeseisenbahnen und den Luftverkehr;**
7. **das Post- und Fernmeldewesen;**
8. **die Rechtsverhältnisse der im Dienste des Bundes und der bundesunmittelbaren Körperschaften des öffentlichen Rechtes stehenden Personen;**
9. **den gewerblichen Rechtsschutz, das Urheberrecht und das Verlagsrecht;**
10. **die Zusammenarbeit des Bundes und der Länder**
    a) **in der Kriminalpolizei,**
    b) **zum Schutze der freiheitlichen demokratischen Grundordnung, des Bestandes und der Sicherheit des Bundes oder eines Landes (Verfassungsschutz) und**
    c) **zum Schutze gegen Bestrebungen im Bundesgebiet, die durch Anwendung von Gewalt oder darauf gerichtete Vorbereitungshandlungen auswärtige Belange der Bundesrepublik Deutschland gefährden,**
    sowie die Einrichtung eines Bundeskriminalpolizeiamtes und die internationale Verbrechensbekämpfung;
11. **die Statistik für Bundeszwecke.**

1 *Vorbemerkung:* Die Aufzählung der Gebiete, deren gesetzliche

Regelung dem Bund vorbehalten ist, ist nicht erschöpfend. Sie wird für das Finanzwesen ergänzt durch Art. 105 I. Zum Bereich der ausschließlichen Gesetzgebung gehören außerdem alle diejenigen Fälle, in denen das GG an anderer Stelle eine Regelung durch Bundesgesetz ankündigt oder vorschreibt. Das ist z. B. der Fall in den Art. 4 III, Art. 21 III, Art. 24 I, Art. 26 II, Art. 29 II 4–7, Art. 38 III, Art. 41 III, Art. 48 III, Art. 54 VII, Art. 87 I und III, Art. 93 II, Art. 94 II, Art. 95 III, Art. 96 II, Art. 98 I, Art. 106 IV und V, Art. 107, Art. 108 I, II, IV–VI, Art. 110 II, Art. 114 II, Art. 115, 118, 131, 134 IV und 135 IV–VI. Schließlich zählen hierzu die Gesetzgebungskompetenzen des Bundes aus der Natur der Sache und kraft Sachzusammenhangs (s. Vorbem. vor Art. 70 Rn. 2).

Nr. 1: »Auswärtige Angelegenheiten« sind die Beziehungen, die sich aus der Stellung der Bundesrepublik Deutschland als Völkerrechtssubjekt zu anderen Staaten (BVerfGE 33, 60), jedoch auch zu nichtstaatl. Völkerrechtssubjekten (z. B. internationale Organisationen) ergeben. Nicht hierunter fallen die Beziehungen zur DDR, die im Verhältnis zur Bundesrepublik Deutschland nicht als Ausland angesehen werden kann (BVerfGE 36, 17; vgl. auch Art. 32 Rn. 1 und BVerfGE 12, 250, wo zwischen (Verwaltungs-) Kompetenzen des Bundes für auswärtige Angelegenheiten und für gesamtdeutsche Fragen unterschieden wird). In den Bereich der »Auswärtigen Angelegenheiten«, zu denen auch die Entwicklungshilfe zählt, fällt z. B. das KonsularG vom 11. 9. 1974 (BGBl. I S. 2317).

Die Formulierung *»Verteidigung einschließlich des Schutzes der Zivilbevölkerung«* beruht auf dem 17. ÄndG vom 24. 6. 1968 (BGBl. I S. 709), durch das die ursprünglich in Art. 73 Nr. 1 verankerte Wehrpflicht eine gesonderte Regelung in Art. 12 a erfahren hat. Die Art. 12 a, 73 Nr. 1 und 87 a enthalten die verfassungsrechtl. Grundentscheidung für die militärische Landesverteidigung (BVerfGE 28, 261; 32, 46; 48, 159 f.). Der Sachbereich *»Verteidigung«* umfaßt alles, was zur Abwehr eines gewaltsamen Angriffs auf die Bundesrepublik Deutschland erforderlich ist. Dem Bund steht vor allem die gesamte Gesetzgebung über die Bundeswehr einschl. ihres nichtbewaffneten Einsatzes zu; so könnte z. B. der Bundesgesetzgeber auf der Grundlage des Art. 73 Nr. 1 auch ein Gesetz über Katastrophenhilfe der Streitkräfte nach Art. 35 II 2 erlassen und in diesem Zusammenhang Regelungen über Erstattungsansprüche für Aufwendungen bei solchen Einsätzen treffen (vgl. BVerwG, DÖV 1973, 492). Vgl.

im übrigen auch WehrpflichtG i. d. F. vom 6. 5. 1983 (BGBl. I
S. 529), KriegsdienstverweigerungsG vom 28. 2. 1983 (BGBl. I
S. 203) und G über den Zivildienst der Kriegsdienstverweigerer
i. d. F. vom 29. 9. 1983 (BGBl. I S. 1221). Zum *Schutz der Zivil-*
bevölkerung s. insbes. G über den Zivilschutz i. d. F. vom 9. 8.
1976 (BGBl. I. S. 2109), SchutzbauG vom 9. 9. 1965 (BGBl. I
S. 1232), G über die Erweiterung des Katastrophenschutzes vom
9. 7. 1968 (BGBl. I S. 776) sowie BundesleistungsG i. d. F. vom
27. 9. 1961 (BGBl. I S. 1770). Vgl. ferner ArbeitssicherstellungsG vom 9. 7. 1968 (BGBl. I S. 787), WirtschaftssicherstellungsG i. d. F. vom 3. 10. 1968 (BGBl. I S. 1069), Ernährungssi-
cherstellungsG i. d. F. vom 4. 10. 1968 (BGBl. I S. 1075), VerkehrssicherstellungsG i. d. F. vom 8. 10. 1968 (BGBl. I S. 1082)
und WassersicherstellungsG vom 28. 8. 1965 (BGBl. I S. 1225).

2   *Nr. 2:* Die *Staatsangehörigkeit im Bunde* ist hier lediglich als Gegensatz zur »Staatsangehörigkeit in den Ländern« (Art. 74 Nr. 8)
zu verstehen. In Nr. 2 wird die Zuständigkeit des Bundes zur Gesetzgebung über die deutsche Staatsangehörigkeit festgelegt, bei
deren materiellrechtl. Ausgestaltung in erster Linie Art. 16 und
116 zu beachten sind. Im einzelnen vgl. Reichs- und StaatsangehörigkeitsG vom 22. 7. 1913 (RGBl. I S. 583) und die zu seiner Änderung und Ergänzung ergangenen Rechtsvorschriften sowie die
Erläut. zu Art. 16 und 116.

3   *Nr. 3:* Die genannten Materien beziehen sich auf die Fortbewe-
gung des Menschen und ihre möglichen Einschränkungen. Die
Freizügigkeit (s. dazu Erläut. zu Art. 11 Rn. 2–5) umfaßt in Nr. 3
auch die Ausreisefreiheit. Unter *Einwanderung* ist der auf Dauer-
aufenthalt gerichtete Zuzug von Ausländern zu verstehen, unter
Auswanderung das – ebenfalls dauerhafte – Verlassen des Bundesgebietes. Die *Auslieferung* – vgl. insoweit auch das G über die internationale Rechtshilfe in Strafsachen vom 23. 12. 1982 (BGBl. I
S. 2071) – kann sich im Hinblick auf das Verbot des Art. 16 II 1
nur auf Ausländer beziehen. Gemäß Nr. 3 sind erlassen worden
u. a. das G über das Paßwesen vom 4. 3. 1952 (BGBl. I S. 290)
und das AuswandererschutzG vom 26. 3. 1975 (BGBl. I S. 774).

4   *Nr. 4:* Das *Währungswesen* ist der Oberbegriff, der auch das *Geld-*
und Münzwesen umschließt. Dabei umfaßt das Währungs- und
Geldwesen nicht nur die besondere institutionelle Ordnung der
Geldrechnung und der in ihr gültigen Zahlungsmittel, sondern
auch die tragenden Grundsätze der Währungspolitik (BVerf-
GE 4, 73; vgl. insoweit auch Art. 88, durch den die Bundesbank

als eine »Währungs- und Notenbank« eine verfassungsrechtl.
Verankerung erfahren hat). In dem zweiten Themenbereich umfaßt der Oberbegriff *Maße* auch den Begriff *Gewichte;* einschlägig
sind das G über Einheiten im Meßwesen vom 2. 7. 1969 (BGBl. I
S. 709) und das G über das Meß- und Eichwesen (EichG) vom 11.
7. 1969 (BGBl. I S. 759). Von der Befugnis zur bundesgesetzlichen *Zeitbestimmung* wurde Gebrauch gemacht durch Erlaß des
ZeitG vom 25. 7. 1978 (BGBl. I S. 1110), durch das u. a. die Einführung der Sommerzeit ermöglicht wird.

5   *Nr. 5:* Die *Einheit des Zoll- und Handelsgebietes* umfaßt das gesamte Zollwesen; der Bundesgesetzgeber hat die ausschließliche
Zuständigkeit zur Regelung, ob und welche Abgaben vom Warenverkehr über die Hoheitsgrenzen oder von der räumlichen Bewe-
gung von Waren innerhalb des Hoheitsgebietes erhoben werden
dürfen (BVerfGE 8, 268). Unter *Handels- und Schiffahrtsverträge*
fallen Außenhandelsregelungen (z. B. Vorschriften über Ein- und
Ausfuhrbedingungen, den Zahlungsverkehr und die Meistbegün-
stigung) sowie Abkommen über die Hochseeschiffahrt. Der Bereich *»Waren- und Zahlungsverkehr mit dem Ausland«* ist insbes.
im AußenwirtschaftsG vom 28. 4. 1961 (BGBl. I S. 481) geregelt.
Dem Bund steht die ausschließliche Kompetenz für alle Waren-
einfuhr- und -ausfuhrverbote – auch aus polizeilichen Gründen –
zu (BVerfGE 33, 64 – Filmeinfuhrverbote). Das Sachgebiet *Zoll-
und Grenzschutz* ist – entgegen dem Anschein, den die Formulierung in Nr. 5 erweckt – ein eigenständiger Bereich; vgl. ZollG
vom 18. 5. 1970 (BGBl. I S. 529) und G über den Bundesgrenzschutz vom 18. 8. 1972 (BGBl. I S. 1834).

6   *Nr. 6:* Die Begriffe *»Bundeseisenbahnen«* und *»Luftverkehr«* sind
weit auszulegen. Die Befugnis zur Gesetzgebung über die Bundeseisenbahnen umfaßt Regelungen über Vermögen, Betrieb und
Verwaltung sowie die Bundesbahnpolizei. Sie erstreckt sich auch
auf Regelungen über die Kostenverteilung bei Eisenbahnkreu-
zungsanlagen (vgl. BVerfGE 26, 388). Die Bundeszuständigkeit
für den Luftverkehr bezieht sich auf alle mit dem Flugwesen unmittelbar zusammenhängenden Tätigkeiten und Anlagen, also
nicht nur auf den Flugverkehr und die Luftfahrzeuge, sondern
auch auf die Flughäfen (HessStGH, DÖV 1982, 321). Auf Grund
der Nr. 6 sind insbes. erlassen worden das G über die vermögens-
rechtlichen Verhältnisse der Deutschen Bundesbahn vom 2. 3.
1951 (BGBl. I S. 155), das BundesbahnG vom 13. 12. 1951
(BGBl. I S. 955) und das LuftverkehrsG i. d. F. vom 14. 1. 1981
(BGBl. I S. 61).

7 *Nr. 7:* Das *Post- und Fernmeldewesen* umfaßt denselben Sachbereich wie der Begriff »Bundespost« in Art. 87 I (vgl. im einzelnen
Art. 87 Rn. 3). Dabei sind mit »Postwesen« die »herkömmlichen«
Dienstzweige der Post im Gegensatz zum »neuen« Aufgabenbereich »Fernmeldewesen« gemeint; vgl. das G über das Postwesen
vom 28. 7. 1969 (BGBl. I S. 1006) und das G über Fernmeldeanlagen i. d. F. vom 17. 3. 1977 (BGBl. I S. 459). Der Begriff der
Fernmeldeanlagen umfaßt auch neuartige Techniken wie z. B. die
digitale Nachrichtenübertragung (BVerfGE 46, 143 f.). Erfaßt
wird auch der Rundfunk, jedoch nur sein sendetechnischer Bereich unter Ausschluß der sog. Studiotechnik (BVerfGE 12,
225 ff.). Der Bund hat keine Kompetenz zur Regelung der Rund-
funkgebühren (BVerwGE 29, 215). Inwieweit im Bereich der neu-
en Medien – etwa für den der Individualkommunikation dienenden Bildschirmtext (BTX) – eine Kompetenz des Bundes gem.
Nr. 7 besteht, ist str. Die Länder gehen von ihrer Zuständigkeit
für die neuen Medien gem. Art. 30 und 70 aus (vgl. etwa den
Staatsvertrag über BTX vom 18. 3. 1983, GVBl. NW S. 227); zum
Ganzen s. Tettinger, JZ 1984, 400 ff.

8 *Nr. 8:* »Personen« sind *Beamte und nichtbeamtete Bedienstete des
Bundes.* Der Begriff »Rechtsverhältnisse« ist weit auszulegen. Er
umfaßt auch das Recht der Personalvertretungen im öffentl.
Dienst (BVerfGE 7, 127). Nicht zum Bereich des Art. 73 Nr. 8,
sondern zur Kompetenz nach Art. 73 Nr. 1 gehört das Dienstrecht
der Berufssoldaten (BVerfGE 62, 367), während das Recht der
Bundesrichter Art. 98 I unterliegt. Neben den bundesunmittelbaren Körperschaften sind auch die sonstigen juristischen Personen
des öffentl. Rechts miterfaßt, also auch Anstalten und Stiftungen
des Bundes. Auf Grund der Nr. 8 sind insbes. erlassen worden das
BundesbeamtenG i. d. F. vom 3. 1. 1977 (BGBl. I S. 1), das Bun-
despolizeibeamtenG i. d. F. vom 3. 6. 1976 (BGBl. I S. 1357),
das BundespersonalvertretungsG vom 15. 3. 1974 (BGBl. I
S. 693), das BundesbesoldungsG i. d. F. vom 13. 11. 1980
(BGBl. I S. 2081), das BeamtenversorgungsG vom 24. 8. 1976
(BGBl. I S. 2485), das G über die Rechtsverhältnisse der Mitglieder der Bundesregierung (BundesministerG) i. d. F. vom 27. 7.
1971 (BGBl. I S. 1166) und das G über die Rechtsverhältnisse der
Parlamentarischen Staatssekretäre vom 24. 7. 1974 (BGBl. I
S. 1538).

9 *Nr. 9:* Die Gesetzgebung über den gewerblichen Rechtsschutz,
das Urheberrecht und das Verlagsrecht befaßt sich mit dem Schutz

des geistigen Eigentums. Zum *gewerblichen Rechtsschutz* gehören das Patent-, Gebrauchsmuster-, Geschmacksmuster-, Warenzeichen- und Wettbewerbsrecht. Das *Urheberrecht* befaßt sich mit dem Schutz von Werken der Literatur, Musik, bildenden Kunst und Fotografie, aber auch von Werken wissenschaftlicher Art; vgl. UrheberrechtsG vom 9. 9. 1965 (BGBl. I S. 1273) und G über die Wahrnehmung von Urheberrechten und verwandten Schutzrechten vom 9. 9. 1965 (BGBl. I S. 1294). Zum *Verlagsrecht* s. G über das Verlagsrecht vom 19. 6. 1901 (RGBl. I S. 217). Die Regelung des Pflichtexemplarwesens unterfällt nicht dem in ausschließlicher Bundeskompetenz stehenden Urheber- und Verlagsrecht, sondern unterliegt der Länderkompetenz nach Art. 70 (BVerfGE 58, 145 f.).

10 *Nr. 10:* Die Befugnis zur Gesetzgebung über die Zusammenarbeit des Bundes und der Länder in der *Kriminalpolizei* sowie die Einrichtung eines Bundeskriminalpolizeiamtes ist in engem Zusammenhang mit der Verwaltungskompetenz nach Art. 87 I 2 zu sehen (vgl. zu dieser Art. 87 Rn. 5). Soweit der Bund auf dem Gebiet der Kriminalpolizei und des polizeilichen Auskunfts- und Nachrichtenwesens eine Zentralstelle einrichten darf, ist diese – neben der Koordinierung und dem Vorhalten von Einrichtungen des Nachrichtenwesens, der Kriminaltechnik usw. – auf kriminalpolizeiliche Aufgaben beschränkt, die eine zentrale Verbrechensbekämpfung erforderlich machen; vgl. insbes. §§ 2 und 5 G über die Einrichtung eines Bundeskriminalpolizeiamtes i. d. F. vom 29. 6. 1973 (BGBl. I S. 704).

Die 1972 neugefaßte Bestimmung enthält unter b) jetzt – in Anlehnung an Art. 10 II 2 – eine Definition des *Verfassungsschutzes,* die klarstellt, daß der Verfassungsschutz auch den Schutz der (äußeren und inneren) Sicherheit des Bundes oder eines Landes umfaßt. Darüber hinaus erstreckt sich nach c) die Bundeskompetenz auf den Schutz gegen *gewalttätige Bestrebungen, die auswärtige Belange der Bundesrepublik Deutschland gefährden,* ohne schon die hiesige Sicherheit zu beeinträchtigen. Auswärtige Belange können sich auch auf Staaten beziehen, zu denen keine diplomatischen Beziehungen bestehen. Es kommt nicht darauf an, ob die Gefährdung von Ausländern oder Deutschen ausgeht. Siehe G über die Zusammenarbeit des Bundes und der Länder in Angelegenheiten des Verfassungsschutzes vom 27. 9. 1950 (BGBl. I S. 682), geändert durch G vom 7. 8. 1972 (BGBl. I S. 1382). Gesetze nach Art. 73 Nr. 10, Art. 87 I 2 bedürfen nicht der Zustimmung des BRates, denn sie regeln nicht das Verfahren der landeseigenen

Verwaltung i. S. des Art. 84 I, sondern die Zusammenarbeit von Bundes- und Landesbehörden (vgl. Bonner Komm., Art. 73 Nr. 10 Rn. 17 m. w. N.).

11 *Nr. 11:* Unter *Statistik für Bundeszwecke* sind diejenigen Statistiken zu verstehen, die der Bewältigung einer Bundesaufgabe dienen (BVerfGE 8, 119). Dabei kann es sich um Zahlenmaterial für die Vorbereitung von Bundesgesetzen oder von Maßnahmen der Exekutive handeln. Auf der Grundlage der Nr. 11 sind u. a. das G über die Statistik für Bundeszwecke vom 14. 3. 1980 (BGBl. I S. 289) – neben zahlreichen Gesetzen über Einzelstatistiken – und das G über eine Volks-, Berufs-, Wohnungs- und Arbeitsstättenzählung vom 25. 3. 1982 (BGBl. I S. 369) erlassen worden (zu den grundrechtl. Beschränkungen des Gesetzgebers vgl. Art. 1 Rn. 13). Nr. 11 ermächtigt auch zu Vorschriften, durch die die Länder verpflichtet werden, dem Bund ihr Zahlenmaterial zur Verfügung zu stellen, soweit dies zur Erfüllung einer Bundesaufgabe erforderlich ist.

Artikel 74 [Gegenstände der konkurrierenden Gesetzgebung]

Die konkurrierende Gesetzgebung erstreckt sich auf folgende Gebiete:

1. **das bürgerliche Recht, das Strafrecht und den Strafvollzug, die Gerichtsverfassung, das gerichtliche Verfahren, die Rechtsanwaltschaft, das Notariat und die Rechtsberatung;**
2. **das Personenstandswesen;**
3. **das Vereins- und Versammlungsrecht;**
4. **das Aufenthalts- und Niederlassungsrecht der Ausländer;**
4 a. **das Waffen- und das Sprengstoffrecht;**
5. **den Schutz deutschen Kulturgutes gegen Abwanderung in das Ausland;**
6. **die Angelegenheiten der Flüchtlinge und Vertriebenen;**
7. **die öffentliche Fürsorge;**
8. **die Staatsangehörigkeit in den Ländern;**
9. **die Kriegsschäden und die Wiedergutmachung;**
10. **die Versorgung der Kriegsbeschädigten und Kriegshinterbliebenen und die Fürsorge für die ehemaligen Kriegsgefangenen;**
10 a. **die Kriegsgräber und Gräber anderer Opfer des Krieges und Opfer von Gewaltherrschaft;**
11. **das Recht der Wirtschaft (Bergbau, Industrie, Energiewirtschaft, Handwerk, Gewerbe, Handel, Bank- und Börsenwesen, privatrechtliches Versicherungswesen);**
11 a. **die Erzeugung und Nutzung der Kernenergie zu friedlichen**

Zwecken, die Errichtung und den Betrieb von Anlagen, die diesen Zwecken dienen, den Schutz gegen Gefahren, die bei Freiwerden von Kernenergie oder durch ionisierende Strahlen entstehen, und die Beseitigung radioaktiver Stoffe;

12. das Arbeitsrecht einschließlich der Betriebsverfassung, des Arbeitsschutzes und der Arbeitsvermittlung sowie die Sozialversicherung einschließlich der Arbeitslosenversicherung;

13. die Regelung der Ausbildungsbeihilfen und die Förderung der wissenschaftlichen Forschung;

14. das Recht der Enteignung, soweit sie auf den Sachgebieten der Artikel 73 und 74 in Betracht kommt;

15. die Überführung von Grund und Boden, von Naturschätzen und Produktionsmitteln in Gemeineigentum oder in andere Formen der Gemeinwirtschaft;

16. die Verhütung des Mißbrauchs wirtschaftlicher Machtstellung;

17. die Förderung der land- und forstwirtschaftlichen Erzeugung, die Sicherung der Ernährung, die Ein- und Ausfuhr land- und forstwirtschaftlicher Erzeugnisse, die Hochsee- und Küstenfischerei und den Küstenschutz;

18. den Grundstücksverkehr, das Bodenrecht und das landwirtschaftliche Pachtwesen, das Wohnungswesen, das Siedlungs- und Heimstättenwesen;

19. die Maßnahmen gegen gemeingefährliche und übertragbare Krankheiten bei Menschen und Tieren, die Zulassung zu ärztlichen und anderen Heilberufen und zum Heilgewerbe, den Verkehr mit Arzneien, Heil- und Betäubungsmitteln und Giften;

19 a. die wirtschaftliche Sicherung der Krankenhäuser und die Regelung der Krankenhauspflegesätze;

20. den Schutz beim Verkehr mit Lebens- und Genußmitteln, Bedarfsgegenständen, Futtermitteln und land- und forstwirtschaftlichem Saat- und Pflanzgut, den Schutz der Pflanzen gegen Krankheiten und Schädlinge sowie den Tierschutz;

21. die Hochsee- und Küstenschiffahrt sowie die Seezeichen, die Binnenschiffahrt, den Wetterdienst, die Seewasserstraßen und die dem allgemeinen Verkehr dienenden Binnenwasserstraßen;

22. den Straßenverkehr, das Kraftfahrwesen, den Bau und die Unterhaltung von Landstraßen für den Fernverkehr sowie die Erhebung und Verteilung von Gebühren für die Benutzung öffentlicher Straßen mit Fahrzeugen;

23. die Schienenbahnen, die nicht Bundeseisenbahnen sind, mit Ausnahme der Bergbahnen;

24. die Abfallbeseitigung, die Luftreinhaltung und die Lärmbekämpfung.

1   *Nr. 1:* Unter *Bürgerliches Recht* ist die Zusammenfassung aller
    Normen zu verstehen, die herkömmlicherweise dem Zivilrecht
    zugerechnet werden (BVerfGE 11, 199). Das ist nicht das gesam-
    te Privatrecht, sondern es sind die Teilgebiete auszuklammern,
    die in anderen Zuständigkeitsnormen als eigenes Sachgebiet ge-
    nannt sind (vgl. Art. 73 Nr. 9, Art. 74 Nr. 11 u. 12). Das vom
    BVerfG für nichtig erklärte StaatshaftungsG vom 26. 6. 1981
    (BGBl. I S. 553) konnte nicht auf eine Zuständigkeit der Nr. 1
    gestützt werden, da die Haftung des Staates und anderer öffentl.
    Körperschaften für durch hoheitliches Unrecht verursachte Schä-
    den weder in heutiger Sicht noch kraft Tradition kompetenz-
    rechtl. als »Bürgerliches Recht« begriffen werden kann (BVerf-
    GE 61, 174 ff.). Unter *Strafrecht* fällt sowohl das echte Kriminal-
    strafrecht als auch das Ordnungswidrigkeitenrecht (BVerfGE 27,
    32 f.; 29, 16; 31, 144). Der Bundesgesetzgeber kann jeden Tatbe-
    stand erfassen, der nach seinem Ermessen als strafwürdig zu
    erachten ist, und zwar auch auf Gebieten, die ihm sonst nicht zur
    Gesetzgebung zugewiesen sind (BVerfGE 23, 124). Der Bund
    kann Landesrecht mit Kriminalstrafen bewehren (BVerfGE 13,
    373). Die Regelung der Verjährung für Pressedelikte gehört nach
    Ansicht des BVerfG weder zum Strafrecht noch zum gerichtlichen
    Verfahren, sondern zu Art. 75 Nr. 2, also zum Presserecht
    (BVerfGE 7, 40), während das strafprozessuale Aussageverwei-
    gerungsrecht von Angehörigen der Presse zum Bereich des ge-
    richtlichen Verfahrens zählt (BVerfGE 36, 203). Auf dem Gebiet
    des *Strafvollzuges* hat der Bund von seiner Gesetzgebungskompe-
    tenz Gebrauch gemacht durch Erlaß des StrafvollzugsG vom
    16. 3. 1976 (BGBl. I S. 581). Zur *Gerichtsverfassung* und zum *ge-
    richtlichen Verfahren* gehört u. a. die Befugnis, den Zuständig-
    keitskreis der oberen Bundesgerichte bezüglich des Umfangs des
    revisiblen Rechts auch insofern zu bestimmen, als es sich um die
    Anwendung von Landesrecht handelt (BVerfGE 10, 285). Zum
    verwaltungsgerichtlichen Verfahren rechnet auch das Verwal-
    tungsvorverfahren, nicht jedoch die generelle Regelung des Ver-
    waltungsverfahrensrechts. Nicht unter Nr. 1 fällt auch die ärztli-
    che Standesgerichtsbarkeit (BVerfGE 4, 74). Auf Grund seiner
    Zuständigkeit für die *Rechtsanwaltschaft,* das *Notariat* und die
    Rechtsberatung kann der Bund nicht nur die Zulassung zu diesen
    Berufen, sondern auch die Berufsausübung einschl. des Gebüh-
    renwesens regeln (BVerfGE 17, 292). Zur »Rechtsanwaltschaft«
    s. im übrigen die Bundesrechtsanwaltsordnung vom 1. 8. 1959
    (BGBl. I S. 565), zum »Notariat« s. die Bundesnotarordnung-

i. d. F. vom 24. 2. 1961 (BGBl. I S. 98). »Rechtsberatung« ist die geschäftsmäßige Besorgung fremder Rechtsangelegenheiten (vgl. § 1 I RechtsberatungsG vom 13. 12. 1935, RGBl. I S. 1478).

2   *Nr. 2:* Zum *Personenstandswesen* gehören die Beurkundung des Personenstands gemäß PersonenstandsG i. d. F. vom 8. 8. 1957 (BGBl. I S. 1125), das Recht der Namensänderung nach dem G über die Änderung von Familiennamen und Vornamen vom 5. 1. 1938 (RGBl. I S. 9) und das G über die Änderung der Vornamen und die Feststellung der Geschlechtszugehörigkeit in besonderen Fällen (TranssexuellenG) vom 10. 10. 1980 (BGBl. I S. 1654).

3   *Nr. 3: Vereinsrecht* ist hier das öffentl. Recht staatl. Eingriffe in die Vereinsfreiheit; vgl. Art. 9 und G zur Regelung des öffentl. Vereinsrechts (VereinsG) vom 5. 8. 1964 (BGBl. I S. 593). Hierunter fallen auch Vereinigungen nach Art. 9 III, also Arbeitgeberverbände und Gewerkschaften, während für die polit. Parteien Art. 21 III gilt. Das *Versammlungsrecht* befaßt sich vor allem mit öffentl. Versammlungen; vgl. Art. 8 und G über Versammlungen und Aufzüge (VersammlungsG) i. d. F. vom 15. 11. 1978 (BGBl. I S. 1789) und BannmeilenG vom 6. 8. 1955 (BGBl. I S. 504).

4   *Nr. 4:* Unter *Aufenthalt* der Ausländer wird das Verweilen einschl. des Wohnsitznehmens, unter *Niederlassung* die Begründung einer beruflichen Tätigkeit an einem bestimmten Ort verstanden. Zu Nr. 4 vgl. insbes. AusländerG vom 28. 4. 1965 (BGBl. I S. 353).

4a *Nr. 4 a:* Durch das 31. ÄndG vom 28. 7. 1972 (BGBl. I S. 1305) erhielt der Bund die konkurrierende Gesetzgebungskompetenz für das gesamte *Waffenrecht*, durch das 34. ÄndG vom 23. 8. 1976 (BGBl. I S. 2383) auch für das *Sprengstoffrecht.* Hierdurch ist es dem Bund möglich geworden, nicht nur den gewerblichen, sondern auch den sicherheitsrechtl. Teil des »Waffen- und Sprengstoffrechts« zu regeln; vgl. WaffenG i. d. F. vom 8. 3. 1976 (BGBl. I S. 432) und G über explosionsgefährliche Stoffe (SprengstoffG) vom 13. 9. 1976 (BGBl. I S. 2737).

5   *Nr. 5:* Mit Erlaß des G zum *Schutz deutschen Kulturgutes* gegen Abwanderung vom 6. 8. 1955 (BGBl. I S. 501) ist die Zuständigkeit nach Nr. 5 nicht voll ausgeschöpft worden, da insbes. nur privater, nicht hingegen öffentl. Kulturbesitz erfaßt worden ist.

6   *Nr. 6: Flüchtlinge* und *Vertriebene* sind nach den zu Nr. 6 in der
Vergangenheit ergangenen Gesetzen – vgl. insbes. das G über die
Angelegenheiten der Vertriebenen und Flüchtlinge (BundesvertriebenenG) i. d. F. vom 3. 9. 1971 (BGBl. I S. 1565) – Personen, deren Schicksal einen Bezug zum Deutschen Reich und den
Ereignissen des zweiten Weltkriegs aufweist. Nr. 6 steht jedoch
einer darüber hinausreichenden Regelung – vgl. G über Maßnahmen für im Rahmen humanitärer Hilfsaktionen aufgenommene
Flüchtlinge vom 22. 7. 1980 (BGBl. I 1057) – nicht im Wege
(ebenso v. Münch, Art. 74 Rn. 23).

7   *Nr. 7:* Der Begriff *öffentliche Fürsorge* ist weit auszulegen. Er
umfaßt alle öffentl. Hilfeleistungen, die der Befriedigung sonst
nicht zu deckender, notwendiger Lebensbedürfnisse einzelner
Personen oder Personengruppen auf wirtschaftlichem, körperli-
chem, geistigem oder sittlichem Gebiet zu dienen bestimmt sind,
soweit die Hilfeleistungen nicht anderen Sachgebieten zugeordnet sind (vgl. Art. 74 Nr. 6, 9, 10 und 12). Ermöglicht werden soll
die Führung eines Lebens, das der Menschenwürde entspricht. In
Betracht kommen nicht nur Hilfeleistungen nach Eintritt einer
Bedürftigkeit (repressive Maßnahmen), sondern auch vorbeugende (präventive) Maßnahmen; s. insbes. das BundessozialhilfeG i. d. F. vom 24. 5. 1983 (BGBl. I S. 613), das G für Jugend-
wohlfahrt i. d. F. vom 25. 4. 1977 (BGBl. I S. 633), das zulässigerweise Regelungen nicht nur über die Jugendfürsorge im engeren Sinne, sondern auch über jugendpflegerische Maßnahmen
enthält (vgl. BVerfGE 22, 212 f.), und das G zum Schutze der Jugend in der Öffentlichkeit i. d. F. vom 27.7.1957 (BGBl. I
S. 1058).

8   *Nr. 8:* Bisher haben weder der Bund noch ein Land Regelungen
über die *Staatsangehörigkeit in den Ländern* erlassen, wobei allerdings einige Landesverfassungen (vgl. z. B. Art.6 BayVerf) eine
solche Möglichkeit vorsehen. Einer Landesstaatsangehörigkeit
käme freilich im Hinblick auf Art. 3 III und Art. 33 I und II kaum
praktische Bedeutung zu. Vgl. auch Art. 20 Rn. 6 a. E.

9   *Nr. 9:* Bei *Kriegsschäden* handelt es sich um durch Kriegseinwir-
kung entstandene Sachschäden, während unter *Wiedergutmachung* der Ausgleich für durch nationalsozialistische Verfolgungsmaßnahmen verursachte Schäden zu verstehen ist. Aus Nr. 9 ergibt sich nicht, daß der Bund alle Kriegsschäden zu tragen hat
(vgl. dazu Art. 120). Aus der umfangreichen Wiedergutma-
chungsgesetzgebung s. insbes. das BundesentschädigungsG i. d.

F. vom 29. 6. 1956 (BGBl. I S. 559) und das G zur Regelung der Wiedergutmachung nationalsozialistischen Unrechts für Angehörige des öffentl. Dienstes i. d. F. vom 13. 12. 1965 (BGBl. I S. 2073).

10 *Nr. 10:* Zur *Versorgung der Kriegsbeschädigten und Kriegshinterbliebenen* s. BundesversorgungsG i. d. F. vom 22. 1. 1982 (BGBl. I S. 21), zur *Fürsorge für die Kriegsgefangenen* KriegsgefangenenentschädigungsG i. d. F. vom 2. 9. 1971 (BGBl. I S. 1545).

10a *Nr. 10 a:* Siehe G über *die Erhaltung der Gräber der Opfer von Krieg und Gewaltherrschaft* (GräberG) vom 1. 7. 1965 (BGBl. I S. 589).

11 *Nr. 11:* Der Begriff *Recht der Wirtschaft* ist ebenso wie die in dem Klammerzusatz beispielhaft genannten Bereiche weit auszulegen (vgl. BVerfGE 5, 28 f.; 28, 146; 29, 409; 55, 308 f.). Er ermöglicht nicht nur das Wirtschaftsleben und die wirtschaftliche Betätigung als solche regelnde Normen, sondern gibt auch die Zuständigkeit, Fragen des Verbraucherschutzes zu regeln (BVerfGE 26, 254) oder ordnend und lenkend in das Wirtschaftsleben einzugreifen (BVerfGE 4, 13), z. B. in Form von Konjunkturlenkungsmaßnahmen (vgl. BVerfGE 29, 409) oder durch Auferlegung von nichtsteuerlichen Sonderabgaben (vgl. hierzu Art. 105 Rn. 3). Nr. 11 verleiht auch die Befugnis, Berufe in der Wirtschaft. zu ordnen, Berufsbilder zu fixieren und den Inhalt der beruflichen Tätigkeit sowie die Voraussetzungen für die Berufsausübung (Ausbildung, Prüfungen) zu normieren (vgl. BVerfGE 13, 106; 21, 180; 26, 255; 55, 309). Nach Nr. 11 wurden in jüngerer Zeit insbes. Gesetze auf dem Energiesektor erlassen, z. B. BundesbergG vom 13. 8. 1980 (BGBl. I S. 1310), ErdölbevorratungsG vom 25. 7. 1978 (BGBl. I S. 1073), G über Finanzhilfen des Bundes zur Förderung des Baues von Erdgasleitungen vom 29. 1. 1980 (BGBl. I S. 109).

11a *Nr. 11 a:* Mit der Einfügung der Nr. 11a hat sich der Verfassungsgesetzgeber für eine friedliche *Nutzung der Kernenergie* entschieden, deren Verfassungsgemäßheit nicht auf Grund anderer Verfassungsbestimmungen grundsätzlich in Frage gestellt werden kann (BVerfGE 53, 56). Auch die Genehmigung von Schnellen Brutreaktoren hat im AtomG i. d. F. vom 31. 10. 1976 (BGBl. I S. 3053) eine verfassungsrechtl. ausreichende Grundlage gefunden (vgl. BVerfGE 49, 127 ff.).

12 *Nr. 12:* Das *Arbeitsrecht* umfaßt nicht nur das privatrechtl. Arbeitsvertragsrecht, sondern auch das öffentl. Arbeitsrecht. Auf diesem Gebiet hat der Bund seine Kompetenzen – etwa zur Errichtung von Arbeitnehmerkammern (vgl. BVerfGE 38, 299) – ebensowenig in Anspruch genommen wie in weiten Bereichen des kollektiven Arbeitsrechts, insbes. des Arbeitskampfrechts. Nr. 12 gilt grundsätzlich auch für das Recht der Arbeitnehmer im öffentl. Dienst; nur soweit Besonderheiten des öffentl. Dienstes eine Rolle spielen (z. B. Amtsverschwiegenheit, Nebentätigkeit), gehen Art. 73 Nr. 8 bzw. Art. 75 Nr. 1 vor (vgl. BVerwGE 18, 138; BAG, DVBl 1958, 202; ferner BVerfGE 51, 55 f.). Die wesentlichen Gesetze auf dem Gebiet des Arbeitsrechts sind das TarifvertragsG i. d. F. vom 25. 8. 1969 (BGBl. I S. 1323), das KündigungsschutzG i. d. F. vom 25. 8. 1969 (BGBl. I S. 1317), das BetriebsverfassungsG vom 15. 1. 1972 (BGBl. I S. 13), das G über die Mitbestimmung der Arbeitnehmer (MitbestimmungsG) vom 4. 5. 1976 (BGBl. I S. 1153) sowie das G zum Schutze der arbeitenden Jugend (JugendarbeitsschutzG) vom 12. 4. 1976 (BGBl. I S. 965).

Die Kompetenz zur Regelung der *Sozialversicherung* ist nicht auf die klassischen Sozialversicherungszweige beschränkt. Sozialversicherung ist vielmehr ein verfassungsrechtl. Gattungsbegriff, der alles umfaßt, was sich der Sache nach als Sozialversicherung darstellt. Dies ermöglicht auch die Einbeziehung neuer Lebenssachverhalte, wenn die neuen Sozialleistungen in ihren wesentlichen Strukturelementen dem Bild entsprechen, das durch die klassische Sozialversicherung geprägt ist (BVerfGE 11, 111 f.). Der Bundesgesetzgeber ist dabei, das in etwa 800 Gesetzen und Verordnungen enthaltene Sozialrecht in einem einheitlichen, zehn Bücher umfassenden Sozialgesetzbuch (SGB) zusammenzufassen; vgl. SGB – Allgemeiner Teil – vom 11. 12. 1975 (BGBl. I S. 3015), SGB – Gemeinsame Vorschriften für die Sozialversicherung – vom 23. 12. 1976 (BGBl. I S. 3845), SGB – Verwaltungsverfahren – vom 18. 8. 1980 (BGBl. I S. 1469) und SGB – Zusammenarbeit der Leistungsträger und ihre Beziehungen zu Dritten – vom 4. 11. 1982 (BGBl. I S. 1450).

13 *Nr. 13:* Der Begriff »*Ausbildungsbeihilfen*« umfaßt nur die individuelle, nicht auch die institutionelle Ausbildungsförderung (Förderung von Einrichtungen und Veranstaltungen). Mit dem BundesausbildungsförderungsG (BAföG) i. d. F. vom 6. 6. 1983 (BGBl. I S. 645), das als Geldleistungsgesetz i. S. von Art. 104 a III anzusehen ist, hat der Gesetzgeber eine umfassende Regelung der individuellen Ausbildungshilfen im gesamten schulischen wie im Hochschulbereich (Studenten) getroffen.

14   *Nr. 14:* Das *Recht der Enteignung* geht von demselben Enteignungsbegriff aus wie Art. 14 III und umfaßt nicht nur das Verfahrensrecht, sondern auch das materielle Enteignungsrecht. Streitig ist die Frage, ob die Formulierung »soweit sie auf den Sachgebieten der Art. 73 und 74 in Betracht kommt« Enteignungsregelungen auf Gebieten der Rahmenkompetenz nach Art. 75 ausschließt (so wohl BVerfGE 8, 193). Die Staatspraxis gibt der weiteren Auslegung den Vorzug; vgl. §§ 15 IV, 17 II, 20 WasserhaushaltsG i. d. F. vom 16. 10. 1976 (BGBl. I S. 3017).

15   *Nr. 15:* Der Inhalt der Zuständigkeitsnorm deckt sich begrifflich mit Art. 15. Der Bundesgesetzgeber hat von der Möglichkeit einer *Sozialisierung* bisher keinen Gebrauch gemacht.

16   *Nr. 16:* Von der Befugnis, Regelungen zur *Verhütung des Mißbrauchs wirtschaftlicher Machtstellung* zu erlassen, hat der Gesetzgeber umfassenden Gebrauch gemacht; vgl. G gegen Wettbewerbsbeschränkungen i. d. F. vom 24. 9. 1980 (BGBl. I S. 1761).

17   *Nr. 17* verleiht dem Bundesgesetzgeber eine weitgehende Befugnis zur Sicherung und Förderung des *Ernährungswesens.* Hierzu gehören auch Regelungen über landwirtschaftliche Sachverständige. Auch marktbeeinflussende (Ausgleichs-)Abgaben, die wirtschaftslenkenden Charakter haben und dem Ertragsausgleich innerhalb der privaten Wirtschaft dienen, können auf Nr. 17 gestützt werden und stellen keine Steuer dar (vgl. BVerfGE 18, 328 f.; 37, 17). Nach Nr. 17 wurden z. B. erlassen das G zur Anpassung der landwirtschaftlichen Erzeugung an die Erfordernisse des Marktes (MarktstrukturG) i. d. F. vom 26. 11. 1975 (BGBl. I S. 2944), das G über die Neuorganisation der Marktordnungsstellen vom 23. 6. 1976 (BGBl. I S. 1608), das G über die Errichtung eines zentralen Fonds zur Absatzförderung der deutschen Land-, Forst- und Ernährungswirtschaft (AbsatzfondsG) i. d. F. vom 8. 11. 1976 (BGBl. I S. 3109), das G über Maßnahmen auf dem Gebiet der Weinwirtschaft (WeinwirtschaftsG) i. d. F. vom 11. 9. 1980 (BGBl. I S. 1665) und das SeefischereiG vom 12. 7. 1984 (BGBl. I S. 876).

18   *Nr. 18:* Die in Nr. 18 genannten Materien stehen selbständig und gleichgewichtig nebeneinander (BVerfGE 3, 414). Zum *Bodenrecht* zählen z. B. die städtebauliche Planung, die Baulandumlegung, die Zusammenlegung von Grundstücken, der Bodenverkehr und das Erschließungsrecht (vgl. BVerfGE 3, 424, 429; 33, 286 f.; 34, 144). Dagegen steht dem Bund keine Gesetzgebungszuständigkeit für die Materie »Baurecht« insgesamt zu. Auch das

Bauordnungsrecht fällt nicht in seine Kompetenz, sondern gehört als selbständige Rechtsmaterie zum Regelungsbereich der Länder (vgl. BVerfGE 3, 415; 40, 265 f.). Zum »Bodenrecht« hat der Bund insbes. erlassen das BundesbauG i. d. F. vom 18. 8. 1976 (BGBl. I S. 2256) und das G über städtebauliche Sanierungs- und Entwicklungsmaßnahmen in den Gemeinden (StädtebauförderungsG) i. d. F. vom 18. 8. 1976 (BGBl. I S. 2318). Der Begriff *Wohnungswesen* umfaßt sowohl die Wohnraumnutzung (z. B. eine etwaige Wohnraumbewirtschaftung) wie auch die Förderung des Wohnungsbaues. Aus der umfangreichen Gesetzgebung vgl. insbes. Zweites WohnungsbauG i. d. F. vom 30. 7. 1980 (BGBl. I S. 1085), G zur Sicherung der Zweckbestimmung von Sozialwohnungen i.d.F. vom 22. 7. 1982 (BGBl. I S. 972), G zum Abbau der Fehlsubventionierung und der Mietverzerrung im Wohnungswesen vom 22. 12. 1981 (BGBl. I S. 1523), WohngeldG i. d. F. vom 27. 12. 1982 (BGBl. I S. 1921).

19   *Nr. 19:* Die Aufzählung der Gebiete, die der Bundesgesetzgebung offen stehen, stellt nur einen Ausschnitt aus dem Gesamtbereich des Gesundheitswesens dar, dessen Regelung im übrigen den Ländern obliegt. Von der Kompetenz, *Maßnahmen gegen gemeingefährliche und übertragbare Krankheiten bei Menschen und Tieren zu erlassen,* hat der Bund Gebrauch gemacht u. a. durch Erlaß des BundesseuchenG i. d. F. vom 18. 12. 1979 (BGBl. I S. 2262). Der Begriff *Zulassung zu ärztlichen und anderen Heilberufen* ist wortgetreu auszulegen und umfaßt im wesentlichen die Vorschriften, die sich auf Erteilung, Zurücknahme und Verlust der Approbation bzw. Zulassung oder auf die Befugnis zur Ausübung des Berufes erstrecken (BVerfG i. st. Rspr., z. B. BVerfGE 33, 154 f.). Ärztliche Berufe i. S. der Nr. 19 sind lediglich die Berufe des Arztes, Zahnarztes und Tierarztes (BVerfGE 33, 153). Die Regelung der ärztlichen Weiterbildung nach Erteilung der Approbation und des gesamten Facharztwesens gehört dagegen in die ausschließliche Gesetzgebungszuständigkeit der Länder (BVerfGE 33, 155), ebenso Regelungen über die Berufsgerichtsbarkeit für die Angehörigen der Heilberufe (BVerfGE 4, 83). Zum Recht der Heilberufe vgl. u. a. Bundesärzteordnung i. d. F. vom 14. 10. 1977 (BGBl. I S. 1885), G über die berufsmäßige Ausübung der Heilkunde ohne Bestallung (HeilpraktikerG) i. d. F. vom 2. 3. 1974 (BGBl. I S. 469) und G über die Ausübung der Berufe des Masseurs usw. vom 21. 12. 1958 (BGBl. I S. 985). Zum *Verkehr mit Arzneien, Heil- und Betäubungsmitteln und Giften* vgl. insbes. G zur Neuordnung des Arzneimittelrechts vom

24. 8. 1976 (BGBl. I S. 2445) und G über den Verkehr mit Betäubungsmitteln i. d. F. vom 28. 7. 1981 (BGBl. I S. 681).

19a *Nr. 19 a:* Die *wirtschaftliche Sicherung der Krankenhäuser* stellt nur einen Ausschnitt aus dem Krankenhauswesen insgesamt dar und ermöglicht neben Regelungen über die Finanzierung von Investitionen, die Unterhaltung und Finanzhilfen des Bundes (gestützt auf Art. 104 a IV) auch Regelungen über die Personalstruktur, die Klasseneinteilung und die ausdrücklich genannten *Krankenhauspflegesätze*. Auch Einschränkungen des Liquidationsrechts der Krankenhauschefärzte sind – soweit sie sich im Bereich des Zumutbaren bewegen – zulässig (vgl. BVerfGE 52, 336 ff.). Unter Krankenhäusern sind sowohl öffentl. (auch z. B. kommunale) als auch private Anstalten zu verstehen. Zu Nr. 19 a vgl. G über die wirtschaftliche Sicherung der Krankenhäuser und zur Regelung der Krankenhauspflegesätze vom 29. 6. 1972 (BGBl. I S. 1009).

20 *Nr. 20:* Ergänzt durch das 29. ÄndG vom 18. 3. 1971 (BGBl. I S. 207) um den Bereich *Tierschutz*; vgl. TierschutzG vom 24. 7. 1972 (BGBl. I S. 1277), das auf der Grundkonzeption eines ethisch ausgerichteten Tierschutzes i. S. einer Mitverantwortung des Menschen für das seiner Obhut anheimgegebene Lebewesen beruht (BVerfGE 48, 389). Im Bereich des Verbrauchsgüterrechts bereitet der Begriff der *Bedarfsgegenstände* gewisse Abgrenzungsschwierigkeiten. Er ist weit auszulegen; vgl. § 5 Lebensmittel- und BedarfsgegenständeG vom 15. 8. 1974 (BGBl. I S. 1946). Nach Nr. 20 sind weiterhin u. a. erlassen worden das HandelsklassenG i. d. F. vom 23. 11. 1972 (BGBl. I S. 2201), das FuttermittelG vom 2. 7. 1975 (BGBl. I S. 1745) und das PflanzenschutzG i. d. F. vom 2. 10. 1975 (BGBl. I S. 2591).

21 *Nr. 21:* Die Kompetenzbestimmung dient dem Zweck, die einheitliche Regelung von Angelegenheiten der *Schiffahrt* sowie der *Schiffahrtswege* im Interesse eines ordnungsmäßigen Schiffsverkehrs zu ermöglichen (BVerfGE 15, 18). Eine darüber hinausgehende wasserwirtschaftliche Gesetzgebungsbefugnis für die Wasserstraßen scheidet hingegen im Hinblick auf Art. 75 Nr. 4 aus. Bundeswasserstraßen, die Binnenwasserstraßen sind, und dem allgemeinen Verkehr dienende Binnenwasserstraßen sind begrifflich nicht dasselbe (BVerfGE 15, 8; zur Verwaltungskompetenz hinsichtlich der Bundeswasserstraßen vgl. Art. 89). Einschlägige Gesetze i. S. der Nr. 21 sind das G über die Aufgaben des Bundes auf dem Gebiet der Seeschiffahrt i. d. F. vom 30. 6. 1977

(BGBl. I S. 1314), das G über die Küstenschiffahrt vom
26. 7. 1957 (BGBl. II S. 738), das G über den Wetterdienst vom
11. 11. 1952 (BGBl. I S. 738) und das BundeswasserstraßenG
vom 2. 4. 1968 (BGBl. II S. 173).

22 *Nr. 22:* Das *Straßenverkehrsrecht* ist in seiner Zielrichtung, einen
optimalen Ablauf des Verkehrs zu gewährleisten, auch sachlich
begrenztes Ordnungsrecht, für das dem Bund – abweichend vom
sonstigen (Polizei-)Ordnungsrecht – die Gesetzgebungskompetenz zusteht, so daß er auch Regelungen über verkehrsbeeinträch-
tigende Werbung treffen kann (BVerfGE 40, 380 f.). Auf dem
Gebiet des Straßen- und Wegerechts ist der Bund gemäß Nr. 22
beschränkt auf Regelungen über *Bau und Unterhaltung von Landstraßen für den Fernverkehr* (identisch mit Bundesfernstraßen;
vgl. zur Verwaltungskompetenz Art. 90), während darüber hinaus die Länder, etwa auch für Regelungen über »öffentliches Eigentum« an Straßen und die Haftung für dessen Beschädigung, zuständig sind (vgl. BVerfGE 42, 28 ff.). Durch die Kompetenz des
Bundes für Regelungen über die *Erhebung und Verteilung von Gebühren für die Benutzung öffentlicher Straßen mit Fahrzeugen* wurden insbes. Parkgebührenregelungen ermöglicht, wobei kein
neuer Gebührenbegriff eingeführt, sondern an den allgemeinen
Gebührenbegriff angeknüpft wurde (vgl. BVerfGE 50, 226). Gemäß Nr. 22 wurden u. a. erlassen das StraßenverkehrsG i. d. F.
vom 19. 12. 1952 (BGBl. I S. 837) samt Straßenverkehrsordnung
vom 16. 11. 1970 (BGBl. I S. 1565) und Straßenverkehrszulas-
sungsordnung i. d. F. vom 15. 11. 1974 (BGBl. I S. 3193), das
PersonenbeförderungsG vom 21. 3. 1961 (BGBl. I S. 241), das
GüterkraftverkehrsG i. d. F. vom 10. 3. 1983 (BGBl. I S. 256),
das G über die Errichtung eines Kraftfahrtbundesamtes vom
4. 8. 1951 (BGBl. I S. 488), das BundesfernstraßenG i. d. F.
vom 1. 10. 1974 (BGBl. I S. 2413) und das G über den Ausbau
der Bundesfernstraßen i. d. F. vom 26. 8. 1980 (BGBl. I
S. 1615).

23 *Nr. 23:* Die Kompetenz für die *Schienenbahnen* besteht nur, soweit sie nicht Bundeseisenbahnen (vgl. Art. 73 Nr. 6) oder Bergbahnen sind, die in die Zuständigkeit der Länder fallen (vgl. auch
BVerfGE 56, 263). Entsprechende Schienenbahnen sind in erster
Linie Straßen- und U-Bahnen – vgl. die Definition in § 4 I und II
PersonenbeförderungsG vom 21. 3. 1961 (BGBl. I S. 241) –, aber
auch die nichtbundeseigenen Eisenbahnen; vgl. Allgemeines Ei-
senbahnG vom 29. 3. 1951 (BGBl. I S. 225).

24   *Nr. 24* enthält einen Teilbereich der Umweltkompetenzen des
Bundes (eine umfassende Bundeszuständigkeit gibt es nicht).
Weitere Anknüpfungspunkte sind insbes. – neben Art. 75 Nr. 3
und 4 – Art. 74 Nr. 11, 11 a, 17, 20 und 22. Nr. 24 wurde eingefügt
durch das 30. ÄndG vom 12. 4. 1972 (BGBl. I S. 593), um die
konkurrierende Gesetzgebungskompetenz des Bundes klarzustellen (insbes. für den Bereich »Abfallbeseitigung«) oder einzuführen und umfassende gesetzliche Regelungen zu ermöglichen. Zum
Begriff *Abfallbeseitigung* vgl. G über die Beseitigung von Abfällen
(AbfallbeseitigungsG) i. d. F. vom 5. 1. 1977 (BGBl. I S. 41), zu
Luftreinhaltung und Lärmbekämpfung s. G. zum Schutz vor
schädlichen Umwelteinwirkungen durch Luftverunreinigungen,
Geräusche, Erschütterungen und ähnliche Vorgänge (Bundes-Im-
missionschutzG) vom 15. 3. 1974 (BGBl. I S. 721). Das umfassende G zum Schutz vor Verkehrslärm von Straßen und Schienen-
wegen (VerkehrslärmschutzG) ist in der 8. Wahlperiode nach
Verabschiedung durch den BTag an der versagten Zustimmung
des BRates gescheitert.

**Artikel 74 a   [Besoldung und Versorgung der Angehörigen des öf-
fentlichen Dienstes]**

**(1)   Die konkurrierende Gesetzgebung erstreckt sich ferner auf die
Besoldung und Versorgung der Angehörigen des öffentlichen Dienstes, die in einem öffentlich-rechtlichen Dienst- und Treueverhältnis
stehen, soweit dem Bund nicht nach Artikel 73 Nr. 8 die ausschließliche Gesetzgebung zusteht.**

**(2)   Bundesgesetze nach Absatz 1 bedürfen der Zustimmung des Bun-
desrates.**

**(3)   Der Zustimmung des Bundesrates bedürfen auch Bundesgesetze
nach Artikel 73 Nr. 8, soweit sie andere Maßstäbe für den Aufbau oder
die Bemessung der Besoldung und Versorgung einschließlich der Bewertung der Ämter oder andere Mindest- oder Höchstbeträge vorsehen als Bundesgesetze nach Absatz 1.**

**(4)   Die Absätze 1 und 2 gelten entsprechend für die Besoldung und
Versorgung der Landesrichter. Für Gesetze nach Artikel 98 Abs. 1 gilt
Absatz 3 entsprechend.**

1   Nachdem erst im Jahre 1969 die Rahmenkompetenz des Bundes
auf den jetzt in Art. 74 a geregelten Bereich erstreckt worden
war, wurde im Hinblick auf das trotzdem weiter auseinander drif-

tende Besoldungsgefüge in den Ländern 1971 die konkurrierende
Gesetzgebungszuständigkeit des Bundes geschaffen, *um ein einheitliches Besoldungswesen in Bund und Ländern zu gewährleisten*. Mit dieser neuen Zuständigkeit wurde den Ländern ein wesentlicher Teil des Rechts entzogen, das für die Begründung und
den Inhalt des ausschließlich zwischen ihnen und ihren Beamten
bestehenden öff.-rechtl. Dienstverhältnisses gelten soll. Im Blick
auf Art. 79 III (Bestandsschutz für die Eigenstaatlichkeit der Länder) war die Kompetenzübertragung jedoch letztlich unbedenklich, da der Bundesgesetzgeber bei Ausübung der neuerworbenen
Kompetenz durch die Pflicht zu bundesfreundlichem Verhalten
gebunden ist und den Ländern die Möglichkeit verbleibt, im Zuge
von Reformen und strukturellen Änderungen ihrer Organisation
Ämter mit neuem Amtsinhalt einschl. ihrer der Struktur der Bun-
desbesoldungsordnung für Landesbeamte entsprechenden besol-
dungsrechtl. Einstufung in eigener Verantwortung zu schaffen
(BVerfGE 34, 20 f.).

2   *Absatz 1* beschränkt die konkurrierende Gesetzgebungskompetenz auf die Besoldung und Versorgung der *in einem öffentlich-
rechtlichen Dienst- und Treueverhältnis der Länder stehenden Personen* (vgl. dazu Art. 33 IV, V, BundesbesoldungsG i. d. F. vom
13. 11. 1980, BGBl. I S. 2081, sowie BeamtenversorgungsG vom
24. 8. 1976, BGBl. I S. 2485). Unter »Besoldung« sind sämtliche
in Erfüllung der Alimentationspflicht gewährten Leistungen zu
verstehen, also nicht nur Geld-, sondern auch Sachbezüge. Hierzu
zählen u. a. auch die freie Heilfürsorge und die Beihilfe. Der Bundesgesetzgeber hat mit dem BundesbesoldungsG seine ihm durch
Art. 74 a verliehene Kompetenz nicht ausgeschöpft, sondern den
Ländern in Randzonen der Besoldung Raum zu eigener Gestaltung gelassen (BVerfGE 62, 368 f.).

Während es für Beamte und Arbeitnehmer des Bundes bei der
Zuständigkeit nach Art. 73 Nr. 8 bzw. Art. 74 Nr. 12 verbleibt,
richtet sich die Regelung der Besoldung von *Arbeitnehmern im öffentl. Dienst der Länder* nach Art. 74 Nr. 12 bzw. Art. 75 Nr. 1
(s. o. Art. 74 Rn. 12), wobei in der Praxis anstelle gesetzlicher
Regelungen durchweg Tarifverträge vorzufinden sind; Regelungen über die Versorgung dieses Personenkreises beruhen hingegen auf Art. 74 Nr. 12 (Sozialversicherung).

3   *Absatz 2 und Absatz 3* unterwerfen Bundesgesetze nach Abs. 1
und mit diesen kollidierende Bundesgesetze nach Art. 73 Nr. 8
der *Zustimmung des Bundesrates*. Verfassungspolitisch stellt die

Zustimmung des BRates ein gewisses Äquivalent für den weitgehenden Verlust der Besoldungs- und Versorgungshoheit der Länder in ihrem eigenen Bereich dar.

4 *Absatz 4 stellt klar, daß für* Richter *keine Abweichung von der allgemeinen Regelung der Abs. 1–3 gelten soll.*

Artikel 75   [Rahmenvorschriften des Bundes]

Der Bund hat das Recht, unter den Voraussetzungen des Artikels 72 Rahmenvorschriften zu erlassen über:

1. die Rechtsverhältnisse der im öffentlichen Dienste der Länder, Gemeinden und anderen Körperschaften des öffentlichen Rechtes stehenden Personen, soweit Artikel 74 a nichts anderes bestimmt;

1a. die allgemeinen Grundsätze des Hochschulwesens;

2. die allgemeinen Rechtsverhältnisse der Presse und des Films;

3. das Jagdwesen, den Naturschutz und die Landschaftspflege;

4. die Bodenverteilung, die Raumordnung und den Wasserhaushalt;

5. das Melde- und Ausweiswesen.

1 *Art. 75 enthält* – abgesehen vom Fall des Art. 98 III 2 – eine *abschließende Aufzählung der* dem Bund zustehenden *Befugnisse zur Rahmengesetzgebung,* die nur unter den Voraussetzungen des Art. 72 II zulässig ist. Der Bund kann von der Rahmenkompetenz Gebrauch machen durch Erlaß von Richtlinien für die Landesgesetzgebung, durch den Erlaß von Anweisungsnormen, die ggf. auch eine Frist für die Umsetzung durch den Landesgesetzgeber enthalten können (str., vgl. etwa § 72 I HochschulrahmenG), oder durch unmittelbar geltende, d. h. für jedermann verbindliche Rechtssätze. Punktuelle Vollregelungen für einzelne Teile einer Gesetzgebungsmaterie sind möglich, insbes. dann, wenn an der einheitlichen Regelung einer bestimmten Frage ein besonders starkes und legitimes Interesse besteht (BVerfGE 43, 343); als Ganzes aber muß das Gesetzeswerk dem Landesgesetzgeber noch Spielraum lassen und darauf angelegt sein, von ihm auf Grund eigener Entschließung ausgefüllt zu werden. *Insgesamt müssen Rahmengesetze also ausfüllungsfähig und ausfüllungsbedürftig sein;* das, *was den Ländern zu regeln bleibt, muß von substanziellem Gewicht sein* (BVerfG i. st. Rspr.; vgl. E 4, 129 f.; 36, 202). Rahmenvorschriften können auch zum Erlaß von Rechtsverordnungen ermächtigen, wobei die VO des Bundes wiederum Rahmen- oder punktuelle Vollregelungen enthalten können (str.; vgl. z. B. § 22 BundesjagdG, § 22 IV BundesnaturschutzG). Umstrit-

ten ist im Hinblick auf Art. 31 auch, ob landesrechtl. Normen, die
den vom Bund gesetzten Rahmen ausfüllen, bundesrechtl. Regelungen – etwa zum besseren Verständnis der Gesamtregelung – im
Landesgesetz wiederholen dürfen. Eine rein deklaratorische Wiederholung wird man als zulässig ansehen können (so auch BVerf-
GE 37, 200 für den Bereich der konkurrierenden Gesetzgebung).
Soweit eine Materie noch nicht geregelt ist, kann eine »vorgezoge-
ne« punktuelle Vollregelung erlassen werden, wenn an der einheitlichen Regelung dieser Frage ein besonders starkes und legitimes Interesse besteht (BVerfGE 33, 64; enger: BVerfGE 36,
202; s. hierzu auch Rn. 4). Insgesamt hat die bisherige Staatspraxis gezeigt, daß der Bundesgesetzgeber von seiner Befugnis zur
Rahmengesetzgebung teilweise sehr weitgehend Gebrauch gemacht hat, und zwar mit Billigung des BRates, der mit dieser Haltung mehrfache Versuche, Gegenstände des Art. 75 in den Katalog des Art. 74 zu überführen – z. B. Naturschutz und Landschaftspflege, Wasserhaushalt – erfolgreich abgewehrt hat.

2   *Nr. 1:* Die Befugnis zur Regelung des *öffentlichen Dienstrechts*
wurde durch das 29. ÄndG vom 18. 3. 1971 (BGBl. I S. 206) neu
gefaßt; die Einfügung des letzten Halbsatzes stellt den Vorrang
der konkurrierenden Gesetzgebungskompetenz nach Art. 74 a
klar, die allerdings nicht die Arbeitnehmer und die Beamten nur
hinsichtlich der Besoldung und Versorgung erfaßt. Der Begriff
»Rechtsverhältnisse« ist – wie in Art. 73 Nr. 8 – weit auszulegen;
er umfaßt auch das Personalvertretungsrecht (BVerfGE 7, 120; 9,
288; 51, 53 f.). Unter die Körperschaften des öffentl. Rechts i. S.
dieser Nummer fallen nicht die als Körperschaften des öffentl.
Rechts anerkannten Religionsgemeinschaften. Aufgrund der
Nr. 1 sind vor allem das BeamtenrechtsrahmenG i. d. F. vom
3. 1. 1977 (BGBl. I S. 21) und der 2. Teil des BundespersonalvertretungsG vom 15. 3. 1974 (BGBl. I S. 693) erlassen worden.

3   *Nr. 1 a:* Die *allgemeinen Grundsätze des Hochschulwesens* erstrecken sich nicht nur auf wissenschaftliche, sondern auch auf
sonstige Hochschulen. Im Hinblick auf die zusätzliche Einschränkung »allgemeine Grundsätze« ist str., ob der Bundesgesetzgeber
auf reine Rahmenvorschriften beschränkt ist. Zumindest im Bereich von Regelungen über Zulassungsbeschränkungen, bei denen wegen des Grundrechtsschutzes einheitliche Zulassungskrite-
rien unverzichtbar sind (vgl. BVerfGE 33, 332, 357), hat das
BVerfG auch einzelne Vollregelungen für zulässig erachtet (vgl.
BVerfGE 43, 343). Zu Nr. 1 a s. HochschulrahmenG vom
26. 1. 1976 (BGBl. I S. 185). Bezüglich des Hochschulbaus sowie

der Bildungsplanung und der Forschungsförderung vgl. die Erläut. zu Art. 91 a und 91 b.

4 *Nr. 2:* Der Begriff *Presse* ist weit auszulegen. Er umfaßt nicht nur Zeitungen und Zeitschriften, sondern alle zur Verbreitung geeigneten und bestimmten Druckerzeugnisse, nicht aber auch Hörfunk und Fernsehen. Der Gesetzgeber ist nach Nr. 2 beschränkt auf Regelungen über die *allgemeinen Rechtsverhältnisse der Presse.* Bei der Frage, ob eine Materie dem Presserecht oder anderen Gebieten (z. B. Verfahrensrecht, Strafrecht) zuzuordnen ist, muß auf die wesensmäßige und historische Zugehörigkeit der Materie zu dem einen oder anderen Bereich abgestellt werden, wobei auch die herkömmliche Zuordnung zu berücksichtigen ist (BVerfGE 7, 40; 36, 203; 48, 373). Danach gehört die in den meisten Landespressegesetzen geregelte Verjährung von Pressedelikten zu Nr. 2, nicht zum Gebiet des Strafrechts oder gerichtlichen Verfahrens (BVerfGE 7, 40), während das strafprozessuale Aussageverweigerungsrecht von Presseangehörigen und Regelungen über das pressebezogene Beschlagnahmeverfahren zum gerichtlichen Verfahren i. S. von Art. 74 Nr. 1 zählen (BVerfGE 36, 203; 48, 373). Die 1976 in das G gegen Wettbewerbsbeschränkungen eingefügten Vorschriften über eine Pressefusionskontrolle wurden auf der Grundlage des Art. 74 Nr. 16 erlassen (vgl. BGHZ 76, 64 f.). Bisher hat der Bundesgesetzgeber von der Befugnis nach Art. 75 Nr. 2 noch keinen umfassenden Gebrauch gemacht, sondern nur im Wege einer vorgezogenen punktuellen Vollregelung das G zur Gewährleistung der Unabhängigkeit des vom Deutschen Presserat eingesetzten Beschwerdeausschusses vom 18. 8. 1976 (BGBl. I S. 2215) erlassen. Das G über Maßnahmen zur Förderung des deutschen Films (FilmförderungsG) vom 25. 6. 1979 (BGBl. I S. 803) beruht, da es vorwiegend wirtschaftsfördernden Charakter hat, auf der Grundlage des Art. 74 Nr. 11 (vgl. BVerwGE 45, 2 ff.).

5 *Nr. 3:* Von der Kompetenz zur Regelung des *Jagdwesens* hat der Bundesgesetzgeber umfassend Gebrauch gemacht; vgl. BundesjagdG i. d. F. vom 29. 9. 1976 (BGBl. I S. 2849), das zum Teil allerdings auch auf Art. 74 Nr. 1 gestützt ist. Zu *Naturschutz und Landschaftspflege* vgl. das G über Naturschutz und Landschaftspflege (BundesnaturschutzG) vom 20. 12. 1976 (BGBl. I S. 3574) sowie das G zur Erhaltung des Waldes und zur Förderung der Forstwirtschaft (BundeswaldG) vom 2. 5. 1975 (BGBl. I S. 1037), das in Teilen auf Art. 74 Nr. 17 beruht.

6 *Nr. 4:* Von der Befugnis zur Regelung der *Bodenverteilung* hat
der Gesetzgeber bisher keinen Gebrauch gemacht (vgl. auch
Art. 74 Nr. 15 und 18). Unter *Raumordnung* ist die zusammen-
fassende, übergeordnete Planung und Ordnung des geographischen Raumes zu verstehen. Sie ist übergeordnet, weil sie überörtliche Planung ist und weil sie vielfältige Fachplanungen zusammenfaßt und aufeinander abstimmt (BVerfGE 3, 425). Raumordnung i. S. der Nr. 4 ist nur die *Planung im Bereich eines Landes* (BVerfGE 15, 16); vgl. insoweit das (Bundes-)Raumord-
nungsG vom 8. 4. 1965 (BGBl. I S. 306) und die Raumordnungs-
klauseln in verschiedenen Fachplanungsgesetzen (z. B. § 1 IV
BundesbauG, § 37 II FlurbereinigungsG, § 6 II LuftverkehrsG).
Von der ausschließlichen Vollkompetenz (aus der Natur der Sache) zur Raumplanung für den *Gesamtstaat* (vgl. BVerfGE 3,
427; 15, 16) hat der Bund bisher keinen Gebrauch gemacht; vgl.
jedoch das Raumordnungsprogramm für die großräumige Entwicklung des Bundesgebietes – Bundesraumordnungsprogramm
– vom 14. 2. 1975, Schriftenreihe des BMinisters für Raumordnung, Bauwesen und Städtebau, Nr. 06.002. Die Befugnis zur
Gesetzgebung über den *Wasserhaushalt* – vgl. G zur Ordnung des
Wasserhaushalts (WasserhaushaltsG) i. d. F. vom 16. 10. 1976
(BGBl. I S. 3017) – erstreckt sich auf Vorschriften über die haus-
hälterische Bewirtschaftung des in der Natur vorhandenen Was-
sers nach Menge und Güte (BVerfGE 15, 15; 58, 62) und erlaubt
damit Regelungen im allgemeinen Bereich der Wasserwirtschaft
(vgl. BVerfGE 58, 340 ff.); s. auch G über Abgaben für das Ein-
leiten von Abwasser in Gewässer (AbwasserabgabenG) vom
13. 9. 1976 (BGBl. I S. 2721).

7 *Nr. 5:* Das *Meldewesen* betrifft Meldepflichten, die sich auf
Wohnsitz oder Aufenthalt beziehen (f. Ausländer gilt darüber
hinaus Art. 74 Nr. 4); vgl. MelderechtsrahmenG vom 16. 8. 1980
(BGBl. I S. 1429), das auch datenschutzrechtl. Regelungen enthält. Da Art. 73 Nr. 3 bereits Ausweise zum Grenzübertritt und
Art. 74 Nr. 2 Urkunden über den Personenstand erfassen, kann
das *Ausweiswesen* gemäß Nr. 5 nur Ausweise über Personen, sog.
Personalausweise betreffen; vgl. G über Personalausweise vom
19. 12. 1950 (BGBl. I S. 807).

Artikel 76 **[Einbringung von Gesetzesvorlagen des Bundes]**

(1) **Gesetzesvorlagen werden beim Bundestage durch die Bundesregierung, aus der Mitte des Bundestages oder durch den Bundesrat eingebracht.**

(2)   Vorlagen der Bundesregierung sind zunächst dem Bundesrate zuzuleiten. Der Bundesrat ist berechtigt, innerhalb von sechs Wochen zu diesen Vorlagen Stellung zu nehmen. Die Bundesregierung kann eine Vorlage, die sie bei der Zuleitung an den Bundesrat ausnahmsweise als besonders eilbedürftig bezeichnet hat, nach drei Wochen dem Bundestage zuleiten, auch wenn die Stellungnahme des Bundesrates noch nicht bei ihr eingegangen ist; sie hat die Stellungnahme des Bundesrates unverzüglich nach Eingang dem Bundestage nachzureichen.

(3)   Vorlagen des Bundesrates sind dem Bundestage durch die Bundesregierung innerhalb von drei Monaten zuzuleiten. Sie hat hierbei ihre Auffassung darzulegen.

1   Art. 76 bestimmt für die Bundesgesetzgebung die zur Einbringung von Gesetzesvorschlägen Berechtigten sowie den Adressaten solcher Vorlagen (Abs. 1) und regelt für Initiativen der BReg (Abs. 2) und des BRates (Abs. 3) die einzelnen Verfahrensschritte bis zur Zuleitung an den BTag.

Absatz 1

2   *Adressat* sämtlicher Gesetzesvorlagen ist der BTag als das eigentliche Gesetzgebungsorgan des Bundes. Zur *Gesetzesinitiative* berechtigt sind die BReg, die Mitglieder des BTages und der BRat. Diese Aufzählung ist abschließend. Eine Gesetzesinitiative durch Volksbegehren kennt das GG nicht. *Vorlagen der Bundesregierung* müssen vom Kabinett als Kollegium beschlossen werden (vgl. auch § 15 I Buchst. a GO BReg). Für *Gesetzesvorlagen aus der Mitte des Bundestages* steht das Initiativrecht nicht dem BTag als solchem, sondern den Abgeordneten in einer zahlenmäßig bestimmten Gruppierung zu (BVerfGE 1, 153). Die nähere Ausgestaltung hierzu ist der GO BTag überlassen, nach der Gesetzentwürfe aus der Mitte des BTages von einer Fraktion oder von 5 vH der Mitglieder des BTages unterzeichnet sein müssen (§ 76 I i. V. m. § 75 I Buchst. a). *Gesetzesinitiativen des Bundesrates* setzen einen Beschluß i. S. des Art. 52 III 1 voraus. Ein Initiativrecht einzelner Länder (LReg) gibt es nicht. Die drei in Art. 76 I genannten Initianten können ihre Befugnis unabhängig voneinander ausüben. Auch mehrere Gesetzesvorschläge gleichen Inhalts, etwa aus der Mitte des BTages und von seiten der BReg, sind deshalb möglich. Für Vertragsgesetze i. S. des Art. 59 II 1 und für Haushaltsgesetze (s. Art. 110 III) hat jedoch allein die BReg das Initiativrecht.

3 Art. 76 I sagt nichts darüber, welchen Inhalt eine Gesetzesvorlage haben darf. Inhaltliche *Schranken der Initiative* können sich nur
aus anderen Vorschriften des GG ergeben (BVerfGE 1, 153).
Der Zwang, eine Gesetzesvorlage mit einem Deckungsvorschlag
zu verbinden, ist eine sachliche Beschränkung, die das GG nicht
zuläßt (BVerfGE 1, 158 ff.). Dagegen ist es im Hinblick auf die
Aufspaltungsbefugnis des BTages (s. dazu Art. 78 Rn. 5) grundsätzlich erlaubt, daß (schon) der Träger des Initiativrechts eine
Regelungsmaterie auf mehrere Gesetzesvorschläge verteilt, also
z. B. Vorschriften, die der Zustimmung des BRates bedürfen,
und Bestimmungen, die zustimmungsfrei ergehen können,
trennt. Unbedenklich ist es auch, daß ein Initiativberechtigter sich
verpflichtet, von seinem Recht einen bestimmten Gebrauch zu
machen, wenn er nur bezüglich des Inhalts des Gesetzesvorschla-
ges die Schranken der Verfassung beachtet und nicht versucht,
auch andere Staatsorgane zu binden (BVerfGE 1, 366). Ebenso
wie entsprechende Verpflichtungen der BReg im Rahmen völkerrechtl. Verträge (vgl. BVerfGE 1, 366) sind deshalb z. B. Absprachen zwischen den Regierungen des Bundes und der Länder
möglich, bei Ausübung ihres Initiativrechtes gemeinsam vereinbarte Ziele zu verfolgen, etwa auf dem Gebiet der Beamtenbesol-
dung eine stabilitätskonforme Entwicklung der Personalkosten
im öffentl. Dienst zu gewährleisten. Zulässig sind auch Beteili-
gungsvorbehalte nach Art des § 94 BBG, wenn die Entschlie-
ßungsfreiheit des Initiativberechtigten unbeeinträchtigt bleibt
(vgl. auch BVerwGE 59, 48).

4 Mit seiner Vorlage gibt der Träger des Initiativrechts den Anstoß
zum Gesetzgebungsverfahren. Er kann entsprechend dem *Wesen
der Gesetzesinitiative* verlangen, daß das Gesetzgebungsorgan
sich mit seinem Vorschlag befaßt (BVerfGE 1, 153; 2, 173). Daher ist das Initiativrecht erst dann voll zum Zuge gekommen,
wenn das Plenum des BTages über die Vorlage beraten und –
durch Annahme oder Ablehnung – Beschluß gefaßt hat. Um dies
zu ermöglichen, sind die Ausschüsse verpflichtet, dem Plenum
über die ihnen überwiesenen Vorlagen binnen angemessener Frist
zu berichten (BVerfGE 1, 154).

5 Eine *Rücknahme von Gesetzesvorschlägen* ist bis zur Schluß-
abstimmung in der dritten Lesung des BTages zulässig (zur
Staatspraxis s. etwa 7. BTag, 48. Sitzung v. 13. 9. 1973, Sten-
Ber. S. 2735 f. betr. BT-Drucks. 7/110; 8. BTag, 122. Sit-
zung v. 6. 12. 1978, StenBer. S. 9465 betr. BT-Drucks. 8/2259;
BR-Drucks. 470/82).

Absatz 2

6 *Satz 1: Gesetzesvorlagen der Bundesregierung* sind nicht unmittelbar dem BTag, sondern zunächst dem BRat zuzuleiten. Seine Einschaltung schon im sog. ersten Durchgang stellt sicher, daß der BTag frühzeitig über die Vorstellungen des BRates unterrichtet wird, deren Berücksichtigung in der parl. Beratung in aller Regel den zweiten Durchgang beim BRat erleichtern wird. Werden Gesetzentwürfe, die in den BMinisterien ausgearbeitet wurden, beim BTag nicht von der BReg, sondern aus der Mitte des Parlaments eingebracht, entfällt die Beteiligung des BRates im ersten Durchgang. Durchschlagende Bedenken gegen ein solches Verfahren bestehen entgegen einer weit verbreiteten Meinung (s. die Nachweise bei v. Münch, Art. 76 Rn. 21) nicht, weil ausreichende Mitwirkung des BRates auch hier gewährleistet ist (im Ergebnis wohl ebenso BVerfGE 30, 253, 261).

7 *Sätze 2 und 3: Das Recht des Bundesrates,* zu den Vorlagen der BReg *Stellung zu nehmen,* ist fristgebunden. Dadurch soll verhindert werden, daß die Länder bei ihnen unerwünschten Initiativen das Gesetzgebungsverfahren aufhalten. Die normale *Äußerungsfrist* beträgt sechs Wochen. Sie kann einvernehmlich weder verkürzt noch verlängert werden. Doch kann sich der BRat im Einzelfall mit einem kürzeren Zeitraum begnügen. Auch kann die BReg das Verfahren dadurch beschleunigen, daß sie eine Vorlage als besonders eilbedürftig bezeichnet. In diesem Fall ist Zuleitung an den BTag schon nach drei Wochen möglich, auch wenn der BRat noch nicht Stellung genommen hat; eine später eingehende Stellungnahme ist dem BTag unverzüglich nachzureichen.

8 Im Rahmen seiner Äußerung kann der BRat der Vorlage des von der BReg beschlossenen Entwurfs überhaupt widersprechen, dem Gesetzentwurf inhaltlich zustimmen oder ihn inhaltlich ablehnen, aber auch Änderungen dazu vorschlagen. Möglich ist auch die Feststellung, daß das beabsichtigte Gesetz nach Auffassung des BRates seiner Zustimmung bedarf. Es handelt sich dabei um keine Maßnahme i. S. von § 64 BVerfGG, die Rechte des BTages im Gesetzgebungsverfahren verletzen oder unmittelbar gefährden könnte (vgl. BVerfGE 3, 17 f.).

9 Abs.2 regelt nicht, wie die vom BRat beschlossene Stellungnahme verfahrensmäßig weiter zu behandeln ist. Nach § 45 II GGO II wird sie vom BRPräs dem BKanzler und vom Bundeskanzleramt dem federführenden Ministerium zugeleitet. Dieses arbeitet erforderlichenfalls eine *Gegenäußerung* aus, die von der *Bundesregierung* beschlossen (§ 45 III GGO II) und vom BKanzler zusammen mit dem Gesetzentwurf, seiner Begründung und der Stellungnahme des BRates dem BTPräs übermittelt wird (§ 46 I GGO II).

10   Gesetzesvorlagen der BReg, die vor dem Ende einer Wahlperiode des BTages zwar noch das Verfahren nach Abs. 2 durchlaufen haben, beim BTag jedoch nicht mehr eingebracht wurden, unterfallen nicht dem *Grundsatz der sachlichen Diskontinuität*. Sie können deshalb ohne nochmalige Beteiligung des BRates dem neu gewählten BTag zugeleitet werden (vgl. auch Art. 39 Rn. 3 mit Hinweis auf die abweichende Staatspraxis). Dies gilt selbst dann, wenn der BRat seine Stellungnahme vor dem Tag der BTagswahl, also zu einem Zeitpunkt beschlossen hat, als ihm die konkret-personelle Zusammensetzung des neuen Parlaments noch nicht bekannt sein konnte (bestr.; wie hier z. B. Maunz/Dürig, Art. 39 Rn. 19).

Absatz 3

11   :*Satz 1: Gesetzesvorlagen des Bundesrates* können beim BTag ebenfalls nicht direkt eingebracht werden. Sie gehen vielmehr zunächst an die BReg und sind von dieser innerhalb von drei Monaten dem BTag zuzuleiten. Sinn auch dieser *Fristenregelung* ist es, Verzögerungen, die die Effektivität des Initiativrechtes beeinträchtigen könnten, zu vermeiden.

12   *Satz 2:* Anders als der BRat bei Regierungsvorlagen hat die *Bundesregierung* bei Initiativen des BRates nicht nur das Recht, sondern auch die *Pflicht zur Stellungnahme*. Notwendig ist hierfür ein Beschluß des Kabinettskollegiums (§ 55 GGO II). Kann er aus zwingenden Gründen ausnahmsweise nicht innerhalb der Dreimonatsfrist des Satzes 1 gefaßt werden, wird es sich in aller Regel empfehlen, wenigstens den Gesetzentwurf des BRates fristgerecht zuzuleiten und die Stellungnahme dazu unverzüglich nachzureichen. Der damit verbundene Verfahrensmangel bleibt für das Gesetz, das auf einer solchen Vorlage beruht, folgenlos. Das gleiche gilt, wenn (wie im Fall der BT-Drucks. 7/5555) mit der Stellungnahme der BReg auch der Gesetzentwurf selbst dem BTag erst nach Fristablauf zugeht. Dem GG kann nicht entnommen werden, daß dies das wirksame Zustandekommen des vom BTag im weiteren Gesetzgebungsverfahren beschlossenen Gesetzes beeinträchtigt.

13   BRatsvorlagen, die am Ende einer Wahlperiode den BTag nicht
mehr erreicht haben, aber noch bis zur BReg gelangt sind, können
von dieser dem neu gewählten BTag zugeleitet werden, ohne daß
das Verfahren nach Abs. 3 wiederholt zu werden braucht. Der
Grundsatz der sachlichen Diskontinuität führt auch hier nicht zu einer Erledigung der Initiative (für Regierungsvorlagen s. oben
Rn. 10).

Artikel 77   [Verfahren der Bundesgesetzgebung]

**(1)   Die Bundesgesetze werden vom Bundestage beschlossen. Sie sind
nach ihrer Annahme durch den Präsidenten des Bundestages unverzüglich dem Bundesrate zuzuleiten.**

**(2)   Der Bundesrat kann binnen drei Wochen nach Eingang des Ge-
setzesbeschlusses verlangen, daß ein aus Mitgliedern des Bundestages
und des Bundesrates für die gemeinsame Beratung von Vorlagen gebildeter Ausschuß einberufen wird. Die Zusammensetzung und das Verfahren dieses Ausschusses regelt eine Geschäftsordnung, die vom Bundestag beschlossen wird und der Zustimmung des Bundesrates bedarf.
Die in diesen Ausschuß entsandten Mitglieder des Bundesrates sind
nicht an Weisungen gebunden. Ist zu einem Gesetze die Zustimmung
des Bundesrates erforderlich, so können auch der Bundestag und die
Bundesregierung die Einberufung verlangen. Schlägt der Ausschuß eine Änderung des Gesetzesbeschlusses vor, so hat der Bundestag erneut
Beschluß zu fassen.**

**(3)   Soweit zu einem Gesetze die Zustimmung des Bundesrates nicht
erforderlich ist, kann der Bundesrat, wenn das Verfahren nach Absatz 2 beendigt ist, gegen ein vom Bundestage beschlossenes Gesetz
binnen zwei Wochen Einspruch einlegen. Die Einspruchsfrist beginnt
im Falle des Absatzes 2 letzter Satz mit dem Eingange des vom Bundestage erneut gefaßten Beschlusses, in allen anderen Fällen mit dem Eingange der Mitteilung des Vorsitzenden des in Absatz 2 vorgesehenen
Ausschusses, daß das Verfahren vor dem Ausschusse abgeschlossen ist.**

**(4)   Wird der Einspruch mit der Mehrheit der Stimmen des Bundesra-
tes beschlossen, so kann er durch Beschluß der Mehrheit der Mitglieder
des Bundestages zurückgewiesen werden. Hat der Bundesrat den Einspruch mit einer Mehrheit von mindestens zwei Dritteln seiner Stimmen beschlossen, so bedarf die Zurückweisung durch den Bundestag
einer Mehrheit von zwei Dritteln, mindestens der Mehrheit der Mitglieder des Bundestages.**

1   Art. 77 regelt die wichtigsten Abschnitte im Verfahren der Bun-
    desgesetzgebung, insbes. das *Zusammenwirken von Bundestag
    und Bundesrat,* und unterscheidet in letzterer Hinsicht zwischen
    Gesetzen, zu deren Zustandekommen die Zustimmung des BRa-
    tes erforderlich ist (Zustimmungsgesetze), und Gesetzen, denen
    gegenüber der BRat nur das Recht zum Einspruch hat (Ein-
    spruchsgesetze).

Absatz 1

2   Nach *Satz 1* werden die Bundesgesetze vom *Bundestag,* dem *ei-
    gentlichen Gesetzgeber,* beschlossen. Der BRat wirkt bei der Ge-
    setzgebung lediglich mit (Art. 50; zu den Einzelausprägungen
    dieser Mitwirkungsbefugnis s. BVerfGE 37, 380 f. sowie Art. 50
    Rn. 2).

3   Satz 1 bestimmt, daß nur das Plenum des BTages über Gesetzes-
    vorlagen beschließen kann. Damit ist aber nichts darüber gesagt,
    ob eine erste Lesung stattgefunden haben muß (BVerfGE 1,
    152). Eine *Beratung der Gesetzentwürfe in drei Lesungen* ist weder
    im GG ausdrücklich vorgeschrieben noch ist sie Verfassungsge-
    wohnheitsrecht noch gehört sie zu den unabdingbaren Grundsät-
    zen der demokratischen rechtsstaatl. Ordnung (BVerfGE 1, 151;
    29, 234). Das GG überläßt die Ausgestaltung des Verfahrens inso-
    weit der autonomen Satzungsgewalt des BTages (BVerfGE 1,
    151; auch BVerfGE 36, 330 m. w. N.). Nach der in § 78 I GO
    BTag getroffenen Regelung werden Gesetzentwürfe in drei, Ver-
    träge i. S. des Art. 59 II 1 grundsätzlich in zwei Beratungen be-
    handelt (für Nachtragshaushaltsvorlagen s. die Sonderregelung in
    § 95 I 6 GO BTag). Auch die Entscheidung, welche Verbände
    und Sachverständigen bei einem nicht in der Verfassung vorge-
    schriebenen *Anhörungsverfahren* zu Wort kommen sollen (dazu
    vgl. § 70 GO BTag), ist prinzipiell dem Ermessen der Gesetzge-
    bungsorgane und ihrer Ausschüsse überlassen (BVerfGE 36,
    330).

4   Für den *Gesetzesbeschluß* des BTages genügt im Regelfall die
    Mehrheit der abgegebenen Stimmen (Art. 42 II). Eine qualifi-
    zierte Mehrheit ist außer bei GG-Änderungen (Art. 79 II) nur in
    den Fällen des Art. 29 VII 2 und des Art. 87 III 2 erforderlich.
    Nach traditionellem Verständnis umfaßt der Gesetzesbeschluß
    die *Feststellung des Gesetzesinhalts und* die sog. *Sanktion,* d. h.
    die Anordnung, daß der festgestellte Text Gesetz sein soll. Dieser
    Gesetzesbefehl steht allerdings unter dem Vorbehalt, daß das

vom BTag beschlossene Gesetz gemäß Art. 78 zustande kommt und nach Art. 82 I ausgefertigt und verkündet wird. Für den Gesetzgebungsnotstand gilt die Sonderregelung des Art. 81.

5 *Satz 2:* Nach der Gesetzesannahme ist der BTPräs verpflichtet, das Gesetz *unverzüglich,* d. h. ohne schuldhaftes Zögern, dem BRat zuzuleiten. Mit Rücksicht auf den *Grundsatz der Unverrückbarkeit* (s. dazu mit Bezug auf den BTag allgemein Art. 42 Rn. 2) kann der BTag das Gesetz im laufenden Gesetzgebungsverfahren nicht mehr inhaltlich ändern, sofern er nicht nach Abs. 2 Satz 5 oder Art. 113 II erneut Beschluß fassen muß. Nur die *Berichtigung von Druckfehlern* und anderen offenbaren Unrichtigkeiten ist noch möglich (vgl. hierzu § 122 III GO BTag sowie auch § 59 III 4 u. § 62 III GGO II). Ein neuer Gesetzgebungsgang zur Bereinigung solcher bloß technischer Mängel wäre im Hinblick auf die Arbeitsbelastung der gesetzgebenden Körperschaften und die Erfordernisse einer funktionsfähigen Gesetzgebung unangemessen und unverhältnismäßig (BVerfGE 48, 18 f.).

Absatz 2

6 Abs. 2 regelt zusammen mit der Gemeinsamen Geschäftsordnung des BTages und des BRates für den Vermittlungsausschuß (GO VermA) vom 19. 4. 1951 (BGBl. II S. 103) das sog. *Vermittlungsverfahren.* Es soll bei Meinungsverschiedenheiten über den Inhalt eines Gesetzes verhindern, daß vorschnell ein Gesetzgebungsorgan seinen Willen einseitig durchsetzt oder die Gesetzgebung zum Stillstand kommt.

7 *Sätze 1–4:* Dieser Zielsetzung trägt auch die paritätische *Besetzung des Vermittlungsausschusses* (VermA) Rechnung. Nach § 1 GO VermA gehören ihm 22 Mitglieder an, die je zur Hälfte vom BTag und vom BRat entsandt werden. Die vom BRat entsandten Mitglieder sind wie die Vertreter des BTages (Art. 38 I 2) nicht an Weisungen gebunden. Dadurch werden die Findung von Kompromissen erleichtert und Verzögerungen durch das Einholen von Instruktionen vermieden.

8 Das *Recht zur Anrufung des Vermittlungsausschusses* steht bei Einspruchsgesetzen nur dem BRat, bei Zustimmungsgesetzen (dazu s. Art. 78 Rn. 3) außer dem BRat auch dem BTag und der BReg zu. Dem BRat ist die Anrufung nach Satz 1 nur binnen drei Wochen nach Eingang des Gesetzesbeschlusses des BTages möglich. Für Einberufungsverlangen des BTages und der BReg gilt diese *Anrufungsfrist* nicht. Auch eine andere Fristenregelung

kann Art. 77 II nicht entnommen werden (bestr.; vgl. z. B.
v. Mangoldt/Klein, Art. 77 Anm. IV 6 c; wie hier aber die
Staatspraxis; s. BR-Drucks. 791/75 i. V. m. BR-Drucks. 182/75
[Beschluß]). Da die Anrufung des VermA durch BTag und BReg
verhindern soll, daß ein Zustimmungsgesetz wegen Nichtertei-
lung der BRatszustimmung nicht zustande kommt, setzt ein Antrag dieser Verfassungsorgane voraus, daß der BRat die Zustimmung zum Gesetz entweder ausdrücklich verweigert oder durch
sein Verhalten zu erkennen gegeben hat, daß er nicht zustimmt.

9   Hinsichtlich des *Anrufungsziels* ist zu unterscheiden: Einberufungsverlangen des BRates können darauf gerichtet sein, die völlige Aufhebung des vom BTag beschlossenen Gesetzes, die Änderung einzelner Vorschriften oder auch die Ergänzung des Gesetzes zu erreichen, letzteres unter der Voraussetzung, daß sich die
Ergänzung im Rahmen des betr. Gesetzesgegenstandes hält. Bei
Anrufungsbegehren des BTages und der BReg scheidet die Aufhebung des Gesetzesbeschlusses als Ziel der Vermittlung aus. Zulässig sind dagegen Einberufungsverlangen, mit denen die Änderung einzelner Gesetzesbestimmungen oder die auf das Gesetzge-
bungsthema beschränkte Ergänzung oder Umgestaltung des Gesetzesbeschlusses angestrebt wird, wenn dies die Vermittlung för-
dert (im einzelnen dazu wie zum Dispositionsrahmen des VermA
Dietlein, NJW 1983, 80 ff.). Auch die Anrufung mit dem Ziel, die
vom BTag in *einem* Gesetz beschlossene Materie auf mehrere Gesetze zu verteilen, ist nicht ausgeschlossen (vgl. BT-Drucks. VI/
2708). Eine *Begründung des Vermittlungsantrages,* der bis zum
Abschluß des Verfahrens im VermA zurückgenommen werden
kann (vgl. aus der Praxis etwa BR-Drucks. 288/81 [Beschluß] u.
dazu BRat, 502. Sitzung v. 10. 7. 1981, StenBer. S. 255 ff.), ist
nicht erforderlich, aber möglich. Während der BRat seine Anträge im einzelnen zu begründen pflegt, sehen BTag und BReg davon in aller Regel ab (Ausnahme z. B.: BR-Drucks. 539/78).

10 *Satz 5:* Eine *erneute Beschlußfassung durch den Bundestag* ist erforderlich, wenn der VermA zu einem Einigungsvorschlag auf Änderung oder Aufhebung des vom BTag beschlossenen Gesetzes
gelangt. Der BTag stimmt – in einer einzigen Beratung – lediglich
über den Einigungsvorschlag ab, zu dem vor der Abstimmung Erklärungen abgegeben werden können (§ 10 GO VermA). Bestätigt der VermA das Gesetz (§ 11 GO VermA) oder schließt er sein
Verfahren ohne Einigungsvorschlag ab (§ 12 GO VermA), wird
der BTag mit der Sache nicht mehr befaßt. Es entscheidet vielmehr der BRat über den ursprünglichen Gesetzesbeschluß.

Absatz 3

11 *Satz 1:* Dem *Einspruch des Bundesrates* unterliegen nur Gesetze,
die nicht an die Zustimmung des BRates gebunden sind. Der BRat
hat aber das Recht, einem nach seiner Meinung zustimmungsbedürftigen Gesetz die Zustimmung zu versagen und gleichzeitig für
den Fall, daß das Gesetz nicht zustimmungspflichtig sein sollte,
vorsorglich Einspruch dagegen einzulegen (BVerfGE 37, 396; zur
Staatspraxis s. etwa BT-Drucks. 8/4411 u. 8/4412). Gegen Beschlüsse des BTages, die nicht Gesetzesbeschlüsse sind, ist eine
Einspruchsmöglichkeit nicht gegeben. Der Einspruch hat, weil
nach Abs. 4 überstimmbar, zunächst nur die *Wirkung eines auf-
schiebenden Vetos.* Der BRat kann mit seiner Hilfe das Zustandekommen von Gesetzen hemmen, im Falle der Zurückweisung des
Einspruchs durch den BTag letztlich aber nicht verhindern
(BVerfGE 8, 296). Der Einspruch kann erst nach Abschluß des
Vermittlungsverfahrens nach Abs. 2 erhoben werden (vgl. BVerf-
GE 1, 79). Er muß als solcher eindeutig erkennbar sein (BVerf-
GE 37, 396 unter Hinweis auf § 30 I GO BRat), braucht nicht begründet zu werden, wird beim BTPräs eingelegt und kann bis zur
Beschlußfassung des BTages nach Abs. 4 zurückgenommen wer-
den. Tatsächlich ist eine Rücknahme bisher noch niemals erfolgt
(vgl. BRat, 492. Sitzung v. 24. 10. 1980, StenBer. S. 404).

12 *Satz 2:* Die *Zweiwochenfrist,* innerhalb welcher ein Einspruch
nur erhoben werden kann, beginnt im Fall des Abs. 2 Satz 5 mit
dem Eingang des vom BTag erneut gefaßten Beschlusses, in den
Fällen der §§ 11 und 12 GO VermA mit dem Eingang der Mitteilung des Vorsitzenden des VermA, daß das Verfahren vor diesem
Ausschuß abgeschlossen ist.

Absatz 4

13 Über den Antrag auf *Zurückweisung eines Einspruchs* des BRates
wird nach § 91 GO BTag ohne Begründung und Aussprache abgestimmt. Vor der Abstimmung können lediglich Erklärungen abgegeben werden. Für die Entscheidung über die Zurückweisung ist
eine Frist nicht gesetzt.

14 Nach den *Sätzen 1 und 2* ist für die Überstimmung eines Einspruchs je nach der Mehrheit, mit der der Einspruch vom BRat beschlossen wurde, eine *verschieden qualifizierte Bundestagsmehr-
heit* erforderlich. Hat der BRat seinen Beschluß mit einfacher
Mehrheit gefaßt, bedarf es zur Zurückweisung der Mehrheit der

Mitglieder des BTages i. S. des Art. 121. Hat er den Einspruch mit einer Mehrheit von mindestens zwei Dritteln seiner Stimmen beschlossen, ist für die Überstimmung durch den BTag die Zweidrittelmehrheit der Abstimmenden notwendig, die zumindest die Mehrheit der gesetzlichen Mitgliederzahl nach Art. 121 erreichen muß. Wird die im konkreten Fall erforderliche BTagsmehrheit erzielt, ist das Gesetz mit der Zurückweisung des Einspruchs zustande gekommen (Art. 78). Ein nochmaliger Einspruch ist nicht möglich. Findet der Antrag auf Überstimmung des Einspruchs nicht die notwendige Mehrheit, ist das Gesetzgebungsvorhaben gescheitert. Der BTag hat im Einspruchsstadium nicht mehr die Möglichkeit, das Gesetz den Wünschen des BRates anzupassen und diesen so zur Rücknahme seines Einspruchs zu bewegen.

Artikel 78   [Zustandekommen der Bundesgesetze]

Ein vom Bundestage beschlossenes Gesetz kommt zustande, wenn der Bundesrat zustimmt, den Antrag gemäß Artikel 77 Abs. 2 nicht stellt, innerhalb der Frist des Artikels 77 Abs. 3 keinen Einspruch einlegt oder ihn zurücknimmt oder wenn der Einspruch vom Bundestage überstimmt wird.

1   Art. 78 bestimmt die *Voraussetzungen für das Zustandekommen der Bundesgesetze.* Sie sind verschieden je nachdem, ob es sich im konkreten Fall um ein Zustimmungs- oder lediglich um ein Einspruchsgesetz handelt (zur Terminologie s. Art. 77 Rn. 1). Bei Zustimmungsgesetzen kann sich der BRat zwischen Zustimmung, Anrufung des Vermittlungsausschusses und Versagung der Zustimmung entscheiden, bei Einspruchsgesetzen hat er zunächst nur die Wahl, ob er den Vermittlungsausschuß anrufen will oder nicht. Bei Zustimmungsgesetzen sind also die verfassungsrechtl. Möglichkeiten, auf das Zustandekommen der Gesetze einzuwirken, weit stärker als bei Einspruchsgesetzen (BVerfGE 8, 296).

2   Dies erklärt sich daraus, daß es sich bei der *Zustimmungsbefugnis* des BRates um ein *echtes Mitentscheidungsrecht* handelt. Ohne positives Votum des BRates kommt ein Zustimmungsgesetz nicht zustande. Es bedarf hier also stets eines aktiven Handelns des BRates. Die Möglichkeit, dem BRat eine Frist zur Erklärung zu setzen, nach deren Ablauf seine Zustimmung fingiert werden könnte, ist im GG nicht vorgesehen. Bei einem Einspruchsgesetz führt dagegen auch bloße Untätigkeit des BRates, nämlich das

Verstreichenlassen der Frist zur Anrufung des Vermittlungsausschusses (vgl. Art. 77 Rn. 8), zum Zustandekommen des Gesetzes. Außerdem tritt diese Rechtsfolge ein, wenn (nach Durchführung des Vermittlungsverfahrens) der BRat auf die Einlegung eines Einspruchs verzichtet oder ihn zurücknimmt (s. dazu Art. 77 Rn. 11) oder wenn der BTag einen vom BRat erhobenen Einspruch nach Art. 77 IV überstimmt (vgl. hierzu Art. 77 Rn. 14). Da der *Grundsatz der sachlichen Diskontinuität* nicht für den BRat gilt, kann dieser die für das Zustandekommen des Gesetzes notwendigen Entscheidungen auch noch nach dem Ende der Wahlperiode des BTages treffen (s. Art. 39 Rn. 3).

3 Die grundgesetzlichen *Zustimmunsvorbehalte zugunsten des Bundesrates* sollen verhindern, daß der Bund ggf. auch gegen den Willen der BRatsmehrheit Maßnahmen durchsetzt, die das föderative System zum Nachteil der Länder verschieben (vgl. BVerfGE 37, 379 f.; 48, 178; 55, 319; s. aber auch Art. 87 b Rn. 5). Nach dem GG sind solche Vorbehalte die Ausnahme. Dies gilt auch für das Erfordernis der BRatszustimmung zu Gesetzen. Sie sind zustimmungsbedürftig nur in bestimmten, im GG abschließend geregelten Fällen, in denen der *Interessenbereich der Länder besonders stark berührt* wird (BVerfGE 1, 79; 37, 381). Diese Voraussetzung, die der Annahme eines allgemeinen Kontrollrechts des BRates entgegensteht (BVerfGE 37, 381), ist außer bei Verfassungsänderungen (Art. 79 II) und bei Sonderregelungen, die mit dem Verteidigungsfall zusammenhängen (Art. 115 c I 2 u. III, Art. 115 k III 2, Art. 115 l I 1), vor allem bei Bundesgesetzen gegeben, die den Gebietsbestand oder die Verwaltungs-, Organisations- und Verfahrenshoheit der Länder betreffen (Art. 29 VII, Art. 84 I u. V 1, Art. 85 I, Art. 87 III 2, Art. 87 b I 3 u. II, Art. 87 c, 87 d II, Art. 91 a, 108 II 2, IV 1 u. V 2, Art. 109 III, Art. 120 a I 1) oder die Finanz- und Haushaltswirtschaft der Länder und Gemeinden berühren (Art. 74 a II, III u. IV 1, Art. 91 a, 98 I i. V. m. Art. 74 a III u. IV 2, Art. 104 a III 3, IV 2 u. V 2, Art. 105 III, Art. 106 III 3, IV 2, V 2 u. VI 5, Art. 107 I 2 u. 4, Art. 109 III u. IV 1). Vgl. auch BVerfGE 61, 206. Weitere Fälle sind in Art. 81 II und III, Art. 87 b I 4, Art. 96 V sowie in Art. 134 IV und Art. 135 V i. V. m. Art. 135 a geregelt. Darüber hinaus hat das BVerfG die Zustimmung des BRates für notwendig erachtet, wenn das Erfordernis der BRatszustimmung zu Rechtsverordnungen nach Art. 80 II ausgeschlossen wird (BVerfGE 28, 76 ff.; dazu auch Art. 80 Rn.5) und in den Fällen des Art. 84 II und des Art. 85 II 1

statt der BReg ein einzelner oder mehrere BMinister zum Erlaß
allgemeiner Verwaltungsvorschriften ermächtigt werden (BVerf-
GE 26, 395 ff.; vgl. auch Art. 84 Rn. 8 u. Art. 85 Rn. 3). Nicht
zustimmungsbegründend ist dagegen, wenn die Ermächtigung
zum Erlaß von Rechtsverordnungen nicht der BReg, sondern einem oder mehreren BMinister(n) erteilt wird (arg. Art. 80 I 1 u.
II).

4 Die *Zustimmung des Bundesrates bezieht sich auf das Gesetz als
gesetzgebungstechnische Einheit,* d. h. auf alle Normen des Gesetzes, nicht nur auf die, die seine Zustimmungsbedürftigkeit ausgelöst haben (BVerfGE 8, 294 f.; 24, 195, 197; 37, 381; 48, 177 f.;
55, 319, 326 f.). Der BRat übernimmt durch seine Zustimmung
die Verantwortung für das Gesetz als Ganzes (BVerfGE 24, 197).
Daraus folgt jedoch nicht, daß auch jedes *Änderungsgesetz zu einem Zustimmungsgesetz* nur mit Zustimmung des BRates ergehen
kann (BVerfGE 37, 381 f.; 39, 33; 48, 178; vgl. auch schon
BVerwGE 28, 43 f.). Änderungsgesetze sind an die Zustimmung
des BRates vielmehr nur dann gebunden, wenn sie ihrerseits einen zustimmungspflichtigen Inhalt haben und damit zu einer neu-
en Gewichtsverschiebung im föderativen System des GG führen
(vgl. BVerfGE 37, 380 ff.; 48, 178). Dies ist der Fall, wenn das
Änderungsgesetz zustimmungsbedürftige Vorschriften des Ursprungsgesetzes ändert oder neue Bestimmungen enthält, die das
Zustimmungserfordernis auslösen (BVerfGE 37, 382 f.).

5 Der BTag ist nicht gehindert, in Ausübung seiner gesetzgeberischen Freiheit ein Gesetzesvorhaben in mehreren Gesetzen zu regeln (BVerfGE 24, 199; 34, 28; 37, 382; 39, 35). Er kann deshalb
auch eine Regelungsmaterie in der Weise aufspalten, daß er die
Bestimmungen, die keinen zustimmungsbedürftigen Inhalt haben, in ein Einspruchsgesetz und diejenigen Vorschriften, die das
Zustimmungsrecht des BRates auslösen, in ein gesondertes Zustimmungsgesetz aufnimmt (BVerfGE 24, 199; 37, 382; BVerw-
GE 28, 43). Die Grenze dieser *Aufspaltungsbefugnis* dürfte im
Willkürverbot (vgl. BVerfGE 37, 412 – Minderheitsvotum; offengelassen in BVerfGE 24, 199 f.; s. auch BVerfGE 39, 35) zu sehen und dann überschritten sein, wenn der Zweck des nicht zu-
stimmungsgebundenen Gesetzes ohne Aufnahme der zustim-
mungsbegründenden Vorschriften in dieselbe gesetzgebungstechnische Einheit schlechterdings nicht erreicht werden kann.

6 Liegt ein Zustimmungsgesetz vor, muß die *Abstimmung des Bundesrates* zweifelsfrei ergeben, ob er – mit mindestens der Mehrheit

seiner Stimmen (Art. 52 III 1; BVerfGE 8, 297; 28, 79 f.) – zugestimmt hat oder nicht (BVerfGE 37, 396). Grundsätzlich muß die
Zustimmung deshalb ausdrücklich erklärt werden (BVerfGE 8,
296; 28, 79). Geschieht dies nicht, kann die Zustimmung des BRates ausnahmsweise auch dann angenommen werden, wenn besondere Umstände bei der Beratung und Beschlußfassung eindeutig
erkennen lassen, daß der BRat mit der Vorlage einverstanden war
und das Zustandekommen des Gesetzes gewollt hat (BVerfGE 8,
297; 28, 80; a. A. AK, Art. 78 Rn. 5). Dagegen ist es mit Rücksicht auf den *Grundsatz der Unverrückbarkeit* ausgeschlossen, die
Entscheidung, einem zustimmungspflichtigen Gesetz die Zustimmung zu versagen, im Blick auf spätere, in anderem Zusammenhang abgegebene Erklärungen des BRates umzudeuten und die
von Verfassungs wegen mit der Verweigerung der Zustimmung
verbundene Auswirkung auf das Zustandekommen des Gesetzes
rückgängig zu machen (BVerfGE 55, 327 f.).

7 Die *Eingangsformel* lautet bei normalen Zustimmungsgesetzen:
»Der Bundestag hat mit Zustimmung des Bundesrates das folgende Gesetz beschlossen:«, bei Einspruchsgesetzen: »Der Bundestag hat das folgende Gesetz beschlossen:« (§ 30 II Nr. 1 und 3
GGO II). In diesem Fall wird die Mitwirkung des BRates in der
Schlußformel »Die verfassungsmäßigen Rechte des Bundesrates
sind gewahrt.« zum Ausdruck gebracht (§ 59 VII GGO II). Hat
der BRat einem zustimmungsbedürftigen Gesetz tatsächlich zugestimmt, ist es unschädlich, wenn die für Einspruchsgesetze übliche
Formel gewählt wurde (BVerfGE 9, 315 f.). Da Eingangs- und
Schlußformel nicht zum Gesetzesinhalt gehören, unterliegen sie
nicht der Beschlußfassung durch die gesetzgebenden Körperschaften (s. auch § 30 I 2 GGO II). Auch der Vermittlungsausschuß hat insoweit keine Entscheidungskompetenz. Er kann bei
Streit über die Zustimmungsbedürftigkeit eines Gesetzes zwar versuchen, diesem Streit durch Änderungsvorschläge zum Inhalt des
Gesetzes die Grundlage zu entziehen, nicht aber vermittelnd über
die Rechtsfrage selbst befinden. Dagegen haben der BPräs und
die gegenzeichnenden Mitglieder der BReg vor der Gesetzesaus-
fertigung zu prüfen, ob das ihnen vorgelegte Gesetz der Zustimmung des BRates bedurfte (vgl. auch Art. 82 Rn. 2). Bejahen sie
dies in einem Fall, in dem der BRat nicht zugestimmt hat, darf das
Gesetz nicht ausgefertigt und verkündet werden (vgl. aus der
Staatspraxis die Unterrichtung durch den BPräs in BT-Drucks. 7/
5856). Wird ein solches Gesetz ausgefertigt und verkündet, weil
BPräs und BReg anders als der BRat die Frage der Zustimmungs-

bedürftigkeit verneinen, hat über sein verfassungsmäßiges Zustandekommen ggf. das BVerfG zu entscheiden. Gelangt dieses
zu der Erkenntnis, daß es der Zustimmung des BRates bedurft
hätte, ist nach der Rechtsprechung des BVerfG *das gesamte Gesetz* und nicht nur die einzelne, die Zustimmungsbedürftigkeit be-
gründende Vorschrift mit dem GG unvereinbar und *nichtig*
(BVerfGE 55, 327; a. A. ebd., S. 333 ff., 341 ff. – Sondervoten).

8 Für den *Gesetzgebungsnotstand* trifft Art. 81 eine Sonderregelung.

Artikel 79 [Änderung des GG]

**(1) Das Grundgesetz kann nur durch ein Gesetz geändert werden, das
den Wortlaut des Grundgesetzes ausdrücklich ändert oder ergänzt. Bei
völkerrechtlichen Verträgen, die eine Friedensregelung, die Vorbereitung einer Friedensregelung oder den Abbau einer besatzungsrechtli-
chen Ordnung zum Gegenstand haben oder der Verteidigung der Bundesrepublik zu dienen bestimmt sind, genügt zur Klarstellung, daß die
Bestimmungen des Grundgesetzes dem Abschluß und dem Inkraftset-
zen der Verträge nicht entgegenstehen, eine Ergänzung des Wortlautes
des Grundgesetzes, die sich auf diese Klarstellung beschränkt.**

**(2) Ein solches Gesetz bedarf der Zustimmung von zwei Dritteln der
Mitglieder des Bundestages und zwei Dritteln der Stimmen des Bundesrates.**

**(3) Eine Änderung dieses Grundgesetzes, durch welche die Glieder-
ung des Bundes in Länder, die grundsätzliche Mitwirkung der Länder
bei der Gesetzgebung oder die in den Artikeln 1 und 20 niedergelegten
Grundsätze berührt werden, ist unzulässig.**

Absatz I

1 *Satz 1* statuiert den Grundsatz *»Keine Verfassungsänderung ohne
Verfassungstextänderung«*, wobei jede Änderung des GG eines
formellen Gesetzes bedarf; eine Rechtsverordnung oder ein Gesetz nach Art. 81 (s. dort Abs. 4) scheiden aus. Mit dieser Regelung hat das GG in bewußter Abkehr von der Praxis der Weimarer
Zeit die sog. *Verfassungsdurchbrechung* in Form einzelner mit
verfassungsändernder Mehrheit beschlossener Gesetze *verboten*.
Von der Verfassungsdurchbrechung zu unterscheiden ist der *Ver-
fassungswandel*, der – insbes. angesichts der Weite und Offenheit
vieler Verfassungsbestimmungen – die Konkretisierung und Fort-
entwicklung von Verfassungsnormen durch von allgemeiner
Rechtsüberzeugung getragene Verfassungspraxis betrifft (vgl. etwa die Entwicklung von Inhalt und Tragweite der Eigentumsga-

rantie sowie der Inhalts- und Schrankenbestimmung des Art. 14)
und möglich bleibt. Auch die Entstehung von *Verfassungsgewohnheitsrecht* dürfte Satz 1 nicht ausschließen (str.; vgl. Stern I
§ 4 I 6 m. w. N.).

2 *Satz 2* stellt eine *Ausnahme* vom Grundsatz des Satzes 1 dar; er
gibt die Möglichkeit, *bei bestimmten völkerrechtlichen Verträgen*
durch eine Ergänzung des Wortlautes des GG klarzustellen, daß
die Bestimmungen der Verfassung dem Abschluß und dem In-
kraftsetzen der Verträge nicht entgegenstehen. Die »Klarstellung« – auch als »authentische Interpretation« des Gesetzgebers
selbst bezeichnet – ermöglicht auch etwaige, in den genannten völkerrechtl. Verträgen enthaltene materielle Änderungen oder Ergänzungen des GG, ohne daß der Wortlaut der von den Änderungen betroffenen Einzelvorschriften geändert oder ergänzt wird.
Aus diesem Grund wird der durch das G zur Ergänzung des GG
vom 26. 3. 1954 (BGBl. I S. 45) eingefügte Satz 2 von weiten Teilen des Schrifttums für rechtswidrig angesehen (vgl. v. Mangoldt/
Klein, Art. 79 Anm. IV 1 m. w. N.). Von der Möglichkeit der
Klarstellung in der Staatspraxis bisher nur anläßlich der Ratifi-
zierung der EVG-Verträge durch die Einfügung des Art. 142 a
Gebrauch gemacht worden, der nach dem Scheitern der Verträge
wieder aufgehoben wurde.

Absatz 2

3 Die qualifizierte *Mehrheit von zwei Dritteln* der Mitglieder des
BTages und zwei Dritteln der Stimmen des BRates soll verhindern, daß folgenschwere Änderungen der grundgesetzlichen Ordnung durch nur schwache oder gar bloße Zufallsmehrheiten vorgenommen werden können. Daß diese Vorschrift dennoch keine
allzu hohe Hürde ist, zeigt die beträchtliche Zahl von bisher
35 Verfassungsänderungen innerhalb von rund 30 Jahren. Dabei
entfallen auf die drei Jahre der Großen Koalition (1966 bis 1969),
die eine verfassungsändernde Mehrheit besaß, allein 12 Verfassungsänderungen.

Absatz 3

4 Neben den formellen Änderungsschranken der Abs. 1 und 2 enthält Abs. 3 zusätzlich eine *materielle Änderungsschranke*. Im Hinblick auf den Ausnahmecharakter ist bei der »Ewigkeitsgarantie«
des Abs. 3 eine restriktive Interpretation angebracht. Nicht garantiert sind der jeweilige Bestand und die Anzahl der Länder

(vgl. dazu Art. 29). Sie sind aber gegen Verfassungsänderungen gesichert, durch die sie die Qualität von Staaten oder ein Essentiale der Staatlichkeit einbüßen. Dabei können sie sich zwar nicht auf den Umfang bestehender Zuständigkeiten berufen, jedoch muß ihnen ein Kern eigener Aufgaben als »Hausgut« unentziehbar verbleiben, wozu u. a. die freie Bestimmung über ihre Organisation einschl. der in der Landesverfassung enthaltenen organisatorischen Grundentscheidungen sowie die Garantie der verfassungskräftigen Zuweisung eines angemessenen Anteils am Gesamtsteueraufkommen im Bundesstaat gehören (BVerfGE 34, 19 f.). Die Garantie der grundsätzlichen Mitwirkung der Länder an der Gesetzgebung schließt z. B. nicht aus, von der derzeitigen Unterscheidung zwischen Einspruchs- und Zustimmungsgesetzen abzugehen. Durch ein absolutes Verbot sind nur die in Art. 1 und 20 niedergelegten Grundsätze gesichert, nicht hingegen die einzelnen Grundrechte. Die Rechtsprechung des BVerfG bestimmt dabei den »Menschenwürde«-Bereich des Art. 1 sehr eng (BVerfGE 20, 25: Überschreitung nur bei Behandlung des Menschen durch die öffentl. Hand, die eine Verachtung des Wertes, der dem Menschen kraft seines Personseins zukommt, zum Ausdruck bringt). Auch die durch Art. 20 garantierten rechtsstaatl. Grundsätze werden eng umgrenzt: Das Änderungsverbot bezieht sich auf den Grundsatz der Gewaltenteilung und den Grundsatz der Bindung der Gesetzgebung an die verfassungsmäßige Ordnung sowie der vollziehenden Gewalt und der Rechtsprechung an Gesetz und Recht (vgl. Art. 20 II u. III), nicht jedoch auf einzelne vom Rechtsstaatsprinzip abgeleitete Rechtsgrundsätze wie z. B. das Verbot rückwirkender belastender Gesetze, den Grundsatz der Verhältnismäßigkeit oder auch das Prinzip eines möglichst lückenlosen Rechtsschutzes und weitere Verästelungen des Rechtsstaatsprinzips. Insgesamt darf Abs. 3 nicht so verstanden werden, daß der Gesetzgeber gehindert ist, durch verfassungsänderndes Gesetz auch elementare Verfassungsgrundsätze systemimmanent zu modifizieren (vgl. zum Vorstehenden BVerfGE 30, 24 f.).

5   Die Frage, ob Abs. 3 selbst durch den Verfassungsgesetzgeber geändert (oder aufgehoben) werden kann, ist str. (vgl. die Nachweise bei v. Mangoldt/Klein, Art. 79 Anm. VIII 3). Für die Unabänderlichkeit des Art. 79 III spricht vor allem die Normlogik, daß außer den für unantastbar erklärten anderen Verfassungssätzen auch der Verfassungssatz selbst, der die Unantastbarkeit ausspricht, unabänderlich sein muß. Etwas anderes gilt nur für den

Fall des Außerkrafttretens des GG schlechthin, z. B. gemäß
Art. 146.

Artikel 80 [Erlaß von Rechtsverordnungen]

**(1) Durch Gesetz können die Bundesregierung, ein Bundesminister
oder die Landesregierungen ermächtigt werden, Rechtsverordnungen
zu erlassen. Dabei müssen Inhalt, Zweck und Ausmaß der erteilten Ermächtigung im Gesetz bestimmt werden. Die Rechtsgrundlage ist in
der Verordnung anzugeben. Ist durch Gesetz vorgesehen, daß eine Ermächtigung weiter übertragen werden kann, so bedarf es zur Übertragung der Ermächtigung einer Rechtsverordnung.**

**(2) Der Zustimmung des Bundesrates bedürfen, vorbehaltlich ander-
weitiger bundesgesetzlicher Regelung, Rechtsverordnungen der Bundesregierung oder eines Bundesministers über Grundsätze und Gebühren für die Benutzung der Einrichtungen der Bundeseisenbahnen und
des Post- und Fernmeldewesens, über den Bau und Betrieb der Eisenbahnen, sowie Rechtsverordnungen auf Grund von Bundesgesetzen,
die der Zustimmung des Bundesrates bedürfen oder die von den Ländern im Auftrage des Bundes oder als eigene Angelegenheit ausgeführt
werden.**

1 Sinn des Art. 80 ist es, durch die Möglichkeit der Übertragung
rechtsetzender Gewalt auf die Exekutive eine *Entlastung des Gesetzgebers* – insbes. bei Erlaß von Detailregelungen – herbeizuführen. Andererseits will die Vorschrift angesichts historischer Erfahrungen einer Selbstentmachtung des Parlaments vorbeugen und
der Rechtsetzung durch die Exekutive enge Grenzen ziehen.
Wenn das BVerfG diese Form der Rechtsetzung als »Ausnahme«
bezeichnet hat (BVerfGE 24, 197), steht dies mit der Staatspraxis
nicht ganz in Übereinstimmung, denn die Zahl der Rechtsverordnungen (RVO) ist größer als die der Gesetze. So betrug nach einer
Aufstellung aus dem Jahre 1977 die Zahl der in Geltung stehenden
Bundesgesetze 1 480, denen 2 280 RVO gegenüberstanden (vgl.
BT-Drucks. 8/212 S. 3), im Jahre 1980 wurden 121 Gesetze und
253 RVO verkündet (vgl. Jahresbericht der Bundesregierung
1980, hrsg. vom Presse- und Informationsamt der Bundesregierung, S. 137).

In der Normenhierarchie stehen die RVO im Range unter dem
Gesetz (Vorrang des Gesetzes; vgl. Vorbem. vor Art. 70 Rn. 4).
Streitig ist, ob auf Grund besonderer Ermächtigung des Gesetzge-

bers formelle Gesetze durch RVO geändert oder ergänzt werden können. Dem Erlaß solcher RVO steht insbes. Art. 129 III nicht entgegen, der lediglich eine Spezialnorm für vorkonstitutionelle Ermächtigungen darstellt und deshalb auf nachkonstitutionelles Recht nicht angewendet werden kann (vgl. Art. 129 Rn. 6). Auch die Staatspraxis hält Ermächtigungen zum Erlaß von gesetzesändernden und gesetzesergänzenden RVO für zulässig (vgl. z. B. § 1 II KriegswaffenkontrollG vom 20. 4. 1961, BGBl. I S. 444; §§ 2, 3 ZolltarifG i. d. F. vom 20. 12. 1968, BGBl. II S. 1223), wobei freilich an deren Konkretisierung nach Art. 80 I 2 besonders strenge Anforderungen zu stellen sind.

Ausfertigung, Verkündung und Inkrafttreten von RVO sind in Art. 82 I 2 und II geregelt. Hinsichtlich RVO im Verteidigungsfall vgl. Art. 115 k I, II.

Absatz 1

2 Nach *Satz 1* kommen als Delegatare in Betracht nur die BReg, ein BMinister oder die Landesregierungen. Zulässig ist auch die Ermächtigung mehrerer BMinister oder die Bindung an die Zustimmung eines BMinisters, nicht jedoch die Erteilung einer Ermächtigung an den Leiter einer Bundesoberbehörde (BVerfGE 8, 163). Was »Landesregierung« i. S. von Art. 80 I 1 ist, bestimmt das Landesverfassungsrecht; nur wenn danach unter »Landesregierung« auch der zuständige Minister verstanden werden kann, kann die durch Bundesgesetz der LReg erteilte Ermächtigung unmittelbar von dem Minister ausgeübt werden (BVerfGE 11, 86). Unzulässig im Hinblick auf das föderative Prinzip dürfte es hingegen sein, die von einer LReg zu erlassende RVO an die Zustimmung eines BMinisters (oder der BReg) zu binden. Ob eine Ermächtigung gleichzeitig eine Verpflichtung zum Erlaß der RVO darstellt, hängt vom Einzelfall ab; dies ist zu bejahen, wenn eine gesetzliche Regelung ohne Durchführungsverordnung nicht praktiziert werden kann oder wenn das Untätigbleiben des Verordnungsgebers einen Verstoß gegen den Gleichheitssatz darstellen würde (vgl. hierzu BVerfGE 13, 254; 16, 338).

3 Mit dem Konkretisierungsgebot des *Satzes 2* soll der Gesetzgeber gezwungen werden, die für die Ordnung eines Lebensbereiches entscheidenden Vorschriften selbst zu erlassen. Insbes. soll er entscheiden, welche Fragen durch die RVO geregelt werden sollen (Inhalt); gleichzeitig muß er die Grenzen einer solchen Re-

gelung festsetzen (Ausmaß) und angeben, welchem Ziel sie dienen soll (Zweck); vgl. BVerfGE 23, 72. Nach der st. Rspr. des
BVerfG ist dem Konkretisierungsgebot nicht genügt, wenn nicht
mehr vorauszusehen ist, in welchen Fällen und mit welcher Tendenz von der Ermächtigung Gebrauch gemacht werden wird und
welchen Inhalt die zu erlassende RVO haben kann (vgl. etwa
BVerfGE 19, 361; 42, 200). Dabei braucht der Gesetzgeber allerdings Inhalt, Zweck und Ausmaß der Ermächtigung nicht *ausdrücklich* im Text des Gesetzes zu bestimmen. Vielmehr gelten
auch für die Interpretation von Ermächtigungsnormen die allgemeinen Auslegungsgrundsätze. Wie auch sonst bei der Auslegung
einer Vorschrift können der Sinnzusammenhang der Norm mit
anderen Vorschriften und das Ziel, das die gesetzliche Regelung
insgesamt verfolgt, berücksichtigt werden. Auch die Entstehungsgeschichte kann – vor allem zur Bestätigung des Ergebnisses der
Auslegung – herangezogen werden (BVerfG i. st. Rspr.; vgl.
z. B. E 19, 362; 24, 15; 38, 358). Insgesamt sind die Anforderungen der Rechtsprechung an die hinreichende Bestimmtheit der
Ermächtigung nicht allzu hoch. Allerdings werden um so strengere Maßstäbe anzulegen sein, je mehr der Regelungsbereich Eingriffe in grundrechtl. geschützte Positionen zuläßt (vgl. BVerf-
GE 41, 266; 58, 277 f.; 62, 210). Eine unmittelbare Anwendung
des Art. 80 mit seinem Konkretisierungsgebot im Bereich der
Landesgesetzgebung scheidet zwar aus (BVerfGE 34, 58 ff.), jedoch sind auch dort die rechtsstaatl. Grundsätze über die Abgrenzung von Gesetzgebungs- und Verordnungsgewalt kraft Bundes-
verfassungsrechts zu beachten (vgl. BVerfGE 7, 253; 41, 266; 55,
226). Hingegen ist Art. 80 nicht anwendbar auf die Verleihung autonomer Satzungsgewalt (BVerfG i. st. Rspr.; so z. B. E 32, 361;
vgl. auch E 44, 349).

4 Nach *Satz 3* ist die Rechtsgrundlage in der RVO anzugeben. Daraus ist jedoch nicht zu schließen, daß bei einer auf mehrere Ein-
zelermächtigungen gestützten Sammelverordnung zu jeder Bestimmung im einzelnen angegeben werden muß, auf welcher der
Ermächtigungen sie beruht (BVerfGE 20, 292).

Eine Subdelegation ist nach *Satz 4* nur unter zwei Voraussetzungen zulässig: Sie muß im Gesetz zugelassen sein, ferner darf die
Übertragung nur in der Form einer RVO vorgenommen werden.
Der Kreis der Subdelegatare ist nicht wie in Satz 1 beschränkt. In
der Praxis richten sich Subdelegationen häufig an Bundesoberbehörden bzw. an Landesminister (vgl. auch BVerfGE 38, 147 f.).

Absatz 2

5 Drei Gruppen von RVO bedürfen der *Zustimmung des Bundesrates,* wenn bundesgesetzlich nichts anderes angeordnet ist:
1. die sog. Verkehrsverordnungen (aus dem Bereich von Eisenbahn und Post);
2. RVO auf Grund von Zustimmungsgesetzen;
3. RVO auf Grund von zustimmungsfreien Gesetzen, die von den Ländern ausgeführt werden.

Da die Zahl der Zustimmungsgesetze einen erheblichen Umfang angenommen hat (s. Art. 50 Rn. 2) und die Bundesgesetze grundsätzlich durch die Länder ausgeführt werden (vgl. Art. 83 Rn. 1), unterliegt nach dieser Bestimmung die große Mehrzahl der RVO des Bundes der Zustimmung des BRates. Eine ohne diese Zustimmung erlassene RVO ist unwirksam. Bei RVO auf Grund eines Zustimmungsgesetzes ergibt sich die Zustimmungsbedürftigkeit ohne Rücksicht darauf, ob die Ermächtigung und die mit ihr zusammenhängenden Normen die Zustimmungsbedürftigkeit des Gesetzes ausgelöst haben; dies folgt daraus, daß in Abs. 2 die Bundesgesetze als gesetzgebungstechnische Einheiten gemeint sind (BVerfGE 24, 197). Soll bei einer VO der ersten und der dritten Gruppe die Zustimmung des BRates ausgeschlossen werden, so kann dies nur durch ein Zustimmungsgesetz geschehen (BVerfGE 28, 77). Hingegen ist die Aufhebung einer Zustimmungsverordnung i. S. des Abs. 2 ohne Zustimmung des BRates möglich, weil insoweit nur der alte Rechtszustand hergestellt wird.

6 Prinzipiell zulässig ist auch, eine RVO an die *Zustimmung des Bundestages* – nicht jedoch an die eines Ausschusses (vgl. BVerfGE 4, 203) – zu binden (BVerfGE 8, 319). Derartige Ermächtigungen zum Erlaß von »Zustimmungsverordnungen« sind jedenfalls für solche Sachbereiche mit dem GG vereinbar, für die ein legitimes Interesse der Legislative anerkannt werden muß, zwar einerseits die Rechtsetzung auf die Exekutive zu delegieren, sich aber andererseits – wegen der Bedeutung der zu treffenden Regelungen – entscheidenden Einfluß auf Erlaß und Inhalt der Verordnungen vorzubehalten. Das ist für Sachbereiche wie das Zoll-, das Zolltarif- und das Preiswesen der Fall. Auch Ermächtigungen dieser Art müssen den Anforderungen von Abs. 1 Satz 2 entsprechen. Die Bestimmtheit der Ermächtigung muß sich unabhängig von den Voraussetzungen ergeben, unter denen die VO der Zustimmung des BTages bedürfen (BVerfGE 8, 321 ff.).

Artikel 80 a   [Anwendung von Rechtsvorschriften im Spannungs-fall]

(1)   Ist in diesem Grundgesetz oder in einem Bundesgesetz über die Verteidigung einschließlich des Schutzes der Zivilbevölkerung bestimmt, daß Rechtsvorschriften nur nach Maßgabe dieses Artikels angewandt werden dürfen, so ist die Anwendung außer im Verteidigungsfalle nur zulässig, wenn der Bundestag den Eintritt des Spannungsfalles festgestellt oder wenn er der Anwendung besonders zugestimmt hat. Die Feststellung des Spannungsfalles und die besondere Zustimmung in den Fällen des Artikels 12 a Abs. 5 Satz 1 und Abs. 6 Satz 2 bedürfen einer Mehrheit von zwei Dritteln der abgegebenen Stimmen.

(2)   Maßnahmen auf Grund von Rechtsvorschriften nach Absatz 1 sind aufzuheben, wenn der Bundestag es verlangt.

(3)   Abweichend von Absatz 1 ist die Anwendung solcher Rechtsvorschriften auch auf der Grundlage und nach Maßgabe eines Beschlusses zulässig, der von einem internationalen Organ im Rahmen eines Bündnisvertrages mit Zustimmung der Bundesregierung gefaßt wird. Maßnahmen nach diesem Absatz sind aufzuheben, wenn der Bundestag es mit der Mehrheit seiner Mitglieder verlangt.

1   Art. 80 a enthält Sondervorschriften für den *Spannungsfall,* einen Zustand erhöhter internationaler Spannungen, der einem möglichen Verteidigungsfall unmittelbar vorausgeht und deshalb eine erhöhte Verteidigungsbereitschaft erfordert. Damit bezieht sich Art. 80 a nur auf den äußeren Notstand. Die systematische Stellung der Vorschrift im VII. Abschnitt – und nicht etwa im Abschnitt X a – beruht auf ihrer Bedeutung für die Gesetzgebung (Anwendung von Rechtsvorschriften). Die Vorschrift enthält zwar keine Regelung über die Bekanntmachung des Beschlusses des BTages nach Abs. 1 bzw. des Beschlusses des internationalen Organs samt Zustimmung der BReg nach Abs. 3; dennoch wird man eine Bekanntmachung dieser Beschlüsse – als Teil des Gesetzgebungsverfahrens – entsprechend Art. 82 für erforderlich halten müssen. Ist eine Verkündung im BGBl. nicht oder nicht rechtzeitig möglich, sind auch erleichterte Publikationsformen (Rundfunk, Presse, Aushang) nach dem G über vereinfachte Verkündungen und Bekanntgaben vom 18. 7. 1975 (BGBl. I S. 1919) zulässig.

Absatz 1

2   Das GG will Vorsorge treffen, daß Maßnahmen zur Herstel-

lung erhöhter Verteidigungsbereitschaft, die einen besonders einschneidenden Charakter besitzen und u. U. geeignet sind, bestehende internationale Spannungen zu erhöhen, nur bei wirklich akuter Gefahr ausgelöst werden. Es bestimmt daher selbst (Art. 12 a V u. VI), gestattet aber auch dem einfachen Gesetzgeber, in Bundesgesetzen über die Verteidigung und den Schutz der Zivilbevölkerung zu bestimmen, daß *Rechtsvorschriften nur nach Maßgabe des Art. 80 a angewandt werden dürfen.* Art. 80 a läßt die Anwendung der ihm unterstellten Rechtsvorschriften nur zu:

1. im Verteidigungsfall (vgl. Art. 115 a),
2. wenn der BTag den Eintritt des Spannungsfalles festgestellt hat,
3. wenn der BTag der Anwendung besonders zugestimmt hat.

Auf dieser Grundlage kann der Gesetzgeber Rechtsvorschriften aus dem Sachbereich der Verteidigung und des Schutzes der Zivilbevölkerung mit einer »Sperre« versehen und damit die Entscheidungsgewalt der Exekutive im Ernstfall der *Kontrolle des Bundestages* unterwerfen. Doch soll eine solche Sperre die Ausnahme bilden; dem Ermessen des Gesetzgebers bleibt es überlassen, ob er Maßnahmen in Spannungszeiten auch unabhängig von der Zustimmung des BTages treffen lassen will. Gesetzliche Bestimmungen mit Zustimmungsvorbehalt nach Abs. 1 sind z. B. § 12 II G über die Erweiterung des Katastrophenschutzes vom 9. 7. 1968 (BGBl. I S. 776) und § 2 I WirtschaftssicherstellungsG i. d. F. vom 3. 10. 1968 (BGBl. I S. 1069). Die Entsperrung kann nur auf einem der o. g. drei Wege erfolgen. Die Feststellung des Spannungsfalles, mit der der BTag den gesperrten Maßnahmen einheitlich und allgemein zustimmt, ist vom BTag mit Zweidrittelmehrheit der abgegebenen Stimmen zu treffen, wobei im Gegensatz zur Feststellung des Verteidigungsfalles nach Art. 115 a I eine Mitwirkung des BRates nicht vorgesehen ist. Die »besondere Zustimmung« bedarf, da sie keine Generalvollmachten erteilt, nur einfacher Mehrheit, ausgenommen die in Satz 2 angeführten Fälle, in denen ebenfalls eine Zweidrittelmehrheit der abgegebenen Stimmen erforderlich ist.

Absatz 2

3   Ebenso wie z. B. in Art. 87 a IV 2 ist ein zwingendes *Aufhebungsverlangen des Bundestages* gegenüber Maßnahmen vorgesehen, die nach Abs. 1 ergangen sind. Dies gilt auch für solche Maßnahmen, deren Anwendung der BTag vorher ausdrücklich zugestimmt hat, ohne daß veränderte Umstände nachgewiesen zu werden brauchen.

Absatz 3

4 Die »*NATO-Klausel*« des Abs. 3 enthält Sonderbestimmungen
für den Fall, daß einschlägige Bündnisverträge bestehen, auf
Grund deren Maßnahmen in Spannungszeiten von einem internationalen Organ beschlossen werden können. Durch die Freistel-
lung von einem an sich vorgesehenen Zustimmungsvorbehalt des
BTages für derartige Maßnahmen soll der Spielraum für eine internationale Zusammenarbeit vergrößert und zugleich verhindert
werden, daß Zweifel an der Bündnistreue der Bundesrepublik
aufkommen. In Frage kommen vor allem Mobilmachungsmaß-
nahmen, deren Anwendung vom NATO-Rat beschlossen wird
und die keinen zeitlichen Aufschub dulden. Die Wendung »nach
Maßgabe eines Beschlusses« soll sicherstellen, daß nur solche
Maßnahmen ohne Mitwirkung des BTages ergriffen werden, die
der Beschluß des internationalen Organs ausdrücklich vorsieht.
Ferner setzt die innerstaatl. Anerkennung eines solchen Beschlusses die Zustimmung der BReg voraus. Der nach Abs. 3 eröffnete
Spielraum wird allerdings in zweierlei Hinsicht wieder eingeschränkt: einmal durch ausdrückliche Verfassungsbestimmungen
(Art. 12 a V 1 u. VI 2), die einen Zustimmungsvorbehalt des
BTages nach Abs. 1 für bestimmte Maßnahmen zwingend vorsehen, zum anderen dadurch, daß der BTag nach Satz 2 die *Aufhebung der Maßnahmen* – wenn auch nur mit der Mehrheit seiner
Mitglieder (Art. 121) – verlangen kann. Beide Einschränkungen
bewirken, daß die BReg bei ihrer Zustimmung zum Beschluß des
internationalen Organs Vorbehalte anmelden muß.

Artikel 81 [Gesetzgebungsnotstand]

**(1) Wird im Falle des Artikels 68 der Bundestag nicht aufgelöst, so
kann der Bundespräsident auf Antrag der Bundesregierung mit Zustimmung des Bundesrates für eine Gesetzesvorlage den Gesetzgebungsnotstand erklären, wenn der Bundestag sie ablehnt, obwohl die
Bundesregierung sie als dringlich bezeichnet hat. Das gleiche gilt, wenn
eine Gesetzesvorlage abgelehnt worden ist, obwohl der Bundeskanzler
mit ihr den Antrag des Artikels 68 verbunden hatte.**

**(2) Lehnt der Bundestag die Gesetzesvorlage nach Erklärung des Ge-
setzgebungsnotstandes erneut ab oder nimmt er sie in einer für die Bundesregierung als unannehmbar bezeichneten Fassung an, so gilt das Gesetz als zustande gekommen, soweit der Bundesrat ihm zustimmt. Das**

gleiche gilt, wenn die Vorlage vom Bundestage nicht innerhalb von vier Wochen nach der erneuten Einbringung verabschiedet wird.

(3) Während der Amtszeit eines Bundeskanzlers kann auch jede andere vom Bundestage abgelehnte Gesetzesvorlage innerhalb einer Frist von sechs Monaten nach der ersten Erklärung des Gesetzgebungsnotstandes gemäß Absatz 1 und 2 verabschiedet werden. Nach Ablauf der Frist ist während der Amtszeit des gleichen Bundeskanzlers eine weitere Erklärung des Gesetzgebungsnotstandes unzulässig.

(4) Das Grundgesetz darf durch ein Gesetz, das nach Absatz 2 zustande kommt, weder geändert noch ganz oder teilweise außer Kraft oder außer Anwendung gesetzt werden.

1 Der bisher nicht praktisch gewordene Art. 81 schafft für den besonderen Fall der Lahmlegung der Gesetzgebungsarbeit durch eine nur negative Parlamentsmehrheit einen anderen, zweiten Weg für die Verabschiedung von Gesetzen. Er ist also zugeschnitten auf einen Konflikt zwischen BKanzler bzw. BReg und BTag, nicht auf Fälle von allgemeinen Staatszwangslagen wie etwa bei innerem Notstand (vgl. Art. 91) oder im Verteidigungsfall (vgl. hierzu Art. 115 d). Art. 81 ist von der Notstandsregelung des Art. 48 WeimVerf sowohl den Voraussetzungen als auch der Wirkung nach wesensverschieden: Die Initiative für die Erklärung des Gesetzgebungsnotstands muß von der BReg ausgehen, der BPräs hat kein eigenes Gestaltungsrecht wie früher der Reichspräsident in Form des Notverordnungsrechtes; es können keine Grundrechte suspendiert werden und die allgemeine Zuständigkeitsverteilung des GG bleibt gewahrt.

Absatz 1

2 Die Erklärung des Gesetzgebungsnotstands kann unter zwei verschiedenen *Voraussetzungen* zustande kommen: Ein Antrag des BKanzlers, ihm das Vertrauen auszusprechen, findet nicht die erforderliche Mehrheit und der BPräs löst daraufhin den BTag nicht auf, entweder weil der BKanzler die Auflösung nicht beantragt oder der BPräs sie ablehnt *(Satz 1)*. Oder der BKanzler verbindet mit einer Gesetzesvorlage die Vertrauensfrage und die Vorlage wird trotzdem abgelehnt *(Satz 2)*. Im letzteren Falle ist es nicht notwendig, daß der BTag ausdrücklich das Vertrauensvotum ablehnt, es genügt, daß er die Gesetzesvorlage ablehnt, auch wenn er formal das Vertrauen ausspricht. Beide Tatbestände haben das gemeinsame Merkmal, daß der *Bundestag eine Gesetzesvorlage ablehnt.* Der Ablehnung sind eine für die BReg unannehmbare

Abänderung und die Nichtbehandlung innerhalb einer angemessenen Frist (etwa eine Vierwochenfrist vergleichbar Abs. 2 Satz 2) gleichzuerachten. Die Entscheidung über die *Erklärung des Gesetzgebungsnotstandes* steht im *Ermessen des Bundespräsidenten.* Lehnt er den Antrag der BReg ab – dies kann ausdrücklich oder durch konkludentes Handeln bzw. Untätigbleiben geschehen –, so bleibt dieser nur übrig, auf die Vorlage zu verzichten oder ihren Rücktritt zu erklären.

Absatz 2

3 Nach Erklärung des Gesetzgebungsnotstands muß die BReg die gemäß Abs. 1 abgelehnte Gesetzesvorlage noch einmal im BTag einbringen. Lehnt der BTag abermals ab oder nimmt er die Vorlage in einer für die BReg als unannehmbar bezeichneten Fassung an – dies festzustellen ist eine Ermessensentscheidung der BReg – (Fall des *Satzes 1)* oder verabschiedet er die Vorlage nicht innerhalb von vier Wochen (Fall des *Satzes 2),* so gilt das *Gesetz als zustandegekommen, soweit der Bundesrat ihm zustimmt.* Formal besteht die Mitwirkung des BRates nur in der Form des Zustimmens oder Ablehnens, ein Vermittlungsverfahren zwischen ihm und der BReg nach dem Muster des Art. 77 gibt es nicht. Doch werden BReg und BRat bei Nichtübereinstimmung eine polit. Lösung (durch Verhandlungen, Einsetzen eines gemeinsamen Ausschusses usw.) anstreben, um zu einem Kompromiß zu gelangen. Das nach Abs. 2 zustandegekommene Gesetz ist Gesetz im formellen Sinne. Ob der BTag in der Lage ist, es ohne Zustimmung von BReg und BRat zu ändern oder aufzuheben, ist str. Nach Sinn und Zweck des Art. 81 wird die Frage für die Dauer des Gesetzgebungsnotstandes zu verneinen sein, da andernfalls die BReg und BRat eingeräumten Befugnisse im Gesetzgebungsnotstand vom Parlament samt und sonders wirkungslos gemacht werden könnten.

Absatz 3

4 Nach Erklärung des ersten Gesetzgebungsnotstands können *innerhalb der nächsten sechs Monate weitere Gesetzesvorlagen* im Verfahren des Art. 81 verabschiedet werden, wobei Ausfertigung und Verkündung nicht mehr in diesem Zeitraum fallen müssen. Die Möglichkeit zur Anwendung des Art. 81 endet außer durch Ablauf der Sechs-Monatsfrist durch Wahl eines neuen BKanzlers, durch Rücktritt des BKanzlers oder dadurch, daß der BTag dem BKanzler wieder das Vertrauen ausspricht.

Absatz 4

5   Das GG ist im Gesetzgebungsnotstand unantastbar. Zu den in
    Abs. 4 genannten Fällen gehört auch die GG-Ergänzung.

**Artikel 82   [Ausfertigung, Verkündung, Inkrafttreten von Bundes-
recht]**

**(1)   Die nach den Vorschriften dieses Grundgesetzes zustande gekom-
menen Gesetze werden vom Bundespräsidenten nach Gegenzeichnung
ausgefertigt und im Bundesgesetzblatte verkündet. Rechtsverordnungen werden von der Stelle, die sie erläßt, ausgefertigt und vorbehaltlich
anderweitiger gesetzlicher Regelung im Bundesgesetzblatte verkündet.**

**(2)   Jedes Gesetz und jede Rechtsverordnung soll den Tag des Inkraft-
tretens bestimmen. Fehlt eine solche Bestimmung, so treten sie mit
dem vierzehnten Tage nach Ablauf des Tages in Kraft, an dem das Bundesgesetzblatt ausgegeben worden ist.**

1   Art. 82 regelt die Ausfertigung und Verkündung (Abs. 1) sowie
    das Inkrafttreten (Abs. 2) von Gesetzen und Rechtsverordnun-
    gen des Bundes. Auf die Allgemeinverbindlicherklärung von Ta-
    rifverträgen ist die Vorschrift nicht anzuwenden (BVerfGE 44,
    350; BAGE 27, 91 f.). Zur Frage der Veröffentlichung von allge-
    meinen Verwaltungsvorschriften, für die Art. 82 ebenfalls nicht
    gilt (vgl. BVerwGE 38, 146), s. die Hinweise in Art. 84 Rn. 10.

Absatz 1

2   *Satz 1:* Ausfertigung und Verkündung, bei *Bundesgesetzen* Auf-
    gabe des BPräs, schließen das Gesetzgebungsverfahren ab. Sie
    sind nicht bloß eine Zutat, sondern ein integrierender Bestandteil
    des Rechtsetzungsaktes selbst (so zur Gesetzesverkündung
    BVerfGE 7, 337; 42, 283; vgl. auch BGHZ 76, 390). Dabei bedeu-
    tet *Ausfertigung* die Beurkundung, daß der Gesetzestext mit dem
    vom Gesetzgeber beschlossenen Gesetzesinhalt übereinstimmt
    und das Gesetzgebungsverfahren ordnungsgemäß verlaufen ist.
    Neben dem insoweit bestehenden formellen Prüfungsrecht hat der
    BPräs nach Staatspraxis (s. dazu die Übersicht bei Berger,
    ZParl 1971, 3 ff.) und h. L. (ebenso offenbar BVerfGE 34, 23)
    auch die Befugnis, das ihm zugeleitete Gesetz auf seine inhaltliche
    Übereinstimmung mit dem GG – nicht dagegen auch auf seine
    Vereinbarkeit mit vorrangigem EG-Recht (Schmidt-Bleibtreu/

Klein, Art. 82 Rn. 2 m. w. N.) – zu überprüfen. Diesem – gegenüber der verfassungsrechtl. Prüfung durch das BVerfG nur vorläufigen (BVerfGE 1, 413) – *formellen und materiellen Prüfungsrecht* entspricht die Verpflichtung *des Bundespräsidenten*, von der
Ausfertigung abzusehen, wenn für ihn »offenkundig und zweifelsfrei« ist (so BPräs Carstens, Bulletin 1981 S. 545; vgl. auch ders.,
Bulletin 1983 S. 943 sowie Stern II § 30 III 4 aδ), daß das ihm
vorgelegte Gesetz nicht verfassungsmäßig zustande gekommen ist
(s. auch Art. 78 Rn. 7) und/oder inhaltlich mit dem GG nicht in
Einklang steht. Die gleichen Prüfungsbefugnisse haben nach
h. M. der BKanzler und die BMinister im Rahmen der Gegenzeichnung nach Art. 58 i. V. m. § 29 GO BReg. Ob sie bei deren
Verweigerung davon absehen dürfen, das vom BTag beschlossene
Gesetz dem BPräs zuzuleiten, ist zweifelhaft. Im Fall der sog.
Platow-Amnestie ist die Vorlage unterblieben und der Gesetzesbeschluß des BTages durch § 29 des StraffreiheitsG vom
17. 7. 1954 (BGBl. I S. 203) aufgehoben worden.

3 *Im Zeitpunkt der Ausfertigung* muß eine *ausreichende Kompetenzgrundlage* für das auszufertigende Gesetz vorhanden sein. Ist die
ermächtigende Zuständigkeitsnorm zu diesem Zeitpunkt noch
nicht in Kraft getreten, ist das gleichwohl ausgefertigte Gesetz
nichtig (BVerfGE 34, 21 ff.). Eine Ausnahme hiervon gilt nur
dann, wenn zwischen kompetenzbegründender Verfassungsänderung und dem hierauf gestützten Gesetz ein innerer, von den gesetzgebenden Körperschaften gesehener und gewollter Zusammenhang bestanden hat. In diesem Fall genügt es, daß die verfassungsrechtl. Zuständigkeitsregelung wenigstens in Geltung ge-
standen hat, als das darauf beruhende Gesetz *verkündet* wurde
(BVerfGE 32, 199; 34, 24 f.).

4 *Verkündung* ist die amtliche Bekanntgabe des Gesetzeswortlauts
in dem dafür vorgeschriebenen amtlichen Blatt (BVerwG,
VerwRspr 17, 138). Sie ist notwendige Voraussetzung dafür, daß
das Gesetz Verbindlichkeit erlangt (BVerfGE 63, 353; 65, 291;
BayVerfGH 8, 43), und erfolgt bei Bundesgesetzen – nach Maßgabe der §§ 57 ff. GGO II unter technischer Assistenz der BReg –
durch Abdruck im Bundesgesetzblatt und durch dessen Ausgabe
(zur Verkündungsanordnung s. § 59 IX GGO II). Dabei handelt
es sich um keine empfangsbedürftige Erklärung; die Verkündung
durch Ausgabe des Gesetzblatts braucht also niemandem »zuzu-
gehen«. Es genügt, daß sich der Staat durch das zuständige Verfassungsorgan der hoheitlichen Erklärung, die in der Verkündung
liegt, so entäußert, daß sie in der von der Verfassung vorgeschrie-

benen Form nach außen dringt. Das Gesetz ist deshalb in dem Augenblick verkündet, in dem das erste Stück der Nummer des Gesetzblattes, in der es abgedruckt ist, in Übereinstimmung mit dem Willen und der Weisung des für die Verkündung zuständigen Organs aus dessen Verfügungsmacht in die Öffentlichkeit gelangt ist (dazu und zu weiteren Einzelheiten BVerfGE 16, 18 ff.; vgl. auch BVerwGE 25, 107 f.).

5 Grundsätzlich ist der gesamte Gesetzesinhalt im BGBl. zu verkünden. Die Rechtsprechung hat jedoch Ausnahmen zugelassen. So kann bei *Haushaltsgesetzen* von einer Publizierung der gesetzlich festgestellten Einzelpläne im BGBl. abgesehen werden. Ihre ausreichende Verkündung liegt darin, daß Haushaltsgesetz und Gesamtplan auf die Einzelpläne Bezug nehmen und diese der Öffentlichkeit außerhalb des Verkündungsblattes zugänglich sind (BVerfGE 20, 93). Auch für andere gesetzliche *Verweisungen* verlangt Art. 82 I 1 nicht, daß das Verweisungsobjekt im BGBl. mitverkündet wird (str.). Erforderlich ist allerdings, daß das verweisende Gesetz klar erkennen läßt, welche Vorschriften im einzelnen gelten sollen (vgl. Vorbem. vor Art. 70 Rn. 5 u. ferner BVerfGE 5, 31; 8, 302; 22, 346; 60, 155). Ist dies der Fall, ist dem Verkündungserfordernis auch dann genügt, wenn die in Bezug genommenen Regelungen in einem anderen allgemein zugänglichen, für amtliche Anordnungen geeigneten Publikationsorgan (BVerwG, DVBl 1962, 138), z. B. im BAnz (BVerfGE 22, 346 f.) oder in einem Ministerialblatt (vgl. BVerwGE 55, 256, 264), veröffentlicht worden sind. Das gleiche gilt, wenn der Adressat der gesetzlichen Regelung in dieser darauf hingewiesen wird, wo er das Verweisungsobjekt einsehen (s. dazu auch OVG Lüneburg, NVwZ 1983, 480) oder beziehen kann. Praktische Bedeutung hat dies vor allem für die Verweisung auf Landschaftskarten (hierzu BVerwGE 17, 192 ff.; 19, 7 ff.; 26, 129 ff.) und Regeln nichtstaatl. Gremien (Beispiel: DIN-Normen).

6 Im Gegensatz zur neuen Verabschiedung des ganzen Inhalts eines schon bisher geltenden und nur zum Teil geänderten Gesetzes durch den Gesetzgeber selbst und zur Verkündung des derart neu gesetzten Rechts (BVerfGE 8, 213 f.; 10, 191 f.) ist die *Bekanntmachung* des Wortlauts *eines Gesetzes* durch einen BMinister kein konstitutiver gesetzgeberischer Akt. Sie dient nur der deklaratorischen Klarstellung des Gesetzestextes (BVerfGE 14, 250). Die einem BMinister zur Bekanntmachung eines geänderten Gesetzes erteilte Ermächtigung begründet daher keinerlei Rechtsetzungsbefugnis; ihre Ausübung läßt die Rechtslage unberührt. Der mit

einer solchen Ermächtigung verbundene Auftrag des Gesetzgebers, das geänderte Gesetz unter neuer Überschrift, unter neuem
Datum und unter Beseitigung von Unstimmigkeiten seines Wortlauts bekanntzumachen, ist deshalb nur zulässig, weil und soweit
eine solche im Interesse der Rechtssicherheit gebotene Klarstellung des Gesetzestextes den rechtserheblichen Inhalt des Gesetzes und mit ihm seine Identität nicht berührt (BVerfGE 18, 391;
42, 289). Die neuere Praxis vermeidet Ermächtigungen, die auf
die Beseitigung von Unstimmigkeiten des Gesetzeswortlauts gerichtet sind (vgl. BT-Drucks. 8/2646 S. 20 zu Nr. 9 u. 9/1987 S. 21
zu Nr. 11).

7 *Satz 2:* Für *Rechtsverordnungen* des Bundes gelten die Erläut. in
Rn. 2-6 sinngemäß mit der Maßgabe, daß RVO *von der zu ihrem
Erlaß ermächtigten Stelle ausgefertigt und verkündet* werden und
ihre Verkündung im BGBl. unter dem Vorbehalt anderweitiger
gesetzlicher Regelung steht. Um Zweifel an ihrer Gültigkeit aus-
zuschließen, sind RVO erst auszufertigen, nachdem die ermächti-
gende Gesetzesbestimmung in Kraft getreten ist (§ 65 GGO II;
BayVerfGH, BayVBl 1982, 526 m. w. N.; vgl. aber auch BVerf-
GE 3, 259 f.; BGHZ 43, 273; offengelassen in BVerfGE 2, 257).
Von dem Vorbehalt zugunsten abweichender Regelung der Ver-
kündungsform für RVO hat der Bundesgesetzgeber vereinzelt in
Sachgesetzen (vgl. z. B. § 7 II Bundes-ImmissionsschutzG vom
15. 3. 1974, BGBl. I S. 721) und allgemein in dem G über die
Verkündung von Rechtsverordnungen vom 30. 1. 1950 (BGBl.
S. 23) Gebrauch gemacht. Nach diesem Gesetz werden RVO des
Bundes im BGBl. oder im BAnz. verkündet (dazu BVerwGE 25,
106; BSGE 34, 118). Sonderregelungen gelten für Eisenbahntari-
fe und andere vom Bundesverkehrsministerium festgesetzte oder
genehmigte Verkehrstarife. Zur ministeriellen Bekanntma-
chungsbefugnis bei RVO s. auch BVerfGE 17, 368 f.; 22, 14; 23,
285 f.

Absatz 2

8 Das in Abs. 2 geregelte *Inkrafttreten der Bundesgesetze* betrifft
den Gesetzesinhalt, hat daher materielle Bedeutung und kann, soweit nicht Satz 2 eingreift, nur durch den Gesetzgeber selbst bestimmt werden. Das verkündete, aber noch nicht in Kraft getretene Gesetz ist zwar rechtlich existent, übt jedoch noch keine Wirkungen aus. Erst das Inkrafttreten verhilft der Geltungsanordnung zur Wirksamkeit und bestimmt den zeitlichen Geltungsbereich der Vorschriften, d. h. von welchem Zeitpunkt an die

Rechtsfolgen des Gesetzes für die Normadressaten eintreten und
seine Bestimmungen von den Behörden und Gerichten anzuwenden sind (BVerfGE 42, 283 unter Hinweis auf BVerfGE 34, 23).

9 Nach dem *Prinzip der formellen Gesetzesverkündung* ist für das
Inkrafttreten eines Gesetzes nicht mehr erforderlich, daß das Gesetz tatsächlich allgemein bekannt geworden ist. Es genügt, daß es
in einer Weise der Öffentlichkeit zugänglich ist, die es dem Bürger
gestattet, sich Kenntnis vom Inhalt des Gesetzes zu verschaffen
(BVerfGE 16, 16 f.). Diese Möglichkeit ist im Augenblick der
Ausgabe des BGBl. (dazu oben Rn. 4) gegeben. Dabei ist, wenn
das Inkrafttreten eines Gesetzes an dessen Verkündung anknüpft
oder sich hilfsweise nach Satz 2 bestimmt (vgl. Rn. 12), für die
Feststellung des Inkrafttretenszeitpunktes im allgemeinen von dem
Ausgabedatum auszugehen, das – obwohl durch Abs. 2 nicht ge-
boten (BVerwG, VerwRspr 24, 211) – im Kopf der maßgeblichen
Nummer des BGBl. angegeben ist. Dieses Datum, das als Tag der
Verkündung gilt (§ 31 II 2 GGO II), hat die Vermutung der
Richtigkeit für sich (OVG Münster, OVGE 22, 47). Wird Unrich-
tigkeit geltend gemacht, muß sie nachgewiesen werden. Bloße
Zweifel oder Bedenken gegen die Richtigkeit der Angabe im Ge-
setzblatt genügen nicht (BVerfGE 16, 17).

10 *Satz 1* gibt dem Gesetzgeber (in Form einer Sollvorschrift) auf,
den *Tag des Inkrafttretens* zu bestimmen (BVerfGE 42, 283).
Durch die Regelung soll sichergestellt werden, daß über den Zeitpunkt der Normverbindlichkeit Klarheit herrscht. Sie dient den
rechtsstaatl. Geboten der Rechtssicherheit und Rechtsklarheit
über die zeitliche Geltung des Rechts (BVerfGE 42, 285
m. w. N.). Die Bestimmung des Zeitpunkts für das Inkrafttreten
eines Gesetzes bedarf daher im Regelfall keiner besonderen
Rechtfertigung. Doch sind dem Gesetzgeber auch insoweit äußerste Grenzen gesetzt. Sie können sich aus der Verpflichtung zur Erfüllung eines Verfassungsauftrages oder zur Bereinigung einer verfassungswidrigen Rechtslage ergeben. In besonderen Situationen
kann ferner die Notwendigkeit bestehen, die generelle Durchsetzung einer belastenden Regelung durch Gewährung einer Übergangszeit abzumildern. Darüber hinaus gilt auch für die Anordnung des Inkrafttretens eines Gesetzes der allgemeine Gleichheitssatz des Art. 3 I (BVerfGE 47, 93 f. m. w. N.).

11 Der Gesetzgeber kann für das Inkrafttreten einen *bestimmten Ka-
lendertag* festlegen. Notwendig ist dies allerdings nicht. Denn weder der Wortlaut noch der Sinn des Satzes 1 fordern, daß der maß-

geblíche Zeitpunkt des Inkrafttretens unter allen Umständen wörtlich und unter genauer Bezeichnung eines Termins im Gesetz angeführt wird (BVerfGE 42, 285). Deshalb kann der Gesetzgeber das Inkrafttreten auch vom Eintritt eines *bestimmten Ereignisses* abhängig machen (BGHZ 64, 45). So kommt es z. B. für das Inkrafttreten von Zustimmungsgesetzen zu völkerrechtl. Verträgen (Art. 59 II 1) darauf an, daß der Vertrag selbst verbindlich wird (BVerfGE 42, 284; zu den Voraussetzungen innerstaatl. Anwendung völkerrechtl. Verträge allgemein BVerfGE 63, 354 u. Art. 59 Rn. 9). Aber auch sonst kann das Wirksamwerden der Geltungsanordnung des Gesetzes vom Vorliegen bestimmter Voraussetzungen abhängig gemacht werden, wenn das mit dem Gesetz verfolgte rechtliche und soziale Ziel anders nicht sachgerecht verwirklicht werden kann. Die Rechtmäßigkeit eines solchen Verfahrens wird auch nicht dadurch in Frage gestellt, daß an Maßnahmen Dritter angeknüpft wird (BVerfGE 42, 284).

12 *Satz 2:* Fehlt eine Regelung über den Tag des Inkrafttretens, so beeinträchtigt dies die Rechtsgültigkeit des Gesetzes nicht. Das Inkrafttreten richtet sich in diesem Fall nach Satz 2. Die praktische Bedeutung dieser Vorschrift ist gering, weil im allgemeinen ausdrücklich ein bestimmter oder bestimmbarer Inkrafttretenszeitpunkt festgelegt wird. Zum Begriff der Ausgabe des BGBl. s. oben in Rn. 4 und 9.

13 Die Erläut. in Rn. 8-12 gelten für *Rechtsverordnungen* des Bundes entsprechend.

VIII. Die Ausführung der Bundesgesetze und die Bundesverwaltung

Vorbemerkungen:

1 Der VIII. Abschnitt regelt im wesentlichen *drei Komplexe*: Die Art. 83–86 enthalten allgemeine Grundsätze über die Zuständigkeitsverteilung zwischen Bund und Ländern für den Vollzug der Bundesgesetze und über die Art und Weise dieses Vollzugs je nachdem, ob er von den Ländern als eigene Angelegenheit (Art. 84) oder im Auftrag des Bundes (Art. 85) durchgeführt oder vom Bund in eigener, sei es bundesunmittelbarer, sei es bundesmittelbarer, Verwaltung (Art. 86) wahrgenommen wird (vgl. auch BVerfGE 63, 40). In den Art. 87–90 werden diejenigen Verwaltungsaufgaben bestimmt, für deren Erledigung Bundeseigen- oder Bundesauftragsverwaltung entweder obligatorisch vorgeschrieben oder fakultativ zugelassen ist (BVerfGE 63, 40); außerdem trifft das GG in diesem Zusammenhang in Art. 87 a die Grundregel über Aufstellung und Einsatz der Streitkräfte. Art. 91 schließlich behandelt die polizeiliche Gefahrenabwehr im Fall des sog. inneren Notstandes. – Ergänzt und teilweise modifiziert werden diese Regelungen für den Bereich der Finanzverwaltung durch Art. 108 und für die Durchführung des Lastenausgleichs durch Art. 120 a. Art. 115 c III gestattet abweichende Bestimmungen für den Verteidigungsfall.

2 Unter »*Bundesgesetzen*« versteht der VIII. Abschnitt *das gesamte Bundesrecht*, also nicht nur Bundesgesetze im formellen Sinne (vgl. auch Art. 123 Rn. 2 i. V. m. Art. 124 u. 125). Rechtsvorschriften, die von zwischenstaatl. Einrichtungen i. S. des Art. 24 erlassen werden, gehören, weil nicht Bestandteil der innerstaatl. Rechtsordnung (s. Art. 24 Rn. 3), nicht dazu. Für unmittelbar verbindliche und ausführungsfähige Regelungen dieser Art wie z. B. EG-Verordnungen fehlt im GG eine ausdrückliche Bestimmung über die innerstaatl. Vollzugszuständigkeit. Die Staatspraxis behilft sich weitgehend mit einer entsprechenden Anwendung der Art. 30, 83 ff. (vgl. Schlußbericht der Enquete-Kommission Verfassungsreform, BT-Drucks. 7/5924 S. 146 f.).

3 »*Ausführung*« (des Bundesrechts) bedeutet *verwaltungsmäßige* Ausführung (BVerfGE 11, 15), d. i. die Umsetzung des Norminhalts in die Lebenswirklichkeit, die Verwirklichung des jeweiligen Regelungszieles durch Maßnahmen der Verwaltung, z. B. durch den Erlaß von Verwaltungsakten. Davon zu unterscheiden ist die

Bindung der Exekutive an ein Gesetz, d. h. die Verpflichtung, sich dem Gesetz entsprechend zu verhalten, das Gesetz zu beachten. Sie hat nichts mit der Kompetenz zum Gesetzesvollzug zu tun (BVerwGE 29, 58; vgl. auch BVerfGE 6, 329; 8, 131; 21, 327).

4 *Nicht geregelt* ist im VIII. Abschnitt die *Ausführung des Landesrechts*. Sie ist gemäß Art. 30 Sache der Länder (BVerfGE 63, 40). Der Bund ist deshalb vom Vollzug landesrechtl. Vorschriften ausgeschlossen (vgl. Art. 30 Rn. 5), indessen gehalten, diese Vorschriften (ebenso wie Bundesrecht) nicht nur bei seiner nichthoheitlichen, sondern auch bei seiner hoheitlichen Tätigkeit zu beachten, sofern nicht die Abwägung im Einzelfall ergibt, daß die von ihm betreuten Belange im Hinblick auf das Wohl der Allgemeinheit ganz oder teilweise den Interessen vorgehen müssen, die das Landesrecht verfolgt (BVerwGE 29, 56 ff.; BVerwG, NJW 1977, 163 m. w. N.).

5 Soweit der VIII. Abschnitt die »*Bundesverwaltung*« regelt, gilt er sowohl für die gesetzesakzessorische als auch für die nicht gesetzesausführende Verwaltung (vgl. BVerfGE 12, 247; BVerwGE 13, 273). Die in den Art. 87–90 und besonders in Art. 87 I aufgeführten Sachbereiche bundeseigener Verwaltung werden zu einem nicht unerheblichen Teil »gesetzesfrei« verwaltet (BVerfGE 12, 247). Die insoweit bestehenden ausdrücklichen Verwaltungszuständigkeiten des Bundes werden durch die gemäß Art. 30 stillschweigend zugelassenen Bundesverwaltungskompetenzen (dazu Art. 30 Rn. 2–4) ergänzt, die überwiegend ebenfalls »gesetzesfrei« wahrgenommen werden und in der Staatspraxis eine nicht unbeträchtliche Rolle spielen, indessen nichts daran ändern, daß das *Schwergewicht der Verwaltung* auch tatsächlich *bei den Ländern* liegt. Äußerste Grenze jeder Verwaltungsbefugnis des Bundes sind seine Gesetzgebungszuständigkeiten (BVerfGE 12, 229; 15, 16).

6 Die Art. 83 ff. enthalten *keine abschließenden Regelungen über die Verwaltungsorganisation*. Dies gilt auch für die bundeseigene Verwaltung. Die zuständigen Bundesorgane haben hier einen weiten Gestaltungsspielraum. Lediglich soweit das GG ausdrückliche Schranken für die organisatorische Ausgestaltung der Verwaltung errichtet, ist dieser Spielraum begrenzt (BVerfGE 63, 34; vgl. auch Art. 86 Rn. 4). Zur Erfüllung von Verwaltungsaufgaben durch Verwaltungsträger des Privatrechts s. Stober, NJW 1984, 452 m. w. N.

7 Der VIII. Abschnitt geht grundsätzlich von der *Unterscheidung* zwischen Bundes- und Landesverwaltung aus. Er läßt aber auch erkennen, daß die Verwaltungsbereiche von Bund und Ländern nicht starr voneinander geschieden sind (vgl. insbes. die Einwirkungsbefugnisse des Bundes nach Art. 84 u. 85, aber auch Art. 91 a u. b). Es gibt darüber hinaus auch keinen verfassungsrechtl. Grundsatz, daß Bund und Länder im Bereich der Verwaltung nur zusammenwirken dürfen, wenn und soweit das GG dies ausdrücklich zuläßt (BVerfGE 63, 39 f.). Das hat praktische Bedeutung u. a. für die Reichweite des *Verbots der sog. Mischverwaltung* (Nachweise dazu in BVerfGE 63, 36 ff.). In seiner begrenzenden Funktion ist es auf den Schutz der Länder und ihrer Verwaltungen gerichtet. Dem Bund soll es verwehrt sein, dort, wo ihm das GG keine besondere Sachkompetenz eingeräumt hat, durch Mitplanungs-, Mitverwaltungs- und Mitentscheidungsbefugnisse im Aufgabenbereich der Länder auf deren Entscheidungen bestimmenden Einfluß zu nehmen (vgl. BVerfGE 39, 120). Benehmensregelungen des Bundesrechts ermöglichen eine solche Einflußnahme nicht. Durch sie werden die Landesbehörden lediglich verpflichtet, vor der Vornahme bestimmter Verwaltungshandlungen Behörden des Bundes anzuhören. Deshalb bestehen insoweit unter dem Gesichtspunkt der Mischverwaltung keine Bedenken. Dasselbe gilt, wenn einzelne Vorschriften eines Bundesgesetzes von Bundesbehörden, andere dagegen von Landesbehörden ausgeführt werden, sofern dabei die von den Ländern wahrzunehmenden Aufgaben frei von mitentscheidender Einwirkung des Bundes erledigt werden können. Erst recht stellt es mit Rücksicht auf das Schutzziel des Mischverwaltungsverbotes keinen Fall unzulässiger Mischverwaltung dar, wenn der Bund in seinen Gesetzen im Wege der Selbstbeschränkung vorsieht, daß Verwaltungsentscheidungen seiner Behörden an die Zustimmung, das Einvernehmen oder vergleichbare Mitentscheidungsrechte von Landesbehörden gebunden sein sollen.

8 Einen Sonderfall des Zusammenwirkens von Bund und Ländern stellt das hergebrachte Rechtsinstitut (BVerfGE 32, 154) der sog. *Organleihe* dar. Es ist, insbes. im Bereich der Verwaltung von praktischer Bedeutung, dadurch gekennzeichnet, daß das Organ eines Rechtsträgers beauftragt wird, Aufgaben eines anderen Rechtsträgers wahrzunehmen. Das entliehene Organ wird als Organ des Entleihers tätig, dessen Weisungen es unterliegt und dem die von ihm getroffenen Maßnahmen zugerechnet werden (BVerfGE 63, 31). Eine Zuständigkeitsübertragung findet deshalb nicht statt. Trotzdem müssen entsprechende Regelungen die

Ausnahme bleiben (BVerfGE 63, 41). Denn Kompetenzzuweisungen der Verfassung begründen für den zuständigen Rechtsträger i. d. R. auch die Verpflichtung zur Aufgabenerfüllung durch *eigene* Einrichtungen (BVerfGE 63, 36, 41). Die Zuhilfenahme fremder Einrichtungen im Wege der Organleihe kommt daher nur für eng umgrenzte Aufgabenfelder und nur beim Vorliegen besonderer sachlicher Gründe in Betracht (BVerfGE 63, 41, 43). Außerdem bedarf es der Zustimmung des für das entliehene Organ zuständigen Rechtsträgers. Sie muß nicht notwendig im Rahmen einer förmlichen Vereinbarung erklärt werden. Bei gesetzlicher Inanspruchnahme einer Landesbehörde durch den Bund reicht es deshalb z. B. aus, daß das diese Behörde tragende Land der gesetzlichen Regelung im BRat zustimmt (BVerfGE 63, 43 f.).

Artikel 83   [Regelzuständigkeit für den Vollzug des Bundesrechts]

Die Länder führen die Bundesgesetze als eigene Angelegenheit aus, soweit dieses Grundgesetz nichts anderes bestimmt oder zuläßt.

1   Das GG hat es dem Bundesgesetzgeber nicht freigestellt, ob und in welcher Weise er die Länder an der Ausführung der Bundesgesetze beteiligen will. Es hat den Vollzug des Bundesrechts vielmehr entsprechend der verfassungsrechtl. festgelegten bundesstaatl. Ordnung prinzipiell den Ländern als eigene Angelegenheit übertragen. Die Länder haben, soweit die Verfassung nichts anderes bestimmt oder zuläßt, die umfassende Verwaltungszuständigkeit (BVerfGE 55, 318). Art. 83 enthält mithin wie Art. 30 (s. dort Rn. 2) eine widerlegbare *Zuständigkeitsvermutung zugunsten der Länder* (BVerfGE 11, 15; BSGE 1, 25; OVG Lüneburg, OVGE 11, 288; OVG Münster, OVGE 13, 315, 318). In diese Vermutung eingeschlossen ist die *Vermutung für den Verwaltungstyp der Ausführung als eigene Angelegenheit der Länder.* Nur wenn und soweit das GG etwas anderes vorsieht oder gestattet, kann Bundesrecht abweichend von Art. 83 in Bundesauftrags- oder Bundeseigenverwaltung ausgeführt werden.

2   *Abweichungen von der Regelzuständigkeit* des Art. 83 bestehen zunächst dort, wo das GG einen anderen Verwaltungstyp ausdrücklich anordnet (vgl. z. B. Art. 87 I 1 u. II, Art. 87 b I 1, Art. 87 d I, Art. 89 II 1, Art. 90 II, Art. 108 I u. III). Sie sind ferner in den Fällen möglich, in denen das GG den Bund zu abweichender Regelung ermächtigt. Diese Ermächtigung kann

nicht nur ausdrücklich (vgl. dazu insbes. Art. 87 III, Art. 87 b I 3
u. II 1, Art. 87 c, Art. 87 d II, Art. 89 II 2–4, Art. 90 III, Art.
120 a I), sondern auch stillschweigend erteilt sein (s. näher
Art. 30 Rn. 2–4). Der Bund ist deshalb auch befugt, auf Gebieten, die in den Art. 87 ff. nicht der bundeseigenen Verwaltung zugewiesen sind, durch seine obersten Behörden (Ministerien) *überregionale Verwaltungsakte* zu erlassen, wenn dies für eine rei-
bungslose und vollständige Ausführung des Bundesrechts, insbes.
zur Gewährleistung einer einheitlichen Verwaltungspraxis, notwendig ist (BVerfGE 11, 17 f.; 22, 216 f.).

3 Art. 83 gilt auch für *rahmenrechtliche Bestimmungen* des Bundes,
soweit diese einen ausführungsfähigen Inhalt haben (vgl. auch
BVerfGE 21, 320 f.). Dies ist der Fall bei Vorschriften, die »für
jedermann unmittelbar verbindlich« sind (BVerfGE 4, 130), also
als Teil der rahmenrechtl. Gesamtregelung abschließend und unmittelbar Außenwirkung gegenüber dem Bürger beanspruchen
und deshalb keiner Ausfüllung durch den Landesgesetzgeber
mehr bedürfen. Rahmenrechtl. Richtlinien (dazu und zu den Besonderheiten der Rahmengesetzgebung generell s. Art. 75 Rn. 1)
sind dagegen, da ausschließlich an den Landesgesetzgeber gerichtet und auf Ausfüllung durch ihn angelegt, dem Vollzug durch die
Landesverwaltung nicht zugänglich.

4 Aus Art. 83 ergibt sich auch, daß die Länder im Rahmen ihrer
Zuständigkeit zur eigenverantwortlichen Ausführung des Bundesrechts nicht nur berechtigt, sondern auch verpflichtet sind
(BVerfGE 37, 385; 55, 318; OVG Lüneburg, OVGE 24, 463). Sie
sind deshalb von Verfassungs wegen gehalten, ihre Verwaltung
nach Art, Umfang und Leistungsvermögen entsprechend den Anforderungen sachgerechter Erledigung des sich aus der Bundesgesetzgebung ergebenden Aufgabenbestandes einzurichten (BVerf-
GE 55, 318). Dabei ist *»eigene Angelegenheit«* i. S. des Art. 83
auch das, was nach einem Bundesgesetz den Gemeinden, Gemeindeverbänden oder Planungsverbänden an Ausführung obliegt. Denn nach dem GG sind diese öff.-rechtl. Träger von Zuständigkeiten ausschließlich dem Verfassungsbereich der Länder
zugeordnet. Diese haben im Wege der Aufsicht die Kompetenz,
Verantwortung und Pflicht, sicherzustellen, daß jene Träger ihre
Maßnahmen zur Ausführung der Gesetze in Bindung an das Gesetz, d. h. auf der Grundlage und im Rahmen der Gesetze, treffen
(BVerfGE 39, 109).

5 Die Länder sind in ihrer Verwaltungshoheit grundsätzlich auf ihr eigenes Gebiet beschränkt. Es liegt aber im Wesen der landeseigenen Ausführung des Bundesrechts, daß der zum Vollzug eines Bundesgesetzes ergangene *Verwaltungsakt eines Landes prinzipiell im ganzen Bundesgebiet Geltung* hat (BVerfGE 11, 19; BVerwGE 22, 307).

Artikel 84   [Landeseigener Vollzug des Bundesrechts]

(1)   Führen die Länder die Bundesgesetze als eigene Angelegenheit aus, so regeln sie die Einrichtung der Behörden und das Verwaltungsverfahren, soweit nicht Bundesgesetze mit Zustimmung des Bundesrates etwas anderes bestimmen.

(2)   Die Bundesregierung kann mit Zustimmung des Bundesrates allgemeine Verwaltungsvorschriften erlassen.

(3)   Die Bundesregierung übt die Aufsicht darüber aus, daß die Länder die Bundesgesetze dem geltenden Rechte gemäß ausführen. Die Bundesregierung kann zu diesem Zwecke Beauftragte zu den obersten Landesbehörden entsenden, mit deren Zustimmung und, falls diese Zustimmung versagt wird, mit Zustimmung des Bundesrates auch zu den nachgeordneten Behörden.

(4)   Werden Mängel, die die Bundesregierung bei der Ausführung der Bundesgesetze in den Ländern festgestellt hat, nicht beseitigt, so beschließt auf Antrag der Bundesregierung oder des Landes der Bundesrat, ob das Land das Recht verletzt hat. Gegen den Beschluß des Bundesrates kann das Bundesverfassungsgericht angerufen werden.

(5)   Der Bundesregierung kann durch Bundesgesetz, das der Zustimmung des Bundesrates bedarf, zur Ausführung von Bundesgesetzen die Befugnis verliehen werden, für besondere Fälle Einzelweisungen zu erteilen. Sie sind, außer wenn die Bundesregierung den Fall für dringlich erachtet, an die obersten Landesbehörden zu richten.

1   Art. 84 knüpft an die Vorschrift des Art. 83 an und bestimmt für den dort geregelten Normalfall des landeseigenen Vollzugs des Bundesrechts das Instrumentarium, das es dem *Bund* ermöglichen soll, durch Maßnahmen der Gesetzgebung (Abs. 1 u. 5) und Verwaltung (Abs. 2–5) *Einfluß auf* eine *einheitliche Durchführung des Bundesrechts* zu nehmen. Die Vorschrift beruht (wie Art. 85 oder Art. 108 V 2 u. VII) auf der Erkenntnis, daß die Übertragung der verwaltungsmäßigen Ausführung von Bundesgesetzen auf die Länder nur dann zu sinnvollen Ergebnissen führt, wenn trotz getrennten Ländervollzugs eine im wesentlichen einheitliche

Verwaltungspraxis gewährleistet ist (vgl. BVerfGE 11, 18; 22, 210).

Absatz 1

2   Die *Zuständigkeit der Länder* für den Vollzug des Bundesrechts als eigene Angelegenheit schließt nach Art. 84 I die Befugnis zur Regelung der Behördeneinrichtung und des Verwaltungsverfahrens ein. Auch der *Bundesgesetzgeber* kann jedoch entsprechende Bestimmungen treffen. Grundlage hierfür sind die dem Bund (insbes. in den Art. 73 ff.) zugewiesenen Sachkompetenzen (h. M.; vgl. OVGE Bln 8, 167; offengelassen in BVerfGE 26, 383 f.; s. aber auch BVerfGE 22, 181 LS 2: »im Rahmen seiner materiellen Gesetzgebungszuständigkeit«). Art. 84 I, der die Länder vor einem unkontrollierten Eindringen des Bundes in den prinzipiell ihnen vorbehaltenen Bereich der Verwaltung schützen soll und strikt, weder erweiternd noch einengend, auszulegen ist (BVerfGE 55, 319 f.), hat deshalb für den Bund nur insoweit konstitutive Bedeutung, als er den Bundesgesetzgeber für den Fall, daß er von seiner Regelungsbefugnis in organisations- oder verfahrensrechtlicher Hinsicht Gebrauch macht, an die *Zustimmung des Bundesrates* bindet. Dieses Erfordernis gilt allein für solche Bundesgesetze, die selbst Einrichtung und Verfahren der Landesbehörden *regeln* (vgl. BVerfGE 55, 319). Dagegen wird die Zustimmungsbedürftigkeit nicht bereits dadurch begründet, daß ein Gesetz die Interessen der Länder in allgemeiner Weise, etwa dadurch berührt, daß es deren Verwaltungshandeln auf einem bestimmten Gebiet auslöst oder beendet (BVerfGE 55, 319 unter Hinweis auf BVerfGE 10, 49; 14, 219 f.).

3   Zur »*Einrichtung der Behörden*« gehören alle Maßnahmen, die das innere Gefüge von Landesbehörden, also z. B. ihre kollegiale oder hierarchische Gestaltung, die Bildung von Ausschüssen (BT-Drucks. 9/1922 S. 30) oder die Mitwirkung ehrenamtlich tätiger Bürger, betreffen. Erfaßt werden ferner Regelungen, durch die die für die Durchführung des Gesetzes zuständigen Landesbehörden bestimmt werden (BVerwG, DÖV 1982, 826; OVG Münster, OVGE 26, 187; vgl. auch BVerfGE 4, 14). Aber auch die Behördenerrichtung selbst fällt unter Art. 84 I (dazu eingehend Maunz/Dürig, Art. 84 Rn. 21). Dabei bezieht sich der Behördenbegriff auf Einrichtungen sowohl der unmittelbaren als auch der mittelbaren Landesverwaltung (BVerwGE 40, 281 f.; vgl. auch BVerfGE 15, 235 ff.; 22, 209 f.). Auch landesunmittelbare beliehene Unternehmer können deshalb zum Vollzug des Bundesrechts eingesetzt werden.

4 Regelungen über das »*Verwaltungsverfahren*« bestimmen die Art und Weise, in der die Landesbehörden tätig werden sollen, das »Wie« ihres Verwaltungshandelns (BVerfGE 37, 385; 55, 319). Die Frage, welche Vorschriften im einzelnen nach Art und Inhalt dem Verwaltungsverfahren zuzuordnen sind, läßt sich nach Auffassung des BVerfG nicht ein für allemal abschließend beantworten, weil Art. 84 I nicht auf einen bestimmten, zeitlich fixierten Stand staatsrechtl. Praxis und dogmatischer Erkenntnis abhebe, die Auslegung dieser Vorschrift vielmehr dem Wandel in der Abgrenzung zwischen Verwaltungsverfahrensrecht und materiellem Verwaltungsrecht offenbleiben müsse, der sich aus der Veränderung der Staatsaufgaben im Bereich der Verwaltung und der erforderlichen Mittel zu ihrer Bewältigung unabweislich ergeben könne (BVerfGE 55, 320). Diese Rechtsprechung trägt schwerlich dazu bei, die für Kompetenznormen notwendige Klarheit (dazu noch BVerfGE 37, 381) zu sichern (krit. auch Benda/Maihofer/Vogel, Handbuch d. Verfassungsrechts d. Bundesrepublik Deutschland, 1983, S. 842 mit Hinweis auf BVerfGE 55, 335 ff., 341 – Sondervoten), gewinnt indessen dadurch wieder griffigere Konturen, daß das Gericht die Vorschriften über das Verwaltungsverfahren verallgemeinernd wenigstens dahin charakterisiert, daß sie »die Tätigkeit der Verwaltungsbehörden im Blick auf die Art und Weise der Ausführung des Gesetzes einschl. ihrer Handlungsformen, die Form der behördlichen Willensbildung, die Art der Prüfung und Vorbereitung der Entscheidung, deren Zustandekommen und Durchsetzung sowie verwaltungsinterne Mitwirkungs- und Kontrollvorgänge in ihrem Ablauf regeln« (BVerfGE 55, 320 f. mit Bezug auf BVerfGE 37, 385, 390). – *Verfahrensrechtliche Bedeutung* haben danach *beispielsweise* Bestimmungen, durch die Landesbehörden an ein Zusammenwirken mit Bundesbehörden gebunden werden (vgl. BVerfGE 1, 79 zu Art. 108 III 2 a. F. = Art. 108 V 2 n. F.), Vorschriften über die Form der Zustellung von Verwaltungsakten (BVerfGE 8, 294) und der Verkündung ortsrechtl. Vorschriften (BVerfGE 65, 289), Regelungen darüber, daß eine Verwaltungsentscheidung bestimmten Formerfordernissen genügen, z. B. einem Muster entsprechen oder in einer bestimmten Sprache abgefaßt sein muß (BVerfGE 24, 195), Vorschriften über die Art und Weise der Führung von Registern und Verzeichnissen, in die behördliche Vorgänge einzutragen sind (BVerfGE 24, 195), Bestimmungen über die Erhebung von Verwaltungsgebühren (BVerfGE 26, 298 ff.; BVerwGE 8, 93 f.), Offenbarungs- und Verwertungsverbote, die der Landesverwaltung mit verfahrensgestaltender

Verbindlichkeit auferlegt werden (BVerfGE 55, 323; vgl. demgegenüber BVerfGE 14, 220 f. zur materiell-rechtl. Qualifizierung von Schweigepflichten der bei einer Landesbehörde tätigen Amtswalter), aber auch bundesgesetzliche Ermächtigungen zum Erlaß verwaltungsverfahrensregelnder Rechtsverordnungen, und zwar selbst dann, wenn die im Einzelfall vorgesehene VO nur mit Zustimmung des BRates ergehen kann (BVerfGE 37, 379; 55, 325 f.). Daß sich eine Regelung rechtsgewährend oder pflichtenbegründend an den Bürger wendet, schließt nicht aus, daß dieselbe Norm gleichzeitig einen verwaltungsverfahrensrechtl. Inhalt hat. Eine solche »Doppelgesichtigkeit« liegt vor, wenn die den Bürger betr. materiell-rechtl. Vorschrift zugleich die zwangsläufige Festlegung eines korrespondierenden verfahrensmäßigen Verhaltens der Verwaltung bewirkt (BVerfGE 55, 321). Deshalb lösen z. B. Regelungen über die Stellung eines Antrages oder Vorschriften, die den Bürger verpflichten, der zuständigen Landesbehörde bestimmte Unterlagen vorzulegen, das Zustimmungsrecht des BRates aus, wenn dadurch gleichzeitig Beginn und Ablauf des Verwaltungshandelns verbindlich vorgeschrieben werden (vgl. BVerfGE 37, 385 ff.; 55, 321 ff.). – *Keinen verfahrensregelnden Inhalt* haben dagegen Vorschriften, durch die – wie bei der Einräumung von Auskunfts- und Akteneinsichtsrechten zugunsten anderer Behörden – lediglich die schon nach Art. 35 I bestehende Pflicht zur Amtshilfe konkretisiert wird (BVerfGE 10, 49), Bestimmungen über das gerichtliche Verfahren (BVerfGE 14, 219; vgl. auch BVerfGE 11, 198 f.), Vorschriften, durch die Regelungen mit verwaltungsverfahrensrechtl. Inhalt aufgehoben werden (BVerfGE 14, 219 f. unter Hinweis auf BVerfGE 10, 49), oder Bestimmungen über die Berechnung von Leistungsansprüchen (BVerfGE 37, 395). Regelungen über das Verfahren bei Volksentscheiden, Volksbegehren und Volksbefragungen nach Art. 29 VI betreffen ebenso wie Vorschriften über Vorbereitung und Durchführung von BTagswahlen einen Selbstorganisationsakt des Bundes, fallen deshalb nicht unter Art. 83 und sind mit Rücksicht darauf auch nicht gemäß Art. 84 I an die Zustimmung des BRates gebunden (BT-Drucks. 8/1646 S. 25 u. 9/1913 S. 27 m. w. N.). Auch Gesetze, die auf den Gebieten des Art. 73 Nr. 10 die Zusammenarbeit des Bundes und der Länder regeln, sind nicht zustimmungspflichtig (vgl. Art. 73 Rn. 10).

5   Da der BRat jedes zustimmungsbedürftige Gesetz seinem ganzen Inhalt nach prüft und nicht nur die Vorschriften, die sein Zustimmungsrecht auslösen (vgl. auch Art. 78 Rn. 4), darf er einem Gesetz, das sowohl materielle Normen als auch Regelungen über das Verfahren der Landesverwaltung enthält, auch deshalb die Zustimmung versagen, weil er nur mit dem materiellen Inhalt nicht einverstanden ist (BVerfGE 37, 381). Damit wird den Ländern über den BRat eine verstärkte Einflußnahme auf den materiellrechtl. Teil des Gesetzes ermöglicht (BVerfGE 55, 319). Der BTag kann dem dadurch vorbeugen, daß er in Ausübung seiner *Aufspaltungsbefugnis* (dazu allgemein Art. 78 Rn. 5) die materiell-rechtl. Vorschriften in ein Gesetz aufnimmt, gegen das dem BRat nur das Recht des Einspruchs zusteht, und die Verfahrensregelungen für die Landesverwaltung in einem anderen, zustimmungsbedürftigen Gesetz beschließt (BVerfGE 37, 382). Das gleiche gilt für das Verhältnis von materieller Regelung zu Bestimmungen, die die Einrichtung von Landesbehörden i. S. des Art. 84 I betreffen.

6 Für *Änderungsgesetze* zu Gesetzen, die gemäß Art. 84 I mit Zustimmung des BRates ergangen sind, gelten die allgemeinen Grundsätze (s. hierzu Art. 78 Rn. 4). Sie haben einen zustimmungsbedürftigen Inhalt auch dann, wenn sie sich auf materiellrechtl. Regelungen beschränken, in diesem Bereich jedoch Neuerungen in Kraft setzen, die den nicht ausdrücklich geänderten Vorschriften des Ursprungsgesetzes über das Verfahren der Landesverwaltung eine wesentlich andere Bedeutung und Tragweite verleihen (BVerfGE 37, 383). Dies ist der Fall, wenn die Regelung materiell-rechtl. Fragen in Verbindung mit den früher erlassenen bundesrechtl. Vorschriften über das Verwaltungsverfahren zu einer neuerlichen »Systemverschiebung« im föderativen Gefüge führt (vgl. auch BVerfGE 48, 180 f.). Die bloße Zunahme des Geschäftsanfalls bei den Landesbehörden reicht hierfür nicht aus (BVerfGE 37, 389).

Absatz 2

7 *Allgemeine Verwaltungsvorschriften* sind generelle und abstrakte Regelungen zur Gesetzesauslegung, Ermessensausübung u. ä., die im Bereich des Art. 84 die einheitliche Ausführung des Bundesrechts durch die landeseigene Verwaltung gewährleisten sollen (vgl. BVerfGE 11, 18). Sie wenden sich nicht rechtssatzmäßig an den Bürger, sondern nur instruktionell an Behörden und deren Amtswalter (BVerfGE 1, 83; HessStGH, ESVGH 20, 220), erzeugen deshalb lediglich verwaltungsinterne Verbindlichkeit (BVerfGE 11, 100; BayVerfGH 21, 35 m. w. N.) und haben Aus-

wirkungen gegenüber dem Bürger erst dann, wenn eine Verwaltungsbehörde im Einzelfall nach ihnen verfährt (BVerfGE 2, 242 f.; vgl. auch Art. 3 Rn. 10 zur anspruchsbegründenden Außenwirkung allgemeiner Verwaltungsvorschriften im Wege der Selbstbindung der Verwaltung).

8   Allgemeine Verwaltungsvorschriften, die der Bund für den landeseigenen Vollzug des Bundesrechts erläßt, sind für die Länder unmittelbar verbindlich und begrenzen deren Recht, selbst solche Regelungen zu treffen (BVerwG, DVBl 1984, 1021; VGH Mannheim, ESVGH 34, 84 f.). Abs. 2 schützt die Länder gegen die damit eröffneten Ingerenzen dadurch, daß er den Erlaß solcher Verwaltungsvorschriften an die *Zustimmung des Bundesrats* bindet und außerdem der *Bundesregierung als Kollegium* vorbehält. Die Ermächtigung einzelner BMinister ist damit nicht ausgeschlossen, kann indessen nur durch Bundesgesetz und nur mit Zustimmung des BRates ausgesprochen werden (BVerfGE 26, 395 ff.; 28, 78; vgl. auch BVerwG, NJW 1972, 1773), und zwar auch in der Weise, daß die BReg ermächtigt wird, die ihr erteilte Befugnis zum Erlaß allgemeiner Verwaltungsvorschriften durch RVO auf einen oder mehrere BMinister zu übertragen (vgl. § 3 III i. V. m. I des G über die Beförderung gefährlicher Güter vom 6. 8. 1975, BGBl. I S. 2121).

9   Die Befugnis zum Erlaß allgemeiner Verwaltungsvorschriften ist der Exekutive im Rahmen ihrer Organisations- und Geschäftsleitungsgewalt inhärent (BVerfGE 26, 396; BVerwGE 67, 229). Diese Befugnis gesetzlich durch *Zustimmungs- oder Einvernehmensvorbehalte zugunsten des Bundestages* einzuschränken, wäre mit dem Grundsatz der Gewaltenteilung (dazu Vorbem. vor Art. 38 Rn. 1) nicht vereinbar. Zulässig sind dagegen Regelungen, die die BReg oder den ermächtigten Einzelminister verpflichten, vor dem Erlaß von Verwaltungsvorschriften das Parlament oder andere (auch nichtstaatl.) Stellen anzuhören.

10 Zur – noch nicht abschließend geklärten – Frage, ob und ggf. unter welchen Voraussetzungen allgemeine Verwaltungsvorschriften *veröffentlicht* werden müssen, s. etwa BVerfGE 40, 252 f.; BVerwGE 19, 58; 35, 162; 61, 15 ff.; OVG Berlin, DVBl 1976, 266 f.; VGH Mannheim, NJW 1979, 2118 f.

Absatz 3

11 *Satz 1:* Die *Aufsicht des Bundes* über den landeseigenen Vollzug des Bundesrechts *beschränkt sich* – anders als die Bundesaufsicht

im Rahmen der Bundesauftragsverwaltung (Art. 85 IV 1) – *auf die Rechtmäßigkeit der Ausführung*. Sie ist, um der Autorität der Bundesgesetze willen eingerichtet (BVerwG, NJW 1977, 118), abhängige, weil auf die verwaltungsmäßige Ausführung des Bundesrechts bezogene Aufsicht. Eine selbständige, vom Gesetzesvollzug unabhängige Bundesaufsicht kennt das GG nicht. Ihre Funktion ist jedoch teilweise (vgl. auch Art. 37 sowie BVerwG, NJW 1977, 118) durch die Möglichkeit ersetzt, daß die BReg nach Art. 93 I Nr. 3 das BVerfG anrufen kann, um eine Entscheidung darüber zu erreichen, ob ein Land außerhalb der Ausführung von Bundesgesetzen sich dem GG gemäß verhalten hat (BVerfGE 8, 131 f.; vgl. auch BVerfGE 6, 329 f.).

12 *Maßstab der Rechtmäßigkeitskontrolle* ist das gesamte Bundesrecht einschl. des GG selbst, soweit es für die Länder Pflichten begründet, die bei der Ausführung des Bundesrechts zu beachten sind. Hierzu rechnen etwa die Pflicht zur Bundestreue oder die aus Art. 84 II folgende Verpflichtung, allgemeine Verwaltungsvorschriften des Bundes zu befolgen (in letzterer Hinsicht bestr.; wie hier z. B. v. Mangoldt/Klein, Art. 84 Anm. V 6 a aa m. w. N.). Darüber hinaus wird sich die Bundesaufsicht aber auch auf die Einhaltung landesrechtl. Vorschriften erstrecken müssen, soweit diese – wie z. B. die Verwaltungsverfahrensgesetze der Länder – beim Vollzug des Bundesrechts anzuwenden sind.

13 *Satz 2:* Die *Mittel*, deren sich die BReg bedienen darf, um sich von der rechtmäßigen Durchführung des Bundesrechts zu überzeugen, sind in Satz 2 nicht erschöpfend aufgezählt. Neben der Möglichkeit zur Entsendung von Beauftragten steht der BReg als milderes Mittel auch das Recht zu, von den LReg Unterrichtung und Auskunft zu verlangen (allg. M.). Aus Art. 84 III ergibt sich darüber hinaus die Befugnis der BReg bzw. des zuständigen BMinisters, den Ländern im Zusammenhang mit dem von ihnen wahrzunehmenden Vollzug des Bundesrechts die Rechtsauffassung des Bundes mitzuteilen (BVerwGE 3, 104; BVerwG, DÖV 1957, 263). – Die von der BReg entsandten *Beauftragten* sind darauf beschränkt, zu beobachten und sich zu unterrichten, haben insoweit jedoch umfassende Befugnisse. Anordnungs- und Weisungsrechte stehen ihnen nicht zu.

Absatz 4

14 Abs. 4 regelt das Verfahren der sog. *Mängelrüge.* Stellt die BReg selbst oder durch einen Beauftragten nach Abs. 3 Satz 2 Mängel

bei der Ausführung des Bundesrechts fest, kann sie deren Beseitigung verlangen. Kommt das Land einem solchen Verlangen, das
nur von der BReg als Kollegium gestellt werden kann, nicht nach,
weil es den behaupteten Mangel bestreitet oder ihn zwar einräumt, aber untätig bleibt, entscheidet auf Antrag der BRat, ob
das Land sich rechtswidrig verhalten hat. Antragsberechtigt ist sowohl die BReg als auch das gerügte Land. Der Beschluß des BRates, daß das geltende Recht verletzt worden ist, ist notwendige
Voraussetzung für die Anwendung des Bundeszwanges (Art. 37)
im Rahmen des Art. 84 (allg. M.). Auch der Weg, gemäß Art. 93
I Nr. 3 unmittelbar das BVerfG anzurufen, ist der BReg versperrt,
wenn Mängel bei der verwaltungsmäßigen Ausführung des Bundesrechts gerügt werden. Denn auch insoweit ist nach Abs. 4 der
BRat zwischengeschaltet (BVerfGE 6, 329; 8, 130 f.; vgl. auch
BVerfGE 7, 372).

Absatz 5

15   Abs. 5 versteht unter BReg auch den einzelnen BMinister. Die
Befugnis zur Erteilung von *Einzelweisungen* muß deshalb nicht der
BReg als Kollegium, sie kann auch dem zuständigen BMinister
verliehen werden (BVerwGE 42, 283; vgl. auch BVerfGE 49, 49).
Diese Befugnis gewährt dem Bund die stärkste Form der Einflußnahme auf den landeseigenen Vollzug des Bundesrechts. Mildere
Formen wie *Zustimmungs-, Einvernehmens- oder Anhörungsrech-
te* sind darin eingeschlossen. Abs. 5 gestattet deshalb auch, die
obersten Landesbehörden durch zustimmungsbedürftiges Bundesgesetz für besondere Fälle der Gesetzesausführung an die Zustimmung des zuständigen BMinisters oder an das Einvernehmen mit
ihm zu binden (BVerwGE 42, 284; 67, 175 f.). Eine solche Regelung verstößt nicht gegen das Verbot der sog. Mischverwaltung (s.
dazu Vorbem. vor Art. 83 Rn. 7), weil Abs. 5 eine allgemeine
Ausnahme von diesem Grundsatz darstellt (BVerwGE 42, 282).

Artikel 85   [Bundesauftragsverwaltung]

**(1)   Führen die Länder die Bundesgesetze im Auftrage des Bundes
aus, so bleibt die Einrichtung der Behörden Angelegenheit der Länder,
soweit nicht Bundesgesetze mit Zustimmung des Bundesrates etwas anderes bestimmen.**

**(2)   Die Bundesregierung kann mit Zustimmung des Bundesrates all-
gemeine Verwaltungsvorschriften erlassen. Sie kann die einheitliche**

Ausbildung der Beamten und Angestellten regeln. Die Leiter der Mittelbehörden sind mit ihrem Einvernehmen zu bestellen.

(3) Die Landesbehörden unterstehen den Weisungen der zuständigen obersten Bundesbehörden. Die Weisungen sind, außer wenn die Bundesregierung es für dringlich erachtet, an die obersten Landesbehörden zu richten. Der Vollzug der Weisung ist durch die obersten Landesbehörden sicherzustellen.

(4) Die Bundesaufsicht erstreckt sich auf Gesetzmäßigkeit und Zweckmäßigkeit der Ausführung. Die Bundesregierung kann zu diesem Zwecke Bericht und Vorlage der Akten verlangen und Beauftragte zu allen Behörden entsenden.

1 Bundesauftragsverwaltung ist *Landesverwaltung mit* gegenüber Art. 84 *verstärkten internen Mitwirkungsrechten des Bundes* (BAGE 13, 51 f.; BayVGH, DVBl 1962, 341; OVG Koblenz, AS 10, 402 f.; vgl. auch BGHZ 16, 99; 73, 2 f.). Diese Mit- und Einwirkungsrechte, die Art. 85 im einzelnen bestimmt, gelten trotz des Wortlauts dieser Vorschrift nicht nur in den Fällen, in denen die Länder »Bundesgesetze«, abweichend von der Regel des Art. 83, im Auftrag des Bundes »ausführen«, sondern auch dann, wenn sie – wie z. B. im Rahmen des Art. 90 II – im Wege gesetzesfreier Bundesauftragsverwaltung tätig werden. Die Aufzählung der Gebiete, für die dieser Verwaltungstyp entweder zwingend vorgeschrieben ist (Art. 90 II, Art. 104 a III 2, Art. 108 III 1) oder vom Bund eingeführt werden kann (Art. 87 b II 1, Art. 87 c, 87 d II, Art. 89 II 3 u. 4, Art. 120 a I), ist abschließend. Eine Ausdehnung auf andere Bereiche ist deshalb nur durch Verfassungsänderung möglich.

Absatz 1

2 Wie im Fall des landeseigenen Vollzugs des Bundesrechts ist die *Einrichtung der Behörden* (dazu Art. 84 Rn. 3) auch im Rahmen der Bundesauftragsverwaltung Sache der Länder, soweit nicht Bundesgesetze mit Zustimmung des BRates etwas anderes bestimmen. Auf der Grundlage seiner materiellen Gesetzgebungszuständigkeiten (vgl. Art. 84 Rn. 2) kann der Bund darüber hinaus auch das *Verwaltungsverfahren* (dazu Art. 84 Rn. 4) für die Bundesauftragsverwaltung regeln. Daß Art. 85 I anders als Art. 84 I das Verwaltungsverfahren nicht nennt, steht dem nicht entgegen (insoweit übereinstimmend BVerfGE 26, 385). Es bedeutet lediglich, daß Vorschriften mit verfahrensrechtl. Inhalt im Anwendungsbereich des Art. 85 nicht der Zustimmung des BRates bedürfen.

Absatz 2

3   *Satz 1:* Für den Erlaß *allgemeiner Verwaltungsvorschriften* gilt
das gleiche wie im Fall des Art. 84 II (vgl. deshalb Art. 84 Rn. 7–
10). Auch im Rahmen des Art. 85 II 1 kann durch Bundesgesetz
mit Zustimmung des BRates bestimmt werden, daß die allgemeinen Verwaltungsvorschriften statt von der BReg als Kollegium
durch einen oder mehrere BMinister erlassen werden (BVerf-
GE 26, 395 ff.).

4   Die *Sätze 2 und 3* geben der BReg Möglichkeiten zur verstärkten
Einflußnahme auf die im Auftrag des Bundes handelnde Landesverwaltung. Umstritten ist, welcher Rechtsform Regelungen über
die *Ausbildung der Beamten und Angestellten* der Länder bedürfen. Nach h. M. reichen allgemeine Verwaltungsvorschriften aus
(vgl. die Nachweise bei v. Mangoldt/Klein, Art. 85 Anm. V 1 c).
Dem wird mit der Maßgabe gefolgt werden können, daß zu ihrem
Erlaß wegen Fehlens eines ausdrücklichen Zustimmungsvorbe-
halts die Zustimmung des BRates nicht erforderlich ist. *Mittelbehörden* i. S. des Satzes 3 sind Landesbehörden, die weder oberste
noch untere Verwaltungsbehörden sind. Die Leiter dieser Behörden stehen in einem Dienstverhältnis nur zu dem betr. Land (BA-
GE 13, 51). Des Einvernehmens mit der BReg bei ihrer Bestellung bedarf es nur, wenn zur Wahrnehmung der Bundesauftrags-
angelegenheiten eine Sonderverwaltung eingerichtet worden ist,
nicht also bei Aufgabenerledigung durch die allgemeine Verwaltung.

Absatz 3

5   *Satz 1: Oberste Bundesbehörden* i. S. dieser Vorschrift sind alle
Bundesbehörden, die keiner anderen Bundesbehörde nachgeordnet sind. Auch wenn dieser Begriff über den Kreis der BMinisterien hinausgeht, kommt die den obersten Bundesbehörden unmittelbar durch die Verfassung eingeräumte *Weisungsbefugnis* in
aller Regel nur für die BMinisterien in Betracht. Diese Weisungsbefugnis, aus der sich Rechte der am Verwaltungsverfahren Beteiligten nicht herleiten lassen (BVerwG, VerwRspr 22, 84 f.), ist
nicht auf die Abgabe von Einzelweisungen beschränkt. Sie erstreckt sich vielmehr, wie sich insbes. aus dem von Art. 84 V abweichenden Wortlaut und aus der Entstehungsgeschichte des
Art. 85 III ergibt, auch auf das Recht zur Erteilung allgemeiner
Weisungen (bestr.; wie hier im Ergebnis z. B. BGHZ 16, 97).

Diese unterscheiden sich von allgemeinen Verwaltungsvorschriften vor allem dadurch, daß sie nur eine für den Gesetzesvollzug wesentliche Frage oder einige weniger solcher Fragen, nicht also die Ausführung des Gesetzes als Ganzes oder die Durchführung in sich geschlossener Gesetzesmaterien zum Gegenstand haben. In beiden Ausprägungen bezieht sich das Weisungsrecht des Bundes auch auf die Zweckmäßigkeit des Verwaltungshandelns der Länder (BayVGH, DVBl 1962, 341 unter Hinweis auf Art. 85 IV 1).

6   *Sätze 2 und 3:* Wenn Art. 84 V unter *Bundesregierung* auch den einzelnen BMinister versteht (vgl. Art. 84 Rn. 15), kann für Art. 85 III 2 schwerlich etwas anderes gelten. Entgegen dem übrigen Schrifttum (s. z. B. Maunz/Dürig, Art. 85 Rn. 35 m. w. N.) wird man deshalb annehmen dürfen, daß die Entscheidung über die Dringlichkeit einer Weisung *nicht notwendig von der Bundesregierung als Kollegium* getroffen zu werden braucht und die Kompetenz zur Beurteilung dieser Frage jedenfalls durch ein mit Zustimmung des BRates ergehendes Gesetz auf den zuständigen BMinister übertragen werden kann. Die mittleren und unteren Landesbehörden sind für den *Vollzug der Weisungen* nur den obersten Landesbehörden verantwortlich. Zwangsmittel, Dienststrafverfahren usw., die zur Durchsetzung der Weisungen notwendig werden, sind – vorbehaltlich des Art. 37 (dazu nachstehend Rn. 8) – Sache der Länder.

7   Art. 85 III gibt wie Art. 84 V (vgl. hierzu Art. 84 Rn. 15) auch die Möglichkeit, die obersten Landesbehörden durch Bundesgesetz zu verpflichten, vor dem Erlaß einer bestimmten Verwaltungsmaßnahme die Zustimmung der zuständigen obersten Bundesbehörde einzuholen oder das Einvernehmen mit ihr herzustellen. Ob solche Regelungen an die Zustimmung des BRates gebunden sind, könnte zweifelhaft sein. Gegen eine Zustimmungsbedürftigkeit spricht vor allem, daß die Weisungsbefugnis des Bundes, die auch die genannten Mitentscheidungsrechte als minder starke Form einer Bundesingerenz legitimiert, hier anders als im Fall des Art. 84 V nicht der Verleihung durch ein Zustimmungsgesetz bedarf.

Absatz 4

8   Abs. 4 bezieht die *Aufsicht des Bundes* nicht nur wie Art. 84 III 1 auf die *Rechtmäßigkeit des Gesetzesvollzugs*. Gegenstand der Kontrolle sind vielmehr auch *Zweckmäßigkeitsfragen*. Auch die

Auch die Aufsichtsmittel des Bundes gehen hier weiter als im Fall des Art. 84. Zur Entsendung von Beauftragten zu nachgeordneten Landesbehörden ist anders als nach Art. 84 III 2 weder das Einverständnis der zuständigen obersten Landesbehörde noch die Zustimmung des BRates erforderlich. Über Meinungsverschiedenheiten bei der Ausübung der Bundesaufsicht entscheidet nach Art. 93 I Nr. 3 das BVerfG. Die BReg kann daneben zur Durchsetzung ihrer Weisungen nach Art. 37 vorgehen (allg. M.).

9   Nach Auffassung des BGH erwächst den zuständigen Bundesorganen aus den Aufsichtsbefugnissen des Bundes unter besonderen Umständen eine dem Bürger gegenüber obliegende Amtspflicht zum Tätigwerden (NJW 1956, 1028; vgl. auch BGHZ 16, 98; krit. dazu v. Mangoldt/Klein, Art. 85 Anm. VI 7).

Artikel 86   [Bundeseigene Verwaltung]

Führt der Bund die Gesetze durch bundeseigene Verwaltung oder durch bundesunmittelbare Körperschaften oder Anstalten des öffentlichen Rechtes aus, so erläßt die Bundesregierung, soweit nicht das Gesetz Besonderes vorschreibt, die allgemeinen Verwaltungsvorschriften. Sie regelt, soweit das Gesetz nichts anderes bestimmt, die Einrichtung der Behörden.

1   Art. 86 regelt einen Teil der Befugnisse der BReg, die den einheitlichen Vollzug des Bundesrechts in den Fällen sichern sollen, in denen, abweichend von dem Grundsatz des Art. 83, die Ausführungszuständigkeit des Bundes gegeben ist. Die Vorschrift gilt darüber hinaus auch für die gesetzesfreie Bundesverwaltung (vgl. auch Vorbem. vor Art. 83 Rn. 5). In beiden Hinsichten ist Eigenverwaltung des Bundes teils zwingend vorgeschrieben (Art. 87 I 1 u. II, Art. 87 b I 1, Art. 87 d I, Art. 88, 89 II 1, Art. 108 I, Art. 114 II, Art. 130 I 1), teils fakultativ zugelassen (Art. 87 I 2 u. III, Art. 87 b I 3 u. II 1, Art. 89 II 2, Art. 90 III, Art. 120 a I). Wie im Fall des Art. 85 (vgl. dort Rn. 1) setzt eine Ausweitung des Verwaltungstyps auf andere Bereiche eine Änderung des GG voraus.

2   »Bundeseigene Verwaltung« ist die Verwaltung durch eigene, rechtl. unselbständige, zentrale oder nachgeordnete Behörden des Bundes (unmittelbare Bundesverwaltung). Im weiteren Sinne rechnet dazu aber auch die Verwaltung durch rechtl. selbständige Einrichtungen wie die Verwaltung durch bundesunmittelbare, d. h. unter Bundesaufsicht stehende (BVerfGE 11, 108), Körperschaften oder Anstalten des öffentl. Rechts (mittelbare Bundesverwaltung). Die Aufzählung ist insoweit nicht vollständig. Art. 86 gilt deshalb auch für die mittelbare Bundesverwaltung durch Stiftungen des öffentl. Rechts oder durch beliehene Unternehmer (allg. M.). Soweit das GG mittelbare Verwaltung vorschreibt, ist unmittelbare Verwaltung durch Bundesbehörden ausgeschlossen (so zu Art. 87 II BVerfGE 63, 36). Dagegen wird man dort, wo »bundeseigene Verwaltung« vorgesehen ist, zumindest in begrenztem Umfang auch mittelbare Verwaltung für zulässig halten können (vgl. Art. 87 Rn. 4).

3   Unter *Bundesregierung* ist sowohl das Kollegialorgan i. S. des Art. 62 als auch der zuständige einzelne BMinister zu verstehen (umstr.; wie hier BVerwGE 36, 333 f.; BVerwG, NJW 1979, 280; offengelassen in BVerfGE 26, 396).

4   Die *Befugnisse der Bundesregierung* für den Bereich der Bundesverwaltung sind in Art. 86 nicht erschöpfend geregelt. Ausdrücklich erwähnt sind nur das Recht, allgemeine Verwaltungsvorschriften (dazu allgemein BVerfGE 26, 395 ff. sowie Art. 84 Rn. 7 und 10, zur Unzulässigkeit parl. Zustimmungs- und Einspruchsvorbehalte auch Art. 84 Rn. 9) zu erlassen, und die Organisationsgewalt, d. h. die Befugnis zur Einrichtung der Behörden (zum Begriff der Behördeneinrichtung s. Art. 84 Rn. 3). Daneben kann die BReg aber auch das Verwaltungsverfahren der Bundesbehörden regeln (zum Begriff des Verwaltungsverfahrens s. Art. 84 Rn. 4). Dazu kommt das im Hinblick auf Art. 65 Satz 2 selbstverständliche Recht jedes BMinisters, gegenüber den Behörden und Bediensteten seines Geschäftsbereichs Einzelweisungen und allgemeine Weisungen zu erteilen (vgl. auch BVerwGE 46, 57). Ein Tätigwerden des *Gesetzgebers* zur Regelung von Behördeneinrichtung und Verfahren im Rahmen der Bundesverwaltung ist nur dort erforderlich, wo es das GG ausdrücklich vorschreibt (z. B. Art. 108 I 2) oder der Vorbehalt des Gesetzes (dazu Vorbem. vor Art. 70 Rn. 3) dazu nötigt (vgl. auch OVG Koblenz, AS 10, 355). Daß der Bundesgesetzgeber zu solchen Regelungen *befugt* ist, unterliegt keinem Zweifel (so in bezug auf das Verwaltungsverfahren BVerfGE 26, 369; s. auch BVerfGE 31, 117). Aus der Tatsache, daß in jüngerer Zeit Organisation und Verfahren der Verwaltungsbehörden in zunehmendem Maße durch Gesetze oder Rechtsverordnungen geordnet worden sind, läßt sich jedoch nicht ableiten, daß dies verfassungsrechtl. ausnahmslos geboten ist (BVerfGE 8, 167; 40, 250; BGH, NJW 1983, 521). Vgl. allgemein auch Erläut. vor Art. 83 Rn. 6 zur Gestaltungsfreiheit im Bereich der Verwaltungsorganisation.

Artikel 87   [Gegenstände bundeseigener Verwaltung]

(1)   In bundeseigener Verwaltung mit eigenem Verwaltungsunterbau werden geführt der Auswärtige Dienst, die Bundesfinanzverwaltung, die Bundeseisenbahnen, die Bundespost und nach Maßgabe des Artikels 89 die Verwaltung der Bundeswasserstraßen und der Schiffahrt. Durch Bundesgesetz können Bundesgrenzschutzbehörden, Zentralstellen für das polizeiliche Auskunfts- und Nachrichtenwesen, für die Kriminalpolizei und zur Sammlung von Unterlagen für Zwecke des Verfassungsschutzes und des Schutzes gegen Bestrebungen im Bundesgebiet, die durch Anwendung von Gewalt oder darauf gerichtete Vorbereitungshandlungen auswärtige Belange der Bundesrepublik Deutschland gefährden, eingerichtet werden.

(2)   Als bundesunmittelbare Körperschaften des öffentlichen Rechtes werden diejenigen sozialen Versicherungsträger geführt, deren Zuständigkeitsbereich sich über das Gebiet eines Landes hinaus erstreckt.

(3)   Außerdem können für Angelegenheiten, für die dem Bunde die Gesetzgebung zusteht, selbständige Bundesoberbehörden und neue bundesunmittelbare Körperschaften und Anstalten des öffentlichen Rechtes durch Bundesgesetz errichtet werden. Erwachsen dem Bunde auf Gebieten, für die ihm die Gesetzgebung zusteht, neue Aufgaben, so können bei dringendem Bedarf bundeseigene Mittel- und Unterbehörden mit Zustimmung des Bundesrates und der Mehrheit der Mitglieder des Bundestages errichtet werden.

1   Art. 87 regelt in Abs. 1 Satz 1 und Abs. 2 Fälle der obligatorischen, in Abs. 1 Satz 2 und Abs. 3 Fälle der fakultativen Bundeseigenverwaltung.

Absatz 1

2   Der Bund ist zur Wahrnehmung der in *Satz 1* genannten Aufgaben nicht nur berechtigt, sondern grundsätzlich auch verpflichtet. Den Ländern ist eine Verwaltungstätigkeit in eigener Zuständigkeit und Verantwortung nur gestattet, soweit sie das GG (wie in Art. 89 II 3 und 4) ausdrücklich zuläßt. Zur Aufgabenerledigung im Wege der Organleihe s. Vorbem. vor Art. 83 Rn. 8.

3   Die Verwaltungskompetenz des Bundes für den *Auswärtigen Dienst* erstreckt sich auf alle Aufgaben, die im Bereich der auswärtigen Angelegenheiten verwaltungsmäßig zu erledigen sind.

Wie bei der Gesetzgebung (vgl. Art. 73 Rn. 1) gehört dazu auch die Entwicklungshilfe. Satz 1 fordert weder eine ressortmäßige Zuordnung zum Auswärtigen Amt noch einen Behördensitz im Ausland. Auch für *gesamtdeutsche Fragen* liegt die Verwaltungszuständigkeit beim Bund (vgl. BVerfGE 12, 250 und Art. 30 Rn. 2–4). – Zur Bundesfinanzverwaltung s. Erläut. zu Art. 108. – Zu den *Bundeseisenbahnen* rechnen alle Anlagen und Aufgaben, die dazu bestimmt sind, dem Betrieb des Eisenbahntransports durch den Bund zu dienen (BVerwG, NJW 1962, 554; OVG Lüneburg, VerwRspr 28, 442). Organisation und Rechtsstellung sind im BundesbahnG vom 13. 12. 1951 (BGBl. I S. 955) geregelt. Danach wird das Bundeseisenbahnvermögen unter dem Namen »Deutsche Bundesbahn« als nichtrechtsfähiges Sondervermögen des Bundes mit eigener Wirtschafts- und Rechnungsführung (§ 1) und mit der Maßgabe verwaltet, daß die Deutsche Bundesbahn – als teilrechtsfähige Anstalt des öffentl. Rechts (BVerwGE 64, 205) – im Rechtsverkehr unter ihrem Namen handeln, klagen und verklagt werden kann (§ 2 I). – *»Bundespost«* i. S. des Art. 87 I 1 ist identisch mit dem Begriff »Post- und Fernmeldewesen« in Art. 73 Nr. 7 (BVerfGE 12, 226, 229, 248). Der Bund kann danach Rundfunksendeanlagen errichten und auch selbst betreiben. Insbes. ist er für die Zuteilung der Wellenbereiche an die Sender zuständig. Die Veranstaltung von Rundfunksendungen ist dagegen grundsätzlich (Ausnahmen: Deutsche Welle, Deutschlandfunk; dazu s. das G über die Errichtung von Rundfunkanstalten des Bundesrechts vom 29. 11. 1960, BGBl. I S. 862) Sache der Länder (vgl. BVerfGE 12, 248 f.). In organisatorischer Hinsicht ist die Rechtsstellung der Deutschen Bundespost der der Deutschen Bundesbahn teilweise ähnlich. Nach dem PostverwaltungsG vom 24. 7. 1953 (BGBl. I S. 676) ist das dem Post- und Fernmeldewesen gewidmete und bei seiner Verwaltung erworbene Vermögen ebenfalls Bundessondervermögen mit eigener Haushalts- und Rechnungsführung (§ 3). Wie die Deutsche Bundesbahn kann auch die Bundespost im Rechtsverkehr unter eigenem Namen handeln, klagen und verklagt werden (§ 4 I). Auch sie besitzt deshalb Teilrechtsfähigkeit (vgl. auch VGH Kassel, VerwRspr 11, 1037). – Zur *Verwaltung der Bundeswasserstraßen und der Schiffahrt* s. Erläut. zu Art. 89.

4 Umstritten ist, ob aus der in Art. 86 vorgenommenen Gegenüberstellung von »bundeseigener Verwaltung« und Verwaltung »durch bundesunmittelbare Körperschaften oder Anstalten des öffentl. Rechts« für Art. 87 I 1 gefolgert werden muß, daß die

Aufgaben der dort genannten Verwaltungsbereiche wegen ihrer Zuordnung zur bundeseigenen Verwaltung nur in *unmittelbarer,* nicht also auch in *mittelbarer Bundesverwaltung* wahrgenommen werden dürfen. Zulässig ist jedenfalls die *Aufgabenübertragung auf beliehene Unternehmer,* wenn sich die Beleihung auf Teilbereiche der nach Art. 87 I 1 in bundeseigener Verwaltung zu führenden Verwaltungszweige beschränkt und der Beliehene durch Unterstellung unter die volle Fachaufsicht in den Unterbau dieser Verwaltung integriert wird (BVerwG, VerwRspr 28, 220 f.).

5 Die Ermächtigung des *Satzes 2* gestattet für den *Bundesgrenzschutz* als Polizei des Bundes auch die Einrichtung von Mittel- und Unterbehörden, wie sie gemäß § 43 BGSG vorgenommen wurde. Für die übrigen in Satz 2 genannten Aufgaben folgt dagegen aus der Beschränkung des Bundes auf die Errichtung von Zentralstellen, daß Mittel- und Unterbehörden ausgeschlossen sind. Der Bund hat zwei solcher Zentralstellen geschaffen: das *Bundesamt für Verfassungsschutz* durch das G über die Zusammenarbeit des Bundes und der Länder in Angelegenheiten des Verfassungsschutzes vom 27. 9. 1950 (BGBl. I S. 682), geändert durch G vom 7. 8. 1972 (BGBl. I S. 1382), und das *Bundeskriminalamt* durch das G über die Einrichtung eines Bundeskriminalpolizeiamtes (Bundeskriminalamtes) i. d. F. vom 29. 6. 1973 (BGBl. I S. 704). Eine wichtige Aufgabe beider Ämter, von denen das Bundeskriminalamt in Übereinstimmung mit Art. 73 Nr. 10 und Art. 87 I 2 in beschränktem Umfang eigene Strafverfolgungszuständigkeiten besitzt, ist es, auf den ihnen anvertrauten Gebieten der inneren Sicherheit die Zusammenarbeit zwischen Bund und Ländern zu koordinieren (zur Zusammenarbeit auf dem Gebiet des Verfassungsschutzes s. BVerwGE 69, 52 ff.).

Absatz 2

6 Abs. 2, dem der Sozialversicherungsbegriff des Art. 74 Nr. 12 (dazu Erläut. zu Art. 74 Rn. 12) zugrunde zu legen ist (BVerfGE 63, 35), ist *Kompetenz- und Organisationsnorm für landesübergreifende soziale Versicherungsträger* (BVerfGE 63, 34 ff.), nicht dagegen Indiz für eine verfassungsrechtl. Garantie der Sozialversicherung (BVerfGE 21, 371; 39, 315). Erfaßt werden nicht nur beim Inkrafttreten des GG schon vorhandene, sondern auch neue Sozialversicherungsträger (BVerfGE 11, 123). Der Begriff der *Körperschaft des öffentlichen Rechts* umfaßt alle juristischen Personen des öffentl. Rechts, insbes. auch Anstalten (vgl. BVerfGE 11, 113). Auch die Bundesanstalt für Arbeit, ent-

gegen § 189 I des ArbeitsförderungsG vom 25. 6. 1969 (BGBl. I
S. 582) nicht Körperschaft, sondern Anstalt des öffentl. Rechts,
fällt deshalb, soweit sie sozialversicherungsrechtliche Aufgaben
wahrnimmt, unter Art. 87 II (vgl. auch für die frühere Bundesanstalt für Arbeitslosenvermittlung u. Arbeitslosenversicherung
BayVerfGH, VerwRspr 20, 770 f.). Für die Frage der *Bundesun-*
mittelbarkeit kommt es allein auf den räumlichen Zuständigkeitsbereich (s. dazu BSGE 1, 32 f.) des einzelnen Versicherungsträ-
gers an (BSGE 24, 173). Zulässig sind einstufiger wie mehrstuf-
iger Aufbau. Sozialversicherungsträger i. S. des Art. 87 II können
daher einen eigenen Verwaltungsunterbau haben, wie dies bei der
Bundesanstalt für Arbeit der Fall ist.

Absatz 3

7 Abs. 3 als *Kompetenznorm* (BVerfGE 14, 210 ff.) gibt dem *Bund*
die Möglichkeit, dort, wo für Angelegenheiten im Rahmen seiner
Gesetzgebung die Verwaltungskompetenz bei den Ländern liegt,
durch Gesetz oder auf Grund eines Gesetzes eigene Verwaltungs-
zuständigkeiten zu begründen und damit die Verwaltungshoheit
der Länder zu beenden (vgl. auch BVerfGE 14, 210 f.). Die Vorschrift bezieht sich außer auf die Behördenerrichtung selbst auch
auf die Aufgabenübertragung an bestehende Verwaltungseinrichtungen des Bundes (teilweise a. A. BayVGH n. F. 23, 138), ist jedoch nicht einschlägig, wenn dieser – wie etwa in den Fällen des
Art. 87 I 1 – eine Verwaltungskompetenz schon besitzt (OVG
Koblenz, AS 10, 355). Insoweit können deshalb auf der Grundlage des Art. 86 Satz 2 Bundesbehörden durch bloßen Organisationsakt errichtet werden, sofern nicht im Einzelfall eine gesetzliche Regelung erforderlich ist (vgl. Art. 86 Rn. 4). Dies gilt auch
für Bundesoberbehörden, weil Art. 86 Satz 2 den Begriff der Behörde in umfassendem Sinne versteht.

8 *Satz 1: Selbständige Bundesoberbehörden* i. S. des Satzes 1 unterscheiden sich einerseits von den obersten Bundesbehörden, andererseits von dem »eigenen Verwaltungsunterbau« (Art. 87 I, Art.
87 b I u. II) und den »bundeseigenen Mittel- und Unterbehörden«
(Art. 87 III 2). Während diese in ihrer Zuständigkeit regional beschränkt sind (BVerfGE 10, 48), können selbständige Bundesoberbehörden nur für Aufgaben errichtet werden, die der Sache
nach für das ganze Bundesgebiet von einer Oberbehörde ohne
Mittel- und Unterbau und ohne Inanspruchnahme von Verwaltungsbehörden der Länder – außer für reine Amtshilfe – wahrgenommen werden können (BVerfGE 14, 210 f.). Der örtliche Zu-

ständigkeitsbereich einer selbständigen Bundesoberbehörde
deckt sich also mit dem Bundesgebiet. Für die ihr übertragenen
Aufgaben kann sie nur die einzige Behörde im Bundesgebiet sein
(BVerwGE 35, 145). Art. 87 III 1 schließt jedoch nicht aus, daß
eine Bundesoberbehörde ihre Aufgaben in Zusammenarbeit mit
einer anderen Bundesoberbehörde oder einer bundesunmittelbaren Körperschaft oder Anstalt des öffentl. Rechts oder in Anlehnung an eine solche auf der Ebene der Gleichordnung erfüllt
(BVerfGE 14, 211).

9 Entsprechendes wird für *Einrichtungen der mittelbaren Bundesverwaltung* (vgl. dazu Art. 86 Rn. 2) zu gelten haben, die auf der
Grundlage des Satzes 1 geschaffen werden. Im übrigen aber, hinsichtlich der inneren Organisation und des Verfahrens dieser Einrichtungen wie grundsätzlich auch hinsichtlich der Ausgestaltung
der ministeriellen Aufsicht, hat der Gesetzgeber große Gestaltungsfreiheit (vgl. BVerfGE 37, 24, 26; auch BVerwG, BayVBl
1979, 313). S. allgemein auch Erläut. vor Art. 83 Rn. 6.

10 Über die in Rn. 8 und 9 genannten Beschränkungen hinaus wird
die Verwaltungsinitiative des Bundes nach Satz 1 generell dadurch
begrenzt, daß Verwaltungsträger i. S. dieser Vorschrift nur für
Angelegenheiten errichtet werden können, für die eine *Gesetzgebungsbefugnis des Bundes* besteht (vgl. auch BVerfGE 14, 210).
Insoweit kommen neben Kompetenzen aus den Bereichen der ausschließlichen und der konkurrierenden Gesetzgebung auch Zuständigkeiten zur Rahmengesetzgebung in Betracht. Der Bund
kann deshalb auch für diejenigen Teile eines Rahmengesetzes, die
als partielle Vollregelungen unmittelbar bürgerbezogen und damit
ausführungsfähig sind (vgl. Art. 83 Rn. 3), eine eigene Verwaltungskompetenz begründen (bestr.; wie hier Stern II § 41
VII 6 c α Fn. 457 m. w. N.). Ein *Bedürfnis* i. S. des Art. 72 II
braucht hierfür ebensowenig vorzuliegen wie in den Fällen, in denen die bundeseigene Verwaltung auf Gebieten der konkurrierenden Gesetzgebung erweitert wird (in letzterer Hinsicht s. BVerf-
GE 14, 213 f.).

11 Gesetze, die die Errichtung zentraler Verwaltungsträger i. S. des
Satzes 1 oder die Erweiterung ihrer Aufgaben zum Gegenstand
haben, sind *nicht* an die *Zustimmung des Bundesrates* gebunden
(vgl. auch BVerfGE 14, 210 f.). Die Entscheidung des Verfas-
sungsgebers, hier anders als im Fall des Satzes 2 (s. dazu nachstehend Rn. 13) auf das Erfordernis der BRatszustimmung zu verzichten, gründet erkennbar in der Absicht, zugunsten des Bundes

einen gewissen Ausgleich für die weitgehende Kompetenzvermutung des Art. 83 (vgl. dort Rn. 1) zu schaffen.

12 *Satz 2:* Auch die Begründung neuer Verwaltungskompetenzen des Bundes durch die *Errichtung von bundeseigenen Mittel- und Unterbehörden* oder durch Erweiterung ihres Aufgabenbestandes ist nur auf Gebieten möglich, für die dem *Bund die Gesetzgebung zusteht.* Die Erläut. in Rn. 10 gelten insoweit mit der Maßgabe entsprechend, daß hier für die Verwaltungsinitiative des Bundes ein *Bedürfnis* i. S. eines dringenden Bedarfs vorliegen muß (BVerfGE 14, 214). Außerdem kommen für eine Erledigung durch bundeseigene Mittel- und/oder Unterbehörden nur *Aufgaben* in Betracht, die *dem Bund neu erwachsen.* Dazu gehören entgegen der h. M. (vgl. v. Mangoldt/Klein, Art. 87 Anm. VII 5 b bb) nicht nur Aufgaben, die bis zum Tätigwerden des Bundesgesetzgebers weder vom Bund noch von den Ländern wahrgenommen wurden, sondern auch solche, die bisher von den Ländern erfüllt wurden, sofern auf Grund neuer Gesichtspunkte die Übernahme in die Zuständigkeit bundeseigener Mittel- und/oder Unterbehörden dringend erforderlich erscheint.

13 Bundesgesetze, durch die bundeseigene Mittel- und Unterbehörden eingerichtet oder ihnen neue Aufgaben übertragen werden, bedürfen der *Zustimmung des Bundesrates und der Mehrheit der Mitglieder des Bundestages* (Art. 121). Der insoweit bestehende Unterschied zur Regelung des Satzes 1 beruht darauf, daß Gesetze, die auf der Grundlage des Satzes 2 ergehen, wegen der damit verbundenen Regionalisierung der bundeseigenen Verwaltung in die Verwaltungszuständigkeit der Länder in erheblich stärkerem Umfang eingreifen als Gesetze, die eine lediglich zentrale Verwaltungskompetenz des Bundes begründen (vgl. BVerfGE 14, 211). Welcher Kategorie *Außenstellen* von Verwaltungseinrichtungen i. S. des Satzes 1 zuzuordnen sind, läßt sich nicht generell beantworten. Entscheidend ist die organisatorische Ausgestaltung im Einzelfall. Für die Außenstellen der Bundesanstalt für den Güterfernverkehr hat das BVerwG festgestellt, daß sie im Verhältnis zur Zentrale keine untergeordneten Dienststellen sind, also keinen eigenständigen Unterbau darstellen, wie ihn Satz 2 voraussetzt (BVerwGE 10, 163).

Artikel 87 a   [Aufstellung und Befugnisse der Streitkräfte]

(1)   Der Bund stellt Streitkräfte zur Verteidigung auf. Ihre zahlenmä-

ßige Stärke und die Grundzüge ihrer Organisation müssen sich aus dem Haushaltsplan ergeben.

(2) Außer zur Verteidigung dürfen die Streitkräfte nur eingesetzt werden, soweit dieses Grundgesetz es ausdrücklich zuläßt.

(3) Die Streitkräfte haben im Verteidigungsfalle und im Spannungsfalle die Befugnis, zivile Objekte zu schützen und Aufgaben der Verkehrsregelung wahrzunehmen, soweit dies zur Erfüllung ihres Verteidigungsauftrages erforderlich ist. Außerdem kann den Streitkräften im Verteidigungsfalle und im Spannungsfalle der Schutz ziviler Objekte auch zur Unterstützung polizeilicher Maßnahmen übertragen werden; die Streitkräfte wirken dabei mit den zuständigen Behörden zusammen.

(4) Zur Abwehr einer drohenden Gefahr für den Bestand oder die freiheitliche demokratische Grundordnung des Bundes oder eines Landes kann die Bundesregierung, wenn die Voraussetzungen des Artikels 91 Abs. 2 vorliegen und die Polizeikräfte sowie der Bundesgrenzschutz nicht ausreichen, Streitkräfte zur Unterstützung der Polizei und des Bundesgrenzschutzes beim Schutze von zivilen Objekten und bei der Bekämpfung organisierter und militärisch bewaffneter Aufständischer einsetzen. Der Einsatz von Streitkräften ist einzustellen, wenn der Bundestag oder der Bundesrat es verlangen.

1   Art. 87 a ist die verfassungsrechtl. *Grundsatznorm für den militärischen Bereich.* Abs. 1 regelt die Kompetenz des Bundes zur Aufstellung von Streitkräften und trifft spezielle Vorkehrungen zur Sicherung der parl. Kontrolle über die Bundeswehr. Abs. 2 beschränkt den Einsatz der Streitkräfte – vorbehaltlich abweichender grundgesetzlicher Ermächtigung – auf Verteidigungszwecke. Die Abs. 3 und 4 schließlich regeln besondere Befugnisse der Streitkräfte im Verteidigungs- und im Spannungsfall sowie den Streitkräfteeinsatz im Fall des inneren Notstandes. Durchweg ist unter *Streitkräften* der zur Verteidigung bestimmte, militärisch organisierte, an das Befehlsprinzip gebundene Teil der vollziehenden Staatsgewalt der Bundesrepublik Deutschland zu verstehen, also die Bundeswehr unter Ausschluß der Bundeswehrverwaltung.

Absatz 1

2   *Satz 1:* Für die Gesamtaufgabe »Verteidigungswesen« ist, soweit es sich um die Bundeswehr und ihre Ausrüstung handelt, uneingeschränkt und allein der Bund zuständig (BVerfGE 8, 116). Satz 1, der den Bund zur *Aufstellung der Streitkräfte* berechtigt und ver-

pflichtet (vgl. BVerwGE 63, 38; 63, 101), ist Teil und Ausdruck dieser Kompetenzzuweisung. Als Zuständigkeitsnorm ist die Vorschrift außerdem auch die Grundlage dafür, Verteidigungsgesetze, soweit sie die Streitkräfte betreffen, in bundeseigener Verwaltung auszuführen.

3 Mit Art. 87 a I 1 (und Art. 73 Nr. 1) hat der Verfassungsgesetzgeber eine *verfassungsrechtliche Grundentscheidung für die militärische Landesverteidigung* getroffen. Einrichtung und Funktionsfähigkeit der Bundeswehr haben danach verfassungsrechtl. Rang (BVerfGE 48, 159 f. m. w. N.; BVerwGE 55, 219). Welche Maßnahmen im einzelnen zur Gewährleistung einer funktionsfähigen Verteidigung notwendig sind, haben der Gesetzgeber und die anderen für das Verteidigungswesen zuständigen Bundesorgane nach weitgehend polit. Erwägungen zu bestimmen. Dies gilt auch für die Entscheidung, die militärische Landesverteidigung statt auf der Grundlage der allgemeinen Wehrpflicht durch eine Freiwilligenarmee sicherzustellen, sofern die Funktionsfähigkeit der Verteidigung erhalten bleibt (BVerfGE 48, 160). Unverzichtbar aber ist, das innere Gefüge der Streitkräfte so zu ordnen, daß sie ihren militärischen Aufgaben gewachsen sind (vgl. BVerfGE 28, 47; BVerwGE 63, 38).

4 *Satz 2,* der zum Nachweis der *zahlenmäßigen Stärke der Streitkräfte* und zur Darstellung der *Grundzüge ihrer Organisation im Haushaltsplan* verpflichtet, hat zunächst haushaltsverfassungsrechtl., den Art. 110 konkretisierende und ergänzende Bedeutung. Darüber hinaus dient die Vorschrift der *parlamentarischen Kontrolle über die Streitkräfte* (BVerwGE 15, 65). Überschreitungen der im Haushaltsplan festgelegten Personalstärke sind unzulässig. Jedoch können Wehrpflichtige im Verteidigungsfall unabhängig von einer Haushaltsermächtigung einberufen werden.

Absatz 2

5 Mit der Entscheidung in Abs. 1 Satz 1, daß die Streitkräfte *»zur Verteidigung«* aufzustellen sind, wird im Einklang mit dem bereits in Art. 26 I niedergelegten Verbot des Angriffskrieges unmißverständlich zum Ausdruck gebracht, daß die Streitkräfte der *Abwehr bewaffneter Angriffe gegen die Bundesrepublik Deutschland* dienen sollen (vgl. BVerfGE 48, 160). Dementsprechend beschränkt Abs. 2 auch den Einsatz der Streitkräfte grundsätzlich auf die Verfolgung von Verteidigungszwecken. Ausnahmen müssen im GG ausdrücklich zugelassen sein und sind in Art. 35 II 2

und III sowie in Art. 87 a III und IV abschließend geregelt. Nicht
verteidigungsgerichtete Einsätze, die durch diese Ausnahmeer-
mächtigungen nicht gedeckt sind, sind deshalb unzulässig, solange
das GG nicht entsprechend ergänzt wird. Umstritten ist, ob dies
auch für Einsätze gilt, die außerhalb des Hoheitsgebietes der Bundesrepublik Deutschland, z. B. im Rahmen friedenssichernder
Maßnahmen der Vereinten Nationen, durchzuführen wären (vgl.
dazu eingehend E. Klein, ZaöRV 34, 429 ff.).

6   »*Einsatz*« i. S. des Abs. 2 ist außer der militärischen auch jede andere Verwendung im Rahmen der vollziehenden Gewalt (BT-
Drucks. V/2873 S. 13), sofern dabei hoheitliche Aufgaben unter
Inanspruchnahme von Zwangs- und Eingriffsbefugnissen wahrgenommen werden. Erfaßt werden deshalb z. B. auch Absper-
rungsmaßnahmen, wenn sie nicht nur Repräsentationszwecken
dienen, sondern erforderlichenfalls auch mit Gewalt durchgesetzt
werden sollen. Nicht unter den Einsatzbegriff fallen dagegen
schlichte Hoheitstätigkeiten und rein technische Hilfeleistungen,
etwa Hilfsaktionen bei Unfällen (außerhalb des Anwendungsbe-
reichs des Art. 35 II 2 oder III) oder bei Ernteeinsätzen. Soweit
solche unterhalb der Schwelle des Art. 87 a II bleibenden Hilfeleistungen von staatl. Stellen in Anspruch genommen werden, gilt
auch für die Streitkräfte Art. 35 I.

Absatz 3

7   Abs. 3 regelt für den Verteidigungsfall (Art. 115 a) und für den
Spannungsfall (Art. 80 a I) zwei Möglichkeiten des Streitkräfte-
einsatzes gegenüber Nichtkombattanten im Innern: einmal den
Einsatz zum Schutz ziviler Objekte und zur Verkehrsregelung, soweit die Wahrnehmung dieser Aufgaben zur Erfüllung des Verteidigungsauftrages erforderlich ist (Satz 1), zum anderen die Verwendung zur Unterstützung polizeilicher Maßnahmen beim
Schutz beliebiger anderer ziviler Objekte (Satz 2).

8   *Satz 1:* Der Schutz militärischer Objekte gegen Angriffe fremder
Streitkräfte oder ziviler Störer ist ebenso wie die Abwehr militärischer Aktionen gegen zivile Objekte Teil des Verteidigungsauftrages der Streitkräfte. Nur für den *Schutz ziviler Objekte gegenüber Störungen von ziviler Seite* bedurfte es deshalb im Lichte des
Abs. 2 einer besonderen verfassungsrechtl. Ermächtigung. Sie ist
in Satz 1 mit der Maßgabe erteilt, daß der Objektschutz zur Erfüllung des Verteidigungsauftrages erforderlich sein muß. Schutzge-
genstand sind demzufolge nur *verteidigungswichtige Objekte*,

z. B. zivile Fernmeldezentralen oder Rüstungsbetriebe. Zweifelhaft ist, nach welchen Regeln sich die Befugnisse der Streitkräfte bei der Durchführung des Objektschutzes bestimmen (zum Streitstand s. v. Münch, Art. 87 a Rn. 20). Wortlaut, Sinngehalt und systematischer Stellung der Vorschrift dürfte es am ehesten entsprechen, die Rechtsgrundlage dafür – unter prinzipieller Bejahung der Bindung an den Verhältnismäßigkeitsgrundsatz – in Satz 1 selbst zu erblicken (vgl. näher Bonner Komm., Art. 87 a Rn. 71 ff.). Auch die in dieser Bestimmung weiter geregelte Befugnis, *Aufgaben der Verkehrsregelung* wahrzunehmen, steht unter dem Vorbehalt, daß die verkehrsordnenden Maßnahmen zur Erfüllung des Verteidigungsauftrages notwendig sind. Sie dient dem Zweck, die Bewegungsfreiheit der Streitkräfte zu gewährleisten. Deshalb können sich Verkehrsregelungen i. S. des Satzes 1 – über die unmittelbare Sicherung von Verkehrsbewegungen militärischer Verbände hinaus – z. B. auch auf das Freihalten potentieller Verkehrswege erstrecken. Die Interessen der Zivilbevölkerung am Bestand und Funktionieren eines zu ihrer Versorgung bestimmten Verkehrs sind nach Maßgabe des Verhältnismäßigkeitsgrundsatzes zu berücksichtigen. Die Rechtsgrundlagen für Einzelmaßnahmen sind dem Polizeirecht und der Straßenverkehrsordnung zu entnehmen.

9   *Satz 2:* Objektschutzmaßnahmen i. S. des Satzes 2 sind nicht davon abhängig, daß sie für die Erfüllung des Verteidigungsauftrages erforderlich sind. Die Schutzaufgabe bezieht sich deshalb hier auf *andere als verteidigungswichtige zivile Objekte.* Sie ist polizeilicher Natur und kann den Streitkräften nur unter Mitwirkung des jeweiligen Trägers der Polizeigewalt übertragen werden. Auch die Wahrnehmung der Aufgabe selbst erfordert ein Zusammenwirken mit den zivilen Polizeibehörden. Sie hat im Rahmen der generellen Leitungs- und Koordinierungsbefugnis der für die Aufrechterhaltung der öffentl. Sicherheit oder Ordnung verantwortlichen zivilen polizeilichen Führung in der Weise zu erfolgen, daß der Einsatz der Streitkräfte den Zielen und Maßnahmen der Polizeibehörden eingeordnet wird. Diese haben jedoch keine Weisungsgewalt gegenüber den Streitkräften. Die Art und Weise der Durchführung des Schutzauftrages und die Erteilung der konkreten Einsatzbefehle bleiben vielmehr Aufgabe der Streitkräfte und ihrer Führung.

Absatz 4

10   *Satz 1:* Abs. 4 regelt den *Einsatz* der Streitkräfte *im Fall des inne-*

ren Notstandes (dazu s. Erläut. zu Art. 91). Er ist nach Satz 1 nur
unter den Voraussetzungen des Art. 91 II zulässig und – als äu-
ßerstes Mittel – ferner davon abhängig, daß die Polizeikräfte der
Länder und des Bundes zur Bekämpfung der dem Bestand oder
der freiheitlichen demokratischen Grundordnung des Bundes
oder eines Landes drohenden Gefahr nicht ausreichen.

11   Die *Entscheidung über den Einsatz* der Streitkräfte trifft die BReg
als Kollegium (Art. 62). Die Wahrnehmung der mit der Durchführung des Einsatzes verbundenen zentralen Aufgaben obliegt
dagegen den zuständigen BMinistern (BMI, BMVg), die hierbei
an den von der BReg gesetzten Rahmen gebunden sind.

12   *Einsatzziel* ist die Unterstützung der Polizeikräfte der Länder und
des Bundes beim *Schutz ziviler Objekte* und bei der Bekämpfung
organisierter und bewaffneter Aufständischer. In sächlicher Hinsicht bezieht sich die Verwendung auf den Schutz solcher Gegenstände, deren Funktionsfähigkeit für den Bestand des Staates wesentlich ist (Beispiel: Versorgungsanlagen). Der Einsatz zur *Bekämpfung von Aufständischen* setzt voraus, daß diese organisiert
sind, d. h. über eine organisatorisch verfestigte Gliederung und
Führungsstruktur verfügen. Außerdem müssen sie militärisch bewaffnet sein, nämlich Kampfmittel besitzen (und einsetzen wollen), die üblicherweise zur Ausstattung der Streitkräfte gehören.

13   *»Zur Unterstützung der Polizei und des Bundesgrenzschutzes«* bedeutet, daß der Einsatz sich dem Einsatzplan der Polizei anzupassen hat. Nicht berührt wird die Befehls- und Kommandogewalt
über die eingesetzten Streitkräfte (Art. 65 a). Welche Konsequenzen sich daraus für das *Befugnisrecht der Streitkräfte* im inneren Notstand ergeben, ob m.a.W. für die Durchführung des Einsatzes militärische Grundsätze und Regeln gelten (vgl. vor allem
Bonner Komm., Art. 87 a Rn. 174 ff.) oder ob sich die Befugnisse der Streitkräfte nach polizeirechtl. Vorschriften bestimmen (so
z. B. Maunz/Dürig, Art. 87 a Rn. 126), ist, insbes. für die Bekämpfung von Aufständischen, umstritten. Die insoweit bestehenden Meinungsverschiedenheiten verlieren an Gewicht, wenn
man anerkennt, daß die Streitkräfte im Fall des Abs. 4 ebenso wie
bei jedem anderen nicht verteidigungsgerichteten Einsatz im Innern der Bundesrepublik Deutschland an die allgemeinen rechtsstaatl. Grundsätze der Verhältnismäßigkeit und des Übermaßver-
botes gebunden sind (vgl. auch zu Abs. 3 Satz 1 oben Rn. 8).

14   *Satz 2: Einstellungsverlangen* i. S. des Satzes 2 sind zwingend. Ein
erneuter Einsatz nach Einstellung auf Grund eines solchen Ver-

langens setzt das Vorliegen wesentlich veränderter Umstände
voraus.

Artikel 87 b [Bundeswehr- und Verteidigungsverwaltung]

**(1) Die Bundeswehrverwaltung wird in bundeseigener Verwaltung
mit eigenem Verwaltungsunterbau geführt. Sie dient den Aufgaben des
Personalwesens und der unmittelbaren Deckung des Sachbedarfs der
Streitkräfte. Aufgaben der Beschädigtenversorgung und des Bauwesens können der Bundeswehrverwaltung nur durch Bundesgesetz, das
der Zustimmung des Bundesrates bedarf, übertragen werden. Der Zustimmung des Bundesrates bedürfen ferner Gesetze, soweit sie die
Bundeswehrverwaltung zu Eingriffen in Rechte Dritter ermächtigen;
das gilt nicht für Gesetze auf dem Gebiete des Personalwesens.**

**(2) Im übrigen können Bundesgesetze, die der Verteidigung ein-
schließlich des Wehrersatzwesens und des Schutzes der Zivilbevölkerung dienen, mit Zustimmung des Bundesrates bestimmen, daß sie
ganz oder teilweise in bundeseigener Verwaltung mit eigenem Verwaltungsunterbau oder von den Ländern im Auftrage des Bundes ausgeführt werden. Werden solche Gesetze von den Ländern im Auftrage
des Bundes ausgeführt, so können sie mit Zustimmung des Bundesrates
bestimmen, daß die der Bundesregierung und den zuständigen obersten Bundesbehörden auf Grund des Artikels 85 zustehenden Befugnisse ganz oder teilweise Bundesoberbehörden übertragen werden; dabei kann bestimmt werden, daß diese Behörden beim Erlaß allgemeiner Verwaltungsvorschriften gemäß Artikel 85 Abs. 2 Satz 1 nicht der
Zustimmung des Bundesrates bedürfen.**

1 Art. 87 b regelt in Abs. 1 die teils obligatorische, teils fakultative
Bundeswehrverwaltung und gestattet in Abs. 2, für den Vollzug
von Bundesgesetzen, die der Verteidigung einschl. des Wehrersatzwesens und des Schutzes der Zivilbevölkerung dienen und
nicht bereits von Abs. 1 erfaßt sind, vom Regelfall des Art. 83 abweichende Ausführungszuständigkeiten und Verwaltungstypen
zu bestimmen (vgl. BVerfGE 48, 178 f.).

Absatz 1

2 Die *Bundeswehrverwaltung* i. S. des Abs. 1 ist nicht Teil oder An-
nex der Streitkräfte, sondern ein eigenständiger, mit den Streitkräften allerdings aufs engste verbundener Bereich der *zivilen
Verwaltung* (BGHZ 64, 206 f.), der mit diesen zusammen »die
Bundeswehr« bildet. Organisationsverfassungsrechtl. steht sie

den in Art. 87 I aufgeführten »ursprünglichen« Bundesverwaltungen gleich (OVG Koblenz, AS 10, 355).

3   *Sätze 1 und 2:* Die Bundeswehrverwaltung wird nach Satz 1 in *bundeseigener Verwaltung mit eigenem Verwaltungsunterbau* geführt und dient gemäß Satz 2 den *Aufgaben des Personalwesens und der unmittelbaren Deckung des Sachbedarfs* der Streitkräfte. Hierzu rechnen insbes. die Verwaltung der Personalangelegenheiten der Streitkräfte, das Gebührnis-, Haushalts-, Kassen- und Rechnungswesen, die Unterkunfts- und Liegenschaftsverwaltung für die Streitkräfte sowie sonstige Aufgaben auf dem Gebiet der Bereitstellung von Dienstleistungen und Material für den Unterhalt der Streitkräfte wie die Versorgung mit Waffen und Geräten. Diese Regelung schließt Teilzuständigkeiten militärischer Dienststellen, z. B. für Personalplanung und Personalführung, nicht aus, soweit die Einsatzbereitschaft der Streitkräfte die Erfüllung solcher Aufgaben im Rahmen der militärischen Führung zwingend erfordert (vgl. BT-Drucks. 9/964 S. 16 f.).

4   *Satz 3:* Von diesen ursprünglichen Aufgaben der Bundeswehrverwaltung sind durch Satz 3 die *Aufgaben der Beschädigtenversorgung und des Bauwesens* ausgenommen. Sie können, obwohl zum Personalwesen bzw. zur unmittelbaren Deckung des Sachbedarfs der Streitkräfte gehörend, von der Bundeswehrverwaltung nur wahrgenommen werden, wenn und soweit sie ihr durch Bundesgesetz mit Zustimmung des BRates übertragen werden. Diese Ausgrenzung trägt besonderen Länderinteressen Rechnung. Einerseits sollte die Möglichkeit erhalten bleiben, die Beschädigtenversorgung in Landesverwaltung durchzuführen (vgl. dazu nunmehr § 88 I des SoldatenversorgungsG i. d. F. vom 21. 4. 1983, BGBl. I S. 457: Bundesauftragsverwaltung, soweit nicht ausnahmsweise Vollzug durch Behörden der Bundeswehrverwaltung). Andererseits sollte durch den Zustimmungsvorbehalt zugunsten des BRates verhindert werden, daß ohne Mitwirkung der Länder in der mittleren und unteren Instanz eine besondere Bundeswehrbauverwaltung errichtet wird.

5   *Satz 4:* Soweit Bundesgesetze die Bundeswehrverwaltung außerhalb des Personalwesens zu *Eingriffen in Rechte Dritter* ermächtigen, sind sie gemäß Satz 4 an die *Zustimmung des Bundesrates* gebunden. Dieses Zustimmungserfordernis, das sich, abweichend von dem im übrigen geltenden Grundsatz (vgl. Art. 78 Rn. 4), nicht auf das Gesetz als Ganzes, sondern nur auf die einzelne Eingriffsnorm bezieht (»soweit«), ist insofern ungewöhnlich, als es an

das materielle Kriterium des Eingriffs i. S. des rechtsstaatl. Gesetzesvorbehalts anknüpft. Es geht hier also nicht um den Schutz der Länder im föderativen Gefüge, dem sonst die Zustimmungsvorbehalte für den BRat dienen (vgl. Art. 78 Rn. 3). Die Vorschrift ist letztlich nur als Kompromißlösung vor dem Hintergrund des ursprünglichen Verlangens der Länder verständlich, die gesamte Bundesgesetzgebung im Bereich der Bundeswehrverwaltung unter den Vorbehalt der BRatszustimmung zu stellen (vgl. dazu näher v. Mangoldt/Klein, Art. 87 b Anm. III 7 a).

Absatz 2

6 *Satz 1:* Abs. 2 hat, wie sich aus den Worten »im übrigen« ergibt, den *Vollzug der nicht unter Abs. 1 fallenden Verteidigungsgesetze* zum Gegenstand. Sie können nach Satz 1 mit Zustimmung des BRates bestimmen, daß sie, abweichend von dem Grundsatz des Art. 83, ganz oder teilweise in *bundeseigener Verwaltung mit eigenem Verwaltungsunterbau* oder von den Ländern in *Bundesauftragsverwaltung* ausgeführt werden. Unberührt bleiben die Möglichkeit des Vollzugs durch oberste Bundesbehörden (zu den Voraussetzungen hierfür s. allgemein Art. 83 Rn. 2) und die Ausführung durch Bundesoberbehörden und Einrichtungen der mittelbaren Bundesverwaltung nach Art. 87 III 1. Lediglich Art. 87 III 2 wird durch Art. 87 b II 1 verdrängt. Für die Einrichtung eines eigenen Verwaltungsunterbaus i. S. dieser Vorschrift bedarf es deshalb nicht der qualifizierten BTagsmehrheit nach Art. 87 III 2.

7 Ob und inwieweit von der Ermächtigung des Satzes 1 Gebrauch gemacht werden soll, haben die Gesetzgebungsorgane im Einzelfall zu entscheiden (BVerfGE 48, 178 f.). Die Möglichkeit, den Gesetzesvollzug zwischen Bund und Ländern aufzuteilen (»ganz oder teilweise«), gestattet allerdings nur eine Trennung nach Materien, nicht aber die Einrichtung eines von Landes- zu Bundesbehörden reichenden Instanzenzuges (*keine Mischverwaltung*).

8 Entschließt sich der Bundesgesetzgeber zur Durchführung eines Verteidigungsgesetzes in bundeseigener Verwaltung, kann er den Vollzug *auch Behörden der Bundeswehrverwaltung* übertragen. Entsprechende Regelungen (vgl. z. B. § 14 I des WehrpflichtG i. d. F. vom 6. 5. 1983, BGBl. I S. 529) sind zulässig, weil die Legaldefinition des Abs. 1 (Personalwesen u. unmittelbare Deckung des Sachbedarfs der Streitkräfte) nicht die Bedeutung hat, die Aufgaben der Bundeswehrverwaltung abschließend zu bestimmen, sondern lediglich den Bereich festlegen will, auf den sich die

Entscheidung zugunsten der bundeseigenen Verwaltung in Abs. 1 Satz 1 und die weiteren Vorschriften dieses Absatzes beziehen.

9 Durch Regelungen i. S. des Satzes 1 wird der Gesetzesvollzug, abweichend von der Regel des Art. 83, einer Zuständigkeit zugeführt, die die Mitwirkung der Länder entweder ganz ausschließt oder die Verwaltung der Länder doch weitgehenden Aufsichts- und Weisungsrechten des Bundes (vgl. Art. 85 III u. IV, Art. 87 b II 2) unterwirft. Ein derart prinzipieller und weitreichender Eingriff in den Grundsatz der Länderexekutive ist im föderativen Gefüge des GG ohne die Zustimmung der Länder schlechthin unzulässig. Die *Zustimmung des Bundesrates* ist deshalb nicht nur für die erstmalige Anordnung von Bundeseigen- oder Bundesauftragsverwaltung erforderlich. Zustimmungsbedürftig sind vielmehr auch *Änderungsgesetze*, durch die eine bereits mit Zustimmung des BRates in die Bundeseigenverwaltung oder Bundesauftragsverwaltung überführte Verwaltungsaufgabe so verändert oder erweitert wird, daß dies angesichts des Grundsatzes des Art. 83 einer neuen Übertragung von Ausführungszuständigkeiten auf den Bund gleichkommt. Ein solcher Fall ist anzunehmen, wenn die Änderung materiell-rechtlicher Normen eine grundlegende Umgestaltung der Rechtsqualität der dem Bund durch früheres Gesetz übertragenen Aufgabe bewirkt und dadurch der Bestimmung über die Verwaltungszuständigkeit des Bundes inhaltlich eine wesentlich andere Bedeutung und Tragweite verleiht, die von der früher erteilten BRatszustimmung ersichtlich nicht mehr umfaßt wird (BVerfGE 48, 179 f.).

10 Nach *Satz 2* ist die Zustimmung des BRates ferner erforderlich, wenn in Verteidigungsgesetzen, die in Bundesauftragsverwaltung ausgeführt werden, die der BReg und den zuständigen obersten Bundesbehörden *nach Art. 85 zustehenden Befugnisse ganz oder teilweise Bundesoberbehörden übertragen* und diese Behörden für den Erlaß allgemeiner Verwaltungsvorschriften von dem Zustimmungserfordernis des Art. 85 II 1 freigestellt werden. Diese Regelung ist an die des Art. 120 a angelehnt, mit dieser aber nicht voll identisch. So bestimmt Art. 120 a I 2 unmittelbar selbst, daß allgemeine Verwaltungsvorschriften des Bundesausgleichsamtes nicht der Zustimmung des BRates bedürfen, während entsprechende Regelungen zugunsten der auf Grund des Art. 87 b II 2 ermächtigten Bundesoberbehörden jeweils von einer Entscheidung der gesetzgebenden Körperschaften im Einzelfall abhängig sind. Anwendungsfälle des Art. 87 b II 2 sind z. B. § 2 II des G über die Erweiterung des Katastrophenschutzes vom 9. 7. 1968 (BGBl. I

S. 776) sowie § 2 III und § 6 III 2 und IV des G über den Zivilschutz i. d. F. vom 9. 8. 1976 (BGBl.I S.2109).

Artikel 87 c [Kernenergieverwaltung]

**Gesetze, die auf Grund des Artikels 74 Nr. 11 a ergehen, können mit
Zustimmung des Bundesrates bestimmen, daß sie von den Ländern im
Auftrage des Bundes ausgeführt werden.**

1 Für die Ausführung von Bundesgesetzen, die auf der Grundlage
des Art. 74 Nr. 11 a ergehen, gelten zunächst die allgemeinen
Grundsätze und Regeln: Vollzug durch die Länder als eigene Angelegenheit (Art. 83), nach Maßgabe des Art. 87 III Durchführung durch zentrale oder dezentrale Verwaltungseinrichtungen
des Bundes i. S. dieser Vorschrift (bestr.; wie hier z. B. v. Man-
goldt/Klein, Art. 87 c Anm. II 6) sowie Ausführung durch oberste Bundesbehörden, wenn die hierfür in der Rechtsprechung entwickelten Voraussetzungen (s. dazu Art. 83 Rn. 2) vorliegen.
Art. 87 c gibt dem Bundesgesetzgeber darüber hinaus die *Möglichkeit zur Einführung der Bundesauftragsverwaltung.* In § 24 I 1
des AtomG i.d.F. vom 31. 10. 1976 (BGBl. I S. 3053) hat er von
dieser Ermächtigung für diejenigen Aufgaben Gebrauch gemacht,
für die nicht, wie insbes. in den §§ 22 und 23, Verwaltungszuständigkeiten des Bundes festgelegt worden sind.

2 Mit Rücksicht auf die verstärkten Einwirkungsrechte des Bundes
nach Art. 85 sind Bundesgesetze, die für den Vollzug des Kern-
energierechts die Bundesauftragsverwaltung anordnen, an die
Zustimmung des Bundesrates gebunden (vgl. auch zu Art. 87 b
II 1 BVerfGE 48, 179). Dies gilt auch für *Änderungsgesetze,*
durch die Aufgaben aus dem Bereich des Art. 74 Nr. 11 a erstmals in die Bundesauftragsverwaltung gewiesen werden. Darüber
hinaus wird man solche Gesetze – wie im Fall des Art. 87 b II 1
(vgl. dazu Art. 87 b Rn. 9) – aber auch dann für zustimmungsbedürftig halten müssen, wenn sie eine schon in die Bundesauftragsverwaltung überführte Verwaltungsaufgabe derart umgestalten,
daß dies der Zuweisung einer neuen Aufgabe in das System des
Art. 85 gleichkommt. Hieran fehlt es, wenn sich ein Änderungsgesetz auf Regelungen beschränkt, die die bereits bestehende
Bundesauftragsverwaltung qualitativ nicht verändern, ihr also
keine wesentlich andere Bedeutung und Tragweite verleihen.

Artikel 87 d   [Luftverkehrsverwaltung]

(1)   Die Luftverkehrsverwaltung wird in bundeseigener Verwaltung geführt.

(2)   Durch Bundesgesetz, das der Zustimmung des Bundesrates bedarf, können Aufgaben der Luftverkehrsverwaltung den Ländern als Auftragsverwaltung übertragen werden.

Absatz 1

1   Art. 87 d, nach Aufhebung des Besatzungsstatuts mit seinen auf die zivile Luftfahrt bezogenen Vorbehalten durch G vom 6. 2. 1961 (BGBl. I S. 65) in das GG eingefügt, ordnet die Luftverkehrsverwaltung in Abs. 1 der – auflösend bedingten – obligatorischen *Bundeseigenverwaltung* zu. Diese ist, wie sich aus dem Vergleich mit Abs. 2 ergibt, die Regel. Der Begriff »Luftverkehr« ist – ebenso wie der wort- und inhaltsgleiche Begriff in Art. 73 Nr. 6 (s. dazu Art. 73 Rn. 6) – weit auszulegen (allg. M.). Umstritten ist, ob die Luftverkehrsverwaltung nach Abs. 1 nur in unmittelbarer Bundesverwaltung geführt werden darf oder ob zumindest Teilaufgaben dieses Verwaltungszweiges auch in mittelbarer Bundesverwaltung, etwa durch beliehene Unternehmer des Bundesrechts, wahrgenommen werden können (zur vergleichbaren Problematik im Fall des Art. 87 I 1 s. Art. 87 Rn. 4). Für die letztere Auffassung spricht vor allem, daß durch Art. 87 d die nach Art. 87 III 1 möglichen Verwaltungsbefugnisse des Bundes nicht eingeschränkt, sondern erweitert werden sollten (vgl. v. Mangoldt/Klein, Art. 87 d Anm. IV 3 a).

Absatz 2

2   Abs. 2 eröffnet die Möglichkeit, durch zustimmungsbedürftiges Bundesgesetz vom Grundsatz des Abs. 1 abzuweichen und jedenfalls für einzelne Aufgaben der Luftverkehrsverwaltung die *Bundesauftragsverwaltung* einzuführen. Von dieser Ermächtigung hat der Bundesgesetzgeber nach Maßgabe des LuftverkehrsG i. d. F. vom 14. 1. 1981 (BGBl. I S. 61) Gebrauch gemacht (vgl. insbes. die Regelung in § 31 II des Gesetzes und zu § 10 I u. II BVerwGE 58, 347; 62, 30 ff.; HessStGH, ESVGH 32, 28).

3   Für die Frage, wann Bundesgesetze i. S. des Abs. 2 der *Zustimmung des Bundesrates* bedürfen, wird wie im Fall des Art. 87 c (s. dort Rn. 2) auf die Rechtsprechung des BVerfG zu Art. 87 b II 1 (vgl. Art. 87 b Rn. 9) zurückgegriffen werden können. Daß die Inanspruchnahme des Art. 87 d II anders als die des Art. 87 b II 1

und des Art. 87 c nicht zur Ablösung der landeseigenen Verwaltung i. S. des Art. 83, sondern zur Verdrängung der bundeseigenen Verwaltung führt, dürfte es kaum rechtfertigen, diese Frage hier anders zu beurteilen. Wohl aber ergibt sich aus Wortlaut, Sinn und Zweck des Art. 87 d II, daß die Aufhebung der Bundesauftragsverwaltung (oder eines Teiles davon) ohne Zustimmung des BRates möglich ist, weil durch ein entsprechendes Gesetz keine Übertragung i. S. des Abs. 2 vorgenommen, sondern lediglich die Regelzuständigkeit nach Abs. 1 wiederhergestellt wird.

Artikel 88 [Bundesbank]

Der Bund errichtet eine Währungs- und Notenbank als Bundesbank.

1 Art. 88 enthält einen *Verfassungsauftrag*, eine Währungs- und Notenbank als Bundesbank zu errichten (BVerwGE 41, 349). Der Bundesgesetzgeber ist diesem Auftrag mit dem G über die Deutsche Bundesbank (BBankG) vom 26. 7. 1957 (BGBl. I S. 745) nachgekommen.

2 *Aufgabe der Deutschen Bundesbank* (BBank) ist es nach § 3 BBankG, den Geldumlauf und die Kreditversorgung der Wirtschaft mit dem Ziel der Währungssicherung zu regeln und für die bankmäßige Abwicklung des Zahlungsverkehrs im Inland und mit dem Ausland zu sorgen (vgl. auch BVerfGE 14, 217). Zur Funktion als *Währungsbank* gehört vor allem die Gewährleistung der Währungsstabilität (vgl. BVerwGE 41, 350) mit den Mitteln der Diskont-, Kredit- und Offenmarktpolitik (§ 15 BBankG) und durch die Festsetzung von Mindestreserven (§ 16 BBankG). Als *Notenbank* hat die BBank das alleinige Recht zur Ausgabe von Banknoten (§ 14 BBankG). In Übereinstimmung mit dem vorverfassungsmäßigen Bild der deutschen Währungs- und Notenbank, das der Verfassunggeber vorfand, wirkt die BBank darüber hinaus an der Bankenaufsicht mit (s. dazu BVerfGE 14, 215 ff.). Nach § 12 Satz 1 BBankG ist sie schließlich ferner verpflichtet, »unter Wahrung ihrer Aufgabe« die allgemeine Wirtschaftspolitik der BReg zu unterstützen.

3 In organisatorischer Hinsicht ist die BBank – hervorgegangen aus der Bank deutscher Länder, mit der die Landeszentralbanken und die Berliner Zentralbank verschmolzen wurden (§ 1 BBankG) – als »bundesunmittelbare juristische Person des öffentl. Rechts« errichtet worden (§ 2 Satz 1 BBankG). Im Rahmen dieser *Organisationsform* sind Organe der BBank der Zentralbankrat, das Direktorium und die Vorstände der Landeszentralbanken (§ 5

BBankG). Der Zentralbankrat und das Direktorium haben die
Stellung von obersten Bundesbehörden, die Landeszentralbanken die Stellung von (nachgeordneten) Bundesbehörden (§ 29 I
BBankG). Weil Art. 88 als lex specialis dem Art. 87 vorgeht,
konnte diese Organisationsstruktur geschaffen werden, ohne daß
dafür die besonderen Voraussetzungen des Art. 87 III 2 vorliegen
mußten (BVerfGE 14, 215).

4 Die BBank unterliegt nicht der parl. Kontrolle. Sie ist bei Ausübung ihrer Befugnisse nach dem BBankG von Weisungen der
BReg unabhängig (§ 12 Satz 2 BBank). Ihre Organe unterstehen
keiner ministeriellen Fach- oder Dienstaufsicht (BVerwGE 41,
354). Diese *Unabhängigkeit der Bundesbank* ist mit dem GG vereinbar. Ob sie verfassungsrechtl. geboten ist, ist umstritten. Das
BVerwG hat die Frage in Übereinstimmung mit der heute wohl
h. M. (vgl. die Nachweise bei Schmidt-Bleibtreu/Klein, Art. 88
Rn. 6) verneint (BVerwGE 41, 354 ff.; s. aber auch BVerfGE 62,
183).

5 Wie gegenüber Art. 87 (s. oben Rn. 3) hat Art. 88 Vorrang auch
gegenüber Art. 80 I 1 (BVerwGE 41, 349 ff.). Der Bundesgesetzgeber ist deshalb durch diese Vorschrift nicht gehindert, der
BBank die *Befugnis zur Rechtsetzung* zu übertragen. Ein originä-
res Rechtsetzungsrecht ist der BBank dagegen nicht verliehen
(BVerwGE 41, 351). Welche Qualität die von ihr erlassenen
Rechtsetzungsakte haben (Rechtsverordnungen, autonome Satzungen oder Rechtssätze eigener Art), ist umstritten (zum Streitstand s. etwa v. Münch, Art. 88 Rn. 21).

Artikel 89   [Bundeswasserstraßen, Schiffahrtsverwaltung]

(1) Der Bund ist Eigentümer der bisherigen Reichswasserstraßen.

**(2) Der Bund verwaltet die Bundeswasserstraßen durch eigene Be-
hörden. Er nimmt die über den Bereich eines Landes hinausgehenden
staatlichen Aufgaben der Binnenschiffahrt und die Aufgaben der Seeschiffahrt wahr, die ihm durch Gesetz übertragen werden. Er kann die
Verwaltung von Bundeswasserstraßen, soweit sie im Gebiete eines
Landes liegen, diesem Lande auf Antrag als Auftragsverwaltung übertragen. Berührt eine Wasserstraße das Gebiet mehrerer Länder, so
kann der Bund das Land beauftragen, für das die beteiligten Länder es
beantragen.**

**(3) Bei der Verwaltung, dem Ausbau und dem Neubau von Wasser-
straßen sind die Bedürfnisse der Landeskultur und der Wasserwirtschaft im Einvernehmen mit den Ländern zu wahren.**

1 Art. 89 regelt in Abs. 1 das Eigentum an den bisherigen Reichswasserstraßen und trifft in den Abs. 2 und 3 – insoweit in Ergänzung des Art. 87 I 1 – Bestimmungen über die Verwaltung der
Bundeswasserstraßen sowie über die Verwaltung der Binnen- und
der Seeschiffahrt.

Absatz 1

2 Nach Abs. 1 hat der *Bund* das bürgerlich-rechtl. (vgl. z. B.
BGHZ 47, 119; 67, 154; OVG Münster, OVGE 36, 5) *Eigentum
an den* Wasserstraßen erworben, die bisher, d. h. im Zeitpunkt
des Zusammenbruchs des Deutschen Reiches am 8. 5. 1945
(BVerwGE 9, 53, 57; BGHZ 47, 119 f.; 67, 154), *Reichswasserstraßen* waren. Dazu gehören – unter Einschluß der Anlagen zur
Erhaltung des Fahrwassers an den Seeküsten und auf den Meeres-
inseln sowie der Seezeichen, der Schutz- und Sicherheitshäfen und
des für die Verwaltung erforderlichen Zubehörs – vor allem diejenigen dem allgemeinen Verkehr dienenden Wasserstraßen, die
entsprechend dem Auftrag des Art. 97 I WeimRVerf durch das G
über den Staatsvertrag, betr. den Übergang der Wasserstraßen
von den Ländern auf das Reich, vom 29. 7. 1921 (RGBl. S. 961)
und verschiedene Nachträge in das Eigentum des Reiches überführt worden waren (vgl. auch BVerfGE 15, 7; VGH Mannheim,
ESVGH 7, 64). Darüber hinaus fallen unter den Begriff der »bisherigen Reichswasserstraßen« aber auch solche Gewässer, die bis
1945 auf andere Weise rechtswirksam Reichswasserstraßen geworden waren (BVerwGE 9, 57 f.). Der Eigentumsübergang auf
den Bund erfolgte mit Wirkung vom 24. 5. 1949 als dem Tag des
Inkrafttretens des GG (s. § 1 I 1 des G über die vermögensrechtl.
Verhältnisse der Bundeswasserstraßen vom 21. 5. 1951, BGBl. I
S. 352).

Absatz 2

3 Nach *Satz 1*, der nur eine Kompetenzentscheidung für das Bund-
Länderverhältnis trifft und keine Grundlage für die Erteilung oder
Versagung von Erlaubnissen oder Genehmigungen von Anlagen
an Bundeswasserstraßen enthält (BVerfGE 21, 322), *verwaltet
der Bund die Bundeswasserstraßen regelmäßig in eigener Zuständigkeit. Bundeswasserstraßen* i. S. dieser Vorschrift sind außer
den nach Abs. 1 im Eigentum des Bundes stehenden früheren
Reichswasserstraßen auch neu geschaffene Bundeswasserstraßen
(vgl. auch BVerfGE 15, 7 ff.).

4 Die *Bundeswasserstraßenverwaltung,* die sich sowohl auf die gesetzesvollziehende als auch auf die gesetzesfreie Verwaltung bezieht (BVerfGE 21, 320, 322), erstreckt sich nicht auf die wasserwirtschaftlichen Funktionen der Bundeswasserstraßen (vgl. BVerfGE 15, 10). Sie ist *reine Verkehrswegverwaltung* (BVerfGE 21, 321, 324 f., 326). Zu ihren Gegenständen gehören vor allem die Unterhaltung, aber auch der Aus- und Neubau der Bundeswasserstraßen (vgl. §§ 7 ff., 12 ff. des BundeswasserstraßenG vom 2. 4. 1968, BGBl. II S. 173). Neben der vermögensrechtl. Verwaltung (s. dazu auch die in Art. 90 Rn. 4 angeführte verwaltungsgerichtl. Rspr. zu Art. 90 II) stehen dem Bund in bezug auf diese Wasserstraßen an Hoheitsrechten diejenigen Befugnisse zu, die bereits das Reich unter der Geltung der WeimRVerf innehatte, nämlich insbes. die Enteignungsbefugnis, die Tarifhoheit sowie die Strom- und die Schiffahrtspolizei (vgl. Art. 97 V WeimRVerf). Die übrigen Hoheitsrechte an den Bundeswasserstraßen sind den Ländern verblieben.

5 Zuständig für die Verwaltung der Bundeswasserstraßen sind die Behörden der *Wasser- und Schiffahrtsverwaltung des Bundes.* Dies sind neben dem BMinister für Verkehr vor allem die Wasser- und Schiffahrtsdirektionen als Mittel- sowie die Wasser- und Schiffahrtsämter als Unterbehörden.

6 *Satz 2* gestattet es, dem Bund durch einfaches, nicht an die Zustimmung des BRates gebundenes Bundesgesetz zusätzlich zur Verwaltung der Bundeswasserstraßen überregionale *Aufgaben der Binnenschiffart und Aufgaben der Seeschiffart* zu übertragen. Dabei ist u. a. an die Verkehrs- und Frachtenlenkung, den Ausgleich des Schiffsraums, die Bereitstellung von Schleppkraft und die Aufsicht über die Verkehrszentrale gedacht. Der Bundesgesetzgeber hat von dieser Ermächtigung vor allem durch das G über die Aufgaben des Bundes auf dem Gebiet der Binnenschifffahrt vom 15. 2. 1956 (BGBl. II S. 317) und durch das G über die Aufgaben des Bundes auf dem Gebiet der Seeschiffahrt i. d. F. vom 30. 6. 1977 (BGBl. I S. 1314) Gebrauch gemacht. Beide Gesetze sehen im wesentlichen die Zuständigkeit der Wasser- und Schiffahrtsverwaltung des Bundes (dazu s. oben Rn. 5) vor.

7 Unter den Voraussetzungen der *Sätze 3 und 4* kann der Bund nach pflichtgemäßem Ermessen vom Prinzip der bundeseigenen Verwaltung nach Satz 1 abweichen und die *Verwaltung von Bundeswasserstraßen* einem Land *als Auftragsverwaltung* übertragen.

Ein Gesetz dürfte hierfür nicht erforderlich sein. Vielmehr wird man für die Übertragung einen Organisationsakt der BReg genügen lassen können (bestr.; wie hier v. Mangoldt, Art. 89 Anm. 5).

Absatz 3

8 Eine Bundeswasserstraße ist immer zugleich einerseits Verkehrsweg und andererseits Wasserspender und Vorfluter. I. d. R. werden deshalb die Wasserstraßenverwaltung des Bundes und die (davon geschiedene) Wasserwirtschaftsverwaltung eines Landes an Bundeswasserstraßen derart ineinandergreifen, daß jede von ihnen bei ihren Maßnahmen auf die Belange der anderen Verwaltung wird Rücksicht nehmen müssen. Für die Bundeswasserstraßenverwaltung ist dies durch Abs. 3 ausdrücklich klargestellt (BVerfGE 21, 320). Die Vorschrift entspricht Art. 97 III 1 WeimRVerf. Bei ihrer Auslegung können deshalb auch die hierzu entwickelten Grundsätze herangezogen werden.

Artikel 90   [Bundesstraßen des Fernverkehrs]

(1) Der Bund ist Eigentümer der bisherigen Reichsautobahnen und Reichsstraßen.

(2) Die Länder oder die nach Landesrecht zuständigen Selbstverwaltungskörperschaften verwalten die Bundesautobahnen und sonstigen Bundesstraßen des Fernverkehrs im Auftrage des Bundes.

(3) Auf Antrag eines Landes kann der Bund Bundesautobahnen und sonstige Bundesstraßen des Fernverkehrs, soweit sie im Gebiet dieses Landes liegen, in bundeseigene Verwaltung übernehmen.

1 Art. 90 regelt in Abs. 1 das Eigentum an den bisherigen Reichsautobahnen und Reichsstraßen und ordnet in den Abs. 2 und 3 die Verwaltung der Bundesstraßen des Fernverkehrs.

Absatz 1

2 Durch Abs. 1 wurde das privatrechtl. *Eigentum des Bundes an* den bisherigen *Reichsautobahnen* (vgl. dazu das G über die Errichtung eines Unternehmens »Reichsautobahnen« vom 27. 6. 1933 i. d. F. des G vom 29. 5. 1941, RGBl. I S. 313) *und* an allen früheren *Reichsstraßen* (s. hierzu das G über die einstweilige Neuregelung des Straßenwesens und der Straßenverwaltung vom 26. 3. 1934, RGBl. I S. 243) begründet. Zu den letzteren gehören diejenigen

Straßen, die in das gemäß § 2 der VO vom 7. 12. 1934 (RGBl. I
S. 1237) zu führende Reichsstraßenverzeichnis eingetragen waren, darüber hinaus aber auch solche, die als Reichsstraßen ge-
baut, jedoch nicht mehr in dieses Verzeichnis aufgenommen worden waren. Der Eigentumsübergang auf den Bund erfolgte wie im
Fall des Art. 89 I mit Wirkung vom 24.5.1949 (vgl. §§ 1 und 3 des
G über die vermögensrechtl. Verhältnisse der Bundesautobahnen
und sonstigen Bundesstraßen des Fernverkehrs vom 2. 3. 1951,
BGBl. I S. 157). Nicht übergegangen sind diejenigen im Zuge
von Reichsstraßen gelegenen Ortsdurchfahrten, für die die Straßenbaulast nicht vom Reich zu tragen war (§ 7 des vorbezeichne-
ten Gesetzes). Auch die Eigentumsverhältnisse an den im Stra-
ßenkörper verlegten Versorgungsleitungen haben sich durch den
Übergang der bisherigen Reichsstraßen auf den Bund nicht geändert (BGHZ 37, 359 f.; 51, 321).

Absatz 2

3 Bundesautobahnen und sonstige *Bundesstraßen des Fernverkehrs*
i. S. des Abs. 2 sind zunächst die nach Abs. 1 im Eigentum des
Bundes stehenden Straßen. Neue Straßen erhalten die Eigenschaft einer Bundesfernstraße nach § 2 des BundesfernstraßenG
i. d. F. vom 1. 10. 1974 (BGBl. I S. 2413, ber. S. 2908) durch
Widmung, die von der obersten Landesstraßenbaubehörde nach
vorheriger Einverständniserklärung des BMinisters für Verkehr
ausgesprochen wird.

4 Die Verwaltung der Bundesfernstraßen erfolgt *im Normalfall* in
Bundesauftragsverwaltung durch die Länder oder die nach Landesrecht zuständigen Selbstverwaltungskörperschaften. Soweit
sie – durch das betr. Land (vgl. BGH, NJW 1952, 617) – Selbstverwaltungskörperschaften übertragen ist, werden diese nicht in eigenen Angelegenheiten, sondern im übertragenen Wirkungskreis
tätig. Sie unterstehen deshalb insoweit der Fachaufsicht und den
Weisungen der zuständigen Bundes- und Landesbehörden. Ihrem
Gegenstand nach bezieht sich die Auftragsverwaltung auf die – sowohl gesetzesakzessorische als auch gesetzesfreie – Fernstraßen-
verwaltung in ihrem gesamten Umfang. Sie erfaßt mithin außer
der Hoheitsverwaltung auch die Vermögensverwaltung der Bundesfernstraßen und mit letzterer insbes. auch diejenigen Verwaltungsaufgaben, die der Erfüllung der Straßenbaulast des Bundes
dienen (BVerwGE 52, 229; 52, 241; 62, 344). Für die Verletzung
der Verkehrssicherungspflicht auf Bundesstraßen haftet i. d. R.
nur das Land und nicht der Bund (BGHZ 16, 95). Zur Klagebe-

fugnis für Ansprüche auf Aufwendungsersatz, die im Rahmen der fernstraßenrechtl. Auftragsverwaltung gegen Dritte entstanden sind, s. BVerwG, NVwZ 1983, 471.

Absatz 3

5 Abs. 3 gibt die Möglichkeit, auf Antrag eines Landes Bundesfernstraßen, die im Gebiet dieses Landes liegen, ganz oder teilweise in die *bundeseigene Verwaltung* zu übernehmen. Wie in den Fällen des Art. 89 II 3 und 4 (vgl. Art. 89 Rn. 7) dürfte hierfür ein Organisationsakt der BReg ausreichen (bestr.; wie hier insbes. v. Mangoldt, Art. 90 Anm. 5). Außerhalb der Ermächtigung des Abs. 3 ist für Verwaltungszuständigkeiten des Bundes im Bereich der Bundesfernstraßenverwaltung grundsätzlich kein Raum. Kompetenzen aus der Natur der Sache (s. dazu Art. 30 Rn. 2, Art. 83 Rn. 2) sind aber auch hier nicht ausgeschlossen (BVerwGE 62, 344 f.).

Artikel 91 [Innerer Notstand]

(1) Zur Abwehr einer drohenden Gefahr für den Bestand oder die freiheitliche demokratische Grundordnung des Bundes oder eines Landes kann ein Land Polizeikräfte anderer Länder sowie Kräfte und Einrichtungen anderer Verwaltungen und des Bundesgrenzschutzes anfordern.

(2) Ist das Land, in dem die Gefahr droht, nicht selbst zur Bekämpfung der Gefahr bereit oder in der Lage, so kann die Bundesregierung die Polizei in diesem Lande und die Polizeikräfte anderer Länder ihren Weisungen unterstellen sowie Einheiten des Bundesgrenzschutzes einsetzen. Die Anordnung ist nach Beseitigung der Gefahr, im übrigen jederzeit auf Verlangen des Bundesrates aufzuheben. Erstreckt sich die Gefahr auf das Gebiet mehr als eines Landes, so kann die Bundesregierung, soweit es zur wirksamen Bekämpfung erforderlich ist, den Landesregierungen Weisungen erteilen; Satz 1 und Satz 2 bleiben unberührt.

1 Art. 91, eine der Vorschriften, in denen sich die wehrhafte Demokratie des GG konkretisiert (vgl. BVerfGE 39, 349), trifft Vorkehrungen für den Fall des inneren Notstandes, d. h. zur Abwehr von Gefahren, die dem Bestand oder der freiheitlichen demokratischen Grundordnung des Bundes oder eines Landes drohen. Zum *Bestand des Bundes* gehören dessen staatliche Existenz, sei-

ne territoriale Integrität und Handlungsfreiheit nach außen, zum *Bestand der Länder* insbes. deren Zugehörigkeit zum Bund und ihre – nach Maßgabe des Art. 79 III unantastbare – Selbständigkeit im föderativen Gefüge. Hinsichtlich des Begriffs der *freiheitlichen demokratischen Grundordnung* kann auf die Rechtsprechung des BVerfG zu Art. 21 II (dazu Art. 21 Rn. 13) zurückgegriffen werden. Voraussetzung für ein Tätigwerden nach Art. 91 ist, daß die *Schutzgüter* dieser Bestimmung *konkret gefährdet* sind. In den Einzelheiten ist vieles umstritten (vgl. etwa Bonner Komm., Art. 91 Rn. 17 ff., 21 ff., 25 ff.).

Absatz 1

2 Die Abwehr von Gefahren i. S. des Art. 91 ist – wie die Gewährleistung der öffentl. Sicherheit und Ordnung allgemein – grundsätzlich Aufgabe der Länder. Zur Erfüllung dieser Aufgabe kann das Land, in dem die Gefahr droht, nach Abs. 1 die *Hilfe anderer Länder* und die *Unterstützung durch den Bund*, insbes. deren *Polizeikräfte*, in Anspruch nehmen. Das nach Landesrecht zuständige Organ ist dazu nicht nur berechtigt, sondern auch verpflichtet, wenn die eigenen Polizei- und Verwaltungskräfte zur Bewältigung der Gefahrenlage nicht ausreichen. Dem entspricht die Pflicht des Ersuchten, Hilfskräfte zu entsenden, sofern diese nicht dringender für eigene Zwecke (vgl. § 9 III BGSG) oder zur Bekämpfung noch größerer Gefahren in einem anderen Land benötigt werden. Verweigert ein Land die Hilfe ohne rechtfertigenden Grund, so gilt wie im Falle des Art. 35 II 2 (s. dazu Art. 35 Rn. 9), daß es von der BReg nach Art. 37 zur Pflichterfüllung angehalten werden kann. Alternativ kann die BReg nach Abs. 2 Satz 1 vorgehen, dessen Voraussetzungen in einem solchen Fall regelmäßig gegeben sein werden.

3 Zu den Begriffen »*Kräfte und Einrichtungen*« sowie »*andere Verwaltungen*« vgl. Art. 35 Rn. 6 und 8. Ein Einsatz der Streitkräfte i. S. des Art. 87 a II (vgl. Art. 87 a Rn. 6) ist, da in Art. 87 a IV (mit beschränkenden Maßgaben) nur für den Fall des Art. 91 II vorgesehen, im Rahmen des Art. 91 I nicht möglich. Zulässig ist aber auch hier die Heranziehung zu bloß technischen Hilfeleistungen. Im übrigen bleibt Art. 87 a III unberührt, wenn neben der Gefahrenlage i. S. des Art. 91 I auch der Verteidigungs- oder Spannungsfall gegeben ist.

4 Die landesfremden Hilfskräfte üben im Falle des Abs. 1 die *Hoheitsgewalt des anfordernden Landes* aus. Sie unterliegen deshalb den fachlichen Weisungen dieses Landes (vgl. § 9 I BGSG). Auch ihre Befugnisse richten sich nach dem Recht des Landes, in dem sie verwendet werden (vgl. § 10 III BGSG).

Absatz 2

5 Abs. 2 ist gegenüber Abs. 1 subsidiär (allg. M.). Er begründet für den Fall, daß das betroffene Land zur Bekämpfung der Gefahr nicht bereit oder in der Lage ist, *besondere Weisungs- und Einsatzzuständigkeiten des Bundes.*

6 *Satz 1:* An der *Abwehrbereitschaft* fehlt es nicht nur, wenn das zum Handeln verpflichtete Land sich weigert, tätig zu werden, sondern auch dann, wenn es zwar guten Willens ist, aber zu lange zögert oder unzweckmäßig reagiert. *Zur Bekämpfung nicht in der Lage* ist das Land, wenn es die Gefahr auch mit fremder Hilfe nach Abs. 1, einschl. der Hilfe des Bundes, nicht meistern kann.

7 Liegen die Voraussetzungen des Satzes 1 vor, kann sich die BReg die Polizei des betroffenen Landes und, wenn die Gefahr damit allein nicht wirksam bekämpft werden kann, die Polizeikräfte anderer Länder unterstellen sowie den BGS einsetzen. Über die Inanspruchnahme dieser Befugnisse entscheidet die *Bundesregierung als Kollegium* (Art. 62) nach pflichtgemäßem Ermessen. Mit der Durchführung dieser Entscheidung kann der zuständige Ressortminister beauftragt werden.

8 Hat die BReg die *Polizeikräfte der Länder* ihren Weisungen unterstellt, so gilt für die unterstellten Kräfte nach Maßgabe des § 66 BGSG *Bundesrecht*. Im übrigen ist umstritten, welche Konsequenzen sich aus der Unterstellung ergeben. Überwiegend wird angenommen, daß mit Inanspruchnahme der Weisungsgewalt des Bundes eine Art modifizierter Auftragsverwaltung entsteht (so etwa Maunz/Dürig, Art. 91 Rn. 35). Eine Besonderheit gegenüber der »normalen« Auftragsverwaltung besteht vor allem darin, daß die *Weisungen des Bundes* stets unmittelbar an die Polizeikräfte »vor Ort« gerichtet werden können, mag es im Einzelfall auch zweckmäßig sein, den Weg über die obersten Landesbehörden zu gehen und sich den eingespielten Instanzenzug der Länder zunutze zu machen. Die Länder sind verpflichtet, diese Weisungen zu dulden und ihre Befolgung sicherzustellen. Verletzen sie diese Pflicht, kann der Bund nach Art. 37 oder Art. 93 I Nr. 3 vorgehen.

9 Der *Einsatz des Bundesgrenzschutzes* erfolgt im Rahmen des Satzes 1 – anders als nach Art. 35 III 1 (vgl. dazu Art. 35 Rn. 12) –

nicht lediglich zur Unterstützung von Landes(polizei)kräften.
Der BGS nimmt deshalb die Aufgabe, nach pflichtgemäßem Ermessen Störungen zu beseitigen und Gefahren von der Allgemeinheit oder dem einzelnen abzuwehren (so § 3 I BGSG), als
Bundesaufgabe wahr. Er unterliegt der Weisungsgewalt des Bundes. Seine Befugnisse richten sich nach den §§ 10 ff. BGSG.

10 *Satz 2:* Die Entscheidung über die Weisungs- und Einsatzbefug-
nisse der BReg ist *rückgängig zu machen, wenn die Gefahr beseitigt
ist oder wenn es der Bundesrat verlangt.* Dieses Aufhebungsverlangen setzt nach dem eindeutigen Wortlaut der Vorschrift nicht voraus, daß die Gefahrensituation beendet ist. Die BReg hat jedoch
beim Fortbestehen der Gefahr erneut die Rechte nach Satz 1 (und
ggf. Satz 3), wenn sich die Gefahrenlage seit dem Beschluß des
BRates verschärft hat.

11 *Satz 3* erweitert die Befugnisse der BReg für den *Fall des überregionalen,* das Gebiet mehrerer Länder betr. *Notstandes* um das
Recht, den Landesregierungen Weisungen zu erteilen. Diese Weisungen können sich an einzelne oder an alle LReg – auch an solche
nicht gefahrbedrohter Länder – richten. Anders als im Fall des
Art. 37 wird eine Pflichtverletzung des Landes nicht vorausgesetzt. Die BReg darf von ihrem Weisungsrecht jedoch nur insoweit
Gebrauch machen, als dies zur wirksamen Bekämpfung der Gefahr erforderlich ist. Ihre Weisungen dürfen sich nur auf die unmittelbare Beseitigung der Gefahr beziehen, nicht auf sonstige Maßnahmen, etwa das Verhalten der Länder bei Abstimmungen im
BRat gemäß Satz 2. Zulässig sind dagegen Anweisungen, sonstige
Hilfskräfte, mit Ausnahme der Streitkräfte auch solche des Bundes, anzufordern. Unberührt bleibt schließlich das Recht der
BReg, auch im Fall des überregionalen Notstandes sich die Polizeikräfte der Länder zu unterstellen und den BGS einzusetzen. Wie
die Anordnung dieser Maßnahmen so steht auch die Entscheidung, die Rechte aus Satz 3 in Anspruch zu nehmen, unter dem
Aufhebungsvorbehalt des Satzes 2.

VIII a. Gemeinschaftsaufgaben

Vorbemerkungen

1 Der Abschnitt wurde durch die Finanzreform 1969 (21. G zur Änderung des GG vom 12. 5. 1969, BGBl. I S. 359) in das GG eingefügt. Seine systematische Bedeutung liegt darin, daß er das bis dahin für die Aufgaben- und Lastenabgrenzung zwischen Bund und Ländern ausschließlich geltende *strenge Trennsystem durch Formen der Mitwirkung des Bundes an Länderaufgaben ergänzte* (dazu auch Erläut. zu Art. 104 a III u. IV). Nach Art. 30 und insbes. Art. 87 ff., 70 ff., 83 und 92–96 i. V. m. Art. 104 a sind die Aufgaben und Lasten zwischen Bund und Ländern so getrennt, daß keine Ebene Aufgaben der anderen ganz oder z. T. wahrnehmen oder finanzieren kann. Koordination und Zusammenarbeit von Bund und Ländern auf der Basis getrennter Zuständigkeiten bleiben davon unberührt. Die Gemeinschaftsaufgaben (GA) bringen von diesem Trennsystem insofern eine Abweichung, als der Bund in den unten erörterten Grenzen an der Wahrnehmung von Länderaufgaben beteiligt ist und diese mitfinanziert.

2 *Die Entstehung der Gemeinschaftsaufgaben* i. S. des VIII a. Abschnitts hat ihre Wurzeln in der Verfassungswirklichkeit. Ohne klare verfassungsrechtl. Grundlage (zweifelhaft, ob Art.106 II i. d. F. vom 23. 5. 1949 ausreichte) hat der Bund bereits sehr früh im Bereich der jetzigen GA Aufgaben der Länder mitfinanziert. Neben regionalen Förderungsprogrammen im Bereich der Wirtschaftsstruktur gab es eine intensive Mitwirkung des Bundes bei der Agrarstrukturverbesserung (Grüner Plan) sowie im Hochschulbau (Mitfinanzierungsabkommen vom 4. 6. 1964 und 8. 2. 1968, GMBl. 1964 S. 315 und 1968 S. 98). Bei überregionalen, für die Zukunftsentwicklung bedeutsamen kostenaufwendigen Aufgaben geschah das neben den verfassungsrechtl. Normen mit einer Dynamik, die der Verfassungsgesetzgeber 1969 nicht länger außer acht lassen konnte, wenn er den Bedürfnissen der Staatspraxis gerecht werden wollte. U. a. durch Art. 91 a und b ist die weitgehend unkoordinierte, unübersichtliche und die Eigenstaatlichkeit der Länder nicht immer genügend achtende Praxis geordnet und auf eine verfassungsrechtl. Grundlage gestellt worden. Hierbei war die Einsicht maßgebend, daß ein reines Aufgabentrennsystem für die Bedürfnisse eines modernen Staatswesens mit einer weitgend überregionalen und z. T. internationalen Verflechtung der Lebensverhältnisse, deren Einheitlichkeit es herbeizuführen gilt (vgl. Art. 72 II Nr. 3, Art. 106 III Nr. 2), nicht ausreicht. Der Verfassungsgesetzgeber hätte eine Generalklausel für die Regelung des Zusammenwirkens von Bund und

Ländern durch den einfachen Gesetzgeber wählen und so der Veränderlichkeit in der Bedeutung bestimmter Staatsaufgaben Rechnung tragen können. Er hat jedoch eine Enumeration bestimmter GA in der Verfassung vorgezogen, um eine klare Aufgabenabgrenzung in der Verfassung selbst zu erreichen und im Interesse der Länder einer Ausuferung vorzubeugen. Damit ist allerdings die Gefahr einer Sinnentleerung der Vorschriften im Laufe der Zeit gegeben.

Artikel 91 a   [Mitwirkung des Bundes bei Länderaufgaben]

(1)   Der Bund wirkt auf folgenden Gebieten bei der Erfüllung von Aufgaben der Länder mit, wenn diese Aufgaben für die Gesamtheit bedeutsam sind und die Mitwirkung des Bundes zur Verbesserung der Lebensverhältnisse erforderlich ist (Gemeinschaftsaufgaben):

1. Ausbau und Neubau von Hochschulen einschließlich der Hochschulkliniken,

2. Verbesserung der regionalen Wirtschaftsstruktur,

3. Verbesserung der Agrarstruktur und des Küstenschutzes.

(2)   Durch Bundesgesetz mit Zustimmung des Bundesrates werden die Gemeinschaftsaufgaben näher bestimmt. Das Gesetz soll allgemeine Grundsätze für ihre Erfüllung enthalten.

(3)   Das Gesetz trifft Bestimmungen über das Verfahren und über Einrichtungen für eine gemeinsame Rahmenplanung. Die Aufnahme eines Vorhabens in die Rahmenplanung bedarf der Zustimmung des Landes, in dessen Gebiet es durchgeführt wird.

(4)   Der Bund trägt in den Fällen des Absatzes 1 Nr. 1 und 2 die Hälfte der Ausgaben in jedem Land. In den Fällen des Absatzes 1 Nr. 3 trägt der Bund mindestens die Hälfte; die Beteiligung ist für alle Länder einheitlich festzusetzen. Das Nähere regelt das Gesetz. Die Bereitstellung der Mittel bleibt der Feststellung in den Haushaltsplänen des Bundes und der Länder vorbehalten.

(5)   Bundesregierung und Bundesrat sind auf Verlangen über die Durchführung der Gemeinschaftsaufgaben zu unterrichten.

Absatz 1

1   Die Abschnittüberschrift und der Klammerzusatz in Art. 91 a legen den vorher in der verfassungsrechtl. Diskussion vielfältig verwendeten Begriff für die in Art. 91 a und 91 b geregelte Zusammenarbeit von Bund und Ländern fest. Die weitere Verwendung dieses Begriffs für *andere* mögliche Formen der Bund/Länder-Zusammenarbeit (z. B. auch Art. 104 a III u. IV) ist rechtl. nicht vertretbar. Nach dem klaren Wortlaut »Aufgaben der Länder« *gehören die Gemeinschaftsaufgaben zum Kompetenzbereich der Länder.* Sie werden nicht Bundesaufgaben, so daß der Bund auf diesen Gebieten nicht allein tätig werden kann. Aufgaben aus dem Kompetenzbereich des Bundes können nicht GA werden. Das gilt auch für ungeschriebene Zuständigkeiten des Bundes aus der Natur der Sache oder kraft Sachzusammenhangs (vgl. Art. 30 Rn. 2–4). Die GA beschneiden aber auch nicht die Bundesaufgaben. Der Bund kann, auf seine Gesetzgebungskompetenzen z. B. nach Art. 74 gestützt, gemäß Art. 87 III Bundesbehörden, Körperschaften oder Anstalten gründen und diesen Aufgaben aus dem Bereich der GA übertragen. Er hat sie dann nach Art. 104 a I allein zu finanzieren. Ferner kann er im Rahmen seiner Gesetzeskompetenzen auch andere den Sachbereich der GA betr. Regelungen treffen, z. B. Geldleistungsgesetze nach Art. 104 a III oder im Bereich der Steuern; vgl. InvestitionszulagenG (BGBl. 1973 I S. 1494). Das *Zusammenwirken von Bund und Ländern* nach Art. 91a steht nicht in deren Belieben. Die Worte »wirkt . . . mit« drücken aus, daß es ein *Verfassungsauftrag* ist, die Aufgaben zu planen und auszuführen, wenn die Bedingungen des Abs. 1 erfüllt sind. Dabei gibt es angesichts der unbestimmten Rechtsbegriffe »für die Gesamtheit bedeutsam« und »Verbesserung der Lebensverhältnisse« einen Spielraum; s. BVerfGE 1, 172; 10, 234; 26, 382; 34, 21; 39, 115. Hinsichtlich des Finanzaufwandes sind untere Grenzen schwer bestimmbar. Die Elemente des Begriffs GA »für die Gesamtheit bedeutsam« und »für die Verbesserung der Lebensverhältnisse erforderlich« müssen kumulativ gegeben sein. *Für die Gesamtheit bedeutsam* sind Aufgaben von länderübergreifender Interdependenz. Danach sind Aufgaben mit rein regionalem Bezug auszuscheiden. *Zur Verbesserung der Lebensverhältnisse erforderlich* bedeutet die Notwendigkeit, die zusammengefaßte Kraft von Bund und Ländern auf der Grundlage gesamtstaatl. Planung und Finanzierung einzusetzen. Die Bereiche der GA sind in Art. 91 a erschöpfend festgelegt, d. h. hier nicht genannte Aufgaben aus dem Kompetenzbereich der Länder können nicht als GA erfüllt werden, es sei denn nach einer entsprechenden Änderung der Verfassung.

2 *Nr. 1: Ausbau und Neubau* von *Hochschulen* einschl. der *Hochschulkliniken.* In der ursprünglichen Fassung des Art. 91 a waren nur wissenschaftliche Hochschulen vorgesehen. Nach der auf dem G vom 31. 7. 1970 (BGBl. I S. 1161) beruhenden jetzigen Fassung können alle Arten von Hochschulen einbezogen werden wie:

Fach-, Kunst-, Musik-, Sporthochschulen sowie Pädagogische
Hochschulen, nicht aber Fachschulen. Öff.-rechtl. Trägerschaft
ist nicht notwendig. Auch die staatl. Förderung privater Hochschulen kann GA sein. Art. 91 a umfaßt nur den Bau (»Ausbau
und Neubau«) einschl. Einrichtung. Die Folgekosten wie Unterhaltung, Reparaturen und Betriebskosten sind ausschließlich
Ländersache. Der Begriff »Bau« deckt auch nicht die Miete für
zusätzliche Räume und ebensowenig Leasinggeschäfte. Die ausdrückliche Aufführung der Hochschulkliniken stellt klar, daß diese in ihrer Gesamtheit unter Art. 91 a fallen, und zwar auch, soweit sie der allgemeinen Krankenversorgung dienen. Die Bemessung der Größe der Kliniken für Hochschulbedürfnisse ist eine Sache der Rahmenplanung. Zweifelhaft kann im einzelnen sein,
welche baulichen Anlagen zur Hochschule gehören. Umfaßt sind
solche, die der Funktion der Hochschule als solcher unmittelbar
dienen, wie Parkplätze für Personal, Dienstwohnungen für dauernd dienstbereites Personal, Wäschereien für Kliniken. Nicht dazu gehören z. B. Dienstwohnungen allgemein oder kommerzielle
Einrichtungen wie Bücher- und Schreibbedarfgeschäfte im räumlichen Verbund mit der Hochschule. Strittig ist, ob Studenten-
wohnheime zu den Hochschulen gehören. Sie dienen ebenso wie
allgemeine Dienstwohnungen nicht der Funktion der Hochschule
als solcher. Der Ausschuß für Bildung und Wissenschaft wie auch
der Rechtsausschuß des BTags haben durch Beschlüsse im Jahre
1971 einen Gesetzentwurf, der die Einbeziehung der Studenten-
wohnheime in die GA vorsah (BT-Drucks. VI/2465), abgelehnt,
weil sie ihn als nicht durch Art. 91 a gedeckt ansahen. Über das
Verhältnis von Art. 91 a zu Art. 91 b vgl. Erläut. zu Art. 91 b
Rn. 3 u. 5.

3 *Nr. 2: Verbesserung der regionalen Wirtschaftsstruktur.* Darunter
fallen Maßnahmen, die auf ein bestimmtes Gebiet bezogen das
Ziel haben, die strukturellen Bedingungen für die Wirtschaftsentwicklung in diesem Gebiet zu verbessern, um Ungleichheiten besonders in der wirtschaftlichen Leistungskraft der Regionen und
damit Ungleichheiten in den Lebensbedingungen durch Industrie-
und Infrastrukturförderung auszugleichen. Von der regionalen
Wirtschaftsförderung, die als Länderaufgabe zur GA werden
kann, ist die sektorale Wirtschaftsförderung zu unterscheiden. Bei
dieser handelt es sich um Förderungsmaßnahmen für einen bestimmten Wirtschaftszweig (Bergbau, Stahl-, Werftindustrie
usw.). Soweit solche Förderungsmaßnahmen für die Wirtschaft
des Bundesgebietes als Ganzes von Bedeutung sind und von einem Land allein nicht wirksam wahrgenommen werden können,

ist der Bund aus der Natur der Sache zuständig (vgl. Art. 30 Rn. 4
Buchst. e). Für diese »ungeschriebene Kompetenz« des Bundes
kommt Art. 91 a nicht in Betracht. Der Bund erfüllt sie selbständig, allerdings häufig in Absprache und nach Abstimmung mit den
für korrespondierende regionale Aufgaben zuständigen Ländern.
Über das Verhältnis der Nr. 2 zu den Maßnahmen nach Art.
104 a IV vgl. dort Rn. 10. Eine Aufzählung konkreter Maßnahmen zur Verbesserung der regionalen Wirtschaftsstruktur findet
sich in dem G über die GA »Verbesserung der regionalen Wirtschaftsstruktur«; s. Rn. 5.

4 *Nr. 3: Verbesserung der Agrarstruktur und des Küstenschutzes.*
Der Begriff Agrarstruktur ist i. S. der herkömmlichen Staatspraxis zu verstehen. Er umfaßt auch die Forstwirtschaft und Teile der
Fischwirtschaft. Zur Agrarstrukturverbesserung gehören Maßnahmen zur Verbesserung der Produktions- und Arbeitsbedin-
gungen in der Land- und Forstwirtschaft, wasserwirtschaftliche
und kulturbautechnische Maßnahmen sowie Maßnahmen zur
Verbesserung der Marktstruktur in der Land-, Fisch- und Forstwirtschaft. Bewirtschaftung und Pflege von Pflanzen und Tieren
sind nicht Agrarstrukturverbesserung und somit nicht GA.
Art. 91 a erstreckt sich auch nicht auf Naturschutz und Landschaftspflege. Maßnahmen, deren Ziel die Agrarstrukturverbesserung ist, können aber im Rahmen der GA nach Maßgabe des
Naturschutzes und der Landschaftspflege gestaltet werden. Die
dadurch entstehenden Mehrkosten sind Kosten der GA. Küstenschutz ist kraft ausdrücklicher Regelung GA. Die Aufgabe umfaßt
Maßnahmen an Deichen und Küstenschutzwerken, z. B. Neuan-
lagen, Verstärkungen und Erhöhungen von Deichen an den Fest-
landküsten, auf den Inseln und an den tidebeeinflußten Wasser-
läufen. Sie dient sowohl dem Schutz des landwirtschaftlich genutzten Hinterlandes als auch dem sonst wirtschaftlich genutzten Gebiet sowie dem Schutz von Menschen und Tieren in gefährdeten
Gebieten. Bei den durch die Sturmflutschäden in den Nordseehä-
fen, insbes. im Hamburger Hafen, veranlaßten Sicherungsmaß-
nahmen war die rechtl. Einordnung von Schutzeinrichtungen für
einzelne gewerbliche Anlagen und Gebäude sowie für einzelne
Wohngebäude strittig. Der verfassungsrechtl. Begriff Küstenschutz ist nach dem herkömmlichen Verständnis als Schutz von
Hinterland zu verstehen und demgemäß nicht auf Sicherungsmaß-
nahmen für einzelne Objekte anzuwenden. Für den Schutz von gewerblichen Anlagen kommen Finanzhilfen nach Art. 104 a IV in
Betracht.

Absatz 2

5 Die *nähere Bestimmung der Gemeinschaftsaufgaben* muß nicht in
einem einzigen Gesetz geschehen. Wegen der Verschiedenheit
der Sachgebiete hat der Gesetzgeber drei Gesetze erlassen, die in
ihrer Anlage und den Grundregeln gleich sind: G über die GA
»Ausbau und Neubau von Hochschulen einschließlich der Hochschulkliniken« (HochschulbauförderungsG) vom 1. 9. 1969,
BGBl. I S. 1556, geändert durch G vom 3. 9. 1970, BGBl. I
S. 1301, und G vom 21. 1. 1976, BGBl. I S. 185; G über die GA
»Verbesserung der regionalen Wirtschaftsstruktur« vom 6. 10.
1969, BGBl. I S. 1861; G über die GA »Verbesserung der Agrar-
struktur und des Küstenschutzes« vom 3. 9. 1969, BGBl. I
S. 1573, alle geändert durch G vom 23. 12. 1971, BGBl. I S. 2140.
Die nähere Bestimmung der GA muß sich im Rahmen der Begrif-
fe des Abs.1 halten. Die Konkretisierung geschieht in Form einer
Aufzählung von Maßnahmen, die aber alle von den in Abs. 1 genannten Begriffen gedeckt sein müssen. Die Konkretisierung der
GA ist von entscheidender Bedeutung, weil sie festlegt, welche
Aufgaben von Bund und Ländern gemeinsam geplant und finanziert werden. Vor allem wegen der Finanzlastverteilung ist eine
trennscharfe Regelung wichtig. Maßnahmen, die hierbei nicht als
GA bestimmt werden, bleiben, auch wenn sie unter Abs. 1 subsumiert werden könnten, Länderaufgabe und sind von den Ländern
allein zu planen, durchzuführen und zu finanzieren. Die »Grundsätze« für die Erfüllung der GA gelten nur für die planenden und
ausführenden Behörden des Bundes und der Länder. Art. 91 a II
räumt dem Bund keine besondere Gesetzgebungskompetenz für
allgemeine an den Staatsbürger gerichtete Rechtsnormen ein.
Grundsätze dieser Art finden sich z. B. in den jeweiligen §§ 2 der
oben genannten Gesetze. Die Zustimmung des BRates ist wegen
der Auswirkungen dieser Gesetze auf die Aufgaben- und Finanzlastverteilung unentbehrlich.

Absatz 3

6 *Satz 1:* Die verfassungsrechtl. Ermächtigung, Regelungen über
das Verfahren und über Einrichtungen für eine *gemeinsame Rahmenplanung* zu treffen, stellt das wichtigste Wesenselement des
Art. 91 a dar. Diese Vorschrift ermöglicht es, Planungseinrich-
tungen von Bund und Ländern zu schaffen, in denen Bund und
Länder mit gleichgewichtiger Kompetenz Planungsentscheidun-
gen treffen können. Bund und Länder müssen sich nach Art. 91 a

auf Rahmenplanung beschränken. Der Begriff wird deutlicher durch die Negation, daß er Detailplanung, die ausschließlich Sache der Länder bleibt, ausschließt. Den Ländern muß ein wesentlicher Teil ausführender Planung vorbehalten bleiben. So werden im Bereich der Agrar- und Wirtschaftsstrukturverbesserung keine Vorhabenplanungen vorgenommen. Dem Wesen des Hochschulbaues entspricht es jedoch, daß sich die Rahmenplanung auf bestimmte Hochschulvorhaben bezieht. Art. 91 a erfaßt nur solche Aufgaben, die einer planenden Gestaltung zugänglich sind. Auf EG-Normen beruhende Aufgaben, deren Durchführung im einzelnen bindend geregelt ist (EG-Verordnungen), können – soweit sie national zu finanzieren sind – nicht über Art. 91 a finanziert werden, weil für eine Rahmenplanung kein Raum ist (vgl. dazu Erläut. zu Art. 104 a Rn. 2). Als Einrichtung für eine gemeinsame Rahmenplanung sehen die unter Rn. 5 genannten Gesetze *Planungsausschüsse* vor, die von Bundes- und Länderministern besetzt sind. Da es sich um eine gemeinsame Planung der hier gleichgewichtigen beiden föderalistischen Ebenen Bund und Länder handelt, tragendes Motiv des Art. 91 a die Geltendmachung der gesamtstaatl. Belange ist und schließlich Bund und Länder je die Hälfte der Ausgaben tragen (bei der Verbesserung der Agrarstruktur trägt der Bund mindestens die Hälfte), muß das Stimmengewicht des Bundes mindestens dem aller Länder gleich sein. Das sehen die GA-Gesetze zu Recht vor. Die Planungsausschüsse können Mehrheitsentscheidungen treffen. Das ergibt sich ebenfalls aus Art. 91 a, denn dessen Abs. 3 Satz 2 kann nur einen Sinn haben, wenn man davon ausgeht, daß das Mehrheitsprinzip vorgegeben sein soll. Wenn das Einstimmigkeitsprinzip gelten würde, wäre diese Bestimmung gegenstandslos. Im übrigen ist die Gestaltung des Planungsverfahrens weitgehend dem einfachen Gesetzgeber überlassen (vgl. dazu die unter Rn. 5 genannten Gesetze). Diese Gesetze sehen übereinstimmend vor, daß die Regierungen von Bund und Ländern verpflichtet sind, die Ansätze der Rahmenpläne in die Entwürfe der Haushaltspläne für das nächste Jahr aufzunehmen; s. dazu auch Rn. 9.

7 Da die Mitwirkung des Bundes an den Länderaufgaben in Art. 91 a sich in dem dort vorgesehenen Maße erschöpft, *bleibt die Durchführung der Maßnahmen Länderaufgabe.* Art. 83 sagt darüber nichts aus, weil es sich bei den GA-Gesetzen nicht um solche handelt, die von den Ländern ausgeführt werden. Das Recht der Länder, Maßnahmen, die nach Abs. 1 GA sein könnten, es nach der näheren Bestimmung der Gesetze nach Abs. 2 aber nicht

geworden sind, allein durchzuführen, bleibt erhalten. Die Länder
müssen diese Maßnahmen dann allein finanzieren. Auch im Bereich der Maßnahmen, die das Gesetz nach Abs. 2 als GA vorsieht, können die Länder selbständig tätig werden, sei es, daß sie
über den im Rahmenplan festgelegten Umfang hinaus eine Maßnahme wahrnehmen, sei es, daß sie z. B. eine darin nicht vorgesehene Hochschule bauen wollen. Die Ausgaben müssen sie auch
hierbei allein tragen. Nach h. M. dürfen sie dabei den Zielen der
GA nicht entgegenwirken. Danach wäre es nicht zulässig, wenn
bei der regionalen Wirtschaftsförderung die Entwicklung eines
Gebietes im Rahmen der GA durch Anbieten von höheren Inve-
stitionsanreizen durch ein Land in einem Nachbargebiet unterlau-
fen würde, das nicht zur Förderung vorgesehen ist. Inwieweit die
Gemeinden bei ihrer Industrieansiedlungspolitik diesen Bindungen unterworfen sind, ist strittig. Da ihr Selbstverwaltungsrecht
nur im Rahmen der Gesetze ausgeübt werden kann (dazu näher
Art. 28 Rn. 4), wird man annehmen müssen, daß auch sie den
Zielen der Rahmenplanung nach Art. 91 a nicht entgegenwirken
dürfen.
Satz 2 sichert die Eigenstaatlichkeit der Länder in einem Pla-
nungsverfahren, das dem Mehrheitsprinzip unterliegt.

Absatz 4

8   *Sätze 1–3:* Die Vorschrift über die *gemeinsame Finanzierung* enthält das zweite Wesenselement der GA. Der Bund ist nur an der
Finanzierung der im Rahmenplan enthaltenen Maßnahmen und
anteilig nur in der Höhe der dort geplanten Ausgaben beteiligt.
Vorauszahlungen auf nicht geplante Ausgaben (etwa bei Bau-
preissteigerungen) sind nicht zulässig. Erforderlichenfalls muß
der Rahmenplan durch Beschluß der Kostenentwicklung angepaßt werden. Nach den Gesetzen (vgl. Rn. 5) erstattet der Bund
nach Ausführung der Vorhaben den Ländern den gesetzlich vorgesehenen Anteil an den Kosten. Er leistet nach Fortschritt der
Maßnahmen Vorauszahlungen an die Länder, die somit nicht in
Vorlage zu treten brauchen. Die Länder haben – soweit der BTag
Mittel im Haushaltsplan bewilligt hat, vgl. Satz 4 – einen Rechtsanspruch auf anteilige Erstattung der gemäß dem Rahmenplan ge-
machten Ausgaben. Der Erstattungsanspruch beschränkt sich auf
die Zweckausgaben. Gemäß Art. 104 a V tragen die Länder die
Verwaltungskosten selbst (vgl. dazu Art. 104 a Rn. 14). Für den
Hochschulbau und die Verbesserung der regionalen Wirtschaftsstruktur legt die Verfassung den Mitfinanzierungsanteil des Bundes auf 50 vH fest. Er ist damit der Veränderung durch den einfachen Gesetzgeber entzogen. Für die Agrarstrukturverbesserung

und den Küstenschutz ist zur Entlastung der steuerschwachen Agrarländer eine Mindestbeteiligung von 50 vH vorgesehen. Nach § 10 des entspr. Ausführungsgesetzes (s. Rn. 5) beträgt die Kostenbeteiligung des Bundes bei der Agrarstruktur 60 vH und beim Küstenschutz 70 vH. Der Beteiligungssatz des Bundes ist in allen Ländern gleich. Auch im Bereich der Agrarstruktur muß der Gesetzgeber einen gleichen Anteilsatz für alle Länder festsetzen. Das ergibt sich aus der Finanzierungsregelung für die Aufgaben nach Abs. 1 Nr. 1 und 2 und daraus, daß der Finanzausgleich unter den Ländern speziellen Regeln in Art. 107 unterliegt.

9 *Satz 4:* Die in Art. 91 a vorgesehene Rahmenplanung ist eine Planung der Exekutive. Nur sie ist an die Beschlüsse der Planungsausschüsse gebunden. Nach ausdrücklicher Regelung in Abs. 4 hängt die Durchführung der Rahmenpläne davon ab, daß die Parlamente des Bundes und der Länder die dafür erforderlichen Mittel bewilligen. *Die Haushaltshoheit des Bundestags* wie auch *der Landesparlamente bleibt erhalten.* Den Parlamenten steht es frei, die jeweiligen Ansätze der Rahmenpläne in die Haushaltspläne aufzunehmen, sie zu kürzen oder sie nicht zu berücksichtigen. Nahezu jede vom Rahmenplan abweichende Entscheidung eines Parlaments zwingt dazu, den Rahmenplan durch einen neuen Beschluß des Planungsausschusses zu ändern. Da die Haushaltsentscheidungen der Parlamente aber frühestens erst kurz vor Jahresschluß fallen, sind neue Planungsbeschlüsse vor Beginn des Geltungsjahres des Rahmenplans kaum möglich; das gilt besonders, wenn man berücksichtigt, daß auch der neue Beschluß von einem Parlament verworfen werden kann. Dies und die Tatsache, daß die Parlamente sich einem in schwieriger Verhandlungen nach Kompromissen zustande gekommenen Planungsbeschluß von elf Ländern und dem Bund gegenübersehen, veranlaßt sie, auf ihre Haushaltshoheit praktisch zu verzichten, um die als weitgehend notwendig anerkannte Bund/Länder-Planung überhaupt zu ermöglichen. Hier, wie auch bei anderen mittelfristigen Planungen der Exekutive, kann eine ernste Beeinträchtigung der Stellung der Parlamente entstehen. Sie kann weitgehend vermieden werden, wenn, wie das in der Staatspraxis z.T. zufriedenstellend geschieht, die Parlamente in den Planungsprozeß eingeschaltet werden. Die Haushaltsordnungen der Länder sehen vor, daß die LReg den Parlamenten ihre Anmeldungen zum Rahmenplan so rechtzeitig vorlegen, daß eine Sachberatung erfolgen kann (vgl. z. B. § 10 LHO Nordrh.-Westf.). Auch die Fachausschüsse des BTags erörtern die Entwürfe der Rahmenpläne mit den zuständigen BMinistern.

Absatz 5

10 Der Absatz enthält eine von den Ingerenzrechten des Bundes nach

Art. 84 und 85 abweichende besondere Regelung, nach der neben
der BReg der BRat ein *Recht auf Unterrichtung* hat. Art. 84 ist
nicht anwendbar, denn bei der Durchführung der Rahmenpläne
handelt es sich nicht wie bei Art. 84 um die Ausführung von Bundesgesetzen. Demgemäß kann der Bund auch keine allgemeinen
Verwaltungsvorschriften erlassen. Ein im Gesetzgebungsverfahren vom BTag vorgesehenes Richtlinienrecht der BReg. wurde im
Vermittlungsausschuß gestrichen. Zum Inhalt des Rahmenplans
gehört jedoch die Festlegung von Förderungsvoraussetzungen,
die Richtliniencharakter haben (vgl. die unter Rn. 5 genannten
Gesetze).

**Artikel 91 b [Zusammenwirken von Bund und Ländern bei Bil-
dungsplanung und Forschungsförderung]**

**Bund und Länder können auf Grund von Vereinbarungen bei der Bil-
dungsplanung und bei der Förderung von Einrichtungen und Vorhaben
der wissenschaftlichen Forschung von überregionaler Bedeutung zusammenwirken. Die Aufteilung der Kosten wird in der Vereinbarung
geregelt.**

1 *Allgemeines.* Eine GA völlig anderen Typs als die in Art. 91 a ge-
   regelte ist das von Art. 91 b vorgesehene Zusammenwirken von
   Bund und Ländern auf den für die Zukunft eines modernen
   Staatswesens existentiell wichtigen Gebieten der *Bildung* und *For-
   schungsförderung.* Die verfassungsrechtl. Bedeutung des neuen
   Artikels wird deutlich am Vergleich mit der vorher gegebenen
   Kompetenzlage des Bundes. Wie sonst gelten auch hier die
   Art. 30 und 70, aus denen sich ergibt, daß das *Schwergewicht der
   Kulturkompetenzen bei den Ländern* liegt, weil das GG nur in ge-
   ringer Weise zugunsten des Bundes eine »andere Regelung trifft
   oder zuläßt« (Art. 30; vgl. auch Art. 70 I und BVerfGE 37, 322).
   Im *Bereich der Verwaltung* hat der Bund auf dem Gebiet der *Bildung* Kompetenzen nur aus der Natur der Sache, so für das Personal eigener Organisationen wie Bundeswehr und Bundesverwaltung oder für die Förderung zentraler Organisationen nichtstaatl.
   Art (vgl. auch Art. 30 Rn. 2–4). Die *Forschungsförderung* im Bereich der Exekutive ist nach Art. 30 ebenfalls weitgehend Ländersache mit Ausnahme der Förderung der Großforschung, der Res-
   sortforschung und der Förderung der Industrieforschung, letztere
   soweit sie als gesamtstaatl. Wirtschaftsförderung aus der Natur
   der Sache vom Bund zu betreiben ist. Ferner ist die Förderung

zentraler Einrichtungen nichtstaatl. Art unter bestimmten Voraussetzungen eine ungeschriebene Bundeszuständigkeit aus der Natur der Sache (vgl. zu dieser Aufzählung Erläut. zu Art. 30 Rn. 3 u. 4). Es ist zweifelhaft, ob die Weiterleitung von Bundesmitteln an die in den Ländern verstreuten Institute der Max-Planck-Gesellschaft und die Vergabe von Bundesmitteln an Institute und einzelne Forscher durch die Deutsche Forschungsgemeinschaft von der ungeschriebenen Bundeszuständigkeit aus der Natur der Sache (BVerfGE 22, 217) gedeckt war. Jedenfalls ist die breite Förderung von universitärer und außeruniversitärer Forschung im übrigen Bereich mangels Kompetenzgrundlage für den Bund nach Art. 30 Ländersache. Im *Bereich der Gesetzgebung* sind die eigenen Kompetenzen des Bundes klar umgrenzt: Art. 73 Nr. 1 (Auslandsarbeit), Art. 74 Nr. 5, 13 und Art. 75 Nr. 1 a und 2. Die Gesetzgebungskompetenz ist aber streng von der Verwaltungskompetenz und damit von der Finanzierungskompetenz zu trennen. Diese liegt bei den für die Ausführung der Gesetze zuständigen Ländern; Art. 30 i. V. m. Art. 104 a I.

2 *Art. 91 b gibt dem Bund* sowohl in der Bildungsplanung als auch in der Forschungsförderung *neue Rechte.* Zwar hat es bei den in Art. 91 b genannten Aufgaben bereits vor der Finanzreform ein Zusammenwirken und gemeinsame Finanzierungen von Bund und Ländern gegeben, z. B. Verwaltungsabkommen über die Einrichtung eines Wissenschaftsrats vom 9. 7. 1957 und Verwaltungsabkommen zur Förderung von Wissenschaft und Forschung vom 4. 6. 1964 und 8. 2. 1968 (s. Vorbem. vor Art. 91 a Rn. 2). Soweit darin nur eine Koordinierung von Bundes- und Landesaufgaben lag, war das unbedenklich; anders aber, wenn der Bund bei Länderaufgaben mitwirkte. Art. 91 b gibt nun aber dem Bund das Recht, auch dort, wo er überhaupt keine eigenen Kompetenzen im Bildungsbereich hat (z. B. Schulen im primären und sekundären Bereich), und dort, wo er nur beschränkte Gesetzgebungskompetenzen besitzt (z. B. im Hochschulbereich), umfassende Bildungsplanung mit den Ländern zu betreiben, und zwar auch in gemeinsamen Beschlußgremien mit zumindest vertraglicher Bindungswirkung für die Exekutive. Auf dem Gebiet der Forschungsförderung hat der Bund insoweit neue Rechte, als er Forschung, die, was überwiegend der Fall ist, im Kompetenzbereich der Länder liegt, zusammen mit den Ländern finanzieren kann, was ohne Art. 91 b nach Art. 104 a I nicht zulässig wäre.

3 *Satz 1: Zusammenwirken.* Wie bei Art. 91 a findet eine Kooperation von Bund und Ländern statt; insofern ist Art. 91 b GA i. S. der Überschrift des VIII a. Abschnitts. Die Modalitäten sind jedoch sehr verschieden. Bei Art. 91 a wirkt der Bund bei Länderaufgaben mit, während Art. 91 b auch Kompetenzen des Bundes in das Zusammenwirken einbezieht, so daß auch Bundesaufgaben beim Abschluß von »Vereinbarungen« dem mitwirkenden Einfluß der Länder unterliegen. Art. 91 b sieht im Gegensatz zu Art. 91 a nur fakultatives Zusammenwirken vor. Das Verfahren ist nicht gemäß gesetzlicher Regelung förmlich, sondern unterliegt freier Gestaltung in der »Vereinbarung«. *Vereinbarungen* können ihrem Wesen nach auch mit einzelnen oder einer Gruppe von Ländern geschlossen werden. Aus dem »förderalistischen Prinzip«, »nach dem die Länder als Glieder des Gesamtstaates den gleichen Status besitzen und gleichberechtigt nebeneinander stehen« (vgl. BVerfGE 1, 315), ergibt sich jedoch die Pflicht des Bundes, alle Länder gleich zu behandeln (so BVerfGE 39, 119 zu Art. 104 a IV). Dieser Gedanke dürfte, da prinzipielle Unterschiede in den einschlägigen Interessenpositionen in den Art. 91 b und 104 a IV nicht ersichtlich sind, auch hier anwendbar sein. Daraus ergibt sich: »Der Bund kann, will er nicht seine Pflicht zu bundesfreundlichem Verhalten verletzen, eine derartige Vereinbarung nur mit allen gleichermaßen betroffenen Ländern zugleich abschließen« (so BVerfGE 41, 308 zu Art. 104 a IV; vgl. auch BVerfGE 12, 255). »Vereinbarungen« i. S. des Art. 91 b sind *in der Staatspraxis Verwaltungsvereinbarungen.* Darin können Beschlußgremien als ständige Einrichtungen vorgesehen werden, die Beschlüsse mit bindender Wirkung für die Vereinbarungsparteien fassen. Mehrheitsbeschlüsse mit Bindungswirkung für die Minderheit sind jedoch durch das Wort »Zusammenwirken« in Art. 91 b nicht gedeckt; anders Art. 91 a (»Einrichtungen für eine gemeinsame Rahmenplanung«). Die Bindungswirkung, soweit sie besteht, erfaßt nur die Exekutive. Bei Bildungsplanung und Forschungsförderung wird die Kompetenz der Parlamente nicht berührt.

4   *Bildungsplanung.* Sie kann sich auf alle Aktivitäten des Bundes und der Länder einschl. der Gemeinden auf dem Gebiet des Bildungswesens beziehen. Über dessen Abgrenzung bestehen Meinungsverschiedenheiten. Da es sich in Art. 91 b um eine staatl. Aufgabenplanung handelt, dürfte der *Begriff Bildungsplanung* die der staatl. Förderung zugänglichen Bereiche der vorschulischen Erziehung, des allgemeinbildenden Schulwesens, des Hochschulwesens, der beruflichen Bildung, der Erwachsenenbildung u. ä. umfassen. Bildungsplanung hat die Aufgabe, Bestand und innere Zusammenhänge des Bildungswesens zu erfassen, Zielsetzungen für die Entwicklung des Bildungswesens zu geben und Wege zur Erreichung der Ziele in Form eines Planes aufzuzeigen. Die Bildungsplanung gibt demgemäß die organisatorischen und inhaltlichen Grundsätze für den Ausbau des Bildungswesens an und bietet somit Bund und Ländern den einheitlichen Handlungsrahmen (vgl. BT-Drucks. 7/1474 S. 10). Sie enthält auch den finanziellen

Rahmen (Bildungsbudget). Bildungsplanung ist nicht Rahmenplanung. Sie kann sich auch auf Einzelheiten regionaler Art beziehen. Voraussetzung für sachgemäße Planung sind Erkenntnisse über das zu Planende. Demgemäß gehört zur Planung die Einrichtung von *Modellversuchen* für Bildungseinrichtungen. Da in Modellversuchen notwendig gleichzeitig auch die Bildungsaufgabe selbst wahrgenommen wird, können Träger für Schulversuche nur solche im Länderbereich sein. Eine Ausdehnung der Modellfinanzierung über die modellbedingten Ausgaben hinaus auf die Finanzierung der schlichten Aufgabenfinanzierung wäre nicht verfassungsgemäß. Bund und Länder haben am 25. 6. 1970 ein Abkommen über die Errichtung einer gemeinsamen Kommission für Bildungsplanung geschlossen (Bulletin 1970 S. 891).

5 *Forschungsförderung.* Art. 91 b erlaubt dem Bund, auch an solchen Einrichtungen und Vorhaben der wissenschaftlichen Forschung fördernd mitzuwirken, für die sonst die Länder allein zuständig sind. Darüber hinaus können auf der Grundlage des Art. 91 b aber auch die Länder bei der Förderung von Einrichtungen und Vorhaben im Kompetenzbereich des Bundes mitwirken. Die Voraussetzung *»von überregionaler Bedeutung«* ist gegeben, wenn das Projekt von gesamtstaatl. Belang ist oder aber Bedeutung für mehrere Länder hat. Die Frage, ob der Bund für bestimmte Forschungsbereiche eine eigene Zuständigkeit aus der Natur der Sache hat (z. B. für die Großforschung; s. dazu Art. 30 Rn.4 Buchst. d), ist mit Art. 91 b nicht bedeutungslos geworden, weil im Falle einer eigenen Kompetenz die Möglichkeit der Förderung durch den Bund nicht vom Abschluß einer Vereinbarung mit den Ländern abhängt. Im Bereich des Hochschulbaus ist auch hinsichtlich der Forschung Art.91a lex specialis. Eine der Forschung dienende Bau- oder Großgeräteinvestition (vgl. HochschulbauförderungsG § 3 Nr. 4) unterliegt deswegen den Regeln des Art. 91 a. Die Pflicht zur Kooperation in bestimmten festen Formen (Art. 91 a) kann nicht gleichzeitig ins Ermessen gestellt sein und nach beliebigen Formen (Art. 91 b) vollzogen werden. Auf der Grundlage von Art. 91 b haben der Bund und die Länder am 28. 11. 1975 eine Rahmenvereinbarung über die gemeinsame Förderung der Forschung geschlossen (BAnz Nr. 240 vom 30. 12. 1975 S. 4). In Art. 8 dieser Rahmenvereinbarung wird die in Rn. 4 genannte »Gemeinsame Kommission für Bildungsplanung« bei entsprechender Erweiterung ihrer Aufgaben umbenannt in »Gemeinsame Kommission für Bildungsplanung und Forschungsförderung«.

6 *Satz 2:* Die *Aufteilung der Kosten* der Bildungsplanung und Forschungsförderung kann frei vereinbart werden. Allerdings verbietet der Wortlaut »Aufteilung der Kosten« eine volle Kostenübernahme durch Bund oder Länder.

IX. Die Rechtsprechung

Vorbemerkungen

1 Abschnitt IX enthält nicht nur die Grundzüge für die Organisation der Gerichtsbarkeit, sondern auch Grundnormen über die Stellung der Richter sowie grundrechtsartige Regelungen für das Verhältnis des einzelnen zur rechtsprechenden Gewalt. Er behandelt nur die staatl. Gerichtsbarkeit. *Rechtsprechung* i. S. des IX. Abschnitts ist die durch Anwendung von Rechtsnormen in einem geregelten Verfahren vorgenommene, verbindliche Entscheidung von Rechtsstreitigkeiten und sonstigen Rechtsfällen durch am Entscheidungsgegenstand unbeteiligte staatl. Stellen (BVerfGE 3, 381; 4, 346; 14, 69; 18, 255; 21, 145 f.; 26, 198; 42, 209). Sie steht im Mittelpunkt der »Rechtspflege«, die auch nicht eigentlich rechtsprechende Funktionen der Gerichte wie vor allem Teile der freiwilligen Gerichtsbarkeit und die Justizverwaltung sowie die Tätigkeiten der Staatsanwaltschaften, der Notare, Rechtsanwälte, Rechtspfleger, Urkundsbeamten und Gerichtsvollzieher umfaßt. Die Rechtsprechung ist dem Gewaltenteilungsprinzip gemäß auf die Gerichte übertragen, d. h. staatl. Behörden, die mit unabhängigen, nur dem Gesetz unterworfenen Richtern besetzt sind. Sie bilden zusammen die »rechtsprechende Gewalt«, die im Zuge einer möglichst weitgehenden Verwirklichung des Rechtsstaatsgedankens durch das GG eine bisher unbekannte Ausdehnung ihrer Zuständigkeiten erfahren hat und nunmehr als dritter Machtträger (»Dritte Gewalt«) den übrigen staatl. Gewalten nicht nur rechtlich, sondern bis zu einem gewissen Grade auch politisch gleichgestellt worden ist. Durch eine umfassende Verwaltungsgerichtsbarkeit (§ 40 VwGO) ist die gesamte Verwaltung, durch die Gerichtsbarkeit des BVerfG ein erheblicher Teil des Verfassungslebens richterlicher Kontrolle unterstellt worden. Der gegenwärtige Zustand entspricht in organisatorischer Hinsicht nahezu allen Anforderungen des Rechtsstaatsgedankens, ist aber in bestimmten Punkten rechtspolitisch umstritten, vor allem wegen des Übermaßes der Rechtszüge (»Rechtswegestaat«).

2 Die rechtsprechende Gewalt ist durch das GG in zweifacher Weise gegliedert: 1) bundesstaatl. durch die Teilung in Bundes- und Ländergerichte, 2) fachlich durch die Aufteilung in verschiedene, grundsätzlich gleichberechtigte Zweige der Gerichtsbarkeit (Verfassungs-, Zivil- und Strafgerichtsbarkeit, Verwaltungs-, Finanz-, Arbeits- und Sozialgerichtsbarkeit). Die bundesstaatl. Aufteilung wird durch die umfassende Bundesgesetzgebung nach Art. 74 Nr. 1 und die Rechtsprechung der obersten Bundesgerichtshöfe stark abgemildert, die fachliche durch die Zuständigkeiten des

BVerfG und des Gemeinsamen Senats (Art. 95 III) eingeschränkt.

Artikel 92 [Gerichtsorganisation]

Die rechtsprechende Gewalt ist den Richtern anvertraut; sie wird durch das Bundesverfassungsgericht, durch die in diesem Grundgesetze vorgesehenen Bundesgerichte und durch die Gerichte der Länder ausgeübt.

1 *Rechtsprechende Gewalt* i. S. des Art.92 ist der Inbegriff der vom Staate auf dem Gebiete der Rechtsprechung in Anspruch genommenen Hoheitsrechte. Sie steht im Gegensatz zu Gesetzgebung, Regierung, Verwaltung und verfassungsrechtl. Organisations- und Hilfsfunktionen. Die von ihr ausgeübte Tätigkeit (Rechtsprechung) ist Rechtsanwendung, nicht Sozialgestaltung.

2 Die *rechtsprechende Gewalt* ist *Richtern anvertraut*. Richter sind besondere staatl. Amtsträger, die als unbeteiligte Dritte Rechtsfälle unabhängig und nur nach dem Gesetz zu entscheiden haben (vgl. Art. 97 I und die BVerfG-Zitate i. d. Vorbem. Rn. 1). Sie können Berufs- oder ehrenamtliche Richter sein. Die Berufsrichter bilden eine besondere Gruppe des öffentl. Dienstes, deren Rechtsstellung durch das Deutsche Richtergesetz näher geregelt ist. Über ihre Vorbildung sagt das GG nichts, insbes. stellt es kein Juristenmonopol auf. Doch bestimmen die §§ 5 ff. DRiG, daß die Befähigung zum Berufsrichteramt das Bestehen zweier Prüfungen nach Studium der Rechtswissenschaft und Vorbereitungsdienst voraussetzt. Rechtsentscheidungen, die von nichtrichterlichen Staatsorganen getroffen werden (z. B. vom BTag nach Art. 41 I, vom BRat nach Art. 84 IV 1) gehören weder zur Rechtsprechung i. S. des IX. Abschnitts noch zur rechtsprechenden Gewalt i. S. des Art. 92.

3 *Gerichte* sind besondere, von der sonstigen Staatsorganisation abgetrennte, mit Richtern besetzte Behörden (zur Trennung s. BVerfGE 4, 346; 14, 67; 18, 254; 27, 321). Ein Spruchorgan ist nur dann Gericht, wenn alle seine Mitglieder Richter sind und die Berufsrichter – von bestimmten, mit der Nachwuchsausbildung zusammenhängenden Ausnahmen abgesehen – neben der für alle Richter erforderlichen sachlichen Unabhängigkeit auch die persönliche Unabhängigkeit des Art. 97 II genießen (BVerfGE 4, 345 f.; 14, 163). Auf jeden Fall wird ihm der Gerichtscharakter genommen, wenn es mit Personen besetzt ist, die die gleiche Materie

im Rahmen der vollziehenden Gewalt auch weisungsgebunden
bearbeiten (BVerfGE 4, 346 ff.). Nach § 28 DRiG müssen die
Berufsrichter grundsätzlich Richter auf Lebenszeit sein; Vorsitzender eines Gerichts darf nur ein Berufsrichter sein.

4 Nur Gerichte (Richter) können nach dem GG mit Rechtsprechungsaufgaben betraut werden. Ausgeschlossen ist auch eine
Parlamentsjustiz sowie die Entscheidung konkreter Rechtsfälle
durch Gesetz. Was Rechtsprechungsaufgaben sind, ist materiell
nicht in allen Fällen eindeutig bestimmt. Schon das GG überträgt
gewisse Rechtsentscheidungen auf andere Verfassungsorgane,
z. B. in Art. 41 I, 84 IV 1, 129 I 2. Auch die Grenzen zur rechtsan-
wendenden Verwaltung haben keinen rein abstrakt bestimmten
Verlauf. Trotzdem ist anzunehmen, daß das GG von einem materiellen Begriff der rechtsprechenden Gewalt ausgeht (BVerf-
GE 22, 73 ff.). Der rechtsprechenden Gewalt vorbehalten sind
neben den ihr durch das GG ausdrücklich zugewiesenen Gegenständen auf jeden Fall die traditionellen Kernbereiche der Rechtsprechung wie bürgerliche Rechtsstreitigkeiten und Strafgerichtsbarkeit (BVerfGE 8, 207; 12, 274; 14, 66; 21, 144; 22, 77 f.), vor allem die Befugnis, Freiheits- und Geldstrafen als Sühne für krimi-
nelles Unrecht zu verhängen (BVerfGE 22, 80 f.). Keine Akte
der rechtsprechenden Gewalt i. S. des Art. 92 und daher mit diesem vereinbar: Ausspruch von Dienststrafen einschl. disziplinarer
Freiheitsstrafen (BVerfGE 22, 317), verwaltungsbehördliche
Bußgeldbescheide im Ordnungsstrafverfahren zur Ahndung min-
derwichtiger Unrechtstatbestände (BVerfGE 8, 207), gebühren-
pflichtige Verwarnung durch die Polizei bei Verkehrsübertretun-
gen (BVerfGE 22, 130 ff.). In begrenztem Umfange können den
Gerichten auch andere als Rechtsprechungsaufgaben übertragen
werden.

5 *Bundesverfassungsgericht:* Art. 93 f., *Oberste Bundesgerichtshöfe:* Art. 95, *sonstige Bundesgerichte:* Art. 96. Andere als die hier
vorgesehenen Gerichte können nicht als Bundesgerichte errichtet
werden (BVerfGE 8, 176; 10, 213). *Die übrige Gerichtsbarkeit
steht –* Art. 30 entsprechend *– den Ländern zu,* deren Gerichtsorganisation jedoch über Art. 74 Nr. 1 weitgehend vom Bund bestimmt werden kann und bestimmt worden ist. Die Ländergerichte haben sowohl das Bundesrecht wie das Landesrecht durchzuset-
zen. Ihre Rechtsprechung hat grundsätzlich Wirkung für das gesamte Bundesgebiet. Obwohl die Rechtsprechungsgewalt staatl.
Gewalt ist und in aller Regel durch unmittelbare staatl. Gerichts-
behörden ausgeübt wird, verbietet das GG nicht, die Ausübung

staatl. Gerichtsbarkeit in begrenztem Umfange und unter gewissen Voraussetzungen auf nicht unmittelbar staatl. Stellen, z. B. Gemeinden (hier allerdings abgetrennt von der Gemeindeverwaltung) oder sonstige Körperschaften des öffentl. Rechtes zu übertragen (BVerfGE 10, 214 ff.; 14, 66 ff.; 18, 253 f.).

6 *Nichtstaatliche Gerichte:* Die Schiedsgerichte der ZPO einschl. der Vereinsschiedsgerichte üben keine staatl. Gerichtsbarkeit aus, ebensowenig Kirchengerichte. Sie sind keine Gerichte i. S. des Art. 92, aber mit diesem vereinbar, da Art. 92 nur die staatl. Rechtsprechung behandelt und kein absolutes Rechtsprechungsmonopol des Staates begründet (BGHZ 65, 61). Zulässig ist auch eine auf betriebliche Ordnungsfunktionen und deren Notwendigkeiten beschränkte Betriebsgerichtsbarkeit.

Artikel 93   [Zuständigkeit des Bundesverfassungsgerichts]

(1)   Das Bundesverfassungsgericht entscheidet:

1.   über die Auslegung dieses Grundgesetzes aus Anlaß von Streitigkeiten über den Umfang der Rechte und Pflichten eines obersten Bundesorgans oder anderer Beteiligter, die durch dieses Grundgesetz oder in der Geschäftsordnung eines obersten Bundesorgans mit eigenen Rechten ausgestattet sind;

2.   bei Meinungsverschiedenheiten oder Zweifeln über die förmliche und sachliche Vereinbarkeit von Bundesrecht oder Landesrecht mit diesem Grundgesetze oder die Vereinbarkeit von Landesrecht mit sonstigem Bundesrechte auf Antrag der Bundesregierung, einer Landesregierung oder eines Drittels der Mitglieder des Bundestages;

3.   bei Meinungsverschiedenheiten über Rechte und Pflichten des Bundes und der Länder, insbesondere bei der Ausführung von Bundesrecht durch die Länder und bei der Ausübung der Bundesaufsicht;

4.   in anderen öffentlich-rechtlichen Streitigkeiten zwischen dem Bunde und den Ländern, zwischen verschiedenen Ländern oder innerhalb eines Landes, soweit nicht ein anderer Rechtsweg gegeben ist;

4 a.   über Verfassungsbeschwerden, die von jedermann mit der Behauptung erhoben werden können, durch die öffentliche Gewalt in einem seiner Grundrechte oder in einem seiner in Artikel 20 Abs. 4, 33, 38, 101, 103 und 104 enthaltenen Rechte verletzt zu sein;

4 b.   über Verfassungsbeschwerden von Gemeinden und Gemeinde-

verbänden wegen Verletzung des Rechts auf Selbstverwaltung
nach Artikel 28 durch ein Gesetz, bei Landesgesetzen jedoch nur,
soweit nicht Beschwerde beim Landesverfassungsgericht erhoben
werden kann;

5. in den übrigen in diesem Grundgesetze vorgesehenen Fällen.

(2) **Das Bundesverfassungsgericht wird ferner in den ihm sonst durch
Bundesgesetz zugewiesenen Fällen tätig.**

Absatz 1

1 Das BVerfG ist ein echtes, unabhängiges Gericht i. S. des Art. 92
und des ganzen Rechtsprechungsabschnitts des GG, zugleich aber
Verfassungsorgan wie der BTag, BRat, BPräs und die BReg. Seine Zuständigkeiten erstrecken sich nicht auf alle denkbaren Verfassungsstreitigkeiten, sondern sind in Abs. 1 und an anderen
Stellen des GG (z. B. Art. 18, 21, 41) einzeln und erschöpfend
aufgeführt – Enumerationsprinzip – (BVerfGE 1, 408; 3, 376; 13,
96; 13, 176 f.), können jedoch nach Abs. 2 durch Bundesgesetz
weiter ausgedehnt werden, nicht dagegen im Wege der Analogie
(BVerfGE 2, 346; 22, 298). Insgesamt gehören die Zuständigkeiten des BVerfG zu den umfänglichsten, die einem Verfassungsgericht in der Welt eingeräumt sind. Dem BVerfG sind nur Aufgaben reiner Rechtsprechung übertragen. Seine Befugnisse finden
deshalb dort ihre Grenzen, wo es um Zweckmäßigkeitsfragen geht
und wo das GG anderen Verfassungsorganen Ermessensfreiheit
einräumt (BVerfGE 1, 32; 3, 135 f.; 40, 178; 50, 47). Das BVerfG
hat auch Rechtsstreitigkeiten polit. Natur nach Rechtsgrundsätzen und nur nach solchen, nicht unter dem Einfluß polit. Gesichtspunkte zu entscheiden. Eine über die vorstehend gezeichneten
Grenzen hinausgehende, rechtl. faßbare Selbstbeschränkungs-
pflicht des Gerichts in *besonders* polit. Fragen kann dem GG jedoch nicht entnommen werden. So wohl auch BVerfGE 36, 14 f.
Noch immer nicht ausüben kann das BVerfG seine Gerichtsbarkeit in Sachen des Landes Berlin; s. dazu Art. 144 Rn. 3.

2 Die verfassungsmäßige Stellung und die Erfüllung der verfassungsmäßigen Aufgaben des BVerfG dürfen auch im Verteidigungsfall nicht beeinträchtigt werden (Art. 115 g Satz 1).

Nr. 1 Organstreitigkeiten

3 Nr. 1 überträgt dem BVerfG die Entscheidung von »Organstreitigkeiten« innerhalb des Bundes. Vorausgesetzt sind dabei wirkli-
che Streitigkeiten, nicht bloße Meinungsverschiedenheiten zwi-

schen den genannten Verfassungsrechtsträgern. Streitgegenstand soll nach dem GG an sich nur die Auslegung des GG sein, nicht die konkrete Streitigkeit um Rechte und Pflichten der Verfahrensbeteiligten selbst. Vgl. jedoch abweichend davon §§ 64, 67 BVerfGG, die den Organstreit *zur echten, kontradiktorischen Parteistreitigkeit ausgestaltet* haben, in der zwischen Beteiligten des Verfassungslebens aus Anlaß bestimmter Maßnahmen oder Unterlassungen eines von ihnen über in der Verfassung wurzelnde Rechtsverhältnisse, d. h. konkrete Rechte und Pflichten aus dem GG gestritten wird. Das BVerfG hat diese Regelung für zulässig erachtet (BVerfGE 1, 231; 2, 155 ff.). Unter *»Grundgesetz«* ist zunächst das GG in formellem Sinne einschl. der ihm zugrundeliegenden allgemeinen Rechtsgrundsätze (»elementare Verfassungsgrundsätze«) wie Demokratieprinzip, Rechtsstaatsprinzip, Gewaltenteilung usw. zu verstehen, aber auch ungeschriebenes Verfassungsrecht (BVerfGE 6, 328), insbes. etwaiges Verfassungsgewohnheitsrecht, nicht dagegen einfaches Gesetzesrecht und Geschäftsordnungsrecht verfassungsrechtl., d. h. die staatl. und gesellschaftl. Grundordnung regelnden Inhalts.

4 *Organstreitfähig sind*

1. die *obersten Bundesorgane:* BTag, BRat, BVersammlung, BPräs, BReg, Gemeinsamer Ausschuß (Art. 53 a),
2. *»andere Beteiligte«,* die durch das GG oder die Geschäftsordnung eines obersten Bundesorgans mit eigenen Rechten ausgestattet sind.
   a) *Durch das GG:* z. B. der BTPräs, BRPräs, BKanzler, BMinister, grundgesetzlich vorgesehene Bundestagsausschüsse (Art. 44, 45 a, 45 c) und Minderheiten des BTags i. S. von Art. 39 III 3, Art. 42 I, Art. 44 I, Art. 61 I, aber auch, da zum »inneren Bereich des Verfassungslebens« gehörend, polit. Parteien im Falle der Verletzung ihres verfassungsrechtl. Status durch ein Verfassungsorgan, insbes. bei der rechtl. Gestaltung des Wahlverfahrens (BVerfG i. st. Rspr. seit E 4, 27; aus neuerer Zeit z. B. E 44, 137), sowie der einzelne Abg. zur Verteidigung seiner verfassungsrangigen Statusrechte oder wenn er als solcher in verfassungskräftige Rechte anderer Organe oder Organteile eingegriffen hat (BVerfGE 2, 164 ff.; 4, 147 ff.; 10, 10 f.), *nicht dagegen:* Gemeinden, Gemeindeverbände, andere Körperschaften des öffentl. Rechtes, Kirchen, Gewerkschaften, Wirtschaftsverbände (vgl. hierzu z. B. BVerfGE 1, 227; 27, 244 f.), das Volk und der einzelne Staatsbürger (BVerfGE 13, 95 f.).

b) *Durch Geschäftsordnungen oberster Bundesorgane:* z. B.
Fraktionen (BVerfGE 1, 378; 2, 160; 20, 104; 45, 28),
Ausschüsse und andere ständige Gliederungen des BTags
und BRats, *nicht dagegen:* Gruppen von Abg., die sich
nur von Fall zu Fall zusammenfinden, z. B. Abstim-
mungsmehrheiten und -minderheiten (BVerfGE 2,
159 ff.).

Vgl. außerdem die Regelung der eigentlichen Parteifähigkeit in
§ 63 BVerfGG, dessen Übereinstimmung mit Art. 93 I Nr. 1 jedoch zweifelhaft ist. Abgesehen von der Parteifähigkeit muß nach
Maßgabe von § 64 I BVerfGG noch aktive und passive Sachlegiti-
mation im konkreten Rechtsstreit bestehen. Inhalt der Entscheidung nach § 67 BVerfGG: Feststellung des Grundgesetzverstoßes
der beanstandeten Maßnahme oder Unterlassung. Kein Eingriff
in den Bestand der verfassungswidrigen Maßnahme oder Verurteilung zu einem Tun oder Unterlassen.

Nr. 2 Abstrakte Normenkontrolle

5 Die sog. abstrakte Normenkontrolle wird unabhängig von einem
Rechtsstreit durchgeführt. (Andere Formen der Normenkontrolle: Normprüfung auf Verfassungsbeschwerde nach Art. 93 I
Nr. 4 a und Gesetzesprüfung im Zuge eines Gerichtsverfahrens
nach Art. 100 I.) Für die abstrakte Normenkontrolle genügen ir-
gendwo – z. B. in der Regierung, einem Parlament, zwischen Verfassungsorganen, zwischen Bund und einem Land oder im Schrifttum – entstandene Meinungsverschiedenheiten oder Zweifel über
die *Vereinbarkeit einer Rechtsnorm mit einer ranghöheren Norm.*
Der Kreis der zur Verfahrenseinleitung Berechtigten ist hier
durch das GG selbst festgelegt und kann nicht im Wege der Analogie erweitert werden (BVerfGE 21, 53 f.). Nähere Voraussetzungen für die Zulässigkeit der Anträge: § 76 BVerfGG, dessen Vereinbarkeit mit Art. 93 I Nr. 2 jedoch wiederum zweifelhaft ist
(vgl. dazu auch BVerfGE 1, 196; 6, 110). Die Normenkontrolle ist
ein *objektives Verfahren* zur Prüfung der Gültigkeit von Rechtsnormen. Sie *dient öffentlichen Interessen,* nicht dem Schutze der
Antragsteller, und kann daher ohne das Erfordernis subjektiver
Rechtsbeeinträchtigung in Gang gesetzt werden. Das Klagerecht
der Antragsteller ist nur ein Anstoßrecht. Verfahrensgegenstand
ist die Frage der Vereinbarkeit einer Norm mit höherem Recht.
Vgl. zum Vorstehenden BVerfGE 1, 219 f.; 1, 407, 414; 2, 311;
20, 86, 95.

6 *Überprüfbare Rechtsnormen:* In der abstrakten Normenkontrolle überprüfbar ist alles Bundes- und Landesrecht ohne Rücksicht auf die Form, letzteres unter Einschluß des von landesrechtl. Gebietskörperschaften gesetzten Rechts, sind nach Meinung des BVerfG aber auch rein formelle Gesetze ohne Rechtssatzgehalt (BVerfGE 1, 410; 2, 212; 4, 162; 20, 89 f.), insbes. Vertragsgesetze nach Art. 59 II (BVerfGE 1, 410; 4, 162; 6, 294 f.; 12, 288) und zu Staatsverträgen zwischen den Ländern (BVerfGE 12, 220) sowie Haushaltsgesetze (BVerfGE 20, 56, 89). Überprüfbar sind nur bereits erlassene Normen (BVerfGE 1, 406; 10, 54), Vertragsgesetze wegen der u. U. schon mit der Ratifikation eintretenden völkerrechtl. Bindung jedoch bereits zwischen Abschluß des Gesetzgebungsverfahrens i. e. S. und der Ausfertigung (BVerfGE 1, 413). Aber sonst keine vorbeugende Normenkontrolle (BVerfGE 1, 408). Außer Kraft getretene Gesetze sind so lange überprüfbar, als sie noch Rechtswirkungen nach außen besitzen (BVerfGE 5, 28), Haushaltsgesetze bis zur Entlastung der BReg durch BTag und BRat (BVerfGE 20, 93 f.). Bestritten ist, ob das BVerfG auch Grundgesetzbestimmungen selbst an etwaigen Normen höheren Ranges messen, vor allem auf Übereinstimmung mit elementaren Verfassungsgrundsätzen (»verfassungswidriges Verfassungsrecht«) und überpositivem Recht prüfen kann; mit jetzt offenbar gewissen Vorbehalten bejahend BVerfGE 1, 32; 1, 61; 3, 230 f.; 10, 81. Vgl. auch Art.20 Rn.9. *Nicht überprüfbar* nach Art. 93 I Nr. 2 sind Völkerrecht (wohl aber die Inkorporation allgemeiner Völkerrechtsregeln in das Bundesrecht nach Art. 25), supranationales Recht, unmittelbares Besatzungsrecht, Verwaltungsvorschriften und Tarifverträge sowie Berliner Recht (s. Art. 144 Rn. 3).

7 *Prüfungsmaßstab* ist das *Grundgesetz* (vgl. dazu Rn. 3 a. E.), *für Landesrecht auch alles sonstige Bundesrecht.* Durch § 76 BVerfGG ist jedoch auch für Bundesrecht »sonstiges« (i. d. R. höherrangiges) Bundesrecht zum Prüfungsmaßstab erhoben worden, eine Erweiterung, die auf Grund von Art. 93 II möglich ist. Förmliche Vereinbarkeit bedeutet Übereinstimmung mit den Vorschriften über Zuständigkeit (vor allem Gesetzgebungskompetenz – BVerfGE 8, 110), Zustandekommen (BVerfGE 8, 75) und äußere Form, sachliche Vereinbarkeit inhaltliche Widerspruchsfreiheit zur höheren Norm. Seiner Auffassung über die Geltung überpositiven Rechtes entsprechend (s. Art. 20 Rn. 9) dürfte das BVerfG ggf. auch die Befugnis in Anspruch nehmen, Gesetze (einschl. GG-Normen) am Maßstab überpositiven Rechts zu prüfen.

8 Verfahren: §§ 77 ff. BVerfGG. Inhalt der Entscheidung bei Unvereinbarkeit der überprüften Norm: Nichtigerklärung (§ 78 BVerfGG).

Nr. 3 Bund-Länder-Streitigkeiten

9 Es genügen nach dem Verfassungswortlaut an sich schon Meinungsverschiedenheiten; gemeint sind aber *Streitigkeiten*. Deshalb verlangen §§ 69, 64 BVerfGG auslösende Maßnahmen oder Unterlassungen des Gegners im Gesetzgebungs- oder Exekutivbereich und Rechtsbeeinträchtigung. Es handelt sich wie in den Fällen der Nr. 1 um kontradiktorische Streitverfahren. Streitgegenstand sind – enger als der Wortlaut besagt – *grundgesetzliche Rechte und Pflichten* von Bund und Ländern, und zwar solche aus dem verfassungsrechtl. Bund-Länder-Verhältnis. Vgl. zum Vorstehenden BVerfGE 13, 72 f. Auch über Rechte und Pflichten aus ungeschriebenen Verfassungssätzen kann nach Nr. 3 gestritten werden (BVerfGE 8, 128 ff.). Bei Streitigkeiten über die Verfassungsmäßigkeit von Gesetzen können Nr. 2 und Nr. 3 konkurrieren, ohne daß dem einen oder anderen Verfahren ein Vorrang zukommt (BVerfGE 7, 310 f.; 20, 95). Ausführung von Bundesrecht: Art. 83 ff., Bundesaufsicht: insbes. Art. 84, 85. Antragsberechtigte und Verfahren: §§ 68 ff. BVerfGG. Vorherige Anrufung des BRats nach Art. 84 IV ist nur für die Rüge von Mängeln bei der verwaltungsmäßigen Ausführung von Bundesgesetzen erforderlich (s. Art. 84 Rn. 14).

Nr. 4 Andere öffentlich-rechtliche Streitigkeiten zwischen Bund und Ländern, zwischen mehreren Ländern oder innerhalb eines Landes

10 »Andere« hauptsächlich im Gegensatz zu den Verfassungsstreitigkeiten nach Nr. 3. Da über Streitigkeiten nichtverfassungsrechtl. Art zwischen Bund und Ländern sowie zwischen verschiedenen Ländern das BVerwG entscheidet (§ 40 I 1, § 50 I Nr. 1 VwGO), also hier ebenfalls nur *Verfassungsstreitigkeiten* übrigbleiben, ist der Anwendungsbereich der Nr. 4 stark eingeschränkt. Auch unter »Streitigkeiten innerhalb eines Landes« sind nach der Entstehungsgeschichte und im Hinblick auf § 40 VwGO nur Verfassungsstreitigkeiten zu verstehen (BVerfGE 27, 16 f.; 27, 245 ff.), d. h. praktisch Organstreitigkeiten nach Art der Nr. 1 und Normenkontrollsachen. Die Zuständigkeit des BVerfG ist auch dann gegeben, wenn nur der Kreis der Antragsberechtigten nach Landesrecht enger ist als nach Nr. 4 (BVerfGE 4, 377; vgl. aber auch E 60, 319). Die *Zuständigkeit des BVerfG* ist überall *nur subsidiär,* auch wenn nach einer anderen Bestimmung eine vorbehaltlose Zuständigkeit des BVerfG selbst begründet ist, z. B. nach Art. 99 (BVerfGE 1, 218). Verfahren: §§ 71 f. BVerfGG.

Nr. 4 a *Verfassungsbeschwerde*

11 »Die Verfassungsbeschwerde ist ein dem Staatsbürger eingeräumter außerordentlicher Rechtsbehelf, mit dem er Eingriffe der öffentlichen Gewalt in seine Grundrechte abwehren kann« (BVerfGE 18, 325). Der Inhalt der Nr. 4 a deckt sich mit § 90 BVerfGG, der der Verfassungsbeschwerde (VB) zugleich einen betont subsidiären Charakter aufprägt (BVerfGE 22, 290 f.; 33, 258; 55, 247), indem er auf Grund der Ermächtigung des Art. 94 II 2 vorschreibt, daß sie grundsätzlich erst nach Erschöpfung des Rechtsweges und nur ausnahmsweise sofort erhoben werden kann.

12 *Verfassungsbeschwerdeberechtigt* sind alle Träger eines der in Nr. 4 a genannten Rechte, also alle Deutschen (Art. 116 I), aber auch Ausländer und juristische Personen, soweit ihnen das betr. Grundrecht zusteht (vgl. Art. 19 III), unter der gleichen Voraussetzung auch nichtrechtsfähige Vereine (BVerfGE 3, 391; 6, 277; 15, 261; 24, 243) und handelsrechtl. Personalgesellschaften (BVerfGE 4, 12), u. U. selbst ausländische juristische Personen (BVerfGE 12, 8; 18, 447). Für polit. Parteien entfällt das Recht der VB insoweit, als ihnen der Weg der Organklage (Nr. 1) gewiesen ist, also wenn es sich um die Verteidigung ihrer Rechtsstellung als Faktoren des Verfassungslebens gegen Verfassungsorgane handelt (s. o. Rn. 4); es ist aber gegeben, wenn sie in ihren Grundrechten durch Verwaltungsmaßnahmen oder Gerichte verletzt werden (BVerfGE 7, 103; 14, 129; 27, 158; 47, 223). Grundsätzlich nicht beschwerdeberechtigt sind, da nicht grundrechtsfähig, Körperschaften des öffentl. Rechts, soweit sie öffentl. Aufgaben erfüllen (BVerfGE 21, 362; 24, 383; 45, 78 f.); Ausnahmen gelten für Gemeinden und Gemeindeverbände nach Nr. 4 b und unabhängige Staatseinrichtungen wie z. B. Universitäten (BVerfGE 15, 261 f.) und Rundfunkanstalten (BVerfGE 31, 322). Wegen ihrer Grundrechtsfähigkeit beschwerdeberechtigt sind dagegen Religions- und Weltanschauungsgemeinschaften, und zwar grundsätzlich auch solche in Form von Körperschaften des öffentl. Rechts, da der Körperschaftsstatus hier keine abgeleitete Staatsgewalt beinhaltet (s. Art. 140 Rn. 5 u. 11 sowie BVerfGE 19, 5; 42, 322 f.). Für die Rechte aus Art. 101 I 2 und Art. 103 I steht das Recht der VB allen Verfahrensbeteiligten, auch dem Staate zu (BVerfGE 6, 49 f.).

13 *Verfassungsbeschwerdefähig* ist nur die *Verletzung der* in Art. 1 bis 17 genannten *Grundrechte* und der in Nr. 4 a besonders aufgeführten Grundrechte bzw. grundrechtsähnlichen Rechte aus anderen Teilen des GG. Überall kann nur die Verletzung echter subjektiver Verfassungsrechte mit der VB verteidigt werden (BVerfGE 45, 74 f.). Der Beschwerdeführer muß geltend machen können, selbst, gegenwärtig, unmittelbar und rechtlich betroffen zu sein; bloße Gefährdung oder nur mittelbare oder tatsächliche Beschwer genügen nicht (BVerfGE 1, 101 ff.; 4, 101; 15, 262 f.; 15, 286; 24, 294 f.; 30, 123). Trotz dieser Eingrenzungen beansprucht das BVerfG, die mit der VB angegriffenen Akte auch auf sonstige Verfassungsmäßigkeit prüfen zu können (E 54, 66 f.).

14 *Gegenstand der Verfassungsbeschwerde* kann immer nur eine behauptete *Rechtsverletzung durch die öffentliche Gewalt,* und zwar die öffentl. Gewalt der Bundesrepublik Deutschland sein (BVerfG i. st. Rspr. seit E 1, 10). *Nicht anfechtbar:* Akte ausländischer öffentl. Gewalt (BVerfGE 1, 10), Besatzungsrecht (BVerfGE 3, 223; 15, 337; 36, 171), Akte supranationaler Organe, insbes. der EG (BVerfGE 22, 295 ff.), Akte von DDR-Behörden (BVerfGE 1, 342), infolge des Berlin-Vorbehalts im Genehmigungsschreiben der Militärgouverneure zum GG vom 12. 5. 1949 auch nicht Akte des Landes Berlin (BVerfG i. st. Rspr., z. B. E 37, 60 f.; 49, 336). »Öffentliche Gewalt« ist die des Bundes, der Länder, der Gemeinden und sonstigen Körperschaften des öffentl. Rechts. Kirchliche Maßnahmen stellen, auch wenn sie von Religionsgesellschaften in Form von Körperschaften des öffentl. Rechts ausgehen, grundsätzlich keine Ausübung öffentl. Gewalt i. S. der Nr. 4 a dar und sind daher i. d. R. nicht verfassungsbeschwerdefähig (BVerfGE 18, 385 u. Art. 140 Rn. 11), wohl aber Bescheide kirchlicher Steuerbehörden (BVerfGE 19, 289). Auch Tarifverträge sind, da keine Äußerungen öffentl. Gewalt, nicht verfassungsbeschwerdefähig (str.).

15 Mit der VB angreifbar sind *Gesetze und andere Rechtsvorschriften, Verwaltungsmaßnahmen und Gerichtsentscheidungen,* unter bestimmten Voraussetzungen auch grundrechtsverletzende Unterlassungen des betr. Gewaltträgers.

16 *Gesetze usw.:* Verfassungsbeschwerdefähig sind nicht nur materielle, sondern auch formelle Gesetze wie z. B. Vertragsgesetze nach Art. 59 II (BVerfGE 6, 295; 16, 226; 24, 53), und zwar diese schon nach Abschluß des Gesetzgebungsverfahrens i. e. S. und vor ihrer Ausfertigung und Verkündung (s. o. Rn. 6 und BVerfGE 24, 53 f.) sowie auch dann noch, wenn sie bereits völkerrechtl. in Kraft getreten sind. Mit der VB angreifbar sind aber auch Rechtsverordnungen und autonome Satzungen öffentl. Körperschaften (BVerfGE 1, 95; 3, 171; 26, 228), nicht jedoch, da kein objektives, für den einzelnen verbindliches Recht schaffend, allgemeine Verwaltungsvorschriften (BVerfGE 1, 83 f.; 2, 242 f.; 18, 15; 41, 105). Zur Anfechtung einer Rechtsnorm muß der Beschwerdeführer dartun, daß er von dieser selbst, gegenwärtig und unmittelbar, nicht erst durch den Normenvollzug in seinen Grundrechten verletzt wird (BVerfG i. st. Rspr. seit E 1, 101 ff.; aus späterer Zeit vgl. z. B. E 20, 290; 40, 156; 55, 246 f.; 58, 104). Außerdem läßt der bereits in Art. 94 II 2 verankerte Grundsatz der Subsidiarität eine VB i. d. R. nur zu, wenn der Beschwerdeführer zunächst versucht hat, die Grundrechtsverletzung durch Ausschöpfung des Instanzenzuges der Fachgerichte zu beseitigen (BVerfGE 49, 258; 55, 246 f.). Das Gesetz selbst muß in die Grundrechte des Beschwerdeführers eingreifen; bloße Reflexwirkungen des Gesetzes genügen nicht (BVerfGE 6, 278). Mit der VB kann auch mangelnde Zuständigkeit des Gesetzgebers gerügt werden (BVerfGE 24, 384 f.). Außer Kraft getretene Gesetze sind so lange mit der VB angreifbar, wie die während ihrer Geltung erfolgten Grundrechtsverletzungen noch nicht beseitigt sind (BVerfG i. st. Rspr. seit E 2, 242). VB gegen Gesetze, die das BVerfG bereits durch Urteil für gültig erklärt hat, sind unzulässig (BVerfGE 1, 89). Ein Unterlassen des Gesetzgebers kann i. d. R. nur gerügt werden, wenn dieser einen ausdrücklichen Gesetzgebungsauftrag des GG nicht oder unvollständig erfüllt und dadurch ein Grundrecht verletzt hat (BVerfG i. st. Rspr. seit E 6, 264; aus neuerer Zeit E 56, 70 ff.). Wird der VB gegen ein Gesetz stattgegeben, so ist es für nichtig zu erklären (§ 95 III 1 BVerfGG).

17 *Verwaltungsmaßnahmen:* Verfassungsbeschwerdefähig sind nur hoheitliche, sachentscheidende Verwaltungsmaßnahmen mit unmittelbarer Außenwirkung (BVerfGE 16, 93; 33, 20 f.) einschl. solcher, die in Beamten- und anderen Sonderrechtsverhältnissen ergehen, nicht dagegen Fiskalmaßnahmen, allgemeine Verwaltungsvorschriften (s. o. Rn. 16), verwaltungsinterne Weisungen und Vorgänge (BVerfGE 7, 61 f.) sowie unverbindliche Meinungsäußerungen (BVerfGE 2, 44). Zur Anfechtbarkeit von Gna-

denentscheidungen vgl. Art. 19 Rn. 14, Art. 60 Rn. 2 a. E. Nicht
verfassungsbeschwerdefähig, sondern nur im Wahlprüfungsverfahren angreifbar sind Entscheidungen und Maßnahmen
im Wahlverfahren (s. Art. 41 Rn. 5 Nr. 2, BVerfGE 14,
155; 16, 129 f.; 28, 219 f.; 29, 18 f.). VB gegen Untätigkeit in der
Verwaltung sind nur möglich, wenn der Beschwerdeführer einen
grundrechtl. Anspruch auf behördliches Handeln geltend machen
kann. Da die VB i. d. R. die vorherige Erschöpfung des Rechtsweges voraussetzt, wird sie im allgemeinen nicht gegen den Verwaltungsakt selbst, jedenfalls nicht nur gegen ihn, sondern hauptsächlich gegen das belastende Gerichtsurteil zu richten sein.

18 *Gerichtsentscheidungen:* VB kann gegen die Entscheidungen
sämtlicher Gerichte erhoben werden, ausgenommen die des
BVerfG selbst (BVerfGE 1, 89; 7, 18) mit Einschluß der Entscheidungen nach § 93 a BVerfGG (BVerfGE 18, 440; 19, 90). Auch
Entscheidungen der Landesverfassungsgerichte und besonderer
Wahlprüfungsgerichte der Länder sind mit der VB angreifbar (vgl.
dazu BVerfGE 6, 447; 13, 140; 34, 95; 42, 312). Beschwerdefähig
sind grundsätzlich nur gerichtliche Endentscheidungen, Zwischen-
entscheidungen nur, wenn sie ein besonderes Zwischenverfahren
abschließen und der entstandene Mangel bei der Schlußentschei-
dung nicht mehr behoben werden kann (BVerfG i. st. Rspr., z. B.
E 1, 325; 6, 14; 8, 255; 14, 10; 24, 61). Die Beschwer muß grundsätzlich in der Entscheidung selbst und nicht lediglich in Rechts-
ausführungen ihrer Begründung liegen (BVerfGE 8, 222). Gerichtsentscheidungen können im Verfassungsbeschwerdeverfahren nur auf Grundrechtsverletzungen und nicht allgemein auf ihre
Rechtmäßigkeit überprüft werden (BVerfG i. st. Rspr., z. B. E 1,
7; 1, 9; 11, 349; 29, 163; 42, 148 f.). Der VB kommt kein Suspensiv-
effekt zu; vgl. aber § 32 BVerfGG.

19 Bei Verwaltungsmaßnahmen und Gerichtsentscheidungen kann
die Grundrechtsverletzung im grundrechtswidrigen Verfahren, in
der grundrechtswidrigen Anwendung verfassungsmäßiger Gesetze
oder in der Anwendung grundrechtswidriger Gesetze liegen.

Nr. 4 b Kommunale Verfassungsbeschwerde

20 Der Inhalt der Nr. 4 b deckt sich mit § 91 BVerfGG. Den Gemeinden und Gemeindeverbänden – nicht auch den staatl. Hoheitsgewalt ausübenden Stadtstaaten (BVerfGE 1, 34) – ist ein *besonderes Verfassungsbeschwerderecht im Falle der Verletzung ihres
Selbstverwaltungsrechtes (Art. 28 II) durch ein Gesetz* (Bundes-

oder Landesgesetz) gegeben. »Gesetz« in diesem Sinne sind auch Rechtsverordnungen (BVerfGE 26, 236 f.; 56, 309) und anderes untergesetzliches Recht, nach h. M. jedoch nicht Gewohnheitsrecht (a. M. Bonner Komm., Art. 93 Rn. 806). Da Art. 28 II die gemeindliche Selbstverwaltung nur im Rahmen der Gesetze gewährleistet, muß es sich bei der verletzenden Norm um eine Vorschrift handeln, die *in den Kernbereich der gemeindlichen Selbstverwaltung eingreift,* und zwar unmittelbar eingreift (BVerfGE 25, 128). Keine VB nach Nr. 4 b bei Verletzung des Selbstverwaltungsrechts durch Einzelakt, insbes. Maßnahmen der Staatsaufsicht.

Nr. 5 Übrige im GG vorgesehene Fälle

21 Art. 18, Art. 21 II, Art. 41 II, Art. 61, Art. 84 IV 2, Art. 98 II und V, Art. 99, Art. 100, Art. 126.

Absatz 2

22 Beispiele: Früher §§ 90 ff. BVerfGG, nach geltendem Recht § 16 III WPrüfG, § 32 III, IV PartG.

Artikel 94 [Zusammensetzung des Bundesverfassungsgerichts]

(1) Das Bundesverfassungsgericht besteht aus Bundesrichtern und anderen Mitgliedern. Die Mitglieder des Bundesverfassungsgerichtes werden je zur Hälfte vom Bundestage und vom Bundesrate gewählt. Sie dürfen weder dem Bundestage, dem Bundesrate, der Bundesregierung noch entsprechenden Organen eines Landes angehören.

(2) Ein Bundesgesetz regelt seine Verfassung und das Verfahren und bestimmt, in welchen Fällen seine Entscheidungen Gesetzeskraft haben. Es kann für Verfassungsbeschwerden die vorherige Erschöpfung des Rechtsweges zur Voraussetzung machen und ein besonderes Annahmeverfahren vorsehen.

Absatz 1

1 »Bundesrichter« sind an sich die hauptamtlichen Richter der in Art. 95 und 96 genannten Bundesgerichte, nach § 2 III BVerfGG dem Sinne des Art. 94 entsprechend jedoch nur die der obersten Bundesgerichtshöfe. Auch die »anderen Mitglieder« müssen nach § 3 II BVerfGG die Befähigung zum Richteramt besitzen. Sämtliche Mitglieder werden von polit. Körperschaften, und zwar je zur Hälfte vom BTag (hier nach § 6 BVerfGG durch ein Wahlmännerkollegium) und vom BRat mit Zweidrittelmehrheit gewählt (§§ 5 ff. BVerfGG) und vom BPräs ernannt. Bei Verzögerungen der Wahl Vorschlagsrecht des BVerfG nach § 7 a BVerfGG. Der Umfang des dem BPräs bei der Ernennung zustehenden Prüfungsrechts ist umstritten; jedenfalls ist die Ernennung kein bloßer Urkundenvollzug. Vgl. auch Art. 60 Rn. 1. Den Präsidenten des BVerfG und seinen Stellvertreter wählen BTag und BRat im Wechsel (§ 9 BVerfGG). Die Richter müssen das 40. Lebensjahr vollendet haben und zum BTag wählbar sein (vgl. § 15 BWahlG). Die in Satz 3 aufgeführten Unvereinbarkeiten dienen der Unabhängigkeit des Gerichts und haben nach § 3 III 2 BVerfGG zur Folge, daß die Gewählten mit ihrer Ernennung zum Bundesverfassungsrichter aus den genannten Organen ausscheiden. Die Amtszeit der Richter dauert zwölf Jahre, längstens jedoch bis zum Ende des Monats, in dem der Richter das 68. Lebensjahr vollendet hat. Wiederwahl ist unzulässig (§ 4 BVerfGG).

Absatz 2

2 Siehe G über das Bundesverfassungsgericht i. d. F. vom 3. 2. 1971 (BGBl. I S. 105). *Verfassung:* Das Gericht besteht aus zwei Senaten mit je acht Richtern; davon müssen je drei Bundesrichter sein (§ 2 BVerfGG). Die Zuständigkeit der Senate ist gesetzlich geregelt (§ 14 BVerfGG). Das *Verfahren* ist von den Prinzipien der Mündlichkeit (§ 25 I BVerfGG) und der Offizialmaxime bestimmt und weicht für die verschiedenen Verfahrensarten z. T. voneinander ab. Von einigen Ausnahmen abgesehen entscheiden die Senate mit einfacher Mehrheit der mitwirkenden Richter (§ 15 BVerfGG). Die Entscheidungen des BVerfG erwachsen gleich denen anderer Gerichte in formelle und materielle Rechtskraft (BVerfGE 4, 38; 20, 86) und binden darüber hinaus die Verfassungsorgane des Bundes und der Länder sowie alle Gerichte und Behörden (§ 31 I BVerfGG). Nach BVerfGE 1, 37; 19, 392; 20, 87; 40, 93 f. binden außer der Entscheidungsformel auch die »tragenden« Gründe einer Entscheidung; a. M. BGHZ 13, 271 ff., 277 und ein Teil des Schrifttums. Gesetzeskraft, d. h. Allgemeinverbindlichkeit für jedermann haben die Entscheidungen in den Fällen der Normenkontrolle (Art. 93 I Nr. 2, 100, 126) und wenn das BVerfG im Verfassungsbeschwerdeverfahren ein Gesetz als mit dem GG vereinbar oder unvereinbar oder für nichtig erklärt (§ 31 II BVerfGG), nach BVerfGE 3, 34 überhaupt in allen Fällen, in denen es ein Gesetz für ungültig erklärt hat, also z. B. auch bei Ungültigerklärung im Wahlprüfungsverfahren. Vollstreckung der Entscheidungen: § 35 BVerfGG.

Artikel 95   [Oberste Gerichtshöfe]

(1)   Für die Gebiete der ordentlichen, der Verwaltungs-, der Finanz-, der Arbeits- und der Sozialgerichtsbarkeit errichtet der Bund als oberste Gerichtshöfe den Bundesgerichtshof, das Bundesverwaltungsgericht, den Bundesfinanzhof, das Bundesarbeitsgericht und das Bundessozialgericht.

(2)   Über die Berufung der Richter dieser Gerichte entscheidet der für das jeweilige Sachgebiet zuständige Bundesminister gemeinsam mit einem Richterwahlausschuß, der aus den für das jeweilige Sachgebiet zuständigen Ministern der Länder und einer gleichen Anzahl von Mitgliedern besteht, die vom Bundestage gewählt werden.

(3)   Zur Wahrung der Einheitlichkeit der Rechtsprechung ist ein Gemeinsamer Senat der in Absatz 1 genannten Gerichte zu bilden. Das Nähere regelt ein Bundesgesetz.

Absatz 1

1   Die Aufteilung in die hier aufgezählten *Zweige der Gerichtsbarkeit* ist für die dem Bund übertragene oberste Gerichtsstufe zwingend vorgeschrieben. Damit ist vor allem eine sog. justizstaatliche Gerichtsorganisation (»Einheitsgerichte«) auf der Bundesebene ausgeschlossen, aber auch eine Zusammenlegung mehrerer Gerichtshöfe unzulässig (str.). Ebensowenig ist es Art. 92 zufolge zulässig, weitere als die hier genannten Oberstgerichte zu errichten. Ein Grundsatz, daß Rechtsstreitigkeiten eines bestimmten Sachgebiets *ausnahmslos* nur dem betr. Zweige der Gerichtsbarkeit zugewiesen werden dürfen, ist dem Art. 95 nicht zu entnehmen. Der jeweilige Kernbereich sachlicher Zuständigkeiten muß jedoch gewahrt bleiben. Innerhalb dieser beiden Grundsätze ist die nähere Abgrenzung der Gerichtsbarkeiten Sache des Gesetzgebers. Die Bezeichnung «oberste Gerichtshöfe« besagt, daß den Bundesgerichtshöfen keine anderen Gerichte übergeordnet werden dürfen, auch nicht – außer in Verfassungsfragen – das BVerfG. Oberster Gerichtshof für die »ordentliche«, d. h. die Zivil- und Strafgerichtsbarkeit ist der Bundesgerichtshof in Karlsruhe (§§ 12, 123 ff. GVG), für die allgemeine Verwaltungsgerichtsbarkeit das Bundesverwaltungsgericht in Berlin (§§ 2, 10 VwGO), für die Finanz-

gerichtsbarkeit der Bundesfinanzhof in München (§§ 2, 10 f. Finanzgerichtsordnung vom 6. 10. 1965, BGBl. I S. 1477), für die Arbeitsgerichtsbarkeit das Bundesarbeitsgericht in Kassel (§§ 40 ff. ArbeitsgerichtsG vom 3. 9. 1953, BGBl. I S. 1267), für die Sozialgerichtsbarkeit das Bundessozialgericht in Kassel (§§ 38 ff. SozialgerichtsG i. d. F. vom 23. 9. 1975, BGBl. I S. 2535). Über die Zuständigkeiten der obersten Bundesgerichtshöfe innerhalb ihres Gerichtsbarkeitszweiges besagt Art. 95 nichts, insbes. verlangt er keine ausnahmslose Beschränkung auf höherinstanzliche Zuständigkeit (BVerfGE 8, 177 ff.). Aus Art. 99 ist jedoch zu entnehmen, daß die obersten Bundesgerichtshöfe grundsätzlich auf die Kontrolle der Anwendung von Bundesrecht beschränkt sein sollen.

Absatz 2

2 Über die *Berufung der Richter der obersten Gerichtshöfe* entscheidet der für das jeweilige Sachgebiet, d. h. den betr. Gerichtsbarkeitszweig verwaltungsmäßig zuständige BMinister gemeinsam mit einem Richterwahlausschuß, bestehend aus den jeweils sachlich zuständigen Landesministern und einer gleichen Anzahl von Mitgliedern, die der BTag wählt. Näheres: RichterwahlG vom 25. 8. 1950 (BGBl. S. 368). Also keine reine, sondern nur mitwirkende Richterwahl; der zuständige BMinister kann die Berufung ungeeignet erscheinender Richter verhindern. *Ernennung* durch den BPräs, der infolge von Abs. 2 nur berufene Richter ernennen darf (aber nicht unbedingt muß; vgl. Erläut. zu Art. 60 Rn. 1). Abs. 2 bezieht sich nur auf Berufsrichter (BVerfGE 26, 201).

Absatz 3

3 *Gemeinsamer Senat* (GS). Nach dem G zur Wahrung der Einheitlichkeit der Rechtsprechung der obersten Gerichtshöfe des Bundes vom 19. 6. 1968 (BGBl. I S. 661) entscheidet der GS (Sitz Karlsruhe), wenn ein oberster Gerichtshof in einer Rechtsfrage von der Entscheidung eines anderen obersten Gerichtshofs oder des GS abweichen will. Der GS besteht aus den Präsidenten der obersten Gerichtshöfe, den Vorsitzenden und je einem weiteren Richter der beteiligten Senate. Er entscheidet nur über die Rechtsfrage. Seine Entscheidung ist in der vorliegenden Sache für das erkennende Gericht bindend.

Artikel 96 [Bundesgerichte]

(1) Der Bund kann für Angelegenheiten des gewerblichen Rechtsschutzes ein Bundesgericht errichten.

(2) Der Bund kann Wehrstrafgerichte für die Streitkräfte als Bundesgerichte errichten. Sie können die Strafgerichtsbarkeit nur im Verteidigungsfalle sowie über Angehörige der Streitkräfte ausüben, die in das Ausland entsandt oder an Bord von Kriegsschiffen eingeschifft sind. Das Nähere regelt ein Bundesgesetz. Diese Gerichte gehören zum Geschäftsbereich des Bundesjustizministers. Ihre hauptamtlichen Richter müssen die Befähigung zum Richteramt haben.

(3) Oberster Gerichtshof für die in Absatz 1 und 2 genannten Gerichte ist der Bundesgerichtshof.

(4) Der Bund kann für Personen, die zu ihm in einem öffentlich-rechtlichen Dienstverhältnis stehen, Bundesgerichte zur Entscheidung in Disziplinarverfahren und Beschwerdeverfahren errichten.

(5) Für Strafverfahren auf den Gebieten des Artikels 26 Abs. 1 und des Staatsschutzes kann ein Bundesgesetz mit Zustimmung des Bundesrates vorsehen, daß Gerichte der Länder Gerichtsbarkeit des Bundes ausüben.

Absatz 1

1   Abs. 1 gibt dem Bund das Recht, für Angelegenheiten des *gewerblichen Rechtsschutzes* ein Bundesgericht zu errichten. Praktisch sollte damit die Möglichkeit geschaffen werden, die früheren Beschwerde- und Nichtigkeitssenate des Deutschen Patentamtes aus der Organisation dieser Behörde zu lösen und in Erfüllung der Forderung der Art. 19 IV und 92 zu einem selbständigen Gericht auf Bundesebene zusammenzufassen. »Angelegenheiten des gewerblichen Rechtsschutzes« sind Streitigkeiten über Tatbestände, deren gesetzliche Regelung ihre Grundlage allein in Art. 73 Nr. 9 findet. Von der in Abs. 1 erteilten Ermächtigung ist in den §§ 36 b ff. PatentG durch Errichtung des *Bundespatentgerichts* Gebrauch gemacht worden.

Absatz 2

2   Der Bund kann *Wehrstrafgerichte* für die Streitkräfte als Bundesgerichte bilden. Zum Begriff »Streitkräfte« vgl. die Erläut. zu Art. 87 a Rn. 1. Die Wehrstrafgerichte können die Strafgerichtsbarkeit einschl. der Gerichtsbarkeit über nichtdienstliche Strafta-

ten nur im Verteidigungsfalle (Art. 115 a) allgemein, im Frieden
hingegen bloß über solche Angehörige der Streitkräfte ausüben,
die ins Ausland entsandt oder an Bord von Kriegsschiffen eingeschifft, also von einer jederzeit erreichbaren innerdeutschen Gerichtsbarkeit abgeschnitten sind und andernfalls vielfach auch
ausländischer Gerichtsbarkeit unterliegen würden. Für den Verteidigungsfall kann die Wehrstrafgerichtsbarkeit auch auf fremde
Kriegsgefangene ausgedehnt werden. Deutsche, die nicht Angehörige der Streitkräfte sind, dürfen weder im Krieg noch im Frieden der Wehrstrafgerichtsbarkeit unterstellt werden. Außerhalb
des in Art. 96 gezogenen Rahmens wird die Strafgerichtsbarkeit
auch über Soldaten von den ordentlichen Strafgerichten ausgeübt. Eine nähere Regelung der Gerichtsverfassung und des Verfahrens der Wehrstrafgerichte ist noch nicht erfolgt. Die Zuständigkeit des BMJ ist als besondere rechtsstaatl. Vorkehrung zu verstehen. Die hauptamtlichen Richter der Wehrstrafgerichte müssen die Befähigung zum Richteramt haben (vgl. §§ 5 ff. DRiG).
Aus Satz 5 ergibt sich zugleich, daß bei jeder Entscheidung mindestens ein Richter mit der Befähigung zum Richteramt mitwirken muß. Rein militärisch besetzte Standgerichte sind damit ausgeschlossen.

Absatz 3

3 Als oberster Gerichtshof für die Angelegenheiten des gewerblichen Rechtsschutzes ist aus Gründen des Herkommens und wegen
des engen sachlichen Zusammenhanges mit anderen bürgerlichen
Rechtsstreitigkeiten der *Bundesgerichtshof* bestimmt worden. Die
Entscheidung, in welchen Fällen der BGH angerufen werden
kann, ist dem Gesetzgeber überlassen. Auch für die Wehrstrafgerichtsbarkeit ist der BGH oberster Bundesgerichtshof, und zwar
sowohl im Kriege wie im Frieden.

Absatz 4

4 *Bundesdisziplinar- und Beschwerdegerichte:* Abs. 4 gilt über die
Bundesbeamten, Bundesrichter und Soldaten hinaus für alle Personen, die in einem öff.-rechtl. Dienstverhältnis zum Bunde stehen, also z. B. auch für Grenzschutzdienstpflichtige, Dienstpflichtige in einem Zivilschutzverband (Art. 12 a I) und Ersatz-
dienstpflichtige (Art. 12 a II). Der Ausdruck »errichten« schließt
nicht aus, daß die Funktionen nach Abs. 4 bereits bestehenden
Bundesgerichten übertragen werden. Für die Bundesbeamten bestehen: 1) das Bundesdisziplinargericht in Frankfurt/M. mit Kam-

mern nach örtlichen Zuständigkeitsbereichen, 2) das Bundesverwaltungsgericht (Disziplinarsenate) in Berlin (vgl. im einzelnen
Bundesdisziplinarordnung i. d. F. vom 20. 7. 1967, BGBl. I
S. 750, 984), für die Richter im Bundesdienst ein Dienstgericht
beim BGH (vgl. §§ 61 ff. DRiG), für die Soldaten 1) die Truppendienstgerichte und 2) das Bundesverwaltungsgericht (Wehr-
dienstsenate) (vgl. Wehrdisziplinarordnung i. d. F. vom 4. 9.
1972, BGBl. I S. 1665, und Wehrbeschwerdeordnung i. d. F. vom
11. 9. 1972, BGBl. I S. 1737, 1906).

Absatz 5

5 Abs. 5 hängt mit der 1969 erfolgten allgemeinen Einführung eines
zweiten Rechtszuges in Friedensverrats- und Staatsschutzsachen
zusammen: 1. Instanz: Oberlandesgerichte (§ 120 GVG), 2. Instanz: Bundesgerichtshof (§ 135 GVG). Mit der in Abs. 5 zugelassenen »Organleihe« von Ländergerichten durch den Bund sollte
die Möglichkeit geschaffen werden, Gerichtsbarkeit des Bundes
auch durch Ländergerichte ausüben zu lassen und so trotz der
erstinstanzlichen Zuständigkeit von Ländergerichten die staatsan-
waltschaftliche Zuständigkeit des Generalbundesanwalts und das
Begnadigungsrecht des Bundes (Art. 60 II) beizubehalten.

Artikel 97 [Unabhängigkeit der Richter]

(1) Die Richter sind unabhängig und nur dem Gesetze unterworfen.

**(2) Die hauptamtlich und planmäßig endgültig angestellten Richter
können wider ihren Willen nur kraft richterlicher Entscheidung und
nur aus Gründen und unter den Formen, welche die Gesetze bestimmen, vor Ablauf ihrer Amtszeit entlassen oder dauernd oder zeitweise
ihres Amtes enthoben oder an eine andere Stelle oder in den Ruhestand versetzt werden. Die Gesetzgebung kann Altersgrenzen festsetzen, bei deren Erreichung auf Lebenszeit angestellte Richter in den Ruhestand treten. Bei Veränderung der Einrichtung der Gerichte oder ihrer Bezirke können Richter an ein anderes Gericht versetzt oder aus
dem Amte entfernt werden, jedoch nur unter Belassung des vollen Ge-
haltes.**

Absatz 1

1 Abs. 1 legt die *sachliche Unabhängigkeit* der Richter, zugleich
aber auch ihre Bindung an das Gesetz fest. Abs. 1 ist eine Grundnorm der Verfassung, wesentlicher Bestandteil sowohl der »ver-

fassungsmäßigen Ordnung« (z. B. Art. 9 II) wie der »freiheitlichen demokratischen Grundordnung« (z. B. Art. 18, 21 II) und als unverzichtbarer Bestandteil des Gewaltenteilungsprinzips über Art. 20 II 2 durch Art. 79 III wohl auch vor Verfassungsänderung geschützt (str.). Er gilt für Bundes- und Landesrichter, für Berufs- und ehrenamtliche Richter (BVerfGE 26, 201).

2 *Unabhängigkeit* bedeutet in erster Linie Weisungsfreiheit gegenüber Regierung und Verwaltung, ferner gegenüber dem Parlament und anderen Verfassungsorganen, mit den herkömmlichen Einschränkungen (vor allem: Bindung an die Rechtsbeurteilung von Revisionsgerichten, Bindung an Rechtsweg- und Zuständigkeitsentscheidungen) aber auch Entscheidungsfreiheit innerhalb der Gerichtsbarkeit (zu eng BVerfGE 12, 71; 31, 140; wie hier Maunz/Dürig, Art. 97 Rn. 34). Die Unabhängigkeit schließt grundsätzlich auch jede andere Form der Einflußnahme, vor allem einen wie immer gearteten Druck auf die richterliche Tätigkeit aus, ebenso jede Verantwortlichkeit vor anderen Staatsorganen. Unabhängig ist der Richter nicht nur beim Rechtsspruch, sondern auch bei den Entscheidungen, die der Rechtsfindung nur mittelbar dienen, z. B. Terminsbestimmung, Fristsetzung, Beweiserhebung, Sitzungspolizei (BGHZ 42, 169). Dienstaufsichtliche Maßnahmen sind nur in geringem, im wesentlichen auf die äußere Ordnung richterlicher Tätigkeit beschränkten Umfang zulässig (vgl. dazu § 26 DRiG). An Entscheidungen, die andere Staatsorgane rechtswirksam getroffen haben, ist der Richter nach dem Grundsatz der Einheit aller Staatsgewalt gebunden, sofern er nicht gesetzlich zur Rechtsprüfung gerade solcher Entscheidungen berufen ist (sog. »Tatbestandswirkung« der verschiedenen Staatsakte). Grundsätzlich nicht gebunden ist er jedoch an die solchen Entscheidungen zugrundeliegende Rechtsbeurteilung. Das GG gewährleistet auch die Unabhängigkeit der Richter gegenüber Beeinträchtigungen von nichtstaatl. Seite (Parteien, Verbände, Kirchen, Presse usw.), wobei aber die Grenzen insbes. zur Meinungs- und Pressefreiheit noch recht ungeklärt sind und die richterliche Unabhängigkeit nur ungenügend geschützt ist. Die Kritik *gefällter* Entscheidungen unterliegt keinen besonderen Schranken, solange kein Druck durch sie ausgeübt wird, auch nicht die Kritik durch andere staatl. Organe. Die Unabhängigkeit des Art. 97 I gilt nur für die richterliche Tätigkeit einschl. freiwilliger Gerichtsbarkeit und Geschäftsverteilung durch die Präsidien, nicht auch für die einem Richter übertragenen Gerichts- und Justizverwaltungsgeschäfte.

3 Gegenstück der Unabhängigkeit der Richter ist ihre *Bindung an
das Gesetz*. Vgl. dazu auch Art. 20 III. »Gesetz« ist jede Rechtsnorm, schließt also auch Rechtsverordnungen, autonome Satzungen, allgemeine Regeln des Völkerrechts (Art. 25), Staatsverträge normativen Inhalts sowie Gewohnheitsrecht und Observanzen
ein, nicht jedoch allgemeine Verwaltungsvorschriften. Sittengesetze kommen als Maßstab richterlicher Entscheidungen nur dort
in Betracht, wo das Gesetz auf sie verweist (z. B. Art. 2 I, § 138
BGB, § 1 UWG). Gleiches gilt für Sitten und technische Regeln.
Polit. Prinzipien und Programme darf der Richter seinen Entscheidungen nur zugrundelegen, soweit sie ihren Niederschlag in
Gesetzen gefunden haben. Der Richter hat ein Gesetz anzuwenden, auch wenn er es nicht billigt. Er kann nicht seine Auffassung
von Zweckmäßigkeit und Gerechtigkeit an die Stelle der des Gesetzgebers setzen. Er darf auch das Ergebnis einer Rechtsbeurteilung nicht mit der Begründung beiseite schieben, daß Vernunft,
Sittengesetze, religiöses Gebot oder das Gewissen des Richters eine andere Wertung verlangen. Seine Unterwerfung unter das
Recht ist eine unbedingte. Ungültigen oder ungültig gewordenen
Rechtsnormen dagegen kann und muß er die Anwendung versagen. Insoweit steht ihm auch gegenüber förmlichen Gesetzen ein
Prüfungsrecht zu, das jedoch durch Art. 100 I wesentlich eingeschränkt ist. Wenn aber einmal die Gültigkeit einer Rechtsnorm
feststeht, dann hat sie der Richter auch anzuwenden. Zur Frage
der Geltung überpositiven Rechts vgl. die Erläut. zu Art. 20
Rn. 9; jedenfalls ist bei Gesetzen auch hier Art. 100 zu beachten.
Seine Gesetzesunterworfenheit hindert den Richter nicht daran,
durch *Auslegung* gesetzter Normen das Recht fortzubilden
(BGHZ 3, 315, § 137 GVG, § 11 IV VwGO) und i. S. der
Rechtsordnung in schöpferischer Rechtsfindung Gesetzeslücken
zu schließen (BVerfGE 3, 242 ff.; 13, 164; 34, 287 ff.). Ein vom
geltenden Recht gelöstes, aus Willensentscheidungen und persön-
lichem Rechtsgefühl erwachsendes Richterrecht zu schaffen, ist
ihm jedoch versagt.

Absatz 2

4 *Satz 1* gewährleistet den hauptamtlich und planmäßig endgültig
angestellten Richtern, also der Hauptmasse der Berufsrichter zur
Sicherung ihrer sachlichen Unabhängigkeit (Abs. 1) auch die *persönliche Unabhängigkeit,* indem er ihre unfreiwillige Entlassung,
Amtsenthebung, Versetzung, Zurruhesetzung sowie gleichwerti-
ge Maßnahmen des Ausschlusses von richterlicher Tätigkeit (z. B.

durch Nichtigerklärung und Rücknahme der Ernennung, durch Geschäftsverteilungspläne – vgl. BVerfGE 17, 259) nur durch richterliche Entscheidung aus den gesetzlich festgelegten Gründen und in den gesetzlich vorgeschriebenen Formen zuläßt. Er gilt für die Richter aller Gerichtsbarkeitszweige, aber nur für Berufsrichter. Näheres: §§ 30 ff., 61 ff., 77 ff. DRiG. Eine Anstellung der Richter auf Lebenszeit schreibt das GG anders als die WeimRVerf nicht zwingend vor (BVerfGE 3, 224; 4, 345). Die nichtlebenszeitliche Anstellung von Richtern ist also zulässig, obwohl sie die richterliche Unabhängigkeit z. T. nicht unwesentlich beeinträchtigt; sie ist aber bei der herkömmlichen Organisation der deutschen Gerichtsbarkeit, insbes. im Interesse der Heranbildung des Richternachwuchses kaum zu entbehren. Doch bestimmt § 28 DRiG, daß wenigstens grundsätzlich als Richter bei einem Gericht nur Richter auf Lebenszeit tätig werden dürfen. Die Verwendung von Richtern mit nicht voll gesicherter persönlicher Unabhängigkeit muß auf das durch die Nachwuchsbildung oder sonst zwingend gebotene Maß beschränkt sein (BVerfGE 4, 345; 14, 70; 14, 162). Einschränkungen der persönlichen Unabhängigkeit enthalten Art. 97 II 3 und Art. 98 II und V. Auch ehrenamtlichen Richtern muß ein Mindestmaß persönlicher Unabhängigkeit gewährleistet sein (BVerfGE 26, 198 f.; 27, 322).

Zu *Satz 2* vgl. §§ 48, 76 DRiG, zu *Satz 3* §§ 32 f. DRiG.

Artikel 98   [Rechtsstellung der Richter]

(1)   Die Rechtsstellung der Bundesrichter ist durch besonderes Bundesgesetz zu regeln.

(2)   Wenn ein Bundesrichter im Amte oder außerhalb des Amtes gegen die Grundsätze des Grundgesetzes oder gegen die verfassungsmäßige Ordnung eines Landes verstößt, so kann das Bundesverfassungsgericht mit Zweidrittelmehrheit auf Antrag des Bundestages anordnen, daß der Richter in ein anderes Amt oder in den Ruhestand zu versetzen ist. Im Falle eines vorsätzlichen Verstoßes kann auf Entlassung erkannt werden.

(3)   Die Rechtsstellung der Richter in den Ländern ist durch besondere Landesgesetze zu regeln. Der Bund kann Rahmenvorschriften erlassen, soweit Artikel 74 a Abs. 4 nichts anderes bestimmt.

(4)   Die Länder können bestimmen, daß über die Anstellung der Richter in den Ländern der Landesjustizminister gemeinsam mit einem Richterwahlausschuß entscheidet.

**(5)   Die Länder können für Landesrichter eine Absatz 2 entsprechen-
de Regelung treffen. Geltendes Landesverfassungsrecht bleibt unberührt. Die Entscheidung über eine Richteranklage steht dem Bundesverfassungsgericht zu.**

Absatz 1

1 Der Vorschrift liegt die Absicht zugrunde, die Richter – zunächst
die Bundesrichter – aus der Unterstellung unter das allgemeine
Beamtenrecht herauszulösen und ihnen eine *besondere Rechtsstellung* zu verleihen. Das auf dieser Grundlage ergangene Deutsche
RichterG i. d. F. vom 19. 4. 1972 (BGBl. I S. 713) hat die
Rechtsverhältnisse der Richter jedoch Sachzwängen folgend wieder weitgehend in Anlehnung an die der Beamten geregelt. Zur
Rechtsstellung der Richter gehört u. a. die Regelung ihrer Amts-
bezeichnungen (BVerfGE 38, 8 ff.). Abs. 1 dürfte auch eine besondere Richterbesoldung fordern. So jedenfalls BVerfGE 32,
213. Bundesrichter i. S. des Abs. 1 sind die Berufsrichter des Bundes. Das »Bundesgesetz« muß ein förmliches Gesetz sein. Vgl.
auch Art. 74 a IV 2.

Absatz 2

2 Abs. 2 sieht eine *Richteranklage beim Bundesverfassungsgericht*
für den Fall eines richterlichen Verstoßes gegen die Grundlagen
der Verfassung des Bundes oder eines Landes vor. Gemeint ist nur
ein schuldhafter Verstoß. Abs. 2 will die Verfassungstreue der
Richter sicherstellen. Die Begriffe »Grundsätze« und »verfassungsmäßige Ordnung« sind wenig klar und nach der Natur der
Sache kaum unterschiedlich zu verstehen. Auf jeden Fall umfassen sie den Tatbestand der freiheitlichen demokratischen Grundordnung (vgl. insbes. Art. 18 und 21 II). Im übrigen sind die genannten Begriffe im Interesse der richterlichen Unabhängigkeit
eng auszulegen. Das in Abs. 2 vorgesehene Verfahren ist ein solches des Verfassungsschutzes, kein Straf- oder Disziplinarverfahren. Es ist gegen alle berufsmäßigen Bundesrichter einschl. der
Richter des BVerfG (str.) zulässig. Näheres vgl. §§ 13 Nr. 9, 58 ff.
BVerfGG. In der Praxis hat Abs. 2 bisher noch keine Rolle ge-
spielt.

Absatz 3

3 Auch die Länder sind verpflichtet, *besondere Landesgesetze* über
die Rechtsstellung ihrer Richter zu erlassen.

Absatz 4

4 Die Einrichtung von *Richterwahlausschüssen* ist den Ländern freigestellt, und zwar derart, daß sie auch vom Bundesgesetzgeber
nicht mehr dazu gezwungen werden können. Anstelle des Justiz-
ministers kann auch ein anderer fachlich zuständiger Minister mit-
entscheiden.

Absatz 5

5 Vgl. die Erläut. zu Abs. 2.

**Artikel 99 [Entscheidung landesrechtlicher Streitigkeiten durch
Bundesgerichte]**

**Dem Bundesverfassungsgerichte kann durch Landesgesetz die Ent-
scheidung von Verfassungsstreitigkeiten innerhalb eines Landes, den
in Artikel 95 Abs. 1 genannten obersten Gerichtshöfen für den letzten
Rechtszug die Entscheidung in solchen Sachen zugewiesen werden, bei
denen es sich um die Anwendung von Landesrecht handelt.**

1 Die Bestimmung dient der Einsparung justizieller Landeseinrich-
tungen durch *Zuständigkeitsübertragung an Bundesgerichte*. Zur
Zuständigkeitsübertragung bedarf es in allen Fällen eines förmlichen Landesgesetzes. Die Bundesgerichte entscheiden als Bundesorgane. Von der Möglichkeit des Art. 99 hat nur Schleswig-
Holstein Gebrauch gemacht (Art. 37 Landessatzung).

2 Der Begriff *»Verfassungsstreitigkeiten«* ist nach Meinung des
BVerfG i. d. R. so auszulegen, wie er auch sonst im GG (vor allem in Art. 93 I Nr. 1 u. 2) verstanden wird, und umfaßt Streitigkeiten zwischen am Verfassungsleben des Landes beteiligten
Rechtsträgern und Normenkontrollsachen, nach h. L. des Schrifttums aber auch andere mögliche Verfassungsstreitsachen wie
z. B. Ministeranklagen, Verfassungsbeschwerden und Wahlprü-
fungen. Es muß sich um streitiges Landesverfassungsrecht handeln. Dazu gehören auch bundesverfassungsrechtl. Bestimmungen, die in das Landesverfassungsrecht hineinwirken. Eine durch
Art. 99 begründete Zuständigkeit des BVerfG ist im Verhältnis zu
einer solchen nach Art. 93 I Nr. 4 vorrangig. Vgl. zum Vorstehenden BVerfGE 1, 218 ff. und 7, 83. Verfahren: §§ 73 ff. BVerfGG.

3 *Sonstige Rechtssachen:* Art. 99 gestattet weiter auch die Übertragung höchstinstanzlicher Entscheidungen in sonstigen Landes-
rechtsangelegenheiten auf oberste Bundesgerichtshöfe.

Artikel 100 [Einholung verfassungsgerichtlicher Entscheidungen in einem Gerichtsverfahren]

(1) Hält ein Gericht ein Gesetz, auf dessen Gültigkeit es bei der Entscheidung ankommt, für verfassungswidrig, so ist das Verfahren auszusetzen und, wenn es sich um die Verletzung der Verfassung eines Landes handelt, die Entscheidung des für Verfassungsstreitigkeiten zuständigen Gerichtes des Landes, wenn es sich um die Verletzung dieses Grundgesetzes handelt, die Entscheidung des Bundesverfassungsgerichtes einzuholen. Dies gilt auch, wenn es sich um die Verletzung dieses Grundgesetzes durch Landesrecht oder um die Unvereinbarkeit eines Landesgesetzes mit einem Bundesgesetze handelt.

(2) Ist in einem Rechtsstreite zweifelhaft, ob eine Regel des Völkerrechtes Bestandteil des Bundesrechts ist und ob sie unmittelbar Rechte und Pflichten für den Einzelnen erzeugt (Artikel 25), so hat das Gericht die Entscheidung des Bundesverfassungsgerichtes einzuholen.

(3) Will das Verfassungsgericht eines Landes bei der Auslegung des Grundgesetzes von einer Entscheidung des Bundesverfassungsgerichtes oder des Verfassungsgerichtes eines anderen Landes abweichen, so hat das Verfassungsgericht die Entscheidung des Bundesverfassungsgerichtes einzuholen.

1 Art. 100 geht von der Voraussetzung aus, daß die Gerichte nach Art. 97 I alle in den bei ihnen anhängigen Verfahren auftauchenden Rechtsfragen frei entscheiden und dabei berechtigt und verpflichtet sind, Rechtsnormen, die wegen Widerspruchs zu höherrangigem Recht ungültig sind, die Anwendung zu versagen. Er sucht die damit verbundene Rechtsunsicherheit durch voneinander abweichende Gerichtsentscheidungen und Gefährdung der Autorität des Gesetzgebers dadurch einzuschränken, daß er die wichtigsten richterlichen Prüfungs-, genauer gesagt Verwerfungsbefugnisse bei den Verfassungsgerichten, insbes. dem BVerfG konzentriert. Im übrigen besteht freies richterliches Inzidentprüfungs- und Entscheidungsrecht, insbes. in Fragen der Gültigkeit von Rechtsverordnungen (BVerfGE 1, 201; 1, 292) sowie der Ungültigkeit von Gesetzen durch spätere Gesetzgebung (lex posterior derogat legi priori). Gleiches gilt für die Frage, ob eine innerstaatl. Norm des einfachen Rechtes mit einer vorrangigen Bestimmung des EG-Rechtes vereinbar ist (BVerfGE 31, 174 f.). Zur

Prüfung deutscher Gesetze am Völkerrecht vgl. Rn. 8. Die Regelung in Art. 100 ist jedoch nicht so erschöpfend, daß sie etwa eine
durch den Gesetzgeber weiter angeordnete Konzentration der
Überprüfung- z. B. von Rechtsverordnungen – bei höheren Gerichten ausschlösse (bestr.; vgl. hierzu auch BVerfGE 4, 188 f.).
Außerdem konzentriert Art. 100 im Interesse der Rechtseinheit
noch einige andere Rechtsentscheidungen beim BVerfG.

Absatz 1

2   Abs. 1 behandelt die sog. *konkrete Normenkontrolle*, die Normenprüfung im Rahmen eines Gerichtsverfahrens.

Satz 1 befaßt sich mit *verfassungswidrigen Gesetzen*, und zwar
Bundes- und Landesgesetzen, die gegen das GG, sowie Landesgesetzen, die gegen eine Landesverfassung verstoßen. Hält ein Gericht ein Gesetz, auf dessen Gültigkeit es bei der Entscheidung an-
kommt, für verfassungswidrig, so hat es das Verfahren auszusetzen und die Entscheidung des BVerfG bzw. des zuständigen Lan-
desverfassungsgerichts einzuholen.

3   *Überprüfbare Rechtsnormen:* In der konkreten Normenkontrolle
überprüfbar sind *nur formelle Gesetze* (BVerfG i. st. Rspr. seit
E 1, 184, 201; aus neuerer Zeit E 48, 44 f.), auch Vertragsgesetze nach Art. 59 II (BVerfGE 12, 288; 30, 280) und Vertragsgesetze der Länder (BVerfGE 63, 140), Haushaltsgesetze (kaum praktisch) und Gesetze nach Art. 81. Rechtsverordnungen und allem
anderen untergesetzlichen Recht gegenüber besteht freies richterliches Prüfungsrecht (BVerfGE 48, 45). Ebenso für sog. vorkonstitutionelle Gesetze, d. h. Gesetze, die vor Inkrafttreten des GG
bzw. bei Landesgesetzen vor Inkrafttreten der Landesverfassung
verkündet worden sind (BVerfGE i. st. Rspr. seit E 2, 128 ff.).
Die Nichtanwendung einer vorkonstitutionellen Gesetzesnorm
bedarf allerdings dann eines Verfahrens nach Art. 100 I 1, wenn
der neue Gesetzgeber – besonders bei Gesetzesänderungen – sie
in erkennbarer Weise bestätigend in seinen Willen aufgenommen
hat (BVerfGE 6, 65; 11, 129 ff.; 25, 26 f.; 29, 42 f.). Äußersten-
falls unterliegen nach Meinung des BVerfG auch GG-Normen einer Prüfung auf Vereinbarkeit mit ranghöherem Recht (BVer-
GE 3, 230 ff.). Im übrigen bezieht sich Satz 1 nur auf deutsches
Recht, nicht auch auf Besatzungsrecht, und nur auf deutsches
Recht der Bundesrepublik Deutschland, nicht auch auf solches
der DDR. Berliner Landesgesetze sind wegen des Vorbehalts der
Militärgouverneure zum GG vom 12. 5. 1949 beim BVerfG nicht

vorlagefähig (BVerfGE 7, 1; 19, 385). Allgemeine Regeln des Völkerrechts sind nicht als solche, sondern nur als inkorporiertes Bundesrecht nach Art. 100 I 1 überprüfbar. Zur Prüfbarkeit von Rechtsvorschriften der EG-Organe vgl. Art. 24 Rn. 4.

4 *Prüfungsmaßstab* ist für Bundes- und Landesgesetze das *Grundgesetz*, für Landesgesetze außerdem die betr. *Landesverfassung*. Zum Begriff Grundgesetz bzw. Verfassung vgl. Art. 93 Rn. 3. Verfassungswidrig kann ein Gesetz wegen verfassungswidrigen Zustandekommens oder materieller Unvereinbarkeit mit der Verfassung sein; s. dazu Art. 93 Rn. 7. Zur Frage der Normenprüfung – auch der von Verfassungsnormen – am Maßstab überpositiven Rechts vgl. Art. 20 Rn. 9 und Art. 93 Rn. 7. Jedenfalls ist, wenn überhaupt ein richterliches Recht auf Normenprüfung am Maßstab überpositiven Rechts anerkannt wird, auch hier ein Prüfungsmonopol des Verfassungsgerichts anzunehmen (BVerfGE 3, 230 f.; bestr.).

5 Die konkrete Normenkontrolle – genau wie die abstrakte Normenkontrolle ein objektives Verfahren zur Rechtsnormprüfung (BVerfGE 20, 351) – kann nur von *Gerichten* in Gang gebracht werden. Andere Staatsorgane sind weder vorlageberechtigt noch vorlageverpflichtet. Doch hat auf Grund von Art. 20 III auch die Exekutive eine grundsätzliche Prüfungskompetenz gegenüber ungültigen Gesetzen, die Regierung vor allem mit Blickrichtung auf eine abstrakte Normenkontrolle nach Art. 93 I Nr. 2, die Beamten nach Maßgabe der §§ 56 BBG und 38 BRRG; vgl. hierzu auch BVerfGE 12, 185 f. Die strengere Bindung der Gerichte erklärt sich daraus, daß deren Entscheidungen im Rechtsleben ein höheres Gewicht zukommt. Zum Begriff des Gerichts vgl. Art. 92 Rn. 3 und – für Art. 100 etwas erweiternd – BVerfGE 6, 63. Vorlageberechtigt sind auch von öffentl. Körperschaften getragene Berufs-, Standes- und Ehrengerichte, nicht jedoch die (nichtstaatl.) Kirchen- und privaten Schiedsgerichte. Bei kollegialen Spruchkörpern muß i. d. R. das Gericht in voller, für das Urteil gebotener Besetzung das BVerfG anrufen (BVerfGE 16, 305 f.; 19, 72), der Vorsitzende von sich aus nur dann, wenn er die anstehende Entscheidung allein zu treffen hat (BVerfGE 54, 163 f.). Vorlegen darf immer nur ein Richter, nicht auch der voller sachlicher Unabhängigkeit entbehrende Rechtspfleger (BVerfGE 30, 171 f.; 55, 370; 61, 65) und nur der unabhängige, nicht auch der weisungsgebunden justizverwaltende Richter (BVerfGE 20, 311 f.). Bei angenommener Verletzung des GG haben auch die Landesverfassungsgerichte die Entscheidung des BVerfG einzuholen.

6   Voraussetzung der Vorlage ist, daß ein Gericht in einem bei ihm anhängigen Verfahren das zur Anwendung stehende Gesetz – ggf. auch nur mittelbar anzuwendende Gesetz (BVerfGE 2, 345) – für verfassungswidrig hält. Es muß also von der Verfassungswidrigkeit überzeugt sein. Zweifel an der Verfassungsmäßigkeit reichen nicht aus (BVerfG i. st. Rspr. seit E 1, 189). Die Gültigkeit des zur Anwendung stehenden Gesetzes muß weiter für die Entscheidung – und zwar die Endentscheidung des betr. gerichtl. Verfahrens (BVerfGE 50, 113) – nach Auffassung des anrufenden Gerichts rechtserheblich sein, der Vorlagebeschluß also erkennen lassen, daß das Gericht im Falle der Verfassungswidrigkeit des Gesetzes zu einer anderen Entscheidung kommen würde als bei seiner Verfassungsmäßigkeit (BVerfGE 58, 317 f.). Maßgebend ist hier also die Auffassung des vorlegenden Gerichts; nur bei offensichtlicher Unhaltbarkeit dieser Auffassung beansprucht das BVerfG, der Prüfung der Entscheidungserheblichkeit seine eigene Meinung zugrundezulegen (BVerfG i. st. Rspr. seit E 2, 190 ff.; aus neuerer Zeit E 50, 112; 54, 7; 65, 169), ebenso bei Abhängigkeit von verfassungsrechtl. Vorfragen (BVerfGE 46, 268). Das Gericht hat von sich aus vorzulegen, wenn es die Voraussetzungen für die Anrufung des BVerfG für gegeben hält. Ein Antrag der Prozeßparteien ist weder erforderlich noch genügend. Der Aussetzungs- und Vorlagebeschluß kann nicht angefochten werden. Die Vorlage eröffnet ein Zwischenverfahren beim BVerfG, das in den §§ 80 ff. BVerfGG näher geregelt ist. Das BVerfG entscheidet nur über die Rechtsfrage der Verfassungsmäßigkeit des Gesetzes. Es hat dabei die richtige Auslegung des zu überprüfenden Gesetzes zugrundezulegen (BVerfGE 7, 50; 8, 217; 10, 345; 17, 163 f.; 25, 390; a. M. v. Münch, Art. 100 Rn. 24 f.) und bei mehreren möglichen Auslegungen derjenigen den Vorzug zu geben, bei der die Vorschrift mit dem GG vereinbar ist (»verfassungskonforme Auslegung«; BVerfGE 18, 80). Bei Verfassungswidrigkeit wird das geprüfte Gesetz für nichtig erklärt (§§ 82 I, 78 BVerfGG). Die Entscheidung hat Gesetzeskraft (§ 31 II BVerfGG). Bei angenommen gleichzeitigem Verstoß eines Gesetzes gegen Bundes- und Landesverfassungsrecht muß zweifach vorgelegt werden (s. dazu BVerfGE 17, 180).

7   *Satz 2* dehnt die in Satz 1 getroffene Regelung einmal auf »Landesrecht«, d. h. neben den schon in Satz 1 erfaßten Landesgesetzen auf Landesverfassungsrecht, nicht dagegen auf Rechtsverordnungen der Länder aus, zum anderen auf förmliche Landesgesetze, die nicht gegen das GG, wohl aber gegen anderes Bundesrecht (auch Rechtsverordnungen des Bundes; BVerfGE 1, 292) verstoßen. Auch hier Konzentration der Prüfungs- und Verwerfungskompetenz beim BVerfG im Rahmen eines dort vom Gericht der Hauptsache anhängig zu machenden Zwischenverfahrens. Keine Anwendung von Satz 2, wenn es um die Frage geht, ob ein Landesgesetz mit späterem Bundesrecht vereinbar ist (BVerfGE 10, 124).

Absatz 2

8 Sog. Völkerrechtskontrolle – besser *»Völkerrechtsfeststellung«* – des BVerfG: Abs. 2 trifft im Interesse der Rechtssicherheit und der Autorität des Gesetzgebers eine dem Abs. 1 entsprechende Regelung – Aussetzung des Verfahrens, Einholung der Entscheidung des hierfür allein zuständigen BVerfG – für die in einem Gerichtsverfahren zweifelhaft werdenden Fragen, ob eine Regel des Völkerrechts Bestandteil des Bundesrechts ist, also überhaupt existiert und *allgemeine* Regel des Völkerrechts ist, und ob sie unmittelbar Rechte und Pflichten für den einzelnen erzeugt. Näheres dazu in den Erläut. zu Art. 25. Es genügen Zweifel hinsichtlich *einer* der genannten Fragen (vgl. BVerfGE 46, 362 f.), auch Zweifel über die Tragweite einer allgemeinen Völkerrechtsregel (BVerfGE 15, 31 f.; 16, 32 f.; 18, 448; 23, 318). Die Vorlagepflicht wird nicht nur dadurch ausgelöst, daß das Gericht selbst Zweifel hat, sondern auch dann, wenn es bei Prüfung der Geltungsfrage sonst auf ernstzunehmende Zweifel (z. B. von Verfassungsorganen, in Rechtsprechung oder Schrifttum) stößt (BVerfGE 23, 316, 319; 64, 14 f.). Auch hier muß die Zweifelsfrage entscheidungserheblich sein (BVerfGE 4, 321; 15, 30; 16, 279). Verfahren: §§ 83 f. BVerfGG. Die Entscheidung hat Gesetzeskraft (§ 31 II BVerfGG). Bestehen über die in Abs. 2 genannten Fragen *keine* Zweifel, ist die Rechtslage also klar, so entscheidet das Gericht der Hauptsache selbständig. Gleiches gilt für die Frage, ob und wieweit das deutsche Recht dem inkorporierten Völkerrecht weichen muß.

Absatz 3

9 Zur *Wahrung einer einheitlichen Rechtsprechung zum Grundgesetz* ist ein dem Abs. 1 entsprechendes Verfahren schließlich auch dann vorgesehen, wenn das Verfassungsgericht eines Landes bei der Auslegung des GG von einer Entscheidung des BVerfG oder des Verfassungsgerichts eines anderen Landes abweichen will.

Das Vorlagerecht der Landesverfassungsgerichte geht der in § 31 I BVerfGG ausgesprochenen Bindungswirkung der BVerfG-Entscheidung vor. Unter »Grundgesetz« ist das gesamte Verfassungsrecht des Bundes zu verstehen (vgl. dazu Art. 93 Rn. 3). Die Abweichung kann sich auf Urteilsformel oder Gründe der BVerfG-Entscheidung beziehen (BVerfGE 3, 264 f.). Verfahren: § 85 BVerfGG.

10 Die Rechtsprechung der obersten Bundesgerichtshöfe zum GG ist von Verfassungs wegen frei, jedoch einfachgesetzlich durch § 31 I BVerfGG und auch durch das G zur Wahrung der Einheitlichkeit der Rechtsprechung der obersten Gerichtshöfe des Bundes vom 19. 6. 1968 (BGBl. I S. 661) eingeschränkt.

Artikel 101   [Ausnahmegerichte, gesetzlicher Richter]

(1)   Ausnahmegerichte sind unzulässig. Niemand darf seinem gesetzlichen Richter entzogen werden.

(2)   Gerichte für besondere Sachgebiete können nur durch Gesetz errichtet werden.

Absatz 1

1 *Satz 1: Ausnahmegerichte* sind Gerichte, die in Abweichung von den allgemeinen gesetzlichen Zuständigkeitsregelungen ad hoc zur Entscheidung bestimmter Einzelfälle gebildet werden (BVerfGE 3, 223; 8, 182). Ihre Unzulässigkeit ergibt sich auch aus Satz 2.

2 *Satz 2: »Gesetzlicher Richter«* ist der durch das Gesetz (jede Rechtsnorm) und die es ergänzenden Geschäftsverteilungspläne der Gerichte im voraus allgemein bestimmte Richter. Bestimmt sein muß der Rechtsweg, das Gericht, der Spruchkörper und der einzelne Richter. Die Bestimmung muß so eindeutig wie möglich sein. Vgl. dazu BVerfGE 17, 298 ff.; 18, 69; 18, 349; 18, 425; 31, 54; 40, 360 f. Das Gebot des gesetzlichen Richters gilt für alle Zweige der staatl. Gerichtsbarkeit einschl. der freiwilligen Gerichtsbarkeit (BVerfGE 21, 144), jedes Verfahren, für alle Arten von Richtern einschl. der ehrenamtlichen Richter, auch für den Untersuchungsrichter (BVerfGE 25, 336) und für jede richterliche Tätigkeit, z. B. auch die Terminbestimmung (BVerfGE 4, 417). Satz 2 ist objektive Verfassungsnorm und zugleich grundrechtsähnlicher Anspruch für jeden, der in einem gerichtlichen

Verfahren Partei ist (BVerfGE 18, 447; 40, 360), auch für den
Staat und andere Körperschaften und Anstalten des öffentl.
Rechts (BVerfGE 6, 49; 21, 373). Er schützt vor sachwidrigen
Einflüssen auf die Rechtsprechung aus jeder Richtung (BVerf-
GE 20, 344; 30, 152), insbes. aus allen Zweigen der öffentl. Gewalt, nicht nur vor solchen der Exekutive, sondern ebenso vor
pflichtwidrigem Verhalten des Gesetzgebers (BVerfGE 10, 213)
und Maßnahmen innerhalb der Gerichtsorganisation (BVerf-
GE 4, 416; 48, 254). Zulässige Einflüsse der Exekutive sind: Änderung der Grenzen eines Gerichtsbezirks und Konzentration örtlicher Zuständigkeiten bei *einem* Gericht, wenn die Exekutive
durch Gesetz dazu ermächtigt ist (BVerfGE 2, 326; 27, 35), Auflösung von Spruchkörpern, wenn es sich um eine sachgebotene,
auf dauerhafte Umstände gegründete Maßnahme handelt
(BVerfGE 1, 439 f.). Verstöße des Gesetzgebers gegen Satz 2
kommen vor allem bei nichteindeutiger Bestimmung des gesetzlichen Richters in Betracht. Eine »bewegliche«, d. h. nicht vom
Gesetzgeber selbst endgültig bestimmte Zuständigkeitsregelung
ist nach BVerfGE 9, 223 zulässig, wenn sie unter justizmäßigen
Gesichtspunkten generalisiert und sachfremden Einflüssen auf
das Verfahren vorbeugt (s. auch BVerfGE 20, 344 ff.; 22,
259 ff.). Entziehung des gesetzlichen Richters von seiten der Gerichtsbarkeit findet z. B. statt durch förmliche Justizverweigerung
(BVerfGE 3, 364), willkürliche Zuständigkeitsbejahung oder
-verneinung, klar gesetzwidrige Richterbestimmung, nicht jedoch
durch bloßen Verfahrensirrtum (BVerfGE 3, 364 f.; 4, 416 f.; 7,
329; 23, 320; 29, 48; 29, 207). Auch Gerichtsstandsvereinbarungen
(§§ 38 ff. ZPO) und Schiedsgerichtsvereinbarungen beinhalten
keine Entziehung des gesetzlichen Richters. Schließlich folgt aus
Satz 2 eine staatl. Pflicht, die Unparteilichkeit und Neutralität des
Richters durch Ausschluß- und Ablehnungsregelungen zu sichern
(BVerfGE 21, 145 f.). Eine Verletzung des Satzes 2 kann im Verfassungsbeschwerdeverfahren nur eine Prozeßpartei rügen.

Absatz 2

3 Zulässig sind gesetzlich eingerichtete *Sondergerichte*, Gerichte also, die kraft gesetzlicher Regelung *allgemein* für einen bestimmten
Kreis von Rechtsangelegenheiten außerhalb der normalen (»ordentlichen«) Gerichte der Zivil-, Straf- und Verwaltungsgerichtsbarkeit für zuständig erklärt werden. Erforderlich ist ein formelles
Gesetz, Sondergerichte sind z. B. die Arbeits-, Sozial-, Finanz-,
Jugend-, Disziplinar-, Ehren- und Berufsgerichte (BVerfGE 18,

257; 26, 193), das Bundespatentgericht (Art. 96 I), Wehrstrafgerichte (Art. 96 II), Schiffahrtsgerichte (§ 14 GVG), Friedens-
und Gemeindegerichte (BVerfGE 10, 212 f.).

Artikel 102 [Abschaffung der Todesstrafe]
Die Todesstrafe ist abgeschafft.

Art. 102 ist unmittelbar geltendes Recht. An die Stelle der Todesstrafe ist lebenslange Freiheitsstrafe als nächsthöhere Strafe getreten. Die Vorschrift verbietet sowohl das Verhängen und Vollstrecken einer Todesstrafe wie auch das Wiedereinführen der Todesstrafe, nicht jedoch die nach Art. 16 II zulässige Auslieferung
wegen einer Straftat, die in dem ersuchenden Staat mit der Todesstrafe bedroht ist (BVerfGE 18, 112; bestr.; a. M. z. B. v.
Münch, Art. 102 Rn. 13). Art. 102 ist nicht nur objektive Verfassungsnorm, sondern auch grundrechtl. Abwehrrecht des einzelnen gegen den Staat. Art. 79 III i. V. m. Art. 1 steht einer Wiedereinführung der Todesstrafe durch Grundgesetzänderung – vor
allem im Kriege – nicht schlechthin entgegen (bestr.).

Artikel 103 [Grundrechte in der Gerichtsbarkeit]

(1)   Vor Gericht hat jedermann Anspruch auf rechtliches Gehör.

(2)   Eine Tat kann nur bestraft werden, wenn die Strafbarkeit gesetzlich bestimmt war, bevor die Tat begangen wurde.

**(3)   Niemand darf wegen derselben Tat auf Grund der allgemeinen
Strafgesetze mehrmals bestraft werden.**

1   Die Vorschriften des Art. 103 sind wesentliche Bestandteile des
Rechtsstaatsprinzips (BVerfGE 9, 95) und sowohl Normen des
objektiven Rechts wie auch grundrechtsähnliche Rechte der Begünstigten, die mit der Verfassungsbeschwerde verteidigt werden
können (Art. 93 I Nr. 4 a, §§ 90 ff. BVerfGG).

Absatz 1

2   Abs. 1 gibt jedermann vor Gericht einen Anspruch auf rechtl. Gehör. »*Rechtliches Gehör*« bedeutet Einräumung der Möglichkeit
an die Verfahrensbeteiligten, sich vor Erlaß gerichtlicher Entscheidungen tatsächlich und rechtlich zur Sache zu äußern, d. h.
Ausführungen zu machen und Anträge zu stellen (BVerfG

i. st. Rspr., aus neuerer Zeit E 54, 142), verlangt aber nicht unbedingt Gehör in mündlicher Verhandlung (BVerfGE 5, 11; 6, 20; 15, 307), persönliches Gehör (Anwaltsprozeß!) und Gehör durch Vermittlung eines Anwalts (BVerfGE 9, 132; 31, 301; 31, 308; 38, 118). Aus dem Grundsatz des rechtl. Gehörs folgt, daß einer gerichtlichen Entscheidung nur solche Tatsachen, Beweisergebnisse und Äußerungen anderer zugrundegelegt werden dürfen, zu denen die Verfahrensbeteiligten Stellung nehmen konnten (BVerfG i. st. Rspr. seit E 6, 14; 7, 240; 7, 278; aus neuerer Zeit z. B. E 46, 73; 55, 98). Das gilt auch für gerichtskundige und grundsätzlich auch offenkundige Tatsachen (BVerfGE 10, 177; 12, 113). Dagegen kein Zwang für das Gericht, der Entscheidung nur solche Rechtsansichten zugrundezulegen, zu denen sich die Beteiligten geäußert haben (vgl. dazu BVerfGE 31, 370). Der Grundsatz des rechtl. Gehörs schließt auch die Gewährung angemessener Äußerungsfristen ein (BVerfGE 4, 192; 6, 15; 8, 91; 49, 215 f.), ferner auf seiten des Richters, daß er die Ausführungen der Beteiligten zur Kenntnis nimmt und in die Entscheidungserwägungen einbezieht (BVerfGE 14, 323; 18, 383; 40, 104; 42, 367 f.; 47, 187; 55, 94). Zur Frage Gehör und Beweiserhebung: BVerfGE 50, 35 f. Ablehnung des Armenrechts wegen fehlender gesetzlicher Voraussetzungen ist keine Verweigerung des rechtl. Gehörs (BVerfGE 2, 341), wohl aber beschränkt u. U. die Nichtzuziehung eines Dolmetschers das rechtl. Gehör (vgl. BVerfGE 40, 99, aber auch 64, 144 f.). Ein Verstoß gegen Art. 103 I wird geheilt, wenn Gehör nachträglich im Rechtsmittelzug gewährt wird und berücksichtigt werden kann (BVerfGE 5, 24; 22, 286 f.).

3 Der Anspruch auf rechtl. Gehör steht allen Verfahrensbeteiligten zu: Parteien; Intervenienten, Beigeladenen und sonstigen Beteiligten, die von dem Verfahren unmittelbar rechtl. betroffen werden (BVerfGE 12, 8; 17, 361; 21, 373), natürlichen, juristischen Personen und nichtrechtsfähigen Verfahrensbeteiligten, auch dem Staat und seinen Behörden, sonstigen Körperschaften oder Anstalten des öffentl. Rechts, Ausländern (BVerfGE 18, 403) und ausländischen juristischen Personen (BVerfGE 12, 8; 18, 447).

4 Art. 103 I gilt nur für die Gerichte (BVerfGE 27, 103; BGHSt 23, 55); das rechtl. Gehör in der Verwaltung ist keine Frage des Art. 103 I. Er gilt nur für die staatl. Gerichte, nicht auch für private Schiedsgerichte (BGHZ 29, 355) und Kirchengerichte, im staatl. Bereich aber für alle Zweige der Gerichtsbarkeit, alle Instanzen und grundsätzlich jedes gerichtliche Verfahren, auch für

die freiwillige Gerichtsbarkeit (BVerfGE 19, 51), das Beschwerdeverfahren (BVerfGE 6, 14; 7, 98; 19, 51), das Klagerzwin-
gungsverfahren nach § 172 II StPO (BVerfGE 17, 356; 19, 36; 42,
175), das Armenrechtsverfahren (BVerfGE 20, 282) und die Verfahren mit Offizialmaxime (BVerfGE 7, 57; 10, 182). Abwesen-
heitsverfahren werden durch Art. 103 I nicht grundsätzlich ausgeschlossen (BVerfGE 1, 347; 41, 249). Ebensowenig besondere
Verfahrensarten, die nach Natur und Zweck, insbes. ihres Eilcha-
rakters wegen eine vorherige Anhörung des Betroffenen nicht ge-
statten, z. B. Arrest, einstweilige Verfügungen und Anordnungen, Durchsuchung, Beschlagnahme, Verhaftung; doch muß hier
wenigstens nachträgliches Gehör gegeben werden (BVerfGE 9,
96 ff.; 18, 404). Wenn das einfache Verfahrensrecht den Anforderungen des Art. 103 I nicht entspricht, so folgt das Recht auf Gehör aus dieser Vorschrift unmittelbar (BVerfGE 6, 14; 7, 98; 8,
255; 20, 282; 24, 62).

5   Die Verletzung des Art. 103 I kann durch Verfassungsbeschwerde nur dann mit Erfolg gerügt werden, wenn die angegriffene Ge-
richtsentscheidung auf der Verletzung des Art. 103 I beruht, d. h.
im Falle der Anhörung des Betroffenen einen anderen, ihm gün-
stigeren Inhalt hätte erhalten können (BVerfGE 7, 281; 13, 145;
18, 52; 55, 99). Keine Aufhebung derselben, wenn der Betroffene
die vorhandenen prozessualen Möglichkeiten des ordentlichen
Verfahrens, sich das rechtl. Gehör zu verschaffen, nicht ausgeschöpft hat (BVerfGE 5, 9; 33, 192).

Absatz 2

6   Abs. 2 verleiht dem *Grundsatz der Gesetzesgebundenheit im Strafrecht* (»Nullum crimen, nulla poena sine lege«) Verfassungskraft
und enthält zugleich ein Verbot des Erlassens rückwirkender
Strafgesetze, und zwar sowohl rückwirkend-strafbegründender
wie rückwirkend-strafverschärfender Gesetze (BVerfGE 25,
286). Er schließt ferner die Strafbegründung und -verschärfung im
Wege der Analogie, kraft Natur der Sache und durch Gewohnheitsrecht aus (vgl. BVerfGE 25, 285). Gegen Abs. 2 verstößt
auch eine Verurteilung, die auf objektiv unhaltbarer Auslegung
des geschriebenen materiellen Strafrechts beruht (BVerfGE 64,
389). »Gesetz« ist hier jede geschriebene Rechtsnorm, also auch
eine gehörig ermächtigte RVO oder Gemeindesatzung (BVerf-
GE 32, 362; 38, 371). Abs. 2 gilt für Kriminalstrafen, Ordnungsstrafen sowie grundsätzlich und sinngemäß auch für ehrengericht-
liche und Disziplinarstrafen (BVerfGE 26, 203 f.), dagegen nicht

für Maßnahmen der Sicherung und Besserung (§§ 61 ff. StGB), Beugestrafen (str.) und keinesfalls etwa analog für alle belastenden Maßnahmen der öffentl. Gewalt. Die nach Abs. 2 erforderliche gesetzliche Bestimmung der Strafbarkeit kann auch durch Blankettstrafgesetze erfolgen (BVerfGE 14, 251 f.; 37, 208 f.). Die Verlängerung oder Aufhebung von Verjährungsfristen steht nach BVerfGE 25, 269 nicht in Widerspruch zu Abs. 2, ebensowenig eine sonstige Änderung der Verfolgbarkeit strafbarer Handlungen zum Nachteil des Täters (str.). Nicht aus Art. 103 II, wohl aber aus dem Rechtsstaatsprinzip und Art. 1 I folgert das BVerfG, daß *jede Strafe Schuld voraussetzt* – nulla poena sine culpa (BVerfGE 20, 331; 25, 285; 50, 133).

Absatz 3

7 Das *Verbot der Mehrfachbestrafung* (»Ne bis in idem«) gilt nur im Verhältnis echter Kriminalstrafen zueinander (»auf Grund der allgemeinen Strafgesetze«), nicht auch im Verhältnis dieser zu Disziplinarstrafen (BVerfGE 21, 383 ff.; 21, 403 ff.; 26, 204), Ehrengerichtsstrafen, Ordnungsstrafen, Maßnahmen der Sicherung und Besserung nach dem StGB, Erzwingungshaft, Vereinsstrafen usw., die allesamt besondere Zwecke verfolgen. »Tat« ist der geschichtliche Vorgang, auf den Anklage und Eröffnungsbeschluß hinweisen. Verschiedene Taten können auch dann vorliegen, wenn sie strafrechtl. in Tateinheit (§ 52 StGB) stehen (BVerfGE 56, 28 ff.). Abs. 3 schließt nicht nur die mehrmalige Bestrafung wegen derselben Tat, sondern ebenso die nochmalige Einleitung eines Strafverfahrens aus und greift nach allg. Meinung auch zugunsten rechtskräftig Freigesprochener durch. Das hergebrachte Wiederaufnahmerecht wird durch Abs. 3 grundsätzlich nicht berührt; zulässig daher insbes. die Wiederaufnahme des Verfahrens zuungunsten des Angeklagten nach § 362 StPO. Kein Verbrauch der Strafklage durch Strafbefehl, wenn die neuerliche Bestrafung unter einem nicht schon im Strafbefehl gewürdigten rechtl. Gesichtspunkt erfolgt, der eine erhöhte Strafbarkeit begründet (BVerfGE 3, 248; BGHSt 3, 13). Zu ähnlichen Konkurrenzfällen vgl. BVerfGE 21, 388.

8 Das Verbot der Mehrfachbestrafung gilt nur innerhalb der Gerichtsbarkeit der Bundesrepublik Deutschland. Daher kein Verbrauch der Strafklage durch Urteile ausländischer Gerichte einschl. solcher der Besatzungsgerichte (BGHSt 6, 176) und durch Gerichtsurteile der DDR (BVerfGE 12, 66 f.). Besondere Regelungen gelten für die erneute Verfolgung von Straftaten, die Gegenstand gerichtlicher Entscheidungen der Drei Mächte waren, nach dem Überleitungsvertrag i. d. F. vom 23. 10. 1954 (BGBl. 1955 II S. 405); vgl. dazu u. a. BGHSt 12, 36.

Artikel 104 [Freiheitsentziehung]

(1) Die Freiheit der Person kann nur auf Grund eines förmlichen Gesetzes und nur unter Beachtung der darin vorgeschriebenen Formen beschränkt werden. Festgehaltene Personen dürfen weder seelisch noch körperlich mißhandelt werden.

(2) Über die Zulässigkeit und Fortdauer einer Freiheitsentziehung hat nur der Richter zu entscheiden. Bei jeder nicht auf richterlicher Anordnung beruhenden Freiheitsentziehung ist unverzüglich eine richterliche Entscheidung herbeizuführen. Die Polizei darf aus eigener Machtvollkommenheit niemanden länger als bis zum Ende des Tages nach dem Ergreifen in eigenem Gewahrsam halten. Das Nähere ist gesetzlich zu regeln.

(3) Jeder wegen des Verdachtes einer strafbaren Handlung vorläufig Festgenommene ist spätestens am Tage nach der Festnahme dem Richter vorzuführen, der ihm die Gründe der Festnahme mitzuteilen, ihn zu vernehmen und ihm Gelegenheit zu Einwendungen zu geben hat. Der Richter hat unverzüglich entweder einen mit Gründen versehenen schriftlichen Haftbefehl zu erlassen oder die Freilassung anzuordnen.

(4) Von jeder richterlichen Entscheidung über die Anordnung oder Fortdauer einer Freiheitsentziehung ist unverzüglich ein Angehöriger des Festgehaltenen oder eine Person seines Vertrauens zu benachrichtigen.

1   Art. 104 ergänzt Art. 2 II 2 und 3, der bestimmt, daß die Freiheit der Person unverletzlich ist und in sie nur auf Grund eines Gesetzes eingegriffen werden kann. Er enthält objektives Verfassungsrecht, hat aber auch Grundrechtscharakter und richtet sich gegen die öffentl. Gewalt in allen ihren Erscheinungsformen, z. B. auch gegen die Strafgerichtsbarkeit (BVerfGE 14, 186). Die sich aus Art. 104 ergebenden grundrechtsähnlichen Rechte können mit der Verfassungsbeschwerde verteidigt werden (Art. 93 I Nr. 4 a, §§ 90 ff. BVerfGG).

Absatz 1

2   *Satz 1: Freiheit der Person* ist hier wie in Art. 2 II 2 die *körperliche Bewegungsfreiheit* (vgl. BVerfGE 22, 26), Freiheitsbeschränkung die ohne den Willen des Betroffenen erfolgende Beeinträchtigung dieser Freiheit. Daß Eingriffe in die persönliche Freiheit nur auf rechtl. Grundlage möglich sind, ergibt sich bereits aus dem Rechtsstaatsprinzip (Art. 20 III) und Art. 2 II 3. Satz 1 verstärkt den in der Auslegung des Begriffs »Gesetz« nicht ganz eindeutigen Freiheitsschutz des Art. 2 II 3 dadurch, daß er für Freiheitsbeschränkungen ausdrücklich ein *förmliches Gesetz* (Bundes- oder Landesgesetz) verlangt (BVerfGE 29, 195). Rechtsverordnung, autonome Satzung, Gewohnheitsrecht und analoge Anwendung nicht unmittelbar einschlägiger Rechtsnormen genügen also nicht mehr (aaO S. 195 f.), wohl aber Blankettstrafgesetze (BVerfGE 14, 186 f.). Vgl. im übrigen Art. 19 I. Außerdem erhebt Satz 1 auch die Beachtung der *gesetzlichen Formvorschriften* zum Verfassungsgebot und Grundrecht.

3 *Satz 2* konkretisiert in bestimmter Hinsicht auch das in Art. 1 festgelegte Gebot der Achtung der Menschenwürde. Verboten sind insbes. jede Beeinträchtigung der körperlichen Gesundheit oder des körperlichen und seelischen Normalbefindens sowie entehrende und entwürdigende Behandlung. Vgl. hierzu § 136 a StPO. Isolierhaft ist grundsätzlich zulässig; ebenso lebenslängliche Freiheitsstrafe (BVerfGE 47, 270 f.).

Absatz 2

4 *Satz 1* macht jede *Freiheitsentziehung*, auch die fürsorgliche, von vorgängiger, zumindest alsbald nachfolgender *richterlicher Entscheidung* abhängig. Gedacht ist in erster Linie an die behördlich angeordnete Freiheitsentziehung. Doch gilt Abs. 2 Satz 1 und 2 zumindest auch dann, wenn ein Vormund den volljährigen Entmündigten in einer geschlossenen Anstalt unterbringt (BVerfGE 10, 302 ff.), bestr. dagegen, ob auch in Fällen, wo sich der Betroffene selbst der Haft gestellt hat und mit ihr einverstanden ist. »*Freiheitsentziehung*« ist nur die volle Freiheitseinschränkung, d. h. die *Einschließung auf engem Raum* (vgl. hierzu § 2 G vom 29. 6. 1956, BGBl. I S. 599), nicht dagegen die einfache Freiheitsbeschränkung wie z. B. gesundheitspolizeiliche Absperrmaßnahmen, Verbote, bestimmte Orte oder Räume zu betreten, Polizeiaufsicht, Zwangsvorführung von Angeklagten, Zeugen, Schulpflichtigen, Geschlechtskranken (BGHZ 82, 261) und sonstige Anwendung unmittelbaren Zwangs zur Durchsetzung einer Rechtspflicht. Daß Freiheitsentziehung nur vom Richter selbst angeordnet werden kann, ist nicht gesagt. Doch ist den Organen der vollziehenden Gewalt nur noch ein Recht zur vorläufigen Freiheitsentziehung in Eilfällen geblieben (vgl. dazu BVerfGE 22, 317 f.). Richterliche Entscheidung ist auch die eines Verwaltungsrichters. Überwiegend hat die Gesetzgebung die richterliche Entscheidung über Freiheitsentziehungen jedoch den Amtsgerichten zugewiesen. Infolge Abs. 2 ist auch Zwangshaft in der Verwaltungsvollstreckung nur noch auf Grund richterlicher Anordnung oder unter richterlicher Mitwirkung möglich (vgl. z. B. § 16 VerwaltungsvollstreckungsG vom 27. 4. 1953, BGBl. I S. 157). Vgl. auch Art. 2 Rn. 13.

5   *Satz 2:* Die richterliche Entscheidung ist von Amts wegen ohne schuldhaftes Zögern herbeizuführen.

6   *Satz 3* setzt eine absolute Zeitgrenze für den *Polizeigewahrsam.* »Polizei« sind alle Behörden der allgemeinen Gefahrenabwehr, nicht nur die der Vollzugspolizei. Satz 2 bleibt unberührt. Nach Zeitablauf ist der Betroffene zu entlassen. Satz 3 bildet keine Rechtsgrundlage für polizeiliche Freiheitsentziehung, sondern setzt eine spezialgesetzliche Ermächtigung hierfür voraus (vgl. Satz 4). Sonderregelung für den Verteidigungsfall: Art. 115 c II Nr. 2. Soweit Polizeibehörden strafverfolgend tätig werden, gilt Abs. 3.

7   *Satz 4:* Die hier angesprochene *gesetzliche Regelung* findet sich vor allem in der StPO und ZPO sowie im G über das gerichtliche Verfahren bei Freiheitsentziehungen vom 29. 6. 1956 (BGBl. I S. 599), z. T. in Landesgesetzen, insbes. soweit die Anstaltsunterbringung gemeingefährlicher Geisteskranker in Betracht kommt.

Absatz 3

8   Abs. 3 enthält eine besondere, allerdings nicht neue Regelung für die *Strafverfolgung* (vgl. hierzu §§ 114 ff., 127, 128 StPO). Für den Verteidigungsfall s. Art. 115 c II Nr. 2.

Absatz 4

9   Abs. 4 will verhindern, daß die öffentl. Gewalt jemanden spurlos verschwinden läßt. Vgl. hierzu insbes. § 114 b StPO und § 6 II des in Rn. 7 erwähnten Gesetzes. Die *Benachrichtigung* hat von Amts wegen zu erfolgen. Verantwortlich ist der Richter. Doch kann die Benachrichtigung selbst auch von einer beteiligten Behörde, z. B. der Staatsanwaltschaft, rechtswirksam vorgenommen werden (vgl. BVerfGE 38, 34). Auf die Benachrichtigung hat der Festge-

nommene einen Anspruch (BVerfGE 16, 122), nicht dagegen der Angehörige oder Vertrauensmann. Ob sie auch gegen den Willen des Betroffenen zu erfolgen hat, ist bestr., aber wohl zu bejahen.

X. Das Finanzwesen

Vorbemerkungen

1 Das GG behandelt das Finanzwesen in einem besonderen Abschnitt, der im Zuge einer organischen Weiterentwicklung der bundesstaatl. Ordnung durch das 20. und 21. G zur Änderung des GG vom 12. 5. 1969 (BGBl. I S. 357 u. 359) – Haushaltsreform- und Finanzreformgesetz – wesentlich geändert worden ist. Nach Abgrenzung der Finanzhoheit zwischen Bund, Ländern und Gemeinden (Art. 104 a–109) enthält er im zweiten Teil allgemeine Grundsätze der Haushaltswirtschaft des Bundes (Art. 110–115). Zur Abgrenzung der Finanzhoheit von Bund und Ländern gehören die Regeln über die Finanzlastverteilung (Art. 104 a), die Steuergesetzgebungskompetenzen (Art. 105) und die Kompetenzen zur Verwaltung der Steuern (Art. 108), die Verteilung des Steueraufkommens zwischen Bund, Ländern und Gemeinden (vertikaler Finanzausgleich, Art. 106) sowie die Verteilung des Steueraufkommens unter den Ländern (horizontaler Finanzausgleich, Art. 107) und schließlich die Abgrenzung der Haushaltshoheit zwischen Bund und Ländern (Art. 109).

2 Die verfassungsrechtl. Ordnung der Staatsfinanzen hat in einem modernen Staatswesen wegen der zunehmenden Bedeutung der öffentl. Haushalte für die Funktion der Gesamtwirtschaft ein besonderes Gewicht. Das gilt auch, weil sie Grundlage für die Aufrechterhaltung eines sozialstaatl. Leistungsgefüges ist. Ferner hat sie eine hervorragende Bedeutung im bundesstaatl. System (BVerfGE 55, 300 f.). Für dessen Bestand ist eine verfassungsrechtl. gesicherte Balance zwischen den Trägern der im föderalistischen System auf zwei Staatsebenen verteilten Macht notwendig. Da für die Entfaltung der polit. Macht die freie und unabhängige Verfügung über ausreichende Finanzmittel unerläßliche Voraussetzung ist, kommt es für das Funktionieren des föderalistischen Systems auf die Regeln an, die eine entsprechende Verteilung der staatl. Einnahmen auf Bund und Länder so gewährleisten, daß keine Ebene von der anderen finanziell abhängig ist. Darüber hinaus ist für die Erhaltung des Eigengewichts von Bund und Ländern und für ein ausgewogenes Verhältnis der beiden Ebenen zueinander erforderlich, daß im Prinzip die Zuweisung von staatl. Aufgaben an Bund und Länder durch die Verfassung

klar geregelt ist. Zu dieser Aufgabentrennung gehört auch eine
klare Trennung der finanziellen Lasten.

Artikel 104 a [Verteilung der Ausgabenlast auf Bund und Länder]

(1)   Der Bund und die Länder tragen gesondert die Ausgaben, die sich
aus der Wahrnehmung ihrer Aufgaben ergeben, soweit dieses Grundgesetz nichts anderes bestimmt.

(2)   Handeln die Länder im Auftrag des Bundes, trägt der Bund die
sich daraus ergebenden Ausgaben.

(3)   Bundesgesetze, die Geldleistungen gewähren und von den Ländern ausgeführt werden, können bestimmen, daß die Geldleistungen
ganz oder zum Teil vom Bund getragen werden. Bestimmt das Gesetz,
daß der Bund die Hälfte der Ausgaben oder mehr trägt, wird es im Auftrage des Bundes durchgeführt. Bestimmt das Gesetz, daß die Länder
ein Viertel der Ausgaben oder mehr tragen, so bedarf es der Zustimmung des Bundesrates.

(4)   Der Bund kann den Ländern Finanzhilfen für besonders bedeutsame Investitionen der Länder und Gemeinden (Gemeindeverbände)
gewähren, die zur Abwehr einer Störung des gesamtwirtschaftlichen
Gleichgewichts oder zum Ausgleich unterschiedlicher Wirtschaftskraft
im Bundesgebiet oder zur Förderung des wirtschaftlichen Wachstums
erforderlich sind. Das Nähere, insbesondere die Arten der zu fördern-
den Investitionen, wird durch Bundesgesetz, das der Zustimmung des
Bundesrates bedarf, oder auf Grund des Bundeshaushaltsgesetzes
durch Verwaltungsvereinbarung geregelt.

(5)   Der Bund und die Länder tragen die bei ihren Behörden entstehenden Verwaltungsausgaben und haften im Verhältnis zueinander für
eine ordnungsmäßige Verwaltung. Das Nähere bestimmt ein Bundesgesetz, das der Zustimmung des Bundesrates bedarf.

Absatz 1

1   Für die in der Staatspraxis sich ständig stellende wichtige Frage,
wer, Bund oder Länder, eine Staatsaufgabe zu finanzieren hat,
gibt Abs. 1 eine im Prinzip einfache und klare Antwort, indem er
sagt, *wer* nach der verfassungsrechtl. Verteilung der Aufgaben
zwischen Bund und Ländern eine *Aufgabe wahrzunehmen hat,
hat die sich daraus ergebenden Ausgaben aus seinen Haushaltsmitteln zu finanzieren (Konnexitätsgrundsatz).* Danach kommt es
nicht darauf an, wer eine Ausgabe veranlaßt hat. Das sog. Veran-

lassungsprinzip findet, seit Art. 104 a I in Kraft ist, in der Verfassung keine Stütze mehr; vgl. dazu BVerfGE 26, 390. Der Bund hat nicht generell die Lasten der Bundesgesetze zu tragen, sondern nur dann, wenn er sie selbst auszuführen hat (Art. 86) oder wenn ihm das GG die Finanzlast in besonderen Regelungen auferlegt (s. Abs. 2 und 3). Andernfalls haben die Länder die Lasten der Bundesgesetze zu tragen (s. Art. 83 i. V. m. Abs. 1). Der Konnexitätsgrundsatz gilt für alle Arten staatl. Tätigkeit. Das Schwergewicht der Ausgabenlast liegt in der Verwaltung, der gesetzesausführenden und der gesetzesfreien Verwaltung. Darüber hinaus gilt der Konnexitätsgrundsatz aber auch für die sich aus der Gesetzgebungsarbeit und der Rechtsprechung ergebenden Ausgaben. Wie die Aufgaben auf Bund und Länder aufgeteilt sind, ergibt sich aus Art. 30 i. V. m. den Vorschriften des GG, die dem Bund ausdrücklich Zuständigkeiten zuweisen, insbes. Art. 87, 87 b, 87 d, 88, 89. Darüber hinaus kann der Bund nach Art. 87 III für sich Zuständigkeiten begründen, für die er dann die volle Finanzlast trägt. Letzteres gilt auch für die Zuständigkeiten des Bundes aus der Natur der Sache oder kraft Sachzusammenhangs (s. Art. 30 Rn. 2), die echte Verwaltungskompetenzen sind und demgemäß dem Abs. 1 unterliegen. Abs. 1 enthält eine *Finanzlasttrennung* auch in dem Sinne, daß der Bund keine Länderaufgaben und die Länder keine Bundesaufgaben finanzieren dürfen (Ausnahmen: Art. 91 a, 91 b sowie Abs. 3 und 4 und Art. 120). Für die Frage, ob ein Land Aufgaben eines anderen Landes finanzieren darf, gibt Abs. 1 keinen Aufschluß.

2   Eine Sonderstellung nimmt das *ERP-Sondervermögen* ein. Obwohl in der Zweckbestimmung für dieses Sondervermögen auch Aufgaben aus dem Kompetenzbereich der Länder enthalten sind, rechtfertigen es der völkerrechtl. Entstehungsgrund der Stiftung durch einen ausländischen Staat und die damit verknüpfte Verpflichtung, das Vermögen durch den Bund zu verwalten, daß diese Verwaltung auch innerstaatl. im Verhältnis zu den Ländern durch den Bund geführt und finanziert wird.

Es ist umstritten, ob Abs. 1 auch für *Ausgaben* gilt, die *auf Grund von EG-Normen* vom Mitgliedsstaat selbst zu leisten sind. Für Richtlinien der EG, die nationaler Transformationsbestimmungen bedürfen (Art. 189 EWG-Vertrag), ergeben sich deswegen keine Schwierigkeiten, weil nationale Gesetze den Regeln der Art. 83 ff. und 104 a unterliegen. Bei EG-VO, die innerstaatl. unmittelbare Rechtswirkung haben, muß nach geltendem Verfassungsrecht an Art. 30 angeknüpft werden. Auch die Ausführung von EG-Normen ist zweifellos eine staatl. Aufgabe i. S. von Art. 30. Das ergibt sich aus Art. 30 i. V. m. Art. 24. Da Art. 24 die Möglichkeit eröffnet, daß zwischenstaatl. Einrichtungen innerstaatl. bindende Rechtsnormen erlassen, die von Behörden innerhalb der Bundesrepublik auszuführen sind, umfaßt Art. 30 (»Die Ausübung der staatlichen Befugnisse und die Erfüllung der staatlichen Aufgaben«) auch diese Aufgabe. Sie obliegt danach grundsätzlich den Ländern (vgl. auch Vorbem. vor Art. 83 Rn. 2), und zwar mit den Folgen, die sich aus Abs. 1 notwendig ergeben. Zu EG-VO, die Geldleistungen gewähren, s. Rn. 6.

Absatz 2

3 Die sich aus Abs. 2 ergebende Kostenlast des Bundes beschränkt sich auf die Zweckausgaben. Das ergibt sich aus Abs. 5. Zur Abgrenzung der Zweckausgaben von Verwaltungsausgaben vgl. Rn. 14. Auch bei der *Auftragsverwaltung* (Art. 85) ist die Verwaltung Länderaufgabe. Die *Kostenlast des Bundes* rechtfertigt sich aber aus den besonderen Ingerenzrechten des Bundes nach Art. 85. Auftragsverwaltung gibt es nur in den im GG ausdrücklich aufgeführten Fällen (vgl. Art. 85 Rn. 1).

Absatz 3

4 Abs. 3 handelt von *Geldleistungsgesetzen* (GLG) *des Bundes*. Gemeint sind formelle Gesetze. Im Gesetz müssen alle wesentlichen Merkmale der Geldleistungen (GL), vor allem die Höhe und die den Umfang der Ausgaben bestimmenden Momente enthalten sein. Der Gesetzgeber selbst muß die für die Entscheidung nach Satz 1 erheblichen Fakten nennen. Weitere Einzelheiten können auch in Verordnungen geregelt sein. GLG sind Gesetze, die für einen fest umgrenzten Kreis von Empfängern beim Vorliegen bestimmter, im Gesetz festgelegter Voraussetzungen öff.-rechtl. Leistungen in Geld vorsehen. »Gewähren« bedeutet, die Leistung muß freiwillig erbracht werden. Leistungen, die der Staat auf Grund bestehender Verpflichtungen erbringen muß, wie z. B. Enteignungsentschädigungen, Schadenersatz, Aufwendungserstattungen oder Leistungen, die in einem Austauschverhältnis zu anderen Leistungen stehen, unterliegen nicht Abs. 3. Darlehen können auch GL sein. Empfänger der GL müssen Dritte sein. Gesetze, die sich auf Leistungen an Länder oder Gemeinden beschränken, sind ihrem Wesen nach Finanzausgleich und allein nach Art. 106 und 107 zu beurteilen. Anders, wenn Länder und Gemeinden zusammen mit Dritten, für die in erster Linie Leistungen vorgesehen sind, wie diese bedacht werden. Für die Anwendung des Abs. 3 ist das Bestehen eines Rechtsanspruchs nicht Voraussetzung. Es genügt, wenn der Staat bindend einen Geldbetrag für GL bereithält, der nach dem Haushaltsplan begrenzt sein kann. Ein freies Ermessen, ob überhaupt Leistungen gewährt werden, hindert allerdings die Anwendung von Abs. 3. Auf Sachleistungen ist Abs. 3 nicht anwendbar. Solche sind gegeben, wenn nicht Geldbeträge ausgezahlt werden, sondern geldwerte Leistungen wie Krankenbehandlung, Rechtshilfe und ähnliches erbracht werden. Es muß sich um *Gesetze* handeln, *die von den Ländern ausgeführt werden.* Dabei kommt nur die Ausführung als eigene Angelegenheit in Betracht, denn für die Auftragsverwaltung gilt Abs. 2. Gesetze, die der Durchführung des Lastenausgleichs dienen, fallen unter die lex specialis der Art. 120, 120 a. Es ist strittig, ob es mit Abs. 3 vereinbar ist, Regelungen als steuerrechtliche zu behandeln, die Zuschüsse an Dritte aus dem Aufkommen der Einkommen- oder Körperschaftsteuer vorsehen, und zwar auch an solche Begünstigte, gegen die ein Steueranspruch, der ermäßigt werden könnte, gar nicht besteht, z. B. BergmannsprämienG (BGBl. 1969 I S. 434), InvestitionszulagenG (BGBl. 1979 I S. 24), Viertes VermögensbildungsG (i. d. F. vom 22. 12. 1983, BGBl. I S. 1595). Diese Gesetze sind ihrem Gehalt nach GLG. Wenn man sie den GLG nach Art. 104 a III zuordnet, müssen der Verzicht auf die Etatisierung der Ausgaben (Art. 110) und die Belastung der Gemeinden, die durch die Verkürzung des Steueraufkommens nach Maßgabe ihrer Beteiligung an der betr. Steuer eintritt, als unzulässig angesehen werden. Das gilt auch für die Auftragsverwaltung (bei Steuergesetzen gemäß Art. 108 III), weil der Bund von den Lasten (vgl. Art. 106 Rn. 7) nur 42,5 vH trägt.

5 *Satz 1:* Wenn die erörterten Voraussetzungen für ein GLG erfüllt sind, steht es im freien Ermessen des Gesetzgebers, welche *Quote* er *für die Kostenlast des Bundes und der Länder* festsetzen will. Wegen der in den Sätzen 2 und 3 an eine bestimmte Quote geknüpften Rechtsfolgen kann die vom Bund übernommene Last nicht in der Form eines festen Geldbetrages ausgedrückt werden, weil dann nicht in jedem Zeitpunkt feststeht, ob das Gesetz in Auftragsverwaltung auszuführen ist und ob es sich um ein zustimmungsbedürftiges Gesetz handelt. Auch die gleichmäßige Beteiligung des Bundes an den Leistungen in allen Ländern wäre nicht durchlaufend gesetzlich gewährleistet und mit besonderen Ermittlungen und Berechnungen nur nachträglich – und dann nur

durchschnittlich etwa für ein Haushaltsjahr – gesichert werden.
Eine solche Berechnung könnte aber nicht erfassen, daß sich je
nach Schwankung des Ausgabenvolumens des GLG die Quote
der Beteiligung von Bund und Ländern und damit möglicherweise
die Art der Verwaltung und die Zustimmungsbedürftigkeit des
Gesetzes im Laufe der Zeit ändern. Eine nachträgliche Feststellung wäre zudem nutzlos.

Satz 2 sieht vor, daß die Länder das Gesetz in *Auftragsverwaltung*
ausführen, wenn der Bund die Hälfte der Ausgaben oder mehr
trägt. In Abs. 2 des Art. 104 a ist die Finanzlastregelung Rechtsfolge der anderweitig im GG angeordneten Auftragsverwaltung
(s. zu Abs. 2 Rn. 3). In Abs. 3 ist es umgekehrt: hier ist die Auftragsverwaltung Rechtsfolge der Finanzlastregelung. In Abs. 2 ist
dem Bund die volle Kostenlast zugewiesen und in Abs. 3 Satz 2 ist
eine Auftragsverwaltung vorgesehen mit einer hälftigen oder höheren Kostenlast des Bundes. Abs. 3 Satz 2 ist gegenüber Abs. 2
lex specialis. Bei einem Gesetz, in dem ein Teil der Vorschriften
GL, andere aber Sachleistungen vorsehen, findet die Auftragsverwaltung nur hinsichtlich der GL statt. Die Frage, ob ein solches
Gesetz zustimmungsbedürftig ist (Satz 3), hängt für das ganze Gesetz davon ab, ob die Länder bei den GL-Bestimmungen mindestens 25 vH der Kosten tragen. Die Auftragsverwaltung tritt automatisch ein, und zwar auch bei Gesetzen, die bereits vor Inkrafttreten des Art. 104 a eine Kostenlast des Bundes von 50 vH oder
mehr vorsahen (z. B. Wohngeldgesetz).

6 *Satz 3* dient dem Schutz der finanziellen Länderinteressen. Wenn
ein GLG keine Regelung über die Verteilung der Lasten vorsieht,
ergibt sich die volle Kostenlast der Länder aus Art. 83 i. V. m.
Art. 104 a I. Auch für diesen Fall ist selbstverständlich die *Zustimmung des Bundesrates* erforderlich. Ebenso bedürfen Änderungen von GLG, deren Kosten zu einem Viertel oder mehr die
Länder tragen, der Zustimmung des BRates, wenn die Kostenlast
der Länder ausgeweitet oder umgestaltet wird, z. B. durch Erhöhung der Quote oder durch Vergrößerung oder Änderung des
Empfängerkreises oder durch Anhebung der Leistungen. Nur
eindeutige Senkungen der Kostenlast sind zustimmungsfrei. Allerdings ist sogar die Senkung der Quote der Länder zustimmungsbedürftig, weil es sich um eine Änderung der das Zustimmungserfordernis auslösenden Bestimmung handelt. Nach
BVerfGE 37, 363 entfällt jedoch das Zustimmungsbedürfnis,
wenn durch die Änderung schutzbedürftige Interessen der Länder
nicht berührt werden. Da für EG-VO, die GL vorsehen und die

ohne Mitwirkung des BRates unmittelbare Geltung haben,
Abs. 1 mit der Folge gilt, daß die Länder die Kosten tragen müssen, kann sich die Schutzfunktion des Satzes 3 hier nicht direkt
auswirken. Auch wenn das finanzpolitisch unbefriedigend sein
mag, kann ein anderes Ergebnis nicht gegen den klaren Wortlaut
der Verfassungsbestimmungen durch Umdeutung herbeigeführt
werden (a. A. Schmidt-Bleibtreu/Klein, Art. 104 a Rn. 11). Die
Lösung des Problems muß durch den vertikalen Finanzausgleich
oder dadurch erreicht werden, daß ein auf Abs. 3 Satz 1 gestütztes Bundesgesetz, in das die GL der EG-VO – sei es auch nur de-
klaratorisch – aufgenommen werden, die Kostenlast abweichend
regelt.

Absatz 4

7 Die Gewährung von *Finanzhilfen* (FH) *an die Länder* für Investitionsausgaben der Länder und Gemeinden ist eine Ausnahme von
dem in Abs. 1 festgelegten Konnexitätsprinzip, nach dem Bund
und Länder jeweils nur ihre eigenen Aufgaben finanzieren können. Die FH können nur für *Investitionen* gewährt werden. Im
Sinne des Art. 104 a IV sind das dauerhafte, langlebige Anlage-
güter (Sachinvestitionen). Da es in Abs. 4 um Beschäftigungs-
und um dauerhafte Wachstums- und Struktureffekte geht, ist hier
der Begriff anders als in Art. 115 zu verstehen. Darlehen sind anders als bei Art. 115 keine Investitionen i. S. des Abs. 4. Eine
weitere Einschränkung ergibt sich aus den Worten »besonders bedeutsame Investitionen«. Die Auslegung des unscharfen Begriffs
führt zu Unsicherheiten. Die Investitionen müssen hinsichtlich ihres Ausmaßes, ihrer gesamtstaatl. Wirkung und ihrer Größenord-
nung besonderes Gewicht haben. Es kommt nicht allein auf die
einzelne Investition an, sondern auch auf die Summe einer Vielzahl von Investitionen (vgl. dazu auch BVerfGE 39, 114 f.). Nach
dem eindeutigen Wortlaut kann der Bund die FH, auch soweit sie
für Investitionen der Gemeinden bestimmt sind, nur an die Länder geben (s. dazu BVerfGE 39, 122; 41, 313). Es ist nicht notwendig, daß die Länder oder die Gemeinden die Investitionen
selbst vornehmen. Mit den FH können auch Investitionen Dritter
gefördert werden (wie z. B. im Wohnungsbau), wenn nur die
Aufgabenkompetenz für die staatl. Förderung bei den Ländern
oder Gemeinden liegt. Eine unmittelbare Förderung privater Investitionen durch den Bund ist nicht nach Abs. 4, sondern nur zulässig, wenn der Bund dafür eine eigene Kompetenz hat.

8 Der Bund kann beim Vorliegen dieser Voraussetzungen seine FH nicht beliebig, sondern nur zu drei bestimmten Zwecken und nur mit den sich daraus ergebenden Einschränkungen gewähren. Die drei in Satz 1 genannten Zwecke (»zur Abwehr einer Störung des gesamtwirtschaftlichen Gleichgewichts oder zum Ausgleich unterschiedlicher Wirtschaftskraft oder zur Förderung des wirtschaftlichen Wachstums«) sind als unbestimmte Rechtsbegriffe formuliert. Ihre Abgrenzung bereitet in der Praxis Schwierigkeiten. Da die Gewährung von FH an die Länder eine Durchbrechung des Konnexitätsprinzips und damit eine Einwirkung in den Aufgabenbereich der Länder bedeutet (BVerfGE 39, 108), müssen die Begriffe im Interesse der Wahrung der Eigenstaatlichkeit der Länder so interpretiert werden, daß sich für deren Anwendung durch den Bund Grenzen ergeben. Das BVerfG prüft, »ob der Bundesgesetzgeber oder die Beteiligten an Verwaltungsvereinbarungen diese Begriffe im Prinzip zutreffend ausgelegt und sich in dem dadurch bezeichneten Rahmen gehalten haben« (BVerfG aaO).

9 Die erste Alternative *»Abwehr einer Störung des gesamtwirtschaftlichen Gleichgewichts«* weist gegenüber den folgenden beiden Alternativen Besonderheiten auf. FH können gewährt werden, wenn die Störung des gesamtwirtschaftlichen Gleichgewichts unmittelbar droht oder bereits eingetreten ist (zum Begriff »gesamtwirtschaftliches Gleichgewicht« vgl. Erläut. zu Art. 109 Rn. 6). Da das Instrument zur Abwehr einer Störung des gesamtwirtschaftlichen Gleichgewichts in Abs. 4 nur die Förderung von Investitionen ist, kann somit der Einsatz des Instruments nur bei einer solchen Störung in Betracht kommen, bei der die Anhebung des Investitionsniveaus eine konjunkturpolitisch geeignete Maßnahme ist. Bei einer Übernachfrage im Bausektor wäre die Anwendung von Abs. 4 in diesem Bereich bereits verfassungsrechtl. unzulässig. Aus Ziel und Zweck der ersten Alternative, zur konjunkturellen Belebung das Investitionsniveau der öffentl. Hand zu heben, ergibt sich, daß im Interesse einer möglichst breiten Wirkung hinsichtlich der Investitionsarten und Investitionsbereiche keine Grenzen bestehen. Da über 80 vH der Investitionsausgaben der öffentl. Hand im Aufgabenbereich der Länder und Gemeinden liegen, kann der Bund hier seine Finanzierungskompetenzgrenzen unter den Bedingungen dieser Vorschrift überspringen, um eine effektive Konjunkturpolitik zu betreiben. Die erste Alternative umfaßt daher auch Investitionen im Kulturbereich (Schulen usw.). Aus dem Zweck dieser Alternative, Konjunkturstörungen zu bekämpfen, und aus dem Gesichtspunkt, daß diese

FH tiefgreifende Auswirkungen auf die Länderhoheit haben,
folgt andererseits notwendig die Beschränkung, daß sie nur vorübergehend, und zwar verhältnismäßig kurzfristig angewendet
werden kann (vgl. dazu auch Art. 109 Rn. 7 a E. und BVerf-
GE 39, 112: »Sie greift nur in bestimmten konjunkturpolitischen
Krisensituationen ein . . .«).

10   Die zweite Alternative des Abs. 4 zielt auf den *Ausgleich unter-
      schiedlicher Wirtschaftskraft*. Damit können nur Unterschiede in
      der Wirtschaftskraft regionaler Räume gemeint sein. Bei dieser
      Alternative müssen die FH also in begrenzten Regionen mit dem
      Ziel eingesetzt werden, deren Wirtschaftskraft der der anderen
      Regionen des Bundesgebietes anzunähern. Es sind keine Gründe
      für eine zeitliche Begrenzung dieser FH ersichtlich. Die Gemein-
      schaftsaufgabe »Verbesserung der regionalen Wirtschaftsstruk-
      tur« (Art. 91 a I Nr. 2) verfolgt das gleiche Ziel. Da die von
      Art. 91 a erfaßten Maßnahmen nach den dort vorgesehenen Re-
      geln geplant und finanziert werden müssen, können die gleichen
      Maßnahmen nicht nach Art. 104 a IV gefördert werden. Für die
      von Art. 91 a erfaßten Maßnahmen ist Art. 91 a also gegenüber
      Art. 104 a IV lex specialis. Dieser Grundsatz greift jedoch gegen-
      über der ersten Alternative nicht durch, weil sie aus den genann-
      ten Gründen auch in dieser Hinsicht kompetenzübergreifend ist.

11   Die dritte Alternative – *Förderung des wirtschaftlichen Wachstums*
      – erweckt den Anschein, sie ermögliche wie die erste Alternative
      die Förderung jeder Art von Investitionen, denn nahezu jede Inve-
      stition weitet das Wachstum aus. Bei diesem Verständnis der drit-
      ten Alternative hätte die erste Alternative jedoch ihren Sinn verlo-
      ren. Sie muß also einschränkend dahin verstanden werden, daß es
      nicht auf einen unmittelbar additiven Wachstumseffekt wie in der
      ersten Alternative ankommt, sondern auf eine strukturelle Wir-
      kung als *Basis für eine Wirtschaftsentwicklung*. In diesem Sinne
      handelt es sich hier wie in der zweiten Alternative um FH, die mit-
      telbare Wirkung auf die Wirtschaftsentwicklung haben. Sie zielen
      auf Infrastrukturmaßnahmen, soweit diese für das Wirtschafts-
      wachstum Voraussetzung sind (s. dazu BVerfGE 39, 112). Wie
      bei der zweiten Alternative sind die FH nach der dritten Alternati-
      ve zeitlich unbegrenzt einsetzbar. Während aber die zweite Alter-
      native auf Regionen begrenzt ist, ist die dritte auf das ganze Bun-
      desgebiet gerichtet. Zum Verhältnis zu Art. 91 a gilt bei der drit-
      ten Alternative das gleiche wie bei der zweiten Alternative.

12   Aus den Zielen der zweiten und dritten Alternative und daraus,

daß sie neben der ersten Alternative eine eigenständige Bedeutung haben, muß abgeleitet werden, daß sie nicht wie die erste Alternative der Förderung aller denkbaren Investitionen dienen, sondern nur solchen, die geeignet sind, die *strukturellen Bedingungen für die Wirtschaftsentwicklung* regionaler Räume (zweite Alternative) oder des gesamten Wirtschaftsgebietes (dritte Alternative) – s. dazu BVerfGE 39, 112 – *zu verbessern.* Es muß ein enger Bezug zur Wirtschaftsförderung bestehen. Zu Beispielen für die Anwendung von Abs. 4 vgl. BVerfGE 39, 114. Das G zur wirtschaftlichen Sicherung der Krankenhäuser und zur Regelung der Krankenhauspflegesätze vom 29. 6. 1972 (BGBl. I S. 1009) dürfte, so eine verbreitete Auffassung, an der Grenze des Zulässigen gelegen haben. Theater, Schulen und etwa Natur- und Landschaftspflege sind Investitionsbereiche, die von der Zielsetzung des Abs. 4 zweite und dritte Alternative nicht gedeckt werden.

13 Aus den Worten »*Der Bund* kann den Ländern Finanzhilfen . . . gewähren« muß geschlossen werden, daß er *nur einen Anteil* der Investitionsfinanzierung *übernehmen* kann. Er kann weder die Investitionen der Länder oder Gemeinden selbst noch staatl. Zuwendungen der Länder an Dritte für deren Investitionen voll finanzieren. Immer verbleibt den Ländern ein Teil der sich aus ihrer Kompetenz ergebenden Finanzlast (s. BVerfGE 39, 116). Die FH können *auf Grund eines Gesetzes* oder einer *Verwaltungsvereinbarung* gewährt werden. Das Gesetz bedarf der Zustimmung des BRates. Die Verwaltungsvereinbarung muß mit allen gleichermaßen betroffenen Ländern schriftlich abgeschlossen werden (Einstimmigkeitsprinzip); BVerfGE 41, 308 f., aber auch BVerfGE 39, 121 zu Einzelprojekten einzelner Länder. Im Gesetz oder in der Verwaltungsvereinbarung muß alles Wesentliche für die FH enthalten sein (s. BVerfGE 39, 116; 41, 306). Dazu gehören neben der Bestimmung der Arten der Investitionen (genereller Verwendungszweck, BVerfGE 39, 115) die Festlegung der Höhe des Bundesanteils und die Verteilung der Bundesmittel unter den Ländern. Der Bund kann bei der Auswahl der Einzelprojekte nicht mitwirken. Er kann nur einzelne Projekte von der Förderung dann ausschließen, wenn sie ihrer Art nach nicht der im Bundesgesetz oder in der Verwaltungsvereinbarung festgelegten Zweckbindung der FH entsprechen oder gänzlich ungeeignet sind, zur Verwirklichung der mit den Bundeszuschüssen angestrebten Ziele des Art. 104 a IV 1 beizutragen (BVerfGE 39, 118; 41, 313). Der Bund darf die FH nicht von Dotationsauflagen finanzieller oder sachlicher Art abhängig machen (BVerfGE 39, 115). Anderer-

seits entspricht es dem Zweck des Abs. 4, als gesamtstaatl. Steue-
rungsinstrument zu dienen, daß der für die sachgerechte Handhabung verantwortliche Bund für einen der jeweiligen Lage angepaßten Einsatz des Instruments Sorge trägt und demgemäß die
Arten der Investitionen festlegt. Ein Verzicht darauf und z. B. eine pauschale FH für Gemeindeinvestitionen schlechthin wären
nicht verfassungsgemäß.

Absatz 5

14   In Abs. 5 wird der Konnexitätsgrundsatz des Abs. 1 bestätigt.
Wer nach der verfassungsrechtl. Aufgabenverteilung die Verwaltung wahrzunehmen hat, muß auch die *Verwaltungskosten* (VK)
tragen. Durch eine Vereinbarung, nach der z. B. die Länder im
Wege der Organleihe (s. Vorbem. vor Art. 83 Rn. 8) Verwaltungsaufgaben des Bundes ausführen (z. B. Bauaufgaben des Bundes,
ausgeführt von der Finanzbauverwaltung der Länder), kann allerdings eine Erstattung von VK an die Länder vorgesehen werden;
vgl. FinanzanpassungsG vom 30. 8. 1971 (BGBl. I S. 1426). In
der Praxis ist die Abgrenzung von VK und Zweckausgaben
schwierig. VK sind die Kosten, die durch die Verwaltungstätigkeit
an sich entstehen wie Personalkosten, Kosten von Verwaltungsge-
bäuden und deren Ausstattung sowie Gerät und Material.

15   Die in Satz 1 Halbs. 2 enthaltene Regelung über die *Haftung* hat
unmittelbar Wirkung auch ohne das in Satz 2 vorgesehene Gesetz.
Das Wesen der Vorschrift ist, daß sie eine Haftung unabhängig davon begründet, ob Bund oder Länder Bedienstete in Regreß nehmen können. Nach h. M. gilt die Haftung nicht für jedes geringfügige Fehlverhalten, sondern ist auf grobes Fehlverhalten beschränkt. Entsprechendes kann durch Gesetz geregelt werden.
Das in Satz 2 vorgesehene Gesetz ist bisher nicht ergangen.

Artikel 105 [Gesetzgebungszuständigkeiten]

**(1)   Der Bund hat die ausschließliche Gesetzgebung über die Zölle
und Finanzmonopole.**

**(2)   Der Bund hat die konkurrierende Gesetzgebung über die übrigen
Steuern, wenn ihm das Aufkommen dieser Steuern ganz oder zum Teil
zusteht oder die Voraussetzungen des Artikels 72 Abs. 2 vorliegen.**

**(2 a)   Die Länder haben die Befugnis zur Gesetzgebung über die örtli-
chen Verbrauch- und Aufwandsteuern, solange und soweit sie nicht
bundesgesetzlich geregelten Steuern gleichartig sind.**

(3) Bundesgesetze über Steuern, deren Aufkommen den Ländern oder den Gemeinden (Gemeindeverbänden) ganz oder zum Teil zufließt, bedürfen der Zustimmung des Bundesrates.

1 Der in der Finanzreform 1969 neugefaßte Art. 105 überträgt die Gesetzgebungskompetenz über Steuern (St) und Finanzmonopole nahezu vollständig auf den Bund. Wie die alte Fassung sieht auch die neue eine ausschließliche Bundeskompetenz für die Zölle und die Finanzmonopole vor. Während die alte Fassung noch eine Aufzählung der der konkurrierenden Gesetzgebungskompetenz unterliegenden St enthielt, hat der Bund nach der neuen Fassung des Art. 105 die konkurrierende Gesetzgebungskompetenz »über die übrigen Steuern«. Diese Verteilung der Kompetenzen schafft in dem geschlossenen Wirtschaftsgebiet der Bundesrepublik die steuerliche Rechts- und Wirtschaftseinheit und verhindert unterschiedliche Wettbewerbsbedingungen durch regional verschiedene Steuerregelungen. Eine zentrale Gesetzgebungskompetenz über die St ist auch Voraussetzung für den Einsatz der Steuerpolitik als wirtschafts- und sozialpolit. Lenkungsmittel.

2 Art. 105 umfaßt, mit Ausnahme der Regelung über die Hebesätze in Art. 106 VI 2, das gesamte materielle Steuerrecht einschl. der Vorschriften in der AO über das Steuerschuldrecht. Der *Begriff Steuer* ist in der Verfassung nicht definiert. Es entspricht der ganz überwiegenden Auffassung zu dieser Frage, daß zur Auslegung dieses Begriffs auf das Steuerrecht zurückgegriffen wird (BVerfGE 36, 70; vgl. auch E 49, 353 u. 55, 299). In § 3 AO vom 16. 3. 1976 (BGBl. I S. 613) ist der Begriff wie folgt definiert: »Steuern sind Geldleistungen, die nicht eine Gegenleistung für eine besondere Leistung darstellen und von einem öffentlich-rechtlichen Gemeinwesen zur Erzielung von Einnahmen allen auferlegt werden, bei denen der Tatbestand zutrifft, an den das Gesetz die Leistungspflicht knüpft; die Erzielung von Einnahmen kann Nebenzweck sein. Zölle und Abschöpfungen sind Steuern im Sinne dieses Gesetzes.« St sind danach Geldleistungen; Sach- und Dienstleistungen unterliegen nicht Art. 105. Öffentl. Gemeinwesen sind Bund, Länder und Gemeinden. Strittig ist, ob auch auf Grund von Bundesgesetzen einer Anstalt zufließende Geldleistungen St sein können. Die Geldleistung muß ferner hoheitlich auferlegt sein. Freiwillige oder vertragliche Leistungen sind niemals St. Zum Steuerbegriff gehört der Zweck, Einnahmen zu erzielen. Die Einnahme muß endgültig sein (BVerfG, NJW 1985, 39 f.). Ein rückzahlbarer Konjunkturzuschlag ist keine St

(BVerfGE 29, 409). Die Einnahmeerzielung muß nicht Hauptzweck sein. St können auch anderen Zwecken dienen wie Wirt-
schaftslenkung, Konjunktursteuerung (vgl. G zur Förderung der
Stabilität und des Wachstums der Wirtschaft vom 8. 6. 1967,
BGBl. I S. 582, §§ 26–28) oder Sozialgestaltung (BVerfG, zuletzt
E 38, 80; 55, 299 u. NJW 1985, 39). Die Steuergesetzgebungskompetenz deckt auch die anderen Sachzwecke. St sind Geldleistungen, die nicht eine Gegenleistung für eine besondere Leistung
darstellen. Deswegen scheiden Gebühren und Beiträge aus. *Gebühren* sind Gegenleistungen für Verwaltungshandeln. *Beiträge*
gelten die Nutznießung an und Vorteile aus öffentl. Einrichtungen ab (vgl. auch BVerfGE 7, 254; 20, 269). Die Bindung einer St
für bestimmte Zwecke steht dem Steuercharakter nicht entgegen
(BVerfGE 49, 353). Sie darf aber nicht untauglich für diesen
Zweck sein (BVerwG, DVBl 1983, 134).

3   Neben den St haben die *Sonderabgaben*, die in der Rechtsprechung des BVerfG verfassungsrechtl. Anerkennung gefunden haben, in der Praxis erhebliche Bedeutung erlangt. Sie unterscheiden sich von den St nach »Idee und Funktion« grundlegend. Kompetenzgrundlage sind die Art. 70 ff. Diese können aber nur dann
herangezogen werden, wenn das Gesetz selbst über die Mittelbeschaffung hinaus wirtschaftsregulierenden oder -lenkenden Charakter hat (BVerfGE 55, 298; BVerfG, NJW 1985, 37). Die Erhebung von Sonderabgaben ist nach der Rechtsprechung des
BVerfG nur unter engen Voraussetzungen zulässig. Abgabe-
pflichtig kann nur eine von der Allgemeinheit durch gemeinsame
Interessen oder besondere gemeinsame Gegebenheiten abgrenz-
bare Gruppe sein (homogene Gruppe). Die Erhebung der Abgabe setzt ferner eine spezifische Beziehung zwischen dem Kreis der
Abgabepflichtigen und dem mit der Abgabeerhebung verfolgten
Zweck voraus. Aus dieser Sachnähe zum Erhebungszweck muß
eine besondere Verantwortung der Gruppe für die Erfüllung der
mit der Abgabe zu finanzierenden Aufgabe entspringen. Schließlich muß die Abgabe im Interesse der Abgabepflichtigen, also
»gruppennützig« verwendet werden (BVerfGE 55, 307; BVerfG,
NJW 1985, 37 f.). Die Investitionshilfeabgabe nach dem Investi-
tionshilfeG vom 20. 12. 1982 (BGBl. I S. 1857) ist weder eine St
noch erfüllt sie die Kriterien der Sonderabgabe (BVerfG, NJW
1985, 37 ff.).

Eine besondere Gruppe innerhalb der Sonderabgaben bilden die
Ausgleichs-Finanzierungsabgaben. Sie dienen nicht in erster Linie
der Mittelbeschaffung, sondern sollen Belastungen oder Vorteile

innerhalb eines bestimmten Erwerbs- oder Wirtschaftszweiges ausgleichen; vgl. z. B. BVerfGE 8, 316 f.; 17, 292; 18, 287; 18, 328. Das BVerfG läßt hier von den von ihm selbst aufgestellten strengen Kriterien für Sonderabgaben Ausnahmen zu, ohne diese näher zu definieren (BVerfG, NJW 1985, 38). Nach bisher entschiedenen Einzelfällen sollen sie ungleichmäßige öffentl. Lasten ausgleichen (BVerfGE 13, 170 f., Feuerwehrabgabe), ein bestimmtes Verhalten von Personen bewirken (BVerfGE 57, 153, Schwerbehindertenabgabe) oder der wirtschaftspolit. Globalsteuerung dienen (BVerfGE 29, 402, Konjunkturzuschlag).

4 Eine Besteuerung hoheitlicher Tätigkeit ist nicht zulässig. Das folgt aus dem Lastenverteilungsgrundsatz des Art. 104 a I, wonach – ohne ausdrückliche verfassungsrechtl. Ausnahmeregelung – keine Ebene sich ihre Aufgaben von der anderen Ebene finanzieren lassen darf. Wenn z. B. der Bund im Rahmen staatsrechtl. Beziehungen den Ländern keine Mittel für den Naturschutz zweckgebunden gewähren darf, kann er erst recht nicht durch Belastung seiner hoheitlichen Tätigkeit mit Abgaben zugunsten des Naturschutzes auf Grund eines Ländergesetzes dazu gezwungen werden.

Absatz 1

5 Abs. 1 verwehrt den Ländern jegliche Gesetzgebungskompetenz auf dem Gebiet der *Zölle* (vgl. auch Art. 73 Nr. 5). Zölle sind Abgaben auf die Warenbewegung über eine Zollgrenze; vgl. BVerfGE 8, 269. *Finanzmonopole* sind solche Monopole, deren vorwiegender Zweck die Erzielung von Einnahmen ist. Nach Beendigung des Zündwarenmonopols (16. 1. 1983) besteht nur noch das Branntweinmonopol.

Absatz 2

6 Für Art. 105 II gelten die Regeln des Art. 72 über die *konkurrierende Gesetzgebung*. Hat der Bund einen Steuergegenstand geregelt, sind die Länder insoweit von der Steuergesetzgebung ausgeschlossen. Für den Ausschluß kommt es darauf an, ob eine Landessteuer gleichartig ist. Nach der Rechtsprechung des BVerfG ist auf den Vergleich der steuerbegründenden Tatbestände abzustellen. Es sind einzubeziehen Steuergegenstand, Steuermaßstab, Art der Erhebung und die wirtschaftlichen Auswirkungen. Besonderes Gewicht hat die Frage, ob die zu vergleichenden St dieselbe Quelle wirtschaftlicher Leistungsfähigkeit ausschöpfen

(BVerfGE 49, 355). Die Beurteilung kann im Einzelfall sehr schwierig sein; vgl. dazu BVerfGE 7, 260; 13, 193; 16, 75 f. und 40, 62 ff. Die weitgehende Fassung des Art. 105 »die übrigen Steuern« bedeutet, daß der Bund ein *Steuerfindungsrecht* hat, d. h. er kann neuartige St einführen. Das gilt auch für die Länder im Rahmen des Art. 72.

Absatz 2 a

7 Abs. 2 a begründet eine *ausschließliche Gesetzgebungskompetenz für die Länder*. Eine *Verbrauchsteuer* liegt auf dem Verbrauch von Gütern und knüpft an den Übergang einer Sache aus dem steuerlichen Nexus in den freien Verkehr an (BVerfGE 16, 74). *Aufwandsteuer* liegt auf der in der Einkommensverwendung für den persönlichen Lebensbedarf zum Ausdruck kommenden wirtschaftlichen Leistungsfähigkeit (BVerfGE 49, 354). Abs. 2 a betrifft nur *örtliche* St, d. h. nur solche, die einen örtlichen Bezug haben und in ihrer Wirkung auf das Gemeindegebiet beschränkt sind (örtlich radizierbar); BVerfGE 16, 327; 40, 61; BVerwGE 58, 237 f. Die Länder können nach Abs. 2 a Halbs. 2 keine örtlichen St einführen, die bundesgesetzlich geregelten gleichartig sind. Nach der Rechtsprechung des BVerfG hat hier der Begriff »gleichartig« eine andere Bedeutung als in Abs. 2 (BVerfGE 40, 61 ff.). Das BVerfG hat den Begriff jedoch nicht definiert. Es hat aber anerkannt, daß die herkömmlichen, am 1.1.1970 bestehenden örtlichen Verbrauch- und Aufwandsteuern der Gemeinden mit Art. 105 vereinbar sind: z. B. Getränkesteuer (BVerfGE 44, 216), Vergnügungsteuer (BVerfGE 42, 41), Hundesteuer sowie Jagd- und Fischereisteuer. Nach BVerfGE 65, 325 und BVerwGE 58, 231 ist auch eine Zweitwohnungssteuer nach Abs. 2a zulässig; vgl. aber BVerwG, NJW 1980, 799. Die Besteuerung nur auswärtiger Zweitwohnungsinhaber ohne hinreichenden sachlichen Grund ist jedoch mit Art. 3 I nicht vereinbar (BVerfGE 65, 325).

Absatz 3

8 Abs. 3 gibt den Ländern, denen keine wesentliche Steuergesetzgebungskompetenz mehr zusteht, zur Wahrung des bundesstaatl. Gleichgewichts einen Ausgleich, indem er die *Zustimmung des Bundesrates* für Gesetze über solche St vorsieht, die den Ländern i. S. des Art. 106 ganz oder z. T. zufließen. Zur Abgrenzung von Gesetzen über St gemäß Art. 105 von anderen Gesetzen vgl. BVerfGE 14, 220.

Artikel 106 [Verteilung des Steueraufkommens zwischen Bund, Ländern und Gemeinden]

(1)   Der Ertrag der Finanzmonopole und das Aufkommen der folgenden Steuern stehen dem Bund zu:

1. die Zölle,
2. die Verbrauchsteuern, soweit sie nicht nach Absatz 2 den Ländern, nach Absatz 3 Bund und Ländern gemeinsam oder nach Absatz 6 den Gemeinden zustehen,
3. die Straßengüterverkehrsteuer,
4. die Kapitalverkehrsteuern, die Versicherungsteuer und die Wechselsteuer,
5. die einmaligen Vermögensabgaben und die zur Durchführung des Lastenausgleichs erhobenen Ausgleichsabgaben,
6. die Ergänzungsabgabe zur Einkommensteuer und zur Körperschaftsteuer,
7. Abgaben im Rahmen der Europäischen Gemeinschaften.

(2)   Das Aufkommen der folgenden Steuern steht den Ländern zu:

1. die Vermögensteuer,
2. die Erbschaftsteuer,
3. die Kraftfahrzeugsteuer,
4. die Verkehrsteuern, soweit sie nicht nach Absatz 1 dem Bund oder nach Absatz 3 Bund und Ländern gemeinsam zustehen,
5. die Biersteuer,
6. die Abgabe von Spielbanken.

(3)   Das Aufkommen der Einkommensteuer, der Körperschaftsteuer und der Umsatzsteuer steht dem Bund und den Ländern gemeinsam zu (Gemeinschaftsteuern), soweit das Aufkommen der Einkommensteuer nicht nach Absatz 5 den Gemeinden zugewiesen wird. Am Aufkommen der Einkommensteuer und der Körperschaftsteuer sind der Bund und die Länder je zur Hälfte beteiligt. Die Anteile von Bund und Ländern an der Umsatzsteuer werden durch Bundesgesetz, das der Zustimmung des Bundesrates bedarf, festgesetzt. Bei der Festsetzung ist von folgenden Grundsätzen auszugehen:

1. Im Rahmen der laufenden Einnahmen haben der Bund und die Länder gleichmäßig Anspruch auf Deckung ihrer notwendigen Ausgaben. Dabei ist der Umfang der Ausgaben unter Berücksichtigung einer mehrjährigen Finanzplanung zu ermitteln.
2. Die Deckungsbedürfnisse des Bundes und der Länder sind so aufeinander abzustimmen, daß ein billiger Ausgleich erzielt, eine

Überbelastung der Steuerpflichtigen vermieden und die Einheitlichkeit der Lebensverhältnisse im Bundesgebiet gewahrt wird.

(4) Die Anteile von Bund und Ländern an der Umsatzsteuer sind neu
festzusetzen, wenn sich das Verhältnis zwischen den Einnahmen und
Ausgaben des Bundes und der Länder wesentlich anders entwickelt.
Werden den Ländern durch Bundesgesetz zusätzliche Ausgaben auferlegt oder Einnahmen entzogen, so kann die Mehrbelastung durch Bundesgesetz, das der Zustimmung des Bundesrates bedarf, auch mit Finanzzuweisungen des Bundes ausgeglichen werden, wenn sie auf einen
kurzen Zeitraum begrenzt ist. In dem Gesetz sind die Grundsätze für
die Bemessung dieser Finanzzuweisungen und für ihre Verteilung auf
die Länder zu bestimmen.

(5) Die Gemeinden erhalten einen Anteil an dem Aufkommen der
Einkommensteuer, der von den Ländern an ihre Gemeinden auf der
Grundlage der Einkommensteuerleistungen ihrer Einwohner weiter-
zuleiten ist. Das Nähere bestimmt ein Bundesgesetz, das der Zustim-
mung des Bundesrates bedarf. Es kann bestimmen, daß die Gemeinden
Hebesätze für den Gemeindeanteil festsetzen.

(6) Das Aufkommen der Realsteuern steht den Gemeinden, das Aufkommen der örtlichen Verbrauch- und Aufwandsteuern steht den Gemeinden oder nach Maßgabe der Landesgesetzgebung den Gemeindeverbänden zu. Den Gemeinden ist das Recht einzuräumen, die Hebesätze der Realsteuern im Rahmen der Gesetze festzusetzen. Bestehen
in einem Land keine Gemeinden, so steht das Aufkommen der Realsteuern und der örtlichen Verbrauch- und Aufwandsteuern dem Land
zu. Bund und Länder können durch eine Umlage an dem Aufkommen
der Gewerbesteuer beteiligt werden. Das Nähere über die Umlage bestimmt ein Bundesgesetz, das der Zustimmung des Bundesrates bedarf.
Nach Maßgabe der Landesgesetzgebung können die Realsteuern und
der Gemeindeanteil vom Aufkommen der Einkommensteuer als Be-
messungsgrundlagen für Umlagen zugrunde gelegt werden.

(7) Von dem Länderanteil am Gesamtaufkommen der Gemeinschaftsteuern fließt den Gemeinden und Gemeindeverbänden insgesamt ein von der Landesgesetzgebung zu bestimmender Hundertsatz
zu. Im übrigen bestimmt die Landesgesetzgebung, ob und inwieweit
das Aufkommen der Landessteuern den Gemeinden (Gemeindeverbänden) zufließt.

(8) Veranlaßt der Bund in einzelnen Ländern oder Gemeinden (Ge-
meindeverbänden) besondere Einrichtungen, die diesen Ländern oder
Gemeinden (Gemeindeverbänden) unmittelbar Mehrausgaben oder
Mindereinnahmen (Sonderbelastungen) verursachen, gewährt der

Bund den erforderlichen Ausgleich, wenn und soweit den Ländern
oder Gemeinden (Gemeindeverbänden) nicht zugemutet werden
kann, die Sonderbelastungen zu tragen. Entschädigungsleistungen
Dritter und finanzielle Vorteile, die diesen Ländern oder Gemeinden
(Gemeindeverbänden) als Folge der Einrichtungen erwachsen, werden
bei dem Ausgleich berücksichtigt.

(9) Als Einnahmen und Ausgaben der Länder im Sinne dieses Artikels gelten auch die Einnahmen und Ausgaben der Gemeinden (Gemeindeverbände).

1   Art. 106 regelt, wie das Aufkommen der Steuern (St) zwischen
     Bund, Ländern und Gemeinden zu verteilen ist, das auf Grund
     der nach Art. 105 erlassenen Steuergesetze vereinnahmt wird
     (Ertragshoheit). Die Aufteilung der Ertragshoheit weicht von der
     der Gesetzgebungskompetenzen ab. Bei der Steuerverteilung
     sind zwei Verteilungsvorgänge zu unterscheiden: Die Verteilung
     der Gesamtsteuermasse zwischen Bund, Ländern und Gemein-
     den (vertikaler Finanzausgleich) und die Verteilung der danach
     allen Ländern und allen Gemeinden zustehenden St unter den
     einzelnen Ländern und Gemeinden (horizontaler Finanzaus-
     gleich). *Art. 106 enthält die Regeln* über den *vertikalen Finanzaus-
     gleich* (FA). Da die Möglichkeit, nach freiem Ermessen über aus-
     reichende Finanzmittel verfügen zu können, die entscheidende
     Voraussetzung für unabhängige polit. Machtentfaltung ist, hat
     Art. 106 *im föderalistischen System eine grundlegende Bedeutung.*
     Er befaßt sich jedoch nur mit der Verteilung der *Steuern.* Für an-
     dere Abgaben (s. dazu Art. 105 Rn. 2 u. 3) sieht das GG keine
     ausdrücklichen Regelungen vor. Die Ertragshoheit hierfür muß
     aus dem Wesen der Abgaben abgeleitet werden. Diese Abgaben
     stehen in aller Regel zu einem bestimmten Verwaltungshandeln in
     einem Verhältnis, das man vereinfacht als Ausgleich für einen
     Vorteil ansehen kann. Demgemäß stehen Gebühren und Beiträge
     immer der Ebene zu, deren Behörden die entsprechende Verwal-
     tungskompetenz und damit die Finanzlast haben. Der Bund kann
     im Rahmen seiner Gesetzgebungskompetenz zwar eine Gebüh-
     renpflicht festsetzen, die Gebühr steht ihm aber nur dann zu,
     wenn er auch die Verwaltungskompetenz und damit die Finanz-
     last hat (Art. 86 i. V. m. 104 a I); andernfalls und vor allem,
     wenn die Länder selbst die Gesetze erlassen, steht sie den Län-
     dern zu. Entsprechendes gilt für andere Abgaben.

2   Der vertikale FA kann nach zwei unterschiedlichen Ordnungs-
     prinzipien gestaltet werden, und zwar nach dem Trennsystem

oder nach dem Verbundsystem. Nach dem *Trennsystem* werden einzelne Steuerarten (z. B. Zölle, Vermögensteuer) oder artbestimmte Gruppen von St (Verbrauchsteuern) mit ihrem *ganzen* Aufkommen entweder dem Bund, den Ländern oder den Gemeinden zugewiesen. Nach dem *Verbundsystem* bilden einzelne oder mehrere St eine Steuermasse, die Bund und Ländern oder Bund, Ländern und Gemeinden gemeinsam zusteht und nach bestimmten Regeln unter ihnen aufgeteilt wird. Das GG hat ein Mischsystem gewählt. *In Abs. 1, 2 und 6 ist das Trennsystem und in Abs. 3 und 5 das Verbundsystem verwirklicht.* Abs. 1 zählt die Bundessteuern, Abs. 2 die Landessteuern und Abs. 6 die Gemeindesteuern auf. Die im Rahmen des Steuerfindungsrechts (vgl. Erläut. zu Art. 105 Rn. 6) *neu eingeführten Steuern* sind den St zuzuordnen, denen sie gleichartig sind i. S. des Begriffs der Gleichartigkeit, der bei der Gesetzgebungskompetenz maßgebend ist (vgl. Erläut. zu Art. 105 Rn. 6 u. BVerfGE 40, 62). Neue St, die sich auf diese Weise nicht eingliedern lassen, sind deswegen nicht unzulässig. Gegen ihre Zulässigkeit spricht auch nicht, daß sie in der Verfassung nicht vorgesehen sind und ihre Einführung deswegen ein geschlossenes Ausgleichssystem stören könnte. Die Überlegung, die Aufzählung der St in Art. 106 sei abschließend und die Verteilungsregel bilde ein ausgewogenes und geschlossenes System, das durch neue St gestört werde, ist nicht überzeugend. Der Ausschluß neuer St ist als Schutz eines vermeintlich geschlossenen Ausgleichssystems untauglich, denn auch im Rahmen gleichartiger steuerlicher Regelungen, z. B. im Bereich der Verbrauchsteuern, können sowohl quantitativ durch Erhöhung bestehender St wie auch qualitativ durch Einführung neuer St »Störungen« des Ausgleichssystems verursacht werden. Da der Ausschluß neuer St keine tatsächlich wirksame positive Funktion entfalten kann, sollte er der Vorteile des Steuerfindungsrechts wegen nicht in Erwägung gezogen werden. Bei neuen St ist die Bestimmung der Ertragshoheit dem einfachen Gesetzgeber überlassen. Der Gesetzgeber ist jedoch zur Wahrung eines ausgewogenen und funktionsfähigen FA verpflichtet. Diese Verpflichtung hat er bei der Einführung neuer St zu beachten. Die Aufzählung der St in Art. 106 bedeutet keine Gewähr für den Bestand der vorhandenen St. Der Gesetzgeber kann vorhandene St abschaffen (vgl. Straßengüterverkehrsteuer, G vom 23. 12. 1970, BGBl. I S. 1869).

Absatz 1

3   Abs. 1 enthält die *Bundessteuern*. Zu den Finanzmonopolen und
Zöllen vgl. Art. 105 Rn. 5. Auf Grund des Beschlusses des Rates
der EG vom 21. 4. 1970 (BGBl. II S. 1261) steht die Ertragshoheit für die Zölle in voller Höhe den EG zu mit Ausnahme der
Zölle auf Waren der EG für Kohle und Stahl. Die Einschränkungen hinsichtlich der Verbrauchsteuern in Nr. 2 bedeuten, daß
nach Abs. 2 Nr. 5 die Biersteuer den Ländern, nach Abs. 3 die als
Verbrauchsteuer geltende Einfuhrumsatzsteuer Bund und Ländern und schließlich die örtlichen Verbrauchsteuern nach Abs. 6
den Gemeinden zustehen. Die Straßengüterverkehrsteuer in
Nr. 3 gibt es gegenwärtig nicht; vgl. oben Rn. 2. Kapitalverkehrsteuern nach Nr. 4 sind die Börsenumsatzsteuer und die Gesell-
schaftsteuer. Die einmaligen Vermögensabgaben nach Nr. 5 umfassen die nach dem Lastenausgleichsgesetz erhobenen Vermögensabgaben, aber auch ggf. neu einzuführende. Die Ergänzungsabgabe wird seit dem EinkommensteuerreformG vom 5. 8. 1974
(BGBl. I S. 1769) nicht mehr erhoben. Sie kann jedoch wieder
eingeführt werden, wenn sie zur Deckung eines zusätzlichen Finanzbedarfs des Bundes erforderlich ist. Die Ergänzungsabgabe
kann akzessorisch zur Einkommensteuer und zur Körperschaftsteuer als reine Bundessteuer erhoben werden. Das Gesetz bedarf
nicht der Zustimmung des BRates. Wegen der engen Beziehung
zur Einkommensteuer und zur Körperschaftsteuer, die Bund und
Ländern gemeinsam zustehen, unterliegt die Einführung der Ergänzungsabgabe bestimmten Einschränkungen. Die gleiche Beteiligung von Bund und Ländern an der Einkommensteuer und
der Körperschaftsteuer darf nicht ausgehöhlt werden. Die Ergänzungsabgabe ist deswegen in der Höhe begrenzt (geringer Pro-
zentsatz von der Einkommensteuer und Körperschaftsteuer). Sie
ist allerdings nicht von vornherein befristet. Näher dazu BVerf-
GE 32, 333. Die Nr. 7 umfaßt auch Abgaben im Rahmen der EG,
die nicht St sind, z. B. Zuckerproduktionsabgabe oder andere
Marktordnungsabgaben. Auch diese Abgaben stehen inzwischen
voll den EG zu (vgl. Beschluß des Rates der EG vom 21. 4. 1970,
BGBl. II S. 1261).

Absatz 2

4   Abs. 2 führt die *Ländersteuern* auf. Die Vermögensteuer in Nr. 1
ist von den den Gemeinden zustehenden Realsteuern (Gewerbe-
kapitalsteuer, Grundsteuer) abzugrenzen. Die Erbschaftsteuer in

Nr. 2 umfaßt die Erbschaft im zivilrechtl. Sinne, aber auch Vermächtnisse. Unstreitig gehört dazu auch die Schenkungsteuer im Erbschaftsteuergesetz. Die Kraftfahrzeugsteuer in Nr. 3 wird in der Praxis und nach der Rechtsprechung als Verkehrsteuer angesehen (BFHE 110, 213). Sie wird deswegen nach Art. 108 II von den Ländern verwaltet. Das wäre nicht verfassungsgemäß, wenn sie eine der Verbrauchsteuer nahestehende Aufwandsteuer wäre. Nach Nr. 4 stehen die Verkehrsteuern mit den folgenden Einschränkungen den Ländern zu: Während Abs. 1 Nr. 4 einige Verkehrsteuern dem Bund zuweist, steht die Umsatzsteuer, die mit Ausnahme der Einfuhrumsatzsteuer (s. o. Rn. 3) als Verkehrsteuer gilt, nach Abs. 3 Bund und Ländern gemeinsam zu. Andere unter die Nr. 4 fallende Verkehrsteuern sind die Grunderwerbsteuer, die Feuerschutzsteuer, die Rennwettsteuer und die Lotteriesteuer. Die Biersteuer ist als einzige überörtliche Verbrauchsteuer eine Ländersteuer. Die Spielbankabgabe nach Nr. 6 wird auf Grund des G vom 14. 7. 1933 (RGBl. I S. 480) und der VO über öffentliche Spielbanken vom 27. 2. 1938 (RGBl. I S. 955) nach vertraglicher Vereinbarung mit dem Abgabepflichtigen erhoben.

5 Von der in den Abs. 1 und 2 vorgenommenen Steuerverteilung können Bund und Länder – auch einvernehmlich – nicht abweichen. Die Zuweisung von ganzen St oder Anteilen von St an die andere Ebene ist unzulässig. In § 10 des GemeindeverkehrsfinanzierungsG handelt es sich nicht um eine derartige Zuweisung, sondern um die Zweckbindung bestimmter Steuerbeträge für Finanzhilfen an die Länder nach Art. 104 a IV.

Absatz 3

6 In Abs. 3 ist das Verbundsystem geregelt. Ihm unterliegen die Einkommen- und Körperschaftsteuer sowie die Umsatzsteuer *(Gemeinschaftsteuern)*. Die Bedeutung dieser Vorschrift zeigt sich darin, daß die Gemeinschaftsteuern etwa 70 vH des gesamten Steueraufkommens ausmachen. Die Frage, in welchem Verhältnis Bund und Länder bei ihrer gemeinsamen Ertragshoheit stehen, ob sie Teilgläubiger sind (vgl. BFHE 76, 678) oder ob eine Gläubigergemeinschaft zur gesamten Hand besteht, hat ihre praktische Bedeutung im wichtigsten Problembereich, dem der Aufrechnung, seit Einführung des § 226 IV AO verloren. Die Beurteilung des Anteils der EG an der Umsatzsteuer ist umstritten. In der Staatspraxis wird der den EG auf Grund des in Rn. 3 erwähnten Beschlusses des Rates der EG zustehende Teil der Umsatzsteuer allein aus dem Anteil des Bundes an der Umsatzsteuer geleistet (vgl. Stellungnahme des BRates zu BT-Drucks. VI/880). Das entspricht nicht der Rechtslage. Der Bund hat gemäß Art. 24 I den EG eine echte Ertragshoheit an der Umsatzsteuer insgesamt, auch zu Lasten der Länder, eingeräumt. Die Stellungnahme des BRates zum Entwurf des späteren G vom 4. 12. 1970, BGBl. II S. 1261, ist demgegenüber nur eine unverbindliche Rechtsmeinung.

7 Die *Aufteilung der Einkommen- und Körperschaftsteuer* auf *Bund und Länder je zur Hälfte* bildet zusammen mit den Abs. 1 und 2 eine verfassungsrechtl. garantierte Basissteuerausstattung von Bund und Ländern. Die in Satz 1 Halbs. 2 zugunsten der Gemeinden vorgenommene Einschränkung hinsichtlich der Einkommensteuer bedeutet, daß der Gemeindeanteil zu Lasten von Bund und Ländern vorweg abzuziehen ist. Er beträgt nach § 1 des GemeindefinanzreformG i. d. F. des SteueränderungsG 1979 vom 30. 11. 1978 (BGBl. I S. 1859) 15 vH, so daß dem Bund und den Ländern je 42,5 vH am Aufkommen der veranlagten Einkommensteuer und der Lohnsteuer zustehen. Die Körperschaftsteuer wird voll je zur Hälfte auf Bund und Länder aufgeteilt.

8 Anders als alle übrigen Steuerverteilungsregelungen konnte die *Umsatzsteuerverteilung* nicht mit Verfassungskraft geregelt werden, weil man sonst, um einer Verschiebung des Einnahmebedarfs zwischen Bund und Ländern gerecht zu werden, die Verfassung ändern müßte. Die Anteile von Bund und Ländern werden deswegen nach Abs. 3 Satz 3 *durch Bundesgesetz*, das selbstverständlich der *Zustimmung des Bundesrates* bedarf, *festgesetzt*. Hieraus ergibt sich, daß eine andere als die gesetzliche Verteilungsregel nach Abs. 3 nicht zulässig ist und daß demgemäß fortdauernd eine gesetzliche Regelung über die Verteilung der Umsatzsteuer bestehen muß. Ein ungeregelter Zustand ist ein Verfassungsverstoß. In der Praxis ist sowohl vor der Finanzreform das Beteiligungsverhältnis an der Einkommen- und Körperschaftsteuer wie auch nach der Finanzreform das *Beteiligungsverhältnis* an der Umsatzsteuer stets *nur befristet festgesetzt* worden. Das Beteiligungsverhältnis beträgt für 1984 und 1985 für den Bund 65,5 vH und für die Länder 34,5 vH (vgl. § 1 des G über den Finanzausgleich zwischen Bund und Ländern i. d. F. von Art. 11 des G vom 22. 12. 1983, BGBl. I S. 1583). Die Zulässigkeit der Befristung ist umstritten. Dagegen wird eingewandt, es sei im Falle einer Befristung nicht gewährleistet, daß nach Ablauf der Frist ein neues Gesetz in Kraft sei. Damit sei die Möglichkeit gegeben, daß ein ungeregelter Zustand eintrete. Die Befristung, die das bewirke, sei so-

mit unzulässig. Diese Schlußfolgerung ist nicht zwingend. **Richtig ist allerdings, daß der Zustand ohne ein geregeltes Beteiligungsverhältnis verfassungswidrig ist.** Die Folge davon ist aber nur, daß der Gesetzgeber, wie auch in anderen Fällen, die verfassungsrechtl. Pflicht hat, diesen Zustand zu beenden. Der Schlußfolgerung, die Befristung sei verfassungsrechtl. unzulässig, fehlt nicht nur die zwingende Logik, sie führt auch zu schwerwiegenden Nachteilen, die letztlich ebenfalls einen nicht verfassungsgemäßen Zustand darstellen, nämlich dann, wenn das unbefristete Beteiligungsverhältnis nicht mehr dem Abs. 3 Nr. 1 und 2 entspricht und eine Neufestsetzung nach Abs. 4 Satz 1 scheitert (vgl. Rn. 9 und 11). Die Nachteile stellen sich wie folgt dar: Ein Abschluß der sehr schwierigen Umsatzsteuerverhandlungen war in der bisherigen Praxis allein dadurch in vertretbarer Frist erreichbar, daß man sich nur für eine begrenzte Zeit festzulegen brauchte. Eine unbefristete Festsetzung der Umsatzsteueranteile führt unausweichlich in das Dilemma, daß die Seite, die später eine Änderung des unbefristet geltenden Beteiligungsverhältnisses zu ihren Gunsten fordern müßte, der anderen Seite, die vom Fortbestehen des geltenden Beteiligungsverhältnisses Vorteile hätte und demgemäß zu einer Änderung nicht bereit wäre, nahezu ausgeliefert wäre. Ein verfassungsrechtl. Anspruch auf Verhandlungen gegenüber der anderen Seite, der zwar geltend gemacht werden könnte, gäbe der fordernden Seite keinen ausreichenden Schutz, denn der Anspruch ginge nur auf Verhandlungen und nicht etwa auf eine bestimmte Quote. Der praktische und sachliche Zwang, der für beide Verhandlungspartner entsteht, wenn kein Beteiligungsverhältnis besteht, gibt eine wesentlich stärkere Position. Das hat die bisherige Praxis bewiesen. Bis zur gesetzlichen Festlegung eines neuen Beteiligungsverhältnisses müssen beide Seiten, wie das in der Vergangenheit geschehen ist, als gemeinsam über das Umsatzsteueraufkommen Verfügungsberechtigte eine vorübergehende praktische Lösung nach der sich aus der Bundestreue ergebenden Pflicht treffen.

9   Für die *Festsetzung der Anteile von Bund und Ländern an der Umsatzsteuer* stellen Abs. 3 Nr. 1 und 2 *Grundsätze* in Form unbestimmter Rechtsbegriffe auf.

Die Kernaussage enthält Nr. 1 Satz 1. Der Grundsatz besagt zunächst, daß generell die Aufgaben keiner Seite gegenüber denen der anderen Seite als vorrangig anzusehen sind. Ferner enthält der Grundsatz die praktische Aussage, daß die Einnahmemasse so auf Bund und Länder aufgeteilt werden muß, daß beide Seiten ihre notwendigen Ausgaben zu gleichen Quoten aus laufenden Einnahmen decken können *(Deckungsquoten)*, d. h. bei beiden muß das Verhältnis der laufenden Einnahmen zu den Krediten gleich sein. Daß es sich in Nr. 1 um eine Gegenüberstellung von notwendigen Ausgaben und laufenden Einnahmen ohne Kredite handelt, ergibt Abs. 4 Satz 1, der die Revisionsklausel enthält. Würde man die Kredite zu den Einnahmen i. S. der Abs. 3 und 4 rechnen, könnte sich das Verhältnis zwischen Einnahmen und Ausgaben nicht ändern. Es wäre gemäß Art. 110 I 2 immer 1:1.

Die Deckungsquotenberechnung bereitet in den Bund/Länder-Verhandlungen größte Schwierigkeiten. Die Begriffe »laufende Einnahmen« und »notwendige Ausgaben« sowie die Worte »Berücksichtigung einer mehrjährigen Finanzplanung« sind umstritten. Weder im GG noch im Haushaltsrecht noch in der Finanzwissenschaft ist der Begriff *laufende Einnahmen* für Zwecke der Anwendung bei der Steuerverteilung in geeigneter Weise definiert. Die Auslegung muß aus Sinn und Funktion des Art. 106 gewonnen werden. Es geht um die auf Dauer angelegte Verteilung der vorhandenen Einnahmemasse mit dem Zweck und Ziel, die beiden Staatsebenen kontinuierlich in den Stand zu setzen, ihre Staatsaufgaben zu erfüllen. Zu den laufenden Einnahmen müssen danach alle kontinuierlich wiederkehrenden Einnahmen mit Ausnahme der Kredite gezählt werden. Das sind nicht nur Steuern, sondern auch alle anderen Einnahmen, die nicht ohne jede Stetigkeit einmalig sind. Strittig ist, ob auch Gebühren dazu gehören. Dazu wird die wohl nicht tragfähige Auffassung vertreten, die Gebühren könnten wegen des Kostendeckungsprinzips nicht berücksichtigt werden. Meinungsverschiedenheiten bestehen auch hinsichtlich der Einnahmen der Länder aus Art. 91 a, 91 b und 104 a IV, der Behandlung der Einnahmen der EG (z. B. Zölle) und der Einnahmen aus Bundesbankgewinnen, der Behandlung der Sondervermögen des Bundes, Bundespost und Bundesbahn, und entsprechender Einrichtungen auf der Länderseite. Weitere Schwierigkeiten ergeben sich daraus, daß das Beteiligungsverhältnis für die Zukunft festgesetzt wird und demgemäß eine Einigung über die Schätzung der künftigen Einnahmeentwicklung erzielt werden muß.

10   Auf der Ausgabenseite bringt der Begriff *»notwendige Ausgaben«* Probleme für die Auslegung. Die Entstehungsgeschichte gibt keine Anhaltspunkte. Das Wort »notwendige« soll offenbar einschränkend wirken und verhindern, daß eine Ebene durch eine völlig unbegrenzte Ausgabenpolitik der anderen Ebene gezwungen ist, zugunsten dieser auf Einnahmemittel zu verzichten. Es fragt sich aber, was notwendige Ausgaben sind. Sicher ist es zu eng, nur die Ausgaben als notwendig anzusehen, zu deren Vollzug eine Rechtspflicht besteht. Es ist jedoch ebenfalls problematisch, die Ansätze der Haushaltspläne beider Ebenen als notwendige Ausgaben gelten zu lassen; denn die Inhaber der Haushaltshoheit, der BTag auf der einen und die Länderparlamente auf der anderen Seite, sind hier praktisch Konkurrenten bei der Verteilung der Umsatzsteuermasse und zur Setzung objektiver Daten für die Verteilung kaum geeignet. Im Ergebnis würde diese Auffassung die Aufhebung der an sich gewollten Einschränkung bedeuten. Es ist zweifelhaft, ob der Begriff »notwendige Ausgaben« im Bund/Länder-Streit um die Umsatzsteueranteile eine klärende Wirkung entfalten kann. Nr. 1 Satz 2, der zur Ermittlung des Umfangs der Ausgaben auf eine mehrjährige Finanzplanung hinweist, kann im natürlichen Interessengegensatz auch keine Klärung bringen. Eine gemeinsame Finanzplanung von Bund und Ländern, die im Hinblick auf die begrenzte Finanzmasse die Aufgaben des Bundes und der Länder aufeinander abstimmen und somit Daten für die Mittelverteilung liefern könnte, gibt es nicht und kann es nach der gegensätzlichen Interessenlage von Bund und Ländern wohl auch nicht geben. In der Praxis wird das Beteiligungsverhältnis von den Regierungschefs des Bundes und der Länder als polit. Kompromiß ausgehandelt. Das Parlament hat sich bisher auf den rein formalen Gesetzgebungsakt beschränkt.

Die in Nr. 2 enthaltenen Grundsätze sind wenig geeignet, die Umsatzsteuerverhandlungen zu versachlichen. Sie beruhen ebenfalls auf unbestimmten Rechtsbegriffen; vgl. dazu BVerfGE 39, 115.

Absatz 4

11 *Satz 1* enthält eine Revisionsklausel, die eine Verpflichtung zur *Neufestsetzung* begründet, wenn, kurz gesagt, die Deckungsquoten des Bundes und der Länder sich wesentlich anders entwickeln. Wesentlich ist sicher schon ein halbes Prozent des Umsatzsteueraufkommens. »Entwickelt« stellt nicht nur auf die Vergangenheit, sondern auch auf die Zukunft ab. Eine Pflicht zur Neufestsetzung ist außer im Falle des Abs. 4 auch dann gegeben, wenn ein befristetes Beteiligungsverhältnis ausläuft (vgl. oben Rn. 8). Diese Neufestsetzung muß im Gegensatz zu der nach Abs. 4 Satz 1 aber nicht notwendig ein anderes Beteiligungsverhältnis festlegen. Wenn das ausgelaufene noch den Grundsätzen der Nr. 1 und 2 entspricht, kann es mit der gleichen Quote »neu festgesetzt« werden. Da die

Grundsätze des Abs. 3 Nr. 1 und 2 allgemeine Leitsätze für die Verteilung der Umsatzsteuer enthalten, sind sie bei jeder Neufestsetzung zu beachten, insbes. auch dann, wenn die Regelung des Beteiligungsverhältnisses wegen Ablaufs der Gültigkeitsfrist neu zu treffen ist. Für diesen Fall kommt es nicht darauf an, ob sich die Deckungsquoten während der Gültigkeitsdauer der ausgelaufenen Beteiligungsregelung wesentlich anders entwickelt haben. Das Beteiligungsverhältnis muß allein deswegen neu festgesetzt werden, weil das alte ausgelaufen ist. Wenn die Festsetzung einer anderen Quote davon abhängig wäre, daß die Deckungsquoten sich geändert haben, könnte ein im Wege des Kompromisses zustande gekommenes Beteiligungsverhältnis, das nicht den Grundsätzen des Abs. 3 entspricht, nicht mehr korrigiert werden. Die Wirksamkeit des Abs. 3 Nr. 1 und 2 würde damit weitgehend aufgehoben.

12 In *Satz 2* wird die Möglichkeit eingeräumt, an Stelle der Neufestsetzung des Beteiligungsverhältnisses *Finanzzuweisungen an die Länder* zu zahlen, wenn diesen durch Bundesgesetze entweder neue Ausgaben auferlegt oder Einnahmen entzogen werden. Diese Möglichkeit besteht aber nur dann, wenn die Mehrbelastung der Länder durch Bundesgesetze kurzfristig ist. Sie hat den Sinn, im Falle solcher Belastungen der Länder eine Änderung des Beteiligungsverhältnisses für kurze Zeit zu vermeiden. Der Gesetzgeber hat unter den gegebenen Voraussetzungen eine Wahlmöglichkeit. Aus dem Sinnzusammenhang der Vorschrift ergibt sich aber, daß die Finanzzuweisungen nur dann zu zahlen sind, wenn die Belastung der Länder so hoch ist, daß sie eine Änderung des Beteiligungsverhältnisses rechtfertigen würde. Die Finanzzuweisungen werden auf Grund eines Bundesgesetzes, das der Zustimmung des BRates bedarf, geleistet. Das Gesetz muß die Höhe der Finanzzuweisungen berechenbar bestimmen. Das gilt auch für die Verteilung auf die Länder.

Absatz 5

13 Die Abs. 5–7 befassen sich mit der Finanzausstattung der Gemeinden. In diesen Regelungen wird dem Bund bei grundsätzlicher Aufrechterhaltung der Länderkompetenz für den Gemeindefinanzausgleich eine Mitverantwortung für die Gemeindefinanzen auferlegt. Nach Abs. 5 erhalten die *Gemeinden* einen *Anteil am Aufkommen der Einkommensteuer*. Es ist umstritten, ob es sich um eine Mitertragshoheit der Gemeinden oder um eine Finanzzuweisung handelt. Die Frage hat angesichts der Regelung des

§ 226 IV AO kaum praktische Bedeutung. In der Betrauung der
Länder mit der Weiterleitung des Gemeindeanteils an die Gemeinden in Abs. 5 Satz 1 kommt die Verantwortung der Länder
für die Finanzausstattung der Gemeinden zum Ausdruck. Die
Formulierung »auf der Grundlage der Einkommensteuerleistungen ihrer Einwohner« räumt dem Gesetzgeber (vgl. Satz 2) die
Möglichkeit ein, den Gemeindeanteil nicht exakt nach dem örtlichen Aufkommen in den Gemeinden auf die Gemeinden zu verteilen, sondern auf dieser Grundlage Modifikationen vorzusehen.
Die auf Grund von Abs. 5 Satz 2 ergangene Regelung in § 1 des
GemeindefinanzreformG i. d. F. des SteueränderungsG 1979
vom 30. 11. 1978 (BGBl. I S. 1859) sieht eine Beteiligung der Gemeinden an der Lohnsteuer und der veranlagten Einkommensteuer in Höhe von 15 vH vor. Die §§ 2 bis 4 dieses Gesetzes enthalten
Regelungen über den Verteilungsschlüssel unter den Gemeinden.
Von der Möglichkeit, den Gemeinden das Recht einzuräumen, für
den Einkommensteueranteil Hebesätze festzusetzen, ist bisher
kein Gebrauch gemacht worden.

Absatz 6

14   *Satz 1* weist den Gemeinden nach dem Trennsystem das Aufkommen an den *Realsteuern* zu. Zum Begriff vgl. BVerfGE 13, 345 u.
21, 63. Realsteuern sind die Gewerbesteuer und die Grundsteuer.
Nach h. M. bedeutet die Zuweisung keine verfassungsrechtl. Bestandsgarantie, sondern nur, daß die Realsteuern den Gemeinden
zustehen, soweit sie erhoben werden. Empfänger sind die Gemeinden, nicht die Gemeindeverbände. Abs. 6 enthält keine bindende
Regelung über die Verteilung der Realsteuern unter den Gemeinden. Neben den Realsteuern stehen den Gemeinden auch die *örtlichen Verbrauch- und Aufwandsteuern* zu; s. dazu Art. 105 Rn. 7.
Diese können nach Maßgabe von Landesgesetzen auch den Gemeindeverbänden ganz oder z. T. zugewiesen werden. Mit *Satz 2*
wird festgelegt, daß den Gemeinden das Recht eingeräumt werden
muß, im Rahmen der Gesetze Hebesätze festzusetzen. Diese sog.
Hebesatzgarantie besteht gegenüber Bund und Ländern. Die Gesetzgebungskompetenz für die Realsteuern ist nach Art. 105 II eine konkurrierende, die der Bund für beide Realsteuern ausgeübt
hat. Er hat also die Verpflichtung, das Hebesatzrecht einzuräumen, was auch geschehen ist. *Satz 4,* der eine Beteiligung von
Bund und Ländern am Aufkommen der Gewerbesteuer durch eine Umlage vorsieht, ist im Zusammenhang mit der Finanzreform
1969 zu sehen. Da die Gewerbesteuer Ursache für unerwünschte
Finanzkraftunterschiede in den Gemeinden war, wurde den Ge-

meinden eine andere Steuerquelle, die Einkommensteuerbeteili-
gung, im Austausch gegen einen Teil (Umlage) der Gewerbesteuer zugewiesen. Die Umlage beträgt nach § 6 II des GemeindefinanzreformG (vgl. Rn. 13) nach ursprünglich 40 vH jetzt (im Jahre 1985) etwa 17,3 vH des Aufkommens der Gewerbesteuer. Sie
fließt nach § 6 I aaO Bund und Ländern je zur Hälfte zu. Die Ertragshoheit für die Gewerbesteuer bleibt bei den Gemeinden. Das
hat die Bedeutung, daß sie gemäß Art. 108 IV 2 von den Gemeinden verwaltet werden kann (BVerwG, DVBl 1983, 137). *Satz 6* ist
die Grundlage für landesgesetzlich geregelte Umlagen, insbes. zugunsten von Gemeindeverbänden (z. B. Kreisumlage).

Absatz 7

15 *Satz 1 verpflichtet die Länder, den Gemeinden und Gemeindeverbänden einen* in seiner Höhe in das Ermessen der Länder gestellten
Anteil an ihrem Aufkommensanteil an den Gemeinschaftsteuern
(Einkommen- und Körperschaftsteuer, Umsatzsteuer) *zuzuweisen*. Der der Bemessung zugrunde liegende Gesamtsteuerbetrag
darf nicht um die nach Art. 107 II zu leistenden Ausgleichsbeträge
gekürzt werden, denn diese sind nicht aus einer bestimmten Steuer, sondern aus der allgemeinen Finanzmasse des ausgleichspflichtigen Landes zu zahlen. Die Landesgesetze regeln in Prozenten unterschiedlich hohe Zuweisungen an die Gemeinden. Neben diesen
obligatorischen Abführungen an die Gemeinden und Gemeindeverbände sieht *Satz 2* landesgesetzlich zu regelnde fakultative Zuweisungen aus dem Aufkommen der Landessteuern an die Gemeinden und Gemeindeverbände vor. Der Gemeindefinanzausgleich ist im übrigen Ländersache, d. h. die Länder können weitergehende oder andere fakultative Leistungen an die Gemeinden
vorsehen.

Absatz 8

16 Das Wesen des in Abs. 1–7 geregelten Finanzausgleichs ist es, auf
der Grundlage der generellen Aufgabenverteilung die gesamten
Steuermittel unter den beiden Staatsebenen und den Gemeinden
zur Deckung ihres allgemeinen Finanzbedarfs aufzuteilen. Dieses
Ausgleichssystem soll Bund, Länder und Gemeinden in den Stand
setzen, die ihnen allgemein zugewiesenen Aufgaben zu erfüllen.
Abs. 8 hat hingegen die Funktion, untypische Lasten, die auf Veranlassung des Bundes nur einzelne Länder oder Gemeinden treffen, insoweit auszugleichen, als der allgemeine Finanzausgleich
dazu nicht geeignet ist. Es handelt sich um einen *Ausgleich von*

Sonderbelastungen einzelner Länder oder Gemeinden (Gemeindeverbände), d. h. Lasten, die die betroffene Körperschaft im Verhältnis zu anderen ungleich treffen. Der Vergleich mit dem Sonderopfer im Enteignungsrecht (s. dazu Art. 14 Rn. 10) liegt hier nahe.

17 Die Sonderbelastung muß durch *besondere Einrichtungen* veranlaßt sein. Einrichtungen sind körperliche Anlagen wie Gebäude, technische Vorrichtungen u. ä., aber auch Organisationen, Behörden, Institute usw. Es ist strittig, ob nur Einrichtungen anderer Träger im Länder- und Gemeindebereich erfaßt werden oder ob auch Bundeseinrichtungen gemeint sind. Obwohl der Wortlaut »Veranlaßt der Bund . . . Einrichtungen« nach dem Sprachgebrauch darauf hindeutet, daß Bundeseinrichtungen nicht gemeint sind, ergibt sich aus dem weiteren Text des Satzes 1, nach dem auch Mindereinnahmen ausgleichsfähig sind, zwingend, daß auch Bundeseinrichtungen erfaßt sind. Andernfalls könnte einer der wichtigsten Fälle von Mindereinnahmen, der der Grundsteuermindereinnahmen, nicht subsumiert werden, der aber nach der Entstehungsgeschichte des Abs. 8 ohne Zweifel mit abgedeckt sein sollte. Grundsteuermindereinnahmen entstehen typischerweise durch Bundeseinrichtungen, ohne daß irgendwelche vom Bund veranlaßte Länder- oder Gemeindeeinrichtungen vorhanden sind. Man muß ferner davon ausgehen, daß es Bundeseinrichtungen als sog. Primäreinrichtungen gibt, die Sekundäreinrichtungen im Länder- oder Gemeindebereich veranlassen. Die Länder- oder Gemeindeeinrichtung ist dann Einrichtung i. S. des Abs. 8 Satz 1. Es muß sich um besondere Einrichtungen handeln, die einzelne Länder oder Gemeinden im Verhältnis zu anderen ungleich treffen. Die der allgemeinen Versorgung der Bevölkerung dienenden Bundeseinrichtungen wie Bundesbahn und Bundespost fallen nicht unter Abs. 8. Die Einrichtung muß nicht ihrer Natur nach besonders sein. Es genügt, wenn sie nach Anzahl oder Größe »besonders« im Vergleich zu der anderer Länder oder Gemeinden ist. Danach können auch Mehrbelastungen durch Schulbau u. ä. in Betracht kommen.

18 Die Einrichtung muß *vom Bund veranlaßt* sein. Die Wortwahl des Abs. 8 schließt eine schlichte Verursachung i. S. der conditio sine qua non aus. Veranlaßt hat der Bund nur etwas, zu dessen Entstehung er in dominierender Rolle den entscheidenden Anstoß gegeben hat. Es genügt nicht die Feststellung, daß ohne seine Mitwirkung die Einrichtung nicht entstanden wäre. Finanzhilfen nach Art. 104 a IV sind niemals Veranlassung i. S. des Abs. 8, weil die

Entscheidung über die Auswahl von Investitionsprojekten Ländersache ist (vgl. dazu Art. 104 a Rn. 13). Auch die Mitwirkung des Bundes im Rahmen des Art. 91 a kann nicht zu Ausgleichsansprüchen führen, weil auch hier die Länder die entscheidende Rolle bei der Projektauswahl spielen. Im übrigen ist Art. 91 a gegenüber Abs. 8 lex specialis. Er regelt die Kostenlast abschließend, und zwar auch unter dem Gesichtspunkt der Ausgewogenheit von Einflußmöglichkeiten bei der Rahmenplanung und Kostenlast.

19   Ausgleichspflichtig sind durch Einrichtungen verursachte *Mehrausgaben oder Mindereinnahmen (»Sonderbelastungen«).* Aus der Funktion, die Abs. 8 im System des Finanzausgleichs hat, und aus dem Wort »Sonderbelastungen« ergibt sich, daß nur solche Belastungen ausgleichsfähig sind, die typischerweise im Finanzausgleichssystem, zu dem auch der Gemeindefinanzausgleich gehört, nicht geregelt sind. Danach beschränkt sich der Ausgleich *im wesentlichen* auf *einmalig auftretende Investitionslasten.* Laufende Ausgaben, besonders soweit sie aus einer vom Bund veranlaßten Zunahme der Einwohnerzahl herrühren, sind i. d. R. nicht zu ersetzen, weil sie durch den Finanzausgleich erfaßt werden können. Bei Mindereinnahmen handelt es sich um ausgleichsfähige laufende Belastungen; vgl. dazu Richtlinien des BMF über die Gewährung von Ausgleichsleistungen als Folge von Grundsteuermindereinnahmen, MinBlFin. 1976 S. 430.

20   Die Mehrbelastung muß *unmittelbar verursacht,* d. h. direkte unausweichliche Folge der Einrichtung sein. Das Ausbleiben von Industrieansiedlungen wegen einer Bundeswehrgarnison und die dadurch ausfallenden Gewerbesteuereinnahmen sind nur mittelbare Folge. Es ist strittig, ob eine Minderung von Grundsteuereinnahmen durch Bewertungsabschläge, die nach § 82 des BewertungsG z. B. wegen des Lärms von Truppenübungsplätzen vom Finanzamt gewährt werden, wegen des Dazwischentretens einer besonderen Behördenentscheidung noch unmittelbar ist.

21   Selbst wenn alle Voraussetzungen vorliegen, wird ein Ausgleich nur gewährt, wenn die Mehrbelastung *nicht zumutbar* ist. Hieraus ergibt sich, daß Abs. 8 keine schlichte Finanzlastverschiebung auf den Bund i. S. des Veranlassungsprinzips vornimmt. Er geht vielmehr davon aus, daß Länder und Gemeinden grundsätzlich auch vom Bund veranlaßte Mehrbelastungen tragen. Der Bund tritt nur ein, wenn die Belastung insbes. wegen ihrer Höhe für die betroffene Gebietskörperschaft nicht zumutbar ist. Die Entscheidung über die Zumutbarkeit kann nur im Einzelfall getroffen werden. Abs. 8

gewährt bei Vorliegen aller Voraussetzungen einen Rechtsanspruch.

Artikel 107   [Finanzausgleich unter den Ländern]

**(1) Das Aufkommen der Landessteuern und der Länderanteil am
Aufkommen der Einkommensteuer und der Körperschaftsteuer stehen
den einzelnen Ländern insoweit zu, als die Steuern von den Finanzbehörden in ihrem Gebiet vereinnahmt werden (örtliches Aufkommen).
Durch Bundesgesetz, das der Zustimmung des Bundesrates bedarf,
sind für die Körperschaftsteuer und die Lohnsteuer nähere Bestimmungen über die Abgrenzung sowie über Art und Umfang der Zerlegung des örtlichen Aufkommens zu treffen. Das Gesetz kann auch Bestimmungen über die Abgrenzung und Zerlegung des örtlichen Aufkommens anderer Steuern treffen. Der Länderanteil am Aufkommen
der Umsatzsteuer steht den einzelnen Ländern nach Maßgabe ihrer
Einwohnerzahl zu; für einen Teil, höchstens jedoch für ein Viertel dieses Länderanteils, können durch Bundesgesetz, das der Zustimmung
des Bundesrates bedarf, Ergänzungsanteile für die Länder vorgesehen
werden, deren Einnahmen aus den Landessteuern und aus der Einkommensteuer und der Körperschaftsteuer je Einwohner unter dem
Durchschnitt der Länder liegen.**

**(2)   Durch das Gesetz ist sicherzustellen, daß die unterschiedliche Fi-
nanzkraft der Länder angemessen ausgeglichen wird; hierbei sind die
Finanzkraft und der Finanzbedarf der Gemeinden (Gemeindeverbände) zu berücksichtigen. Die Voraussetzungen für die Ausgleichsansprüche der ausgleichsberechtigten Länder und für die Ausgleichsver-
bindlichkeiten der ausgleichspflichtigen Länder sowie die Maßstäbe für
die Höhe der Ausgleichsleistungen sind in dem Gesetz zu bestimmen.
Es kann auch bestimmen, daß der Bund aus seinen Mitteln leistungsschwachen Ländern Zuweisungen zur ergänzenden Deckung ihres allgemeinen Finanzbedarfs (Ergänzungszuweisungen) gewährt.**

1   Während Art. 106 die Verteilung der Steuern (St) zwischen Bund,
     Ländern und Gemeinden regelt, enthält Art. 107 Regeln über die
     Verteilung der St unter den einzelnen Ländern *(horizontaler Fi-
     nanzausgleich)*. Es geht um die *Verteilung der Steuern und Anteile
     an Steuern, die den Ländern (der Ländergesamtheit) nach Art.
     106 II und III zustehen*. Wie Art. 106 hat auch Art. 107 eine tra-
     gende Funktion im bundesstaatl. Gefüge. Er hat die Aufgabe, die
     einzelnen Länder so mit Finanzmitteln auszustatten, daß sie in der
     Lage sind, die ihnen übertragenen Aufgaben annähernd gleich-

mäßig und mit gesicherten Finanzmitteln in polit. Unabhängigkeit
zu erfüllen.

Absatz 1

2 Abs. 1 enthält eine Kombination aus zwei möglichen Regelungs-
methoden. Für die *Landessteuern* und Anteile an der *Einkom-
men- und Körperschaftsteuer* gilt das Prinzip der *Verteilung nach
dem örtlichen Aufkommen* der St (Satz 1) und für die *Umsatzsteuer* ein pauschaliertes Bedarfssystem, nämlich im wesentlichen die
Verteilung nach der Einwohnerzahl (Satz 4). Die Wahl der Vertei-
lungsmethode hat für die Länder erhebliche praktische Bedeutung. Das Prinzip des örtlichen Aufkommens begünstigt die wirtschaftlich starken Länder, da die Wirtschaftskraft sich unmittelbar
in der Steuerkraft niederschlägt. Entsprechend sind die wirtschaftlich schwachen Länder durch dieses System benachteiligt.
Demgegenüber hat die Verteilung von St nach der Einwohnerzahl
eine ausgleichende Wirkung unter den Ländern.

3 Das *Prinzip des örtlichen Aufkommens* bedeutet nach *Satz 1,* daß
den Ländern das Steueraufkommen insoweit zusteht, »als die
Steuern von den Finanzbehörden in ihrem Gebiet vereinnahmt
werden«. Diesem Prinzip unterliegen die *Landessteuern.* Das sind
St, die nach Art. 106 den Ländern zustehen. Auch der Anteil der
Länder an der Gewerbesteuerumlage folgt diesem Verteilungs-
prinzip. Ferner werden die *Anteile der Länder an der Einkommen-
und Körperschaftsteuer* nach dem örtlichen Aufkommen verteilt.
Für den Gemeindeanteil an der Einkommensteuer gilt
Art. 106 V. Verteilt wird das vereinnahmte Aufkommen. Vereinnahmt ist ein Steuerbetrag nicht mit der Festsetzung der St oder
mit der Verbuchung des Steuerbetrags, sondern dann, wenn er in
die Verfügungsmacht der Finanzbehörden übergegangen ist. Es
muß sich um eine endgültige Verfügungsmacht handeln. St, die
wegen fehlerhafter Festsetzung zurückzuzahlen sind, gelten nicht
als vereinnahmt. Finanzbehörden i. S. des Art. 107 sind sowohl
Landes- wie auch Bundesfinanzbehörden. Bundesfinanzbehörden erheben die Biersteuer, die eine Landessteuer ist. Soweit die
Gemeindebehörden gemäß Art. 108 IV 2 St erheben, sind sie
nicht Finanzbehörden i. S. des Art. 107. Auf die Gemeindesteuern findet Art. 107 keine Anwendung. Die Worte »in ihrem Gebiet« beziehen sich nicht auf das Gebiet der Finanzbehörden, sondern auf das der Länder. Die örtliche Zuständigkeit der Finanzbehörden ergibt sich aus dem allgemeinen Steuerrecht. Die beschrie-
bene Verteilungsregel bewirkt, daß die in den Grenzen der Län-

der erhobenen St unmittelbar den Ländern zustehen.

4 *Satz 2 und 3:* Seit der Finanzreform 1969 ist in Art. 107 I bindend
vorgeschrieben, daß das *Aufkommen der Lohnsteuer und der Körperschaftsteuer zerlegt und abgegrenzt* wird. Das Schwergewicht
liegt auf der Zerlegung. Die Gründe für die Vorschrift hinsichtlich
der Zerlegung liegen darin, daß die rein formelle Durchführung
des Prinzips des örtlichen Aufkommens zu unsachgerechten, dem
Sinn des Prinzips widersprechenden Ergebnissen führt: z. B. wird
bei der Körperschaftsteuer die gesamte St am Sitz eines Unternehmens gezahlt, obwohl sie möglicherweise in zahlreichen Betriebsstätten des Bundesgebietes erwirtschaftet wurde. Dadurch wird
das Sitzland den Betriebsstättenländern gegenüber bevorzugt.
Ähnlich ist es bei der Lohnsteuer, die für die Arbeitnehmer aller
im Bundesgebiet verstreuten Betriebsstätten eines Unternehmens
am Sitz des Unternehmens gezahlt wird. Die Zerlegung dient der
Korrektur derartiger Verzerrungen. Das ZerlegungsG vom
25. 2. 1971 (BGBl. I S. 145) regelt für die Körperschaftsteuer die
Zerlegung nach dem Betriebsstättenprinzip (§§ 2 bis 4) und für die
Lohnsteuer nach dem Prinzip des Wohnsitzes der Arbeitnehmer
(§ 5). Für andere St ist die Zerlegung nach Art. 107 I 3 fakultativ.
Die Zerlegung wird durch Bundesgesetz mit Zustimmung des
BRates so geregelt, daß jedes Land berechenbare Ansprüche auf
die Zerlegungsbeträge geltend machen kann. Andere Formen der
Zerlegung als durch Bundesgesetz (z. B. durch Vereinbarungen
unter den Ländern) sind wegen der Ausschließlichkeit der Rege-
lung in Art. 107 nicht zulässig.

5 *Satz 4:* Abweichend vom Prinzip des örtlichen Aufkommens wird
das Aufkommen der *Umsatzsteuer nach der Einwohnerzahl unter
den Ländern aufgeteilt.* Bis zu einem Viertel des Aufkommens der
Umsatzsteuer kann jedoch durch Bundesgesetz mit Zustimmung
des BRates für Ergänzungsanteile an die Länder vorgesehen werden, deren Einnahmen aus den Landessteuern und Gemeinschaftsteuern mit Ausnahme der Umsatzsteuer unter dem Durchschnitt der Länder liegen. Die gesetzliche Regelung findet sich in
§ 2 II bis IV des G über den Finanzausgleich zwischen Bund und
Ländern vom 28. 8. 1969 (BGBl. I S. 1432) i. d. F. vom 20. 12. 1982
(BGBl. I S. 1866).

Absatz 2

6 *Satz 1 und 2* machen dem Bundesgesetzgeber die Regelung eines
Ausgleichs unter den Ländern zur Pflicht. Der *Ausgleich* besteht

darin, daß *leistungsstarke Länder von ihrer Finanzkraft (Steuereinnahmen u. andere laufende Einnahmen) an leistungsschwache Länder abzugeben haben.* Die Zugehörigkeit der Länder zu der ausgleichspflichtigen oder der ausgleichsberechtigten Gruppe kann wohl nur am Maßstab der durchschnittlichen Finanzkraft aller Länder ermittelt werden. Das G über den Finanzausgleich zwischen Bund und Ländern (s. Rn. 5) berücksichtigte bisher bei der Ermittlung der Finanzkraft nur die Steuereinnahmen (§§ 6 und 7). Die Berücksichtigung weiterer Einnahmen ist geboten, sofern sie für die Finanzkraft erheblich sind. Das gilt gegenwärtig für die Förderabgabe nach § 31 BundesbergG (BGBl. I 1980 S. 1310) i. V. m. den auf § 32 II dieses G beruhenden VO der Landesregierungen (vgl. dazu Kisker, Der bergrechtliche Förderzins im bundesstaatlichen Finanzausgleich, Band 32 der Reihe »Studien zum öffentlichen Recht und zur Verwaltungslehre«). Das FinanzausgleichsG i.d.F vom 20. 12. 1982 (vgl. Rn. 5) berücksichtigt in § 7 II die Förderabgabe allerdings nur teilweise. Nach dem Wortlaut des Art. 107 II 1 kommt es nicht allein auf die Finanzkraft, sondern ebenfalls auf den Finanzbedarf an, wovon im 2. Halbs. ausdrücklich die Rede ist. Eine erschöpfende Bedarfsermittlung ist aber nicht möglich, weil der Bedarf im wesentlichen von polit. Entscheidungen abhängt. Es kann wohl nur um die Berücksichtigung einzelner Bedarfselemente gehen, wie sie das G über den Finanzausgleich (s. Rn. 5) in den §§ 7 bis 9 vorsieht. Die Finanzkraft ist »angemessen« auszugleichen. Ein voller Ausgleich, der einer Nivellierung der Finanzkraft aller Länder gleichkäme, ist nicht vorgesehen. Er wäre verfassungsrechtl. als Verstoß gegen das Bundesstaatsprinzip auch nicht zulässig; vgl. BVerfGE 1, 131. Beim Ausgleich sind die Finanzkraft und der Finanzbedarf der Gemeinden und Gemeindeverbände zu berücksichtigen. Das G über den Finanzausgleich muß die Voraussetzungen für Ausgleichsansprüche und Ausgleichsverpflichtungen sowie die Maßstäbe für die Höhe der Ausgleichsleistungen so genau bestimmen, daß jedes Land in der Lage ist, die genaue Höhe seines Ausgleichsanspruchs bzw. seiner Ausgleichsverpflichtung festzustellen. Für die Leistungen müssen Ansprüche begründet werden, die keinerlei Ermessensentscheidung unterliegen. Die Regelung des Art. 107 ist erschöpfend. Neben dem dort vorgesehenen Ausgleich sind z. B. vertragliche Abmachungen über Ausgleichsleistungen unter den Ländern nicht zulässig.

7 *Satz 3* gibt dem Bund die Möglichkeit (»kann«), in dem G über den Finanzausgleich vorzusehen, daß an leistungsschwache Länder aus den Mitteln des Bundes *Ergänzungszuweisungen* gewährt

der aus den Mitteln des Bundes *Ergänzungszuweisungen* gewährt
werden. Die Ergänzungszuweisungen dürfen nur an leistungsschwache Länder gegeben werden. Der Bund muß zwar nicht notwendig an alle leistungsschwachen Länder zahlen. Er darf einzelne Länder jedoch nur streng nach Finanzausgleichsmotiven auswählen. »Zur Deckung ihres allgemeinen Finanzbedarfs« bedeutet, daß die Mittel zweckfrei wie echte Steueranteile gewährt werden müssen.

Artikel 108   [Finanzverwaltung]

**(1)   Zölle, Finanzmonopole, die bundesgesetzlich geregelten Ver-
brauchsteuern einschließlich der Einfuhrumsatzsteuer und die Abgaben im Rahmen der Europäischen Gemeinschaften werden durch Bundesfinanzbehörden verwaltet. Der Aufbau dieser Behörden wird durch
Bundesgesetz geregelt. Die Leiter der Mittelbehörden sind im Benehmen mit den Landesregierungen zu bestellen.**

**(2)   Die übrigen Steuern werden durch Landesfinanzbehörden ver-
waltet. Der Aufbau dieser Behörden und die einheitliche Ausbildung
der Beamten können durch Bundesgesetz mit Zustimmung des Bundesrates geregelt werden. Die Leiter der Mittelbehörden sind im Einvernehmen mit der Bundesregierung zu bestellen.**

**(3)   Verwalten die Landesfinanzbehörden Steuern, die ganz oder zum
Teil dem Bund zufließen, so werden sie im Auftrage des Bundes tätig.
Artikel 85 Abs. 3 und 4 gilt mit der Maßgabe, daß an die Stelle der
Bundesregierung der Bundesminister der Finanzen tritt.**

**(4)   Durch Bundesgesetz, das der Zustimmung des Bundesrates be-
darf, kann bei der Verwaltung von Steuern ein Zusammenwirken von
Bundes- und Landesfinanzbehörden sowie für Steuern, die unter Absatz 1 fallen, die Verwaltung durch Landesfinanzbehörden und für andere Steuern die Verwaltung durch Bundesfinanzbehörden vorgesehen
werden, wenn und soweit dadurch der Vollzug der Steuergesetze erheblich verbessert oder erleichtert wird. Für die den Gemeinden (Gemeindeverbänden) allein zufließenden Steuern kann die den Landesfinanzbehörden zustehende Verwaltung durch die Länder ganz oder zum
Teil den Gemeinden (Gemeindeverbänden) übertragen werden.**

**(5)   Das von den Bundesfinanzbehörden anzuwendende Verfahren
wird durch Bundesgesetz geregelt. Das von den Landesfinanzbehörden
und in den Fällen des Absatzes 4 Satz 2 von den Gemeinden (Gemeindeverbänden) anzuwendende Verfahren kann durch Bundesgesetz mit
Zustimmung des Bundesrates geregelt werden.**

(6)   Die Finanzgerichtsbarkeit wird durch Bundesgesetz einheitlich geregelt.

(7)   Die Bundesregierung kann allgemeine Verwaltungsvorschriften erlassen, und zwar mit Zustimmung des Bundesrates, soweit die Verwaltung den Landesfinanzbehörden oder Gemeinden (Gemeindeverbänden) obliegt.

1   Art. 108 regelt die Zuständigkeiten auf dem Gebiet der Finanzverwaltung. Er sieht zwei getrennte Verwaltungen vor: einerseits – in Ergänzung des Art. 87 I 1 – eine Bundesfinanzverwaltung (Abs. 1), andererseits eine Landesfinanzverwaltung (Abs. 2). Wie bei der Gesetzgebung und bei der Ertragshoheit sind auch hier die Zuständigkeiten zwischen Bund und Ländern verteilt. Aus dem Wortlaut des Art. 108 muß geschlossen werden, daß für die Verwaltung von Steuern (St) eine besondere Behördenorganisation bestehen muß, die nicht mit anderen Behörden vermischt und deren besonderer Charakter nicht durch Übertragung fremder Aufgaben beeinträchtigt werden darf. Ferner ergibt sich aus Art. 108, daß St. nur von Finanzbehörden i. S. des Art. 108 verwaltet werden dürfen (dazu näher Maunz/Dürig, Art. 108 Rn. 14 u. 15).

Absatz 1

2   *Satz 1* führt enumerativ die St auf, die von den *Bundesfinanzbehörden* zu verwalten sind. Zu den Zöllen, Finanzmonopolen und Verbrauchsteuern vgl. Art. 105 Rn. 5 und 7. Wie in Art. 106 I wird auch hier die Einfuhrumsatzsteuer als Verbrauchsteuer behandelt und zur Verwaltung den Bundesfinanzbehörden zugewiesen. Auch die Abgaben im Rahmen der EG gehören zur Verwaltungskompetenz des Bundes, weil sie erhebungstechnisch mit den vorgenannten St eine Gruppe bilden. Durch das Wort »Bundesfinanzbehörden« ist zwingend angeordnet, daß die Finanzverwaltung eine unmittelbare Staatsverwaltung ist.

3   *Satz 2:* Der »*Aufbau der Behörden*« (s. dazu unten Rn. 6) muß durch Bundesgesetz geregelt werden. Der Bund kann seine Organisationsgewalt insoweit nicht durch Verwaltungsvorschriften ausüben; BVerfGE 8, 166. Die Vorschrift enthält also einen Gesetzesvorbehalt. Darüber hinaus drückt sie eine Verpflichtung für den Bundesgesetzgeber aus. Aus Art. 87 I 1, in dem von einem Verwaltungsunterbau die Rede ist und aus Art. 108 I 3, der Rege-

lungen für die Leiter der Mittelbehörden trifft, ist zu schließen, daß der Aufbau der Bundesfinanzbehörden zumindest dreistufig sein muß. Anders hätte das Wort Mittelbehörden keinen Sinn. Das bedeutet aber nicht, daß nicht einzelne bestimmte Aufgaben auch ein- oder zweistufig verwaltet werden können. Das u. a. auf Grund des Abs. 1 Satz 2 ergangene FinanzverwaltungsG vom 30. 8. 1971 (BGBl. I S. 1427) – FVG – sieht einen dreistufigen Behördenaufbau vor: Bundesminister der Finanzen als oberste Behörde, Oberfinanzdirektion als »Mittelbehörde« und als örtliche Behörden die Hauptzollämter mit ihren Dienststellen. Daneben bestehen im Bereich der Steuerverwaltung nach Art. 108 als Bundesoberbehörden die Bundesmonopolverwaltung für Branntwein und das Bundesamt für Finanzen.

4   *Satz 3:* Die Leiter der Mittelbehörden werden im Benehmen mit den LReg bestellt. »Im Benehmen« bedeutet Anhören, aber alleinige Entscheidung durch den Bund. Es genügt, das Benehmen mit dem Land herzustellen, in dessen Gebiet der Oberfinanzdirektionsbezirk ganz oder z. T. liegt. Das Benehmen bezieht sich nur auf das Bestellen, nicht auf andere beamtenrechtl. Akte.

Absatz 2

5   *Satz 1:* Die *Landesfinanzbehörden* verwalten alle St, die nicht in Abs. 1 Satz 1 aufgeführt sind. Dazu gehört auch die Umsatzsteuer, die nach Art. 106 II Nr. 4 als Verkehrsteuer gilt; vgl. Art. 106 Rn. 4. Auch die landesgesetzlich geregelten St fallen unter Abs. 2 Satz 1. Die Länder sind nach Art. 108 verpflichtet, Landesfinanzbehörden einzurichten, und zwar solche der unmittelbaren Staatsverwaltung (»Landesfinanzbehörden«). Das oben unter Rn. 2 zu Satz 1 Gesagte gilt auch hier.

6   *Satz 2* räumt dem Bund eine fakultative Gesetzgebungskompetenz für den *Aufbau der Behörden* und die einheitliche Ausbildung der Beamten ein, die nicht von den Voraussetzungen des Art. 72 II abhängig ist und bei Inanspruchnahme Landesrecht verdrängt. »Aufbau der Behörden« bedeutet zunächst das gleiche wie Einrichtung der Behörden in Art. 84 I, Art. 85 I und Art. 86 (vgl. dazu Art. 84 Rn. 3). Außerdem gehört der Stufenaufbau der Landesfinanzverwaltung dazu. Er ist der Vorgabe von Mittelbehörden in Satz 3 zufolge mindestens dreistufig (vgl. dazu aber Rn. 3). Das u. a. auf Grund von Abs. 2 Satz 2 ergangene FVG sieht daher für die Landesfinanzbehörden vor: Ministerialinstanz als oberste Landesfinanzbehörde, Oberfinanzdirektion als

Mittelbehörde und als örtliche Behörden die Finanzämter. Die einheitliche *Ausbildung der Länderbeamten* ist der fakultativen Regelungskompetenz des Bundes im Interesse der Gleichmäßigkeit der Besteuerung unterworfen (vgl. wesentlich enger Art. 75 Nr. 1).

7 *Satz 3:* Die Leiter der Mittelbehörden der Länderfinanzverwaltung können nur im Einvernehmen mit der BReg bestellt werden, d. h. es ist die Zustimmung der BReg erforderlich. Der Vergleich dieser Regelung mit der in Abs. 1 Satz 3 und die grundsätzliche Trennung von Bundes- und Landesfinanzbehörden in Art. 108 geben Anlaß zu der Frage, ob die Eigenschaft der Oberfinanzdirektion als Bundes- und Landesbehörde (§ 8 I FVG) und des Oberfinanzpräsidenten als Bundes- und Landesbeamter (§ 9 II 1 FVG), der im gegenseitigen Einvernehmen zwischen der BReg und der zuständigen LReg ernannt wird (§ 9 II 2 FVG), mit dem GG übereinstimmen. Das wird von der h. M. mit Recht bejaht. Abs. 4 gibt für diese Konstruktion eine Grundlage. Man wird dasselbe auch für die in § 9 II 2 FVG vorgesehene Entlassung annehmen müssen, denn ein »Zusammenwirken« i. S. des Abs. 4 Satz 1 ist bei einseitigen Entlassungen kaum möglich.

Absatz 3

8 Abs. 3 knüpft die *Auftragsverwaltung* an die Ertragshoheit des Bundes. Auch wenn dem Bund nur ein Teil der St zufließt (Umsatzsteuer, Einkommen- und Körperschaftsteuer) wird die gesamte St von den Ländern im Auftrag des Bundes verwaltet. Die Auftragsverwaltung ist in Art. 85 geregelt. Abs. 3 Satz 2 bedeutet keine Einschränkung der Anwendbarkeit des Art. 85 auf dessen Abs. 3 und 4, sondern nur eine Modifikation dieser Absätze. Art. 85 weicht – von Art. 108 III 2 abgesehen – in drei Punkten vom Wortlaut des Art. 108 ab. Erstens: Nach Art. 85 kann das Verwaltungsverfahren durch G ohne Zustimmung des BRates geregelt werden (vgl. Erläut. zu Art. 85 Rn. 2); anders Art. 108 V2. Zweitens: Art. 5 II ermöglicht die Regelung der einheitlichen Ausbildung der Beamten und Angestellten ohne Gesetz; anders Art. 108 II. Drittens: Die Regelungsbefugnis für die Ausbildung erstreckt sich in Art. 85 anders als bei Art. 108 II auch auf die Angestellten. Es kann nicht angenommen werden, daß im Falle der Auftragsverwaltung nach Art. 108 III Art. 85 voll gelten und somit die Bestimmungen des Art. 108 II und V 2 verdrängen soll. Die Auftragsverwaltung ist gekennzeichnet durch das Weisungsrecht (Art. 85 III) und die

Zweckmäßigkeitsaufsicht (Art. 85 IV); vgl. dazu im einzelnen
Erläut. zu Art. 85 Rn. 5 ff.

Absatz 4

9 *Satz 1* sieht die Möglichkeit vor, die in den Abs. 1 und 2 vorge-
schriebene *Kompetenzabgrenzung* in zweierlei Weise zu *ändern*.
Es kann sich dabei immer nur um partielle Änderungen handeln.
Eine wesentliche Umgestaltung der Kompetenzen ist durch
Abs. 4 nicht gedeckt. Eine Möglichkeit ist es, das Zusammenwirken von Bundes- und Länderfinanzbehörden vorzusehen, d. h.
für eine an sich allein in der Zuständigkeit einer Ebene liegende
Aufgabe kann die verwaltungsmäßige Mitwirkung der anderen
Ebene angeordnet werden. Anwendungsfälle sind die §§ 18 und
19 FVG. Die andere Möglichkeit des Abs. 4 Satz 1 ist, Aufgaben
von einer an sich zuständigen Ebene auf die andere Ebene zu
übertragen. Es handelt sich um eine verfassungsrechtl. wirksame
Aufgabenverlagerung. Beispiele für diese Alternative finden sich
in § 5 FVG. Die dort genannten Aufgaben des Bundesamtes für
Finanzen stammen aus dem Kompetenzbereich der Länderfinanzbehörden. Voraussetzung für beide Alternativen ist, daß der Vollzug der Steuergesetze erheblich verbessert oder erleichtert wird.
Es handelt sich hier um unbestimmte Rechtsbegriffe, die für die
Auslegung einen Spielraum lassen (vgl. BVerfGE 13, 233; 39,
108). Erforderlich ist ein Bundesgesetz mit Zustimmung des BRates.

10 *Satz 2* räumt dem Landesgesetzgeber (nicht dem Bundesgesetzge-
ber) das Recht ein, Verwaltungskompetenzen von Landesfinanz-
behörden auf die *Gemeinden* zu *übertragen*. Die Verwaltung von
St, die den Gemeinden allein zufließen, kann den Gemeinden oder
Gemeindeverbänden ganz oder zum Teil zugewiesen werden. Zur
Rückwirkung der Übertragung vgl. BVerwG, DVBl 1983, 138.
Maßgebend ist die Ertragshoheit der Gemeinden. Die Realsteuern
werden von Satz 2 umfaßt; vgl. dazu Art. 106 Rn. 14.

Absatz 5

11 Abs. 5 befaßt sich mit der gesetzlichen *Regelung des Verfahrens
bei der Durchführung von Steuergesetzen* (zum Begriff des Verwaltungsverfahrens s. Art. 84 Rn. 4). In *Satz 1* kommt zum Ausdruck, daß der Bund die Regelung des Verfahrens für seine Steuerbehörden, die selbstverständlich nur er treffen kann, durch Bundesgesetz vornehmen muß. Hier wird die Art der Regelung (Ge-

setzesvorbehalt) wie auch die Regelungspflicht festgelegt. *Satz 2* gibt dem Bund eine fakultative Regelungskompetenz auch für das von den Länderfinanzbehörden anzuwendende Verfahren. Ihre Ausübung ist nicht vom Vorliegen der Voraussetzungen des Art. 72 II abhängig. Die Kompetenz umfaßt auch das Recht, das von den Gemeinden und Gemeindeverbänden im Falle des Abs. 4 Satz 2 anzuwendende Verfahren zu regeln. Sie erstreckt sich nicht nur auf Regelungen für die Ausführung von Bundesgesetzen, sondern umfaßt auch die für Landesgesetze. Absatz 5 ist *Grundlage für die Abgabenordnung* vom 16. 3. 1976 (BGBl. I S. 613). Soweit die Gesetzgebungskompetenz des Bundes nach Art. 105 II reicht, kann der Bund mit Verfahrensregelungen auch materielle Regelungen verquicken.

Absatz 6

12 Abs. 6 begründet eine Gesetzgebungszuständigkeit des Bundes für die *Finanzgerichtsbarkeit,* und zwar als lex specialis gegenüber Art. 74 Nr. 1. Es ist eine ausschließliche Kompetenz des Bundes, zu deren Ausübung er verpflichtet ist. Über den Aufbau der Finanzgerichtsbarkeit enthält Abs. 6 keine Angaben. Es muß sich aber nach ausdrücklicher Vorschrift um eine einheitliche Regelung handeln. Dadurch sind partielle Regelungen ausgeschlossen. Art. 71 ist nicht anwendbar. In Art. 95 I ist der Bundesfinanzhof (BFH) als oberster Gerichtshof des Bundes vorgesehen. Aus Art. 99 muß geschlossen werden, daß der Zugang zum BFH in Streitigkeiten über die Anwendung von Landessteuerrecht nur durch Landesrecht geregelt werden kann. Auf der Grundlage des Abs. 6 ist die *Finanzgerichtsordnung* vom 6. 10. 1965 (BGBl. I S. 1477) ergangen.

Absatz 7

13 »*Allgemeine Verwaltungsvorschriften*« (zum Begriff s. Art. 84 Rn. 7) beziehen sich im Bereich des Abs. 7 auf die Ausführung von Steuergesetzen des Bundes (z. B. Einkommensteuerrichtlinien). Zur Bindung der Gerichte an »typisierende Verwaltungsvorschriften«, die auf Erfahrung beruhende Schätzungen zum Inhalt haben, vgl. die Rechtsprechung des BFH, zuletzt Bundessteuerblatt II 1980, 122. Falls Verwaltungsvorschriften nur für die Bundesfinanzbehörden bestimmt sind, bedürfen sie nicht der Zustimmung des BRates. Diese ist aber erforderlich, wenn sie sich an Landesfinanzbehörden oder Gemeinden wenden. Zu weiteren Fragen s. Erläut. zu Art. 84 Rn. 8–10.

Artikel 109   [Haushaltswirtschaft in Bund und Ländern]

(1)   Bund und Länder sind in ihrer Haushaltswirtschaft selbständig und voneinander unabhängig.

(2)   Bund und Länder haben bei ihrer Haushaltswirtschaft den Erfordernissen des gesamtwirtschaftlichen Gleichgewichts Rechnung zu tragen.

(3)   Durch Bundesgesetz, das der Zustimmung des Bundesrates bedarf, können für Bund und Länder gemeinsam geltende Grundsätze für das Haushaltsrecht, für eine konjunkturgerechte Haushaltswirtschaft und für eine mehrjährige Finanzplanung aufgestellt werden.

(4)   Zur Abwehr einer Störung des gesamtwirtschaftlichen Gleichgewichts können durch Bundesgesetz, das der Zustimmung des Bundesrates bedarf, Vorschriften über

1. Höchstbeträge, Bedingungen und Zeitfolge der Aufnahme von Krediten durch Gebietskörperschaften und Zweckverbände und

2. eine Verpflichtung von Bund und Ländern, unverzinsliche Guthaben bei der Deutschen Bundesbank zu unterhalten (Konjunkturausgleichsrücklagen),

erlassen werden. Ermächtigungen zum Erlaß von Rechtsverordnungen können nur der Bundesregierung erteilt werden. Die Rechtsverordnungen bedürfen der Zustimmung des Bundesrates. Sie sind aufzuheben, soweit der Bundestag es verlangt; das Nähere bestimmt das Bundesgesetz.

1   Art. 109 bewirkt, wie das andere Vorschriften, z. B. die Art. 30, 70 ff., 83 ff., 92 ff., 104 a ff., auf dem Gebiet der Aufgabenabgrenzung tun, eine Umsetzung des föderativen Prinzips (Art. 20 I) auf das Gebiet der Haushaltswirtschaft (HHW). Grundsatz ist die *Trennung der Haushaltswirtschaften des Bundes und der Länder in jeweils selbständige und voneinander unabhängige Bereiche.* Dieses Prinzip muß aber aus dem Wesen des Bundesstaates heraus verstanden werden. Es ist nicht absolut in dem Sinne, daß sich die HHW des Bundes und der Länder in isolierten Räumen getrennt voneinander vollziehen. Sie stehen vielmehr in vielfältigen *Wechselbeziehungen* zueinander, die sich zum großen Teil aus dem weitgehend einheitlichen Finanzsystem der Bundesrepublik ergeben. Dazu gehören das einheitliche Währungs- und Notenbanksystem (Art. 73 Nr. 4, Art. 88), das einheitliche Zoll- und Handelsgebiet (Art. 73 Nr. 5), die weitgehend durch den Bund einheitlich

ausgeübte Gesetzgebung über die Steuern und die verfassungsrechtl. festgelegte Steuerverteilung zwischen dem Bund und den
Ländern (Art. 106) und unter den Ländern (Art. 107). Hieraus
erfährt die Selbständigkeit und Unabhängigkeit der HHW insbes.
der Länder Einschränkungen (BVerfGE 1, 131; s. auch E 4, 140).
Zu weiteren Beschränkungen s. nachstehend Rn. 2, 4 ff., 9 und
12 ff.

Absatz 1

2 Die Selbständigkeit und Unabhängigkeit bezieht sich auf die
HHW. Haushaltswirtschaft i. S. dieser Vorschrift ist die *Gesamtheit der auf die staatlichen Einnahmen und Ausgaben bezogenen
Vorgänge, soweit sie nach bundesstaatlichem Verfassungsrecht
überhaupt einer selbständigen Entscheidung des jeweiligen Haus-
haltsträgers unterliegen.* Auf der Einnahmeseite gehören danach
das gesamte Steuerverteilungssystem, und zwar sowohl die Verteilung der Steuern zwischen Bund und Ländern nach Art. 106
wie auch die unter den Ländern nach Art. 107, *nicht* zur HHW.
Soweit die Steuerverteilung durch einfache Gesetze geregelt wird,
haben die Länder nur Mitwirkungsrechte über den BRat. Wegen
der weitgehenden Übertragung der Steuergesetzgebung auf den
Bund beschränkt sich die Selbständigkeit der Länder auf der Einnahmeseite auf die geringen eigenen Steuergesetzgebungskompetenzen, die Kompetenzen zur Erhebung von Gebühren und Bei-
trägen und auf die Aufnahme von Krediten; s. dazu aber Abs. 4.
Der Bund hat auf dem Gebiet der Einnahmen größere Selbständigkeit als die Länder. Hier hat aber die Zustimmungsbedürftigkeit nach Art. 105 III große Bedeutung. Auf der Ausgabenseite
ist der HHW die Aufgaben- und Lastenzuordnung (Art. 30,
104 a I) vorgegeben. Der Spielraum der Länder ist zusätzlich
durch die ebenfalls vorgegebene Gesetzgebungskompetenz des
Bundes i. V. m. der Pflicht der Länder, die Bundesgesetze auszuführen (Art. 83), und der sich daraus ergebenden Ausgabenlast
(Art. 104 a I) eingeengt.

3 *Selbständigkeit* der HHW bedeutet, daß Bund und Länder je ge-
trennt in eigener Verantwortung ihre Entscheidungen bei der
Haushaltsaufstellung, der Ausführung des Haushalts sowie der
Kontrolle und Prüfung treffen. Es gibt keine Pflicht zu Kenntnis-
nahme, Benehmen, Anhörung oder Einvernehmen der anderen
Seite. Die Mitwirkung des BRates bei der Verabschiedung des
Haushaltsplans des Bundes ist keine Ausnahme, da der BRat ein
Bundesorgan ist. *Unabhängigkeit* i. S. des Abs. 1 bedeutet die

Freiheit von Einflußnahmen der anderen Seite durch Dotationsauflagen und andere Bindungen. In diesem Zusammenhang gewinnt der Grundsatz Bedeutung, daß das Finanzausgleichssystem
der Art. 106 und 107 mit seiner zweck- und auflagenfreien Mittelverteilung ausschließlich ist. Die Unabhängigkeit der Ebenen
voneinander darf nicht durch vereinbarte Nebensysteme zum Finanzausgleich ausgehöhlt werden. Danach sind auch Matrikular-
beiträge der Länder an den Bund verfassungsrechtl. unzulässig.

4 Neben den Einschränkungen des in Art. 109 I aufgestellten
Grundsatzes, die sich aus dem einheitlichen Staatsfinanzsystem (s.
oben Rn. 1) und den Steuergesetzgebungs- und Verteilungsregeln
der Art. 105 ff. ergeben, gibt es eine Reihe von *Ausnahmen von
der Grundregel des Abs. 1* im geschriebenen Verfassungsrecht.
Eine besondere Bedeutung haben die zunächst in der Verfassungswirklichkeit entstandenen Fonds- und Dotationsauflagensy-
steme, die sicher mit Art. 109 I nicht in Einklang standen und
nunmehr seit 1969 in klaren Verfassungsregeln verrechtlicht und
eingeschränkt sind. Art. 91 a führt über die Regeln für eine gemeinsame Planung und Finanzierung nach überwiegend verfassungsrechtl. festgelegten Quoten zu einer Verflechtung der HHW
von Bund und Ländern und einer gegenseitigen Bindung hinsichtlich bestimmter Ausgabenansätze (vgl. Erläut. zu Art. 91 a
Rn. 6). Eine ähnliche Wirkung hat Art. 91 b besonders im Bereich der Förderung der wissenschaftlichen Forschung. Auch die
Finanzhilfen des Bundes an die Länder nach Art. 104 a IV berühren die Unabhängigkeit und Selbständigkeit der HHW der Länder. Der Bund kann nur Finanz*hilfen,* d. h. keine Vollfinanzie-
rung gewähren; vgl. dazu Art. 104 a Rn. 13. Daraus folgt, daß die
Länderhaushalte in Höhe der Eigenanteile der Länder gebunden
sind. Art. 109 I verbietet nicht eine Verpflichtung der Länder zur
Erbringung ihres Eigenanteils neben den Finanzhilfen. Das gilt
zumindest, wenn der Bund für die Materie eine Gesetzgebungskompetenz nach Art. 73 ff. hat, aber auch dann, wenn die Länder
sich in Verwaltungsvereinbarungen nach Art. 104 a IV verpflichten. Eine Berührung der HHW von Bund und Ländern kann auch
auf dem Gebiet der ungeschriebenen Kompetenzen des Bundes
aus der Natur der Sache oder kraft Sachzusammenhangs (vgl.
Art. 30 Rn. 2–4) eintreten, wenn diese Kompetenzen mit Länder-
zuständigkeiten zusammentreffen und beide Ebenen über die Erfüllung und Finanzierung der Aufgaben Vereinbarungen treffen
(z. B. Nordrh.-Westf. und Bund auf dem Gebiet der Steinkohle-
förderung). Diese Mischfinanzierungen sind im Prinzip verfas-

sungsrechtl. unter dem Gesichtspunkt des Art. 109 I sämtlich unbedenklich. Sie können aber bei fortschreitender Zunahme an die
Grenzen des von Art. 109 I geschützten Kernbestandes der
HHW der Länder stoßen. Die Gemeinden und Gemeindeverbände gehören wegen des zweistufigen Staatsaufbaus der Bundesrepublik zu den Ländern. Als Teile der Länder genießen sie den
Schutz des Art. 109 I gegenüber dem Bund. Art. 109 I gibt ihnen
jedoch im Verhältnis zu »ihrem« Land keinen Schutz.

Absatz 2

5 Das GG und die Reichshaushaltsordnung regelten ursprünglich
die HHW des Bundes unter dem Gesichtspunkt der Bedarfsdek-
kung des Staates, ohne besondere Rücksicht auf die gesamtwirtschaftliche Bedeutung der öffentl. Haushalte zu nehmen. Die
Verfassungsänderung von 1967 hat die Funktionen der HHW über
die Bedarfsdeckung hinaus erweitert. Kraft verfassungsrechtl.
Regelung hat die *Haushaltswirtschaft jetzt auch wirtschaftssteuern-
de Funktionen* (gesamtwirtschaftliche Budgetfunktion). Der Begriff HHW hat in Abs. 2 die gleiche Bedeutung wie in Abs. 1. Das
bedeutet, daß die neben der HHW bestehenden oder ihr vorgegebenen Regelungssysteme (vgl. Rn. 1) dem Gebot des Abs. 2 nicht
unterworfen sind. Das im Abs. 2 normierte *Ziel ist das gesamtwirtschaftliche Gleichgewicht*. Es ist auch Förderziel für Finanzhilfen
nach Art. 104 a IV, Voraussetzung für die Überschreitung des
Kreditrahmens des Art. 115 und in Art. 109 IV Maßstab für die
Ausübung der Gesetzgebungskompetenzen. Der Inhalt des Begriffs, der in allen genannten Verfassungsvorschriften der gleiche
ist, wurde vom Verfassungsgesetzgeber absichtlich nicht näher definiert, um zeitbedingten Veränderungen auch der wirtschaftswis-
senschaftlichen Betrachtung Raum zu geben.

6 Eine nähere Bestimmung des *Begriffs »Gesamtwirtschaftliches
Gleichgewicht«* ist in § 1 des G zur Förderung der Stabilität und
des Wachstums der Wirtschaft vom 8. 6. 1967 (BGBl. I S. 582) –
StWG – enthalten. Das ist keine verbindliche Interpretation der
Verfassung, sondern der auf Abs. 3 beruhende Versuch des einfa-
chen Gesetzgebers, den unbestimmten Verfassungsbegriff aus
heutiger Sicht dadurch praktikabel zu machen, daß das Ziel des
Abs. 2 in ökonomisch meßbare Größen umgesetzt wird. § 1
StWG umschreibt die auf das Ziel des gesamtwirtschaftlichen
Gleichgewichts gerichtete Verhaltenspflicht wie folgt: *»Die Maß-
nahmen sind so zu treffen, daß sie im Rahmen der marktwirtschaft-*

lichen Ordnung gleichzeitig zur Stabilität des Preisniveaus, zu ei-
nem hohen Beschäftigungsstand und außenwirtschaftlichem
Gleichgewicht bei stetigem und angemessenem Wirtschaftswachs-
tum beitragen.« Es handelt sich also um eine Zielkombination, deren einzelne Elemente sich in einer lebendigen Wirtschaft in ständiger Veränderung und auch in gegenseitiger Abhängigkeit befinden. Der Idealzustand wäre, wenn alle vier Ziele in optimaler
Weise nebeneinander erreicht würden und in dieser Gleichge-
wichtslage erhalten werden könnten (»magisches Viereck«). In
der Wirklichkeit ist dieser Idealzustand kaum erreichbar. Das Be-
mühen muß jedoch darauf gerichtet sein, ein Ungleichgewicht in
diesem dynamischen Prozeß zu vermeiden. Strittig ist, ob alle vier
Ziele gleichrangig oder die Stabilität des Preisniveaus, der hohe
Beschäftigungsstand und das außenwirtschaftliche Gleichgewicht
die eigentlichen Zielkomponenten sind. Die letztere Auffassung
sieht das stetige Wirtschaftswachstum nur als ständige Bedingung
für alle Wirtschaftspolitik an. Insbes. im Hinblick auf Art. 104 a
IV, Art. 109 IV und Art. 115 muß man davon ausgehen, daß langfristige oder ständige Wachstumsförderungsmaßnahmen des
Bundes *nicht* als Maßnahmen zur Abwehr einer Störung des gesamtwirtschaftlichen Gleichgewichts i. S. des Art. 104 a IV erste
Alternative und als Rechtfertigung für die Überschreitung der
Kreditgrenze des Art. 115 gelten können. Für diese Instrumente
muß aus ihrer Funktion im System, aus ihrer Eigenschaft als Ausnahme im Kompetenzgefüge (Art. 104 a IV) und als Ausnahme
von einer Grundregel (Art. 115) abgeleitet werden, daß sie nur
kurzfristig anwendbar sind; vgl. dazu Art. 104 a Rn. 9 und
Art. 115 Rn. 3. Das gilt auch für Art. 109 IV.

7   Das Mittel der staatl. Einwirkung auf die Gesamtwirtschaft ist die
Globalsteuerung. Neben anderen, z. B. monetären Steuerungs-
mitteln setzt die HHW bei der Nachfragesteuerung ein. Auf Nach-
fragelücken wird mit vermehrten Staatsausgaben und entsprechend auf einen Nachfrageüberhang mit einer Drosselung der
Staatsausgaben reagiert. Auch Steuererhöhungen oder -senkun-
gen können als Mittel der Nachfragesteuerung eingesetzt werden.
Der Anteil der Staatsausgaben (ohne Sozialversicherung) am
Bruttosozialprodukt von etwa 35 vH ist ein bedeutender Faktor
für die gesamtwirtschaftliche Entwicklung. Allerdings kann dieser
Anteil nicht insgesamt für die Konjunkturpolitik nutzbar gemacht
werden. Der Haushalt dient in erster Linie der Bedarfsdeckung.
Er unterliegt damit Ausgabezwängen, die zu einem großen Teil
sogar auf gesetzlichen Bindungen beruhen und die deshalb nicht

flexibel sind. Im übrigen kann vor allem im Bereich der Investitionen der Staat mangels ausführungsreifer Planungen nicht immer mit der konjunkturpolitisch notwendigen Geschwindigkeit reagieren. Ferner haben die Erfahrungen gezeigt, daß viele für die Wirtschaftsentwicklung wichtige Faktoren sich weitgehend der staatl. Einflußnahme entziehen. Dazu gehören in erster Linie die Preis- und Lohnentwicklung und die außenwirtschaftlichen Abhängigkeiten. Gleichwohl obliegt dem Staat die Verpflichtung, seine Einflußfaktoren im Interesse der oben beschriebenen Zielsetzung geltend zu machen.

8 Abs. 2 *richtet sich an den Bund und die Länder.* Sie sind verfassungsrechtl. verpflichtet, den Erfordernissen des gesamtwirtschaftlichen Gleichgewichts Rechnung zu tragen. Der Begriff gesamtwirtschaftliches Gleichgewicht ist ein unbestimmter Rechtsbegriff, bei dessen Auslegung die Verpflichteten einen weiten Spielraum haben. Die verfassungsgerichtliche Nachprüfung ist demgemäß darauf beschränkt, ob der Begriff im Prinzip zutreffend ausgelegt worden ist (BVerfGE 39, 115). Die Verpflichtung trifft auch die Gemeinden, weil sie Teil der Länder sind. Abs. 4 Nr. 1, der im Gegensatz zu den übrigen Vorschriften des Artikels die »Gebietskörperschaften« und damit auch die Gemeinden ausdrücklich umfaßt, spricht nicht dagegen. Praktisch haben die Gemeinden weitgehend nicht die Möglichkeit, in eigener Verantwortung konjunkturpolit. Entscheidungen zu treffen.

Der Bund hat den Ländern gegenüber weder ein besonderes Aufsichtsrecht noch die Befugnis, die Länder bindend zu einem bestimmten konjunkturpolit. Verhalten anzuweisen. Bund und Länder handeln in eigener Verantwortung.

Absatz 3

9 Die in Abs. 3 begründete Gesetzgebungskompetenz des Bundes ist eine Einschränkung des Abs. 1. Die *Kompetenz, durch Gesetz Grundsätze aufzustellen,* erstreckt sich auf drei Bereiche: das Haushaltsrecht, die konjunkturgerechte HHW und die mehrjährige Finanzplanung. Die das *Haushaltsrecht* betreffende Kompetenz wurde durch die 20. Novelle zum GG vom 12. 5. 1969 (BGBl. I S. 357) zusätzlich zu den beiden anderen bereits bestehenden Kompetenzbereichen eingeführt. Ihr Zweck war, die Rechtseinheitlichkeit bei der Reform des gesamten Haushaltswesens in Bund und Ländern in den Grundzügen zu sichern und so die Vergleichbarkeit der Haushalte herzustellen. Diese ist wiederum notwendig aus finanz-, wirtschafts- und konjunkturpolit. Gründen. Die bestehende Verflechtung der Haushalte erfordert eine Vereinheitlichung auch aus verwaltungstechnischen Gründen. Haushaltsrecht ist die Summe der Vorschriften, die die HHW regeln. Das sind – mit Ausnahme des Steuerverfahrensrechts – die auf die Einnahmen und Ausgaben des Staates bezogenen Vorgänge. Nach h. M. umfaßt bereits der Begriff Haushaltsrecht auch Vorschriften über eine konjunkturgerechte HHW und eine mehrjährige Finanzplanung. Auf Grund des Abs. 3 (Haushaltsrecht) ist das G über die Grundsätze des Haushaltsrechts des Bundes und der Länder vom 19. 8. 1969 (BGBl. I S. 1273) ergangen. Die Grundsatzgesetzgebungskompetenz erstreckt sich weiter auf die *konjunkturgerechte Haushaltswirtschaft*. Damit hat der Gesetzgeber die Möglichkeit, die Haushaltswirtschaft des Bundes und der Länder durch Grundsatzregelungen auf die Bedürfnisse der Konjunkturpolitik zu verpflichten und sie in diesem Sinne zu gestalten. Hierauf stützt sich ein großer Teil der Regelungen des StWG (Rn. 6). Außerhalb des Bereichs der Haushaltswirtschaft können Gesetze, die der Abwehr einer Störung des gesamtwirtschaftlichen Gleichgewichts dienen, auch auf allgemeine Kompetenzgrundlagen der Art. 73 ff. gestützt werden (BVerfGE 20, 409). Der dritte Bereich der Grundsatzgesetzgebungskompetenz des Abs. 3 ist die *mehrjährige Finanzplanung*. Das ist eine über die jeweilige Haushaltsperiode hinausreichende Vorausplanung der haushaltswirtschaftlichen Entwicklung nach Maßgabe des mutmaßlichen Verlaufs der gesamtwirtschaftlichen Entwicklung. Die Finanzplanung ist in ihrem Wesen keine Aufgabenplanung, sie baut vielmehr weitgehend auf der vorgegebenen Fachplanung auf und befaßt sich mit finanziellen Größen. Sie hat damit sicher die Funktion, die öffentl. Ausgaben und ihre Deckungsmöglichkeiten vorausschauend zu ordnen, finanzielle und wirtschaftliche Entscheidungen zu beeinflussen und Orientierungsdaten für die Folgen und Zusammenhänge gesetzgeberischer Entscheidungen zu liefern. Auf der Grundlage des Abs. 3 regeln die §§ 9 und 10 i. V. m. § 14 StWG und § 50 HaushaltsgrundsätzeG die Grundsätze für eine mehrjährige Finanzplanung von Bund und Ländern. Die Finanzplanung ist eine Regierungsplanung, die dem BTag und dem BRat vorgelegt wird. Das Parlament ist an die Planung nicht gebunden.

10 Die *Grundsatzgesetzgebungskompetenz* des Abs. 3 ist eine inhaltlich beschränkte Kompetenz. Art. 72 II findet keine Anwendung. Sie ist der Rahmengesetzgebungskompetenz weitgehend wesensgleich. Wie bei der Rahmengesetzgebung (vgl. insoweit Art. 75 Rn. 1) kann der Bundesgesetzgeber die genannten Sachgebiete nicht erschöpfend regeln. Den Ländern muß ein Regelungsspielraum für regionale Differenzierungen belassen werden. Die grundsätzlichen Normen müssen auf Ausfüllung angelegt sein. Der Bund kann Normen erlassen, die sich nur an die Gesetzgeber, BTag und Landtage, richten, aber auch solche mit unmittelbarer Geltung. An die Parlamente gerichtete Normen binden diese. Das gilt auch für den BTag. Nach h. M. kann der Bundesgesetzgeber nur gemeinsame Regelungen für Bund und Länder treffen. Einseitige Bindungen der Länder oder spätere Abänderungen nur hinsichtlich des Bundes sind danach nicht von Abs. 3 gedeckt. Die Gemeinden sind auch hier, wie in Abs. 1 und 2, als Teile der Länder in die Bindungswirkung der Grundsätze einbezogen. Eine Verpflichtung, die Grundsatzgesetzgebung i. S. des Abs. 3 auszuüben, besteht nicht. Wenn Gesetze erlassen werden, bedürfen sie der Zustimmung des BRates.

Absatz 4

11 Abs. 4 enthält eine Gesetzgebungskompetenz, die der *Bekämpfung von Überhitzungserscheinungen im Konjunkturablauf* dient. Zur Abwehr einer Störung des gesamtwirtschaftlichen Gleichgewichts kann der Bundesgesetzgeber Kreditbeschränkungen für alle Gebietskörperschaften und Zweckverbände und die Verpflichtung von Bund und Ländern, Konjunkturausgleichsrücklagen anzulegen, vorsehen. Beide Instrumente zielen darauf, die Einnahmen der öffentl. Haushalte zu verringern. Der Gesetzgeber kann, wenn er sich auf die grundsätzliche Ausgestaltung von Eingriffsinstrumenten beschränkt, entsprechende Gesetze bereits erlassen, bevor eine Störung des gesamtwirtschaftlichen Gleichgewichts droht oder eingetreten ist. Der *Einsatz* der Instrumente selbst, etwa durch Rechtsverordnung, setzt aber eine bereits eingetretene oder konkret bevorstehende Störung des gesamtwirtschaftlichen Gleichgewichts voraus.

12 *Satz 1 Nr. 1* ermöglicht einen direkten Eingriff in die Kreditpolitik der Gebietskörperschaften einschl. der Gemeinden, indem er vorsieht, daß *Höchstbeträge, Bedingungen und Zeitfolge der Aufnahme von Krediten* festgelegt werden können. In § 19 StWG ist gemäß Abs. 4 Satz 2 eine Ermächtigung der BReg. enthalten, die Beschaffung von Geldmitteln im Wege des Kredits für Bund, Länder, Gemeinden, Gemeindeverbände und die öffentl. Sondervermögen und Zweckverbände durch RVO zu beschränken. § 20 regelt weitere Einzelheiten.

13 *Nr. 2* gibt dem Bundesgesetzgeber die Kompetenz, *Bund und
Länder* – hier sind die Gemeinden nicht mit einbezogen – zu verpflichten, *unverzinsliche Guthaben bei der Deutschen Bundesbank
zu unterhalten.* Auch diese Maßnahme dient der Geldmittelver-
knappung bei den öffentl. Haushalten im Interesse einer Dämp-
fung der Ausgabenpolitik. § 15 V 2 StWG ermächtigt die BReg,
durch RVO anzuordnen, daß der Bund und die Länder ihren nach
§ 7 i. V. m. § 14 StWG gebildeten Konjunkturausgleichsrücklagen Mittel zuzuführen haben. Einzelheiten dazu enthält § 15
StWG. Die Mittel der Konjunkturausgleichsrücklage werden im
Falle eines Rückgangs der Wirtschaftstätigkeit als zusätzliche Aus-
gabemittel, die dann der Belebung der Wirtschaftstätigkeit dienen, eingesetzt; §§ 7, 5 III, § 6 II StWG (antizyklische Ausgabenpolitik).

14 *Satz 2:* Da der Einsatz der Maßnahmen zur Abwehr einer Störung
des gesamtwirtschaftlichen Gleichgewichts schnell erfolgen muß,
ist in Satz 2 der *Erlaß von Rechtsverordnungen vorgesehen.* Die
Ermächtigungsvoraussetzungen nach Inhalt, Zweck und Ausmaß
(Art. 80) sind von der Verfassung selbst in Abs. 4 Satz 1 festge-
legt. Anders als sonst (Art. 80) wird nur die BReg als Kollegium
ermächtigt und bedarf jede RVO der Zustimmung des BRates.
Wegen des Gewichts der Eingriffe in die HHW des Bundes und der
Länder unterliegt die RVO nach Abs. 4 Satz 2 einer *besonderen
Kontrolle durch den Bundestag.* Er kann die Aufhebung der RVO
verlangen. Der entsprechende Beschluß des BTages ist kein Gesetzgebungsakt. Er hat deswegen keine konstitutive Wirkung. Die
RVO der BReg kann nur durch Gesetz oder aber durch RVO der
BReg aufgehoben werden. Nach einem Beschluß des BTages ist
die BReg zur Aufhebung der RVO verpflichtet. Anders kann die
verfassungsrechtl. Regelung nicht verstanden werden. Der BTag
kann auch die Aufhebung selbständiger Teile der RVO verlangen,
nicht aber die Erweiterung des Inhalts der RVO z. B. durch Streichung von Einschränkungen oder andere Änderungen. Da die
BReg zur Befolgung des Beschlusses des BTages verpflichtet ist,
bedarf es zur Aufhebung einer RVO nicht der Zustimmung des
BRates. Daraus ergibt sich zugleich, daß der BTag nur einen actus
contrarius verlangen kann; sonst würde der BRat, der sowohl dem
Gesetz nach Abs. 4 als auch der darauf beruhenden RVO zustimmen muß, umgangen.

Artikel 110   **[Haushaltsplan und Haushaltsgesetz des Bundes]**

(1) Alle Einnahmen und Ausgaben des Bundes sind in den Haushaltsplan einzustellen; bei Bundesbetrieben und bei Sondervermögen brauchen nur die Zuführungen oder die Ablieferungen eingestellt zu werden. Der Haushaltsplan ist in Einnahme und Ausgabe auszugleichen.

(2) Der Haushaltsplan wird für ein oder mehrere Rechnungsjahre, nach Jahren getrennt, vor Beginn des ersten Rechnungsjahres durch das Haushaltsgesetz festgestellt. Für Teile des Haushaltsplanes kann vorgesehen werden, daß sie für unterschiedliche Zeiträume, nach Rechnungsjahren getrennt, gelten.

(3) Die Gesetzesvorlage nach Absatz 2 Satz 1 sowie Vorlagen zur Änderung des Haushaltsgesetzes und des Haushaltsplanes werden gleichzeitig mit der Zuleitung an den Bundesrat beim Bundestage eingebracht; der Bundesrat ist berechtigt, innerhalb von sechs Wochen, bei Änderungsvorlagen innerhalb von drei Wochen, zu den Vorlagen Stellung zu nehmen.

(4) In das Haushaltsgesetz dürfen nur Vorschriften aufgenommen werden, die sich auf die Einnahmen und die Ausgaben des Bundes und auf den Zeitraum beziehen, für den das Haushaltsgesetz beschlossen wird. Das Haushaltsgesetz kann vorschreiben, daß die Vorschriften erst mit der Verkündung des nächsten Haushaltsgesetzes oder bei Ermächtigung nach Artikel 115 zu einem späteren Zeitpunkt außer Kraft treten.

1 Der Haushaltsplan (HPl) weist die für das Rechnungsjahr zu erwartenden Einnahmen und die beabsichtigten Ausgaben nach Ressorts (Einzelpläne) und Zwecken (Titel) geordnet im einzelnen aus. Er enthält das polit. Programm der i. d. R. von der BTagsmehrheit getragenen BReg (BVerfGE 45, 32). Der HPl ist verbindliche Grundlage der Ausgabenpolitik der BReg. für das Rechnungsjahr und Maßstab für die Haushaltskontrolle durch das Parlament. Die Rechtswirkungen des HPl und seine rechtl. Bedeutung sind Gegenstand eines wissenschaftlichen Meinungsstreits; vgl. dazu Maunz/Dürig, Art. 110 Rn. 9–10. Von praktischer Bedeutung ist die Annahme, daß die Rechtswirkungen des HPl sich im wesentlichen auf das Organverhältnis zwischen Parlament und Regierung beschränken (BVerfGE 38, 125). Ansprüche Dritter werden nicht berührt und begründet. Doch hat der HPl rechtskonstitutive Bedeutung insofern, als er eine Ermächtigung für die Regierung begründet, Ausgaben zu leisten und finanzielle Verpflichtungen einzugehen, die ohne das Haushaltsgesetz

und den HPl nicht oder jedenfalls nicht in dieser Weise bestünden
(BVerfGE 20, 91). Die Regierung darf nur für die im HPl näher
bezeichneten Zwecke und nur in der dort für die einzelnen Zwek-
ke bezeichneten Höhe Zahlungen leisten. Für Verpflichtungen
auf künftige Rechnungsjahre braucht sie entsprechende Verpflichtungsermächtigungen. Daraus folgt ein Verbot von Ausgaben, für die Mittel nicht vorgesehen sind, und ein Verbot, die Höhe der vorgesehenen Mittel zu überschreiten (BVerfGE 45, 34).
Das ergibt sich aus dem Zusammenhang der Art. 110 bis 115, insbes. aber aus Art. 111 I und Art. 112. Die Regierung ist jedoch
nicht verpflichtet, die vorgesehenen Ausgaben zu leisten. Bei dem
Vollzug des Haushalts handelt die Regierung nach dem Gewaltenteilungsprinzip in eigener Verantwortung. Die in der Praxis geübte Mitwirkung des Parlaments beim Haushaltsvollzug durch
den Genehmigungsvorbehalt bei bestimmten Ausgabeansätzen
(qualifizierte Sperrvermerke) ist problematisch. Vgl. auch Erläut.
zu Art. 40 Rn. 2.

Absatz 1

2 *Satz 1* enthält die traditionellen *Haushaltsgrundsätze* der Vollständigkeit, der Einheitlichkeit und des Ausgleichs des HPl, die damit
Verfassungsrang erhalten haben. Andere wichtige Haushaltsgrundsätze sind in der Bundeshaushaltsordnung (BHO) und im
HaushaltsgrundsätzeG (HGrG) geregelt.

Der *Grundsatz der Vollständigkeit* in *Satz 1* besagt, daß *alle* Einnahmen und *alle* Ausgaben in den HPl einzustellen sind (Verbot,
erwartete Einnahmen und beabsichtigte Ausgaben außer Ansatz
zu lassen). Zu den mit dem Vollständigkeitsgebot zusammenhängenden Grundsätzen der Haushaltswahrheit und Haushaltsklar-
heit vgl. Maunz/Dürig, Art. 110 Rn. 37 u. 38. Der *Grundsatz der
Einheitlichkeit* bedeutet, daß Einnahmen und Ausgaben des Bundes in *einen* HPl einzustellen sind (Verbot von Sonder- und Ne-
benhaushalten). Mit diesen Grundsätzen steht das sog. Brutto-
prinzip, nach dem Einnahmen und Ausgaben getrennt voneinander in voller Höhe in den HPl einzustellen sind, in Zusammenhang. Dieses Prinzip ist in Art. 110 nicht vorgesehen. Es bleibt daher, wie bisher, einfachgesetzlicher Regelung vorbehalten (§ 12
HGrG, § 15 BHO). *Einnahmen* sind die im Rechnungsjahr kassenmäßig zu erwartenden Deckungsmittel. Dazu gehören laufende Einnahmen aus Steuern usw., aber auch einmalige Einnahmen
wie z. B. aus der Veräußerung von Vermögen, ferner Einnahmen
aus Krediten, nicht jedoch Kassenkredite, die nur der Zwischenfi-

nanzierung dienen. *Ausgaben* i. S. des Abs. 1 sind die (nach dem Fälligkeitsprinzip der §§ 8 HGrG und 11 BHO) im Rechnungsjahr kassenmäßig zu erwartenden Geldleistungen des Bundes. Für Ausgaben künftiger Rechnungsjahre sind Verpflichtungsermächtigungen vorzusehen (§ 38 BHO). Satz 1 sieht im 2. Halbs. Ausnahmen von den Grundsätzen der Vollständigkeit und der Einheitlichkeit vor, indem er bei *Bundesbetrieben und Sondervermögen* des Bundes auf eine Gegenüberstellung von Einnahmen und Ausgaben verzichtet und die bloße Veranschlagung von Zuführungen (Leistungen aus dem Bundeshaushalt an diese Einrichtungen = Ausgaben) oder Ablieferungen (Leistungen dieser Einrichtungen an den Bundeshaushalt = Einnahmen) zuläßt. Bei diesen Einrichtungen handelt es sich um solche, die rechtl. unselbständig sind und deshalb vom Bundeshaushalt umfaßt werden. Bundesbetriebe sind zur Erfüllung besonderer Aufgaben erwerbswirtschaftlich betriebene Einrichtungen (z. B. Bundesdruckerei). Sondervermögen des Bundes sind abgesonderte Bestandteile des Bundesvermögens, die begrenzte Aufgaben wahrnehmen und auf Grund eines Gesetzes getrennt verwaltet werden (Bundesbahn und Bundespost; vgl. Art. 87 Rn. 3). Die Einrichtungen werden i. d. R. nach eigenen Wirtschaftsplänen verwaltet.

3 *Satz 2,* der das *Gebot des Haushaltsausgleichs* aufstellt, bedeutet, daß der HPl nicht mehr Ausgaben vorsehen darf, als Einnahmen (einschl. Kredite) zur Deckung dieser Ausgaben auf Grund von Schätzungen erwartet werden können und demgemäß veranschlagt sind. Das Gebot gilt bei der Aufstellung des HPl für die BReg und für die Feststellung des HPl durch das Parlament gleichermaßen (BVerfGE 1, 161). Die Exekutive ist an den festgestellten HPl, der ausgeglichen ist, gebunden und hat demgemäß den Haushalt unter Aufrechterhaltung des Gleichgewichts zwischen Einnahmen und Ausgaben auszuführen. Abweichungen sind allerdings unvermeidbar. Der Ausgleich darf aber nicht außer acht gelassen werden. Das Gebot des Ausgleichs ist mit einer antizyklischen Haushaltspolitik durchaus vereinbar, da Kreditaufnahmen auf der einen Seite und Rücklagenbildung auf der anderen Seite konjunkturbedingte Veränderungen kompensieren können und konjunkturell notwendige Verhaltensweisen ermöglichen.

Absatz 2

4 Abs. 2 enthält den ebenfalls traditionellen Grundsatz, daß der *Haushaltsplan durch Gesetz festzustellen* ist, und zwar *vor* Beginn des Rechnungsjahres, für das der HPl gelten soll (*Prinzip der Vor-*

herigkeit). Der Grundsatz der Vorherigkeit folgt aus dem Wesen des Plans als Instrument der Zukunftsgestaltung. Er verpflichtet ebenfalls sowohl die BReg wie auch das Parlament. Zunächst hat die BReg den Haushaltsentwurf so rechtzeitig beim Parlament einzubringen, daß eine Feststellung vor Beginn des Rechnungsjahres möglich ist. In der Praxis ist das seit Bestehen der Bundesrepublik erstmals beim Haushalt für 1980 und seither für die Haushalte 1983, 1984 und 1985 gelungen. Der Verstoß gegen den Grundsatz der Vorherigkeit ist u. a. bedingt durch die relativ kurze Zeit, die nach der parl. Sommerpause für die Beratung des Bundeshaushalts zur Verfügung steht. Die Verletzung des Grundsatzes hat nicht zur Folge, daß der verspätet verabschiedete HPl nichtig wäre. Man wird daraus, daß die Verfassung in Art. 111 ausdrücklich für den Fall der verspäteten Verabschiedung des HPl Vorsorge trifft, schließen müssen, daß es sich um eine verfassungsrechtl. Verpflichtung der Beteiligten handelt (BVerfGE 45, 33), deren Nichteinhaltung keine Rechtswirkungen auf die Gültigkeit des HPl hat. Auch der verspätet verabschiedete HPl erstreckt sich nach Abs. 2 Satz 1 auf das gesamte Rechnungsjahr. Er wird also rückwirkend auf die inzwischen verstrichene Zeit in Kraft gesetzt. Soweit Abs. 2 die Feststellung des HPl durch ein Gesetz vorschreibt, handelt es sich um eine zwingende Vorschrift (BVerfGE 45, 32). Die Feststellung des HPl durch Rechtsverordnung ist ausgeschlossen. Sinn der Gesetzesform ist es, besonders dem Parlament ein umfassendes Ausgabenbewilligungsrecht einzuräumen und Möglichkeiten zu geben, die Staatstätigkeit zu begrenzen und global zu steuern. Die Aufstellung des Haushalts ist immer Sache der BReg. Bei der Aufstellung ist nach der BHO zu verfahren. Der BMF hat dabei bedeutsame Befugnisse gegenüber anderen Ressorts (vgl. §§ 13 ff. BHO, § 26 I GO BReg). Über die Behandlung im BTag vgl. insbes. § 95 GO BTag. Der BRat hat nur ein Einspruchsrecht. Der von der BReg vorgelegte HPl kann im Gesetzgebungsverfahren zwar abgeändert, im übrigen aber nur als Ganzes verabschiedet werden. Eine Etatverweigerung, die die Staatstätigkeit lahmlegt, wäre als Verstoß gegen die Integrationspflicht der Verfassungsorgane (vgl. Vorbem. vor Art. 38 Rn. 3) und wohl auch gegen Art. 20 III verfassungswidrig. Für die Verkündung des HPl nach Art. 82 genügt es, wenn der Gesamtplan (§ 1 BHO) verkündet wird (näher s. Art. 82 Rn. 5).

5 Der HPl kann nach Abs. 2 Satz 1 abweichend von der üblichen Praxis auch für mehrere Jahre aufgestellt und festgestellt werden.

Auch für diesen Fall ist er aber nach Jahren zu trennen. Das Verfahren hat sich in der Praxis nicht bewährt. Satz 2 sieht weitere
Modifikationen vor, nach denen der HPl in Teile aufgeteilt werden kann, z. B. in einen Verwaltungshaushalt und einen Finanz-
haushalt. Für die verschiedenen Teile können unterschiedliche
Geltungszeiträume vorgesehen werden, die allerdings ebenfalls
nach Rechnungsjahren zu trennen sind. Diese Regelung hat in der
Praxis keine nachhaltige Bedeutung erlangt.

Absatz 3

6 Abs. 3 sieht ein von den allgemeinen Regeln für das Gesetzgebungsverfahren (Art. 76) *abweichendes Verfahren für Haushaltsvorlagen* vor. Während nach Art. 76 I die BReg, die Abg. des
BTages und der BRat ein *Recht zur Gesetzesinitiative* haben, *steht
dieses Recht im Falle von Haushaltsvorlagen nach Abs. 3 Satz 1
ausschließlich der Bundesregierung zu.* Es handelt sich nicht nur
um ein Recht, sondern zugleich um eine Pflicht. Entsprechend hat
auch das Parlament die Pflicht, den Haushalt in angemessener
Frist zu verabschieden (s. oben Rn. 4). Auch bei Änderungsvorlagen (s. unten) steht das Initiativrecht ausschließlich der BReg zu.
Aus der Mitte des BTages können solche Änderungen nicht eingebracht werden. Änderungsanträge zu Vorlagen der BReg sind
möglich. Nach Art. 76 II sind Vorlagen der BReg zunächst dem
BRat zuzuleiten und normalerweise erst nach Eingang von dessen
Stellungnahme (Frist sechs Wochen) an den BTag weiterzuleiten.
Abweichend davon sieht Abs. 3 vor, daß Haushaltsvorlagen
gleichzeitig mit der Zuleitung an den BRat beim BTag eingebracht
werden. Das gilt für den Entwurf des HPl mit dem Haushaltsgesetz und für Änderungen gleichermaßen. Als Änderungen kommen Ergänzungsvorlagen, die während der Beratung im Parlament den Haushaltsentwurf ändern (§ 32 BHO), und Nachtrags-
vorlagen, die den bereits verabschiedeten HPl ändern sollen, in
Betracht. Der BRat kann zum Entwurf des HPl mit dem Haushaltsgesetz innerhalb von sechs Wochen und zu Änderungen innerhalb von drei Wochen Stellung nehmen. Dieses Verfahren
dient der Beschleunigung der Haushaltsberatungen. Es hat aber
auch den Zweck, daß der Haushaltsentwurf von der BReg sehr
zeitnah vor Beginn des Rechnungsjahres, für das der Haushalt
gilt, beschlossen werden kann.

Absatz 4

7 Abs. 4 behandelt das sog. *Bepackungsverbot.* Es enthält eine Be-

schränkung des Inhalts des Haushaltsgesetzes. Nach dem Wortlaut des Abs. 4 hat man das sachliche Bepackungsverbot vom zeitlichen zu unterscheiden. Das *sachliche* Bepackungsverbot beschränkt den Inhalt des Haushaltsgesetzes auf solche Vorschriften, die sich auf die Einnahmen und Ausgaben des Bundes beziehen. Das ist ein sehr weiter Rahmen, der sicher Steuergesetze und
Geldleistungsgesetze (zum Begriff s. Art. 104 a Rn. 4), aber wohl
auch andere Gesetze, die Ausgaben zur Folge haben, umfaßt. Das
zeitliche Bepackungsverbot ergibt sich daraus, daß das Haushaltsgesetz seinem Wesen nach ein Zeitgesetz ist. Es darf keine Regelungen enthalten, die über die zeitliche Geltungsdauer des Haushaltsgesetzes hinausreichen. Abs. 4 Satz 2 sieht Ausnahmen davon vor, die es ermöglichen, einen kontinuierlichen Übergang
zum nächsten Haushaltsgesetz, besonders bei dessen verspäteter
Verabschiedung, zu schaffen, aber auch Kredit- oder Garantieer-
mächtigungen erst in späteren Rechnungsjahren in Anspruch zu
nehmen.

Artikel 111   [Vorläufige Haushaltswirtschaft]

**(1)   Ist bis zum Schluß eines Rechnungsjahres der Haushaltsplan für
das folgende Jahr nicht durch Gesetz festgestellt, so ist bis zu seinem Inkrafttreten die Bundesregierung ermächtigt, alle Ausgaben zu leisten,
die nötig sind,**

**a) um gesetzlich bestehende Einrichtungen zu erhalten und gesetzlich
beschlossene Maßnahmen durchzuführen,**

**b) um die rechtlich begründeten Verpflichtungen des Bundes zu erfül-
len,**

**c) um Bauten, Beschaffungen und sonstige Leistungen fortzusetzen
oder Beihilfen für diese Zwecke weiter zu gewähren, sofern durch
den Haushaltsplan eines Vorjahres bereits Beträge bewilligt worden
sind.**

**(2)   Soweit nicht auf besonderem Gesetz beruhende Einnahmen aus
Steuern, Abgaben und sonstigen Quellen oder die Betriebsmittelrück-
lage die Ausgaben unter Absatz 1 decken, darf die Bundesregierung
die zur Aufrechterhaltung der Wirtschaftsführung erforderlichen Mittel bis zur Höhe eines Viertels der Endsumme des abgelaufenen Haushaltsplanes im Wege des Kredits flüssig machen.**

Art. 111 gestattet der BReg, für den Fall, daß zum Schluß eines
Rechnungsjahres der Haushaltsplan (HPl) für das folgende Jahr
noch nicht durch Gesetz festgestellt ist, Ausgaben zu leisten, die

nötig sind, rechtl. unumgängliche Maßnahmen durchzuführen, oder auf Grund des HPl des Vorjahres begonnene Maßnahmen, die keine Unterbrechung erlauben, fortzusetzen. Sofern die auf Grund von Gesetzen fließenden Einnahmen, z. B. Steuern, nicht ausreichen, kann die BReg die zur Aufrechterhaltung der Wirtschaftsführung notwendigen Kredite in begrenzter Höhe aufnehmen. Anstelle von Art. 111 kann auch ein Haushaltsnotgesetz eine vorläufige Haushaltsführung ermöglichen, falls das Parlament ein solches verabschiedet. Ein derartiges Gesetz kann nicht enger als Art. 111 sein. Art. 111 soll nicht das Haushaltsbewilligungsrecht des Gesetzgebers vorübergehend ersetzen, sondern lediglich für den – vom GG als kurzfristige Ausnahmesituation geduldeten – etatlosen Zustand eine vorläufige Haushaltsführung ermöglichen. Mit dieser verfassungsrechtl. Lage steht die bisherige langjährige Praxis, nach der im Durchschnitt der Jahre die Haushaltsgesetze mit einer annähernd halbjährigen Verspätung verabschiedet worden sind, schwerlich in Einklang (so BVerfGE 45, 33). Wenn der HPl deswegen nicht verabschiedet werden kann, weil der BReg die notwenige Mehrheit fehlt und keine Aussicht besteht, diesen Zustand zu überwinden, ist Art. 111 keine Grundlage für eine dauernde Haushaltsführung. Zur Anwendung des Art. 112 während der vorläufigen Haushaltsführung vgl. Erläut. zu Art. 112 Rn. 5.

Artikel 112 [Über- und außerplanmäßige Ausgaben]

Überplanmäßige und außerplanmäßige Ausgaben bedürfen der Zustimmung des Bundesministers der Finanzen. Sie darf nur im Falle eines unvorhergesehenen und unabweisbaren Bedürfnisses erteilt werden. Näheres kann durch Bundesgesetz bestimmt werden.

1 Sinn und Bedeutung des Art. 112 erklären sich aus seinem Verhältnis zu Art. 110 I. Danach kann die Exekutive nur Ausgaben leisten, die im Haushaltsplan (HPl) eingestellt sind, und zwar nur in der dort vorgesehenen Höhe (BVerfGE 45, 34). Art. 112 durchbricht diesen Grundsatz für bestimmte Fälle. Wenn im HPl keine oder nicht genügend Mittel für unaufschiebbare staatl. Bedürfnisse vorgesehen sind und diese Mittel auch nicht durch ein Änderungsgesetz zum HPl (Nachtragshaushalt) rechtzeitig bereitgestellt werden können, hat der BMF für diese dringenden Notfälle eine Bewilligungskompetenz, die es ermöglicht, die Handlungsfähigkeit der Regierung aufrechtzuerhalten. Es handelt sich um eine subsidiäre Kompetenz für dringende Notfälle, die nicht gleich-

artig und gleichrangig neben der Feststellungskompetenz des Haushaltsgesetzgebers steht (BVerfGE 45, 37).

2 *Satz 1:* Ausgaben nach dem HPl werden dezentral von den Ressorts und den ihnen zugeordneten Behörden gemacht. *Wenn es sich um überplanmäßige oder außerplanmäßige Ausgaben handelt, ist die Zustimmung des Bundesfinanzministers erforderlich.* Überplanmäßig sind solche Ausgaben, für die zwar ein Geldansatz mit einer zutreffenden Zweckbestimmung im HPl ausgebracht ist, aber die veranschlagten Geldmittel nicht ausreichen. Ein solcher Fall liegt nicht vor, wenn in einem anderen Ansatz, der nach §§ 20, 46 BHO deckungsfähig ist, Mittel vorhanden sind. Außerplanmäßig sind Ausgaben, für die der Zweckbestimmung nach ein Ausgabenansatz im HPl überhaupt nicht vorgesehen ist. Das Verfahren nach § 8 StWG ist kein Anwendungsfall von Art. 112, weil die Ausbringung von Einnahme- und Ausgabeleertiteln für konjunkturbedingte Mehrausgaben im HPl mit einem Vermerk versehen ist, nach dem die BReg zu einer Ausgabe in Höhe der Einnahmen aus dem Leertitel ausdrücklich ermächtigt wird.

3 *Satz 2:* Der BMF kann die Zustimmung zu über- und außerplanmäßigen Ausgaben *nur im Falle eines unvorhergesehenen und unabweisbaren Bedürfnisses* erteilen. »Unvorhergesehen ist nicht nur ein objektiv unvorhersehbares Bedürfnis, sondern jedes Bedürfnis, das tatsächlich, gleich aus welchen Gründen, vom Bundesminister der Finanzen oder der Bundesregierung bei der Aufstellung des Haushaltsplans oder vom Gesetzgeber bei dessen Beratung und Feststellung nicht vorgesehen wurde oder dessen gesteigerte Dringlichkeit, die es durch Veränderung der Sachlage inzwischen gewonnen hat, nicht vorhergesehen worden ist« (BVerfGE 45, 35). Ein von den Ressorts gesehenes Bedürfnis, das aber dem BMF nicht bekannt geworden ist, ist i. S. des Art. 112 unvorhergesehen. Wenn eine Geldanforderung zur Deckung eines Bedürfnisses beim BMF geltend gemacht worden ist, oder wenn der BMF innerhalb des Kabinetts oder während der Gesetzesberatung von einem nicht berücksichtigten Bedürfnis erfährt, ist dieses Bedürfnis vorhergesehen.

4 Darüber hinaus muß das *Bedürfnis unabweisbar* sein, d. h. die vorgesehene Ausgabe muß sachlich unbedingt notwendig und zugleich zeitlich unaufschiebbar sein. »Nur wenn eine Ausgabe ohne Beeinträchtigung schwerwiegender politischer, wirtschaftlicher oder sozialer Staatsinteressen nicht mehr zeitlich aufgeschoben werden kann, besteht für sie ein unabweisbares Bedürfnis«

(BVerfGE 45, 36). Wenn die Einbringung eines Nachtragshaushalts vertretbar ist, liegt ein Fall der Unabweisbarkeit nicht vor. Der BMF ist gehalten, mit dem Gesetzgeber in Verbindung zu treten, um zu klären, ob dieser noch rechtzeitig eine gesetzliche Bewilligung erteilen kann (BVerfGE 45, 39). Ferner ist der BMF, bevor er seine Zustimmung erteilt, verpflichtet, die BReg davon zu unterrichten, wenn im Haushalt über erübrigte Mittel zu disponieren ist, die ihrem Umfang nach von polit. Gewicht sind. Die BReg. hat über die Prioritäten anstehender Bedürfnisse zu entscheiden (BVerfGE 45, 48). Die Zustimmungsbefugnis liegt jedoch allein beim BMF; sie kann auch durch eine Kabinettentscheidung nicht ersetzt werden. Die Zustimmung muß grundsätzlich vor der Ausgabe erteilt werden. § 116 BHO sieht vor, daß in Notfällen auch die nachträgliche Genehmigung durch den BMF ausreicht. Das bedeutet eine Heilung des rechtl. Mangels der vorherigen Zustimmung.

5 *Satz 3* sieht vor, daß *Näheres* durch *Bundesgesetz* bestimmt werden kann. Der Gesetzgeber kann dabei keine vom Regelungsinhalt des Art. 112 abweichenden Bestimmungen treffen. BVerfGE 45, 1 ff. enthält eine bindende Interpretation des Art. 112. Ein Gesetzentwurf der BReg zur Anpassung des § 37 BHO an die Grundsätze dieser Entscheidung (BT-Drucks. 8/1664), der in der 8. Wahlperiode vom BTag nicht verabschiedet wurde, ist bisher nicht wieder eingebracht worden (vgl. aber die erstmals in § 5 des HaushaltsG 1979, BGBl. 1979 I S. 205, getroffene und seitdem stets wiederholte Regelung). Art. 112 kann auch während der vorläufigen Haushaltsführung nach Art. 111 angewendet werden (BVerfGE 45, 37). Für die Frage, was mangels eines HPl als über- und außerplanmäßige Ausgabe zu gelten hat, muß entsprechend darauf abgestellt werden, welche Ausgaben nach Art. 111 I geleistet werden dürfen und welche nicht.

Artikel 113 [Zustimmung der Bundesregierung zu finanzwirksamen Gesetzen]

(1) Gesetze, welche die von der Bundesregierung vorgeschlagenen Ausgaben des Haushaltsplanes erhöhen oder neue Ausgaben in sich schließen oder für die Zukunft mit sich bringen, bedürfen der Zustimmung der Bundesregierung. Das gleiche gilt für Gesetze, die Einnahmeminderungen in sich schließen oder für die Zukunft mit sich bringen. Die Bundesregierung kann verlangen, daß der Bundestag die Beschlußfassung über solche Gesetze aussetzt. In diesem Fall hat die Bun-

desregierung innerhalb von sechs Wochen dem Bundestage eine Stellungnahme zuzuleiten.

(2)   Die Bundesregierung kann innerhalb von vier Wochen, nachdem der Bundestag das Gesetz beschlossen hat, verlangen, daß der Bundestag erneut Beschluß faßt.

(3)   Ist das Gesetz nach Artikel 78 zustande gekommen, kann die Bundesregierung ihre Zustimmung nur innerhalb von sechs Wochen und nur dann versagen, wenn sie vorher das Verfahren nach Absatz 1 Satz 3 und 4 oder nach Absatz 2 eingeleitet hat. Nach Ablauf dieser Frist gilt die Zustimmung als erteilt.

1   Die Vorschrift enthält eine *einschneidende Beschränkung des Budgetrechts des Parlaments*. Vorbild ist eine ähnliche Regelung in der Geschäftsordnung des englischen Parlaments. Art. 113 ist eine *Schutzvorschrift zur Sicherung gegen Störungen des Haushaltsgleichgewichts durch die Legislative*. Die BReg soll davor bewahrt werden, ein von den gesetzgebenden Körperschaften beschlossenes Gesetz vollziehen zu müssen, das nach ihrer Auffassung zu einem nicht ausgeglichenen Haushalt führt. Da sich Art. 113 in der ursprünglichen Fassung in der Praxis nicht bewährt hatte, ist er durch G vom 12. 5. 1969 (BGBl. I S. 357) erheblich umgestaltet worden.

Absatz 1

2   Die in *Satz 1* vorgesehene *Zustimmung der Bundesregierung* muß nicht ausdrücklich förmlich erklärt werden. Das ergibt sich aus Abs. 3 Satz 2, nach dem die Zustimmung nach Ablauf einer in Abs. 3 vorgesehenen Frist als erteilt gilt. Die Verweigerung der Zustimmung der BReg hat aber nur dann rechtl. Wirkung, wenn die BReg vorher die in Abs. 1 und 2 vorgesehenen prozeduralen Rechte ausgeübt hat. Der Zustimmung der BReg bedürfen finanzwirksame Gesetze der in den Sätzen 1 und 2 aufgeführten fünf Arten. Die ersten drei betreffen *Mehrausgaben*. Für dieses »Mehr« kommt es auf den Vergleichsmaßstab an. Zur Feststellung des Vergleichsmaßstabes muß danach unterschieden werden, ob es sich um die Zustimmungsbedürftigkeit des Haushaltsplans mit dem Haushaltsgesetz, das unstreitig auch unter Art. 113 fällt, handelt oder um andere Ausgaben verursachende Gesetze. Das Haushaltsgesetz mit dem Haushaltsplan ist dann zustimmungsbedürftig, wenn Ausgaben höher angesetzt werden sollen, als es im Entwurf des Haushaltsplans der BReg vorgesehen ist. Der Ent-

wurf des Haushaltsplans der BReg ist auch Maßstab, wenn es darum geht, ob im Haushaltsplan neue Ausgaben ausgebracht werden sollen, die die BReg dem Grunde nach (Zweckbestimmung) nicht vorgesehen hatte. Dasselbe gilt, wenn es sich um Abweichungen vom Haushaltsentwurf der BReg hinsichtlich solcher Ausgaben handelt, die in der Zukunft entstehen. Das kann bei Verpflichtungsermächtigungen der Fall sein. Anders ist es bei sonstigen Gesetzen, die nach der Verkündung des Haushaltsgesetzes verabschiedet werden. Bei solchen Gesetzen muß wohl der Inhalt des Haushaltsplans und nicht der Entwurf der BReg maßgebend sein. Wenn der als Gesetz verkündete Haushaltsplan in einem Ansatz höhere Ausgaben vorsieht als der Entwurf des Haushaltsplans der BReg oder neue Ausgaben, kann trotz des Wortlauts von Abs. 1 Satz 1 gegenüber einem Gesetz, das die nach dem verkündeten Haushaltsplan veranschlagten höheren Ausgaben enthält, nur der Haushaltsplan als Vergleich maßgebend sein, weil die BReg ihm und damit den ihrem Entwurf gegenüber höheren Ausgaben bereits zugestimmt hat.

3 Die in *Satz 2* genannten Arten von finanzwirksamen Gesetzen betreffen *Einnahmen*. Gesetze, die Einnahmeminderungen in sich schließen oder für die Zukunft mit sich bringen, sind im wesentlichen Steuergesetze.

4 *Sätze 3 und 4:* Bei Gesetzen, die der Zustimmung der BReg bedürfen, kann sich die BReg in das Gesetzgebungsverfahren einschalten. Von ihrem in Abs. 1 Satz 3 vorgesehenen Recht, eine *Aussetzung der Beschlußfassung des Bundestages* über ein Gesetz zu *verlangen*, kann die BReg nur aus finanzwirtschaftlichen Gründen Gebrauch machen. Diese Gründe und auch, ob und unter welchen Voraussetzungen sie bereit ist, dem Gesetzentwurf zuzustimmen, hat sie in der *Stellungnahme*, die binnen sechs Wochen nach dem Aussetzungsverlangen dem BTag zuzuleiten ist, darzulegen. Die Ausübung beider Befugnisse, Aussetzungsverlangen und Stellungnahme, ist Voraussetzung für eine etwaige spätere Zustimmungsverweigerung (Abs. 3 Satz 1). Das Verfahren der BReg nach Art. 113 I bestimmt sich nach § 49 GGO II. Das Verfahren des BTages regelt § 87 I GO BTag.

Absatz 2

5 Außer der Möglichkeit, sich nach Abs. 1 Sätze 3 und 4 in das Gesetzgebungsverfahren einzuschalten, hat die BReg das Recht, eine *erneute Beschlußfassung des Bundestages zu verlangen*. Das

Recht nach Abs. 2 kann sie ausüben, nachdem das Verfahren
nach Abs. 1 keinen Erfolg gehabt hat. Sie kann die erneute Beschlußfassung aber auch dann verlangen, wenn sie von der Möglichkeit des Abs. 1 Sätze 3 und 4 *keinen* Gebrauch gemacht hat.
Sie muß ihr Recht innerhalb von vier Wochen nach dem Beschluß
des BTages geltend machen. Auch in diesem Fall ist sie später berechtigt, die Zustimmung zu dem Gesetz endgültig zu verweigern,
denn nach Abs. 3 Satz 1 wird dieses Recht gewahrt, wenn das
Verfahren nach Abs. 1 Sätze 3 und 4 *oder* nach Abs. 2 eingeleitet
worden ist. Das Verfahren der BReg im Falle des Abs. 2 richtet
sich nach § 51 GGO II. Der Ablauf des Verfahrens im BTag ist in
§ 87 II und III GO BTag geregelt. Danach gilt der Gesetzentwurf
als an den federführenden Ausschuß und an den Haushaltsaus-
schuß zurückverwiesen. Ist das beschlossene Gesetz dem BRat
bereits zugeleitet worden, gilt die Zuleitung als nicht erfolgt. Der
BTag ist nicht darauf beschränkt, zu dem Gesetzesbeschluß ja
oder nein zu sagen, er kann ihn vielmehr, anders als im Verfahren
nach Art. 77 II 5, frei umgestalten.

Absatz 3

6 Abs. 3 soll verhindern, daß die BReg nach Abschluß des Gesetzgebungsverfahrens in BTag und BRat (Art. 78) ihre erforderliche
Zustimmung ohne vorherige Ankündigung versagt. Die *endgültige Verweigerung der Zustimmung* zu Gesetzen nach Abs. 1 Sätze 1 und 2 *hängt daher davon ab, daß sie vorher von einer der ihr in
Abs. 1 Sätze 3 und 4 und Abs. 2 eingeräumten Möglichkeiten Gebrauch gemacht hat.* An die im Verlauf des Gesetzgebungsverfahrens, insbes. zur Begründung der Ausübung der vorgenannten
Rechte vorgebrachten Argumente gegen das Gesetz ist die BReg
jedoch nicht gebunden. Vielmehr steht ihr das Recht zu, neue
Gründe nachzuschieben. Weiterhin will Abs. 3 eine unangemessen lange Verzögerung der Ausfertigung und Verkündung finanz-
wirksamer Gesetze verhindern. Die Verweigerung der Zustimmung ist deshalb an eine *Frist von sechs Wochen* seit dem Zustandekommen des Gesetzes nach Art. 78 gebunden. Gibt die BReg
innerhalb dieser Frist keine Erklärung ab, wird die Zustimmung
als erteilt erachtet (Abs. 3 Satz 2). Wenn hingegen die BReg. ihre
Zustimmung rechtswirksam verweigert hat, kann das Gesetz nicht
verkündet werden. Es ist dann endgültig gescheitert. Die BReg
kann ihre Zustimmung nicht auf einen Teil des Gesetzes beschränken, weil sie nicht die Befugnis hat, ein Gesetz in seinem Inhalt zu
verändern, was durch Weglassen von Teilen aber geschehen würde.

Artikel 114 [Rechnungslegung, Rechnungsprüfung]

(1) Der Bundesminister der Finanzen hat dem Bundestage und dem Bundesrate über alle Einnahmen und Ausgaben sowie über das Vermögen und die Schulden im Laufe des nächsten Rechnungsjahres zur Entlastung der Bundesregierung Rechnung zu legen.

(2) Der Bundesrechnungshof, dessen Mitglieder richterliche Unabhängigkeit besitzen, prüft die Rechnung sowie die Wirtschaftlichkeit und Ordnungsmäßigkeit der Haushalts- und Wirtschaftsführung. Er hat außer der Bundesregierung unmittelbar dem Bundestage und dem Bundesrate jährlich zu berichten. Im übrigen werden die Befugnisse des Bundesrechnungshofes durch Bundesgesetz geregelt.

1   Art. 114 ist Ausdruck des in jeder gesellschaftlichen Beziehung geltenden Grundsatzes, daß jeder, der in Verantwortung für einen anderen Geldmittel bewirtschaften kann oder muß, diesem darüber Rechenschaft zu geben hat. Im staatl. Leben und konkret in Art. 114 geht es darum, daß die Regierung, die durch den Haushaltsgesetzgeber ermächtigt ist, nach einem gegliederten, mit klaren Zielbeschreibungen und Zweckbestimmungen versehenen Haushaltsplan Geldmittel auszugeben, daraufhin geprüft wird, ob sie sich im Rahmen dieser Ermächtigung gehalten hat.

Absatz 1

2   Abs. 1 legt die Verpflichtung zur *Rechnungslegung* dem BMF auf, der hier, wie in Art. 108 III und Art. 112, entsprechend seiner Verantwortung für die Finanzwirtschaft innerhalb der BReg eine besondere, eigenständige Rolle spielt. Er hat über alle *Einnahmen und Ausgaben* Rechnung zu legen. Da diese Haushaltsrechnung den Zweck hat, die Feststellung zu ermöglichen, ob der Haushaltsplan eingehalten worden ist (Ist-/Soll-Vergleich), müssen darin die tatsächlichen Einnahmen und Ausgaben nach der im Haushaltsplan vorgesehenen Ordnung den Ansätzen des Haushaltsplans gegenübergestellt werden. Dabei sind der Vollständigkeit wegen auch über- und außerplanmäßige Ausgaben nachzuweisen. Neben der Darstellung der Einnahmen und Ausgaben muß über das *Vermögen* und die *Schulden* des Bundes Rechnung gelegt werden. Nach § 86 BHO sind der Bestand des Vermögens und der Schulden zu Beginn des Haushaltsjahres, die Veränderungen während des Haushaltsjahres und der Bestand zum Ende des Haushaltsjahres nachzuweisen. Zum Vermögen gehören sowohl das Verwaltungsvermögen wie auch das Finanzvermögen (zu die-

sen Begriffen s. Art. 134 Rn. 2). Beide Vermögensarten werden im Vermögensnachweis betragsmäßig dargestellt. Die Haushaltsrechnung und der Nachweis des Vermögens und der Schulden sind dem BTag und dem BRat im Laufe des nächsten Rechnungsjahres zur Entlastung der BReg vorzulegen. »Im Laufe des nächsten Rechnungsjahres« bedeutet auch bei einem mehrjährigen Haushaltsplan nach Art. 110 II, daß jährlich Rechnung gelegt werden muß, denn auch in diesem Fall wird der Haushaltsplan nach Jahren getrennt aufgestellt. BTag und BRat beschließen über die Entlastung der BReg. Die Entlastung hat im wesentlichen nur polit. Bedeutung.

Absatz 2

3 In Abs. 2 findet sich eine institutionelle Verfassungsgarantie des *Bundesrechnungshofes* (BRH), seiner Funktion und der richterlichen Unabhängigkeit seiner Mitglieder. Einzelheiten über Organisation und Tätigkeit des BRH enthält das nach Satz 3 ergangene G über Errichtung und Aufgaben des Bundesrechnungshofes vom 27. 11. 1950 (BGBl. I S. 765). Der BRH hat die Rechnung zu prüfen. Gegenstand dieser Prüfung ist die vom BMF nach Abs. 1 vorzulegende jährliche Haushalts- und Vermögensrechnung. Das Ergebnis dieser Rechnungsprüfung bildet zusammen mit der Rechnung des BMF die Grundlage des parl. Prüfungs- und Entlastungsverfahrens. Die dem BRH obliegende Prüfung setzt nicht erst ein, wenn der BMF förmlich die Rechnung gelegt hat. Der BRH kann schon vorher abgeschlossene Verwaltungsvorgänge einer Prüfung unterziehen. Die Prüfungstätigkeit des BRH umfaßt die Rechnungs-, Verwaltungs- und »Verfassungskontrolle«. Rechnungskontrolle ist die rechnerisch formelle Prüfung der Belege. Verwaltungskontrolle bedeutet die Prüfung der Geschäftsvorfälle in sachlicher Hinsicht, insbes. ihre Übereinstimmung mit Gesetzen, Verordnungen und Verwaltungsvorschriften. Hierin gehört auch die Wirtschaftlichkeitsprüfung, d. h. die Prüfung, ob mit dem geringstmöglichen Aufwand der größtmögliche Nutzen erzielt wird. »Verfassungskontrolle« ist die Prüfung daraufhin, ob der gesetzlich festgestellte Haushaltsplan einschließlich der dazugehörigen Unterlagen von der Verwaltung eingehalten worden ist (BVerfGE 20, 96). Die Prüfungsergebnisse des BRH finden in Prüfungsbemerkungen nach § 97 BHO ihren Niederschlag. Diese werden nach Abs. 2 Satz 2 und § 97 IV BHO der BReg, dem BTag und dem BRat mitgeteilt. Nach Satz 3 können dem BRH durch einfaches Bundesgesetz weitergehende Befugnisse eingeräumt werden (vgl. § 88 II BHO, wonach der BRH auf Grund

von Prüfungserfahrungen BTag, BRat, BReg und einzelne BMinister beraten kann).

Artikel 115 [Kreditbeschaffung]
**(1) Die Aufnahme von Krediten sowie die Übernahme von Bürg-
schaften, Garantien oder sonstigen Gewährleistungen, die zu Ausgaben in künftigen Rechnungsjahren führen können, bedürfen einer der
Höhe nach bestimmten oder bestimmbaren Ermächtigung durch Bundesgesetz. Die Einnahmen aus Krediten dürfen die Summe der im
Haushaltsplan veranschlagten Ausgaben für Investitionen nicht überschreiten; Ausnahmen sind nur zulässig zur Abwehr einer Störung des
gesamtwirtschaftlichen Gleichgewichts. Das Nähere wird durch Bundesgesetz geregelt.**

**(2) Für Sondervermögen des Bundes können durch Bundesgesetz
Ausnahmen von Absatz 1 zugelassen werden.**

1 Die Finanzierung von Staatsausgaben durch Kreditmittel ist neben der Finanzierung aus laufenden Einnahmen, insbes. Steuern,
   ein normaler Finanzierungsvorgang. Sie ist auch zur Verwirklichung einer effektiven staatl. Konjunkturpolitik nützlich und unentbehrlich zur Kompensation einer unzureichenden gesamtwirtschaftlichen Nachfrage. Andererseits zwingt u. a. die Notwendigkeit von Tilgung und Verzinsung den Staat zu einer vorsichtigen
   Handhabung der Kreditfinanzierung, weil die Belastung künftiger
   Haushaltsjahre nicht so anwachsen darf, daß der finanzpolit.
   Spielraum verloren geht. Deswegen unterwirft Art. 115 die Kreditaufnahmen der parl. Kontrolle und einer quantitativen Begrenzung. Art. 115 hat Wirkung nur im Inter-Organ-Verhältnis zwischen Parlament und Regierung. Er enthält keine Kompetenz für
   die Einführung einer Zwangsanleihe, BVerfG, NJW 1985, 37 ff.

   Absatz 1
2 Nach *Satz 1* bedarf die Aufnahme von Krediten der *gesetzlichen
   Ermächtigung*. Darin kommt das Budgetrecht des Parlaments
   zum Ausdruck. Die Ermächtigung wird im Haushaltsgesetz ausgesprochen, kann aber auch in anderen Gesetzen erfolgen. Sie muß
   betragsmäßig bestimmt, ausnahmsweise, wenn es nicht anders
   möglich ist, zumindest bestimmbar sein. *Kredit* bedeutet die Begründung von Verbindlichkeiten zur Beschaffung von Geld, aber
   auch zur Abgeltung von Ansprüchen, z. B. Befriedigung von La-
   stenausgleichsansprüchen durch Hingabe von Schuldtiteln. Sog.

Verwaltungsschulden (z. B. Zahlungsfristen bei Kaufverträgen) sind keine Kredite i. S. des Art. 115. Der BMF entscheidet darüber, wann und welche Kredite aufgenommen werden. Die Verwaltung der Schulden obliegt der Bundesschuldenverwaltung, einer Bundesoberbehörde (§ 1 FinanzverwaltungsG). Für die Bundesschuldenverwaltung gilt noch die Reichsschuldenordnung vom 13. 2. 1924 (RGBl. I S. 95). Der gesetzlichen Ermächtigung unterliegen auch *Bürgschaften, Garantien und sonstige Gewährleistungen,* wenn sie zu Ausgaben in künftigen Rechnungsjahren führen können. Bürgschaften sind die des BGB (§§ 765 ff.). Garantie ist die Übernahme eines künftigen ungewissen Schadens. Sonstige Gewährleistungen i. S. des Satzes 1 sind den Bürgschaften und Garantien entsprechende Sicherungsgeschäfte. Auch hierbei muß die gesetzliche Ermächtigung die Höhe »bestimmen« oder »bestimmbar« machen; vgl. dazu § 38 BHO.

3 *Satz 2* legt eine *Höchstgrenze für die Finanzierung von Ausgaben durch Kredite* fest. Das bedeutet jedoch nicht, daß jede Kreditaufnahme unterhalb dieser Grenze bedenkenfrei ist. Auch die staatl. Kreditpolitik steht unter dem Gebot des Art. 109 II, aus dem sich im Falle einer Hochkonjunktur die Pflicht zur Zurückführung der Kreditaufnahme auf ein weit unter der Grenze des Satzes 2 liegendes Niveau ergeben kann. Die Höchstgrenze in Satz 2 ist die Summe der im Haushaltsplan veranschlagten *Ausgaben für Investitionen.* Das sind Ausgaben, die bei makroökonomischer Betrachtung die Produktionsmittel der Volkswirtschaft erhalten, vermehren oder verbessern. Die Ausgaben für Investitionen werden nach den Verwaltungsvorschriften zur Haushaltssystematik des Bundes (Gruppierungsplan, § 13 III BHO) im Haushaltsplan besonders ausgewiesen. Maßgebend ist die Nettokreditaufnahme, d. h. Neukredite minus Ausgaben zur Schuldentilgung; vgl. dazu § 15 I BHO. Zu den rechtspolit. Fragen im Zusammenhang mit einer Verschuldungsgrenze vgl. Henseler, AöR 108, 497. Nach Satz 2 Halbs. 2 kann die Höchstgrenze zur Abwehr einer Störung des gesamtwirtschaftlichen Gleichgewichts überschritten werden; vgl. dazu Art. 109 Rn. 6. Die Überschreitung ist als Ausnahme bezeichnet. Als »Notinstrument« ist sie zeitlich begrenzt und nicht als Dauerlösung einsetzbar.

4 *Satz 3* sieht nähere Regelungen durch *Bundesgesetz* vor. Einige Regelungen sind in der BHO getroffen worden. Zur Schuldenverwaltung gilt bis zur Schaffung einer neuen Bundesschuldenordnung noch altes, z. T. vorkonstitutionelles Recht (s. Rn. 2).

Absatz 2

5 Nach Abs. 2 sind z. B. Sonderregelungen für Bundesbahn und Bundespost getroffen worden (§ 31 BundesbahnG u. § 22 PostverwaltungsG).

X a. Verteidigungsfall

Vorbemerkungen

1   Der Abschnitt ist das *Kernstück der sog. Notstandsverfassung.* Die
    unter dieser Bezeichnung zusammengefaßten Bestimmungen (au-
    ßer Abschnitt X a insbes. Art. 10 II, Art. 12 a, Art. 20 IV, Art.
    35 II u. III, Art. 53 a, Art. 80 a, Änderungen der Art. 87 a und
    91) wurden nach Diskussionen, die sich über drei Wahlperioden
    des BTages hinzogen, 1968 in das GG eingefügt. Bis dahin hatte
    die Verfassung zwar gegen leichtere Gefährdung Vorsorge getrof-
    fen (Art. 9 II, Art. 18, Art. 21 II, Art. 37), kaum jedoch gegen ei-
    ne wirklich bedrohliche Gewaltanwendung im Innern (vgl. Art.
    91 a. F.) oder von außen (vgl. Art. 17 a, Art. 59 a, Art. 73
    Nr. 1, Art. 87 b a. F.). Die Feststellung des Verteidigungsfalles
    nach dem früheren Art. 59 a hätte verfassungsrechtl. lediglich den
    Übergang der Befehls- und Kommandogewalt über die Streitkräf-
    te vom BMVg auf den BKanzler (Art. 65 a) sowie die Ausübung
    der Strafgerichtsbarkeit über Angehörige der Streitkräfte durch
    Wehrstrafgerichte (Art. 96 a II 2) zur Folge gehabt. Es fehlte vor
    allem an Regelungen, die eine schnellere Willensbildung der
    Staatsführung als in Normalzeiten und eine straffe, einheitliche
    Verwirklichung ihrer Entscheidungen ermöglicht hätten.

2   Damit unterschied sich das GG von den Verfassungen des Deut-
    schen Reiches, den meisten Landesverfassungen, die Grund-
    rechtseinschränkungen und den Erlaß von Notverordnungen vor-
    sehen, und den Verfassungen des demokratischen Auslandes, die
    weitgehende – oft ungeschriebene – Notstandsregelungen ken-
    nen. Die im GG vorhandene Lücke wurde allerdings durch die Si-
    cherheitsvorbehalte der Drei Mächte nach Art. 5 II des »Deutsch-
    landvertrages« vom 23. 10. 1954 (BGBl. 1955 II S. 305) verdeckt.
    Den Alliierten standen danach umfassende Vollmachten in einem
    Notstand zu, ohne daß die Bundesrepublik auf die Ausübung die-
    ser Befugnisse entscheidend hätte einwirken können. Mit dem In-
    krafttreten der »Notstandsverfassung« sind die alliierten Vorbe-
    haltsrechte entfallen (Noten der Drei Mächte vom 27. 5. 1968 –
    Bek. vom 18. 6. 1968, BGBl. I S. 714).

3   Von den beiden extremen Möglichkeiten einer Notstandsregelung
    – entweder Generalklauseln mit hohem Wirkungsgrad und einem
    Minimum an Kontrollmöglichkeiten oder aber Einzelregelungen,
    die sich bei einem Maximum an Kontrollen mit nur bedingter
    Wirksamkeit begnügen – stieß die erste in der verfassungspolit.

Diskussion auf starken Widerspruch. Die Lösung wurde daher in der Nähe des anderen Extrems gesucht, unter Verzicht vor allem auf das Institut der Notverordnung und auf einschneidende Grundrechtseinschränkungen. Besondere Streitpunkte waren die Befugnisse des »Notparlaments«, des Gemeinsamen Ausschusses (vgl. Art. 115 a Rn. 5), und die Ausgestaltung der zivilen Dienstpflicht mit ihren Folgen für das Streikrecht. Um allzu perfektionistische Regelungen zu vermeiden, wurde bewußt darauf verzichtet, Vorsorge für alle denkbaren Gestaltungen eines modernen Krieges zu treffen, also etwa für den Ausfall auch des Gemeinsamen Ausschusses. Trotz dieser Selbstbeschränkung konnte angesichts des Strebens nach genauen, rechtsstaatl. abgesicherten Bestimmungen nicht vermieden werden, daß Zahl und Umfang der Notstandsvorschriften in einem Mißverhältnis zum Gesamtinhalt der Verfassung stehen.

4 Abschnitt X a regelt die Feststellung des *Verteidigungsfalles* und bringt die meisten dafür vorgesehenen Sonderregelungen (daneben insbes. Art. 12 a III, IV, VI, Art. 87 a III). Das GG enthält weiterhin einige Vorschriften für den *Spannungsfall*, eine krisenhafte Zuspitzung der internationalen Lage, die einen baldigen Verteidigungsfall befürchten läßt: Art. 80 a, Art. 87 a III, Art. 12 a V und VI 2. Spannungsfall und Verteidigungsfall lassen sich unter dem Oberbegriff des *»äußeren Notstandes«* zusammenfassen; wegen des *»inneren Notstandes«* vgl. Art. 91.

Im *Verteidigungsfall* steht die Verstärkung der Wirkungskraft des Staatshandelns im Vordergrund. Hierzu dienen eine Konzentration der Zuständigkeiten, die Gewährleistung der Arbeitsfähigkeit aller Verfassungsorgane, notfalls von Ersatzorganen, und eine – bescheidene – Erweiterung der Möglichkeit zu Grundrechtseinschränkungen. Kennzeichnend für die Notstandsverfassung des GG ist der Verzicht auf die Wahrnehmung parl. Rechte durch die Exekutive. Stattdessen soll ein arbeitsfähiges Organ der Volksvertretung vorhanden sein, nach Möglichkeit der BTag selbst (vgl. insbes. Art. 115 d). Falls der – wegen der großen Zahl seiner u. U. über das Bundesgebiet verstreuten Mitglieder besonders verwundbare – BTag dennoch ausfällt, nimmt der Gemeinsame Ausschuß die parl. Befugnisse wahr. Dieses »Notparlament«, in Anlehnung an die Kriegsdelegation des Schwedischen Reichstages ausgestaltet, ist organisatorisch die auffälligste Besonderheit der Notstandsverfassung; vgl. Art. 53 a.

Der *Spannungsfall* zeichnet sich in seinen Rechtsfolgen weniger durch Stärkung der Staatsgewalt als vielmehr durch eine Mitwirkung des BTages an solchen Exekutiventscheidungen aus, die Rückwirkungen auf die internationalen Spannungen äußern könnten.

5 Zur Entstehungsgeschichte und zu der umfangreichen verfassungspolit. Literatur vgl. Maunz/Dürig, Erläut. zu Art. 115 a Rn. 1–14 u. Schrifttumsübersicht; v. Münch, Art. 115 a Rn. 1–6.

Artikel 115 a [Feststellung des Verteidigungsfalles]

(1) Die Feststellung, daß das Bundesgebiet mit Waffengewalt angegriffen wird oder ein solcher Angriff unmittelbar droht (Verteidigungsfall), trifft der Bundestag mit Zustimmung des Bundesrates. Die Feststellung erfolgt auf Antrag der Bundesregierung und bedarf einer Mehrheit von zwei Dritteln der abgegebenen Stimmen, mindestens der Mehrheit der Mitglieder des Bundestages.

(2) Erfordert die Lage unabweisbar ein sofortiges Handeln und stehen einem rechtzeitigen Zusammentritt des Bundestages unüberwindliche Hindernisse entgegen oder ist er nicht beschlußfähig, so trifft der Gemeinsame Ausschuß diese Feststellung mit einer Mehrheit von zwei Dritteln der abgegebenen Stimmen, mindestens der Mehrheit seiner Mitglieder.

(3) Die Feststellung wird vom Bundespräsidenten gemäß Artikel 82 im Bundesgesetzblatte verkündet. Ist dies nicht rechtzeitig möglich, so erfolgt die Verkündung in anderer Weise; sie ist im Bundesgesetzblatte nachzuholen, sobald die Umstände es zulassen.

(4) Wird das Bundesgebiet mit Waffengewalt angegriffen und sind die zuständigen Bundesorgane außerstande, sofort die Feststellung nach Absatz 1 Satz 1 zu treffen, so gilt diese Feststellung als getroffen und als zu dem Zeitpunkt verkündet, in dem der Angriff begonnen hat. Der Bundespräsident gibt diesen Zeitpunkt bekannt, sobald die Umstände es zulassen.

(5) Ist die Feststellung des Verteidigungsfalles verkündet und wird das Bundesgebiet mit Waffengewalt angegriffen, so kann der Bundespräsident völkerrechtliche Erklärungen über das Bestehen des Verteidigungsfalles mit Zustimmung des Bundestages abgeben. Unter den Voraussetzungen des Absatzes 2 tritt an die Stelle des Bundestages der Gemeinsame Ausschuß.

1 Art. 115 a ersetzt den früheren Art. 59 a I–III (Abs. 4: vgl. jetzt Art. 115 l III). Dort war insbes. bestimmt, daß der Eintritt des

Verteidigungsfalles vom BTag mit einfacher Mehrheit, notfalls stattdessen vom BPräs festgestellt wird. Die neue Regelung enthält – als »Klammerdefinition« – eine Begriffsbestimmung des Verteidigungsfalles, behält die Feststellung den parl. Organen vor und bindet sie außerdem an qualifizierte Mehrheiten.

Absatz 1

2   Entsprechend Art. 26 und 24 II sieht das GG kriegerische Auseinandersetzungen nur in der Form der Verteidigung vor. Der *Verteidigungsfall* ist gegeben, wenn das Bundesgebiet mit Waffengewalt angegriffen wird, aber auch, wie Satz 1 klarstellt, wenn ein solcher Angriff unmittelbar droht. Das wäre z. B. bei einer Kriegserklärung der Fall, mit der freilich moderne Kriege erfahrungsgemäß kaum mehr eröffnet werden. Wahrscheinlicher sind, zur Ausnutzung des oft über den Erfolg entscheidenden Überraschungseffekts, äußerst schnelle und wirksame Waffeneinsätze, die Desorganisation schaffen und den Angegriffenen lähmen sollen, vor allem, wenn moderne Massenvernichtungsmittel benutzt werden. Verteidigungsmaßnahmen müssen also nach Möglichkeit schon getroffen werden, bevor der Angriff im Gange ist. Ein bewaffneter Angriff auf das Bundesgebiet droht z. B. dann unmittelbar, wenn bereits ein Bündnispartner angegriffen wird. Ein alsbaldiger Angriff muß so wahrscheinlich sein, daß innerstaatl. Verteidigungsmaßnahmen nicht länger hinausgezögert werden dürfen. Die Frage, ob zum *Bundesgebiet* i. S. des Abs. 1 auch Berlin (Art. 23 Rn. 4) gehört (so Maunz/Dürig, Art. 115 a Rn. 24; v. Münch, Art. 115 a Rn. 10) oder alliierte Vorbehalte entgegenstehen (vgl. Erläut. zu Art. 144), bleibt theoretisch: In jedem Fall droht bei einem Angriff auf Berlin (West) unmittelbar auch ein Angriff auf das übrige Bundesgebiet.

3   Die *Folgen der Feststellung und Verkündung des Verteidigungsfalles* sind in Art. 115 b–115 l geregelt, außerdem in Art. 12 a III, IV und VI, Art. 80 a I, Art. 87 a III. Sie sind innerstaatl. Natur. Völkerrechtl. Wirkungen, etwa die einer »Kriegserklärung«, äußert die Feststellung des Verteidigungsfalls nicht; sie setzen besondere Erklärungen des BPräs voraus (Abs. 5).

Die *wichtigsten Rechtswirkungen* des Verteidigungsfalles sind:
1. Erweiterung der Befugnisse des Bundesgesetzgebers (Art. 115 c);
2. Beschleunigung des Gesetzgebungsverfahrens in dringlichen Fällen (Art. 115 d);
3. Erweiterung der Befugnisse der BReg (Art. 115 f), u. U. auch der Landesbehörden (Art. 115 i);

4. Verpflichtung zu zivilen Dienstleistungen (Art. 12 III, IV u. VI);
5. beim Hinzutreten weiterer Voraussetzungen:
   a) Zulässigkeit völkerrechtl. Erklärungen nach Abs. 5;
   b) Notzuständigkeit des Gemeinsamen Ausschusses anstelle der parl. Körperschaften (Art. 115 e).

4 Angesichts dieser bedeutsamen Rechtsfolgen ist die Feststellung des Verteidigungsfalles nicht der Exekutive überlassen, sondern grundsätzlich an eine *qualifizierte Mehrheit des Bundestages und* an die *Zustimmung des Bundesrats* gebunden worden. Das Risiko, daß notwendige Entscheidungen versäumt oder verzögert werden, hat der Verfassungsgesetzgeber in Kauf genommen. Das Erfordernis der Zweidrittelmehrheit ist eine der Sonderregelungen gegenüber Art. 42 II 1. »Mehrheit der Mitglieder«: vgl. Art. 121. Der BRat beschließt mit einfacher Mehrheit seiner Stimmen (Art. 52 III 1). Vorausgehen muß ein Antrag der BReg.

Absatz 2

5 Entsprechend der Regelung in Art. 115 e I, die im Verteidigungsfall gilt, tritt der *Gemeinsame Ausschuß* (GA) – Art. 53 a – auch für die *Feststellung* des Verteidigungsfalles an die Stelle der parl. Körperschaften. Voraussetzung ist, daß die Lage unabweisbar ein sofortiges Handeln erfordert; weiterhin müssen

1. entweder einem rechtzeitigen Zusammentritt des BTages unüberwindliche Hindernisse entgegenstehen *oder*
2. es muß der BTag bei seinem Zusammentritt beschlußunfähig sein.

Ob diese Umstände gegeben sind, entscheidet der GA. Einem rechtzeitigen Zusammentritt stehen dann Hindernisse entgegen, wenn die Mehrheit der Abg. voraussichtlich nicht schnell genug zusammenkommen wird. Unüberwindliche Hindernisse können beispielsweise in schweren Störungen der Nachrichten- oder Verkehrswege, in einer teilweisen Besetzung des Bundesgebietes, im Tode oder der Verletzung vieler Abgeordneter liegen. Der Begriff der Beschlußfähigkeit ist im Hinblick auf Abs. 1 Satz 2 zu verstehen; es muß also mindestens die Mehrheit der Mitglieder des BTages versammelt sein. Liegen die genannten Voraussetzungen vor, so ist der GA allein zuständig, auch wenn der BRat – dank Präsenzpflichten und Vertretungsregelungen – handlungsfähig geblieben war (ebenso Art. 115 e I). Das Erfordernis der qualifizierten Mehrheit entspricht Abs. 1 Satz 2. Zur Mitgliederzahl

vgl. Art. 53 a I. Für den völlig unwahrscheinlichen Fall, daß bei
handlungsfähig gebliebenem BTag allein der BRat ausfällt, halten
Maunz/Dürig, Art. 115 a Rn. 63 eine analoge Anwendung des
Abs. 2 für geboten.

Absatz 3

6   Abs. 3 schreibt grundsätzlich die verhältnismäßig zeitraubende
Verkündung im BGBl. vor. In Eilfällen kann nach Satz 2 »in anderer Weise« verkündet werden, z. B. durch Verlesung im Fernsehen oder Hörfunk, Abdruck in Zeitungen, Aushang bei Behörden; vgl. G über vereinfachte Verkündungen und Bekanntgaben
vom 18. 7. 1975 (BGBl. I S. 1919). Später muß eine Nachverkün-
dung im BGBl. erfolgen.

Absatz 4

7   Auch das beschleunigte Feststellungsverfahren nach Abs. 2 kann
bei erfolgreichen Überraschungsangriffen zu spät kommen. Die
Feststellung des Verteidigungsfalles und ihre *Verkündung* werden
daher *fingiert,* sobald
a) das Bundesgebiet mit Waffengewalt angegriffen wird *und*
b) die nach Abs. 1 und 2 zuständigen Bundesorgane außerstande
sind, die Feststellung sofort zu treffen.
Die Fiktion tritt daher nicht ein, wenn BTag und BRat oder Gemeinsamer Ausschuß imstande sind, die Feststellung zu treffen,
aus polit. Erwägungen (z. B. zur Verhinderung einer Eskalation
bei örtlichen Übergriffen) aber davon absehen wollen. Der maßgebende Zeitpunkt (Angriffsbeginn) ist vom BPräs sobald wie
möglich bekanntzugeben (vgl. Abs. 3), um die Rechtslage klarzustellen.

Absatz 5

8   Abs. 5 bestimmt, wann der BPräs *völkerrechtliche Erklärungen*
über das Bestehen eines Verteidigungsfalles abgeben und damit
nach den Regeln des Völkerrechts verbindlich feststellen kann,
daß sich die Bundesrepublik völkerrechtl. im Kriegszustand befindet. Der das GG beherrschende Wille, den Frieden solange wie
möglich zu bewahren, wird dadurch unterstrichen, daß die völkerrechtl. Erklärungen nicht schon bei Feststellung des Verteidigungsfalles ergehen dürfen. Vielmehr müssen kumulativ drei weitere Voraussetzungen vorliegen:
1. Verkündung der Feststellung des Verteidigungsfalles;

2. Angriff auf das Bundesgebiet mit Waffengewalt;
3. Zustimmung des BTags oder notfalls, nach Maßgabe von Abs. 2, des Gemeinsamen Ausschusses (Satz 2).

Die zweite Voraussetzung stellt sicher, daß der im Hinblick auf einen erst drohenden bewaffneten Angriff festgestellte Verteidigungsfall noch keine völkerrechtl. Wirkungen zeitigt; eine »Kriegserklärung« erfolgt also nicht, bevor der Angreifer die bewaffnete Auseinandersetzung tatsächlich eröffnet hat. Die dritte Voraussetzung gewährleistet eine gegenüber dem früheren Art. 59 a III verstärkte parl. Mitwirkung.

Artikel 115 b [Übergang der Befehls- und Kommandogewalt auf den Bundeskanzler]

Mit der Verkündung des Verteidigungsfalles geht die Befehls- und Kommandogewalt über die Streitkräfte auf den Bundeskanzler über.

Der Übergang der Befehls- und Kommandogewalt vom BMVg (Art. 65 a) auf den BKanzler mit Verkündung des Verteidigungsfalles (Art. 115 a III u. IV) ist aus der Notwendigkeit heraus geboten, auch die obersten militärischen Machtbefugnisse dann in der Hand desjenigen zu konzentrieren, der über die Richtlinien der Politik (Art. 65 Satz 1) zu befinden hat, von denen die grundlegenden militärischen Entscheidungen im Verteidigungsfall nicht abzutrennen sind. Der (automatische) Übergang hat zur Folge, daß der BMinister, der den Befehlsapparat im übrigen weiterhin in der Hand hat, dem BKanzler insoweit (Ausübung der Befehls- und Kommandogewalt) in Durchbrechung der Norm des Art. 65 Satz 2 unterstellt ist. Nach a. A. wird der Minister sogar »völlig depossediert« (Maunz/Dürig, Art. 115 b Rn. 9); um ein praktikables Ergebnis zu erzielen, bedarf es nach dieser Auffassung einer anschließenden Übertragung zur Ausübung auf den Minister durch den BKanzler (vgl. ausführlich Bonner Komm., Art. 115 b Rn. 120 ff.; zum Streitstand Rn. 104 ff.).

Artikel 115 c [Erweiterung der Gesetzgebungskompetenz des Bundes]

(1) Der Bund hat für den Verteidigungsfall das Recht der konkurrierenden Gesetzgebung auch auf den Sachgebieten, die zur Gesetzgebungszuständigkeit der Länder gehören. Diese Gesetze bedürfen der Zustimmung des Bundesrates.

(2) Soweit es die Verhältnisse während des Verteidigungsfalles erfordern, kann durch Bundesgesetz für den Verteidigungsfall
1. bei Enteignungen abweichend von Artikel 14 Abs. 3 Satz 2 die Entschädigung vorläufig geregelt werden,
2. für Freiheitsentziehungen eine von Artikel 104 Abs. 2 Satz 3 und Abs. 3 Satz 1 abweichende Frist, höchstens jedoch eine solche von vier Tagen, für den Fall festgesetzt werden, daß ein Richter nicht innerhalb der für Normalzeiten geltenden Frist tätig werden konnte.

(3) Soweit es zur Abwehr eines gegenwärtigen oder unmittelbar drohenden Angriffs erforderlich ist, kann für den Verteidigungsfall durch Bundesgesetz mit Zustimmung des Bundesrates die Verwaltung und das Finanzwesen des Bundes und der Länder abweichend von den Abschnitten VIII, VIII a und X geregelt werden, wobei die Lebensfähigkeit der Länder, Gemeinden und Gemeindeverbände, insbesondere auch in finanzieller Hinsicht, zu wahren ist.

(4) Bundesgesetze nach den Absätzen 1 und 2 Nr. 1 dürfen zur Vorbereitung ihres Vollzuges schon vor Eintritt des Verteidigungsfalles angewandt werden.

1   Art. 115 c erweitert für den Verteidigungsfall die Befugnisse und Zuständigkeiten der Gesetzgebungsorgane des Bundes. Abs. 1 räumt dem Bund Zuständigkeiten zur konkurrierenden Gesetzgebung auch auf den sonst in die Landeskompetenz fallenden Sachgebieten ein. Abs. 2 erlaubt geringfügige zusätzliche Einschränkungen zweier Grundrechte durch Bundesgesetz. Abs. 3 schließlich eröffnet die Möglichkeit, Verwaltung und Finanzwesen von Bund und Ländern abweichend vom GG zu regeln. Hervorzuheben ist, daß diese erweiterten Rechte nicht erst »im«, sondern schon »für den« Verteidigungsfall gegeben sind. Gesetze auf dieser Grundlage können also vorsorglich bereits im Frieden verabschiedet werden.

Absatz 1

2   Abs. 1 eröffnet eine *zusätzliche konkurrierende Gesetzgebungszuständigkeit des Bundes.* Für ein hierauf gestütztes Bundesgesetz müssen folgende Voraussetzungen gegeben sein:
1. Normalerweise Gesetzgebungskompetenz der Länder, weil es sich um kein in Art. 73 (auch nicht in Nr. 1), Art. 74, Art. 74 a oder Art. 105 (I oder II) aufgeführtes Sachgebiet und auch nicht um Rahmenvorschriften nach Art. 75 handelt.
2. Erfüllung der Voraussetzungen des Art. 72 II; und zwar müssen gerade die Bedürfnisse des Verteidigungsfalles die bundes-

gesetzliche Regelung erforderlich machen: »für« den Verteidigungsfall (h. M.).

3. Zustimmung des BRates, auch soweit sie nach anderen Bestimmungen nicht erforderlich wäre (Satz 2).

4. Die Anwendung des Gesetzes ist auf die Zeit nach Eintritt des Verteidigungsfalles beschränkt; eine Ausnahme gilt nach Abs. 4 nur für die Vorbereitung seines Vollzugs.

Absatz 2

3 Abs. 2 enthält die einzigen *Grundrechtseinschränkungen*, die das GG (von Art. 12 a III bis VI abgesehen) im Verteidigungsfall zusätzlich erlaubt. Sie sind von untergeordneter Bedeutung. Diese Grundrechtseinschränkungen kann der Gesetzgeber jedoch nicht generell vorsehen, sondern nur insoweit, als es die Verhältnisse des Verteidigungsfalles erfordern.

Absatz 3

4 Abs. 3 ermöglicht, entsprechend der erweiterten Gesetzgebungszuständigkeit des Bundes nach Abs. 1, auch Vereinfachungen und Straffungen auf den Gebieten der *Ausführung der Bundesgesetze und der Bundesverwaltung* (Abschnitt VIII), der *Gemeinschaftsaufgaben* (Abschnitt VIII a) und des *Finanzwesens* (Abschnitt X). Insoweit sind die Regelungen des GG zu kompliziert und gewähren dem Bund zu wenig Einfluß, als daß sie den Bedürfnissen des Verteidigungsfalles gerecht werden können. Gesetze nach Abs. 3, die ebenfalls eine Zustimmung des BRats benötigen, dürfen keine Grundgesetzabweichungen vorsehen, deren es »zur Abwehr eines gegenwärtigen oder unmittelbar drohenden Angriffs« (vgl. Art. 115 a I 1) nicht bedarf. Eine weitere Einschränkung liegt in der Forderung nach Wahrung der Lebensfähigkeit von Ländern, Gemeinden und Gemeindeverbänden.

Absatz 4

5 Abs. 4 stellt klar, daß der *Vollzug* aller Gesetze nach Abs. 1–3 erst im Verteidigungsfall beginnen darf. In den Fällen des Abs. 1 und des Abs. 2 Nr. 1 sind (ähnlich Art. 12 a V 2) Vorbereitungsmaßnahmen bereits vorher zulässig.

Artikel 115 d [Vereinfachung des Gesetzgebungsverfahrens]
(1) Für die Gesetzgebung des Bundes gilt im Verteidigungsfalle abweichend von Artikel 76 Abs. 2, Artikel 77 Abs. 1 Satz 2 und Abs. 2 bis 4, Artikel 78 und Artikel 82 Abs. 1 die Regelung der Absätze 2 und 3.
(2) Gesetzesvorlagen der Bundesregierung, die sie als dringlich bezeichnet, sind gleichzeitig mit der Einbringung beim Bundestage dem Bundesrate zuzuleiten. Bundestag und Bundesrat beraten diese Vorlagen unverzüglich gemeinsam. Soweit zu einem Gesetze die Zustimmung des Bundesrates erforderlich ist, bedarf es zum Zustandekommen des Gesetzes der Zustimmung der Mehrheit seiner Stimmen. Das Nähere regelt eine Geschäftsordnung, die vom Bundestage beschlossen wird und der Zustimmung des Bundesrates bedarf.
(3) Für die Verkündung der Gesetze gilt Artikel 115 a Abs. 3 Satz 2 entsprechend.

Absatz 1

1 Die Abs. 1 und 2 sollen durch Vereinfachungen des Gesetzgebungsverfahrens einen gewissen Ausgleich dafür bieten, daß das GG im Gegensatz zu den meisten ausländischen Verfassungen kein Notverordnungsrecht der Regierung kennt und auch keine generelle Ermächtigung des Gemeinsamen Ausschusses zur Gesetzgebung enthält. Abs. 3 erleichtert die Verkündung. Abs. 1 führt die Verfahrensregelungen zur Bundesgesetzgebung auf, von denen die Abs. 2 und 3 abweichen.

Absatz 2

2 Abs. 2 gilt nur für *Gesetzesvorlagen der Bundesregierung.* Ihre schnelle Beratung ist im Verteidigungsfall besonders wichtig; tatsächlich würde Art. 76 II jedoch gerade bei Regierungsvorlagen eine Verzögerung bewirken. Voraussetzung für die Anwendung der Bestimmung ist, daß die BReg ihre Vorlage *als dringlich bezeichnet* (ähnlich Art. 81); abweichende Auffassungen des BTages oder BRates über die Dringlichkeit können die zwingend vorgesehene Anwendung des Abs. 2 nicht hindern (str.). Die wichtigsten Besonderheiten des Verfahrens nach Abs. 2 sind die gleichzeitige Zuleitung der Gesetzesvorlage an BTag und BRat (entgegen Art. 76 II) und die gemeinsame Beratung beider Körperschaften (entgegen Art. 77 I 2); außerdem entfallen die Anrufung des Vermittlungsausschusses (Art. 77 II) sowie der Einspruch des BRats bei nicht zustimmungsbedürftigen Gesetzen (Art. 77 III, IV). Das Nähere, vor allem über die gemeinsame Beratung (und

getrennte Abstimmung) von BTag und BRat, regelt die gemäß
Satz 4 ergangene Geschäftsordnung (Bek. vom 23. 7. 1969,
BGBl. I S. 1100). Nach h. M. werden verfassungsändernde Ge-
setzesvorlagen nicht erfaßt.

Absatz 3

3   Die Bestimmung über die *Verkündung* gilt für *alle Gesetze*, dring-
liche i. S. des Abs. 2 und andere, auch solche des Gemeinsamen
Ausschusses. Vgl. im übrigen Erläut. zu Art. 115 a III.

Artikel 115 e   [Stellung des Gemeinsamen Ausschusses]

**(1)   Stellt der Gemeinsame Ausschuß im Verteidigungsfalle mit einer
Mehrheit von zwei Dritteln der abgegebenen Stimmen, mindestens mit
der Mehrheit seiner Mitglieder fest, daß dem rechtzeitigen Zusammentritt des Bundestages unüberwindliche Hindernisse entgegenstehen
oder daß dieser nicht beschlußfähig ist, so hat der Gemeinsame Ausschuß die Stellung von Bundestag und Bundesrat und nimmt deren
Rechte einheitlich wahr.**

**(2)   Durch ein Gesetz des Gemeinsamen Ausschusses darf das Grund-
gesetz weder geändert noch ganz oder teilweise außer Kraft oder außer
Anwendung gesetzt werden. Zum Erlaß von Gesetzen nach Artikel 24
Abs. 1 und Artikel 29 ist der Gemeinsame Ausschuß nicht befugt.**

Absatz 1

1   Abs. 1 bestimmt folgende Voraussetzungen für die *Ersatzzustän-
digkeit des Gemeinsamen Ausschusses* (GA) anstelle von BTag
und BRat als »*Notparlament*« (vgl. Art. 53 a):
  1. Eintritt des Verteidigungsfalles *und*
  2. Beschluß des GA mit qualifizierter Mehrheit, daß
       a) *entweder* dem rechtzeitigen Zusammentritt des BTages
          unüberwindliche Hindernisse entgegenstehen
       b) *oder* der BTag nicht beschlußfähig ist.
Die Zuständigkeit für diese Feststellung steht allein dem GA zu.
Es kommt nur auf die Funktionsfähigkeit des BTages an (vgl.
hierzu Art. 115 a II).
Unter den genannten Voraussetzungen erlangt der GA die *volle*
Stellung von BTag *und* BRat und nimmt deren Rechte sämtlich
und einheitlich wahr. Gewisse Einschränkungen ergeben sich
aus Abs. 2, Art. 115 g Satz 2, Art. 115 h II 2, Art. 115 k II u.
Art. 115 l I; sie folgen aus der nur subsidiären Zuständigkeit des
GA. Verkündung der Gesetze: Art. 115 d III.

Absatz 2

2 Abs. 2 zieht in *Satz 1* dem GA die gleichen *Schranken*, wie sie im Gesetzgebungsnotstand bestehen (Art. 81 IV). Das *Grundgesetz* muß unberührt bleiben. Hingegen sind von Grundgesetzbestimmungen *abweichende* Gesetze des GA nach Art. 115 c II u. III zulässig. Eine zusätzliche Schranke enthält *Satz 2:* Der GA darf auch *Gesetze nach Art. 24 I und Art. 29* wegen ihrer Dauerwirkung nicht erlassen.

Artikel 115 f [Einsatz des Bundesgrenzschutzes, Weisungsbefugnis gegenüber den Ländern]

(1) Die Bundesregierung kann im Verteidigungsfalle, soweit es die Verhältnisse erfordern,

1. den Bundesgrenzschutz im gesamten Bundesgebiete einsetzen;

2. außer der Bundesverwaltung auch den Landesregierungen und, wenn sie es für dringlich erachtet, den Landesbehörden Weisungen erteilen und diese Befugnis auf von ihr zu bestimmende Mitglieder der Landesregierungen übertragen.

(2) Bundestag, Bundesrat und der Gemeinsame Ausschuß sind unverzüglich von den nach Absatz 1 getroffenen Maßnahmen zu unterrichten.

Absatz 1

1 Abs. 1 regelt die *zusätzlichen Befugnisse der Bundesregierung* im Verteidigungsfall, die weder zu Lasten der gesetzgebenden noch der rechtsprechenden Gewalt gehen, sodern nur eine Konzentration *im Verwaltungsbereich* bringen. Vorausgesetzt wird, daß der Verteidigungsfall verkündet ist *und* die Verhältnisse die Wahrnehmung der erweiterten Befugnisse erfordern.

2 *Nr. 1* erlaubt für den Verteidigungsfall den *Einsatz des Bundesgrenzschutzes* (vgl. Art. 87 I 2; BundesgrenzschutzG vom 18. 8. 1972, BGBl. I S. 1834) auch *außerhalb des Grenzgebietes,* ähnlich wie in Art. 35 II u. III bei einer Naturkatastrophe oder einem besonders schweren Unglücksfall und wie in Art. 91 bei einem »inneren« Staatsnotstand (vgl. Erläut. hierzu).
Nr. 2 gewährt der BReg eine allgemeine *Weisungsbefugnis gegenüber den Ländern.* Die Weisungen sind an die LReg und nur, wenn die BReg es für dringlich erachtet, auch unmittelbar an die

Landesbehörden zu richten. »Landesbehörden« meint auch die
Kommunalbehörden. Die Bestimmung eröffnet aber ohne zusätzliche Gesetzesänderung nicht die Möglichkeit, Behörden, die
nach gesetzlicher Regelung nicht an Weisungen gebunden sind,
im Verteidigungsfall mit Weisungen zu versehen (a. M. Maunz/
Dürig, Art. 115 f Rn. 32). Die BReg darf ihre einheitlichen Weisungsbefugnisse gegenüber Bundesverwaltung und Ländern auf
einzelne Mitglieder der LReg übertragen. Ein Bedürfnis für die
Benennung z. B. eines Ministerpräsidenten zum »Bundesbeauf-
tragten« kann sich ergeben, wenn die Entwicklung in einem Land
auf eine der in Art. 115 i vorausgesetzten »Insellagen« hinsteuert.

Absatz 2

4 Abs. 2 stellt im Wege einer umfassenden *Unterrichtungspflicht* der
BReg sicher, daß die gesetzgebenden Körperschaften hinreichend
informiert sind, um sinnvoll ihre Befugnisse ausüben zu können.

**Artikel 115 g   [Stellung des Bundesverfassungsgerichts im Verteidi-
gungsfall]**

**Die verfassungsmäßige Stellung und die Erfüllung der verfassungsmä-
ßigen Aufgaben des Bundesverfassungsgerichtes und seiner Richter
dürfen nicht beeinträchtigt werden. Das Gesetz über das Bundesverfassungsgericht darf durch ein Gesetz des Gemeinsamen Ausschusses nur
insoweit geändert werden, als dies auch nach Auffassung des Bundesverfassungsgerichtes zur Aufrechterhaltung der Funktionsfähigkeit des
Gerichtes erforderlich ist. Bis zum Erlaß eines solchen Gesetzes kann
das Bundesverfassungsgericht die zur Erhaltung der Arbeitsfähigkeit
des Gerichtes erforderlichen Maßnahmen treffen. Beschlüsse nach
Satz 2 und Satz 3 faßt das Bundesverfassungsgericht mit der Mehrheit
der anwesenden Richter.**

Satz 1 enthält eine ausdrückliche Formulierung des allgemeinen
(auch in Normalzeiten und für alle Verfassungsorgane geltenden)
Beeinträchtigungsverbots, um zu unterstreichen, daß das BVerfG
auch in Notzeiten ein Garant der Rechtsstaatlichkeit bleibt.
Dementsprechend darf der Gemeinsame Ausschuß nach *Satz 2*
das BVerfGG (Art. 94 II) nur insoweit ändern, als dies zur Aufrechterhaltung der Funktionsfähigkeit des Gerichts erforderlich
ist (z. B. Herabsetzung des Quorums, Erleichterung der Vertretung, Vereinfachung und Beschleunigung des Verfahrens). Außerdem gewähren *Satz 2* und noch ausgeprägter *Satz 3* dem

BVerfG gewisse gesetzgebungsähnliche Befugnisse, die im deutschen Recht ein Novum darstellen: Änderungsgesetze des Gemeinsamen Ausschusses bedürfen nach Satz 2 der Zustimmung des BVerfG; Satz 3 ermächtigt das BVerfG zu einstweiligen gesetzesvertretenden Maßnahmen. Nach *Satz 4* entscheidet dabei das BVerfG im Plenum (sonst als »Zwillingsgericht«). Eine Mindestzahl anwesender Richter ist nicht vorgeschrieben.

Artikel 115 h [Ablaufende Wahlperioden und Amtszeiten]

(1) Während des Verteidigungsfalles ablaufende Wahlperioden des Bundestages oder der Volksvertretungen der Länder enden sechs Monate nach Beendigung des Verteidigungsfalles. Die im Verteidigungsfalle ablaufende Amtszeit des Bundespräsidenten sowie bei vorzeitiger Erledigung seines Amtes die Wahrnehmung seiner Befugnisse durch den Präsidenten des Bundesrates enden neun Monate nach Beendigung des Verteidigungsfalles. Die im Verteidigungsfalle ablaufende Amtszeit eines Mitgliedes des Bundesverfassungsgerichtes endet sechs Monate nach Beendigung des Verteidigungsfalles.

(2) Wird eine Neuwahl des Bundeskanzlers durch den Gemeinsamen Ausschuß erforderlich, so wählt dieser einen neuen Bundeskanzler mit der Mehrheit seiner Mitglieder; der Bundespräsident macht dem Gemeinsamen Ausschuß einen Vorschlag. Der Gemeinsame Ausschuß kann dem Bundeskanzler das Mißtrauen nur dadurch aussprechen, daß er mit der Mehrheit von zwei Dritteln seiner Mitglieder einen Nachfolger wählt.

(3) Für die Dauer des Verteidigungsfalles ist die Auflösung des Bundestages ausgeschlossen.

Absatz 1

1 Abs. 1 sieht in *Satz 1* eine *Verlängerung der Wahlperioden von Bundestag* (Art. 39) und *Landesparlamenten* einschl. Kommunalvertretungen) vor, in *Satz 2* eine Verlängerung der *Amtsperiode des Bundespräsidenten* (Art. 54 II) oder seines Vertreters (Art. 57) und in *Satz 3* eine solche der *Bundesverfassungsrichter*. Zugrunde liegt die Annahme, daß im Verteidigungsfall, aber auch in der Zeit unmittelbar danach, die ordnungsgemäße Durchführung von Wahlen nicht oder kaum möglich sein wird, die genannten Organe aber amtieren sollen.

Absatz 2

2 *Satz 1:* Die *Amtsperiode des Bundeskanzlers* verlängert sich bereits automatisch nach Abs. 1 mit der des BTages (Art. 69 II).
Wird dennoch eine Neuwahl notwendig, gilt Art. 63. Bei Funk-
tionsunfähigkeit des BTags nimmt nach Art. 115 e I der Gemeinsame Ausschuß (GA) – Art. 53 a – die Rechte des BTags wahr. Er
wählt dann ohne eine Bindung an das Verfahren nach Art. 63 den
neuen BKanzler. Der BPräs schlägt einen Kandidaten vor, doch
kann der GA schon im ersten Wahlgang einen anderen wählen
(anders Art. 63 II). Zur Wahl bedarf es der Mehrheit aller Mitglieder, also selbst in diesem Fall einschl. der »Ländervertreter«
(Art. 53 a I 3). Dies unterstreicht die Stellung des GA als eines
selbständigen und einheitlichen Verfassungsorgans.

3 *Satz 2* stellt klar, daß ggf. auch der GA die Möglichkeit des kon-
struktiven Mißtrauensvotums besitzt. Art. 67 ist entsprechend anzuwenden mit der Maßgabe, daß die Wahl einer Zweidrittelmehrheit aller Mitglieder bedarf.

Absatz 3

4 Abs. 3 schließt während des Verteidigungsfalles die *Auflösung des
Bundestags* (Art. 63 IV 3, Art. 68) aus.

Artikel 115 i [Maßnahmenbefugnis der Landesregierungen]

**(1)   Sind die zuständigen Bundesorgane außerstande, die notwendi-
gen Maßnahmen zur Abwehr der Gefahr zu treffen, und erfordert die
Lage unabweisbar ein sofortiges selbständiges Handeln in einzelnen
Teilen des Bundesgebietes, so sind die Landesregierungen oder die von
ihnen bestimmten Behörden oder Beauftragten befugt, für ihren Zuständigkeitsbereich Maßnahmen im Sinne des Artikels 115 f Abs. 1 zu
treffen.**

**(2)   Maßnahmen nach Absatz 1 können durch die Bundesregierung,
im Verhältnis zu Landesbehörden und nachgeordneten Bundesbehörden auch durch die Ministerpräsidenten der Länder, jederzeit aufgehoben werden.**

1 Die Vorschrift ergänzt Art. 115 f. Der Grundsatz, im Verteidigungsfall die Staatsgewalt weitgehend beim Bund zu zentralisie-
ren, wird undurchführbar, wenn die Nachrichtenverbindungen
unterbrochen oder aus anderen Gründen die Bundesorgane zur

Staatsleitung nicht in der Lage sind. Besonders ist an die Abschnürung von Teilen des Bundesgebiets durch Streitkräfte des Angreifers zu denken (»Insellagen«).

Absatz 1

2 *Die nach Art. 115 f zusammengefaßten Weisungsbefugnisse* der BReg gegenüber Bundes- und Landesbehörden sollen den noch handlungsfähigen *Landesregierungen zustehen* (»Katarakt-«, besser: »Kaskadenfall«, weil die Bundeskompetenz auf die Landesebene »herabfällt«). Der Kompetenzübergang ist davon abhängig, daß

1. die zuständigen Bundesorgane (objektiv) außerstande sind, die notwendigen Maßnahmen zur Abwehr der Gefahr zu treffen, und
2. die Lage unabweisbar ein sofortiges selbständiges Handeln in einzelnen Teilen des Bundesgebietes erfordert.

Die Vorschrift ist auch anzuwenden, wenn in allen »einzelnen Teilen des Bundesgebietes« Maßnahmen zu treffen sind, aber – etwa weil die BReg ausgefallen ist – nicht erfolgen. Die LReg haben es in der Hand, Behörden und Beauftragte zu bestimmen, die für ihren Zuständigkeitsbereich notfalls tätig werden, also dann auch Bundesbehörden anweisen können. – Ein Zuständigkeitsübergang auf die LReg findet nicht statt, soweit die BReg bereits nach Art. 115 f I Nr. 2 Mitglieder der LReg beauftragt hat.

Absatz 2

3 Abs. 2 entspricht der Aufhebung von Gesetzen des Gemeinsamen Ausschusses nach Art. 115 l I 1; hier wie dort kommt der niedrigere Rang der bloß vorläufigen und subsidiären Zuständigkeit zum Ausdruck.

Artikel 115 k [Wirkung und Außerkrafttreten von Notstandsbestimmungen]

(1) Für die Dauer ihrer Anwendbarkeit setzen Gesetze nach den Artikeln 115 c, 115 e und 115 g und Rechtsverordnungen, die auf Grund solcher Gesetze ergehen, entgegenstehendes Recht außer Anwendung. Dies gilt nicht gegenüber früherem Recht, das auf Grund der Artikel 115 c, 115 e und 115 g erlassen worden ist.

(2) Gesetze, die der Gemeinsame Ausschuß beschlossen hat, und Rechtsverordnungen, die auf Grund solcher Gesetze ergangen sind, treten spätestens sechs Monate nach Beendigung des Verteidigungsfalles außer Kraft.

(3) Gesetze, die von den Artikeln 91 a, 91 b, 104 a, 106 und 107 abweichende Regelungen enthalten, gelten längstens bis zum Ende des zweiten Rechnungsjahres, das auf die Beendigung des Verteidigungsfalles folgt. Sie können nach Beendigung des Verteidigungsfalles durch Bundesgesetz mit Zustimmung des Bundesrates geändert werden, um zu der Regelung gemäß den Abschnitten VIII a und X überzuleiten.

1   Art. 115 k regelt Wirkung und Geltungsdauer der von den Besonderheiten des Verteidigungsfalles geprägten Rechtsnormen (»Notstandsbestimmungen«); vgl. auch Art. 115 l.

Absatz 1

2   Abs. 1 macht in *Satz 1* eine Ausnahme von dem allgemeinen Rechtsgrundsatz lex posterior derogat legi priori: Gesetze für den Verteidigungsfall nach Art. 115 c, Gesetze des Gemeinsamen Ausschusses (Art. 115 e) und Gesetze auf Grund des Art. 115 g *setzen die in Friedenszeiten geltenden Rechtsnormen nicht außer Kraft, sondern nur vorübergehend außer Anwendung.* Das gleiche gilt für Rechtsverordnungen auf Grund solcher »Notstandsgesetze«. Nach Außerkrafttreten der Notstandsbestimmungen findet also automatisch wieder das »Friedensrecht« Anwendung.

Satz 2: Im Verhältnis von Notstandsbestimmungen zueinander bleibt es jedoch bei den allgemeinen Rechtsgrundsätzen.

Absätze 2 und 3

3   *Absatz 2* bestimmt, daß *Gesetze des Gemeinsamen Ausschusses* und die auf Grund solcher Gesetze ergangenen Rechtsverordnungen spätestens sechs Monate nach Beendigung des Verteidigungsfalles außer Kraft treten. Eine i. d. R. längere, aber ebenfalls beschränkte Geltungsdauer sieht *Absatz 3* für die dort aufgezählten *Gemeinschaftsaufgaben- und Finanzgesetze* vor. Gesetze nach Art. 115 c II, auch solche des Gemeinsamen Ausschusses, treten sofort mit Beendigung des Verteidigungsfalles außer Kraft (»soweit es die Verhältnisse während des Verteidigungsfalles erfordern . . .«). Gesetze des BTags ohne Inanspruchnahme der Art. 115 c und g treten wie »Friedensgesetze« außer Kraft.

Artikel 115 l   [Aufhebung von Maßnahmen des Gemeinsamen Ausschusses, Beendigung des Verteidigungsfalles, Friedensschluß]

(1)   Der Bundestag kann jederzeit mit Zustimmung des Bundesrates

Gesetze des Gemeinsamen Ausschusses aufheben. Der Bundesrat kann verlangen, daß der Bundestag hierüber beschließt. Sonstige zur Abwehr der Gefahr getroffene Maßnahmen des Gemeinsamen Ausschusses oder der Bundesregierung sind aufzuheben, wenn der Bundestag und der Bundesrat es beschließen.

(2)   Der Bundestag kann mit Zustimmung des Bundesrates jederzeit durch einen vom Bundespräsidenten zu verkündenden Beschluß den Verteidigungsfall für beendet erklären. Der Bundesrat kann verlangen, daß der Bundestag hierüber beschließt. Der Verteidigungsfall ist unverzüglich für beendet zu erklären, wenn die Voraussetzungen für seine Feststellung nicht mehr gegeben sind.

(3)   Über den Friedensschluß wird durch Bundesgesetz entschieden.

Absatz 1

1 *Aufhebung von Maßnahmen des Gemeinsamen Ausschusses:* Abs. 1 enthält Folgerungen aus der bloß subsidiären Zuständigkeit des Gemeinsamen Ausschusses (GA). Der BTag kann jederzeit durch einfachen Beschluß (der nicht der Verkündung bedarf– str.) mit Zustimmung des BRats Gesetze des GA aufheben; dem BRat ist das Recht eingeräumt, die Beschlußfassung des BTags zu verlangen. Durch übereinstimmenden Beschluß können BTag und BRat auch die Aufhebung sonstiger Maßnahmen des GA sowie von Notstandsmaßnahmen der BReg herbeiführen; diese Organe sind dann zur Aufhebung ihrer Maßnahmen verpflichtet.

Absatz 2

2 Abs. 2 erleichtert die *Beendigung des Verteidigungsfalles* gegenüber der Feststellung (Art. 115 a) erheblich:Es bedarf nur eines einfachen Beschlusses des BTags und der Zustimmung des BRats, hingegen keiner Zweidrittelmehrheit des BTags und keines Antrags der BReg. Der BRat kann wie nach Abs. 1 Satz 2 die Beschlußfassung des BTags verlangen. Die Beendigungserklärung ist an keine inhaltlichen Voraussetzungen gebunden (»jederzeit«); sie muß jedoch erfolgen, wenn die Voraussetzungen für die Feststellung (Art. 115 a I 1) nicht mehr gegeben sind. Die Beendigungserklärung ist vom BPräs zu verkünden; die Art der Verkündung ist nicht geregelt, so daß Art. 115 a III entsprechend anzuwenden ist (str.).

Absatz 3

3 Abs. 3 entspricht wörtlich dem früheren Art. 59 a IV. Für den

Friedensschluß bedarf es im Unterschied zur Feststellung und Beendigung des Verteidigungsfalles (Abs. 2 sowie Art. 115 a) nicht nur eines Beschlusses, sondern eines förmlichen Gesetzes. Über die nach Art. 59 II 1 erforderliche Zustimmung in Form eines Vertragsgesetzes hinausgehend entscheidet über einen Friedensschluß der Gesetzgeber selbst und allein. Für ein Friedensschlußgesetz genügen die einfachen Mehrheiten in den Gesetzgebungskörperschaften (zum BRat vgl. Art. 59 Rn. 9). Zu etwa damit verbundenen Verfassungsänderungen vgl. Art. 79. Zur völkerrechtl. noch erforderlichen Ratifikation des Friedensvertrags ist zusätzlich eine besondere Ratifikationserklärung des BPräs nach Art. 59 I 2 erforderlich, zu der das Friedensschlußgesetz den BPräs ermächtigt und – im Gegensatz zum Regelfall des Art. 59 II (s. dort Rn. 9) – zugleich verpflichtet.

XI. Übergangs- und Schlußbestimmungen

Artikel 116 [Begriffsbestimmung »Deutscher«, Wiedereinbürgerung]

(1) Deutscher im Sinne dieses Grundgesetzes ist vorbehaltlich anderweitiger gesetzlicher Regelung, wer die deutsche Staatsangehörigkeit besitzt oder als Flüchtling oder Vertriebener deutscher Volkszugehörigkeit oder als dessen Ehegatte oder Abkömmling in dem Gebiete des Deutschen Reiches nach dem Stande vom 31. Dezember 1937 Aufnahme gefunden hat.

(2) Frühere deutsche Staatsangehörige, denen zwischen dem 30. Januar 1933 und dem 8. Mai 1945 die Staatsangehörigkeit aus politischen, rassischen oder religiösen Gründen entzogen worden ist, und ihre Abkömmlinge sind auf Antrag wieder einzubürgern. Sie gelten als nicht ausgebürgert, sofern sie nach dem 8. Mai 1945 ihren Wohnsitz in Deutschland genommen haben und nicht einen entgegengesetzten Willen zum Ausdruck gebracht haben.

Absatz 1

1 Art. 116 erkennt den *Status »Deutscher«*, der vor allem Voraussetzung für zahlreiche Grundrechte ist, zu

1. den deutschen Staatsangehörigen,
2. den Flüchtlingen und Vertriebenen deutscher Volkszugehörigkeit samt ihren Ehegatten und Abkömmlingen, die im Gebiet des Deutschen Reiches nach dem Stand vom 31. 12. 1937 Aufnahme gefunden haben (»Deutsche ohne deutsche Staatsangehörigkeit«).

Auch die unter 2. genannten Deutschen ohne deutsche Staatsangehörigkeit (StA) bilden einen Teil des Staatsvolkes (BVerwGE 8, 342) mit besonderem, staatsangehörigkeitsähnlichem Status, der im Rahmen der deutschen Rechtsordnung einer etwa noch vorhandenen fremden StA grundsätzlich vorgeht, aber auch völkerrechtl. weitgehend anerkannt ist (deutsches Schutzrecht). Er hat den Zweck, die deutschen Flüchtlinge und Vertriebenen des zweiten Weltkriegs wie Staatsangehörige behandeln zu können, sie aber im Hinblick auf die Erhaltung ihrer Rechte in den Vertreibungsstaaten nicht zur Annahme der deutschen StA zu zwingen. Die vom GG beabsichtigte grundsätzliche Gleichstellung mit den deutschen Staatsangehörigen ist inzwischen so gut wie überall durchgeführt, auch im bürgerlichen und im Verfahrensrecht (vgl. Art. 9 II Nr. 5 G vom 11. 8. 1961, BGBl. I S. 1221). Dadurch ist der »Status« heute zu einem der deutschen StA fast gleichwertigen Rechtsverhältnis geworden. Er ist dennoch als ein nur vorübergehender gedacht.

2   Beide Formen der Staatszugehörigkeit schließen einander aus. Wer der einen Gruppe angehört, kann rechtl. nicht zugleich der anderen angehören. Insbes. fallen Flüchtlinge und Vertriebene deutscher StA allein in die Gruppe 1.

3   Der Besitz der *deutschen Staatsangehörigkeit* bestimmt sich nach dem Reichs- und StaatsangehörigkeitsG vom 22. 7. 1913 (RGBl. S. 583) –RuStAG– und den zu seiner Änderung und Ergänzung ergangenen Rechtsvorschriften, insbes. dem Ersten und Zweiten G zur Regelung von Fragen der Staatsangehörigkeit vom 22. 2. 1955 (BGBl. I S. 65) und 17. 5. 1956 (BGBl. I S. 431) – 1. u. 2. StARegG. Deutsche Staatsangehörige sind nach wie vor auch die in Berlin, in der DDR und in den fremdverwalteten Gebieten jenseits der Oder/Neiße-Linie wohnhaften Personen, die nach den genannten Rechtsvorschriften die deutsche StA erworben und nicht wieder verloren haben (vgl. BVerfGE 36, 30; 40, 163). Die einheitliche deutsche StA ist die wichtigste noch bestehende Klammer gemeinsamer Staatlichkeit zwischen den verschiedenen Teilen Deutschlands. Sie ist auch die StA der in der Bundesrepublik ansässigen Deutschen (BVerfGE 36, 30). Es gibt neben ihr keine besondere StA der Bundesrepublik. Eine solche kann ohne Verfassungsänderung auch künftig nicht eingeführt werden. Die deutsche StA darf nach Art. 16 I niemandem entzogen werden. Die durch G über die Staatsbürgerschaft der DDR vom 20. 2. 1967 (GBl./DDR I S. 3) eingeführte Staatsbürgerschaft der DDR hat die deutsche StA der in der DDR lebenden Deutschen nicht berührt (Erklärung d. BReg i. d. 97. Sitzung d. 5. BTags v. 23. 2. 1967, StenBer. S. 4419; BVerfGE 36, 30 f; 40, 163). Die StA der Deutschen in der DDR und in den Oder/Neiße-Gebieten ist mit keinen Herrschaftsansprüchen der Bundesrepublik Deutschland verbunden; ihre praktische Bedeutung besteht derzeit allein darin, daß die Betreffenden Anspruch haben, als Deutsche behandelt zu werden, wenn sie sich in das Bundesgebiet begeben oder Auslandsvertretungen der Bundesrepublik um Schutz bitten (BVerfGE 36, 31). Über Erwerb und Verlust der deutschen StA bestimmen normativ ausschließlich die Gesetze der Bundesrepublik, da sich diese *allein* als handlungsfähige Präsenzform des Deutschen Reiches versteht. Die Staatsbürgerschaft

der DDR ist daher nicht geeignet, die deutsche StA zu vermitteln. Dazu ausführlich BVerwGE 66, 277. An den vorstehend aufgezeigten Staatsangehörigkeitsverhältnissen hat sich auch durch den Grundlagenvertrag mit der DDR, den Warschauer und Moskauer Vertrag nichts geändert (s. dazu BGHSt 30, 6). In allen drei Verträgen werden staatsangehörigkeitsrechtl. Fragen nicht behandelt. Vgl. insbes. den Vorbehalt der Bundesrepublik Deutschland zur Staatsangehörigkeitsfrage im Zusatzprotokoll zum Grundlagenvertrag (BGBl. 1973 II S. 426) und die Erklärung des Bundesaußenministers in den Warschauer Verhandlungen vom 14. 11. 1970 (Bulletin 1970 S. 1819 u. 1821). Auch den in diesen Verträgen enthaltenen Grenzregelungen kann ein Einfluß auf Staatsangehörigkeitsverhältnisse nicht entnommen werden (BVerfGE 40, 171 ff.).

4 Die Begriffe »*Flüchtling oder Vertriebener*« und »deutsche Volkszugehörigkeit« haben in den §§ 1 und 6 des BundesvertriebenenG i. d. F. vom 3. 9. 1971 (BGBl. I S. 1565, 1807) eine authentische Interpretation erfahren (§ 104 BVFG; BVerwGE 5, 240, 244; 8, 343; 9, 232; 38, 226). Das Vorhandensein einer anderweitigen Schutzmacht steht der Anwendung des Art. 116 I nach Wortlaut und Sinn nicht entgegen (BVerwGE 23, 272). Unmöglichkeit der Rückkehr in das Vertreibungsgebiet steht einer Vertreibung gleich (BVerfGE 17, 231). Der Passus »als dessen Ehegatte oder Abkömmling« bezieht sich auf fremdvölkische Angehörige. Die Ehe muß z. Z. der Aufnahme bestehen. Auf nichteheliche Kinder volksdeutscher Väter und Adoptivkinder ist die für Abkömmlinge geltende Regelung zumindest entsprechend anzuwenden. Auch fremdvölkische Ehegatten und Kinder deutscher *Staatsangehöriger* sind nach Sinn und Zweck des Art. 116 I unter den in Abs. 1 erfaßten Personenkreis zu rechnen. Wesentlich für die Zuerkennung der Rechtsstellung eines Deutschen ohne deutsche StA ist neben den genannten persönlichen Eigenschaften eine innerhalb des alten Reichsgebiets erfolgte Niederlassung, genauer eine »*Aufnahme*« im Reichsgebiet. Die Aufnahme setzt keine förmliche Zuzugsgenehmigung, aber immerhin voraus, daß sie von den deutschen Behörden nicht verweigert worden ist (BVerwGE 9, 233 f.). Ein Aufnahmeanspruch besteht nicht (a. M. Hamann-Lenz, Art. 116 Anm. B 6). Kein Erwerb der Rechtsstellung, wenn ein entgegengesetzter Wille zum Ausdruck gebracht worden ist (str.). Vertreibung und Aufnahme müssen in einem engen zeitlichen und sachlichen Zusammenhang stehen (BVerfGE 2, 100 f.). Der Betroffene muß sich bei der Aufnahme noch im Zustand der

Vertreibung befunden haben. Daran fehlt es, wenn er zwischen-
zeitlich bereits in einem anderen Lande endgültig Aufnahme gefunden hatte, d. h. in zumutbarer Weise in das dortige Leben eingegliedert war (BVerwGE 9, 232 f.). Erwerb der Rechtsstellung
auch durch Personen, die erst *nach* Inkrafttreten des GG Aufnahme gefunden haben oder noch finden, nicht jedoch bei solchen,
die Deutschland vor diesem Zeitpunkt bereits wieder verlassen
hatten. »Aufnahme« kann auch finden, wer derzeit fremdverwal-
tete Teile des Reichsgebiets verlassen mußte (BVerwGE 38,
227 f.). Ursprünglicher Erwerb der Rechtsstellung als Deutscher
ohne deutsche StA mit dem Inkrafttreten des GG oder späterer
Aufnahme, abgeleiteter Erwerb und Verlust grundsätzlich entsprechend wie bei deutscher StA (BVerwGE 8, 342). Daher auch
Entlassung aus dem »Status« und Verzicht auf ihn möglich. Zur
Frage der Anwendbarkeit des Art. 16 I auf Statusdeutsche vgl.
die dort. Erläut. Rn. 1. Die Deutschen ohne deutsche StA haben
einen grundsätzlichen Anspruch auf Einbürgerung (§ 6 1. StA-
RegG). Regelungen für Volksdeutsche, die nicht unter Art. 116 I
fallen: §§ 8, 9 1. StARegG.

5 Die Worte *»vorbehaltlich anderweitiger gesetzlicher Regelung«* geben Möglichkeiten zur Änderung vorstehender Regelung unter
Wahrung ihrer Grundgedanken: der einheitlichen deutschen StA
und des Schutzes für alle ins Reichsgebiet geflüchteten Deutschen.

Absatz 2

6 Abs. 2 dient der *Wiedergutmachung nationalsozialistischer Aus-
bürgerungsmaßnahmen.* Um niemandem die entzogene deutsche
StA gegen seinen Willen wiederaufzuzwingen, hat der Grundge-
setzgeber für den Regelfall von einer automatischen Wiedereinbürgerung abgesehen.

7 *Satz 1* gibt aber allen früheren deutschen Staatsangehörigen, denen unter der Herrschaft des Nationalsozialismus aus polit., rassischen oder religiösen Gründen die StA durch Gesetz oder Einzelakt entzogen wurde, und ihren Abkömmlingen – auch nichtehelichen (a. M. BVerwGE 68, 233 ff.) – ohne Rücksicht auf den
Wohnsitz und eine etwa später erworbene fremde StA einen *Anspruch auf Wiedereinbürgerung,* dessen Verwirklichung über einen entsprechenden Antrag zum Wiedererwerb der deutschen
StA ex nunc führt. (Nach BVerfGE 23, 108; 54, 70 handelt es sich
wegen der angenommenen Nichtigkeit der seinerzeitigen Ausbür-

gerungen in Wahrheit um eine bloße »Wiedergeltendmachung« der deutschen StA.) Die Ehefrau eines Ausgebürgerten hat einen Anspruch auf Wiedereinbürgerung nur, wenn sie selbst ausgebürgert wurde. Für Personen, die 1945 wieder als Österreicher in Anspruch genommen worden sind, gilt Art. 116 II nicht (BVerwG, DVBl 1966, 115). Der Antrag auf Wiedereinbürgerung muß vom Berechtigten selbst gestellt werden. Er führt nur zu *seiner* Wiedereinbürgerung; eine Erstreckung auf Angehörige findet nicht statt. Verzicht auf Wiedereinbürgerung ist möglich, muß aber klar und eindeutig bekundet sein.

8   *Satz 2:* Von dem Grundsatz nur antragsmäßiger Wiedereinbürgerung macht Satz 2 eine Ausnahme für Personen (Ausgebürgerte und Abkömmlinge), die ihren Wohnsitz nach dem 8. 5. 1945 wieder in Deutschland (Grenzstand 31. 12. 1937) genommen haben. Sie *gelten als nicht ausgebürgert,* es sei denn, daß sie einen entgegengesetzten Willen zum Ausdruck gebracht haben. Soll solcher Wille aus einem schlüssigen Verhalten gefolgert werden, so muß er sich in diesem völlig zweifelsfrei kundgetan haben (BVerfGE 8, 87). Satz 2 ist auch auf die Verfolgten anzuwenden, die erst nach Inkrafttreten des GG ihren Wohnsitz in Deutschland genommen (BVerfGE 8, 86; BGHZ 27, 375), und entsprechend auf diejenigen, die Deutschland nie verlassen haben (»Untergetauchte«). Die Rückwirkungsfiktion des Satzes 2 hat höchstpersönlichen Charakter und erstreckt sich daher nicht auf Ehegatten und Kinder. Sie ist auch in anderer Hinsicht nur eine beschränkte: gilt ein Verfolgter nach Satz 2 als nicht ausgebürgert, so hat er seine deutsche StA auch dann nicht nach § 25 I RuStAG verloren, wenn er während seines Auslandsaufenthaltes eine andere erworben hatte (BVerfGE 8,87), ebensowenig eine deutsche Frau, die in der Zeit ihrer Ausbürgerung einen Ausländer geheiratet hatte (BGHZ 27, 375). Weitere Wiedergutmachungsregelungen in §§ 11 ff. 1. StA-RegG.

9   Nach umstrittener und mit dem Gesetzeswortlaut nur schwer zu vereinbarender Auffassung des BVerfG soll Abs. 2 lediglich für diejenigen Ausgebürgerten gelten, die den 8. 5. 1945 überlebt haben, während die vorher verstorbenen die deutsche StA nie verloren hätten (BVerfGE 23, 111).

Artikel 117   [**Übergangsregelungen zu Art. 3 Abs. 2 und Art. 11**]

(1)   Das dem Artikel 3 Abs. 2 entgegenstehende Recht bleibt bis zu

seiner Anpassung an diese Bestimmung des Grundgesetzes in Kraft, jedoch nicht länger als bis zum 31. März 1953.

(2) Gesetze, die das Recht der Freizügigkeit mit Rücksicht auf die gegenwärtige Raumnot einschränken, bleiben bis zu ihrer Aufhebung durch Bundesgesetz in Kraft.

Absatz 1

1 Eine vollständige Anpassung des dem Art. 3 II entgegenstehenden Rechts erfolgte bis zum 31. 3. 1953 nicht. Mit dem Ablauf der Frist traten daher alle Art. 3 II noch entgegenstehenden Vorschriften außer Kraft. Dadurch entstandene Gesetzeslücken mußten vom Richter ausgefüllt werden, was nach Meinung des BVerfG weder gegen den Grundsatz der Rechtssicherheit noch gegen den der Gewaltenteilung verstieß (BVerfGE 3, 237 ff.). Ob ein Widerspruch zu Art. 3 II vorliegt, entscheidet grundsätzlich das jeweilige Gericht, bei förmlichen Gesetzen, die nach Inkrafttreten des GG erlassen wurden, Art. 100 I zufolge das BVerfG.

Absatz 2

2 Abs. 2 hat praktisch keine Bedeutung mehr.

Artikel 118 [Neugliederung im Südwesten]

Die Neugliederung in dem die Länder Baden, Württemberg-Baden und Württemberg-Hohenzollern umfassenden Gebiete kann abweichend von den Vorschriften des Artikels 29 durch Vereinbarung der beteiligten Länder erfolgen. Kommt eine Vereinbarung nicht zustande, so wird die Neugliederung durch Bundesgesetz geregelt, das eine Volksbefragung vorsehen muß.

Die Vorschrift, lex specialis zu Art. 29 i. d. F. von 1949, ist durch die Bildung des Landes Baden-Württemberg gemäß Satz 2 (G vom 4. 5. 1951, BGBl. I S. 284) erschöpft.

Artikel 119 [Flüchtlinge und Vertriebene]

In Angelegenheiten der Flüchtlinge und Vertriebenen, insbesondere zu ihrer Verteilung auf die Länder, kann bis zu einer bundesgesetzlichen Regelung die Bundesregierung mit Zustimmung des Bundesrates Verordnungen mit Gesetzeskraft erlassen. Für besondere Fälle kann dabei die Bundesregierung ermächtigt werden, Einzelweisungen zu er-

**teilen. Die Weisungen sind außer bei Gefahr im Verzuge an die ober-
sten Landesbehörden zu richten.**

Die Ermächtigung ist erloschen, nachdem durch das BundesvertriebenenG vom 19. 3. 1953 (BGBl. I S. 210) eine bundesgesetzliche Regelung erfolgt ist.

Artikel 120   [Kriegsfolgelasten und Sozialleistungen]

**(1)   Der Bund trägt die Aufwendungen für Besatzungskosten und die
sonstigen inneren und äußeren Kriegsfolgelasten nach näherer Bestimmung von Bundesgesetzen. Soweit diese Kriegsfolgelasten bis zum
1. Oktober 1969 durch Bundesgesetze geregelt worden sind, tragen
Bund und Länder im Verhältnis zueinander die Aufwendungen nach
Maßgabe dieser Bundesgesetze. Soweit Aufwendungen für Kriegsfolgelasten, die in Bundesgesetzen weder geregelt worden sind noch geregelt werden, bis zum 1. Oktober 1965 von den Ländern, Gemeinden
(Gemeindeverbänden) oder sonstigen Aufgabenträgern, die Aufgaben
von Ländern oder Gemeinden erfüllen, erbracht worden sind, ist der
Bund zur Übernahme von Aufwendungen dieser Art auch nach diesem
Zeitpunkt nicht verpflichtet. Der Bund trägt die Zuschüsse zu den Lasten der Sozialversicherung mit Einschluß der Arbeitslosenversicherung und der Arbeitslosenhilfe. Die durch diesen Absatz geregelte Verteilung der Kriegsfolgelasten auf Bund und Länder läßt die gesetzliche
Regelung von Entschädigungsansprüchen für Kriegsfolgen unberührt.**

**(2)   Die Einnahmen gehen auf den Bund zu demselben Zeitpunkte
über, an dem der Bund die Ausgaben übernimmt.**

Absatz 1

1 Art. 120 ist im wesentlichen eine Vorschrift über die Verteilung
der Kriegsfolgelasten zwischen Bund und Ländern. Die allgemeine Regelung über die Lastenverteilung zwischen Bund und Ländern findet sich in Art. 104 a. Für die Kriegsfolgelasten ist
Art. 120 lex specialis, so daß Art. 104 a auf diesem Gebiet mit
Ausnahme von Abs. 5 (s. unten) nicht zur Anwendung kommt.
Die in Art. 120 enthaltene Regelung über die Lastentragung gilt,
abweichend von dem Grundsatz in Art. 104 a I, unabhängig davon, wer die Aufgabe der Verwaltung von Kriegsfolgelasten wahrzunehmen hat. Für die Verwaltungskompetenz gilt Art. 30
i. V. m. Art. 83. Besonderheiten dazu enthält jedoch Art. 120 a.
Art. 120 betrifft nur die Finanzbeziehungen zwischen Bund und

Ländern (einschl. der Gemeinden und Gemeindeverbände). Ansprüche Dritter auf Gewährung einer Entschädigung für Kriegsfolgen werden durch Art. 120 nicht begründet; BVerfGE 14, 233; vgl. auch Satz 5.

2 *Satz 1:* Der Begriff *Kriegsfolgelasten* ist ein unbestimmter Rechtsbegriff. Der Gesetzgeber kann den Begriff nicht nach seinem Ermessen abgrenzen. Er ist aus der Verfassung heraus zu interpretieren (BVerfGE 9, 305 ff.). Nach dieser Entscheidung sind Kriegsfolgelasten die Lasten solcher Kriegsfolgen, deren entscheidende – und in diesem Sinne alleinige – Ursache der zweite Weltkrieg ist. Je mehr Zeit verstreicht, desto mehr wird der zweite Weltkrieg als maßgebende Ursache zurücktreten. Auch bei einer allzu langen Kausalkette zwischen dem zweiten Weltkrieg und den Lasten ist nach dieser Entscheidung das Vorliegen einer Kriegsfolgelast zu verneinen. Der Gesetzgeber kann die Länder im Interesse einer sparsamen Verwaltung bei gewissen Lasten in Form von Interessenquoten an den Aufwendungen beteiligen (BVerfGE 1, 139 f.; 9, 330). Hinsichtlich der Besatzungskosten ist Art. 120 weitgehend gegenstandslos geworden. Die Kosten der Stationierung verbündeter Truppen in der Bundesrepublik unterliegen nicht der Regelung des Satzes 1; sie sind Verteidigungslasten.

3 *Satz 2* ist eine Bereinigungsvorschrift, die in Zusammenhang mit Satz 1 i. d. S. verstanden werden muß, daß der Bund die Aufwendungen für Besatzungskosten und Kriegsfolgelasten trägt, es sei denn in Bundesgesetzen, die bis zum 1. 10. 1969 erlassen worden sind, ist eine vom Grundsatz des Satzes 1 abweichende Verteilung der Lasten von Kriegsfolgen zwischen Bund und Ländern vorgesehen. In einigen vor dem 1. 10. 1969 erlassenen Gesetzen sind den Ländern Kriegsfolgelasten auferlegt worden, z. B. in § 6 LAG, der eine Beteiligung der Länder an den Kosten des Lastenausgleichs vorsieht, und in § 21 a des Ersten ÜberleitungsG i. d. F. vom 28. 4. 1955 (BGBl. I S. 193), geändert durch Art. V des G vom 21. 2. 1964 (BGBl. I S. 85), der bestimmte vom Bund zu tragende Kriegsfolgelasten auf inzwischen ausgelaufene Pauschalleistungen beschränkt. Die in diesen Gesetzen vorgesehene Lastenverteilung ist durch Satz 2 verfassungsrechtl. festgeschrieben. Sie kann, obwohl in einfachen Gesetzen enthalten, ohne Verfassungsänderung nicht verändert werden. Das gilt aber nur für die Lastenverteilungsregel zwischen Bund und Ländern. Materielle Leistungsansprüche, zu deren Deckung Bund und Länder nach Maßgabe z. B. des § 6 LAG beitragen, können ohne Verfassungsänderung geändert werden.

4 Auch *Satz 3* enthält eine Abweichung vom Grundsatz des Satzes 1, nach dem der Bund die Kriegsfolgelasten zu tragen hat. In Satz 3 wird in dem Bereich, in dem keine gesetzlichen Regelungen ergangen sind oder in Zukunft ergehen, der am 1. 10. 1965 hinsichtlich der tatsächlichen Lastentragung bestehende status quo festgeschrieben. Lasten, die abweichend vom Grundsatz des Satzes 1 tatsächlich die Länder und Gemeinden oder Gemeindeverbände getragen haben, sollen diesen aufgebürdet bleiben, d. h. der Bund braucht sie ihnen nicht nachträglich zu erstatten. Die Regelung besagt aber darüber hinaus, daß die Länder, Gemeinden und Gemeindeverbände die Kriegsfolgelasten, die sie an dem genannten Stichtag tatsächlich getragen haben, auch in Zukunft weiter tragen sollen. Die Regelung in Satz 3 bedeutet nicht, daß der Bund auf diesen Gebieten keine Gesetze erlassen kann. Wenn er Gesetze erläßt, fallen die gesetzlich geregelten Tatbestände aus dem Regelungsbereich des Satzes 3 heraus, und zwar mit der Folge, daß Satz 1 gilt, nach dem der Bund die Lasten zu tragen hat.

5 *Satz 4* erlegt dem Bund – und zwar auf Dauer, nicht nur als Kriegsfolge – die Verpflichtung auf, die *Zuschüsse zu den Lasten der Sozialversicherung* zu tragen. Hier, wie auch im übrigen Geltungsbereich des Art. 120, wird nicht das Verhältnis zum einzelnen Anspruchsberechtigten, dem Sozialversicherten, geregelt, sondern nur das zu den Ländern, und zwar hinsichtlich der Lastenverteilung bei etwaigen Zuschüssen an die Sozialversicherungsträger. Auch die einzelnen Sozialversicherungsträger haben aus Art. 120 keinen Rechtsanspruch auf Zuschüsse (BVerfGE 14, 235). Ein solches Recht wird ggf. erst durch entsprechende Bundesgesetze begründet. Auch zu deren Erlaß wird der Bund durch Satz 4 nicht verpflichtet. Satz 4 besagt lediglich, daß diese Ausgaben, falls sie erfolgen, vom Bund zu tragen sind. Satz 4 umfaßt die herkömmlichen Sozialversicherungsbereiche wie Kranken-, Unfall-, Invaliditäts- und Altersversicherung. Daneben treten kraft ausdrücklicher Anordnung die Arbeitslosenversicherung und die Arbeitslosenhilfe.

Absatz 2

6 Abs. 2 ist eine Übergangsvorschrift. Nach dem Ersten ÜberleitungsG vom 28. 11. 1950 (s. Rn. 3) sind am 1. 4. 1950 alle dem Bund nach der damals geltenden Fassung des GG zustehenden Steuereinnahmen auf den Bund übergegangen und ebenfalls die wichtigsten Lasten aus dem Bereich der Kriegsfolgen sowie aus dem Sozialbereich.

7   Art. 120 ist auch im Verhältnis zu Art. 104 a III lex specialis, d. h. die verfassungsrechtl. Regelung des Art. 120 I 1, nach der der Bund die Kriegsfolgelasten zu tragen hat, bewirkt nicht die in Art. 104 a III vorgesehene Rechtsfolge, daß ein Gesetz im Auftrag des Bundes auszuführen ist, wenn es dem Bund 50 vH der Kosten oder mehr auferlegt. Kriegsfolgelasten sind mangels abweichender Regelung nach Art. 83 von den Ländern als eigene Angelegenheit auszuführen. Art. 104 a V gilt als allgemeiner Rechtsgrundsatz auch im Bereich der Kriegsfolgelastenverwaltung; die spezielle Norm des Art. 120 enthält keinen Ansatzpunkt, der für Kriegsfolgelasten eine Ausnahme rechtfertigen könnte.

Artikel 120 a   [Durchführung des Lastenausgleichs]

(1) Die Gesetze, die der Durchführung des Lastenausgleichs dienen, können mit Zustimmung des Bundesrates bestimmen, daß sie auf dem Gebiete der Ausgleichsleistungen teils durch den Bund, teils im Auftrage des Bundes durch die Länder ausgeführt werden und daß die der Bundesregierung und den zuständigen obersten Bundesbehörden auf Grund des Artikels 85 insoweit zustehenden Befugnisse ganz oder teilweise dem Bundesausgleichsamt übertragen werden. Das Bundesausgleichsamt bedarf bei Ausübung dieser Befugnisse nicht der Zustimmung des Bundesrates; seine Weisungen sind, abgesehen von den Fällen der Dringlichkeit, an die obersten Landesbehörden (Landesausgleichsämter) zu richten.

(2) Artikel 87 Abs. 3 Satz 2 bleibt unberührt.

Absatz 1

1   Dem Regelungsgegenstand nach gehört Art. 120 a in den VIII. Abschnitt des GG. Er ergänzt die Vorschriften über die *Ausführung von Bundesgesetzen auf dem Gebiet des Lastenausgleichs, soweit es die Ausgleichsleistungen betrifft.* Für die Lastenausgleichsabgaben enthält er keine Regelung. Insofern bleibt es bei den allgemeinen Vorschriften. Der Begriff des Lastenausgleichs ist in Art. 120 a nicht definiert. Er läßt sich in Anlehnung an § 1 LAG bestimmen als Leistungsgewährung wegen materieller Kriegs-, Kriegsfolge- und Nachkriegsschäden. Art. 120 a betrifft nur die gesetzesakzessorische Verwaltung, und zwar nur die Ausführung von Bundesgesetzen. In diesen Gesetzen kann bestimmt werden, daß sie abweichend von Art. 83 teils durch den Bund

(Art. 86), teils im Auftrage des Bundes (Art. 85) durch die Länder ausgeführt werden. Eine weitere Besonderheit ist, daß die nach Art. 85 der BReg und den zuständigen obersten Bundesbehörden zustehenden Befugnisse auf das Bundesausgleichsamt übertragen werden können, z. B. nach Art. 85 II 1 der Erlaß von Verwaltungsvorschriften oder der Erlaß von Weisungen nach Art. 85 III 1. Die Ausübung der in Satz 1 aufgeführten Gestaltungsmöglichkeiten steht im Belieben des Bundesgesetzgebers. Die entsprechenden Gesetze bedürfen der Zustimmung des BRates. Satz 2 sieht für den Fall, daß das Bundesgesetz tatsächlich eine Auftragsverwaltung vorgesehen und außerdem die der BReg nach Art. 85 zustehenden Befugnisse auf das Bundesausgleichsamt übertragen hat, vor, daß das Bundesausgleichsamt die Befugnisse, für die die BReg die Zustimmung des BRates einholen müßte, ohne Zustimmung des BRates ausüben kann. Satz 2 Halbs. 2 stellt klar, daß auch das Bundesausgleichsamt Weisungen, außer in Fällen der Dringlichkeit, an die obersten Landesbehörden richten muß. In den Bereichen der Lastenausgleichsverwaltung, für die diese Modifikationen nicht angewendet werden, gelten die allgemeinen Regeln der Art. 83, 84.

Absatz 2

2 Durch Abs. 2 wird ausdrücklich Art. 87 III 2, der die Einrichtung bundeseigener Mittel- und Unterbehörden regelt, auch im Gebiet des Lastenausgleichs für anwendbar erklärt.

Artikel 121 [Begriff »Mehrheit der Mitglieder« des Bundestages usw.]

Mehrheit der Mitglieder des Bundestages und der Bundesversammlung im Sinne dieses Grundgesetzes ist die Mehrheit ihrer gesetzlichen Mitgliederzahl.

1 Art. 121 hat vor allem für Art. 29 VII 2, Art. 54 IV 1, Art. 63 II-IV, Art. 67 I 1, Art. 68 I, Art. 77 IV, Art. 87 III 2 und Art. 115 a I 2 Bedeutung. Daneben ist Art. 121, soweit er »Mitglieder« mit der gesetzlichen Mitgliederzahl gleichsetzt, auch auf die sonstigen Bruchteilsmehr- und Bruchteilsminderheiten der Mitglieder anzuwenden (Art. 61 I 3, Art. 79 II sowie Art. 39 II, Art. 42 I, Art. 44 I und Art. 61 I 2). *Gesetzliche Mitgliederzahl* ist die jeweilige Zahl derjenigen Abg., die nach Maßgabe der einschlägigen Gesetze, vor allem des Wahlgesetzes, Mitglieder des BTags bzw. der Bundesversammlung sind (jeweiliger »Sollbestand«). Gesetzmäßig (z. B. wegen Todes, Mandatsniederlegung usw.) ausgeschiedene Mitglieder, deren Sitz noch nicht wieder besetzt ist, sind in die Gesamtzahl nicht mit einzurechnen, wohl aber die nur an der Ausübung ihres Mandats (z. B. durch Krankheit, Reisen, Sitzungsausschluß, Verschollenheit) verhinderten Mitglieder. *Mehrheit* ist mehr als die Hälfte der gesetzlichen Mitgliederzahl.

2 Die *gesetzliche Mitgliederzahl des Bundestages* beträgt regulär 518 Abg. (§ 1 BWahlG). Eine Überschreitung dieser Zahl kann sich durch Überhangmandate ergeben (§ 6 III BWahlG), eine Unterschreitung ist möglich

1. für die Dauer, d. h. bis zum Ende der Wahlperiode, bei Listenerschöpfung (§ 6 II 4, § 48 I 3 BWahlG), bei nicht mehr durchgeführter Wiederholungs- oder Ersatzwahl (§ 44 III 2, § 48 II 3 BWahlG) und bei Sitzverlust infolge Parteiverbots (§ 46 I 1 Nr. 5, IV BWahlG),

2. vorübergehend für die Dauer der Vakanz bei Ausscheiden eines Abg. bzw. gewählten Bewerbers bis zum Eintritt des Ersatzmannes (§ 48 I u. II BWahlG) oder im Falle der Ungültigerklärung und Wiederholung einer Wahl (§ 46 I Nr. 1, § 47 I Nr. 1, II, § 44 BWahlG) bis zum Eintritt des oder der Neugewählten in den BTag.

In Angelegenheiten, in denen die Berliner Abg. nicht stimmberechtigt sind, ist von einer regulären Mitgliederzahl des BTags von 496 Abg. auszugehen (§ 53 Nr. 1 BWahlG).

3 Die *gesetzliche Mitgliederzahl der Bundesversammlung* beträgt regulär 1036 Vertreter (Art. 54 III). Sie kann je nach Schwankung der gesetzlichen Mitgliederzahl des BTags größer oder geringer sein.

Artikel 122   [Zeitpunkt der Überleitung der Gesetzgebung]

(1)   Vom Zusammentritt des Bundestages an werden die Gesetze ausschließlich von den in diesem Grundgesetze anerkannten gesetzgebenden Gewalten beschlossen.

(2)   Gesetzgebende und bei der Gesetzgebung beratend mitwirkende Körperschaften, deren Zuständigkeit nach Absatz 1 endet, sind mit diesem Zeitpunkt aufgelöst.

Der BTag ist am 7. 9. 1949 erstmalig zusammengetreten. Bis zu

diesem Tag hatten die Länder das Gesetzgebungsrecht auch insoweit, als es über ihre Zuständigkeiten nach dem GG hinausging.
Reichsrecht, das später Bundesrecht geworden ist, konnte durch
Landesgesetz nur geändert werden, wenn die Landesgesetze vor
dem 7. 9. 1949 verkündet waren (BVerfGE 7, 330).

Artikel 123 [Fortgeltung alten Rechts]

**(1) Recht aus der Zeit vor dem Zusammentritt des Bundestages gilt
fort, soweit es dem Grundgesetze nicht widerspricht.**

**(2) Die vom Deutschen Reich abgeschlossenen Staatsverträge, die
sich auf Gegenstände beziehen, für die nach diesem Grundgesetz die
Landesgesetzgebung zuständig ist, bleiben, wenn sie nach allgemeinen
Rechtsgrundsätzen gültig sind und fortgelten, unter Vorbehalt aller
Rechte und Einwendungen der Beteiligten in Kraft, bis neue Staatsverträge durch die nach diesem Grundgesetze zuständigen Stellen abgeschlossen werden oder ihre Beendigung auf Grund der in ihnen enthaltenen Bestimmungen anderweitig erfolgt.**

1 Art. 123 regelt zusammen mit den Art. 124 und 125 die *Fortgeltung des vom Grundgesetz angetroffenen Rechtsbestandes* (BVerf-
GE 6, 344), soweit sich dieser räumlich auf das heutige Bundesgebiet bezieht (BGHZ 42, 76). Dabei betrifft Art. 123 die Weiter-
geltung als solche, während die beiden folgenden Artikel das fortgeltende Recht in Bundes- und Landesrecht aufteilen (BVerf-
GE 6, 342 f.; 33, 216).

Absatz 1

2 Unter »*Recht*« sind hier wie in den Art. 124–126 *Rechtsnormen
jeglicher Art* zu verstehen (BVerfGE 28, 133), also nicht nur Gesetze im formellen Sinne, sondern auch Rechtsverordnungen (vgl.
BVerfGE 8, 148 ff.; 9, 70; 9, 76; 9, 222) sowie satzungs- und gewohnheitsrechtl. Bestimmungen (zu diesen s. BVerfGE 34, 303
m. w. N.; 41, 263; BVerwGE 18, 342). Fortgeltendes Gewohnheitsrecht darf aber nicht in dem Sinne weiterentwickelt werden,
daß neue Eingriffstatbestände entstehen (BVerfGE 22, 122 mit
Bezug auf Art. 12 I). Aus welcher Zeit das überkommene Recht
stammt, macht keinen Unterschied (BVerfGE 6, 418). Deshalb
bezieht sich Abs. 1 auch auf Vorschriften aus der nationalsozialistischen Zeit (BVerfGE 6, 418 f.) und auf diejenigen Regelungen
des sog. mittelbaren *Besatzungsrechts,* die deutsche Staatsorgane
auf Grund bloßer Empfehlungen oder Ermächtigungen der Besat-

zungsbehörden nach freiem Ermessen erlassen haben (vgl. BVerfGE 2, 199). Nicht erfaßt wurden dagegen deutsche Rechtsvorschriften, die im Vollzug bindender Weisungen der Besatzungsbehörden ergangen waren (zu ihnen s. BVerfGE 2, 202 f.), und das von diesen selbst gesetzte unmittelbare Besatzungsrecht (BVerfGE 3, 374 ff.; BGHZ 1, 368 f.). Zu der seit dem Inkrafttreten des sog. Überleitungsvertrages i.d.F. vom 23. 10. 1954 (BGBl. 1955 II S. 405) bestehenden Pflicht des zuständigen deutschen Gesetzgebers, dieses Recht – mit Ausnahme der den ehemaligen Besatzungsmächten verbliebenen Vorbehaltsrechte (dazu Einführung Rn. 4) – binnen angemessener Frist an das GG anzupassen, vgl. BVerfGE 15, 348 f.; 36, 171.

3 Nach Abs. 1 fortgelten können nur *Rechtsnormen, die am 7. 9. 1949,* dem Tag des Zusammentritts des ersten BTages, *gültig waren* (BVerfGE 4, 138; 6, 419). Nicht übernommen wurden deshalb Vorschriften, die wegen fehlender Übereinstimmung mit dem GG (dazu s. nachstehend Rn. 4) bei dessen Inkrafttreten am 24. 5. 1949 ihre Geltung verloren hatten (vgl. BVerwGE 2, 117; aber auch v. Münch, Art. 123 Rn. 6 m. w. N.) oder in der Zeit danach im Widerspruch zum GG erlassen worden waren. Ungültig waren ferner Regelungen, die vor dem 7. 9. 1949 zwar noch beschlossen und ausgefertigt, aber bis zu diesem Zeitpunkt nicht mehr verkündet worden waren (BVerfGE 7, 337 f.; 16, 16 ff.). Das gleiche gilt für vorkonstitutionelle Bestimmungen, die nach den staatsrechtl. Verhältnissen zur Zeit ihrer Entstehung nicht ordnungsgemäß zustande gekommen (BSGE 16, 233 m. w. N.), insbes. nicht im Einklang mit der damals geltenden Kompetenzordnung ergangen waren (vgl. BVerfGE 10, 360). Von der Übernahme ausgeschlossen waren schließlich auch Vorschriften, die ursprünglich auf die bundesstaatl. Organisation des Deutschen Reiches bezogen waren, diesen Charakter aber im nationalsozialistischen Einheitsstaat verloren hatten (BVerfGE 4, 139). Im übrigen aber können *Regelungen aus der Zeit des Nationalsozialismus* nicht ohne weiteres als rechtsunwirksam behandelt werden (BVerfGE 6, 198 f.; 6, 414). Sie sind nur dann als von Anfang an nichtig zu erachten, wenn sie fundamentalen Prinzipien der Gerechtigkeit so evident widersprechen, daß der Richter, der sie anwenden oder ihre Rechtsfolgen anerkennen wollte, Unrecht statt Recht sprechen würde (BVerfGE 3, 119; 23, 106).

4 Ein *Widerspruch zum Grundgesetz* besteht nicht schon dann, wenn altes Recht in der Form, in der es zustande kam, unter der Geltung des GG nicht ergehen könnte, sondern nur, wenn es materiell dem GG widerspricht (BayVGH n. F. 11, 65), d. h. wenn es *seinem Inhalt nach* (BVerfGE 6, 332; BGHSt 21, 128) mit einzelnen Bestimmungen des GG oder mit – geschriebenen oder ungeschriebenen – Verfassungsgrundsätzen des freiheitlichen demokratischen Rechtsstaates nicht vereinbar ist (BVerfGE 6, 419; BVerwGE 2, 116). Bei nur teilweisem Widerspruch gelten die mit dem GG übereinstimmenden Teile des alten Rechts fort, wenn sie, für sich gesehen, noch eine sinnvolle Regelung darstellen (vgl. BVerfGE 7, 37). Ausnahmebestimmungen enthält Art. 117.

5 Mit welchem *Rang* aufrechterhaltene Vorschriften fortgelten, bestimmt sich nach den staatsrechtl. Verhältnissen zur Zeit ihres Erlasses (BVerfGE 22, 12; 52, 16 f.). Mit Rücksicht darauf haben die noch wirksamen Rechtsnormen, die auf der Grundlage des Ermächtigungsgesetzes vom 24. 3. 1933 (RGBl. I S. 141) in sog. Regierungsgesetzen ergangen sind, den Rang förmlicher Gesetze (vgl. BVerfGE 10, 360 f.; 28, 139 f.; BVerwGE 2, 295 f.). Das gleiche gilt für fortbestehende gesetzesvertretende Verordnungen (BVerfGE 22, 12; 52, 16; vgl. auch Art. 129 Rn. 8).

Absatz 2

6 Abs. 2 enthält eine Sonderregelung für diejenigen *Staatsverträge des Deutschen Reiches,* die sich auf Gegenstände beziehen, für die nach dem GG die *Gesetzgebungskompetenz der Länder* gegeben ist. Ob solche Verträge völkerrechtl. fortbestehen, ist nach allgemeinen Rechtsgrundsätzen zu entscheiden. Abs. 2 trifft darüber keine Bestimmung. Er befaßt sich nur mit dem in innerstaatl. Recht transformierten Inhalt völkerrechtl. gültig gebliebener Verträge (BVerfGE 6, 341) und ordnet – unter der Voraussetzung inhaltlicher Übereinstimmung mit dem GG – seine Fortgeltung an (BVerfGE 6, 344 f.). Eine Bindung für den nunmehr zuständigen Gesetzgeber folgt daraus nicht (BVerfGE 6, 350). Dies gilt auch mit Blick auf das *Reichskonkordat* vom 20. 7. 1933 (RGBl. II S. 679), auf das sich Abs. 2 nach seiner Entstehungsgeschichte vor allem bezieht (BVerfGE 6, 350 f.). Der Landesgesetzgeber ist deshalb nicht gehindert, Recht zu setzen, das von den Schulbestimmungen des Reichskonkordats abweicht. Abs. 2 besagt insoweit nur, daß diese Bestimmungen, sofern sie beim Inkrafttreten des GG noch galten, in Kraft bleiben, obwohl sie einem Vertrag entstammen, der nicht von den nunmehr zur Verfügung über den Vertragsgegenstand befugten Ländern abgeschlossen worden ist (BVerfGE 6, 342). Für Reichsverträge, die *Gegenstände der Bundesgesetzgebung* betreffen, gilt Abs. 1 (BVerfGE 6, 345).

Artikel 124 [Fortgeltung als Bundesrecht auf dem Gebiet der ausschließlichen Gesetzgebung des Bundes]

**Recht, das Gegenstände der ausschließlichen Gesetzgebung des Bun-
des betrifft, wird innerhalb seines Geltungsbereiches Bundesrecht.**

1 Art. 124 ordnet Rechtsnormen (vgl. Art. 123 Rn. 2), die nach
Art. 123 fortgelten und *Gegenstände der ausschließlichen Gesetz-
gebung des Bundes* betreffen, dem Bundesrecht zu. Die ausschließliche Gesetzgebung des Bundes ist betroffen, wenn das alte
Recht unter der Geltung des GG in dessen ursprünglicher Fassung
vom 23. 5. 1949 nur als Bundesrecht ergehen könnte (vgl. BVerf-
GE 33, 216). Maßgebend hierfür sind Art. 73 a. F. (s. BVerf-
GE 15, 185; BVerwGE 10, 195; 37, 370) und Art. 105 I (vgl.
BVerwGE 10, 85), darüber hinaus aber auch Sondervorschriften,
die wie z. B. Art. 4 III 2, Art. 21 III oder Art. 38 III zur Regelung
durch Bundesgesetz ermächtigen, sowie die im GG stillschweigend mitgeschriebenen Gesetzgebungskompetenzen des Bundes
aus der Natur der Sache oder kraft Sachzusammenhangs (dazu s.
Art. 30 Rn. 2 u. Vorbem. vor Art. 70 Rn. 2). Die Aufnahme einer Vorschrift in die Sammlung des Bundesrechts (BGBl. III) hat,
wie § 3 IV des G vom 10. 7. 1958 (BGBl. I S. 437) ausdrücklich
klarstellt, keine konstitutive Wirkung (BVerwGE 39, 83).

2 Art. 124 dient (zusammen mit Art. 125) dem Ziel, gleichartige
Gegenstände alten und neuen Rechts möglichst der gleichen Ge-
setzgebungsebene zur Regelung zuzuweisen. Dies schließt es jedoch nicht aus, daß verschiedenartige Gegenstände, die in einem
einheitlichen Reichsgesetz geregelt waren, zum Teil in die Zuständigkeit des Bundesgesetzgebers und zum Teil in diejenige der Landesgesetzgebung fallen. Daraus folgt, daß früheres Reichsrecht
teils Bundesrecht, teils Landesrecht geworden sein kann (BVerf-
GE 33, 216 f.), und zwar auch dann, wenn ein und dieselbe Regelung eine Materie betrifft, für die einerseits die ausschließliche
Kompetenz des Bundes und andererseits die Zuständigkeit der
Länder gegeben ist (BVerfGE 4, 131 f.).

3 Das von Art. 124 erfaßte alte Recht ist nur »*innerhalb seines Geltungsbereiches*« (z. B. innerhalb einer früheren Besatzungszone,
eines Landes oder Landesteiles) Bundesrecht geworden. Art. 124
läßt also partikulares Bundesrecht zu. *Stichtag für die Fortgeltung*
als Bundesrecht ist wie im Fall des Art. 125 (vgl. dort Rn. 5

m. w. N.) der 7. 9. 1949. Ab diesem Zeitpunkt hat das nach
Art. 124 übergeleitete alte Recht die gleiche Wirkung wie neues
Recht, das im Bereich der ausschließlichen Gesetzgebung des
Bundes ergangen ist. Es gelten deshalb auch hier die Art. 31 und
71. Für das Verhältnis zu landesrechtl. Vorschriften, die auf dem
Gebiet des Art. 131 erlassen worden sind, geht jedoch diese Vor-
schrift als Sonderregelung vor (BVerfGE 15, 185; BVerwGE 4,
244 f.; 4, 361 f.; 7, 365 f.).

**Artikel 125   [Fortgeltung als Bundesrecht auf dem Gebiet der kon-
kurrierenden Gesetzgebung]**

**Recht, das Gegenstände der konkurrierenden Gesetzgebung des Bun-
des betrifft, wird innerhalb seines Geltungsbereiches Bundesrecht,**
1. **soweit es innerhalb einer oder mehrerer Besatzungszonen einheitlich gilt,**
2. **soweit es sich um Recht handelt, durch das nach dem 8. Mai 1945
   früheres Reichsrecht abgeändert worden ist.**

1 Art. 125 regelt die Umwandlung in Bundesrecht für den Teil des
nach Art. 123 fortgeltenden alten Rechts, der *Gegenstände der
konkurrierenden Gesetzgebung* betrifft. Deren Umfang bestimmt
sich nach Art. 74 (s. dazu z. B. BVerfGE 21, 296; 23, 122; 33, 217)
und Art. 105 II (vgl. BVerwGE 10, 83 ff.; 15, 151 f.). Maßgebend
ist die Ursprungsfassung dieser Vorschriften vom 23. 5. 1949 (s.
BayVerfGH, VerwRspr 32, 897; auch Art. 124 Rn. 1). Eine
Übernahme kraft Sachzusammenhangs kommt nur in engen
Grenzen in Betracht (vgl. BVerfGE 4, 84). Die Fortgeltung als
Bundesrecht hängt nicht davon ab, daß ein Bedürfnis nach bundesgesetzlicher Regelung i. S. des Art. 72 II besteht (BVerf-
GE 23, 122 m. w. N.; BGHZ 11, 106; BAGE 18, 341). Ebenso
war es für den bundesrechtl. Fortbestand von Reichssteuergeset-
zen unerheblich, ob die in Art. 105 II a. F. alternativ genannte
Voraussetzung der Steuerinanspruchnahme durch den Bund gegeben war (BVerfGE 7, 337). Umstritten ist, ob sich Art. 125
auch auf die *Rahmengesetzgebung* (Art. 75) bezieht (bejahend
BVerwGE 3, 339; verneinend BayVerfGH 2, 160; 4, 85 f.; 10,
75 f.). Nach der Rechtsprechung des BVerfG kommt eine Anwendung des Art. 125 allenfalls für solche altrechtl. Regelungen
in Frage, die als Ganzes Rahmen- oder Grundsatzcharakter haben

(BVerfGE 7, 41). Einzelne Vorschriften aus der erschöpfenden Gesamtregelung eines Rechtsgebietes, für das dem Bundesgesetzgeber nur eine Rahmenkompetenz zusteht, sind danach von der Fortgeltung als Bundesrecht selbst dann ausgenommen, wenn sie heute in einem Rahmengesetz erlassen werden könnten (BVerfGE 7, 42; 7, 161; 8, 192).

2 Der Ausdruck *»Recht«* (dazu allgemein Art. 123 Rn. 2) bezieht sich nicht nur auf Normen mit materiell-rechtl. Inhalt, sondern erfaßt auch damit zusammenhängende Regelungen des Verwaltungsverfahrensrechts. Daß der Bundesgesetzgeber bei entsprechenden Gesetzen nach Art. 84 I an die Zustimmung des BRates gebunden ist, ist für Art. 125 unbeachtlich (BVerfGE 9, 190). »Recht« i. S. dieser Vorschrift meint jedoch – anders als in Art. 124 – nicht schon jede Einzelbestimmung eines fortgeltenden Regelungswerkes. Auch ist der Begriff nicht schlechthin gleichbedeutend mit »Gesetz«. Entsprechend dem Zweck des Art. 125, weiterer Rechtszersplitterung vorzubeugen, ist darunter vielmehr nur die Gesamtregelung einer begrifflich selbständigen, in sich abgeschlossenen Rechtsmaterie zu verstehen (BVerfGE 4, 183; 28, 144 f.; mißverständlich BVerfGE 33, 216). Auch bei diesem Verständnis ist es aber denkbar, daß ein fortgeltendes Gesetz – wie im Fall des Art. 124 (vgl. dort Rn. 2) – *teils Bundesrecht, teils Landesrecht* geworden ist (BVerfGE 4, 84; 4, 184).

3 *Nr. 1,* die zusammen mit Nr. 2 die speziellen Voraussetzungen für die Umwandlung in Bundesrecht regelt, verlangt die *einheitliche Geltung* des alten Rechts *in mindestens einer Besatzungszone* (vgl. BVerwGE 4, 54). Hierfür kommt es nicht auf die Identität der Rechtsquelle, sondern auf die inhaltliche Übereinstimmung an (BVerfGE 4, 184; BGHZ 11, 106 ff.). Damit ist nicht vollständige Übereinstimmung im Wortlaut gemeint (BVerfGE 4, 184; BVerwGE 11, 90 f.). Auch sachliche Abweichungen in Gesetzen materiell-rechtl. Inhalts können im allgemeinen außer Betracht bleiben, wenn sie durch die von Land zu Land bestehenden Unterschiede in Behördenorganisation und Behördenzuständigkeit bedingt sind (BVerfGE 4, 184 f.). Zweifelhaft ist, ob Geltungslücken in einer Besatzungszone durch Gebietsteile anderer Zonen »aufgefüllt« werden können (so BVerwG, DVBl 1958, 321). Dagegen stand es der Annahme zoneneinheitlicher Geltung nicht entgegen, wenn Exklaven vom räumlichen Anwendungsbereich des in Frage stehenden Rechtssatzes ausgenommen waren (BVerwGE 1, 141; BGHZ 11, 106). Galt eine Regelung in zumindest einer Besatzungszone, dann wurden gleichlautende Regelungen in einer anderen Zone, die sich nicht auf das gesamte Gebiet dieser Zone erstreckten, ebenfalls Bundesrecht (BVerwG, DVBl 1958, 321). *Maßgeblicher Zeitpunkt* für das Erfordernis der einheitlichen Geltung ist der Zusammentritt des ersten BTages am 7. 9. 1949 (BVerfGE 4, 184 m. w. N.; 8, 154; 11, 28; BVerwGE 4, 54).

4   *Nr. 2* steht selbständig neben Nr. 1. *»Reichsrecht«* ist jede Rechtsnorm, die von einem Organ des Deutschen Reiches erlassen worden ist. Unter *»Abändern«* ist jeder Eingriff in den reichsrechtl. Rechtsbestand, jede Verfügung eines Landesgesetzgebers über fortgeltendes Reichsrecht zu verstehen, dessen Gegenstand zur Gesetzgebungszuständigkeit des Bundes gehört (BVerfGE 7, 27; 9, 158). Nicht entscheidend ist dabei der Umfang eines solchen Eingriffs (BVerfGE 7, 28). Erfaßt wird deshalb auch die Ersetzung einer reichsrechtl. Gesamtregelung durch eine landesrechtl. Gesamtregelung (BVerfGE 7, 26; BVerwG, DVBl 1958, 392; BayVerfGH 15, 110; HessStGH, DÖV 1958, 946). Darüber hinaus findet Nr. 2 selbst dann Anwendung, wenn Landesgesetze geändert worden sind, die Reichsrecht abgeändert haben, sei es, daß eine Materie nach vorangegangener Aufhebung der reichsrechtl. Vorschriften neu geordnet, sei es, daß die rechtl. Ordnung der Materie mehrfach geändert worden ist (BVerfGE 7, 28). Keine Abänderung des Reichsrechts stellt es dagegen dar, wenn die Neuregelung erfolgt ist, nachdem die Besatzungsmächte reichsrechtl. Bestimmungen aufgehoben hatten (BVerfGE 11, 28).

5   Altes Recht, das die Voraussetzungen des Art. 125 erfüllt, gilt nur *»innerhalb seines Geltungsbereiches«* als Bundesrecht fort. Wie im Fall des Art. 124 (s. dort Rn. 3) ist deshalb auch hier partikulares Bundesrecht möglich. *Zeitpunkt für die Umwandlung* in Bundesrecht ist der Zusammentritt des ersten BTages am 7. 9. 1949 (BVerfGE 7, 336 f. m. w. N.; BGHSt 7, 42 f.; BayVerfGH 4, 157; 5, 223). Früheres Reichsrecht, das nach Art. 125 Nr. 1 zu Bundesrecht geworden ist, hat im gleichen Zeitpunkt entgegenstehendes, nach dem 8. 5. 1945 unter Abänderung von Reichsrecht erlassenes Landesrecht nicht aufgehoben, weil sonst Art. 125 Nr. 2 keinen Sinn hätte (BVerfGE 9, 158). Im übrigen aber gelten die Art. 31 (vgl. BVerfGE 8, 235; 9, 157) und 72 I (s. BVerfGE 7, 27; 7, 338; 8, 235; 58, 60 f.) auch für die in das Bundesrecht übernommenen Rechtsvorschriften, weil die Umwandlung die gleiche Wirkung hat, wie wenn der Bund die betr. Materie bereits selbst geregelt hätte (BVerfGE 7, 27; 7, 338). Art. 125 enthält jedoch keine Vermutung, daß fortgeltendes altes Recht eine

erschöpfende, die volle Sperrwirkung des Art. 72 I auslösende
Regelung darstellt (BVerfGE 1, 296).

Artikel 126   [Entscheidung über die Fortgeltung alten Rechts als Bundesrecht]

Meinungsverschiedenheiten über das Fortgelten von Recht als Bundes-recht entscheidet das Bundesverfassungsgericht.

1   Art. 126 ergänzt die Art. 124 und 125 in verfahrensrechtl. Hin-sicht (vgl. BVerfGE 6, 344) und wird durch die §§ 86–89 BVerfGG konkretisiert. *Sinn und Zweck* der Regelung ist es, auch für Meinungsverschiedenheiten über die Fortgeltung alten Rechts (zum Begriff s. Art. 123 Rn. 2 sowie BAGE 19, 26 f.) als Bundes-recht die Letztentscheidungskompetenz des BVerfG sicherzustel-len.

2   Ein unmittelbares *Antragsrecht,* wie es in § 86 I BVerfGG den dort genannten Bundes- und Landesorganen eingeräumt ist, steht den *Gerichten* nicht zu (BVerfGE 3, 356; 3, 358). Sie können ge-mäß § 86 II BVerfGG die Entscheidung des BVerfG nur einho-len, wenn in einem bei ihnen anhängigen Verfahren streitig und erheblich ist, ob eine gültige Vorschrift alten Rechts nach Art. 124 oder 125 als Bundesrecht fortgilt (BVerfGE 3, 373; 8, 190; 16, 89). Die Frage ist streitig, wenn das Gericht sie bei Abwägung der für und wider sprechenden Gesichtspunkte für ernstlich zweifelhaft hält (BVerfGE 4, 369 f.; BVerwGE 25, 59 f.), insbes. wenn es nicht entscheiden kann, ohne sich mit einer beachtlichen Meinung des Schrifttums (BVerfGE 11, 92 f. m. w. N.; BGHZ 11, 118; BayVerfGH 13, 180), mit der Auffassung eines Verfassungsor-gans des Bundes oder eines Landes (BVerfGE 13, 371; 33, 214) oder mit der Rechtsprechung eines obersten Bundesgerichts (BVerfGE 8, 191; 17, 291) in Widerspruch zu setzen (HessStGH, ESVGH 34, 17). Erheblich ist die Rechtsfrage, wenn es in dem Rechtsstreit auf die bundesrechtl. Fortgeltung alten Rechts an-kommt (vgl. BVerfGE 3, 373 f.).

3   Art. 126 betrifft nur Meinungsverschiedenheiten darüber, ob das nach Art. 123 I fortgeltende Recht *in Bundesrecht umgewandelt* worden ist (BVerfGE 1, 164 f.; 3, 358 f.; BGHSt 7, 43). Die Vor-schrift ist deshalb nicht einschlägig, wenn es lediglich darum geht, ob altes Recht überhaupt fortgilt (BVerfGE 3, 356; 4, 216; 16, 89; BGHZ 12, 360), ob es Landesrecht geworden ist (BVerfGE 1,

164 f.), ab welchem Zeitpunkt es sich ggf. in Bundesrecht verwandelt hat (BVerfGE 4, 368) und welchen Rang (Gesetz, Verordnung) es besitzt. Die Frage, ob ein Gesetz noch gültig ist, dessen Umwandlung in Bundesrecht streitig ist, kann aber als Vorfrage mitentschieden werden (BVerfGE 4, 216 m.w.N.; 16, 89). Dies gilt auch dann, wenn es sich um ein Landesgesetz handelt, dessen Übereinstimmung mit der Landesverfassung in Frage steht (BVerfGE 11, 94; a. A. HessStGH, DÖV 1958, 946).

Artikel 127   [Recht des Vereinigten Wirtschaftsgebietes]

Die Bundesregierung kann mit Zustimmung der Regierungen der beteiligten Länder Recht der Verwaltung des Vereinigten Wirtschaftsgebietes, soweit es nach Artikel 124 oder 125 als Bundesrecht fortgilt, innerhalb eines Jahres nach Verkündung dieses Grundgesetzes in den Ländern Baden, Groß-Berlin, Rheinland-Pfalz und Württemberg-Hohenzollern in Kraft setzen.

Art. 127 gab der BReg die Möglichkeit, das nach Art. 124 oder 125 als Bundesrecht fortgeltende Recht des Vereinigten Wirtschaftsgebietes (Bi-Zone) durch RVO auf das Gebiet der französischen Besatzungszone zu erstrecken. Die Vorschrift diente der *Rechtsvereinheitlichung in einem vereinfachten Verfahren* (vgl. auch BVerfGE 7, 338) und hatte, wie die Übersicht im BGBl. 1950 S. 332 zeigt, erhebliche praktische Bedeutung. Mit Ablauf des 23.5.1950 ist die Ermächtigung erloschen.

Artikel 128   [Fortgeltung von Weisungsrechten]

Soweit fortgeltendes Recht Weisungsrechte im Sinne des Artikels 84 Abs. 5 vorsieht, bleiben sie bis zu einer anderweitigen gesetzlichen Regelung bestehen.

Art. 128 stellt sicher, daß Weisungrechte i. S. des Art. 84 V, die in fortgeltenden altrechtl. Vorschriften (einschl. solcher im Rang einer RVO; BVerwGE 67, 176) enthalten sind, bis zum Erlaß einer anderweitigen gesetzlichen Regelung bestehen bleiben. Aus der Verweisung auf Art. 84 V folgt, daß sich die Weisungsbefugnisse auf eine Sachregelung beziehen müssen, die nach Art. 124 oder 125 als Bundesrecht fortgilt und gemäß Art. 83 in landeseigener Verwaltung zu vollziehen ist, und daß *nur* solche

Weisungsrechte aufrechterhalten sind, die zur Erteilung von *Einzelweisungen in besonderen Fällen* befugen. Weisungsrechte ehemaliger Reichsminister sind auf den nunmehr sachlich zuständigen BMinister übergegangen (BVerwGE 67, 176 f.). Zu diesen Rechten gehören wie im Fall des Art. 84 V (s. dazu Art. 84 Rn. 15) auch mildere Formen der zentralstaatl. Einflußnahme auf den Bereich der Landesverwaltung wie die Zustimmungsvorbehalte nach § 35 II BörsenG i. d. F. vom 27. 5. 1908 (RGBl. S. 215) und § 3 VO über die deutsche Staatsangehörigkeit vom 5. 2. 1934 (RGBl. I S. 85). So im Gegensatz zu OVG Hamburg, DÖV 1961, 111 f. nunmehr auch BVerwGE 67, 175 f. Jedenfalls bei Dringlichkeit i. S. des Art. 84 V 2 können die fortbestehenden Einwirkungsrechte des Bundes auch gegenüber Behörden ausgeübt werden, die obersten Landesbehörden nachgeordnet sind. Einer zusätzlichen bundesgesetzlichen Ermächtigung bedarf es hierfür nicht.

Artikel 129   [Fortgeltung und Erlöschen von Ermächtigungen]

(1)   Soweit in Rechtsvorschriften, die als Bundesrecht fortgelten, eine Ermächtigung zum Erlasse von Rechtsverordnungen oder allgemeinen Verwaltungsvorschriften sowie zur Vornahme von Verwaltungsakten enthalten ist, geht sie auf die nunmehr sachlich zuständigen Stellen über. In Zweifelsfällen entscheidet die Bundesregierung im Einvernehmen mit dem Bundesrate; die Entscheidung ist zu veröffentlichen.

(2)   Soweit in Rechtsvorschriften, die als Landesrecht fortgelten, eine solche Ermächtigung enthalten ist, wird sie von den nach Landesrecht zuständigen Stellen ausgeübt.

(3)   Soweit Rechtsvorschriften im Sinne der Absätze 1 und 2 zu ihrer Änderung oder Ergänzung oder zum Erlaß von Rechtsvorschriften an Stelle von Gesetzen ermächtigen, sind diese Ermächtigungen erloschen.

(4)   Die Vorschriften der Absätze 1 und 2 gelten entsprechend, soweit in Rechtsvorschriften auf nicht mehr geltende Vorschriften oder nicht mehr bestehende Einrichtungen verwiesen ist.

1   Art. 129 regelt einerseits Fortgeltung (Abs. 3) und Überleitung (Abs. 1, 2 und 4), andererseits das Erlöschen (Abs. 3) bestimmter Ermächtigungen, die in Rechtsvorschriften aus der Zeit vor dem Zusammentritt des ersten BTages am 7. 9. 1949 (vgl. BVerfGE 2, 326) enthalten sind.

Absatz 1

2   *Satz 1* betrifft den *Übergang von Ermächtigungen* zum Erlaß von
Rechtsverordnungen und allgemeinen Verwaltungsvorschriften
sowie zur Vornahme von Verwaltungsakten in den Fällen, in denen die *Ermächtigungsnorm* nach Art. 124 oder 125 als *Bundesrecht* fortgilt. Ob solche Ermächtigungen erloschen sind, beurteilt
sich ausschließlich nach Abs. 3. Deshalb sind RVO-Ermächtigungen aus der Zeit vor dem 7. 9. 1949 nicht an Art. 80 I 1 zu
messen (BVerfGE 15, 272 f.). Auch Art. 80 I 2 scheidet als Prüfungsmaßstab grundsätzlich aus (BVerfGE 28, 144 m. w. N.;
BVerwGE 38, 323; BGHZ 42, 240; BAGE 19, 24; BayVerfGH
14, 114 f.). Eine Ausnahme gilt nur dann, wenn das materielle
Recht, zu dessen Durchführung die zu erlassenden Verordnungen
dienen sollen, nach Inkrafttreten des GG wesentlich geändert
worden ist (BVerfGE 22, 214 f.; BVerwGE 38, 323). Daß eine
Ermächtigung in einer VO enthalten ist, steht ihrer Fortgeltung
nicht entgegen, wie schon der Ausdruck »Rechtsvorschriften« erweist (BVerfGE 28, 143; BAGE 19, 24).

3   »*Nunmehr sachlich zuständige Stelle*« ist nicht schlechthin der allgemeine staatsrechtl. Nachfolger der früher zuständig gewesenen
Stelle, sondern die (Bundes- oder Landes-)Stelle, die fachlich und
der Ebene nach zuständig wäre, wenn die in Rede stehende Ermächtigungsnorm unter der Geltung des GG geschaffen würde
(BVerfGE 4, 203; BVerwGE 15, 247; OLG Köln, NJW 1954,
894). Beurteilungsmaßstab sind insoweit vor allem die Kompe-
tenzvorschriften der Art. 30, 80, 83 ff. und 108 (s. auch BVerw-
GE 10, 50; BVerwG, NJW 1959, 2354 f.; BSGE 1, 24 ff.), aber
auch die Regeln über die Verwaltungszuständigkeiten des Bundes
aus der Natur der Sache oder kraft Sachzusammenhangs (vgl.
BVerfGE 11, 17 ff.; OLG Köln, NJW 1954, 894; allgemein dazu
Art. 30 Rn. 2 sowie Art. 83 Rn. 2) und organisatorische Bestimmungen des einfachen Rechts, die im Einklang mit dem GG erlassen worden sind. Das einzige Zustimmungserfordernis, das beim
Übergang altrechtl. RVO-Ermächtigungen verlangt werden
kann, ist die Zustimmung des BRates in den Fällen des Art. 80 II
(BVerfGE 4, 203).

4   *Satz 2:* Die Befugnis zur *Entscheidung in Zweifelsfällen* bezieht
sich nur auf die Bestimmung der nunmehr sachlich zuständigen
Bundes- oder Landesstelle, nicht also auch darauf, ob die betr.
Ermächtigung als Bundesrecht fortgilt. Die Anrufung des
BVerfG wird durch die Vorschrift nicht ausgeschlossen. Dies gilt
jedenfalls dann, wenn eine Entscheidung der BReg noch nicht ergangen ist (BVerfGE 11, 13; zur fachgerichtlichen Prüfungszu-

ständigkeit s. auch BAGE 18, 343; BSGE 1, 24 f.; BayVGH
n. F. 8, 147; OLG Köln, NJW 1954, 894).

Absatz 2

5 Abs.2 trifft eine dem Abs. 1 Satz 1 entsprechende Regelung für
altrechtliche Ermächtigungen, die als *Landesrecht* fortgelten.

Absatz 3

6 Bei Abs. 3 handelt es sich um eine grundlegende, der Verwirklichung des Rechtsstaats dienende Bestimmung, die den *Schutz der
Gewaltenteilung* bezweckt und eine Distanzierung von den
Ermächtigungsgepflogenheiten vergangener Zeiten darstellt
(BVerfGE 2, 329). Sie gilt als Maßstab nur für Ermächtigungen
aus der Zeit vor dem 7. 9. 1949, die ohne Intervention des nunmehr zuständigen Gesetzgebers fortgelten (BVerfGE 7, 291; 8,
306; 15, 160). Hat dieser eine Ermächtigung in seinen Willen aufgenommen, handelt es sich nicht mehr um altes Recht (BVerf-
GE 9, 46 f.).

7 *Ermächtigungen zur Änderung und Ergänzung von Rechtsvorschriften* liegen vor, wenn der Exekutive die Befugnis verliehen
ist, ein Gesetz im formellen Sinne über den vom Gesetzgeber gezogenen Rahmen hinaus zu ändern oder zu ergänzen. *Ermächtigungen zum Erlaß von Rechtsvorschriften an Stelle von Gesetzen*
sind Ermächtigungen zum Erlaß gesetzesvertretender, den Vorrang des Gesetzes besitzender Verordnungen. Dazu gehören vor
allem die sog. Ermächtigungsgesetze, die überhaupt keine materielle Regelung enthalten, sondern den Verordnungsberechtigten
zur selbständigen Regelung des betr. Gegenstandes ermächtigen
(vgl. BVerfGE 2, 330 ff.; 8, 79 f.; BVerwG, DVBl 1957, 60;
BGHZ 42, 239 ff.).

8 Dem Abs.3 widersprechende Ermächtigungen sind am 7.9.1949
erloschen (BVerfGE 2, 326). Die *Gültigkeit von Rechtsverordnungen,* die im Zeitpunkt ihres Erlasses auf gesetzlicher Grundlage ergangen sind, wird dadurch nicht berührt (BVerfGE 52, 17
m. w. N.; BVerwGE 6, 122; BGHSt14, 226; BGHZ 23, 233;
BAGE 19, 21; BSGE 16, 233). Fortgeltende gesetzesvertretende
Verordnungen werden vom GG als ranggleich mit förmlichen Gesetzen erachtet (vgl. Art. 123 Rn. 5).

9 Solche Verordnungen können unter der Geltung des GG nicht mehr erlassen werden (BVerfGE 22, 12). Dagegen sind *nachkonstitutionelle Ermächtigungen zur Änderung oder Ergänzung von Gesetzen* zulässig, wenn sie den Anforderungen des Art. 80 I genügen; näher dazu mit Beispielen aus der Staatspraxis Art. 80 Rn. 1.

Absatz 4

10 Abs. 4 regelt den Fall, daß in Rechtsvorschriften i. S. der Abs. 1 und 2 auf nicht mehr geltende Vorschriften oder nicht mehr bestehende Einrichtungen verwiesen ist, und bestimmt als *neue Verweisungsobjekte* diejenigen Vorschriften und Einrichtungen, die an die Stelle der früheren getreten sind.

Artikel 130   [Übernahme bestehender Einrichtungen]

(1)   Verwaltungsorgane und sonstige der öffentlichen Verwaltung oder Rechtspflege dienende Einrichtungen, die nicht auf Landesrecht oder Staatsverträgen zwischen Ländern beruhen, sowie die Betriebsvereinigung der südwestdeutschen Eisenbahnen und der Verwaltungsrat für das Post- und Fernmeldewesen für das französische Besatzungsgebiet unterstehen der Bundesregierung. Diese regelt mit Zustimmung des Bundesrates die Überführung, Auflösung oder Abwicklung.

(2)   Oberster Disziplinarvorgesetzter der Angehörigen dieser Verwaltungen und Einrichtungen ist der zuständige Bundesminister.

(3)   Nicht landesunmittelbare und nicht auf Staatsverträgen zwischen den Ländern beruhende Körperschaften und Anstalten des öffentlichen Rechtes unterstehen der Aufsicht der zuständigen obersten Bundesbehörde.

Art. 130 regelt die *Überleitung* und Einordnung bestimmter *vorkonstitutioneller Verwaltungs- und Rechtspflegeeinrichtungen* in das Kompetenz- und Organisationsgefüge des GG. Er geht den Art. 87 ff. in formeller Hinsicht vor (allg. M.). Die materiellen Schranken, die der Organisationsbefugnis des Bundes in diesen Bestimmungen gezogen sind, sind dagegen auch im Rahmen des Art. 130 zu beachten. Deshalb war Abs. 1 dieser Vorschrift z. B. keine Grundlage dafür, durch die Übernahme von Rechtspflegeeinrichtungen des Reiches den Kreis der Bundesgerichte über die (gemäß BVerfGE 8, 176) abschließenden Festlegungen der Art. 92 ff. hinaus zu erweitern (vgl. BVerwGE 32, 23).

Artikel 131 [Frühere Angehörige des öffentlichen Dienstes]

Die Rechtsverhältnisse von Personen einschließlich der Flüchtlinge und Vertriebenen, die am 8. Mai 1945 im öffentlichen Dienste standen, aus anderen als beamten- oder tarifrechtlichen Gründen ausgeschieden sind und bisher nicht oder nicht ihrer früheren Stellung entsprechend verwendet werden, sind durch Bundesgesetz zu regeln. Entsprechendes gilt für Personen einschließlich der Flüchtlinge und Vertriebenen, die am 8. Mai 1945 versorgungsberechtigt waren und aus anderen als beamten- oder tarifrechtlichen Gründen keine oder keine entsprechende Versorgung mehr erhalten. Bis zum Inkrafttreten des Bundesgesetzes können vorbehaltlich anderweitiger landesrechtlicher Regelung Rechtsansprüche nicht geltend gemacht werden.

1   Art. 131 verpflichtet zum Erlaß eines Bundesgesetzes, das die Rechtsverhältnisse der Personen regelt, die am 8. 5. 1945 im öffentl. Dienst standen oder Versorgung erhielten, dann aber infolge des Zusammenbruchs des Deutschen Reichs aus Dienst oder Versorgung ausgeschieden und nicht oder nicht wieder gleichwertig verwendet worden waren bzw. keine oder keine entsprechende Versorgung mehr erhalten hatten. Es handelt sich hauptsächlich um Flüchtlinge und Vertriebene, um Personen, deren Dienststellen weggefallen oder die aus polit. Gründen ausgeschieden waren.

2   Der Bundesgesetzgeber hat sich seines Auftrags 1951 durch das G zur Regelung der Rechtsverhältnisse der unter Art. 131 des Grundgesetzes fallenden Personen – jetzt i. d. F. vom 13. 10. 1965, BGBl. I S. 1686 – im wesentlichen entledigt.

3   *Satz 1: Angehörige des öffentlichen Dienstes:* Der Kreis der von Art. 131 erfaßten Personen erstreckt sich auf alle Beamten, Angestellten und Arbeiter des Reiches, der Länder, Gemeinden und sonstigen Körperschaften, Anstalten und Stiftungen des öffentl. Rechts sowie auf die Berufssoldaten der Wehrmacht und die berufsmäßigen Reichsarbeitsdienstführer. Nicht erfaßt sind Bedienstete der ehemaligen NSDAP, ihrer Gliederungen und angeschlossenen Verbände, der Kirchen und Religionsgesellschaften (BGHZ 18, 373), Bedienstete von Unternehmen des Privatrechts, auch wenn deren Anteile sich im Besitz öffentl. Körperschaften befinden und öffentl. Zwecken dienen (BVerfGE 6, 267; 15, 62). Die genaue Ausfüllung des Begriffs des öffentl. Dienstes ist dem Gesetzgeber überlassen; vgl. insbes. §§ 1 ff.,

62 ff. G Art. 131. Aus anderen als beamten- oder tarifrechtl. Gründen ausgeschieden sind alle Personen, die nicht nach den Vorschriften des Beamten- oder sonstigen Dienstrechts, sondern aus Gründen, die im Zusammenhang mit dem Zusammenbruch des Reichs stehen – z. B. Vertreibung, Auflösung der Wehrmacht, Entlassung aus polit. Gründen –, aus dem Dienst geschieden sind. Gleichgültig ist, ob das Ausscheiden freiwillig oder unfreiwillig, auf Grund rechtswirksamer oder rechtsunwirksamer Maßnahmen oder ohne solche erfolgt war. Tatsächliches Ausscheiden genügt (BVerfGE 3, 219; BGHZ 1, 286). Auch Beamte in Kriegsgefangenschaft konnten ausgeschieden sein (BGHZ 14, 327 f.; BVerfGE 15, 92).

4   Art. 131 ist eine *Sonderkompetenz* gegenüber den Art. 70 ff., den Finanzartikeln sowie den Art. 120 und 124 f., die den Bundesgesetzgeber berechtigt, auch Länder und Gemeinden zur Unterbringung der betroffenen Personen heranzuziehen (BVerfGE 1, 177; 7, 313 f.; 15, 184 ff.). Er ermächtigt den Gesetzgeber, die hier genannten Rechtsverhältnisse nicht nur feststellend, sondern auch rechtsgestaltend zu regeln (BVerfGE 15, 112).

5   Wie schon der Wortlaut des Artikels ergibt, sollte das ausführende Gesetz im Prinzip eine rechtserhaltende Regelung treffen, die Rechtsverhältnisse der Betroffenen also als grundsätzlich fortbestehend behandeln. Nach feststehender, im Hinblick auf die Kontinuität des deutschen Staates und die Identität der Bundesrepublik Deutschland mit dem Deutschen Reich aber weitgehend abgelehnter Rechtsprechung des BVerfG sind jedoch alle Beamtenverhältnisse am 8. 5. 1945 erloschen (BVerfGE 3, 58 ff., 133 – »Beamtenurteil«; 6, 134 ff.; 15, 112; a. M. bes. BGHZ 13, 292 ff., 302). Die Dienstverhältnisse der Berufssoldaten und aktiven Wehrmachtsbeamten sind nach Meinung des BVerfG mit der Auflösung der Wehrmacht infolge der bedingungslosen Kapitulation ebenfalls erloschen (BVerfGE 3, 288 – »Soldatenurteil«). Angestelltenverhältnisse sind ohne Kündigung erloschen, wenn die bisherigen Dienststellen und Arbeitsplätze endgültig weggefallen sind (BVerfGE 3, 162); auch die von den Militärregierungen durchgeführten und veranlaßten Amtsentfernungen sollen Angestelltenverhältnisse rechtswirksam beendet haben (BVerfGE 3, 302 ff.).

6   Auf Grund dessen sieht das BVerfG in Art. 131 lediglich einen Fürsorgeauftrag (BVerfGE 12, 173). Die *Rechte aus dem G Art. 131* sind danach *neue Rechte,* die den Betroffenen eine Sonderstellung eingeräumt haben (BVerfGE 12, 273; 15, 112; 22, 408). Sie brauchen infolgedessen auch nicht allen Betroffenen gewährt zu werden, die nach dem 8. 5. 1945 keine Rechtsansprüche mehr hatten (BVerfGE 3, 201; 22, 208 f.). Besonders belastete Bedienstete konnten ausgenommen werden (BVerfGE 7, 141). Der Gesetzgeber hat im Rahmen des Art. 131 einen weiten Ermessensspielraum (BVerfGE 3, 134; 7, 315; 12, 273), ist aber bei Erfüllung seines Auftrags an die Grundrechte, vor allem an den Gleichheitssatz (Art. 3) gebunden (BVerfGE 3, 135, 144 ff.; 3, 323; 6, 256; 7, 315; 15, 75). Die hergebrachten Grundsätze des Berufsbeamtentums (Art. 33 V) allerdings sind im Bereich des Art. 131 nicht im gleichen Maße anwendbar wie sonst; die Leistungen brauchen nur in Anlehnung an diese ausgestaltet zu werden (BVerfGE 3, 134 f., 138; 12, 274; 15, 102; 15, 196). Im ganzen gesehen kann der Beamte usw. auch unabhängig von der Frage des Fortbestehens der alten Rechtsverhältnisse aus Art. 131 nicht fordern, so gestellt zu werden, als ob der Zusammenbruch von 1945 nicht geschehen wäre; Rechtsminderungen sind auf jeden Fall möglich (BGHZ 14, 144).

7   *Satz 2: Die vor dem 8. 5. 1945 entstandenen Versorgungsverhält-nisse* sind nach Meinung des BVerfG i. d. R. ebenfalls zu diesem Zeitpunkt erloschen (BVerfGE 28, 173), die dennoch gewährten Versorgungsansprüche neue Rechte, über deren Ausgestaltung der Gesetzgeber ebenso verfügen konnte wie über die Rechte der aktiv Bediensteten. Überdauert haben den Zusammenbruch nur Versorgungsansprüche aus nicht nationalsozialistisch umgestalteten Dienstverhältnissen, praktisch nur die Ansprüche der früheren Wehrmachtsangehörigen und ihrer Hinterbliebenen (BVerfGE 3, 289; 16, 105 f.). Diese Ansprüche unterstehen unmittelbar dem Schutz des Art. 14 (BVerfGE 16, 116).

8   *Satz 3:* Inzwischen gegenstandslos.

Artikel 132   [Pensionierung von Beamten]

(1)   Beamte und Richter, die im Zeitpunkte des Inkrafttretens dieses Grundgesetzes auf Lebenszeit angestellt sind, können binnen sechs Monaten nach dem ersten Zusammentritt des Bundestages in den Ruhestand oder Wartestand oder in ein Amt mit niedrigerem Diensteinkommen versetzt werden, wenn ihnen die persönliche oder fachliche Eignung für ihr Amt fehlt. Auf Angestellte, die in einem unkündbaren Dienstverhältnis stehen, findet diese Vorschrift entsprechende Anwendung. Bei Angestellten, deren Dienstverhältnis kündbar ist, können

über die tarifmäßige Regelung hinausgehende Kündigungsfristen innerhalb der gleichen Frist aufgehoben werden.

(2) Diese Bestimmung findet keine Anwendung auf Angehörige des öffentlichen Dienstes, die von den Vorschriften über die »Befreiung von Nationalsozialismus und Militarismus« nicht betroffen oder die anerkannte Verfolgte des Nationalsozialismus sind, sofern nicht ein wichtiger Grund in ihrer Person vorliegt.

(3) Den Betroffenen steht der Rechtsweg gemäß Artikel 19 Abs. 4 offen.

(4) Das Nähere bestimmt eine Verordnung der Bundesregierung, die der Zustimmung des Bundesrates bedarf.

(Die Vorschrift ist durch Zeitablauf gegenstandslos geworden.)

Artikel 133 [Ehemalige Verwaltung des Vereinigten Wirtschaftsgebietes]

Der Bund tritt in die Rechte und Pflichten der Verwaltung des Vereinigten Wirtschaftsgebietes ein.

Der *Eintritt des Bundes* in die Rechte und Pflichten der Verwaltung des Vereinigten Wirtschaftsgebietes erfolgte unmittelbar auf Grund des Art. 133. Weiterer Rechtsakte bedurfte es nicht. Folgerungen in bezug auf Verbindlichkeiten des Deutschen Reiches können aus Art. 133 nicht gezogen werden (Maunz/Dürig, Art. 133 Rn. 4).

Artikel 134 [Überleitung des Reichsvermögens]

(1) Das Vermögen des Reiches wird grundsätzlich Bundesvermögen.

(2) Soweit es nach seiner ursprünglichen Zweckbestimmung überwiegend für Verwaltungsaufgaben bestimmt war, die nach diesem Grundgesetze nicht Verwaltungsaufgaben des Bundes sind, ist es unentgeltlich auf die nunmehr zuständigen Aufgabenträger und, soweit es nach seiner gegenwärtigen, nicht nur vorübergehenden Benutzung Verwaltungsaufgaben dient, die nach diesem Grundgesetze nunmehr von den Ländern zu erfüllen sind, auf die Länder zu übertragen. Der Bund kann auch sonstiges Vermögen den Ländern übertragen.

(3) Vermögen, das dem Reich von den Ländern und Gemeinden (Gemeindeverbänden) unentgeltlich zur Verfügung gestellt wurde, wird wiederum Vermögen der Länder und Gemeinden (Gemeindeverbän-

de), soweit es nicht der Bund für eigene Verwaltungsaufgaben benötigt.

(4) Das Nähere regelt ein Bundesgesetz, das der Zustimmung des Bundesrates bedarf.

1   Art. 134 regelt das rechtl. Schicksal des Reichsvermögens. Die Frage, ob er auch die Passiva des Reiches umfaßt, ist seit dem Inkrafttreten des Art. 135 a und der Entscheidung BVerfGE 15, 126, nach der Art. 134 IV auch die Grundlage für eine bundesgesetzliche Regelung der Schulden des Reiches bietet, nicht mehr von Bedeutung. Art. 89 enthält für die Reichswasserstraßen und Art. 90 für die Reichsautobahnen und Reichsstraßen Sonderregelungen.

Absatz 1

2   Abs. 1 ist nach h. M. unmittelbar geltendes Recht und nicht etwa nur eine Richtlinie an den Gesetzgeber zur Regelung der Rechtsverhältnisse des Reichsvermögens. Danach ist das *Reichsvermögen mit dem Inkrafttreten des GG Bundesvermögen* geworden. Seit dem Erlaß des ReichsvermögensG vom 16. 5. 1961 (BGBl. I S. 597) hat das Problem keine Bedeutung mehr. Nach § 1 dieses Gesetzes ist das dem Reich am 8. 5. 1945 zustehende Vermögen Bundesvermögen geworden. Reichsvermögen umfaßt alle vermögenswerten Rechte (Eigentum an beweglichen und unbeweglichen Sachen und Forderungen sowie sonstige Rechte), und zwar sowohl des Verwaltungsvermögens wie auch des Finanzvermögens. Verwaltungsvermögen dient unmittelbar der Durchführung des Verwaltungs- und Dienstbetriebs (Dienstgebäude, Inventar, Kasernen usw.), während das Finanzvermögen (Wirtschaftsbetriebe, Beteiligungen, Wertpapiere) der Verwaltung lediglich mittelbar durch seinen Kapitalwert dient. Seine Erträgnisse werden den zur Finanzierung des Verwaltungsaufwands nutzbar gemacht (BVerfGE 10, 37). Zu den Schulden vgl. BVerfGE 15, 133 f.; 23, 166; 24, 214 und Art. 135 a. Zu der Frage, ob aus Art. 134 I etwas über die Identität des Bundes mit dem Reich oder die Rechtsnachfolge abzuleiten ist, vgl. Maunz/Dürig, Art. 134 Rn. 1, zur Frage des räumlichen Geltungsbereichs von Art. 134 vgl. v. Münch, Art. 134 Rn. 4 bis 9.

Absatz 2

3   Abs. 2 hat keine unmittelbare Wirkung, was den Übergang des

Vermögens auf andere Funktionsträger betrifft. Das nach Abs. 1 dem Bund zustehende Vermögen mußte übertragen werden. Nach Satz 1 Halbs. 1 handelt es sich um Vermögen, das seiner ursprünglichen Bestimmung nach Verwaltungszwecken diente, die nicht zu den Aufgaben des Bundes gehören. Als ursprüngliche Zweckbestimmung gilt nach § 2 des ReichsvermögensG die Zweckbestimmung am 8. 5. 1945. Ob die Vermögensgegenstände von dem nunmehr zuständigen Aufgabenträger für gleiche oder andere Verwaltungszwecke verwendet werden, ist gleichgültig. Aufgabenträger können Länder, Gemeinden, Gemeindeverbände und andere juristische Personen des öffentl. Rechts sein. Satz 1 Halbs. 2 knüpft an die gegenwärtige Benutzung an. Nach § 3 des ReichsvermögensG ist der Stichzeitpunkt der Tag des Inkrafttretens des Gesetzes. Welche Verwaltungsaufgaben von den Ländern zu erfüllen sind, richtet sich nach den allgemeinen Zuständigkeitsregeln der Art. 30, 83. Hier kommen insbes. auch die Verwaltungsaufgabe bei der Durchführung von Bundesgesetzen in Betracht, und zwar sowohl nach Art. 84 wie auch nach Art. 85. Zu den Verwaltungsaufgaben der Länder gehören die Aufgaben der mittelbaren Landesverwaltung einschl. der Angelegenheiten der Gemeinden. Die Übertragung nach Abs. 2 Satz 1 Halbs. 1 und 2 hat unentgeltlich zu geschehen. Satz 2 kann sich nur auf das Finanzvermögen beziehen. Der Bund kann es nach seinem Ermessen übertragen.

Absatz 3

4 Abs. 3 begründet ein grundsätzliches *Rückfallrecht der Länder und Gemeinden* für ihr früher unentgeltlich auf das Reich übertragenes Vermögen. Der Bund kann das Vermögen für eigene Verwaltungsaufgaben nicht in Anspruch nehmen, wenn die Voraussetzungen des Abs. 2 vorliegen, denn Abs. 2 hat Vorrang vor Abs. 3.

Absatz 4

5 Die Regelungskompetenz erstreckt sich auch auf die Passiven des Reiches (BVerfGE 15, 126). Ihr Inhalt ist aus der Situation des Reichszusammenbruchs von 1945 zu verstehen, insbes. dem daraus hervorgegangenen Mißverhältnis zwischen Leistungsvermögen und Passiven des Reiches. Die Vorschrift enthält daher die Ermächtigung und den Auftrag, diese Lage durch spezielle gesetzliche Maßnahmen zu bereinigen; die Regelung darf alles enthalten, was zur Ordnung dieser besonderen Sachlage notwendig ist. Dies gilt nicht nur für die Art und Weise der Regelung, sondern auch für die Abgrenzung der zu regelnden Gegenstände. Daher konnten auch reichsbezogene Verbindlichkeiten kommunaler Körperschaften i. S. des § 2 Nr. 4 des Allgemeinen KriegsfolgenG mit erfaßt werden (BVerfGE 19, 159 f.). Dem Gesetzgeber sind die Forderungen gegen das Reich als dem Grunde nach existent zur Berücksichtigung nach Maßgabe des Möglichen überwiesen; nur mit dieser Maßgabe darf er die Befriedigung der Forderungen kürzen oder verweigern (BVerfGE 15, 142; vgl. auch E 41, 151). Bei der Regelung ist der Gesetzgeber an den Gleichheitssatz (Art. 3) gebunden (BVerfGE 15, 145). Regelungen nach Abs. 4 enthalten insbes. das ReichsvermögensG (s. oben Rn. 2) und das Allgemeine KriegsfolgenG vom 5. 11. 1957 (BGBl. I S. 1747).

Artikel 135   [Rechtsnachfolge in das Vermögen früherer Länder und Körperschaften]

(1)   Hat sich nach dem 8. Mai 1945 bis zum Inkrafttreten dieses Grundgesetzes die Landeszugehörigkeit eines Gebietes geändert, so steht in diesem Gebiete das Vermögen des Landes, dem das Gebiet angehört hat, dem Lande zu, dem es jetzt angehört.

(2)   Das Vermögen nicht mehr bestehender Länder und nicht mehr bestehender anderer Körperschaften und Anstalten des öffentlichen Rechtes geht, soweit es nach seiner ursprünglichen Zweckbestimmung überwiegend für Verwaltungsaufgaben bestimmt war, oder nach seiner gegenwärtigen, nicht nur vorübergehenden Benutzung überwiegend Verwaltungsaufgaben dient, auf das Land oder die Körperschaft oder Anstalt des öffentlichen Rechts über, die nunmehr diese Aufgaben erfüllen.

(3)   Grundvermögen nicht mehr bestehender Länder geht einschließlich des Zubehörs, soweit es nicht bereits zu Vermögen im Sinne des Absatzes 1 gehört, auf das Land über, in dessen Gebiet es belegen ist.

(4)   Sofern ein überwiegendes Interesse des Bundes oder das besondere Interesse eines Gebietes es erfordert, kann durch Bundesgesetz eine von den Absätzen 1 bis 3 abweichende Regelung getroffen werden.

(5)   Im übrigen wird die Rechtsnachfolge und die Auseinandersetzung, soweit sie nicht bis zum 1. Januar 1952 durch Vereinbarung zwischen den beteiligten Ländern oder Körperschaften oder Anstalten des

öffentlichen Rechtes erfolgt, durch Bundesgesetz geregelt, das der Zustimmung des Bundesrates bedarf.

(6) Beteiligungen des ehemaligen Landes Preußen an Unternehmen des privaten Rechtes gehen auf den Bund über. Das Nähere regelt ein Bundesgesetz, das auch Abweichungen bestimmen kann.

(7) Soweit über Vermögen, das einem Lande oder einer Körperschaft oder Anstalt des öffentlichen Rechtes nach den Absätzen 1 bis 3 zufallen würde, von dem danach Berechtigten durch ein Landesgesetz, auf Grund eines Landesgesetzes oder in anderer Weise bei Inkrafttreten des Grundgesetzes verfügt worden war, gilt der Vermögensübergang als vor der Verfügung erfolgt.

Absatz 1

1 Die Regelung gilt nur für Vermögen, das sich in einem Gebiet befindet, das zwischen dem 8.5.1945 und 23.5.1949 seine Landeszugehörigkeit geändert hat, insbes. wird das Vermögen des früheren Landes Preußen betroffen. Der Vermögensübergang ist unmittelbar mit dem Inkrafttreten des GG erfolgt. Die Vorschrift gilt nicht für spätere Gebietsänderungen, etwa im Zuge der Neugliederung nach Art. 29, bei der auch über die vermögensrechtl. Auseinandersetzung zu entscheiden sein wird. Zum Vermögen gehört sowohl das Verwaltungsvermögen als auch das Finanzvermögen (s. dazu Erläut. zu Art. 134 Rn. 2).

Absatz 2

2 Abs.2 betrifft das Verwaltungsvermögen nicht mehr bestehender Länder und anderer Körperschaften und Anstalten des öffentl. Rechts, und zwar bewegliches Vermögen und Grundvermögen (BVerfGE 10, 39). Unter den Abs.2 fallen auch Gegenstände, die der Staat zur Erfüllung seiner Aufgaben im Bereich der Kultur unterhält (Akademien, Forschungsanstalten, Hochschulen, Sammlungen, Büchereien, Museen, Theater), z. B. der ehemalige Preußische Kulturbesitz; BVerfGE 10, 37 f. Die Vorschrift setzt eine Funktionsnachfolge der heutigen Länder in die Verwaltungsaufgabe, der dieses Vermögen gedient hat, voraus (BVerfGE 10, 38).

Absatz 3

3 Abs.3 bezieht sich nur auf das zum Finanzvermögen gehörende Grundvermögen einschl. Zubehör und grundstücksgleicher Rechte.

Absatz 4

4   Abs. 4 ist eine Ausnahmevorschrift, die dem Bund die Möglichkeit geben soll, den organischen Zusammenhang von durch
Kriegswirren zerrissenen Sammlungen und Bibliotheken von na-
tional-repräsentativer Bedeutung, die ihrer Zweckbestimmung
nach zusammengehören, wiederherzustellen und sie ihrer ursprünglichen gesamtdeutschen Aufgabe zu erhalten (BVerf-
GE 10, 47; 12, 253). Der Gesetzgeber ist nicht darauf beschränkt,
unter den vorhandenen, in den Abs. 1 bis 3 genannten Rechtsträgern einen oder mehrere Rechtsnachfolger auszuwählen, vielmehr hat er schlechthin das Recht zu abweichender Regelung
(BVerfGE 10, 42). Es muß sich aber um Vermögenswerte handeln, die in den Abs. 1 bis 3 erwähnt werden (BVerfGE 10, 36).
Die Frage, ob ein überwiegendes Interesse des Bundes eine von
den Abs. 1 bis 3 abweichende Regelung erfordert und wie diesem
Interesse am besten Rechnung getragen wird, kann der Bundesgesetzgeber im Rahmen seiner gesetzgeberischen Freiheit entscheiden. Das BVerfG kann lediglich prüfen, ob er eine durch ein
überwiegendes Bundesinteresse offenbar nicht gerechtfertigte
Regelung getroffen hat. Der Bundesgesetzgeber konnte auf
Grund des Abs. 4 ohne Zustimmung des BRates den ehemals
Preußischen Kulturbesitz auf eine bundesunmittelbare Stiftung
übertragen (BVerfGE 10, 20). Abs. 4 ist eine Sonderkompetenz,
so daß der Bundesgesetzgeber nicht an die Voraussetzungen des
Art. 87 III 1 für die Errichtung einer bundesunmittelbaren Verwaltung gebunden ist (BVerfGE 10, 45; 12, 253).

Absatz 5

5   Abs. 5 kommt »nur zum Zuge, wenn und soweit die Regelung der
Rechtsnachfolge und Auseinandersetzung in den Absätzen 1 bis 4
offen geblieben ist« (BVerfGE 10, 44). Die Frist ist verstrichen,
ohne daß es zu einer Vereinbarung zwischen den beteiligten Ländern oder Körperschaften oder Anstalten des öffentl. Rechts gekommen ist. Das RechtsträgerabwicklungsG vom 5. 9. 1965
(BGBl. I S. 1065) stützt sich auf Abs. 5. Zur Regelung der Verbindlichkeiten des Reichsnährstandes s. BVerfGE 29, 425.

Absatz 6

6   Abs. 6 trifft in Abweichung von den in den vorhergehenden Absätzen aufgestellten Grundsätzen eine Sonderregelung für die Beteiligungen des ehemaligen Landes Preußen an Unternehmen des
privaten Rechts. Zu Satz 2 vgl. das ReichsvermögensG vom

16. 5. 1961 (BGBl. I S. 597).

Absatz 7

7   Abs. 7 enthält im Interesse der Rechtssicherheit eine rechtl. Fiktion für den Zeitpunkt des Vermögensübergangs.

Artikel 135 a   [Alte Verbindlichkeiten]   *geändert 1990*

Durch die in Artikel 134 Abs. 4 und Artikel 135 Abs. 5 vorbehaltene Gesetzgebung des Bundes kann auch bestimmt werden, daß nicht oder nicht in voller Höhe zu erfüllen sind

1. **Verbindlichkeiten des Reiches sowie Verbindlichkeiten des ehemaligen Landes Preußen und sonstiger nicht mehr bestehender Körperschaften und Anstalten des öffentlichen Rechts,**
2. **Verbindlichkeiten des Bundes oder anderer Körperschaften und Anstalten des öffentlichen Rechts, welche mit dem Übergang von Vermögenswerten nach Artikel 89, 90, 134 und 135 im Zusammenhang stehen, und Verbindlichkeiten dieser Rechtsträger, die auf Maßnahmen der in Nummer 1 bezeichneten Rechtsträger beruhen,**
3. **Verbindlichkeiten der Länder und Gemeinden (Gemeindeverbände), die aus Maßnahmen entstanden sind, welche diese Rechtsträger vor dem 1. August 1945 zur Durchführung von Anordnungen der Besatzungsmächte oder zur Beseitigung eines kriegsbedingten Notstandes im Rahmen dem Reich obliegender oder vom Reich übertragener Verwaltungsaufgaben getroffen haben.**

Nachträglich durch G vom 22. 10. 1957 (BGBl. I S. 1745) eingefügt, um die bei der Beratung des Allgemeinen KriegsfolgenG vom 5. 11. 1957 (BGBl. I S. 1747) aufgetretenen Zweifel auszuräumen, ob Art. 134 oder 135 die in diesem Gesetz getroffenen Regelungen in vollem Umfang decken. Die Befugnis zur Regelung der Verbindlichkeiten des Reiches und der reichsbezogenen Verbindlichkeiten kommunaler Körperschaften folgt jedoch schon aus Art. 134 IV (BVerfGE 15, 133; 19, 157; 23, 166; 24, 214; 41, 152; 45, 100), die Regelungsbefugnis im übrigen aus Art. 135. Art. 135 a Nr. 2 stellt klar, daß auch die Erfüllung von Ansprüchen verneint werden kann, die auf die Gedanken der Funktions- oder Vermögensnachfolge gestützt werden, sowie von Ansprüchen, die sich – wie dingliche Herausgabeansprüche – zwar vom Reich und den sonst in Nr. 1 genannten Rechtsträgern herleiten, heute aber gegen den Bund oder einen anderen Rechtsträger richten. Nach den oben genannten Entscheidungen des BVerfG steht Art. 14 einer gesetzlichen Regelung der bei Inkrafttreten des G bereits bestehenden Reichsverbindlichkeiten nach den in der Entscheidung BVerfGE 15, 143 ff. genannten Grundsätzen nicht entgegen.

Artikel 136   [Erster Zusammentritt des Bundesrates]

(1)   Der Bundesrat tritt erstmalig am Tage des ersten Zusammentrittes des Bundestages zusammen.

(2)   Bis zur Wahl des ersten Bundespräsidenten werden dessen Befugnisse von dem Präsidenten des Bundesrates ausgeübt. Das Recht der Auflösung des Bundestages steht ihm nicht zu.

(Die Vorschrift ist durch Zeitablauf gegenstandslos geworden)

Artikel 137   [Wählbarkeit von Angehörigen des öffentlichen Dienstes]

(1)   Die Wählbarkeit von Beamten, Angestellten des öffentlichen Dienstes, Berufssoldaten, freiwilligen Soldaten auf Zeit und Richtern im Bund, in den Ländern und den Gemeinden kann gesetzlich beschränkt werden.

(2)   Für die Wahl des ersten Bundestages, der ersten Bundesversammlung und des ersten Bundespräsidenten der Bundesrepublik gilt das vom Parlamentarischen Rat zu beschließende Wahlgesetz.

(3)   Die dem Bundesverfassungsgerichte gemäß Artikel 41 Abs. 2 zustehende Befugnis wird bis zu seiner Errichtung von dem Deutschen Obergericht für das Vereinigte Wirtschaftsgebiet wahrgenommen, das nach Maßgabe seiner Verfahrensordnung entscheidet.

Absatz 1

1   Art. 137 I meint die *Wählbarkeit zu den Volksvertretungen der öffentlichen Gebietskörperschaften* und nur diese. Er ist als Ausnahmeregelung zu Art. 38 I 1 (allgemeine und gleiche Wählbarkeit) und Art. 48 II zu verstehen (BVerfGE 48, 89). Das GG verbietet trotz seines grundsätzlichen Bekenntnisses zum Gewaltenteilungsprinzip von sich aus die Mitgliedschaft von Angehörigen des öffentl. Dienstes in den Volksvertretungen nicht. Doch sieht Art. 137 I die Möglichkeit vor, die Wählbarkeit von Beamten usw. durch Gesetz zu beschränken. Damit soll Gefahren begegnet werden, die sich aus einem Zusammentreffen von Exekutiv- oder

Richteramt und Abgeordnetenmandat ergeben können (BVerf-GE 12, 77; 18, 183). Die Ermächtigung des Art. 137 I gilt nicht nur für Personalunionen auf derselben staatsrechtl. Ebene, sondern allgemein (BVerfGE 18, 183 f.). Unter »Wählbarkeit« ist hier auch das Recht zu verstehen, eine Wahl anzunehmen sowie ein Mandat innezuhaben und auszuüben (BVerfGE 38, 337).

2 Wer Beamter ist, bestimmt sich nach dem allgemeinen Beamtenrecht (BVerfGE 18, 80; 57, 59 f.). Der Begriff »Beamte« umfaßt alle in einem öff.-rechtl. Dienst- und Treueverhältnis stehenden, nichtrichterlichen Bediensteten von Bund, Ländern, Gemeinden und sonstigen Körperschaften, Anstalten und Stiftungen des öffentl. Rechts, auch Wahlbeamte, Beamte auf Zeit, Probe und Widerruf sowie Hochschullehrer (z. T. str.), nicht dagegen bereits in den Ruhestand getretene Beamte (BVerfGE 57, 43). Angestellte des öffentl. Dienstes sind alle Angestellten in einem Dienstverhältnis zu einem öff.-rechtl. Arbeitgeber (BVerfGE 48, 84), aber auch leitende Angestellte eines von der öffentl. Hand beherrschten privatrechtl. Unternehmens (BVerfGE 38, 338 f.). Soldaten: § 1 I u. III SoldG. Unter »Richtern« sind nach h. M. nur Berufsrichter zu verstehen. Keine Anwendung des Art. 137 I auf Arbeiter im öffentl. Dienst und Kirchenbedienstete (BVerfGE 42, 340). Die von BVerfGE 18, 184 vertretene Nichtanwendbarkeit auf Ehrenamtsträger ist umstritten.

3 Die Ermächtigung des Art. 137 I gilt für die Wählbarkeit zum BTag, zu den Landesparlamenten sowie zu den Volksvertretungen der Gemeinden und Gemeindeverbände.

4 Nach herrschender Auffassung berechtigt Art. 137 I nicht zu Wählbarkeitsausschlüssen (Ineligibilitäten), sondern nur zu Wählbarkeitsbeschränkungen in der Form von *Unvereinbarkeiten* (Inkompatibilitäten), also Regelungen, die den Betroffenen die Wahl zwischen Amt und Mandat lassen und damit immer noch die Möglichkeit offenhalten, ein Mandat – wenn auch unter Inkaufnahme u. U. erheblicher Nachteile – zu erwerben und wahrzunehmen (BVerfGE 12, 77 f.; 18, 181 f.; 38, 338; 48, 88; 57, 67; 58, 192; a. M. Maunz/Dürig, Art. 137 Rn. 15). Auch bei Unvereinbarkeitsregelungen wird der Rahmen des Art. 137 I überschritten, wenn der Betroffene wegen der Folgen der gesetzlichen Regelung außerstande ist, sich für das Mandat zu entscheiden (BVerfGE 38, 338; 48, 88). Ein solcher faktischer Ausschluß von der Wählbarkeit kann nur dann hingenommen werden, wenn der Gefahr von Interessenkollisionen anders nicht zu begegnen ist (BVerfGE 48, 64, 90; 58, 193).

5   Jede Wahlrechtsbeschränkung bedarf eines förmlichen *Gesetzes*.
     Zuständig für die Anordnung von Unvereinbarkeiten (den
     »Schnitt«) ist einerseits der Wahlrechts- bzw. Parlamentsgesetzge-
     ber, andererseits der Dienstrechtsgesetzgeber. Gleiches könnte
     für die allgemeine Bestimmung der Rechtsstellung des ausgeschie-
     denen Beamten usw. angenommen werden. Für wahlrechtl. Ein-
     zelregelungen jedoch ist der Wahlgesetzgeber, für dienstrechtl.
     Einzelregelungen der Dienstrechtsgesetzgeber zuständig. Im
     AbgG hat der Bundesgesetzgeber – gestützt auf Art. 75 Nr. 1 und
     Art. 74 a – die Kompetenz zu dienstrechtl. Einzelregelungen auch
     für die in den BTag gewählten Bediensteten der Länder und Ge-
     meinden für sich in Anspruch genommen. Hält sich das wahl-
     rechtsbeschränkende Gesetz im Rahmen des gewaltentrennenden
     Zweckes der Verfassungsermächtigung, so bedarf es darüber hin-
     aus keines besonderen rechtfertigenden und zwingenden Grundes
     zur Anordnung einer Unvereinbarkeit (BVerfGE 38, 340).

     Absätze 2 und 3

6   Beide Absätze sind gegenstandslos geworden.

Artikel 138   [Süddeutsches Notariat]

**Änderungen der Einrichtungen des jetzt bestehenden Notariats in den
Ländern Baden, Bayern, Württemberg-Baden und Württemberg-Hohenzollern bedürfen der Zustimmung der Regierungen dieser Länder.**

     Reservatrecht der süddeutschen Länder, das vor allem die Ge-
     setzgebung des Bundes nach Art. 74 Nr. 1 beschränkt. Vor einer
     Verfassungsänderung ist Art. 138 nicht geschützt.

Artikel 139   [»Befreiungsgesetze«]

**Die zur »Befreiung des deutschen Volkes vom Nationalsozialismus und
Militarismus« erlassenen Rechtsvorschriften werden von den Bestimmungen dieses Grundgesetzes nicht berührt.**

1   Art. 139 ordnet die Fortgeltung der beim Inkrafttreten des GG in
     Gesetzen und Rechtsverordnungen enthaltenen »Entnazifizie-
     rungsvorschriften« an, obwohl diese mit einer Reihe von Grund-
     rechten und rechtsstaatl. Prinzipien des GG nicht vereinbar wa-

ren. Ob Art. 139 *alle* vorbehaltenen Entnazifizierungsbestim-
mungen deckt, hängt wesentlich von der Frage ab, inwieweit die
Geltung überpositiven Rechts und höherrangigen Verfassungsrechts anzuerkennen ist (vgl. Erläut. zu Art. 20 Rn. 9). Sicherlich
können keine Entnazifizierungsvorschriften fortbestehen, die die
Menschenwürde antasten (BayVerfGH 4, 51). Auf jeden Fall
handelt es sich bei Art. 139 um eine eng auszulegende Ausnahmevorschrift und eine Übergangsregelung, die nach dem Sinne des
GG in angemessener Zeit eine Normalisierung i. S. einer Anpassung an die allgemeinen Vorschriften des GG erfordert. Der Vorbehalt gilt nur für das beim Inkrafttreten des GG vorhandene Ent-
nazifizierungsrecht; zum Erlaß neuer vom GG abweichender
Rechtsvorschriften berechtigt Art. 139 nicht. Das Verbot mehr-
maliger Verurteilung (Art. 103 III) wird durch Art. 139 nicht eingeschränkt (BGHSt 5, 323).

2 Art. 139 ist eine Rechtsübergangsvorschrift. Eine »antifaschisti-
sche Grundentscheidung« der Verfassung mit weitgreifenden
Rechtsfolgen ist ihm nicht zu entnehmen.

Artikel 140   [Recht der Religionsgesellschaften][1])

**Die Bestimmungen der Artikel 136, 137, 138, 139 und 141 der deut-
schen Verfassung vom 11. August 1919 sind Bestandteil dieses Grundgesetzes.**

---

1) Die aufgeführten Artikel der deutschen Verfassung vom 11. 8. 1919 (RGBl.
S. 1383) lauten:
»Artikel 136

(1) Die bürgerlichen und staatsbürgerlichen Rechte und Pflichten werden durch
die Ausübung der Religionsfreiheit weder bedingt noch beschränkt.

(2) Der Genuß bürgerlicher und staatsbürgerlicher Rechte sowie die Zulassung
zu öffentlichen Ämtern sind unabhängig von dem religiösen Bekenntnis.

(3) Niemand ist verpflichtet, seine religiöse Überzeugung zu offenbaren. Die
Behörden haben nur soweit das Recht, nach der Zugehörigkeit zu einer Religionsgesellschaft zu fragen, als davon Rechte und Pflichten abhängen oder eine gesetzlich angeordnete statistische Erhebung dies erfordert.

(4) Niemand darf zu einer kirchlichen Handlung oder Feierlichkeit oder zur
Teilnahme an religiösen Übungen oder zur Benutzung einer religiösen Eidesform
gezwungen werden.

Artikel 137

(1)   Es besteht keine Staatskirche.

(2)   Die Freiheit der Vereinigung zu Religionsgesellschaften wird gewährleistet. Der Zusammenschluß von Religionsgesellschaften innerhalb des Reichsgebiets unterliegt keinen Beschränkungen.

(3)   Jede Religionsgesellschaft ordnet und verwaltet ihre Angelegenheiten selbständig innerhalb der Schranken des für alle geltenden Gesetzes. Sie verleiht ihre Ämter ohne Mitwirkung des Staates oder der bürgerlichen Gemeinde.

(4)   Religionsgesellschaften erwerben die Rechtsfähigkeit nach den allgemeinen Vorschriften des bürgerlichen Rechtes.

(5)   Die Religionsgesellschaften bleiben Körperschaften des öffentlichen Rechts, soweit sie solche bisher waren. Anderen Religionsgesellschaften sind auf ihren Antrag gleiche Rechte zu gewähren, wenn sie durch ihre Verfassung und die Zahl ihrer Mitglieder die Gewähr der Dauer bieten. Schließen sich mehrere derartige öffentlich-rechtliche Religionsgesellschaften zu einem Verbande zusammen, so ist auch dieser Verband eine öffentlich-rechtliche Körperschaft.

(6)   Die Religionsgesellschaften, welche Körperschaften des öffentlichen Rechtes sind, sind berechtigt, auf Grund der bürgerlichen Steuerlisten nach Maßgabe der landesrechtlichen Bestimmungen Steuern zu erheben.

(7)   Den Religionsgesellschaften werden die Vereinigungen gleichgestellt, die sich die gemeinschaftliche Pflege einer Weltanschauung zur Aufgabe machen.

(8)   Soweit die Durchführung dieser Bestimmungen eine weitere Regelung erfordert, liegt diese der Landesgesetzgebung ob.

Artikel 138

(1)   Die auf Gesetz, Vertrag oder besonderen Rechtstiteln beruhenden Staatsleistungen an die Religionsgesellschaften werden durch die Landesgesetzgebung abgelöst. Die Grundsätze hierfür stellt das Reich auf.

(2)   Das Eigentum und andere Rechte der Religionsgesellschaften und religiösen Vereine an ihren für Kultus-, Unterrichts- und Wohltätigkeitszwecke bestimmten Anstalten, Stiftungen und sonstigen Vermögen werden gewährleistet.

Artikel 139

Der Sonntag und die staatlich anerkannten Feiertage bleiben als Tage der Arbeitsruhe und der seelischen Erhebung gesetzlich geschützt.

Artikel 141

Soweit das Bedürfnis nach Gottesdienst und Seelsorge im Heer, in Krankenhäusern, Strafanstalten oder sonstigen öffentlichen Anstalten besteht, sind die Religionsgesellschaften zur Vornahme religiöser Handlungen zuzulassen, wobei jeder Zwang fernzuhalten ist.«

1 Da der ParlRat zu einer Neuordnung des Verhältnisses von Staat, Religion und Kirchen nicht mehr in der Lage war, hat man die Kirchenartikel der WeimRVerf in das GG übernommen. Sie sind vollgültiges Verfassungsrecht der Bundesrepublik Deutschland (BVerfGE 19, 192 f.) und gelten, sofern nicht durch besondere Bestimmungen überdeckt, zur Gänze. Die früheren Auslegungen der Kirchenartikel sind zwar nicht mehr in vollem Umfange verwendbar, eine *grundlegende* Veränderung des Verhältnisses von Staat, Religion und Kirchen gegenüber der Weimarer Zeit hat jedoch nicht stattgefunden. Auch von einem wesentlichen »Bedeutungswandel« der Kirchenartikel kann nicht die Rede sein. Für das Verhältnis von Staat, Religion und Kirchen sind neben Art. 140 besonders noch Art. 3 III, Art. 4, 7 und 33 III von Bedeutung. Die Gesetzgebung über die Rechte und Pflichten der Religionsgemeinschaften im Verhältnis zum Staat fällt heute in die Zuständigkeit der Länder (BVerfGE 6, 343 f.). Gleiches gilt für den Abschluß von Konkordaten und ähnlichen Verträgen.

2 Nach BVerfGE 19, 135 gewährt Art. 140 keine mit der Verfassungsbeschwerde verfolgbaren Grundrechte; doch gilt das nicht ausnahmslos, z. B. nicht für Art. 136, 137 II und Art. 138 II WeimRVerf.

3 *Art. 136 WeimRVerf* stellt vor allem die *bürgerlichen und staatsbürgerlichen Rechte unabhängig vom Religionsbekenntnis* und deckt sich im wesentlichen mit Art. 33 III. Die Regelungen in den Abs. 3 und 4 ergeben sich bereits aus Art. 4 (vgl. d. dort. Erläut. Rn. 2 u. 5).

4 *Art. 137 I WeimRVerf* bestimmt, daß *keine Staatskirche*, d. h. keine Staatsreligion, keine Einheit oder institutionell-organisatorische Verbindung von Staat und irgendeiner Kirche, insbes. kein staatl. Kirchenregiment, keine besondere staatl. Kirchenhoheit, keine gesteigerte Staatsaufsicht über die Kirchen, aber auch keine staatl. Fürsorgepflicht für die Kirchen (z. B. für ihre Finanzausstattung; vgl. dazu BVerfGE 44, 52, 56 f.) mehr besteht. Die *Kirchen* sind jetzt, wie alle anderen Religionsgesellschaften, *eigenständige, vom Staat unabhängige Organisationen mit eigenem Wesen und Aufgabenbereich* (BVerfGE 18, 386; 42, 321, 332; 55, 230). Typischer Ausdruck dieses Verhältnisses zum Staat sind die Konkordate und Kirchenverträge. Dennoch kann von einer »Gleichordnung« von Staat und Kirchen (so BGHZ 34, 373; 46,

101; BayVerfGH 33, 77) nicht gesprochen werden, schon wegen
Art. 137 III WeimRVerf nicht, der auch die Kirchen den für alle
geltenden Gesetzen unterstellt. Art. 137 I verfügt jedoch *keine
totale Trennung von Staat und Kirchen.* Schon das GG sieht *gewisse Verschränkungen* vor, z. B. Bekenntnisschulen, Religion als
Lehrfach in den Schulen (Art. 7), Kirchensteuerrecht (Art. 137
VI WeimRVerf), Staatsleistungen (Art. 138 WeimRVerf), Militärseelsorge (Art. 141 WeimRVerf). Eine ganze Reihe anderer,
größtenteils herkömmlicher Verschränkungen sind zulässig und
in Konkordaten oder Kirchenverträgen näher geregelt.

5   Aus Art. 137 I WeimRVerf i. V. m. Art. 3 III, Art. 4 I und
Art. 33 III sowie aus Art. 136 WeimRVerf ist eine *Verpflichtung
des Staates zur religiös-weltanschaulichen Neutralität* und zur
*Gleichbehandlung aller Religions- und Weltanschauungsgemein-
schaften* zu folgern (BVerfGE 18, 386; 19, 216; 24, 246; 32, 106;
33, 28), die jedoch gewisse sachlich begründete Differenzierungen
in der Behandlung der Gemeinschaften – vor allem nach Maßgabe
ihrer gesellschaftlichen Bedeutung – nicht ausschließt (BVerf-
GE 19, 8, 10; 19, 134). Das GG gestattet auch die Errichtung öffentl. Bekenntnisschulen (vgl. Art. 7 V; BVerfGE 6, 339 f.; Erläut. zu Art. 7 Rn. 3 und 5 a. E.) und die Einführung christlicher
Bezüge in nichtkonfessionellen Schulen (BVerfGE 41, 48 ff.; 52,
236 f.).

6   Keinesfalls kann aus Art. 137 I WeimRVerf eine Verpflichtung
der Kirchen und sonstigen Religionsgemeinschaften abgeleitet
werden, sich von *politischen Angelegenheiten* fernzuhalten. Vielmehr steht ihnen, abgesehen davon, daß sich religiöse und polit.
Fragen vielfach gar nicht trennen lassen, wie jedermann das Recht
zu, sich in der Öffentlichkeit und damit auch im polit. Raum zu
Wort zu melden und ihren Einfluß geltend zu machen (sog. »Öf-
fentlichkeitsanspruch« der Kirchen).

7   *Art. 137 II WeimRVerf* gewährleistet, Art. 4 I und II konkretisierend, die *Freiheit der Vereinigung zu Religionsgesellschaften.* Religionsgesellschaften sind Gemeinschaften, die alle Angehörigen
eines religiösen Glaubensbekenntnisses innerhalb eines bestimmten Gebietes zur allseitigen Erfüllung der durch das gemeinsame
Bekenntnis gestellten Aufgaben zusammenfassen. An bestimmte
Rechtsformen sind sie von Staats wegen nicht gebunden. Als Religionsgesellschaften haben vor allem auch die beiden großen
christlichen Kirchen zu gelten. Art. 137 II enthält eine eigenstän-

dige, von Art. 9 unabhängige und ihm vorgehende Gewährleistung der religiösen Vereinigungsfreiheit, weshalb auch Art. 9 II und das VereinsG für Religionsgemeinschaften keine Geltung haben (§ 2 II Nr. 2 VereinsG). So auch Maunz/Dürig, Art. 140/137 WeimRVerf Rn. 8; a. M. BVerwGE 37, 344, 363 f., das Art. 9 II fälschlich als »für alle« geltendes Gesetz auf sie anwendet. Abgesehen davon unterscheidet sich Art. 137 II WeimRVerf insofern von Art. 9, als er sich nicht auf Deutsche beschränkt und auch nichtvereinsmäßig organisierte Religionsgemeinschaften schützt. Nicht zu den Religionsgesellschaften rechnen die religiösen Vereine, d. h. Vereinigungen, die nur begrenzte religiöse Zwecke verfolgen, z. B. Orden, Kongregationen, Missionsvereine, karitative Verbände usw. Sie unterstehen allein und im vollen Umfange dem Art. 9 und demzufolge auch dem VereinsG.

8 Religionsgesellschaften können – auch wenn als Körperschaften des öffentl. Rechts organisiert – Träger von Grundrechten, insbes. solchen aus Art. 4 sein (BVerfGE 19, 132; 42, 321 ff.).

9 *Art. 137 III WeimRVerf* gewährt allen (auch nichtchristlichen) Religionsgesellschaften für ihre Angelegenheiten das *Recht der Selbstbestimmung* (Autonomie, Selbstverwaltung) in den Schranken der für alle geltenden Gesetze. »Ihre« sind die sog. eigenen oder auch inneren Angelegenheiten der Religionsgesellschaften: vor allem Lehre, Kultus, Seelsorge, Mission, Diakonie und Caritas, Verfassung und Organisation – darunter Gebietsgliederung (BVerfGE 18, 388), Kirchenmitgliedschaft (BVerfGE 30, 422; 44, 52), Ämterhoheit (BVerfGE 42, 312; BVerfG, NJW 1980, 1041; BVerwGE 25, 230; 28, 349; aus neuerer Zeit E 66, 244; BSGE 16, 291), Ausbildung, Berufung, Rechte und Pflichten sowie Dienstentfernung der Geistlichen und Kirchenbeamten –, Kirchenzucht, Kirchengerichtsbarkeit, Finanzwirtschaft einschl. Vermögensverwaltung, Gebühren- und Beitragserhebung (BVerfGE 19, 217). Zur organisatorischen Reichweite der kirchlichen Selbstbestimmung vgl. BVerfGE 46, 73, 85 f.; 53, 391 f.: Erstreckung über die eigentliche Kirche und ihre Untergliederungen hinaus auch auf Organisationen, die »ein Stück Auftrag der Kirche« wahrnehmen. Im Gegensatz zu den eigenen Angelegenheiten stehen vor allem die gemeinsamen Angelegenheiten von Staat und Kirche, zu denen u. a. das Kirchensteuerrecht (BVerfGE 19, 217), Fragen des Religionsunterrichts in den öffentl. Schulen, der theologischen Fachbereiche an den staatl. Hochschulen (beide mit Ausnahme von Fragen der Lehre), der Anstalts- und

Militärseelsorge, das Privatschul-, das Friedhofswesen (BVerw-
GE 25, 365 f.) und die Feiertage gehören.

Im Bereich der eigenen Angelegenheiten der Religionsgesellschaften ist kein staatl. verordnetes, die Selbstbestimmung der
Religionsgesellschaften einschränkendes Recht mehr zulässig.
Ebensowenig darf der Staat sonst in die eigenen Angelegenheiten
der Religionsgesellschaften eingreifen, weshalb insoweit auch
kein staatl. Rechtsschutz in Anspruch genommen werden kann.
Auch für vermögensrechtl. Ansprüche aus kirchlichen Amts- und
Dienstverhältnissen ist staatl. Rechtsschutz grundsätzlich nur
dann gegeben, wenn kirchlicherseits eine Zuweisung an die staatl.
Gerichte erfolgt ist (BVerwG i. st. Rspr., zuletzt E 66, 247 f.;
ebenso BGHZ 34, 372; 46, 99; anders die h. M. des Schrifttums).

Trotz ihrer Selbstbestimmung sind von den Religionsgesellschaften aber auch in ihren eigenen Angelegenheiten *die für alle geltenden Gesetze* zu beachten (BVerfGE 30, 422; irrig, zumindest mißverständlich, dagegen BVerfGE 18, 388; 42, 344 u. ein Teil des
Schrifttums). Darunter sind alle Rechtsnormen zu verstehen, denen sich auch jede Religionsgesellschaft ohne Beeinträchtigung
ihres Selbstverständnisses fügen kann und als Teil der Gesamtheit
fügen muß, z. B. Strafgesetze, Vorschriften des bürgerlichen
Rechts in vermögensrechtl. Angelegenheiten und den Außenbe-
ziehungen der Religionsgesellschaften, des Arbeits- und Sozial-
versicherungsrechts im Verhältnis zu ihren gewöhnlichen Arbeitnehmern (BAGE 30, 252 f.; BSGE 16, 291 f.), Baurechts-, Feu-
er-, Gesundheits-, Lärmschutz- (BVerwGE 68, 66 f.) und Stra-
ßenverkehrsvorschriften, Pressegesetze, Personenstandsgesetz,
Sammlungsrecht u. dgl., nicht nur die »unentbehrlichen, elementaren Grundsätze rechtsstaatlichen Gemeinschaftslebens« (so etwa BGHZ 22, 387; 34, 374; BSGE 16, 291). Die für den Staat gültigen Rechtsvorschriften sind keine für alle geltenden Gesetze
i. S. des Art. 137 III, insbes. nicht die staatl. Beamtengesetze
(BVerwGE 28, 349, § 135 BRRG), auch z. B. nicht das Arbeitskampfrecht (Streik, Aussperrung). Ggf. ist güterabwägend zu
prüfen, ob die allgemeinen, für alle geltenden Gesetze ihrerseits
der Eigenständigkeit der Religionsgesellschaften ausreichend
Rechnung tragen (BVerfGE 53, 400 f., 404). Soweit die für alle
geltenden Gesetze Eingriffe vorsehen und die Voraussetzungen
hierfür vorliegen, sind die Religionsgesellschaften ausnahmsweise auch in «ihren« Angelegenheiten der Hoheitsgewalt des Staates
unterworfen.

In den gemeinsamen Angelegenheiten von Staat und Kirche

besteht grundsätzlich volles Regelungsrecht des Staates durch Gesetzgebung, Verwaltung und Rechtsprechung. Auch hier hat der Staat jedoch Bedacht auf die Freiheit des religiösen Bekenntnisses (Art. 4 I), der Religionsausübung (Art. 4 II) und das Wesen der Religionsgesellschaften zu nehmen.

10 *Art. 137 IV WeimRVerf:* Der Erwerb der Rechtsfähigkeit ist den Religionsgesellschaften nach den Vorschriften des bürgerlichen Rechts möglich. Selbstverständlich steht ihnen auch die Form des nichtrechtsfähigen Vereins offen.

11 *Art. 137 V WeimRVerf* wahrt den Religionsgesellschaften den Status als *Körperschaften des öffentlichen Rechts* und sichert die Möglichkeit des Neuerwerbs dieser Rechtsstellung. Der Körperschaftsstatus der Religionsgesellschaften, der sich historisch erklärt, aber durch das staatl. Interesse am religiös und weltanschaulich geprägten Menschen und an funktionsfähigen Religionsgemeinschaften auch heute noch legitimiert wird, ist ein besonderer. Er bedeutet nicht, daß die korporierten Religionsgesellschaften ihre Aufgaben und Befugnisse vom Staat ableiten, staatl. Gewalt ausüben und von Gesetzes wegen einer besonderen Staatsaufsicht unterstehen, wie das sonst zum Wesen der Körperschaften des öffentl. Rechts gehört, also keine, wenn auch noch so lockere Eingliederung in den Staat (BVerfGE 18, 386 f.; 42, 332; BGHZ 12, 323), sondern nur die Fähigkeit, Träger gewisser staatstypischer Rechte und Rechtspositionen zu sein. Auf Grund dieser Fähigkeit sind den korporierten Religionsgesellschaften vom Staat allerdings auch Rechte verliehen worden, z. B. das Besteuerungsrecht, bei deren Verwirklichung sie öffentl. Gewalt i. S. staatl. Hoheitsgewalt ausüben (BVerfGE 19, 288). Insoweit können dann auch die die öffentl. Gewalt einschränkenden Grundrechte, die Verfassungsbeschwerde gegen ihre Verletzung, Art. 19 IV und § 40 VwGO gegen die Religionsgesellschaften geltend gemacht werden, aber nur insoweit, nicht auch sonst, vor allem nicht in rein innerkirchlichen Angelegenheiten (BVerfGE 18, 385). Die Ansicht des BVerwG, daß über die hoheitlichen Funktionen hinaus auch andere Betätigungen korporierter Religionsgesellschaften öff.-rechtl. Charakter tragen (E 68, 64 ff.: Glockenläuten) ist wenig überzeugend und umstritten (a. M. z. B. v. Campenhausen, DVBl 1972, 319). Da ihr Körperschaftsstatus kein normaler ist, sind auch die korporierten Religionsgesellschaften als Grundrechtsträger mit dem Recht der Verfassungsbeschwerde anzusehen (BVerfGE 19, 5; 21, 374; 53, 386 f.; s. auch Art. 19 Rn. 8). – Auf die Gewährung der Körperschaftsrechte besteht, wenn die in Satz 2 genannten Voraussetzungen erfüllt sind, ein Rechtsanspruch (OVGE Bln 10, 106). Zuständig für die Verleihung sind die Länder. Der Staat darf die korporierten Gesellschaften aus sachlichen Gründen bis zu einem gewissen Grade besser stellen als die übrigen (BVerfGE 19, 134).

12 *Art. 137 VI WeimRVerf:* Das *Kirchensteuererhebungsrecht* ist eine hoheitliche Befugnis des Staates, die dieser den korporierten Religionsgesellschaften verleiht (BVerfGE 18, 396; BVerwGE 21, 330 f.), ein vom Staat abgeleitetes Hoheitsrecht (BVerfGE 30, 422) und somit keine »eigene« Angelegenheit der Kirchen, sondern Gemeinschaftsangelegenheit von Staat und Kirche (BVerfGE 19, 217 f.). Es unterliegt daher in vollem Umfange der staatl. Gesetzgebung und, da mit ihm mittelbar staatl. Gewalt ausgeübt wird, in seiner Durchführung der staatl. Aufsicht und Gerichtskontrolle (BVerfGE 19, 217 f.; BVerwGE 7, 189). Inhalt und Umfang des Kirchensteuerrechts werden durch Landesrecht bestimmt (BVerfGE 19, 251 f.). Einzelheiten können – mit oder ohne Vorbehalt staatl. Genehmigung – den Religionsgesellschaften überlassen werden (BVerfGE 19, 258). Praktisch sind die Kirchensteuern heute mit der Lohn- und Einkommensteuer verbunden. Der Staat kann das bestehende Kirchensteuerrecht ändern, aber nicht abschaffen oder aushöhlen (BVerfGE 19, 218). Wo erforderlich, muß neues Steuerrecht geschaffen werden. Zur Kirchensteuer können grundsätzlich nur Personen herangezogen werden, die der betr. Kirche angehören (BVerfGE 19, 216; 19, 235 ff.; vgl. auch E 44, 37). Gebühren und Beiträge können die Religionsgesellschaften gemäß Art. 137 III WeimRVerf aus eigenem Rechte erheben (BVerfGE 19, 217).

13 *Art. 137 VII WeimRVerf* stellt den Religionsgesellschaften die *Weltanschauungsgemeinschaften* gleich. Weltanschauungsgemeinschaften sind Vereinigungen, die sich die gemeinschaftliche Pflege einer Weltanschauung zur Aufgabe gemacht haben, d. h. einer Lehre, die ohne Bindung an ein religiöses Glaubensbekenntnis das Weltganze universell zu begreifen und die Stellung des Menschen in der Welt zu erkennen und zu bewerten sucht. Umstritten ist, ob die Gleichstellung nur für den Bereich des Art. 137 WeimRVerf (h. M.) oder allgemein gilt (so Maunz/Dürig, Art. 140/137 WeimRVerf Rn. 54). Der letzteren Auffassung ist mit Rücksicht auf Art. 3 III, Art. 4 und die weltanschauliche Neutralität des Staates der Vorzug zu geben.

14 *Art. 138 WeimRVerf* sieht zur weiteren Trennung von Staat und Kirche die *Ablösung* der auf gesetzlicher oder sonstiger Rechtsgrundlage beruhenden *Staatsleistungen* vor, zu denen als »negative Staatsleistungen« auch Steuerfreiheiten u. dgl. gehören (BVerf-GE 19, 13), nicht dagegen nach RGZ 111, 146 gemeindliche Leistungen (str.). »Ablösung« heißt Aufhebung gegen Entschädigung. Die in Abs. 1 Satz 2 erwähnten Grundsätze hat jetzt der Bundesgesetzgeber aufzustellen, bisher aber noch nicht erlassen, so daß vorläufig eine landesgesetzliche Ablösung noch nicht möglich ist. Zulässig jedoch eine Ablösung durch Vereinbarung zwischen Land und Religionsgesellschaft. – Abs. 2 gewährleistet den *Vermögensbesitz* der Religionsgesellschaften und ihrer Vereine, soweit er Kultus-, Unterrichts- oder Wohltätigkeitszwecken gewidmet ist. Dazu rechnen auch Kirchenbaulasten (BVerwGE 38, 79). Für das übrige Kirchengut gilt nur Art. 14. Enteignungen gegen Entschädigung werden durch Art. 138 II nicht in allen Fällen ausgeschlossen.

15 *Art. 139 WeimRVerf* schützt den *Sonntag* und die staatl. anerkannten *Feiertage* als Tage der Arbeitsruhe und seelischen Erhebung. Er bezieht sich sowohl auf kirchliche wie auch auf weltliche Feiertage. Die Gesetzgebung über nationale Feiertage fällt nach der Natur der Sache in die Bundeszuständigkeit, die über sonstige Feiertage ist Landessache. Eine Bestandsgarantie für die vorhandenen Feiertage ist aus Art. 139 nicht zu entnehmen.

16 *Art. 141 WeimRVerf* bestimmt, daß die Religionsgesellschaften, soweit in Heer (heute = Bundeswehr), Krankenhäusern und öffentl. Anstalten ein Bedürfnis nach Gottesdienst und Seelsorge besteht, zur Vornahme religiöser Handlungen zuzulassen sind. Die Religionsgesellschaften haben ein Recht auf Zulassung, dem Staat obliegt eine entsprechende Pflicht. Der einzelne kann aus Art. 141 keine Ansprüche geltend machen.

Artikel 141   [»Bremer Klausel«]

Artikel 7 Abs. 3 Satz 1 findet keine Anwendung in einem Lande, in dem am 1. Januar 1949 eine andere landesrechtliche Regelung bestand.

Art. 141 enthält eine – verfassungsrechtl. unbedenkliche (vgl. BVerfGE 6, 355) – *Ausnahme vom Grundsatz des Art. 7 III 1*, in den öffentl. Schulen, die nicht bekenntnisfreie Schulen sind, den Religionsunterricht als ordentliches Lehrfach einzurichten (s. hierzu Art. 7 Rn. 7). Soweit in den Ländern am 1. 1. 1949 eine andere landesrechtl. Regelung bestand, behält es dabei sein Be-

wenden. Der Vorbehalt gilt nicht nur für Länder, in denen landes-
weit kein bekenntnisgebundener Religionsunterricht erteilt wurde, sondern betrifft auch den Fall, daß nur einzelne Schularten
vom Religionsunterricht ausgenommen waren. Die Ausnahme-
bestimmung ist vor allem im Blick auf die Rechtslage in Bremen
geschaffen worden (dazu eingehend BremStGH, DÖV 1965,
812 ff.) und wird deshalb im allgemeinen als *»Bremer Klausel«* bezeichnet.

Artikel 142   [Vorbehalt zugunsten landesrechtlicher Grundrechte]

**Ungeachtet der Vorschrift des Artikels 31 bleiben Bestimmungen der
Landesverfassungen auch insoweit in Kraft, als sie in Übereinstimmung
mit den Artikeln 1 bis 18 dieses Grundgesetzes Grundrechte gewährleisten.**

1   Art. 142 sichert den Bestand der Grundrechte des Landesverfassungsrechts, soweit diese mit den Grundrechten des GG (auch außerhalb des ersten Abschnitts; vgl. BVerfGE 22, 271; Bay-
VerfGH 21, 13; HessStGH, ESVGH 21, 3) übereinstimmen. Die
Vorschrift enthält eine *Ausnahme von der Kollisionsnorm des
Art. 31* (BVerfGE 36, 362 f.; NdsStGHE 1, 113, 116) und gilt
trotz des Wortes »bleiben« nicht nur für diejenigen Landesgrund-
rechte, die bei Inkrafttreten des GG bereits in Geltung standen,
sondern auch für solche, die erst nach diesem Zeitpunkt geschaffen worden sind (umstr.; wie hier Bad.-WürttStGH, BWVBl
1956, 153).

2   *Übereinstimmung* i. S. des Art. 142 ist gegeben, wenn ein und dasselbe Grundrecht (BVerfGE 22, 271; Bad.-WürttStGH,
ESVGH 19, 138) inhaltsgleich sowohl im GG als auch in einer
Landesverfassung garantiert ist. Übereinstimmung besteht aber
auch dann, wenn das Landesverfassungsrecht ohne Widerspruch
zum GG einen weitergehenden Grundrechtsschutz gewährleistet
(HessStGH, ESVGH 32, 9; BayObLG, BayVBl 1970, 264), z. B.
Grundrechte verbürgt, die im GG nicht enthalten sind. Eine Be-
standsgarantie bedeutet dies allerdings nicht, weil solche Grund-
rechte unter den Voraussetzungen des Art. 31 (s. dazu Art. 31
Rn. 1 f.) durch einfaches Bundesrecht verdrängt werden können
(BayObLG, BayVBl 1970, 264; vgl. auch BVerfGE 1, 281).

Artikel 143   (aufgehoben)   *eingef. 1990*

Artikel 144 [Annahme des Grundgesetzes, Berlin]

(1) Dieses Grundgesetz bedarf der Annahme durch die Volksvertre-tungen in zwei Dritteln der deutschen Länder, in denen es zunächst gel-ten soll.

(2) Soweit die Anwendung dieses Grundgesetzes in einem der in Ar-tikel 23 aufgeführten Länder oder in einem Teile eines dieser Länder Beschränkungen unterliegt, hat das Land oder der Teil des Landes das Recht, gemäß Artikel 38 Vertreter in den Bundestag und gemäß Arti-kel 50 Vertreter in den Bundesrat zu entsenden.

Absatz 1

1 Das GG ist nicht durch Volksabstimmung *»angenommen«* wor-den, sondern (zusätzlich zu der Beschlußfassung des ParlRats) *durch die Volksvertretungen der Länder.* Die erforderliche Zwei-drittelmehrheit wurde überschritten; nur der bayerische Landtag hat abgelehnt, zugleich aber ausdrücklich die Zugehörigkeit Bay-erns zur Bundesrepublik Deutschland bejaht (vgl. auch BayVerf Art. 178). In Berlin, das zu den in Art. 23 aufgezählten Ländern gehört, wurde die »Annahme« beschlossen; Berlin wurde aber nicht »mitgezählt«; vgl. BVerfGE 7, 12; s. auch die Nichterwäh-nung in der Präambel. Besatzungsrechtl. genehmigt wurde das GG durch Schreiben der drei westlichen Militärgouverneure vom 12. 5. 1949; Wortlaut: Bonner Komm., Einl. S. 127 ff.

Absatz 2

2 Abs. 2 betrifft in der Praxis allein das Land *Berlin.* Die *»Beschrän-kungen«* beruhen auf Völkerrecht: (Gesamt-)Berlin wurde nach Kriegsende nicht Teil der vier Besatzungszonen, sondern als besonderes Gebiet unter Viermächteverantwortung gestellt. Der Fortbestand dieser Viermächteverantwortung ist zwischen West und Ost str., aber durch das Viermächte-Abkommen vom 3. 9. 1971 (Art. 23 Rn. 4) bestätigt. Dieser »gesamthandsähnli-che« Rechtsstatus hinderte die Drei Mächte, die volle Integration der Westsektoren (d. h. des Landes Berlin) in die Bundesrepublik Deutschland zuzulassen, ebenso wie er die faktisch weitgehend vollzogene Integration Ost-Berlins in die DDR völkerrechtl. un-zulässig macht. Dementsprechend heißt es in den Genehmigungs-schreiben zum GG, daß der Inhalt der Art. 23 und 144 II GG als Annahme des Ersuchens der Drei Mächte interpretiert wird, daß Berlin »keine abstimmungsberechtigte Mitgliedschaft« im BTag oder BRat erhalten und auch nicht »durch den Bund regiert« wer-den wird, daß es jedoch eine beschränkte Anzahl Vertreter zur Teilnahme an den Sitzungen dieser gesetzgebenden Körperschaf-ten benennen darf. Dieser Vorbehalt wurde aufrechterhalten und

präzisiert in dem Schreiben der Drei Hohen Kommissare vom
26. 5. 1952 (i. d. F. vom 23. 10. 1954, BGBl. 1955 II S. 500); vgl.
ferner Deutschlandvertrag und Viermächte-Abkommen (Art. 23
Rn. 1 und 4). Abs. 2 berücksichtigt einerseits diese besatzungsrechtl. Lage, andererseits die »unterhalb« der Vorbehaltsebene
nicht suspendierte verfassungsrechtl. Zugehörigkeit Berlins zur
Bundesrepublik Deutschland (vgl. Erläut. zu Art. 23 Rn. 4). Mit
Wegfall des besatzungsrechtl. Vorbehalts wird die volle Geltung
des GG auch für Berlin wirksam werden können.

3 Der besatzungsrechtl. Begriff *»regieren«* (govern) ist mit dem Re-
gierungsbegriff des deutschen Verfassungsrechts nicht identisch.
Er umfaßt auch Akte der Gesetzgebung und Rechtsprechung, ist
andererseits aber auf Akte in Ausübung unmittelbarer Staatsgewalt über die Westsektoren Berlins beschränkt; vgl. hierzu (und
zur Außenvertretung Berlins durch den Bund) im einzelnen das
Viermächte-Abkommen (Art. 23 Rn. 4). Alles, was die Vorbehalte nicht ausschließen, ist besatzungsrechtl. erlaubt (v. Münch,
Art. 144 Rn. 8; allg. westl., nicht jedoch östl. Interpretation der
völkerrechtl. Lage) und verfassungsrechtl. geboten (vgl. BVerf-
GE 36, 32 f.). Sicherheit und Status betreffende *Bundesgesetze*
(z. B. Verteidigungs- und Notstandsrecht) gelten nicht in Berlin.
Im übrigen enthalten Bundesgesetze eine »Berlin-Klausel«, müssen zwar für Berlin jeweils durch das Abgeordnetenhaus übernommen werden (Mantelgesetz), gelten dann aber auch in Berlin
als Bundesrecht (BVerfGE 19, 388 f.). Das *Bundesverfassungsgericht* übt seine Gerichtsbarkeit, soweit das Verhalten von Berliner
Organen und Behörden in Rede steht, derzeit nicht aus (BVerf-
GE 55, 363 f. m. w. N.). Ausgeschlossen sind also Entscheidungen des BVerfG, die polit. bedeutsame Einwirkungen auf die Berliner Landesgewalt enthalten, z. B. Verfahren gegen Akte Berliner Verfassungsorgane und Normenkontroll- oder Verfassungsbeschwerdeverfahren über die Gültigkeit eines Berliner Landesgesetzes (BVerfGE 19, 385 m. w. N.). Zulässig sind dagegen Entscheidungen über Verfassungsbeschwerden, die einen Bezug zu
Berlin haben (»Berliner Sachen«), deren Gegenstand aber ein nur
nach Bundesrecht zu beurteilender Verwaltungsakt des Bundes ist
(BVerfGE 20, 266), oder die über Grundrechtsverstöße im Verfahren eines obersten Bundesgerichts bei der Anwendung von
Bundesrecht durch dieses Gericht befinden (BVerfGE 19, 385 ff.;
vgl. ferner E 37, 62 ff.; 49, 336). Zulässig sind auch die Überprüfung Berliner Gerichtsurteile durch oberste Bundesgerichte
(BVerfGE 7, 16) sowie die Inzidentprüfung Berliner Gesetze auf
GG-Übereinstimmung durch oberste Bundesgerichte (BGHZ 80,
89 f.).

4   Abs. 2 räumt Berlin auf jeden Fall ein Recht auf *Vertretung im Bundestag und Bundesrat* ein. Die Berliner Abg. des BTags werden nicht unmittelbar vom Volk (Art. 38 I), sondern vom Berliner Abgeordnetenhaus gewählt (§ 53 BWahlG). Die Vorbehalte gegen eine »abstimmungsberechtigte Mitgliedschaft« hemmen die volle Ausübung des Stimmrechts der Berliner Vertreter im BTag und BRat bei Abstimmungen, die eine Äußerung von Bundesgewalt nach außen darstellen; deshalb vor allem kein Stimmrecht bei der dritten Lesung von Gesetzentwürfen. Da die Vorbehalte als Ausnahmerecht eng auszulegen sind, erkennt die Staatspraxis das Stimmrecht dagegen an z. B. in Angelegenheiten der Selbstorganisation des BTags und BRats (z. B. Wahl des BTPräs), bei Entschließungen des BTags, ferner in den Ausschüssen von BTag und BRat sowie bei der Wahl des BPräs durch die Bundesversammlung (vgl. Art. 54 Rn. 4), nicht allerdings bei der Wahl des BKanzlers (Art. 63) und den Beschlüssen des BTags nach Art. 67 und 68 (s. auch Art. 63 Rn. 4, Art. 67 Rn. 4, Art. 68 Rn. 2).

Artikel 145   [Inkrafttreten des Grundgesetzes]

(1)   Der Parlamentarische Rat stellt in öffentlicher Sitzung unter Mitwirkung der Abgeordneten Groß-Berlins die Annahme dieses Grundgesetzes fest, fertigt es aus und verkündet es.

(2)   Dieses Grundgesetz tritt mit Ablauf des Tages der Verkündung in Kraft.

(3)   Es ist im Bundesgesetzblatte zu veröffentlichen.

Das GG ist am 23. 5. 1949 nach Feststellung seiner Annahme und Ausfertigung im ParlRat durch dessen Präsidenten mündlich verkündet worden. Es ist mit Ablauf desselben Tages, also am 24. 5. 1949 Null Uhr in Kraft getreten. Die Veröffentlichung im Bundesgesetzblatt (BGBl. 1949 S. 1) hatte nur noch deklaratorische Bedeutung.

Artikel 146   [Geltungsdauer des Grundgesetzes]   *geändert 1990*

Dieses Grundgesetz verliert seine Gültigkeit an dem Tage, an dem eine Verfassung in Kraft tritt, die von dem deutschen Volke in freier Entscheidung beschlossen worden ist.

1   Vgl. zunächst die Erläut. zum Vorspruch Rn. 3 und 9. Art. 146 betont den provisorischen und transitorischen Charakter des GG.

Er beschränkt dessen Geltung auf die Zeit bis zum Inkrafttreten einer Verfassung, die vom *gesamten* deutschen Volke in freier Entscheidung beschlossen worden ist, bringt also zum Ausdruck, daß erst *diese* als endgültige Entscheidung des deutschen Volkes über seine staatl. Zukunft angesehen wird (BVerfGE 5, 127), und will die künftige deutsche Verfassung von den Vorschriften des GG, an deren Zustandekommen tatsächlich nur ein Teil des deutschen Volkes – und dazu noch in nichtsouveränem Zustand – mitgewirkt hat, unabhängig machen. Die Verfassungsfrage soll also bei einer Wiedervereinigung – aber auch nur dann und nicht vorher – noch einmal aufgerollt werden. Auf Teilgebiete Gesamtdeutschlands kann, wie z. B. bei der Eingliederung des Saarlandes, der Geltungsbereich des unveränderten GG nach Art. 23 ausgedehnt werden. *Die abschließende Wiedervereinigung erfordert* jedoch *die Schaffung einer neuen deutschen Verfassung,* wobei allerdings ein Übergangsstadium der GG-Ausdehnung nicht ausgeschlossen ist. Bei einer Wiedervereinigung mit der Bevölkerung im Gebiet der DDR wird der Fall des Art. 146 dann gegeben sein, wenn, wie heute, die deutsche Gesamtbevölkerung bis auf geringe Reste in dem zu vereinigenden Gebiet seßhaft und eine Wiedereingliederung der Gebiete östlich der Oder/Neiße-Linie in absehbarer Zeit nicht zu erwarten ist.

2   Unrichtig ist es, Art. 23 und Art. 146 als die zwei verfassungsrechtl. möglichen »Wege« der Wiedervereinigung einander gegenüberzustellen. Einen solchen »Weg« zeigt nur Art. 23. Art. 146 hingegen setzt voraus, daß dieser oder irgend ein anderer Weg der Wiedervereinigung bereits erfolgreich durchlaufen ist, und bestimmt in Verbindung mit der Präambel lediglich, daß er mit einer neuen, vom deutschen Gesamtvolk beschlossenen Verfassung gekrönt werden soll. Dies gilt auch dann, wenn die Wiedervereinigung im Wege des Art. 23 zustande gekommen ist (a. M. Maunz/Dürig, Art. 146 Rn. 2 f.; Scheuner, DÖV 1953, 581). Art. 146 gilt für *jede* Form der Wiedervereinigung.

3   Über den *Weg zur Wiedervereinigung unter einer gesamtdeutschen Verfassung* macht Art. 146 nur die Aussage, daß die neue Verfassung in *freier Entscheidung* des deutschen (gesamtdeutschen) Volkes zustande gekommen sein muß, der Wiedervereinigungsprozeß also »frei von äußerem und innerem Zwang« unter Wahrung eines »gewissen Mindeststandards freiheitlich-demokratischer Garantien« vor sich zu gehen hat (BVerfGE 5, 131 f.). Abgesehen davon ist der Weg zur Wiedervereinigung – Regierungsabkommen, Staatsvertrag, Volksabstimmung, gesamtdeutsche

Wahlen o. dgl. – grundgesetzlich nicht festgelegt. Daß die gesamtdeutsche Verfassung einem Volksentscheid zu unterbreiten ist, geht aus Art. 146 nicht hervor. Es genügt auch ihre Annahme durch eine verfassunggebende Nationalversammlung, die allerdings frei gewählt sein muß, da Art. 146 eine Wiedervereinigung in freier Selbstbestimmung voraussetzt. Umstritten ist, ob in einer Wiedervereinigungsphase auch das »Ob« einer Wiedervereinigung noch zur Diskussion – etwa als Gegenstand eines Volksentscheids – gestellt werden kann. Der anzunehmende Fortbestand des Reichs und seine Fortsetzung durch die Bundesrepublik Deutschland sprechen dagegen, praktisch-polit. Gründe u. U. dafür. Zu den Wahlen für eine verfassunggebende Nationalversammlung oder zu Volksabstimmungen im Zuge der Wiedervereinigung können auch Parteien wiederzugelassen werden, die nach Art. 21 II für verfassungswidrig erklärt und aufgelöst worden sind (BVerfGE 5, 132). Das GG tritt nicht schon in irgendeiner Phase der Wiedervereinigung, sondern erst dann außer Kraft, wenn eine gesamtdeutsche Verfassung in Kraft tritt. Bis dahin bleibt es in seinem Geltungsbereich verbindlich und muß daher auch die Bundesrepublik als Staatsgebilde erhalten bleiben. Schon vor Inkrafttreten der gesamtdeutschen Verfassung kann eine »vorläufige Reichsgewalt« mit allerdings stark begrenzten Befugnissen errichtet werden (str.).

4   Art. 146 verlangt, daß die gesamtdeutsche Verfassung auf einer freien Entscheidung des Volkes beruht. Nur dann tritt das GG außer Kraft. Dagegen *knüpft Art. 146 das Außerkrafttreten des GG an keine inhaltlichen Bedingungen der gesamtdeutschen Verfassung,* vor allem nicht daran, daß sie einen freiheitlich-demokratischen Charakter trägt oder die in Art. 79 III geschützten Verfassungswerte enthält (so aber Maunz/Dürig, Art. 146 Rn. 19; Scheuner, DÖV 1953, 583). Er geht vielmehr von dem wohl richtigen Gedanken aus, daß die verfassunggebende Gewalt des Volkes rechtl. nicht zu binden ist. Jedoch läßt das grundgesetzliche Erfordernis einer *freien* Entscheidung über die gesamtdeutsche Verfassung erwarten, daß auch diese selbst einen freiheitlichen Charakter erhält.

Stichwortverzeichnis

Die fettgedruckten Zahlen verweisen auf die Artikel des GG, die mageren auf die Randnummern der Erläuterungen.

Textausgaben – Taschenkommentare

Strafgesetzbuch (StGB). Mit einer umfangreichen Einführung von Triffterer, Otto. 4. Aufl., 319 S., 6,80 DM, ISBN 3–7890–05894

Strafprozeßordnung (StPO) mit Jugendgerichtsgesetz (JGG) und Richtlinien für das Strafverfahren und das Bußgeldverfahren (RiStBV). Mit einer umfangreichen Einführung von Triffterer, Otto. 3. Aufl., 423 S., 9,80 DM, ISBN 3–7890–02631

Dammann, Ulrich; Simitis, Spiros: **Bundesdatenschutzgesetz (BDSG) mit Materialien und Verwaltungsvorschriften.** Textausgabe mit Auszügen aus den Gesetzgebungsdokumenten und den Verwaltungsvorschriften der Länder. 4. erw. Aufl., 174 S., 14,80 DM, ISBN 3–7890–02720

Verwaltungsgerichtsordnung (VwGO) mit Verwaltungsverfahrensgesetz (VwVfG), VwVG und VwZG. 6. Aufl., 179 S., 8,80 DM, ISBN 3–7890–02259

Atomgesetz mit Verordnungen. Textausgabe mit einer Einführung von Fischerhof, Hans. 9. Aufl., 319 S., 19,– DM, ISBN 3–7890–02798

Bürgerliches Gesetzbuch (BGB). 3. Aufl., 667 S., 8,50 DM, ISBN 3–7890–07544

Götz, Volkmar; Starck, Christian: **Niedersächsische Verfassungs- und Verwaltungsgesetze.** 5. Aufl., 928 S., 19,– DM, ISBN 3–7890–08273

Zenker, Christian; Klett, Paul: **Soldat und Recht.** Eine systematische Zusammenstellung der für den Soldaten bedeutsamsten Gesetze, Verordnungen und Erlasse mit Übersichten und einem ausführlichen Sachregister. 326 S., 12,– DM, ISBN 3–7890–03859

Bischof, Werner: **Röntgenverordnung (RöV).** 366 S., 19,80 DM, ISBN 3–7890–02453

Deumeland, Klaus D.: **Hochschulrahmengesetz (HRG).** 188 S., 16,80 DM, ISBN 3–7890–04901

Hansmann, Klaus: **Bundes-Immissionsschutzgesetz (BImSchG).** 3. neubearb. u. erw. Aufl., 213 S., 14,80 DM, ISBN 3–7890–09326

Bopp, Helmut: **Wirtschaftsverkehr mit der DDR.** Alliierte Rechtsgrundlagen, Warenverkehr, Dienstleistungsverkehr und Kapitalverkehr. 128 S., 14,– DM, ISBN 3–7890–09350

 NOMOS VERLAGSGESELLSCHAFT
Postfach 610 · 7570 Baden-Baden

Ilse Staff

Lehren vom Staat

Der vorliegende, in erster Linie für Studenten verfaßte Band vermittelt Grundlagenwissen als »Einstieg« für ein weiterführendes Studium der Lehren vom Staat. Er enthält eine Wiedergabe der wichtigsten Staatslehren, die das Staatsverständnis im Mittelalter, in der Zeit des Absolutismus, des Konstitutionalismus, der industriellen Revolution und in der Weimarer Republik geprägt haben. Den einzelnen Lehren vom Staat innerhalb eines ideengeschichtlich zusammenhängenden Zeitabschnitts ist eine knappe Skizzierung der historischen, der wirtschaftlich-sozialen und der verfassungs- und verwaltungsrechtlichen Entwicklungen innerhalb des jeweiligen Zeitraums, sowie eine Einführung in den gedanklichen Zusammenhang, in dem die einzelnen Lehren vom Staat zu sehen sind, vorangestellt. Es wird versucht, so weitgehend wie möglich eine sachliche Darstellung des Staatsverständnisses bestimmter Autoren dadurch zu erreichen, daß durch ausführliche Zitate Stil und Inhalt der Originaltexte deutlich werden. Jedem Kapitel sowie jeder Darstellung einer Lehre vom Staat ist eine Auswahlbibliographie beigefügt, die zu einer vertieften und kritischen Auseinandersetzung mit dem Staatsverständnis der jeweiligen Zeit anregen soll.
Die übersichtliche Gliederung und die klare Sprache, in der der vorliegende Band geschrieben ist, erleichtern das Verständnis der umfangreichen und nicht einfachen Materie.

1981, 445 S., 15,3 x 22,7 cm, brosch., 39,– DM ISBN 3–7890–0659–9
Salesta geb., 59,– DM ISBN 3–7890–0685–8

Nomos Verlagsgesellschaft
Postfach 610 · 7570 Baden-Baden

Ilse Staff

Verfassungsrecht

Der rechtswissenschaftliche Grundkurs »Verfassungsrecht« ist als
Orientierungsrahmen für Studenten konzipiert. Er führt Anfangs-
semester in die Struktur des Verfassungsrechts ein und ermöglicht
es Examenssemestern, die wesentlichen verfassungsrechtlichen Fragen zu repetieren.

Der Grundkurs stellt nicht nur verfassungsrechtliche Dogmatik dar,
sondern bezieht die historischen und gesellschaftswissenschaftlichen
Aspekte von Verfassungsrecht und Verfassungswirklichkeit in die
Betrachtung ein. Die wesentlichen höchstrichterlichen Entscheidungen werden nicht nur zitiert, ihre Lektüre wird zudem durch »Lese-
hilfe« angeregt und erleichtert. Zu jedem Kapitel ist weiterführende
Literatur angegeben, die eine vertiefende Einarbeitung in die verfassungsrechtliche Problematik ermöglicht.

Die klare und knappe Darstellung wird allen Studenten eine Hilfe
sein, die verstehen lernen wollen, in welchem Spannungsfeld staatliche Ordnung zu sehen ist.

1976, 167 S., 15,3 x 22,7 cm, Salesta kart., 9,80 DM
ISBN 3–7890–0202–X

Nomos Verlagsgesellschaft
Postfach 610 · 7570 Baden-Baden

Bengt Beutler/Roland Bieber/Jörn Pipkorn/Jochen Streil

Die Europäische Gemeinschaft –
Rechtsordnung und Politik

Nach 30 Jahren erreicht die EG aufgrund direkter Wahlen, verstärkter internationaler Ausstrahlung und durch weitere Beitrittsanträge eine neue Phase. Die
Rechts-, Wirtschafts- und Sozialordnung der Mitgliedstaaten ist bereits geprägt
durch die auf den drei Verträgen (EGKSV, EAGV, EWGV) beruhende Gemeinschaft und das in ihrem Rahmen geschaffene Recht. Gleichzeitig rücken die politischen, wirtschaftlichen und sozialen Probleme des bisherigen Integrationsprozesses
deutlicher in das öffentliche Bewußtsein.

Die vorliegende Darstellung hat vor diesem Hintergrund das Ziel, konzentriert
und aktuell die Entfaltung des Rechts der Europäischen Gemeinschaften darzustellen und seine Rolle, seine Möglichkeiten und Grenzen im europäischen Integrationsprozeß zu erhellen.

Besonderes Gewicht wurde auf eine eingehende Auswertung der Rechtsprechung
des Europäischen Gerichtshofs und die Darstellung aktueller Entwicklungen des
Gemeinschaftsrechts gelegt. Auch die wesentlichen Ergebnisse der theoretischen
Auseinandersetzung um den Integrationsprozeß wurden berücksichtigt. Mit der
zweiten Auflage wurde das Werk auf den Stand Oktober 1982 gebracht. Dabei
fanden der Beitritt Griechenlands und die neuesten Entwicklungen in allen Rechtsbereichen Berücksichtigung.

Als Ergänzung zu dieser Basislektüre ist von den Autoren »Das Recht der Europäischen Gemeinschaft – Textsammlung« als Loseblattwerk erschienen.

1982, 2. Auflage, 537 S., 38,– DM
ISBN 3-7890-0826-5

Nomos Verlagsgesellschaft
Postfach 610 · 7570 Baden-Baden

Iris Siegmund/Gerd J. van Venrooy

Gesellschaftsrecht

Lehrbuch auf der Grundlage der Rechtsprechung

Das Gesellschaftsrecht erfährt seit einiger Zeit verstärkte Aufmerksamkeit. Das Recht der Personengesellschaften ist im Umbruch: Die Erkenntnis, daß auch die BGB-Gesellschaft eine von ihren Mitgliedern getrennt zu sehende Existenz hat, erlaubt es, von einer einheitlichen Struktur aller Personengesellschaften bei gleichzeitiger Wahrung ihrer Typenvielfalt auszugehen. Bei der AG und der GmbH, den beiden Standardformen im Kapitalgesellschaftsrecht, haben sich Details als problematisch erwiesen, an die früher niemand hätte denken wollen. Die Judikatur hat derart die Chance, umfangreiches Material zu liefern, auf dem eine systematische Darstellung des Gesellschaftsrechts auch in der Vielzahl der Fälle sinnvoll aufbauen kann, in denen die Entscheidungsergebnisse selbst keine Gefolgschaft beanspruchen können.

Das hiermit vorgelegte Lehrbuch trägt seinen Teil zur Weiterentwicklung der gesellschaftsrechtlichen Doktrin bei. Neue Positionen zu den Problemen der fehlerhaften Gesellschaft und der Einbeziehung der sogenannten vermögenslosen Gesellschaften in die bei allen Personengesellschaften angebrachte moderne Sicht ihrer Daseinsweise ergaben sich auf dem eingeschlagenen Weg ebenso wie die Stellungnahmen zu zahlreichen weiteren Einzelfragen, etwa zur Haftung des (noch) nicht eingetragenen Kommanditisten. Beim Recht der Kapitalgesellschaften ist es vor allem darum gegangen, von der Rechtsprechung für richtig gehaltene Neuerungen in ihrer Tragfähigkeit abzuschätzen. Die ausführlichen Rechnungslegungsvorschriften des Aktienrechts haben Gelegenheit geboten, die Bilanzierung zu erörtern.

1983, 282 S., 15,3 x 22,7 cm, Salesta brosch., 48,– DM
ISBN 3–7890–0914–8

Nomos Verlagsgesellschaft
Postfach 610 · 7570 Baden-Baden

Werner Hugger

Gesetze –
Ihre Vorbereitung, Abfassung und Prüfung

Ein Handbuch für Praxis und Studium
Mit einer Einführung von Carl Böhret

Präsentiert wird ein mehrstufiges Verfahren zur Anfertigung von Rechtsvorschriften, das von Problemaufnahme/Problemdefinition über Maßnahmenfindung und -bewertung, materielle Ausgestaltung der Rechtsvorschrift bis zu ihrer rechtstechnischen Abfassung, ihrer – auch experimentellen – Prüfung und schließlich zur Umsetzung der Prüfungskonsequenzen reicht. Die im einzelnen zu durchlaufenden Arbeitsschritte behandeln alle wesentlichen Entscheidungskonstellationen und Abwägungsnotwendigkeiten auf dem Weg zum beratungs- bzw. verabschiedungsreifen Entwurf einer möglichst optimal wirkenden Rechtsvorschrift. Dafür nutzbare Methoden, Erfahrungsgrundsätze, rechtliche Vorgaben und Geschäftsordnungsregelungen werden exemplarisch eingesetzt und erläutert. Die in Übersichten komprimierte und zugriffsfreundliche Wiedergabe der wichtigsten verfahrensrechtlichen, informationellen, rechtsförmlichen und methodischen Hinweise und Hilfen unterstreicht den Handbuchcharakter. Eine umfangreiche Checkliste zur Entwurfserarbeitung und -prüfung rundet diesen Hauptteil ab.
Der erste Teil referiert knapp den Erkenntnisstand wissenschaftlicher Bemühungen um die Verbesserung der Gesetzgebung, schildert das innere und äußere Gesetzgebungsverfahren und geht auf die aus Wesen und Wirkungsweise des Rechts resultierenden zentralen Merkposten und Rechtsverwirklichungsbedingungen für Rechtsnormkonzipierung und -abfassung ein.
Statt einer »Gesetzgebungslehre« nach bislang bekanntem Muster wird ein Modell zur Rechtsvorschriftenentwicklung vorgelegt, das bewährte Verfahrensweisen mit notwendigen Verbesserungen und Erweiterungen vereinigt. Verarbeitet wurden Ergebnisse aus Forschungsprojekten zur Gesetzgebung, Erhebungen zur Entwurfserstellung, Diskussionen mit Verwaltungs- und Ministerienangehörigen sowie Anregungen aus mehreren Seminaren für Gesetzgebungsreferenten von Bundes- und Landesministerien.

1983, 388 S., 15,3 x 22,7 cm, Salesta brosch., 59,– DM
ISBN 3–7890–0887–7

Nomos Verlagsgesellschaft
Postfach 610 · 7570 Baden-Baden